FERNANDO DEL PASO

NOTICIAS DEL IMPERIO

MONDADORI

Parte de este libro se escribió con una beca
de la John Simon Guggenheim Memorial Fundation

PRIMERA EDICIÓN, SEPTIEMBRE 1987
SEGUNDA EDICIÓN, NOVIEMBRE 1987

NOTICIAS DEL IMPERIO

Para mi mujer,
Socorro

Para mis hijos,
Fernando
Alejandro
Adriana
Paulina

A la memoria
de mis padres,
Fernando
Irene

*En 1861, el Presidente Benito Juárez suspendió
los pagos de la deuda externa mexicana. Esta
suspensión sirvió de pretexto al entonces emperador
de los franceses, Napoleón III, para enviar a
México un ejército de ocupación, con el fin de
crear en ese país una monarquía al frente de la
cual estaría un príncipe católico europeo.
El elegido fue el Archiduque austriaco
Fernando Maximiliano de Habsburgo, quien a
mediados de 1864 llegó a México en compañía
de su mujer, la Princesa Carlota de Bélgica.
Este libro se basa en este hecho histórico
y en el destino trágico de los efímeros
Emperadores de México.*

I
CASTILLO DE BOUCHOUT
1927

«La imaginación, la loca de la casa»,
frase atribuida a Malebranche.

Y O SOY María Carlota de Bélgica, Emperatriz de México y de
América. Yo soy María Carlota Amelia, prima de la Reina de
Inglaterra, Gran Maestre de la Cruz de San Carlos y Virreina
de las provincias del Lombardovéneto acogidas por la piedad y la cle-
mencia austriacas bajo las alas del águila bicéfala de la Casa de Habsburgo.
Yo soy María Carlota Amelia Victoria, hija de Leopoldo Príncipe de
Sajonia-Coburgo y Rey de Bélgica, a quien llamaban el Néstor de los
Gobernantes y que me sentaba en sus piernas, acariciaba mis cabellos
castaños y me decía que yo era la pequeña sílfide del Palacio de Laeken.
Yo soy María Carlota Amelia Victoria Clementina, hija de Luisa María
de Orleáns, la reina santa de los ojos azules y la nariz borbona que murió
de consunción y de tristeza por el exilio y la muerte de Luis Felipe, mi
abuelo, que cuando todavía era Rey de Francia me llenaba el regazo de
castañas y la cara de besos en los Jardines de las Tullerías. Yo soy María
Carlota Amelia Victoria Clementina Leopoldina, sobrina del Príncipe
Joinville y prima del Conde de París, hermana del Duque de Brabante
que fue Rey de Bélgica y conquistador del Congo y hermana del Conde
de Flandes, en cuyos brazos aprendí a bailar, cuando tenía diez años, a
la sombra de los espinos en flor. Yo soy Carlota Amelia, mujer de
Fernando Maximiliano José, Archiduque de Austria, Príncipe de Hungría
y de Bohemia, Conde de Habsburgo, Príncipe de Lorena, Emperador de
México y Rey del Mundo, que nació en el Palacio Imperial de Schönbrunn y fue el primer descendiente de los Reyes Católicos Fernando e
Isabel que cruzó el mar océano y pisó las tierras de América, y que mandó
construir para mí a la orilla del Adriático un palacio blanco que miraba
al mar y otro día me llevó a México a vivir a un castillo gris que miraba
al valle y a los volcanes cubiertos de nieve, y que una mañana de junio
de hace muchos años murió fusilado en la ciudad de Querétaro. Yo soy
Carlota Amelia, Regente de Anáhuac, Reina de Nicaragua, Baronesa del
Mato Grosso, Princesa de Chichén Itzá. Yo soy Carlota Amelia de

Bélgica, Emperatriz de México y de América: tengo ochenta y seis años de edad y sesenta de beber, loca de sed, en las fuentes de Roma.

Hoy ha venido el mensajero a traerme noticias del Imperio. Vino, cargado de recuerdos y de sueños, en una carabela cuyas velas hinchó una sola bocanada de viento luminoso preñado de papagayos. Me trajo un puñado de arena de la Isla de Sacrificios, unos guantes de piel de venado y un enorme barril de maderas preciosas rebosantes de chocolate ardiente y espumoso, donde me voy a bañar todos los días de mi vida hasta que mi piel de princesa borbona, hasta que mi piel de loca octogenaria, hasta que mi piel blanca de encaje de Alenzón y de Bruselas, mi piel nevada como las magnolias de los Jardines de Miramar, hasta que mi piel, Maximiliano, mi piel quebrada por los siglos y las tempestades y los desmoronamientos de las dinastías, mi piel blanca de ángel de Memling y de novia del Béguinage se caiga a pedazos y una nueva piel oscura y perfumada, oscura como el cacao de Soconusco y perfumada como la vainilla de Papantla me cubra entera, Maximiliano, desde mi frente oscura hasta la punta de mis pies descalzos y perfumados de india mexicana, de virgen morena, de Emperatriz de América.

El mensajero me trajo también, querido Max, un relicario con algunas hebras de la barba rubia que llovía sobre tu pecho condecorado con el Aguila Azteca y que aleteaba como una inmensa mariposa de alas doradas, cuando a caballo y al galope y con tu traje de charro y tu sombrero incrustado con arabescos de plata esterlina recorrías los llanos de Apam entre nubes de gloria y de polvo. Me han dicho que esos bárbaros, Maximiliano, cuando tu cuerpo estaba caliente todavía, cuando apenas acababan de hacer tu máscara mortuoria con yeso de París, esos salvajes te arrancaron la barba y el pelo para vender los mechones por unas cuantas piastras. Quién iba a imaginar, Maximiliano, que te iba a suceder lo mismo que a tu padre, si es que de verdad lo fue el infeliz del Duque de Reichstadt a quien nada ni nadie pudo salvar de la muerte temprana, ni los baños muriáticos ni la leche de burra ni el amor de tu madre la Archiduquesa Sofía, y que apenas unos minutos después de haber muerto en el mismo Palacio de Schönbrunn donde acababas de nacer, le habían trasquilado todos sus bucles rubios para guardarlos en relicarios: pero de lo que sí se salvó él, y tú no, Maximiliano, fue de que le cortaran en pedazos el corazón para vender las piltrafas por unos cuantos reales. Me lo dijo el mensajero. Al mensajero se lo contó Tüdös el fiel cocinero húngaro que te acompañó hasta el patíbulo y sofocó el fuego que prendió en tu chaleco el tiro de gracia, y me entregó, el mensajero, y de parte del Príncipe y la Princesa Salm Salm un estuche de cedro donde había una caja de zinc donde había una caja de palo de rosa donde había, Maximiliano, un pedazo de tu corazón y la bala que acabó con tu vida y con tu Imperio en el Cerro de las Campanas. Tengo aquí esta caja agarrada con las dos manos todo el día para que nadie, nunca, me la arrebate. Mis damas de compañía me dan de comer en la boca, porque yo no la suelto. La Condesa d'Hulst me da de beber leche en los labios, como si fuera yo todavía el pequeño ángel de mi padre Leopoldo, la pequeña bonapartista de los cabellos castaños, porque yo no te olvido.

Y es por eso, nada más que por eso, te lo juro, Maximiliano, que dicen que estoy loca. Es por eso que me llaman la loca de Miramar, de Terveuren, de Bouchout. Pero si te lo dicen, si te dicen que loca salí de México y que loca atravesé el mar encerrada en un camarote del barco Impératrice Eugénie después que le ordené al capitán que arriara la bandera francesa para izar el pabellón imperial mexicano, si te cuentan que en todo el viaje nunca salí de mi camarote porque estaba ya loca y lo estaba no porque me hubieran dado de beber toloache en Yucatán o porque supiera que Napoleón y el Papa nos iban a negar su ayuda y a abandonarnos a nuestra suerte, a nuestra maldita suerte en México, sino que lo estaba, loca y desesperada, perdida porque en mi vientre crecía un hijo que no era tuyo sino del Coronel Van Der Smissen, si te cuentan eso, Maximiliano, diles que no es verdad, que tú siempre fuiste y serás el amor de mi vida, y que si estoy loca es de hambre y de sed, y que siempre lo he estado desde ese día en el Palacio de Saint Cloud en que el mismísimo diablo Napoleón Tercero y su mujer Eugenia de Montijo me ofrecieron un vaso de naranjada fría y yo supe y lo sabía todo el mundo que estaba envenenada porque no les bastaba habernos traicionado, querían borrarnos de la faz de la Tierra, envenenarnos y no sólo Napoleón el Pequeño y la Montijo, sino hasta nuestros amigos más cercanos, nuestros servidores, no lo vas a creer, Max, el propio Blasio: cuídate del lápiz-tinta con el que escribe las cartas que le dictas camino a Cuernavaca y de su saliva y del agua sulfurosa de los manantiales de Cuautla cuídate, Max, y del pulque con champaña, como tuve yo que cuidarme de todos, hasta de la Señora Neri del Barrio con la que iba yo todas las mañanas en un fiacre negro a la Fuente de Trevi porque decidí, y así lo hice, beber sólo de las aguas de las fuentes de Roma en el vaso de Murano que me regaló Su Santidad Pío Nono cuando fui a verlo de sorpresa sin pedirle audiencia y lo encontré desayunando y él se dio cuenta que estaba yo muerta de hambre y de sed, ¿quiere unas uvas la Emperatriz de México? ¿Se le antojaría un cuerno con mantequilla? ¿Leche quizás, Doña Carlota, leche de cabra recién ordeñada? Pero yo lo único que quería era mojar los dedos en ese líquido ardiente y espumoso que me habría de quemar y tostar la piel, y me avalancé sobre el tazón, metí los dedos en el chocolate del Papa, me los chupé, Max, y no sé qué hubiera hecho yo después de no haber ido al mercado a comprar nueces y naranjas para llevarlas al Albergo di Roma: yo misma las escogí, las limpié con la mantilla de encaje negro que me regaló Eugenia, examiné las cáscaras, las pelé, las devoré y también unas castañas asadas que compré en la Via Appia y no puedo imaginar cómo me las hubiera arreglado sin la Señora Kuchacsévich y sin el gato, que probaban toda mi comida antes que yo, y sin mi camarera Matilde Doblinger que se procuró un hornillo de carbón y me hizo el favor de llevar unas gallinas a la suite imperial para que yo pudiera comer sólo aquellos huevos que viera poner con mis propios ojos.

Entonces, Maximiliano, cuando yo era el pequeño ángel, la sílfide de Laeken y jugaba a deslizarme por el barandal de las escaleras de madera del palacio, y jugaba a estarme quieta para la eternidad en los jardines, mientras mi hermano el Conde de Flandes se paraba de cabeza y me hacía muecas para hacerme reír y mi hermano el Duque de Brabante inventaba ciudades imaginarias y me contaba la historia de los naufragios célebres, entonces, cuando mi padre me había invitado ya a cenar por primera vez con él y me coronó con rosas y me llenó de regalos, yo iba cada año a Inglaterra a visitar a mi abuela María Amelia que vivía en Claremont, ¿te acuerdas de ella, Max, que nos dijo que no fuéramos a México porque allí nos iban a asesinar?, y una de esas veces en el Castillo de Windsor conocí a mi prima Victoria y mi primo el Príncipe Alberto. Entonces, mi querido Max, cuando yo era la niña de los cabellos castaños y mi cama era un nido blanco alfombrado con nieve tibia donde mi madre Luisa María humedecía sus labios, mi prima Victoria que tanto se asombró de que yo me supiera de memoria los nombres de todos los reyes de Inglaterra desde Haroldo hasta su tío Guillermo Cuarto, en premio a mi aplicación me regaló una casa de muñecas y cuando la casa llegó a Bruselas mi papá Leopich como yo le decía me llamó, me la mostró, me volvió a sentar en sus piernas, pasó su mano por mi frente y al igual que le había dicho a su sobrina Victoria la Reina de Inglaterra, me dijo que cada noche de cada día mi conciencia, así como mi casa de muñecas, debía estar inmaculada. Desde entonces Maximiliano, no hay noche en que no me dedique a ordenar mi casa y mi conciencia. Sacudo las libreas de terciopelo de mis lacayos en miniatura y te perdono que hayas llorado, en la Isla de Madeira, la muerte de una novia a la que quisiste más que a mí. Lavo en una palangana los mil platos minúsculos de mi vajilla de Sèvres, y te perdono que en Puebla me hayas abandonado en mi cama imperial, bajo el dosel de tules y brocados, para irte a dormir a un catre de campaña y masturbarte pensando en la condesita Von Linden. Y les saco brillo a las fuentes de plata miniatura, limpio las alabardas de mis alabarderos liliputienses, lavo las pequeñísimas uvas de los pequeñísimos racimos de cristal y te perdono que hayas hecho el amor con la mujer de un jardinero a la sombra de las buganvillas de los Jardines Borda. Después barro con una escoba del tamaño de un pulgar las alfombras del castillo del tamaño de un pañuelo, y sacudo los cuadros y vacío las escupideras de oro del tamaño de un dedal y los ceniceros minúsculos, y así como te perdono todo lo que me hiciste, perdono a todos nuestros enemigos y perdono a México.

Cómo no voy a perdonar a México, Maximiliano, si todos los días sacudo tu corona, pulo con ceniza el collar de la Orden de Guadalupe, lavo con leche las teclas de mi piano Biedermeier para tocar en él todas las tardes el himno imperial mexicano y desciendo las escaleras del castillo y de hinojos a la orilla del foso lavo en sus aguas la bandera imperial mexicana, la enjuago y la exprimo y la cuelgo a secar en la punta de la torre más alta, y la plancho después, Maximiliano, la acaricio, la doblo, la guardo y le prometo que mañana, de nuevo, la sacaré a ondear para que la vea Europa entera, de Ostende a los Cárpatos, del Tirol a la Transilvania. Y sólo hasta entonces, con mi casa limpia y mi conciencia tranquila, me desvisto y me pongo mi camisón minúsculo y rezo mis pequeñísimas oraciones, y me acuesto en mi gran cama miniatura y bajo la almohada del tamaño de un alfiletero bordado con acantos en flor pongo tu corazón y lo escucho latir y escucho los cañonazos de la Ciudadela de Trieste y del Peñón de Gibraltar saludando a la Novara, y escucho el triquitraque del ferrocarril de Veracruz a Loma Alta y escucho las notas del Domine Salvum fac Imperatorem y escucho de nuevo la descarga de Querétaro y sueño entonces, quisiera soñar, Maximiliano, que nunca abandonamos Miramar y Lacroma, que nunca nos fuimos a México, que nos quedamos aquí, que aquí nos hicimos viejos y nos llenamos de hijos y nietos, que aquí en tu despacho azul adornado con áncoras y astrolabios te quedaste tú, escribiendo poemas sobre tus viajes futuros en el yate Ondina por el archipiélago griego y la costa de Turquía y soñando con el pájaro mecánico de Leonardo y me quedé yo, para siempre adorándote y bebiendo con mis ojos el azul del Adriático. Pero me desperté con mis propios gritos, y tenía yo tanta hambre, Max, no sabes, después de siglos de no comer sino angustias y sobresaltos, tenía yo tanta sed, Max, después de siglos de no beber sino mis propias lágrimas, que devoré tu corazón y bebí tu sangre. Pero tu corazón y tu sangre, mi querido, mi adorado Max, estaban envenenados.

Por suerte en el camino de París a Trieste y de Trieste a Roma había llovido tanto, Maximiliano, tanto o más que aquella noche en la que llegamos a Córdoba en una diligencia de la República porque a nuestra carroza imperial, ¿te acuerdas?, se le había roto una rueda en el Cerro del Chiquihuite, y estábamos salpicados de barro de los pies a la cabeza, pero dando gracias a Dios porque ya habíamos dejado atrás las infectas tierras calientes y con ellas Veracruz y los zopilotes y el vómito negro y que pronto, en uno o dos días más podríamos contemplar desde las faldas del Popocatépetl como lo hicieron Hernán Cortés y el Barón de Humboldt el inmenso valle transparente y la ciudad de los mil palacios construidos con la lava roja de los volcanes y la arenisca amarilla de los pantanos. A cántaros llovió en la Saboya y a cántaros al paso de mi tren y de mi comitiva en el Monte Cenis, y a lo largo de todo ese rodeo por Maribor, Mantua, Reggio y tantas otras ciudades donde el pueblo italiano y los Camisas Rojas de Garibaldi me recibieron con vítores y lágrimas y que tuvimos que hacer por la epidemia de cólera que había en Venecia, y llovió también cuando tu amigo el Almirante Tegetthoff, que fue el mismo que a bordo de la Novara y en una capilla ardiente bajo las alas abiertas de un ángel llevó tu cuerpo de Veracruz a Trieste, hizo desfilar ante mis ojos a la flota austriaca en el orden de combate de la Batalla de Lissa en la que se cubrió de gloria, y yo te envié un mensaje a México, Max, te dije que si Plus Ultra había sido el lema, el grito de conquista de tus abuelos, tendría que ser también el tuyo, y que así como Carlos Quinto había señalado el camino más allá de las Columnas de Hércules, tú también tendrías que seguir adelante, no abdicarás te dije, no abdicarás es el onceno mandamiento que Dios escribió con fuego en el corazón de todos aquellos monarcas a quienes otorgó el derecho divino, irrenunciable, de gobernar a los pueblos, no abdicarás te escribí, te lo dije mil veces cuando estabas en Orizaba y paseabas con Bilimek y él te explicaba cómo se hacía jabón con las semillas de ricino y jugabas a las escondidas con el Doctor Basch y con el General Castelnau entre los cafetos y las flores blancas de la yuca, te escribí, dime, Max: ¿te llegaron mis cartas?, cuando estabas en la Hacienda de Xonaca y cuando regresaste a la ciudad de México y cuando te fuiste a Querétaro no abdicarás, te mandé decir, ¿te lo dijeron?, así tengas que comer, como comiste, carne de gato y caballo con tus generales Mejía y Miramón y con tu Príncipe Salm Salm que les arrojaba mendrugos de pan a tus guardianes, y tú, que nunca tuviste remedio, mi querido Max, le dabas al Doctor Szänger las últimas instrucciones para embalsamar tu cuerpo, y a Blasio le dictabas los cambios que querías hacer en el Ceremonial de la Corte, porque nunca creíste que te iban a asesinar, Max, como te asesinaron.

Así que durante todos esos trayectos, de París a Trieste, de Trieste a Roma y de nuevo a Trieste hasta llegar a Miramar me bastaba sacar las manos por la ventanilla del tren o del coche para beber de la única agua que yo sabía que no estaba envenenada, del agua de lluvia como lo hago ahora en los balcones del castillo y allí, en la cuenca rebosante de agua cristalina y en cuyo borde se posa a veces una paloma blanca cuando de paloma blanca viene disfrazado el mensajero y me trae, desde la Isla de Cuba, las palabras de la canción de Concha Méndez, allí en el hueco de mis manos como en el fondo de una pátera veo tu rostro y me lo bebo a sorbos, tu rostro de muerto con los ojos cerrados y sobre los párpados el peso del polvo de todo el tiempo que ha pasado desde el año en que te fusilaron, que fue el año en que nació, cómo me hubiera gustado bailarlo contigo, Max, el vals del Danubio Azul, o veo tu rostro de muerto con los ojos abiertos, negros y de cristal, los ojos que te pusieron en Querétaro, y que me miran desde muy lejos, desde las faldas de un cerro cubierto de tierra y nopaleras me miran asombrados como si me preguntaran por qué y cómo es que han sucedido tantas cosas de las que jamás te has enterado ¿te dijo alguien, Maximiliano, que inventaron el teléfono?, ¿que inventaron el gas neón?, ¿el automóvil, Max, y que tu hermano Francisco José que según él fue el último monarca europeo de la vieja escuela sólo una vez en su vida se subió en un coche de motor, y sabías, Maximiliano, que ya no volverás a ver en las calles de tu querida Viena los faetones y los coches a la Daumont, los forlones y las berlinas y ni siquiera esos caballos garañones con crines y colas entrelazados con cordones de oro porque las calles están llenas de automóviles, Max?, ¿sabías todo eso?, ¿y también que inventaron el fonógrafo y que tú y yo podríamos irnos de día de campo los dos solos, y los dos y a la orilla del Lago de Chapultepec escuchar el Danubio Azul tocado sólo para ti y para mí sin que hubiera ningún músico trepado y escondido en las ramas de los sabinos y los dos solos lo bailaríamos a la sombra dorada y violeta de los arcos vivos y temblorosos de la Avenida de los Poetas sin que hubiera ninguna orquesta escondida bajo el puente del lago, Maximiliano? ¿Pero sabías también que del Dianabad, el salón vienés donde se estrenó el Danubio Azul no ha quedado nada, que fue destruido por las bombas como pasó con el Palacio de Saint Cloud, y que del Olimpo de Mignard pintado en el techo del Salón Marte donde me recibieron con el vaso de naranjada Napoleón y Eugenia, el mismo salón donde Cambacérès le ofreció la Corona de Francia a Napoleón Bona-parte, y que de todos los muebles y alfombras que allí había, de la chimenea monumental coronada por un tapiz de los gobelinos, de todo eso no quedó nada, quedaron piedras y recuerdos, y tampoco de la escalinata al pie de la cual y con la condecoración del Aguila Mexicana colgada al cuello me recibió el principito imperial Luis Napoleón, Lulú, el de la guardia de jinetes árabes, y que tampoco, sino polvo, lagartijas, nada quedó del estanque de Saint Cloud y de las lanchas que le regaló a Lulú el Emperador de la Cochinchina?

Cuando me pongo a recordar todo eso, Maximiliano, me parece mentira que hayan pasado tantos años y que hayan llegado y se hayan ido todos esos días que parecía que nunca iban a llegar. Porque, ¿sabes otra cosa, Maximiliano? Todos los días llegan alguna vez, aunque no lo creas y aunque no lo quieras, y por más lejanos que parezcan. El día en que cumples dieciocho años y tienes tu primer baile. El día en que te casas y eres feliz. Y cuando llega el último día, el día de tu muerte, todos los días de tu vida se vuelven uno solo. Y resulta entonces que tú, que todos, hemos estado muertos desde siempre. Resulta entonces que la esposa de tu hermano, Sisi, qué pena tener que decírtelo, Maximiliano, desde que era niña y bailaba en las plazas de Baviera mientras su padre tocaba el violín disfrazado de gitano, desde entonces, imagínate, ella tenía ya clavado en el pecho el estilete que un fanático le encajó a la Emperatriz Elisabeth a orillas del Lago Leman cincuenta años después. Y resulta que desde que tu padre El Aguilucho era un niño y descubría asombrado la Batalla de Austerlitz y la toma de Mantua entre los trozos de zanahoria y pavo trufado, ya tenía en la boca, qué dolor que lo sepas, Maximiliano, la última bocanada de sangre fresca con la que se le iría la vida al Duque de Reichstadt en un cuarto oscuro y frío del Palacio de Schönbrunn.

Sí, qué pena, Maximiliano, tener que decirte que todos los días llegan alguna vez, aunque tú no lo creas. Cuando mi tío Ton Ton el Príncipe Joinville me enseñaba las acuarelas que hizo a bordo de un barco que se llamaba La Belle Poule en el que trajo a Francia de la Isla de Santa Elena los restos de Napoleón el Grande. Cuando yo juntaba ramos de violetas en los Jardines de las Tullerías y me arrojaba después a los brazos de mi abuelo el Rey Ciudadano con su cabeza de pera y su paraguas negro y le preguntaba qué se sentía ser rey, y a mi abuela María Amelia le preguntaba qué se sentía estar casada y ser reina, entonces, Maximiliano, nunca pensé que habría de llegar el día en que yo misma iba a ser primero esposa y luego esposa y soberana. Y llegó el día, Maximiliano, porque todos los días llegan alguna vez. El día en que me hice tu esposa me coronaron con una diadema de brillantes entreverados con flores de naranjo, y Bruselas me dio el velo, Ypres los zapatos bordados, Gante el pañuelo y Brujas el manto real sobre mis hombros y me casé con un príncipe, con un príncipe marinero vestido de almirante y condecorado con el Vellocino de Oro, contigo, Maximiliano, y con él, contigo, navegué río arriba por las aguas del Rhin y río abajo por el Danubio hasta los bosques de Viena, navegué sobre los valses y bajo tus brazos, y cuando conocí a tu pueblo, a tus burgueses de negro y gris que nos saludaban con sus sombreros, a los hombres de Carintia de medias azules y sacos de solapas carmesíes que nos decían adiós con sus pañuelos y a las mujeres estirias con sus faldas multicolores que nos arrojaban claveles desde los puentes, creí que nunca jamás habría de llegar el día en que yo misma fuera soberana de un Imperio así, tan vasto y tan magnífico, del que sólo nos dieron unos andrajos, porque contigo fui a Milán y a Venecia, Maximiliano, y tú fuiste Virrey y yo Virreina de un baile de máscaras. Y regresamos a Miramar para aburrirnos de soledad y amor, y cuando te ofrecieron el trono de México, cuando a tus pies pusieron un Imperio más grande aún y más espléndido, más grande que la herencia de Constantino, más espléndido que la Casa admirable que Dios fortaleció para ser martillo de los herejes en Hungría, Bohemia, Alemania y Flandes, y tú aceptaste ese Imperio y tú y yo decidimos reinar en el país de los dieciocho climas y los cuatrocientos volcanes y de las mariposas grandes como pájaros y los pájaros pequeños como abejas, en el país, Maximiliano, de los corazones humeantes, pensé que nunca, tampoco, habría de llegar ese día. Y llegó, Maximiliano, porque todos los días llegan alguna vez. Fuiste Emperador y fui Emperatriz, y coronados cruzamos el mar Atlántico y su espuma bañó nuestra púrpura imperial, y en La Martinica nos recibieron las orquídeas y los danzantes negros que gritaban Viva El Emperador Flor Perfumada, y nos recibieron las cucarachas gordas y voladoras que hedían cuando las aplastábamos, y en Veracruz nos recibieron las calles vacías, la arena y la fiebre amarilla, el viento norte que derribó los arcos triunfantes y en Puebla nos recibieron los magueyes y los ángeles y en el Palacio Imperial de México nos recibieron las chinches y tú tuviste que pasar esa primera noche en una mesa de billar, ¿te acuerdas, Maximiliano? Y yo, por ti, fui Emperatriz y goberné México. Y por ti lavé y besé los pies de doce ancianas y toqué con mis manos reales las llagas de los leprosos, y enjugué las frentes de los heridos y senté en mis piernas a los huérfanos. Y por ti, sólo por ti, me abrasé los labios con el polvo de los caminos de Tlaxcala y los ojos con el sol de Uxmal. Por ti, también, arrojé al Nuncio apostólico por la ventana de palacio y el Nuncio, ¿te acuerdas, Max?, se fue volando por el valle transparente como un zopilote más de tierras calientes, henchido de hostias podridas.

Pero nos dieron, Maximiliano, un trono de cactos erizado de bayonetas. Nos dieron una corona de espinas y de sombras. Nos engañaron, Maximiliano, y me engañaste tú. Nos abandonaron, Max, y me abandonaste tú. Sesenta veces trescientos sesenta y cinco días me lo he repetido, frente al espejo y frente a tu retrato, para creerlo: nunca fuimos a México, nunca regresé a Europa, nunca llegó el día de tu muerte, nunca el día en que, como ahora, aún estoy viva. Pero sesenta veces trecientos sesenta y cinco días el espejo y tu retrato me han repetido hasta el infinito que estoy loca, que estoy vieja, que tengo el corazón cubierto de costras y que el cáncer me corroe los pechos. Y mientras tanto, tú, ¿qué has hecho tú de tu vida todos estos años mientras yo he arrastrado mis guiñapos imperiales de palacio en palacio y de castillo en castillo, de Chapultepec a Miramar, de Miramar a Laeken, de Laeken a Terveuren y de Terveuren a Bouchout, qué has hecho tú sino quedarte colgado en las galerías, alto, rubio, impasible, sin que una sola arruga más empañe tu rostro ni una sola cana más blanquee tu cabello, congelado en tus treinta y cinco años como otro Cristo para siempre joven, para siempre hermoso, vestido de gala y montado en tu caballo Orispelo, y con tus grandes espuelas de Amozoc? Dime, Maximiliano, ¿qué has hecho tú de tu vida desde que moriste en Querétaro como un héroe y como un perro, pidiéndole a tus asesinos que apuntaran al pecho y gritando Viva México, qué has hecho sino quedarte quieto en los retratos de los palacios y de los museos, Maximiliano con tus tres hermanos, Maximiliano en la proa del yate Fantaisie, Maximiliano en el Salón de las Gaviotas del Castillo de Miramar, congelado allí a tus dieciocho, tus veintitrés, veintiséis años, y congelado también en mis recuerdos: mi querido Max en el mercado de esclavos de Esmirna, mi querido, adorado Max con su red de mariposas a orillas del Río Blanco, mi querido, idolatrado, perezoso Max toda la mañana en bata y con pantuflas sorbiendo vinos del Rhin y comiendo soletas remojadas en jerez, qué has hecho, dime, sino quedarte quieto desde entonces en la cripta de los Capuchinos, quieto y embalsamado, relleno de mirra y especias y mirando al mundo con los ojos de Santa Ursula, lo más quieto posible para que nada más te pase, para que nadie más te afrente y te derrote, para que nunca más tengas que regalarme treinta mil florines para que me acueste contigo, o veinte pesos de oro a cada uno de tus verdugos para que te quiten la vida? ¿Que has hecho sino quedarte quieto desde entonces, para que quieta y calladamente tu barba vuelva a crecer y cubra las rojas, coaguladas medallas que compraste en el Cerro de las Campanas, qué has hecho, Maximiliano, mientras yo me he vuelto cada día más vieja y más loca? ¿Qué has hecho tú, dime, aparte de morirte en México?

El mensajero me trajo también un lingote de plata de las minas de Real del Monte. Un mono araña de San Luis. Un violín de Tacámbaro. Un cofre de sándalo con frijoles saltarines. Me trajo también una calavera de azúcar con tu nombre en la frente. Y me trajo un libro con las páginas en blanco y un frasco con tinta roja para que escriba yo la historia de mi vida. Pero tú tendrás que ayudarme, Max, porque me estoy volviendo tan olvidadiza y distraída que hay días en que me pregunto dónde dejé mi memoria, dónde quedaron mis recuerdos, en qué cajón los guardé, en qué viaje los perdí. Me vieras entonces, loca de angustia, cómo los busco en las cartas que me escribiste desde el Brasil y donde me contabas que habías caminado por la selva con una camisa azul y botas rojas y en la cabeza un gorro de dormir y a cuestas una bolsa en la que llevabas frascos llenos de insectos luminosos. Estabas tan orgulloso entonces de tu colección de mantis religiosas, de haber traído un tapir y un guatí para el zoológico de Schönbrunn, de haber encontrado en las playas de Itaparica un esqueleto de ballena, mi pobre Max. Y busco mis recuerdos en las cartas que me escribiste desde Querétaro cuando ya habías caído en las manos de los juaristas y donde me contabas que siempre creíste que Juárez te iba a perdonar y donde me dijiste, Max, qué risa, que al llegar al Cerro de las Campanas se atascó la puerta del coche negro que te condujo y tuviste que salir por la ventana, y donde me dijiste, qué orgullo, que te negaste a que te vendaran los ojos, y me contaste, qué pena, Max, que tu primer ataúd estaba muy corto y se te salían los pies, y que el doctor que embalsamó tu cuerpo, qué injusticia, Max, había dicho que qué enorme placer era para él lavarse las manos con la sangre de un Emperador. Qué risa, qué dolor, qué pena, mi pobre Max, mi pobre Mambrú que se fue a la guerra y se murió en la guerra, qué orgullo, que injusticia, qué pena que tuvieran que embalsamar dos veces, qué justo que al abandonar las aguas mexicanas la flota austriaca disparara ciento un cañonazos en tu honor, qué lástima que estuviera nevando el día de tu funeral, Max, qué dolor, qué frío. Y entonces quisiera hundir mi rostro en tus cartas y ahogarme con la fragancia de los mangos y la vainilla y sofocarme con el olor de la pólvora y de tu sangre vertida y no puedo, Max, porque a veces tampoco encuentro tus cartas. Las he buscado bajo mi cama. En el cofre donde aún guardo, junto a mis pañoletas y mis chales, los pilones de azúcar morena y los panes de especias que me regalaron el día de mi boda mis campesinos valones. Las he buscado en la cocina. He ordenado que los buzos rastreen el foso de Bouchout y los canales de Brujas y el Lago de Chapultepec. He pedido que las busquen en el basurero de Laeken, en todas las salas del Palacio Imperial de México, en las bodegas del Convento de las Teresitas de Querétaro, en las sentinas de la Novara, en los nidos que hacen en las chimeneas de Gante las cigüeñas que llegan de Alsacia, y no aparecen, Max, y pienso a veces que nunca, nunca me escribiste esas cartas y que ahora yo tengo que hacerlo por ti, que ahora todos los días tendré que escribirlas por ti.

Si supieras, Max, qué terror me dio la primera vez, cuando vi todas esas páginas en blanco, cuando me di cuenta que si no encontraba mis recuerdos tendría que inventarlos. Cuando me di cuenta que no sabía en qué idioma escribirlos de los tantos que aprendí y que se me han olvidado. Cuando me di cuenta que no sabría en cuál tiempo verbal contarlos, porque estoy tan confundida que a veces no sé si fui de verdad María Carlota de Bélgica, si soy aún Emperatriz de México, si seré algún día Emperatriz de América. Y porque estoy tan confundida que a veces no sé dónde termina la verdad de mis sueños y comienzan las mentiras de mi vida. La otra vez soñé que el Mariscal Bazaine era una vieja gorda que comía pistaches y escupía las cáscaras en su bicornio de plumas blancas. El otro día, que daba yo a luz a un niño que tenía la cara de Benito Juárez. Soñé, también, que el General Santa Anna venía a visitarme y me regalaba su pierna. Soñé que estaba yo en los Alpes, recostada en una alfombra viva de nomeolvides y gencianas azules, y me levantaba y comenzaba a bajar la montaña, y cada vez el sol me abrasaba más y al mediodía llegué a México y seguí caminando y en la noche llegué a un desierto y estaba yo muerta de frío: mi edredón de plumas de pato salvaje se había caído al suelo y el hogar estaba apagado. Llamé a mis damas y no vinieron. Llamé a los guardias y no me escucharon. Volví a llamarlos y entró Bazaine a mi cuarto para violarme con el bastón de Mariscal de Francia que tenía entre las piernas, y vieras cómo tengo aún fuerzas, Maximiliano, a pesar de lo vieja que estoy: lo ahogué con mis propias manos y después corrí en busca de una chimenea encendida y traje una antorcha y le prendí fuego al cuerpo de Bazaine, y le prendí fuego a toda el ala del Castillo de Terveuren, que se volvió cenizas.

Cenizas, también, se han vuelto todos los demás, Maximiliano. Ya no tengo testigos de mi vida. Si tú no me ayudas, quién más podría ayudarme, Max: a todos les llegó el día de su muerte. Qué pena tener que decírtelo y qué alegría. Qué alegría, sí, saber que el pequeño príncipe imperial que me recibió en las escalinatas de Saint Cloud dejó su vida en Zululandia, dentro de un uniforme inglés y con las botas llenas de lodo, a orillas del Río Sangre. Qué alegría saber que su padre, Napoleón el Pequeño, murió en el exilio con los bigotes escurridos y la vejiga llena de piedras, y que murieron también todas sus amantes; la Gordon, la Castiglione, Miss Howard, la Belle Sabotière, y que su mujer la Emperatriz Eugenia murió vieja y fea y casi ciega y con las crinolinas arrugadas. Y es que no sabes, Maximiliano, cómo se ha muerto de gente. La otra tarde me senté a bordar unas flores con mis damas de compañía, y a la mitad de una rosa me dijeron que se había muerto en Mayerling tu sobrino Rodolfo. El otro día estaba yo pintando de memoria el Paseo de Santa Anita con sus aguadores y sus vendedoras de carbón de encina, y me enteré que se había muerto Francisco José. La otra tarde estaba yo almorzando y me contaron que se había muerto Leonardo Márquez. Y también se murió el Padre Fischer y se murió asesinado en Sarajevo el Archiduque Francisco Fernando de Austria, se murió de angina de pecho Benito Juárez, se murió el General Escobedo, se murió Concha Méndez, se murió fusilado en Vincennes el hijo que engendraste en los Jardines Borda y se murió su madre Concepción Sedano, y se murió Baby el perro fiel que te siguió a Querétaro y se murió Florián el caballo favorito de tu hermano el emperador. Y el otro día me asomé a la ventana y me enteré que se había muerto el siglo y que se había muerto el Imperio Austrohúngaro y que se había muerto un millón de hombres en el Valle del Somme.

Y ahora, ¿quién de los vivos puede decir que vio nacer a tu padre Napoleón Segundo el Rey de Roma? ¿Quién de los vivos puede contar que lo vio pasear en la carroza de plata y madreperla que le regaló mi bisabuela la Reina Carlota de Nápoles, tirada por dos cabras amaestradas condecoradas con los listones rojos de la Legión de Honor? ¿Quién te vio a ti jugar con tu hermano Francisco José en el cuarto de Aladino del Palacio de Schönbrunn, quién te vio meditar bajo los naranjos del Hofburgo y caracolear un alazán de cola trenzada en la Escuela de Equitación Española de Viena, y junto al cráter del Vesubio de pie sobre los fragmentos de azufre multicolor, sobre los pedruscos anaranjados y rojos y verdigrises cubiertos de escarcha, quién te vio que te recuerde? ¿Quién, dime, Maximiliano, recuerda nuestra entrada triunfal en Milán y que yo llevaba una corona de rosas entrelazadas con diamantes? ¿Quién recuerda que en honor del Virrey y la Virreina de las provincias lombardovénetas tocaron el himno nacional austriaco y la Brabanzona? ¿Quién, dime, recuerda la dalmática de oro que llevaba el Arzobispo Labastida cuando nos recibió a la puerta de la Catedral de San Hipólito de la ciudad de México? ¿Quién, ahora, más de sesenta años después, puede decir que recuerda que las cuarenta y ocho campanas de la catedral tocaron a rebato para darle la bienvenida al Emperador y la Emperatriz de México? Murió tu madre la Archiduquesa Sofía, que hundió la cara en la nieve que coronaba tu ataúd cuando llegaste de regreso a Viena hecho una momia. Murió tu hermano Carlos Luis y murió, de una enfermedad venérea, tu sobrino Otto. Murió, asesinado por unos bandidos, el Coronel Platón Sánchez. Murió tu hermano Luis Carlos, encerrado de por vida en un castillo y servido y rodeado sólo por mujeres porque le gustaba acostarse con los hombres. Murió, con la boca llena de espuma, nuestro compadre el Coronel López. Y ahora, ¿quién de los vivos, quién que te haya visto alguna vez bañarte en el mismo manantial de los jardines colgantes de Chapultepec donde se bañaba La Malinche, puede decir que nos vio desde las terrazas del alcázar contemplar los lagos de Xaltocan y de Chalco bordados con nenúfares y más allá las montañas nevadas como alas de ángeles y arriba el cielo puro de Anáhuac? Me vestí, para los pintores de la corte, de campesina lombarda y de china poblana. En el mercado de Venecia compré mandarinas y uvas moscatel. En el Portal de Mercaderes de la ciudad de México compré rebozos de seda y lacas de Olinalá, chirimoyas y flores de Nochebuena. Leí en voz alta los poemas del Rey Netzahualcóyotl y me aprendí de memoria la leyenda del Señor del Veneno de la Calle de Puerta Coeli. Nos besamos a la sombra del convento de muros cubiertos de clemátides de la Isla de Lacroma en la que naufragó Ricardo Corazón de León, y el día de nuestra boda la Casa Real Inglesa y la Marina Británica brindaron por nuestra felicidad con vino y grog. En el Alcázar de Sevilla aspiraste la dulce fragancia del ámbar y en el cuarto del secreto de la Alhambra escuchaste los murmullos de los hijos de Felipe Segundo. Te obsequiaron una escolopendra gigantesca en Las Canarias, y en México una culebrina de bronce fundida en Manila y con las armas de Carlos Tercero. Llegamos en góndola al Teatro de L'Harmonia donde nos insultaron con su presencia los criados de los aristócratas milaneses y a bordo del Elizabeth hicimos el amor una noche de tormenta en que las escobas y las tazas de té y las botellas de vino danzaron, enloquecidas, entre la espuma. Con tu sarape de Saltillo sobre los hombros diste el grito de Independencia en Dolores mientras yo gobernaba México y firmaba decretos y ofrecía saraos. ¿Y quién, de los vivos, nos recuerda? ¿Quién me vio encerrada en el gartenhaus de Miramar con las ventanas atornilladas y las puertas llenas de cerrojos rumiar mi locura y mi desesperación, y quién te vio, Maximiliano, en tu celda del Convento de las Teresitas de Querétaro sentado el día entero en tu alta bacinilla de porcelana con una diarrea que no se acababa nunca? ¿Quién recuerda, Max, quién que lo haya visto, lo gallardo que era el Coronel Van Der Smissen al frente del Cuerpo de Voluntarios belgas, lo cariñoso que era nuestro pequeño Príncipe Iturbide, lo asesino que fue el Coronel Du Pin, lo humildes que eran nuestros inditos mexicanos que se persignaban ante nuestro retrato y me llenaban el regazo de dalias y de alacranes de vainilla y de huevos de turquesa? ¿Quién vio, quién recuerda lo feo que era Benito Juárez, lo valientes que fueron los soldados franceses triunfadores de Magenta y Solferino, quién, dime, recuerda lo verdes que eran los ojos del traidor López? Sólo la historia y yo, Maximiliano.

Yo que recuerdo al Coronel López bello como un ángel de la luz que cabalgaba a mi lado en el camino a Córdoba y me ofrecía ramos de orquídeas. La historia que vio cómo asesinaron al Rey Alejandro y la Reina Draga de Serbia, y cómo le quemaron el pecho con agua hirviendo a Benito Juárez, y cómo se incendió la Biblioteca de Lovaina y yo, Maximiliano, que desde las ventanas del Castillo de Bouchout vi arder los fuertes de Amberes, y vi cómo asesinaron en Madrid al General Prim y cómo murió Bazaine en el destierro y la miseria, y cómo Bismarck proclamó el Imperio Alemán en el Salón de los Espejos de Versalles, y cómo el Príncipe Imperial Luis Napoleón tenía la cara devorada por los chacales, y cómo se le salía un ojo a María Vetsera la amante de tu sobrino Rodolfo y cómo el Palacio de Buena Vista se transformó en una fábrica de cigarrillos y cómo, Maximiliano, tu fiel cocinero Tüdös y tu valet Grill humedecieron sus pañuelos con tu sangre en el patíbulo del Cerro de las Campanas, yo, Maximiliano, María Carlota Amelia de Bélgica, Condesa de Maracaibo, Archiduquesa del Gran Sertão, Princesa de Mapimí, yo que probé piñas en lata, que viajé en el Expreso de Oriente, que hablé por teléfono con Rasputín, que bailé fox-trot, que vi a un gringo robarse la cabeza de Pancho Villa, y al ataúd de Eugenia cruzar París coronado de violetas, yo que con mi aliento escribí tu nombre en los jarrones de pórfido de la escalinata de Miramar, yo que en los cenotes sagrados de Yucatán donde sacrificaban a las princesas vírgenes contemplé tu rostro muerto, yo, Maximiliano, que cada noche de cada año de los sesenta que he vivido en la soledad y el silencio te he adorado en secreto, yo que en las sábanas y en los pañuelos y en las cortinas y en los manteles me paso la vida, Maximiliano, me la he pasado bordando tus iniciales Maximiliano Primero Emperador de México y Rey del Mundo, en las servilletas y en tu sudario, en las rosas de la almohada y en la piel de mis labios, yo que desde la cumbre de las montañas de Acultzingo allí donde el aire enrarecido ilumina las constelaciones y agiganta las estrellas te señalé la curvatura del cielo y te dije que allí, en el Navío y en la Cruz del Sur, y en Arcturus y en el Centauro, allí donde estaba escrito el destino de los más grandes de todos tus ancestros, el de Carlomagno el fundador del Sacro Imperio Romano, el de Rodolfo de Habsburgo que cruzó con un ejército el Danubio en un puente hecho con botes, el de Alberto Segundo Príncipe de la Paz, el de Carlos Quinto en cuyo reino nunca se ponía el sol, el de Maximiliano Primero y el de María Teresa de Austria y el de Felipe Segundo triunfador de la Batalla de San Quintín y azote de los moros y el de Leopoldo Primero salvador de Europa y vencedor del Gran Visir Kara Mustafá y el de José Segundo el rebelde vestido de púrpura del que aprendiste a amar la libertad de tus súbditos, allí también, te dije, que estaba escrito el destino de un hombre que sería más grande de lo que fueron todos ellos y que ese hombre se llamaba Maximiliano Primero, Emperador de México. ¿Quién, dime, quién que esté vivo lo recuerda, quién sino yo, que hace sesenta años te dije adiós a la sombra de los naranjos perfumados de Ayotla y te dejé para siempre solo, montado en tu caballo Orispelo y vestido de charro y con tu catalejo de almirante de la flota austriaca, y quién sino la historia, que te dejó tirado y desangrándote en el Cerro de las Campanas con el chaleco en llamas y te dejó colgado de los pies de la cúpula de la Capilla de San Andrés para que se te salieran los líquidos con los que te habían embalsamado y embalsamarte de nuevo a ver si así tu piel, Maximiliano, dejaba de ponerse cada vez más negra, como se puso, y tu carne de momia hinchada, pobre Max adorado, dejaba de ponerse cada vez más hedionda, como se puso? Sólo la historia y yo, Maximiliano, que estamos vivas y locas. Pero a mí se me está acabando la vida.

II
ENTRE NAPOLEONES TE VEAS
1861-62

1. Juárez y «Mostachú»

EN EL AÑO de gracia de 1861, México estaba gobernado por un indio cetrino, Benito Juárez, huérfano de padre y madre desde que tenía tres años de edad, y que a los once era sólo un pastor de ovejas que trepaba a los árboles de la Laguna Encantada para tocar una flauta de carrizo y hablar con las bestias y con los pájaros en el único idioma que entonces conocía: el zapoteca.

Del otro lado del Atlántico, reinaba en Francia Napoleón III, apodado por unos «*Mostachú*» a causa de sus largos, abundantes bigotes negros y puntiagudos aderezados con pomadas húngaras, y por otro llamado Napoleón «El Pequeño», para diferenciarlo de su famoso tío Napoleón «El Grande», esto es, Napoleón Bonaparte.

Un día, Benito Pablo abandonó a los parientes que lo habían recogido, a sus ovejas y a su pueblo natal de Guelatao —palabra que en su lengua quiere decir «noche honda»— y se largó a pie a la ciudad de Oaxaca situada a catorce leguas de distancia, para trabajar de sirviente en una de las casas grandes, como ya lo hacía su hermana mayor, y más que nada para aprender. Y en esa ciudad, capital del estado del mismo nombre, y ultramontana no sólo por estar más allá de las montañas, sino por su mojigatería y sumisión a Roma, Juárez aprendió castellano, aritmética y álgebra, latín, teología y jurisprudencia. Con el tiempo, y no sólo en Oaxaca sino en otras ciudades y otros exilios, ya fuera por alcanzar un propósito en el que se había empecinado o por cumplir un destino que le cayó del cielo, también aprendió a ser diputado, gobernador de su Estado, ministro de Justicia y de Gobernación, y presidente de la República.

Emperador de los franceses hasta la tercera vez que lo intentó, ni el anillo de bodas de Napoleón y Josefina, que dicen que usó la primera vez, ni la lonja de tocino que cuentan se prendió con alfileres al sombrero la segunda vez que lo siguiera y revoloteara a su alrededor el aguilucho que por una libra esterlina había comprado en Gravesend poco después de embarcarse en el Támesis a bordo del *«Edinburgh Castle»*, le sirvieron a Napoleón el Pequeño al llegar a Francia para conquistar el poder. Unas cuantas horas bastaron para sofocar la primera intentona en 1836, cuando llegó a la ciudad de Estrasburgo y redujo al Cuarto Regimiento de Caballería. Luis Napoleón fue enviado, en un barco, a los Estados Unidos. Unas cuantas horas, también, le fueron suficientes cuatro años más tarde a la policía y a la Guardia Nacional de Boulogne para sembrar el pánico entre los cuarenta o cincuenta de sus seguidores que —según dijeron algunos— usaban uniformes franceses alquilados en una tienda de disfraces de Londres, y capturar al sedicioso Luis Napoleón, y al mismo tiempo rescatarlo, tembloroso pero no tanto de miedo como de frío, hecho una sopa y con los bigotes escurridos de algas, de las inhóspitas aguas del Canal de la Mancha en las que había caído al hundirse el bote salvavidas en el que emprendió la fuga. Esta vez, el Rey Luis Felipe lo recluyó, condenado a prisión perpetua, en el Castillo de Ham, al norte de Francia y orillas del Río Somme.

Vestido siempre de negro, con bastón y levita cruzada, Don Benito Juárez leía y releía a Rousseau y a Benjamín Constant, formaba con éstas y otras lecturas su espíritu liberal, traducía a Tácito a un idioma que había aprendido a hablar, leer y escribir al mismo tiempo, como en el mejor de los casos se aprende siempre una lengua extranjera, y comenzaba a darse cuenta de que su pueblo, lo que él llamaba «su pueblo» y al cual había jurado ilustrar y engrandecer y hacerlo superar el desorden, los vicios y la miseria, era más, mucho más que un puñado o que cinco millones de esos indios callados y ladinos, pasivos, melancólicos, que cuando era gobernador bajaban de la Sierra de Ixtlán para dejar en el umbral de su casa sus humildes ofrendas: algunas palomas, frutas, maíz, carbón de madera de encina traído de los cerros de Pozuelos o del Calvario. Pero para otros, para muchos, Benito Juárez se había puesto una patria como se puso el levitón negro: como algo ajeno que no le pertenecía, aunque con una diferencia: si la levita estaba cortada a la medida, la patria, en cambio, le quedaba grande y se le desparramaba mucho más allá de Oaxaca y mucho más allá también del siglo en el que había nacido. Y por eso de que «aunque la mona se vista de seda mona se queda», las malas lenguas le compusieron unos versitos:

> *«Si porque viste de curro*
> *cortar quiere ese clavel,*
> *sepa hombre, que no es la miel*
> *para la boca del burro;*
> *huela, y aléjese dél...»*

En el Castillo de Ham, con todo el tiempo del mundo para contemplar la caída de las hojas, leer «*La Guerra de las Galias*» o pensar con orgullo que en esa misma prisión había estado también confinada hacía muchos años la Doncella de Orleáns, Juana de Arco, Napoleón el Pequeño, Luis Napoleón, que a su manera fue —o era entonces— una especie de socialista sansimoniano, comenzó a preocuparse por los pobres y por la injusticia y escribió entre otras cosas un pequeño libro titulado «*La Extinción del Pauperismo*». También allí, y preocupado por su futuro, le pidió al gobierno británico que intercediera en su favor ante el rey francés Luis Felipe para que, con la promesa de no volver nunca a Europa, lo pusieran en libertad. Se embarcaría entonces de nuevo rumbo al continente americano, se volvería Emperador de Nicaragua y realizaría uno de sus viejos sueños que era el de construir a lo ancho de ese país un canal interoceánico de Punta Gigante a Punta Gorda que, a despecho de médanos, mosquitos y platanares, uniera y reconciliara las aguas del Atlántico con las aguas del Pacífico. Si Napoleón el Grande se había casado sin desdoro con una criolla martiniqueña, él elegiría una nativa caliente de grandes ojos negros para hacerla su emperatriz. Desde el puesto imperial de observación en las Islas Solentiname contemplaría con sus binoculares el paso de las naos de la China cargadas de té y telas de Shantung, de maderas aromáticas y de unas cuantas docenas de chinos con destino a las fábricas de cigarros de La Habana. Pero ni Sir Robert Peel el primer ministro británico se tomó la molestia de pedirle a Luis Felipe la libertad de Luis Napoleón, ni al Rey Ciudadano cabeza de pera se le ocurrió, en ningún momento, otorgarle la libertad condicionada al exilio. El rey, con su sombrilla negra y su traje de hombre de negocios parisino —casaca marrón de cuatro botones, chancletas de hule sobre los zapatos para no mancharlos con el lodo—, cortaba flores en los Jardines de las Tullerías para enviárselas, entre las páginas de Fabiola o de un libro de cuentos de hadas, a su nieta Carlota, la princesita de Bélgica. Por lo que Luis Napoleón tuvo que plantarse una peluca y un delantal azul y echarse al hombro un tablón para escaparse, disfrazado con las ropas de un trabajador llamado Badinguet, de la prisión de Ham. Vivió en Londres varios años, se codeaba con la aristocracia inglesa en los clubes de Saint James, bebía jerez amontillado y se paseaba por Pall Mall al lado de su rubia amante, Miss Howard, en un carruaje que lucía en las puertas el águila imperial napoleónica.

Agueda, la santa que sostenía en una bandeja sus dos pechos cortados, le enseñó al niño Benito Pablo la letra «a». Blandina mártir, que murió envuelta en una red, entre las patas y los cuernos de un toro, la letra «b». Casiano de Inmola, al que sus propios discípulos dieron muerte acribillándolo con sus plumas de hierro, la letra «c». Y a pesar de ello, a pesar de haber aprendido el abecedario en «*Las Vidas y Martirios de los Santos*», gracias a la paciencia y buenamor de su maestro, el lego pero casi fraile Salanueva, que estaba siempre vestido con el sayal pardo de los carmelitas descalzos, Benito Juárez, siendo ministro de Justicia, expidió una ley que llevaba su nombre, Ley Juárez, y la cual, al poner término a la jurisdicción de los tribunales eclesiásticos en los asuntos civiles, volvió a echarle leña al fuego de la vieja rencilla entre la Iglesia y el Estado, y que en esos días provocó, además de sangrientos combates, la expulsión de seis eclesiásticos, entre los cuales se encontraba el Obispo de Puebla, Pelagio Antonio de Labastida y Dávalos. Los angelopolitanos, que así se llamaban los que habían nacido o vivían en Puebla de los Angeles, acompañaron por un buen trecho a sus obispos en su viaje al destierro, jerimiqueando. A pesar también de haber sido aplicado alumno del Seminario de Oaxaca cuando, antes de decidirse por la abogacía deseaba ser cura, y de haber jurado al protestar como Gobernador de Oaxaca por Dios y por los Santos Evangelios defender y conservar la religión Católica, Apostólica y Romana y de encabezar sus decretos con el nombre de Dios Todopoderoso, uno en esencia y trino en persona, Benito Juárez —a quien Salanueva le había enseñado lo mismo los secretos del arte de encuadernar catecismos Ripalda, que el respeto y la veneración al Nazareno del Vía Crucis que todas las tardes de todos los días pasaba frente a su casa—, siendo Presidente de la República confiscó los bienes de la Iglesia mexicana, abogó todos los privilegios del clero y reconoció todas las religiones. Por esta osadía, Juárez fue considerado por los conservadores mexicanos y europeos, y desde luego por el Vaticano y por el Papa Pío Nono futuro creador del Dogma de la Infalibilidad Pontificia, como una especie de Anticristo. Por no saber montar a caballo, ni manejar una pistola y no aspirar a la gloria de las armas, se le acusó de ser débil, asustadizo, cobarde. Y por no ser blanco y de origen europeo, por no ser ario y rubio que era el arquetipo de la humanidad superior según lo confirmaba el Conde de Gobineau en su *«Ensayo sobre la Desigualdad de las Razas Humanas»* publicado en París en 1854, por no ser, en fin, siquiera un mestizo de media casta, Juárez, el indio ladino, en opinión de los monarcas y adalides del Viejo Mundo era incapaz de gobernar a un país que de por sí parecía ingobernable. Es verdad que el ministro americano en México, Thomas Corwin, exageraba cuando en una carta al Secretario de Estado William Seward le decía que en cuarenta años México había tenido treinta y seis formas distintas de gobierno, ya que en realidad era una sola, con raras y esporádicas excepciones: el militarismo. Y es verdad también que *Míster* Corwin hacía mal las cuentas cuando afirmaba que en esos mismos cuarenta años México había tenido sesenta y tres presidentes, porque no sólo habían sido menos, sino que entre esos menos hubo varios que volvían una y otra vez a la presidencia, y que eran como una fiebre terciana que sufría el país. Pero de todos modos, y como decía *Monsieur* Masseras, redactor en jefe del periódico publicado en México en francés, *«L'Ere Nouvelle»*, esa desafortunada nación no esperaba sino una sola cosa: un gobierno de orden, de organización y prosperidad, tres palabras, agregaba el periodista, que referidas a México, terreno proverbial de revoluciones y contrarrevoluciones, resultaban por demás irónicas. Por su parte *Monsieur* Charles Bordillon, corresponsal del diario inglés *«The Times»*, afirmaba que la única moral de esa nación cuya raza estaba «profundamente pervertida» era el robo, visto como objetivo principal de todos los partidos políticos. El ilustre Lord Palmerston compartía esos puntos de vista. Para él, el mexicano era un pueblo degenerado y corrompido hasta la médula, sin valor y sin fuerza, que «yo se lo aseguro a Su Majestad —le dijo un día a la Reina Victoria en el Castillo de Balmoral— será tragado por la raza anglosajona y desaparecerá como desaparecieron los indios pielroja ante los blancos». A las carencias de su raza y a sus defectos como individuo —demagogo, déspota, jacobino, vendepatrias y tirano rojo formaban parte de la sarta de adjetivos que le colgaron sus enemigos— el Presidente de México agregaba una fealdad física notable, rubricada según afirmaron muchos que lo conocieron y entre ellos la Princesa Salm Salm, por una horrible cicatriz sanguinolenta que nunca apareció en sus fotografías. Margarita, su esposa, hija de los patrones y protectores que lo habían acogido cuando llegó a la ciudad pidiendo «Doctrina y Castilla», y que todas las mañanas le anudaba la corbata de moño negro y bendecía el blanco albor de sus almidonadas pecheras impecables, se decía a sí misma y le decía a sus hijos: «Es muy feo, pero es muy bueno».

Blanco él sí, pero no rubio y no feo aunque tenía cara de loro melancólico, Napoleón el Pequeño no por hablar francés con acento alemán, o por ser suizo de educación o inglés por *«le bon ton»*, se creyó nunca otra cosa que un corso de origen y un francés por derecho y tradición familiares, o en otras palabras un hombre de lo que él llamaba «la raza latina», y de cuyo destino y futura grandeza, ante la voracidad y el empuje anglosajones, se hizo responsable y no sólo en Europa sino allende el mar cuando, ya transformado en Emperador de Francia, el nombre de México comenzó a repicarle en los oídos con retintines de plata sonorense. Pero para esto, tuvieron que pasar algunos años. Y sobre todo algunas cosas, como las que sucedieron en 1848, año de la revolución de la que alguien dijo que fue un momento decisivo de la historia en que la historia no pudo decidirse, y en que la doctrina de los derechos humanos comenzó a alborotar a varios de los países de Europa como Francia, Italia, Polonia y las naciones comprendidas por el Imperio Habsburgo. Y entre las cosas que pasaron: en Budapest, los estudiantes radicales exigieron derechos iguales para todas las nacionalidades y el fin del *Robot* sin compensación. El rebelde Johann Strauss hijo llevó su orquesta a las barricadas para tocar polkas y mazurcas, mientras Johann Strauss padre continuaba tocándolas en el Hofburgo y el Palacio de Schönbrunn. Los milaneses radicales le arrebataron a los peatones, en las calles, los cigarros encendidos en protesta contra sus dominadores austriacos que además de tener el monopolio del poder tenían el del tabaco. Los estudiantes de Munich expulsaron a la bailarina irlandesa Lola Montez, amante del viejo Rey Luis I de Baviera. El ministro de Guerra austriaco Conde Latour acabó destripado y colgado de un farol de la hermosa Plaza de Am Hof. Los izquierdistas prusianos clamaron su satisfacción por la supresión de los rebeldes checos. El líder campesino Tancsics cruzó en hombros del pueblo y los estudiantes el puente que unía a Buda con Pest y el poeta Sandor Petöfi fue asesinado y su cuerpo arrojado a una fosa común. El alemán Karl Marx que desde la *«Nueva Gaceta Renana»* alentaba la insurrección contra el gobierno del Rey de Prusia, fue acusado de alta traición. El General Cavaignac reprimió con brutalidad inaudita la insurrección de junio en las calles de París. El poderoso canciller austriaco Metternich se eclipsó, pero antes logró que el semimbécil Emperador Fernando de Austria Hungría abdicase en favor de su sobrino Francisco José, hermano mayor del Archiduque Fernando Maximiliano. Miles de alemanes emigraron a los Estados Unidos siguiendo los pasos de los irlandeses que huyeron de su tierra a causa de la gran hambruna causada por la plaga de la papa. Hungría se proclamó República y eligió como presidente a Kossuth, y así como en los tiempos del Rey Sol salía volando cada mañana por las ventanas de Versalles el contenido fecal de las bacinillas reales que de paso servía de abono para rosas, begonias y alhelíes, y de festín para los escarabajos estercoleros, así también salió volando por una ventana del Palacio de las Tullerías el trono de Luis Felipe, para ser reducido más tarde a cenizas en la Plaza de la Bastilla.

Tras más de dos meses de vejaciones durante los cuales se le confinó y expulsó en forma alternada de varios pueblos, ciudades y rancherías, el Licenciado Benito Juárez fue llevado al Castillo de San Juan de Ulúa. Construido con piedra múcar —una especie de coral— sobre el arrecife de La Gallega a la entrada del puerto mexicano de Veracruz, en tierra caliente donde la malaria y la fiebre amarilla eran endémicas, la Fortaleza de San Juan de Ulúa, último reducto de los españoles que la abandonaron hasta casi cuatro años después de consumada la independencia mexicana, le había costado muchos millones a España. Tantos, que cuentan que un día se le preguntó a uno de los monarcas españoles qué era lo que contemplaba, con su catalejo, desde El Escorial y el rey contestó que trataba de ver el Castillo de San Juan de Ulúa: «tan caro le ha salido al tesoro español», dijo, «que cuando menos deberíamos verlo desde aquí». Trece años después de la retirada de los españoles, en octubre de 1838, la fortaleza capituló tras haber sido bombardeada por una escuadra francesa al mando del Almirante Charles Baudin y de la que formaba parte el Príncipe de Joinville, hijo de Luis Felipe de Francia y tío de la Princesa Carlota de Bélgica, y quien reclamaba a nombre del gobierno francés una indemnización de seiscientos mil pesos en favor de ciudadanos franceses residentes en el territorio mexicano, que se quejaban de la merma súbita o paulatina de sus capitales, debida a los empréstitos forzosos, o robos legalizados, que con demasiada frecuencia decretaban las autoridades mexicanas para financiar sus sucesivas revoluciones y sus perpetuos desfalcos. Debido a que entre estas reclamaciones figuraba la de un pastelero de Tacubaya que diez años antes dijo haber perdido sesenta mil pesos de mercancía en *éclairs, vol-au-vent*, brazos de gitano y *babas-au-rhum*, a este primer conflicto armado entre Francia y México se le llamó «La Guerra de los Pasteles». En la defensa del Puerto de Veracruz, perdió la pierna izquierda un general mexicano a quien alguna vez Benito Juárez, en sus tiempos de criado de casa grande en Oaxaca, había servido la cena, el mismo que ahora era el culpable de los maltratos sufridos por el indio, y de su próximo exilio: Antonio López de Santa Anna, quien había sido ya Presidente de México cinco veces y que, tras de que su heroica pierna fuera enterrada con honores y desfiles, con lágrimas y lápida conmemorativa y con salvas y fanfarrias militares, sería presidente otras seis veces más. A veces héroe, a veces traidor, a veces las dos cosas al mismo tiempo, Santa Anna se levantó un día capitán y se acostó esa noche teniente coronel durante la Guerra de la Independencia de México. General a los veintisiete años y Benemérito de la Patria a los treinta y cinco, había sido condecorado por la flecha de un indio en su primera campaña contra Tejas, la provincia mexicana que deseaba transformarse en República independiente. Héroe ya desde entonces, Santa Anna se hizo un poco más héroe cuando regresó a la provincia rebelde para tomar por asalto el Fuerte del Álamo y obtener un sangriento triunfo —*remember* Goliat donde pasó a todos los prisioneros a cuchillo y a pólvora—, y un poco menos héroe cuando, vencido por las fuerzas de Sam Houston huyó a caballo y a pie, cayó en manos del enemigo tras el combate de San Jacinto y reconoció por miedo, por obtener la libertad o porque era sencillamente un hecho consumado, la existencia de la República de Tejas. Vuelto al poder después de que su pierna fuera desenterrada y arrastrada en las calles por el populacho, y Presidente de México dos veces en el año de 1847 en el que culminó la invasión expansionista norteamericana con la cesión a los Estados Unidos de territorio mexicano con una superficie de más de un millón trescientos cincuenta mil kilómetros cuadrados que incluía las provincias de Nuevo México y de la Alta California —y que, agregada Tejas equivalía a la mitad del territorio nacional—, Santa Anna se convirtió en el gran traidor tras dejar la presidencia en manos de un interino para ponerse al frente de las tropas, ser derrotado por el General Taylor en Sacramento y abandonar el país, lavándose las manos, pasando sin ser molestado, como Pedro por su casa, entre las propias filas del enemigo: Santa Anna, se dijo, había recibido cuantiosas sumas de los norteamericanos para influir en la aprobación, por parte del congreso mexicano, del Tratado de Guadalupe Hidalgo, que además de ratificar la cesión del territorio, reafirmaba los viejos lazos de amistad que unían a México y los Estados Unidos. Vuelto al poder a pesar de todo unos cuantos años después y transformado en Dictador Supremo y Alteza Serenísima, Santa Anna, si era posible, fue un poco más traidor todavía al firmar(el Tratado de La Mesilla por medio del cual México le vendió a los Estados Unidos otros cien mil kilómetros cuadrados de territorio fronterizo que comprendía, entre otras cosas, la zona llamada del Mineral de Arizona, productora de plata nativa en grandes trozos que llegaban a pesar hasta cien arrobas)y que poco antes había intentado conquistar Raousset-Boulbon, un filibustero francés vinculado con la empresa suizomexicana Jecker de la Torre y que por ello, y por haber proclamado la independencia de Sonora, murió fusilado a orillas del mar.

Destronado él, y defenestrado su trono, Luis Felipe se fue de Francia y Napoleón el Pequeño regresó a ella, esta vez sin trencillo de tocino en el sombrero y sin aguilucho —aunque muchos dijeron que no había sido un aguilucho, sino un buitre— y pasó de diputado a Presidente de la Segunda República antes de que terminara el año, elegido por seis millones de franceses. Hacía diecinueve años que había muerto en el Palacio de Schönbrunn, en Viena, el hijo que Napoleón Bonaparte había tenido con la austriaca María Luisa, y once años desde el día en que los lanceros de penachos tricolores precedieron, en su marcha a Los Inválidos, el féretro que contenía los restos de Napoleón el Grande, llevados a Francia por el Príncipe de Joinville, y al que seguía un caballo sin jinete, blanco como el caballo de batalla del Gran Corso, que era conducido por dos palafreneros vestidos de verde y oro. La dinastía de los Bonaparte pareció entonces extinguirse para siempre. Pero en la mañana del 2 de diciembre de 1851, aniversario de la Batalla de Austerlitz y de la coronación de Napoleón I, los tímpanos de los tambores de la Guardia Nacional amanecieron desgarrados, las campanas escondidas, las imprentas y los periódicos antibonapartistas clausurados, y las casas y los edificios, los kioskos y los arcos triunfales de París cubiertos de carteles en los que el Presidente Luis Napoleón anunciaba la disolución de la Asamblea y la restauración del sufragio universal. Lo primero, la disolución de la Asamblea, crimen de alta traición, consumada cuando los últimos diputados que habían huido del Palais Bourbon para refugiarse en la alcaldía de Saint-Germain fueron llevados a prisión entre dos filas de cazadores de Africa, le permitió a Luis Napoleón detentar el poder ejecutivo absoluto. Lo segundo, la restauración del sufragio, lo habilitó para convocar unos meses después un plebiscito nacional en el que propuso al pueblo de Francia que se le restableciera la dignidad imperial hereditaria, y el pueblo le dio su espaldarazo con dos millones de votos más —ocho en total— que aquellos que lo habían llevado a la presidencia. Con este golpe de Estado quedó así reivindicada la dinastía napoleónica en la persona de Napoleón III quien, a partir de ese momento o de unos días antes, olvidó

—en realidad lo olvidó casi toda Francia— que, como presidente había jurado respetar la Constitución y ser fiel a la República democrática, una e indivisible. Pero después de todo esa misma dinastía había nacido de otro olvido: al crearla, al proclamarse emperador y después divorciarse de Josefina por no haberle dado un heredero para casarse con la austriaca María Luisa de cuyos labios Habsburgo estaba tan orgulloso porque demostraban que era «una verdadera hija de los Césares», Napoleón el Grande olvidó que su propia entronización había sido resultado del rechazo al supuesto derecho divino a gobernar de todos los borbones que habían reinado en Francia antes que él. «Un Napoleón más, ¡qué vergüenza!», dijo el poeta Charles Baudelaire, que acostumbraba pasearse por los bulevares de París del brazo de una negra y con el pelo pintado de verde. Otro escritor francés de la época, Víctor Hugo —el mismo que le había puesto a Luis Napoleón el apodo de «El Pequeño»—, hablaría en *«Les Châtiments»* del niño que murió con la cabeza destrozada por las balas de los soldados: una entre otras cuantas atrocidades —no tantas quizás como las habidas en el 48— que siguieron a la proclamación del Segundo Imperio: una que otra carga de los lanceros contra republicanos exaltados recién salidos del «Café des Peuples» que gritaban ¡Viva la Asamblea Nacional!; uno que otro fusilazo a quemarropa contra aquellos parisinos que con sus gorras y sus corbatas rojas hacían alarde de sus proscritas ideas; una que otra mujer destripada a culatazo limpio y cuya sangre se mezcló con los ríos de leche que salían de los odres rotos de un carromato usado para improvisar, en la Rue Transonian, una barricada tres veces desmantelada por los cazadores a pie y otras tantas veces vuelta a levantar. Y, en fin, uno que otro conde, diputado, carnicero, médico, albañil y niño con las cabezas destrozadas por las balas, cuyos cadáveres, amontonados en carretas, fueron sacados de París en la madrugada, la hora en que los traperos de París salían de sus covachas y tugurios para escarbar en los basureros. Pacificado París, el flamante régimen imperial acalló a los ardientes provenzales y los montañeses alebrestados, y envió a Argelia a diez mil de las veintisiete mil personas arrestadas, y a unos cuantos centenares a Cayena. También esto fue olvidado muy pronto por los franceses: ir al teatro gratis en el cumpleaños del emperador a ver el *«Can-Can»* o *«La Dama de las Camelias»;* cegarse con el sol reflejado en los yelmos de acero del Escuadrón de los Cien Guardias a caballo cuyo comandante tenía fama de hacer que se echara a tierra el garañón más bravo que tuviera entre las piernas con sólo apretarlas; asistir en la Gare du Nord a principios del otoño a la partida de los invitados de Napoleón III que viajarían en un tren especial a Compiègne a cazar liebres, jabalíes, faisanes y perdices; admirar las largas filas de lujosos carruajes que iban, unos, hacia el «Bal Mabille», el inmenso *dance-hall* con paredes tapizadas de damasco rojo y cinco mil lámparas multiplicadas hasta el infinito por grandes y límpidos espejos venecianos con marcos dorados, y se encaminaban, otros, cargados con sílfides y reinas de corazones, conquistadores españoles de relucientes armaduras y Evas recién bañadas en los ríos de miel del Paraíso al baile de fantasía dado por el emperador en las Tullerías; o en las tardes y largas noches de invierno ver los trineos con forma de cisnes, pegasos o dragones arrastrados por caballos blancos coronados de penachos de plumas y cascabeles que surcaban los caminos nevados del Bosque de Bolougne mientras las damas envueltas en sus martas cebellinas y los caballeros con sus largas bufandas de cachemira patinaban a la luz de las antorchas en el lago congelado: todos estos espectáculos compensaron, al parecer, a los franceses, por la pérdida no sólo de una república, sino también de algunos de sus símbolos más sagrados, como La Marsellesa, sustituida por una vieja canción, a la cual le puso música la propia Reina Hortensia, madre de Luis Napoleón: «*Partant pour la Syrie*», que contaba cómo el joven y bello Dunois —*le jeune et beau Dunois*— le pedía a la Virgen María —*venait prier Marie*— cuando partía rumbo a Siria —*partant pour la Syrie*— que bendijera su empresa —*de bénir ses exploits*.

Allí, en uno de los calabozos de San Juan de Ulúa, a los que llamaban «tinajas» porque estaban situados bajo el nivel del mar y el agua rezumaba por los muros de piedra múcar para evaporarse casi al instante, pasó once días incomunicado el Licenciado Benito Juárez, para ser llevado después a bordo del paquebote «*Avon*» donde los pasajeros hicieron una colecta para pagar su boleto hasta la primera escala, La Habana, de la cual se marchó poco después el licenciado rumbo a Nueva Orleáns, la antigua capital de Louisiana donde conoció a otros mexicanos liberales y entre ellos a Melchor Ocampo, discípulo como él de Rousseau y además de Proudhon, que sería después uno de sus más cercanos colaboradores, y al que tanto admiró Juárez por su clara inteligencia. Para ganarse la vida, Juárez torcía tabaco. Ocampo elaboraba vasijas y botellones de barro. Otros paisanos exiliados trabajaban de meseros si bien les iba, o de lavaplatos en un restaurante francés. De pie frente al mar, Juárez contemplaba la ancha desembocadora del Mississippi y esperaba al barco que le traería las cartas de su mujer y sus amigos. Margarita se había ido con los niños al pueblo de Etla, y allí la iba pasando con lo que les dejaba un pequeño comercio. Los amigos le pedían a Juárez que tuviera paciencia, le enviaban a veces algo de dinero, le reprochaban, algunos, que hubiera elegido a los Estados Unidos como lugar de exilio, le juraban que Santa Anna caería pronto del poder, esta vez para siempre. De espaldas al mar, Juárez seguía con la mirada el curso del Mississippi, el caudaloso río de los cuarenta tributarios que nacía muy lejos, en la región norte de Minnesota, y pensaba en una singular coincidencia: por la misma cantidad —quince millones de dólares— por la que México había cedido a los norteamericanos las provincias de Nuevo México y la Alta California, Napoleón el Grande había vendido a Estados Unidos lo que en 1803 restaba en poder de Francia —los dos millones trescientos mil kilómetros cuadrados de la cuenca oriental del Mississippi— de ese gigantesco territorio llamado la Luisiana en honor de Luis XIV, el Rey Sol. Así había crecido Estados Unidos, pagándole a Napoleón seis dólares cincuenta y seis céntimos por kilómetro cuadrado, y a México, once dólares con cincuenta y tres. Pero Juárez hacía cuentas: si se incluía a la República de Tejas, que se había perdido sin recibir un solo centavo de indemnización, los once dólares y fracción se reducían a seis. Bonito negocio.

Una noche Juárez y sus amigos fueron a ver a una *troupe de minstrels* que pasaba por Nueva Orleáns, y que era un grupo de músicos blancos pintados como negros, que se movían como negros, hablaban y cantaban como negros y como negros tocaban el banjo y los *bones,* que eran una especie de castañuelas hechas con dos trozos de las costillas de un animal. «No entiendo», dijo Juárez. «Sí, el inglés es muy difícil de aprender», dijo uno de los mexicanos que no había entendido a Juárez. Pero quien siempre sabía muy bien lo que Juárez quería decir era su amigo Melchor Ocampo, quien en algunas de esas tardes húmedas de los domingos en que paseaban por los muelles en mangas de camisa, hacía gala de todas sus culturas, incluyendo la política y la botánica. Ocampo el político proponía, como remedio de los males de México, que se llevara a cabo la Reforma iniciada en los primeros años de la etapa independiente del país con la ocupación por parte del gobierno de las fincas destinadas a las misiones de las Filipinas y continuada por el Presidente Gómez Farías sin éxito la primera vez, y con mejor fortuna la segunda, cuando decretó la incautación de los bienes de la Iglesia para reunir fondos que sirvieran en la lucha contra la invasión americana, y Ocampo recordaba y citaba ejemplos y antecedentes históricos que le venían a la memoria en desorden, como la nacionalización de los bienes del clero decretada en España 1835 por un primer ministro liberal, la confiscación de los bienes de la Iglesia en Bohemia en el siglo XV como resultado de la revolución husita —que al fin y al cabo sólo benefició a la clase noble, decía Ocampo—, la desamortización llevada a cabo en Francia tras la Revolución, y las medidas adoptadas por uno de los emperadores austriacos, José II, y que en realidad no lograron sino cambiar el capital de un bolsillo a otro de la Iglesia, dijo Ocampo, porque el producto del remate de casi la mitad de los conventos, fue destinado a los curatos, con lo cual se comprueba que si José II no quería a los monjes, sin duda no tenía nada, o poco, contra los curas. Y Ocampo el botánico, amante de las plantas raras, a quien una vez se le vio hincarse y llorar ante unos lirios yucateros que crecían, solitarios, en la estación de Tejería; cultivador de especies exóticas en su finca michoacana de «Pomoca» —anagrama de su apellido—, proponía, como remedio para la diarrea del Licenciado Benito Juárez, una pócima de flores de cabello de ángel trituradas en agua, o contaba cómo la pasión de la Emperatriz Josefina, la primera esposa del primer

Napoleón, había sido una flor de origen mexicano, la *dalia excelsa*, que ella había ordenado sembrar en los Jardines de Malmaison y prohibió que nadie más la cultivara en Francia, y cómo, después de que alguien robó unas plantas y la dalia mexicana comenzó a aparecer en otros jardines, Josefina dejó de interesarse por ella y la desterró para siempre no sólo de Malmaison, ¿que le parece? y excuse usted la rima, Licenciado, sino también de su corazón.

Los franceses, o casi todos, le perdonaron por igual a Napoleón III —el hombre que había prometido un reinado de paz— las alianzas bélicas, las expediciones imperialistas y las guerras coloniales que comenzó a planear apenas se instaló en el Palacio de las Tullerías, con la mira de devolverle a Francia su gloria y su prestigio militares. Empresas, éstas, que fueron bendecidas unas sí y otras no, por Dios o por la suerte. El golpe que con un espantamoscas le dio al cónsul francés el Bey Hussein, gobernador de Argel en la época en que el Imperio Otomano se extendía hasta el Norte de Africa, fue el pretexto para iniciar la conquista del territorio argelino, que Napoleón el Pequeño llevó aún más lejos, al subyugar a las tribus del desierto de Kabylia. La muerte de algunos misioneros franceses a manos de los nativos de Indochina provocó el envío de una fuerza franco-española que se apoderó de Saigón y de las tres provincias de Anam. La exigencia de Rusia de ejercer un protectorado sobre la Iglesia Ortodoxa de Turquía y la subsecuente invasión de las tropas rusas de los Principados del Danubio, le recordó a Napoleón III que Francia se había comprometido a amparar a los cristianos que vivieran bajo el dominio turco, y a la Reina Victoria que el paso de su marina bélica y mercante hacia la India corría un serio peligro, y así, ingleses y franceses, de la mano, pelearon contra el oso ruso en la Guerra de Crimea, famosa no sólo por Florencia Nightingale y por la desastrosa y suicida carga de la caballería ligera inglesa en Balaclava, sino también por las batallas de Alma, Inkerman y Sebastopol. De nombres menos sonoros, pero más coloridos, fueron los combates de Magenta y Solferino durante la campaña emprendida por Napoleón III tras haber hecho un pacto secreto con el Conde Cavour, Primer Ministro de Cerdeña, para ayudar a la dividida Italia a liberarse de sus opresores austriacos. El magenta, como llamaron los italianos a un mineral rojo carmesí —la fucsina— fue descubierto poco antes de la batalla que culminó con la rendición de la ciudad del mismo nombre, Magenta. Pero el color solferino, un morado rojizo, sólo se puso de moda en los bulevares parisinos hasta después del triunfo de las tropas francopiamontesas sobre los austriacos en la batalla de la ciudad así llamada, que siguió a la de Magenta, aunque sin duda alguna el color que más impresionó al emperador de los franceses fue el que oscilaba entre esos dos matices del rojo y que abundó a raudales en la cruenta campaña que, si no logró unificar a Italia, sí, en cambio cubrió de sangre las banderas francesa y austriaca. También durante ese prometido reinado de la paz, los franceses enviaron una fuerza expedicionaria a Siria —quizás para justificar la existencia del himno imperial— y otra a la China, esta última para unirse a los ingleses en la operación de venganza por el mal trato dado por los chinos a unos delegados europeos y, otra vez de la mano, las fuerzas francobritánicas redujeron a cenizas el Palacio de Verano de Pequín. Pero de todas estas aventuras bélicas, la que más atrajo y sedujo, absorbió y preocupó a Luis Napoleón, fue la intervención francesa en México, que tuvo el objetivo de crear un Imperio en ese remoto, exótico país del continente americano. Que México no funcionaba como república, lo demostraba esa guerra civil que con escasas treguas había durado cuarenta años. Que los mexicanos, como los franceses y la mayor parte de los pueblos amaban el boato real, lo probaban trescientos años de virreinato y lo probaba también el éxito de Su Alteza Serenísima, el General Antonio López de Santa Anna. Era este hombre, orador grandilocuente de hinchada retórica, condotiero y mujeriego, jugador empedernido y amante de protocolos, alamares y tricornios emplumados, de títulos y heráldicas, creador de órdenes y condecoraciones. Era este Napoleón criollo —entre Napoleones me veo, decía Juárez, pero todos pequeños— que jugaba a ganar el poder y perderlo como jugaba a los gallos y a las cartas, que asumía o dejaba la presidencia cuando así lo deseaba o así le convenía por razones políticas o motivos de salud, o por capricho, o por venganza o porque lo echaban sus partidarios o sus enemigos, o porque lo llamaban el pueblo y sus adversarios, porque salía de su retiro de Manga del Clavo para combatir al extraño enemigo que osara profanar el suelo patrio —para decirlo con las palabras del himno nacional creado bajo su égida— o porque lo iban a buscar hasta su exilio en la casa de Turbaco en la que alguna vez había vivido El Libertador Simón Bolívar, o a las Islas Vírgenes donde cultivaba tabaco y caña de azúcar y criaba gallos de pelea, para que regresara a castigar la mano que había turbado el augusto templo de la Constitución, para decirlo con sus propias palabras. Era este Napoleón de pacotilla, decíamos, el que parecía justificar la teoría y las palabras del Vizconde de Castlereagh, ministro británico de Guerra a principios del siglo cuando ya Inglaterra había puesto sus ojos en las colonias españolas de América, algunas de ellas muy cercanas a su independencia. Lord Castlereagh, no obstante que era un hombre de armas tomar —casi mata de un pistoletazo a su colega de gabinete Lord Canning unos cuantos años antes de matarse él mismo con un navajazo en la yugular de mejor tino— opinaba que, mejor que intentar por la fuerza la reconquista de esas colonias, era crear en ellas monarquías y poner al frente a príncipes europeos que favorecieran los intereses del viejo continente y les dieran a esos pueblos, sumidos en la ignorancia atávica, las supersticiones y el alcoholismo, la continuidad de esos regímenes patriarcales, de pompa y circunstancia, absolutistas y casi omnímodos, pero controlados desde Europa, a los que

España los había acostumbrado desde la conquista. Así pensaba también el propio Lord Canning, quien según el historiador Ralph Roeder solía arrancar una página del Génesis, abanicarse con ella, y decir a propósito de la América Española: «He llamado a la vida a un mundo nuevo». También había pensado así alguna vez el Duque de Wellington, quien le sugirió al célebre Fouché que enviara como rey o emperador a un país americano a Fernando VII el Deseado, cuya abdicación había despojado el camino para que Pepe Botella, el hermano de Napoleón el Grande, gobernara España. Deseado fue también Fernando VII, como monarca, por los propios caudillos que iniciaron en 1810 la independencia de México. También aspiró a ser emperador de ese país un ex vicepresidente americano, Aarón Burr. Poco después un oscuro fraile dieguino español, Joaquín Arenas, que llegó a México cargado de grilletes y murió fusilado en el camino a Chapultepec, conspiró para restablecer el dominio español en México bajo una monarquía local. Y no faltaron los presidentes mexicanos promonárquicos que abogaban por un príncipe extranjero. Entre ellos Mariano Paredes, y más tarde el propio Santa Anna quien solicitó la ayuda de Europa para que les enviara un hombre que pusiera fin a la corrupción y al bandidaje, y coadyuvara a la redención de ese pueblo cuya crueldad, documentada por conquistadores y viajeros, sería corroborada también por intelectuales y políticos ilustres de la época. El célebre parlamentario e historiador francés Emile Ollivier, en su *Historia del Imperio Liberal*, contaba cómo el emperador mexicano Iturbide, para celebrar en una ocasión el Viernes Santo, había hecho fusilar a trescientos prisioneros. Y su compatriota el Conde de Kératry, quien llegó a México con las tropas francesas, narró en su libro *La Contraguerrilla Francesa en México*, cómo en el asalto al campamento ferrocarrilero de La Loma los guerrilleros juaristas sorprendieron a un panadero con las manos en la masa, lo mataron a machetazos y siguieron amasando la harina con su sangre.

Napoleón el Pequeño, Luis Napoléon, que alguna vez había soñado con fundar un imperio en Nicaragua, sólo tuvo que subir unos cuantos grados de latitud en el mapa para encontrarse con México. Francia, la Francia protectora del orden y de la civilización, de la libertad y de la fe católica estaba destinada, bajo el reinado del sobrino de Napoleón el Grande, a detener la expansión del poderío anglosajón y del protestantismo en el continente americano, formado en su mayor parte por pueblos que, como el francés, pertenecían a la raza latina. Y lo haría creando un trono en México y sentando en él a un príncipe europeo. La idea se la dio a Luis Napoléon la bella Eugenia, la española Eugenia, hija del Conde de Montijo y nieta de un marchante de vinos escocés emigrado a la Península Ibérica. De joven, Eugenia había intentado suicidarse cuando el Duque de Alba —descendiente del siniestro noble del mismo nombre, azote de Dios y España y creador en los Países Bajos del Tribunal de la Sangre— prefirió a su hermana Paca para matrimoniarse. Pero Eugenia sobrevivió al suicidio y sobrevivió a su hermana, para cumplir el alto destino que la aguardaba, y que comenzó a asumir el día en que quinientos músicos tocaron la marcha «Le Prophète» de Meyerber frente a la Catedral de Nuestra Señora de París de la cual salía Eugenia, del brazo del emperador de los franceses, con un vestido blanco de seda y terciopelo de Alenzón, en las manos un ramo de capullos de naranjo y en la cabeza la diadema de brillantes de la Reina María Luisa. Francia y el mundo le pertenecían a Eugenia, y si la corona dorada que remataba el carruaje que la había transportado a la catedral, y que era el mismo en el que viajaron Napoleón el Grande y María Luisa el día de su boda, si la corona había caído a tierra al salir de las Tullerías, como sucedió, también, cuando se casó Napoleón el Grande, esa increíble, extraordinaria coincidencia, sólo podía ser interpretada como un feliz augurio.

Y Juárez, el indio Juárez, le dio a Napoleón el pretexto. Vuelto a México tras un largo rodeo —viajó de Nueva Orleáns a Panamá, cruzó el Darién y se embarcó de nuevo en el Pacífico rumbo a Acapulco— se desempeñó al frente de los ministerios de Justicia y Gobernación, y después fue nombrado Presidente de la Suprema Corte de Justicia por el Presidente Juan Alvarez, quien al renunciar a la primera magistratura dejó en su lugar a Ignacio Comonfort, apodado por ello «el Presidente Sustituto». Hacia fines del año 57, Comonfort dio un golpe de Estado al apoyar el Plan de Tacubaya proclamado por el General Félix Zuloaga, que desconocía la flamante Constitución del mismo año y restablecía los fueros eclesiástico y militar. Se aprehendió a Benito Juárez y se le liberó unas semanas después, el 11 de enero del 58. Sin apoyo y sin deseos de seguir en la presidencia, Comonfort abandonó México. Dos días antes de la salida de Comonfort rumbo al país que era el refugio eterno de los liberales mexicanos: los Estados Unidos, Benito Juárez, quien en su calidad de Presidente de la Suprema Corte de Justicia se transformó automáticamente en Presidente de la República, asumió el poder en la ciudad de Guanajuato y se dirigió después a Guadalajara. El General Zuloaga fue elegido por los conservadores como presidente interino, cargo al que renunció un año después, nombrando en su lugar al General Miguel Miramón, apodado por muchos «el Joven Macabeo», de veintiocho años de edad, y quien durante la intervención americana del 47 había sido uno de los jóvenes cadetes que defendieron el Castillo de Chapultepec, sede del Colegio Militar. México tuvo así, durante casi tres años, dos gobiernos. Los conservadores eran dueños de la capital. Juárez decidió instalar su administración en la ciudad de Veracruz, a la que llegó tras otro de los largos rodeos que tanto parecían gustarle y que prefiguraban el ambulatorio destino que le estaba reservando a su gobierno durante la intervención francesa: se embarcó en el Pacífico en el Puerto de Manzanillo, viajó a Panamá, cruzó el Darién y se embarcó de nuevo en el Atlántico, rumbo al Golfo de México. Con el Plan de Tacubaya se inició uno más de tantos conflictos sangrientos, la llamada Guerra de Reforma o Guerra de los Tres Años, entre liberales y conservadores. Cuando al fin los liberales obtuvieron el triunfo, fue sólo un triunfo precario, una victoria pírrica, porque el país se encontraba en bancarrota: vacías las arcas del tesoro, abandonadas e improductivas las tierras cultivables. Además, los bienes inmuebles del clero que habían sido nacionalizados no rindieron lo que se esperaba, en parte porque las propiedades fueron malbaratadas por sus nuevos dueños en su ansiedad de transformarlas en dinero contante y sonante lo más pronto posible, y las riquezas de que se había despojado a los templos, los objetos de oro del culto, las pinturas valiosas, los candelabros de plata, las joyas de las reliquias, habían ido a parar a los bolsillos, casas y cofres de muchos militares y no pocos civiles. Para salir del atolladero, el 17 de julio de 1861 el gobierno del Presidente Benito Juárez decretó la suspensión, por dos años, del pago de los intereses sobre la deuda exterior de México, cuyo monto era de poco más de ochenta y dos millones de pesos. Los principales acreedores eran Inglaterra, España y Francia. A los ingleses, México les debía sesenta y nueve millones; a los españoles nueve millones y medio; a los franceses, dos millones ochocientos mil pesos.

A sus sesenta y nueve millones, los ingleses agregaban varias reclamaciones, y entre ellas la devolución de seiscientos sesenta mil pesos extraídos por la fuerza de la sede de la legación inglesa en México por el ex Presidente Miramón y de los seiscientos ochenta mil pesos que valía la carga o «conducta» de plata propiedad de súbditos de la Corona, incautada en Laguna Seca por el general liberal Santos Degollado. El gobierno de Juárez había anteriormente reconocido la «responsabilidad nacional» en ambos casos, y acordado pagar las sumas correspondientes, por medio del tratado Wyke-Zamacona, que el Congreso mexicano se negó a ratificar.

A sus nueve millones y medio, los españoles agregaban la indemnización reclamada por el asesinato de varios súbditos españoles en las haciendas mexicanas de San Vicente y Chiconcuaque, y a la cual había accedido el gobierno del ex Presidente Miramón por medio del Tratado Mont-Almonte.

A sus dos millones ochocientos mil pesos, los franceses agregaron los quince millones de los llamados «Bonos Jecker». Jean-Baptiste Jecker era un banquero suizo con negocios en México, donde vivía —y prosperaba— uno de sus hermanos, y que unos años antes había concedido un préstamo al gobierno de Miramón. La Casa Jecker le proporcionó al joven presidente un millón y medio en dinero y vestuario para sus tropas, y a cambio de ello el gobierno de Miramón emitió bonos pagaderos en las aduanas por un valor de quince millones de pesos: el novecientos por ciento del préstamo.

«*Morny est dans l'affaire*», solían decir: Morny está en el negocio. Y si de verdad Morny lo estaba, su participación era casi una garantía de éxito. El Duque Augusto de Morny era bastardo por partida doble: fue el hijo natural que con Hortensia de Beauharnais había tenido el Conde Auguste Charles Flahault de la Billarderie, quien a su vez fue hijo natural de un sacerdote excomulgado que llegó a ser Gran Chambelán de Napoleón el Grande y Príncipe de Talleyrand. *Arbiter elegantiarum*, creador de modas como el sombrero, los guantes y el monóculo *à la Morny*, propietario de fábricas de azúcar de remolacha en Clermont-Ferrand, amante y *connaisseur* de caballos de carreras, jugador de la Bolsa y hombre, en fin, inmensamente rico que coleccionaba leones vivos en los jardines de su palacio y monos en las recámaras y *living-rooms*, el Duque de Morny había incorporado a sus armas la flor de la hortensia —por lo que se le llamaba también «el Conde Hortensia»— en honor de la madre que compartía con el emperador de los franceses, Luis Napoleón.

A él acudió Jean-Baptiste Jecker cuando Juárez se negó a reconocer los términos escandalosos del contrato que llevaba su nombre. Jecker le prometió cinco millones a Morny, y Morny, además de naturalizar francés a Jecker para hacer francesa también su reclamación, le prometió a su vez que presionaría a su hermano uterino para decidirlo a intervenir en México.

Morny, por lo pronto, convenció a Luis Napoleón a sustituir al Vizconde de Gabriac como representante de Francia en México por su amigo —y socio en el negocio Jecker—, el Conde Charles Dubois de Saligny, quien además de declararse víctima de un atentado contra su vida en México, agregó a los diecisiete millones ochocientos mil pesos que ahora reclamaban los franceses, otras varias sumas más o menos gordas, entre las que incluyó la relativa a un cargamento de vinos franceses que cuarenta años antes se le había enviado a Agustín de Iturbide, y que el efímero emperador mexicano nunca pagó entre otras cosas, quizás, porque ya lo habían fusilado.

Ahora bien: si Luis Napoleón sabía o no del enjuague entre Morny y Jecker, poco importaba: para él, el objetivo de la intervención no era cuestión de cobrar unos millones más o unos millones menos, sino el de cumplir lo que el poeta Lamartine había descrito como «una idea grandiosa, vasta como el océano... una empresa que será el honor del siglo en Europa y el de la Francia en la América Española...».

Y consideró que había llegado el momento de llevar a cabo esa idea grandiosa.

2. *Del baile de anoche, en las Tullerías*

Nevaba en París. Nevaba en el Puente D'Alma. Nevaba en la Rue Rivoli por donde pasaba Cleopatra, recién bañada en champaña y leche de burra.

«El Senado romano presenta sus respetos a la República de Venecia», dijo el senador romano de albeante toga blanca al noble veneciano de casaca con mangas doradas que casi llegaban al suelo.

«Ah, ¡Venecia, Venecia! Nada más fácil en este palacio que presentarle sus respeto a Venecia, mi querido Senador, porque aquí se encontrará usted a Venecia, o por lo menos a su fantasma, por todas partes, y sobre todo en el gabinete del emperador bajo el mapa del nuevo París».

Este era el París donde caía la nieve. En sus puentes, en sus árboles, en las avenidas por las que pasaban las reinas de Saba.

«No comprendo, Su Majestad»

«¿No dicen acaso las malas lenguas que el espíritu de Venecia vaga por los corredores de las Tullerías?»

Y era éste el palacio, las Tullerías, que esa noche resplandecía bajo la nieve, con todas sus ventanas iluminadas, al que iban las náyades con antifaces de terciopelo color aguamarina.

«Su Majestad... yo no me atrevería...»

«Yo no soy Su Majestad», dijo el noble veneciano, «y por eso sí me atrevo a repetir frases como ésa que, no porque vengan de un extranjero, son necesariamente falsas o calumniosas. Le suplico, pues, que no me llame Su Majestad. Yo también, ¿no le parece una extraordinaria coincidencia?, soy senador».

El senador romano inclinó la cabeza. No le habían quedado rastros de nieve en el pelo.

«¿Me permitirá usted una observación pertinente?», dijo. «Por el ancho de las mangas, el vestido me parece más el de un dogo que el de un senador».

«Vamos, vamos, mi querido Príncipe: no sea usted tan exigente. Tampoco llegué a las Tullerías en el Bucentoro. Ni siquiera en una modesta góndola. Considéreme usted su igual».

«Muchos siglos separan a Roma de Venecia».

«Pero sólo un centenar de leguas de tierra firme. La misma tierra italiana donde ambos: usted y yo... o quizás debería decir mejor: donde ustedes y nosotros tenemos los pies».

«Su Majestad...»

Y por la escalera de la emperatriz, cada vez que entraba un gladiador o una diosa griega, se colaba un poco de nieve.

«Prescinda de una vez por todas de ese título, y yo le prometo no llamarlo más Su Alteza o mi querido Embajador. Por lo menos, hasta que llegue el momento de quitarse las máscaras».

«El Señor Senador es muy ingenioso...»

«*Signore Procurante:* ése es mi nombre», dijo el noble veneciano y se inclinó. Las mangas rozaron el suelo y, de haber nevado dentro del Palacio de las Tullerías, algo de nieve casi tibia hubieran recogido.

«¿Tengo entonces el gusto de conocer una invención de Voltaire?»

«En cierta forma, sí. Soy un hijo del Siglo de las Luces y admirador de soberanos que hicieron todo por el pueblo, pero sin el pueblo. José II, Federico el Grande que tanto amor tuvo por la cultura francesa y que fue amigo del propio Voltaire... pero quizás hice mal en mencionar a Federico el Grande, cuyo recuerdo, me imagino, no es grato para ustedes...»

«Si Su Majestad se permite hablar como francés, yo lo haré como alemán: las rencillas del pasado pertenecen a eso, al pasado. José II y Federico el Grande fueron, ambos, dos grandes monarcas del pueblo alemán».

«¿Yo? ¿Me llama usted francés?»

Aquél debía ser un cazador persa, con ese enorme caftán, o algo por el estilo. Lo acompañaba una salamandra.

«Todo es relativo. Mire usted, por ejemplo», continuó el noble veneciano con máscara que parecía el rostro de un pájaro: «la cultura francesa pertenece al mundo. Napoleón I, que era corso, perteneció a Francia. Y yo...»

«¿Usted?»

«Yo, mi querido Senador, como hombre cosmopolita, pertenezco a Europa y me he comprometido a luchar por la libertad y la dignidad del hombre en todo nuestro continente. Pero sólo podemos alcanzar esa meta hasta que prevalezca la paz. Y alcanzaremos la paz hasta que...»

El noble veneciano miró distraído a Ariadna con su corona de oro y astros, acompañada por Baco con aretes, collar y otros colgajos de uvas verdes y púrpuras. El musculoso lacayo que los seguía, semidesnudo, era sin duda la constelación de Hércules arrodillado.

«Pero decía usted...»

«Ah, sí, que yo, como veneciano, lucho por la liberación de Venecia... ¿no le parece lo más natural del mundo?»

«¿Y no le parece al *Signore Procurante* que lo más natural del mundo es que los dueños de Venecia no deseen desprenderse de ella?»

«¿Dueños? Mmmm... Usted sabe que hay una oferta de por medio que, si es aceptada, contribuirá en gran medida al engrandecimiento de la Casa de Austria...»

«El trono de México, Su Majestad, podría contribuir al engrandecimiento de su fama... eso, si la aventura tiene éxito, si no...»

«Por favor, no la llame usted aventura: se trata de una empresa muy seria».

«Pero no haría nada por el engrandecimiento del poder efectivo de la Casa de Austria, de su territorio...»

Estaba allí todo el mundo. Estaban, también, todos los siglos. Jóvenes filósofos con chitones dóricos y clámides blancas. Enrique VII según un cuadro de la escuela de Holbein. Lansquenetes con picas que habían participado en *il sacco di Roma*. La Duquesa Urbino pintada por Piero della Francesca.

El noble veneciano se rascó la cabeza.

«Las mangas anchas no son exclusivas de los antiguos dogos de Venecia», dijo. «También las tienen los magos. Merlín, por ejemplo. Yo no puedo, como él, transformarme en galgo o conejo, pero sí podría sacar de estas mangas más de una sorpresa. Tampoco le prometo que el Imperio Romano volverá a extenderse desde el Océano Hibernicus hasta la Arabia Pétrea... siempre me han encantado esos nombres: Arabia Pétrea, Arabia Feliz... Pero, ¿no querrían, los herederos del Sacro Imperio Romano fundado por Carlomagno, no desearían, me pregunto, agrandar sus dominios hacia el oriente del Danubio?»

De las ventanas que tenía el inmenso y altísimo Salón de los Mariscales del Palacio de las Tullerías, seis daban a la Plaza del Carrusel y una al jardín. A través de ellas se podía ver que seguía nevando en París.

«¿Agrandar el Imperio Austriaco al oriente del Danubio? ¿Ahora que hemos retirado nuestras tropas de los principados para que en ellos se consolidara un nuevo país, Rumania? Me atrevo a pensar que esa oferta, Su Majestad, llega demasiado tarde».

Nevaba sobre París. Nevaba en L'Avenue Montaigne. En la fosa común del cementerio de Montmartre. Nevaba en las fortificaciones de la Puerta de Clignancourt y en las aledañas casuchas miserables, y sobre la piel de los tigres del Punjab y los leopardos de Afganistán del zoológico de París.

«Mi querido Senador: el hecho de que el Sultán de Turquía haya expresado hace... ¿cuándo fue? Bueno, hace unas semanas su acuerdo para la unificación de Moldavia y Valaquia, no quiere decir nada: Rumania no es todavía un país. Es sólo un nombre. Para llegar a ser un país de verdad no le vendría mal la protección temporal de una o varias potencias. Nada está escrito sobre el mapa de Europa».

Y había nevado también sobre las plumas de quetzal del inmenso penacho de la princesa azteca que ocultaba su cara tras una máscara de jade.

«Por lo visto», dijo el senador romano, «también el espíritu de México vaga por las Tullerías».

«Le juro a usted que se trata sólo de otra extraordinaria coincidencia. Ignoro quién es la dama que ha tenido tan feliz atrevimiento».

Tristán de Leonís y Lanzarote del Lago intercambiaban sus espadas y se besaban cien veces. Parecían dos hombres, pero podían ser dos mujeres.

«Cómico, una princesa azteca en medio de la nieve, ¿verdad, Senador?»

«Sí, cómico. Y absurdo. Tan absurdo, me atrevo a sugerir, como una carroza dorada en medio del trópico. Me temo, Su Majestad, que no sólo serán necesarios muchos cañonazos para sentar a un príncipe europeo en el trono de México, sino muchos más para sostenerlo».

«No, no creo que sea una empresa tan difícil. El pueblo mexicano ya perdió toda su antigua grandeza. ¿Ha leído usted a ese historiador americano, Prescott? Me parece que es él, sí, quien lo comparaba al pueblo egipcio y al griego: son razas conquistadas, mi querido Príncipe, que nada tienen ya que ver con la civilización de sus antecesores».

«México tiene muchos años de ser una república».

«México tiene muchos años de ser un desastre. Y dígame usted: si la propia Francia ha demostrado no estar madura para ser una república, ¿por qué lo va a estar México? ¿Por qué lo van a estas esos pobres países hispanoamericanos que se pasan la vida en revoluciones? Y ahora que hablaba usted de una carroza en el trópico: ¿qué me dice Su Alteza del Brasil, un país que ha tenido más de un cuarto de siglo de paz y prosperidad bajo el reinado de Pedro II? Ferrocarriles, carreteras, nuevas industrias: eso es Brasil. Sí, una carroza real en medio del trópico, pero una carroza con chimeneas, mi querido Príncipe, que se mueve a vapor sobre rieles de acero como todo el progreso moderno, que a su vez, o camina a grandes pasos, o no es progreso. Ya lo ve usted con Suez. Comenzamos a excavar el canal con palas y cubetas, y ahora hemos desarrollado métodos increíbles, gracias al genio de De Lesseps, y por si fuera poco lo hemos convertido en una fuente de riqueza para el pueblo francés. Todo el mundo, en París, tiene acciones del canal: los peluqueros, los albañiles, los carniceros. Después seguiremos con un canal en Nicaragua, o en Panamá, quizás...»

El noble veneciano soñaba. Contempló a Diana Cazadora con turbante de pieles y carcaj al hombro, que se abría paso seguida por dos lacayos que llevaban un cervatillo muerto, listo para el asador. La Reina de las Abejas movía sus alas de tul transparente, y a su alrededor danzaban unos enanos disfrazados de zánganos. Danzaban y zumbaban.

«Pero México es un país más violento que Brasil. Un emperador, allí, podría tener el mismo destino que tuvo William Walker en Centroamérica o Raousset Boulbon en el propio México...»

«Curioso, sí, curioso que Walker y Boulbon comenzaran, los dos, por invadir Sonora, y los dos murieran ejecutados... Pero por Dios, mi querido Senador: no podemos hacer comparaciones. Me permito recordarle que Walker era un aventurero, un pirata. Nosotros enviaremos a un príncipe de sangre real, que contará además con el apoyo material de las potencias europeas y el respaldo del ejército francés».

«Walker contó con el apoyo de los Estados Unidos para conquistar Nicaragua».

«Nosotros contaremos con el apoyo de la Confederación».

«Mi condición de senador romano me permitirá preguntarle al *Signore Procurante*: ¿qué hay de los rumores que dicen que Tejas y la Luisiana le serían cedidas a Francia si ésta reconoce a la Confederación?»

Brillaban por su ausencia los arlequines, que tanto habían abundado en los bailes del austero reinado de Luis Felipe. En cuanto a los dominós, el sencillo disfraz era exclusivo de los agentes de seguridad: Luis Napoleón no quería morir, como Gustavo de Suecia, asesinado en un baile de máscaras.

«Usted lo ha dicho, Senador: son rumores. Sí, confieso que me gustaría reparar algunos errores históricos de Francia, en los que mi ilustre antecesor tuvo mucho que ver... La Luisiana... y pensar que Bonaparte dijo entonces que con la Luisiana había dado a Inglaterra un rival marítimo que pronto abatiría su orgullo. Si pudiéramos retroceder en el tiempo, Senador, yo convencería a Napoleón a seguir el consejo de Colbert, quien dijo que Francia siempre debería estar presente en la Luisiana y en Santo Domingo. Pienso que si hubiéramos reconocido el gobierno de L'Ouverture, no hubiéramos perdido Haití. ¿No lo cree usted? Y después de la derrota del Nilo, mi tío debió haber insistido en la reconquista de nuestro poderío en la India... Pero ya ve usted, los ingleses se afianzaron en la India con Clive, y ahora ese país es uno de los pilares del Imperio Británico... Si me permite usted le diré, volviendo a Raousset Boulbon, que él era un caso diferente...»

«¿Por ser francés?»

«Por ser europeo. Por haber sido uno de los que advirtieron que el poderío de los Estados Unidos crecería tan rápido que en diez años no se dispararía en Europa un solo cañón sin su permiso... claro que se trata de una exageración, y aparte ya lo había señalado Tocqueville también, hace más de treinta años, cuando dijo, usted lo recordará, que los Estados Unidos y Rusia parecían destinados por el cielo a gobernar, cada uno, la mitad del mundo... Pero no vamos a dejar que Tocqueville y Raousset se conviertan en profetas, ¿verdad?»

«Supongo que habrá que agradecerle a Francia y a Inglaterra que hayan derrotado a los rusos en Crimea».

«Y a los confederados, mi querido Senador, los tiros disparados en Fort Sumter, que han convertido a los Estados Unidos en Estados Desunidos. Es una lástima que ustedes no participaran en Crimea... Pero cumplimos nuestro objetivo, que era limitar a los rusos dentro de sus propias fronteras. Aunque algunas veces me pregunto si no hubiera sido mejor repartirse a Turquía en lugar de apoyarla... Austria, como le dije al Archiduque Maximiliamo, hubiera agrandado su territorio con Albania y Herzegovina...»

En cambio había una dama disfrazada de árbol, de cuyos brazos colgaban varias manzanas de terciopelo rojo. Dos o quizás tres *macaroni* de fines del siglo XVIII, con sus largas pelucas de bucles prodigiosos y sus zapatillas diminutas de enormes hebillas doradas que la nieve había manchado, hacían gárgaras con champaña.

«¿Por cuánto tiempo más, Su Majestad?»

El noble veneciano comentó que la peluca de los *macaroni* le recordaba la que solía usar el primer rey de los Hohenzollern para ocultar su joroba, y agregó:

«¿Por cuánto tiempo más qué...?»

«¿Por cuánto tiempo más seguirán siendo los Estados Desunidos? El Norte cuenta con mayores recursos».

«El Sur, con un ejército más poderoso».

«El Norte está en capacidad de triplicar el número de sus soldados en un plazo relativamente corto».

«Mi querido Senador, el Norte defiende "La Cabaña del Tío Tom". El Sur, todo un sistema económico, un sistema de vida al que no va a renunciar fácilmente. Recuerde usted que tiene tres millones de esclavos».

«El enemigo dentro de su propia casa».

«Les podríamos proporcionar una válvula de escape, estimular la emigración de negros al Imperio Mexicano... Hay un americano, un tal Corwin, que tiene ideas muy interesantes al respecto...»

«Pero si los confederados se han lanzado a una guerra para defender la esclavitud, no creo que estuvieran dispuestos a desprenderse de los negros...»

«Yo me refiero a una emigración limitada...»

Había también dos o tres conquistadores españoles con antifaces de acero, y estaba allí el matrimonio Arnolfini y los seguía un lacayo que sostenía a la altura de su rostro un espejo cóncavo, ¿o era convexo?

«O si el Senador gusta ponerlo en otras palabras», continuó el noble veneciano, «hablaría de un pago. El Imperio Mexicano reconocerá a la Confederación, y ésta le pagará su ayuda al Imperio con recursos humanos...»

«México, entonces ¿compraría esclavos?»

Y longobardos con túnicas de lino bordeadas por franjas de oscura piel espesa.

«Compraría su libertad. Haremos de México la nueva Liberia. ¿Sabe usted? La Emperatriz, siempre tan interesada en historia, estaba encantada el otro día cuando le dije que la palabra Liberia viene de "Libertad" y que el nombre de su capital, Monrovia, del nombre del Presidente Monroe —el mismo de la doctrina que ahora nos da tanta lata—, a quien se le ocurrió crear ese país para que allí se fueran a vivir los negros americanos en libertad... ¿Y qué pasó? Sólo se fueron unos cuantos que subyugaron a los pobres negros locales... un fracaso... No, no queremos en México nada que se parezca al estado esclavista que Walker quería fundar en Nicaragua. Desde el momento en que pongan un pie en territorio mexicano, los esclavos adquirirán su libertad».

«No creo, *Signore Procurante,* que tal clase de inmigración pueda mejorar la raza latina...»

Y para que no se dañaran las alfombras o el *parquet* de los salones del Palacio de las Tullerías, las cortesanas griegas habían prescindido de las sandalias doradas en cuyas suelas, con puntas de clavos, estaba escrita al revés la palabra «sígueme» para que quedara, escrita al derecho, en la tierra o el polvo de las calles y los caminos. O en ese caso en la nieve, porque seguía nevando en París.

«México tiene un territorio enorme con grandes zonas despobladas. Los distribuiremos de manera estratégica. Además, cuando decimos que este proyecto tiene como objeto la protección de la latinidad en Hispanoamérica, no nos referimos a la protección de la raza. No se trata del color de la piel. Se trata de defender las tradiciones y la cultura latinas y en última instancia las tradiciones y la cultura europeas que pertenecen también a millones de indios de ese continente».

El noble veneciano tomó del brazo al senador romano y comenzó a caminar, alejándose de la orquesta.

«Juárez», continuó, «se nutre con el espíritu de Rousseau como nosotros y no con la filosofía política de los aztecas o de los incas, si es que tal cosa existió alguna vez».

«El espíritu de Rousseau no parece ser el mismo del que se nutren los mexicanos monárquicos. Gutiérrez Estrada, por ejemplo...»

«Ah, por favor no me hable de ese energúmeno. ¿Sabía usted que la sola mención de su nombre le da escalofríos a la Emperatriz? Dice que le recuerda a Felipe II. A un Torquemada. Pero no se preocupe, Gutiérrez Estrada se quedará tranquilo en su Palacio Marescotti. No puede vivir sin besarle las sandalias al Papa... En cuanto a los otros... siempre se les podrá dar puestos diplomáticos en las cortes europeas».

Algunas ninfas se pintaban los labios usando como espejos las bruñidas corazas plateadas de los guardias palatinos.

«En fin», agregó el noble veneciano. «Hablaba yo de tradiciones. Estará usted de acuerdo en que, de todas ellas, la más importante es nuestra fe católica y su defensa el objetivo primordial del proyecto. La catolicísima Casa de Austria, martillo de los herejes como la llamó Laurens Gracián, sin duda comparte este interés».

La Señora Noche, cubierta con un largo manto de terciopelo azul tachonado de estrellas y en la cara una máscara de luna llena y contenta, bailaba con un decapitado que a juzgar por su cabeza, colocada en una charola de plata sostenida por un lacayo, debía ser Carlos I de Inglaterra.

El noble veneciano se detuvo, soltó el brazo del senador romano y le tocó el pecho con la punta de los dedos.

«Le voy a pedir una vez más que trate de influir a Viena. Es necesario que Su Alteza el Archiduque Fernando Maximiliano se decida de una vez por todas. Es decir, de manera oficial, pública, porque sabemos que ya está convencido».

«¿Puedo preguntar cómo lo sabe *il Signore Procurante?*»

«De muy buenas fuentes. Sus Altezas el Archiduque y la Archiduquesa toman clases de español varias horas a la semana. La Princesa Carlota devora los libros sobre leyendas mexicanas, y el Príncipe está embebido en Humboldt, en Mathieu de Fossey y en otros viajeros que se encargaron de describir las maravillas y las riquezas de México. Y espere usted que nuestro ilustre Michel Chevalier acabe de rendir su informe. Le mostraré algunas estadísticas que hablan por sí solas. ¿Sabía usted, por ejemplo, que las importaciones de México procedentes de Francia casi quintuplican sus exportaciones a nuestro país? No podemos desperdiciar ese mercado ni el gigantesco potencial minero de México. Sí, ya sé que en el parlamento se ha dicho que Sonora podría resultar un mito, como la California. Pero no es así. Walker y Raousset sabían muy bien lo que querían. Sonora tiene inmensas cantidades de plata. Y dígame usted: ¿va a dejar Europa, vamos a dejar nosotros que nos arrebaten toda esa riqueza? Ya hace tiempo que los norteamericanos comenzaron la conquista económica de Sonora. Han invertido allí millones de dólares. Y el día menos pensado el gobierno de Juárez firma otro tratado y les entrega todo el territorio sonorense».

«Europa ya tiene intereses en México. Los ingleses controlan todas las minas de plata de la región central del país».

El noble veneciano tomó de nuevo del brazo al senador romano y comenzó a caminar con pasos pausados.

«No sólo eso: las exportaciones de Inglaterra a México casi triplican las nuestras. Y si los dejamos construir más ferrocarriles en México, van a sacar todo de allí. Pero me extraña que usted considere a los ingleses como europeos. En más de un sentido, Inglaterra no es Europa. O digamos que podemos considerar a los ingleses como europeos cuando así nos convenga, y como bárbaros o vikingos o lo que usted quiera, cuando resulte adecuado a nuestros intereses. Al fin y al cabo ellos, y nada más que ellos, son los culpables de que haya en América veinte millones de *yankees,* los nuevos vándalos de la historia, que quieren robarse todo el continente, principiando por su nombre, que ya se lo adjudicaron».

«A propósito de Inglaterra, le confieso que me resultó un tanto... un tanto extraño el que se solicitara el apoyo de una nación protestante para una empresa destinada a defender la fe católica...»

«Senador, una de las virtudes más estimadas de un gobernante es el pragmatismo. Me permitiré recordarle que nuestro ilustre Cardenal Mazarino acudió al auxilio de quien fue no sólo protestante acérrimo, sino además regicida: Cromwell. Y que Francisco I buscó, y logró, la alianza de Solimán el Magnífico.... Y bueno, si es verdad que la clase acomodada inglesa desea el triunfo de los confederados, el Imperio Mexicano no hará sino consolidar sus intereses. Sí, necesitábamos el apoyo de Su Majestad Británica y gracias a Dios, o quizás gracias a Alberto, lo obtuvimos... Extraordinaria mujer, Victoria, ¿no le parece?»

«Me dicen que está inconsolable por la muerte del Príncipe Alberto».

«Ah, no sabe usted cómo disfrutaron todas sus visitas a Francia. Saint Cloud siempre le pareció a Victoria un palacio de cuento de hadas. Y en Versalles, donde por cierto conocieron a Bismarck, casi lloran de la emoción con los magníficos juegos pirotécnicos que culminaron con la reproducción del Castillo de Windsor. Hoy también teníamos preparados unos fuegos artificiales para esta noche, pero ya ve usted cómo está nevando. Será en otra ocasión. Volviendo a México: ¿supo usted de la llegada de los navíos franceses a Campeche? El pueblo se desbordó en pro de la monarquía. Y según mis cálculos, Lorencez debe haber desembarcado ya en Veracruz, con otros cuatro mil hombres. Así que ya no sólo tendremos en México pantalones azules, sino también pantalones rojos. Me dicen además que Carrera estaría dispuesto a unirse al Imperio Mexicano en cuanto, por supuesto, haya allí un emperador».

«¿Carrera?»

«Rafael Carrera, usted recordará: el presidente perpetuo de Guatemala, como se hace llamar. Otro dictadorzuelo más de los tantos que se dan en esas tierras... Soulouque, Rosas, Santa Anna... Ah, me permitirá usted que me quite la máscara unos segundos para respirar. Me acalora mucho y me derrite la cera de los bigotes».

El noble veneciano se quitó el rostro de pájaro, y tras la máscara apareció la cara de Napoleón III.

«Jamás lo hubiera pensado... Ha sido un gran honor, Su Majestad, el haber conversado...»

«Con un senador de la República de Venecia. Pero ahora ya puede usted hablar con el emperador de los franceses si, desde luego, querido Senador, revela usted su identidad».

El senador romano se quitó el antifaz de seda blanca y tras el antifaz apareció la cara del Príncipe Richard Metternich.

«Ah, ah, qué sorpresa. El Príncipe Metternich, nuestro querido y Excelentísimo Embajador de Austria, el hijo del gran Canciller Clemens Metternich. Lo veo y no lo creo... Bienvenido a las Tullerías».

Tampoco había esa noche una Salambó como la descrita por Flaubert, porque desde que la Condesa de Castiglione se había presentado así en un baile de las Tullerías con la consigna de llevarse a la cama a Luis Napoleón: los cabellos recogidos bajo una banda de diamantes y desnudos bajo los tules transparentes los hombros, la espalda, los brazos y las piernas, y con una cauda de terciopelo negro que llevaba en una mano el Conde de Choiseul disfrazado de paje africano con la piel pintada de negro y en la otra un parasol enorme —que en esa otra ocasión hubiera servido de paranieve—, nadie, desde entonces, había tenido el atrevimiento de disfrazarse así. Pero estaba allí todo el mundo, incluyendo a Venus recién nacida de la espuma.

«Sí», prosiguió Napoleón. «Dése unos minutos la semana próxima, mi querido Príncipe, para conversar conmigo. Hagamos ya una cita. Quiero, como le decía, enseñarle varias cosas. La Emperatriz ha ordenado el diseño de una vajilla con el monograma imperial de Maximiliano I de México. Ese será uno de nuestros regalos. También le ha pedido a uno de nuestros mejores sastres que elabore un uniforme de parada para los mariscales mexicanos: algún día los habrá, ¿no es cierto? Y yo mismo he dibujado unos uniformes más adecuados para el trópico. Tenemos que pensar en todo. Incluso he ordenado varias toneladas de mosquiteros para aliviar, en lo posible, los sufrimientos de nuestras tropas en esas tierras tan insalubres. Usted sabe que la fiebre amarilla es endémica en Veracruz... ahora que, si las teorías de Monsieur Pasteur sobre los gérmenes son ciertas, pronto acabaremos con la fiebre amarilla, la malaria y otras enfermedades. Le sugeriré a la Emperatriz que el próximo otoño invitemos a Pasteur a Compiègne, y le atontaremos unos cuantos conejos para que se dé el gusto de cazarlos. Esos científicos no saben lo que es una escopeta... ¿conoce usted a Monsieur Pasteur?

«Hay otros gérmenes con los que también habría que acabar, Su Majestad».

«Ah, sí, me imagino a cuáles se refiere usted. Ese periodista alemán... ¿cómo se llama? Karl Marx, que se pasa la vida atacando entre otras cosas a Inglaterra y tiene la desfachatez de vivir hace diez años en Londres. ¿Sabía usted que en un artículo publicado en «Die Presse» dijo que la intervención en México es una posibilidad más a la que yo acudo para distraer al pueblo francés de otros problemas? Pero no, no habría que acabar con ellos. Al menos no en Francia. Mientras estén controlados, todos esos comunistas y republicanos serán una prueba de que existe la libertad de expresión, de que ésta es una monarquía constitucional. Porque eso es lo que necesita el mundo, mi querido Príncipe: dictaduras liberales. Ya lo ve usted, aquí en París dejamos que los legitimistas y los orleanistas hablen todo lo que quieran y despotriquen contra el Imperio. Y lo mismo los blanquistas, los proudhonistas, qué sé yo. Víctor Hugo debería regresar para darse cuenta de la libertad que se goza bajo el Imperio. Me dicen que le ha dado por dibujar castillos tenebrosos. Pero claro: en Bruselas y las islas del Canal llueve todos los días. Yo mismo me volví tan melancólico en Inglaterra con esa eterna lluvia y los días grises, oscuros... Aquí, Víctor Hugo recobraría la alegría de vivir, y a un tío como ese Marx se le aplacaría la rabia. Aquí encontraría buena comida, diría lo que quisiera decir, bebería vinos excelentes, gozaría del sol en los bulevares de París y a la orilla del Sena, y qué sé yo: vería a Cora Pearl bailar, desnuda, sobre una alfombra de orquídeas. Eso es lo que llamo yo buena vida. Y lo que llamo democracia. Porque eso sí, cuidado con que ataquemos a la democracia. ¿Cómo podría hacerlo, si yo fui el primer jefe de Estado de Europa elegido por medio del sufragio universal? ¿Cómo, si dos años después el pueblo de Francia me eligió su emperador por una mayoría abrumadora? En cierto modo, ¿no cree usted, mi querido Embajador? yo tenía más derecho de gobernar a Francia que Juárez de gobernar a México cuando llegó al poder... ¿Gusta usted un poco de champaña? A la Emperatriz Eugenia le encanta la champaña rosada. ¿Le ha presentado usted sus respetos? Le diré un secreto que corre a voces: donde vea usted a una María Antonieta con una canasta llena de amapolas y fresas, seguida de dos lacayos disfrazados de vaca con un collar de cencerros de plata, la habrá usted encontrado. Aunque con mi adorada Eugenia nunca se sabe. A veces le da por desaparecer a la mitad del baile para ponerse otro disfraz. No me extrañaría nada que se haya transformado, por ejemplo, en un matador de toros...»

Con su traje goyesco, su coleta, su capa torera de dos colores, y atrás de ella la cabeza de un toro con cuernos incrustados de trozos de nácar sobre una plataforma con ruedas y manubrio que empujaba un lacayo vestido de monosabio.

Esa noche las ventanas de todas las salas y recámaras del Palacio de las Tullerías permanecieron encendidas hasta muy tarde: La Sala de Consejo, el Salón de los Mariscales, los departamentos privados del Emperador y de la Emperatriz, el Salón Verde, el Salón Rosa, el Salón de los Oficiales de Servicio, el Salón del Primer Cónsul. En la madrugada, salió del Palacio de las Tullerías un carromato cargado con las sobras de la gran cena: los patés y las castañas cristalizadas, la galantina de liebre, los filetes de gallina a la Tolosa, los volovanes a la financiera, los espárragos a la holandesa, para ser vendidos en el mercado central de París y bajo el letrero «Del Baile de Anoche en las Tullerías», a quienes quisieran y pudieran darse el lujo de comer las delicias que una duquesa, un príncipe o quizás el propio emperador, habían tocado con sus cubiertos y dejado en su plato. Cuando comenzaron a apagarse las luces, era la hora en que otros carromatos se dirigían al Bosque de Bondy, al este de la ciudad, para descargar allí los excrementos recogidos de las letrinas parisinas. El excremento chorreaba entre los tablones y dejaba una huella oscura sobre la nieve. A veces, la nieve seguía cayendo y lo cubría. Esa mañana no sucedió así: dejó de nevar en París, bajó la temperatura y la huella oscura del excremento quedó congelada.

Pero si no nevaba ya en París, sí nevaba sobre París, arriba de París: soplaba un fuerte viento que no dejó que cayera la nieve y que la arrastró, en dirección casi horizontal, a la altura de lo que treinta y nueve años después sería el tercer piso de la Torre Eiffel.

3. El Rey de Roma

El canciller austriaco Clemens Lothar Metternich, apodado el Gran Inquisidor de Europa, y a quien, gracias a su insistencia y buen gusto se le debe la invención del pastel de chocolate vienés o *Sachertorte*, afirmaba que el café debía ser caliente como el amor, dulce como el pecado y negro como el infierno. Lo que no impidió que Viena, que había adoptado el hábito de tomar café gracias a la invasión de los turcos —derrotados para siempre el *annus mirabilis* de 1683 al fracasar el sitio del Gran Visir Kara Mustafá—, le enseñara al mundo cuarenta formas distintas de prepararlo, no siempre caliente, ni dulce, ni negro. Pero Viena, la ciudad cuyas murallas desaparecieron a principios del siglo para dar lugar a la bella avenida conocida como la Ringstrasse, la ciudad fundada por los romanos con el nombre de Vindobona o Vindominia donde murió el filósofo estoico Marco Aurelio y que fuera devastada por la plaga de 1679 —el azote de Dios suele ser más cruel y certero que los alfanjes y las catapultas de los infieles: San Luis Rey murió de peste en la última Cruzada— también le enseñó al mundo la pompa y el esplendor de un barroquismo triunfal y luminoso que conjugó el arte gótico y el renacimiento, la frivolidad y la exuberancia, en templos como el Karlskirche, en palacios como el de Schönbrunn, en monumentos como la Columna de la Santa Trinidad. Y le enseñó la alegría de vivir, el amor por el fausto y la glotonería. Y el amor por la naturaleza: lo atestigua el enorme entusiasmo que despertó en los vieneses el elefante que en 1552 le regaló al Emperador el Gran Turco; el estupor que causó la jirafa que le obsequió a Viena el Virrey de Egipto y que dio lugar a la moda jirafa: bailes, peinados, faldas y maquillajes *à la girafe,* y la admiración provocada por la pareja de esquimales que trajo del Polo el Capitán Hadlock, y que estuvieron expuestos en el Parque del Belvedere para el asombro inacabable de los habitantes de Viena. No en balde, desde luego, murió en esa ciudad de tifoidea y de miseria, Franz Schubert. Porque Viena prefirió, y también le enseñó al mundo, las delicias de la música fácil, del vértigo del vals y del violín diabólico de Johann Strauss, de la música mecánica que parecía salir de la nada cada vez que los relojes indicaban las medias horas con minués o con gavotas los cuartos de hora; cada vez, en fin, que se abría una ventana o una caja de rapé o se colocaba una bola de marfil en el fieltro azul de una mesa de billar. También los burgueses ricos de Viena, que cada ocho días recibían a domicilio una tina de agua caliente para bañarse, colgaban de los árboles de sus jardines arpas eólicas que tañía el viento venido de los Alpes. Pero por haber sido Viena desde 1556 la capital de los emperadores de la ilustrísima Casa de los Habsburgo, fundadora del principio de la monarquía universal y cuyos dominios se extendieron en el curso de los siglos desde el Portugal hasta la Transilvania, desde Holanda hasta Sicilia y a las cuatro quintas partes del continente americano, también Viena enseñó a bailar, a punta de palos y latigazos a los patriotas del Piamonte. Y a los rebeldes húngaros, los colgó de los patíbulos para que aprendieran a danzar al compás de las alas de los buitres.

En esa ciudad, en el Palacio de Schönbrunn, el 6 de julio de 1832, nació Fernando Maximiliano José, hermano del futuro Emperador de Austria Hungría y futuro Emperador, él mismo, de uno de esos países de América donde un sol deslumbrante colgaba ya del cénit, iluminando una inmensa vastedad de trópicos y desiertos, cuando el sol pálido que alumbraba el Alcázar de Toledo y la Catedral de Viena comenzaba a ocultarse en el horizonte. Conocido más por su segundo nombre —el de su insigne antecesor Maximiliano I, mecenas, cazador de gamuzas y fundador de la rama española de los Habsburgo al matrimoniar a su hijo Felipe el Hermoso con Juana la Loca, y quien se dijo ser descendiente de Príamo y soñó con ser Papa—, Fernando Maximiliano José vino al mundo quince días antes de que en el mismo Palacio de Schönbrunn muriera, quizás de consunción, o quizás víctima de un melón envenenado, un muchacho que tenía un alma de hierro en un cuerpo de cristal, y a quien alguna vez se le conoció con el nombre de Rey de Roma. Unos dicen que sus últimas palabras, de las pocas que pudo pronunciar en su agonía porque la boca se le llenaba de mucosidades sanguinolentas que su fiel sirviente Moll tenía que sacarle con un pañuelo, fueron: «¡Cataplasmas, ampollas!» Otros afirman que gritó: «¡Enjaecen a los caballos! Debo ver a mi padre. Debo abrazarlo una vez más». Es posible, también, que el Rey de Roma, que nunca fue rey y nunca estuvo en Roma, muriera de amor por la madre de Maximiliano, la Archiduquesa Sofía.

En una ocasión el padre del Rey de Roma dijo que prefería ver a su hijo muerto y blanco en el lecho del Sena, que cautivo en las manos de sus enemigos. El triunfador de Wagram y Austerlitz vivió lo suficiente para saber que su hijo había sido capturado por esos enemigos y llevado a la corte de Viena donde le prohibieron hablar en francés, donde se ordenó a los que lo rodeaban que jamás le hablaran de su padre y se le despojó de todos sus recuerdos y de todos sus títulos, y a donde nunca llegaron los objetos que le envió Napoleón desde Santa Elena: sus espuelas y las bridas de su caballo, su pistola de caza, sus anteojos de campaña. Pero el Gran Corso no vivió para saber que unos cuantos años más tarde su hijo, cuando apenas comenzaba a ser un hombre sin dejar de ser un niño, con la piel dura y quebradiza y blanca como el papel, el timo hinchado y cartilaginoso, los dedos engurruñados, el pecho enrojecido por las pomadas eméticas y el cuello punteado por las patas y los hocicos de las sanguijuelas, había muerto, aún cautivo, en el cuarto contiguo a la habitación de las lacas historiadas con oro del Palacio de Schönbrunn donde él, Napoleón el Grande, se acostó con la Condesa Walewska tras de que sus tropas habían cruzado el Danubio en un puente formado con botes para infligirle a los Habsburgo una primera y gran humillación. La segunda, fue la de casarse con María Luisa, la hija del Emperador Francisco, porque a Bonaparte, más que el sabroso y abundante trasero de Josefina, le interesaba un heredero de sangre real que perpetuara su incipiente dinastía. Cuenta la historia que cuando Napoleón contempló el árbol geneaológico de los Habsburgo, que del halcón derivaron su nombre y del crucifijo que ha redimido al mundo hicieron su cetro, señaló el nombre de María Luisa y dijo: «Esta es la matriz con la que quiero casarme». Aunque Napoleón no fue a Viena para la iniciación de las ceremonias nupciales, y en su lugar envió como apoderado al Príncipe de Neuchâtel, que además debería escoltar a María Luisa a París, gracias a Mälzel, el genio que había inventado al jugador de ajedrez autómata y que con infinita paciencia y milagrosa habilidad había creado orquestas y bandas militares minúsculas y mecánicas, el pueblo de Viena tuvo oportunidad de ver cómo aparecían en el balcón de una casa del Kohlmarkt dos grandes muñecos, de corazón y tripas hechos con engranajes y resortes, que eran idénticos a la pareja imperial. La multitud los ovacionó y lloró de la emoción. Napoleón y María Luisa saludaron al pueblo, a los hombres y mujeres, niños y viejos que, vistos desde el balcón, parecían también diminutos artificios mecánicos, y que cuando ellos se retiraron siguieron aclamándolos en las calles de París. Menos de un cuarto de siglo antes, otra Habsburgo, otra austriaca que también fue soberana de Francia y también tuvo un hijo que nunca llegó a reinar, fue escarnecida por el vulgo parisiense y su cabeza, que se había vuelto blanca en una noche, rodó en el patíbulo levantado en la Plaza de la Concordia. Ese mismo vulgo, voluble hasta el desvarío, volvió a enaltecer el nombre de María Luisa cuando dio a luz al heredero de Napoleón, que nació con la cara negra y casi muerto, que sólo lanzó su primer chillido cuando le humedecieron los labios con coñac. Ciento un cañonazos y una lluvia de boletines arrojados por la aviatriz Madame Blanchard desde un globo aerostático anunciaron la buena nueva con la que el cielo bendecía a Francia y a sus soberanos, y diez mil poetas compusieron versos en honor del Rey de Roma, al que se le llamó además desde pequeño Napoleón II. Pero pocos fueron los que conocieron todos los nombres: Napoleón Francisco, Carlos, José, que se le dieron primero en el bautizo privado de la Capilla de las Tullerías, y después en el bautizo estatal en Nuestra Señora de París el día en que, envuelto el infante en oro y armiño, su padre lo mostró a la multitud alzándolo sobre su cabeza en la misma forma en que Eduardo I había mostrado al pueblo inglés al primer Príncipe de Gales. París, Francia entera, volvieron a iluminarse, y los marchantes extendieron en las calles y exhibieron en sus tiendas las tapicerías, la loza, los abanicos, los biombos, las cajas de música, las medallas, los parasoles, las estampas coloreadas y los grabados que conmemoraron el bautismo. En la cuna del Rey de Roma se prendió, con alfileres, la cruz de la Legión de Honor. Encima de su cabeza colgaba la Orden de la Corona de Hierro. Antes de cumplir tres años había ya vestido el uniforme de oficial de los granaderos franceses y el de coronel de los lanceros polacos. Pero poco le duró, también, el nombre único: François, que su padre eligió entre todos sus nombres y sus títulos para llamarlo y sentarlo en sus piernas y besarlo, y hacerle muecas frente al espejo y colgarle de la cintura su enorme espada y jugar con él a las batallas en las alfombras del Palacio de las Tullerías y decirle François tú serás el segundo Alejandro de la historia: el día en que extiendas el brazo el mundo será tuyo, porque cuando partió con su madre camino a Viena para nunca más volver a Francia, y su padre, solo, rumbo a la Isla de Elba llevando junto a su pecho la miniatura que lo había acompañado en los helados campos de Beresina y en las calles de Moscú devoradas por las llamas, y que representaba a su hijo montado en un cordero, el pequeño Rey de Roma dejó de llamarse François para comenzar a llamarse Franz. El Archiduque Franz. Después, por un tiempo, fue Príncipe de Parma. Más tarde, y hasta el día de su muerte, fue el Duque de Reichstadt, alias El Aguilucho. Hubo poetas que lo llamaron Astiánax —al compararlo con el hijo de Héctor, apresado por los troyanos, y al que Ulises arrojó desde una de las torres más altas de Troya— cuando supieron que, despreciado por la Casa de Austria porque en sus venas corría la sangre plebeya del aventurero corso, y codiciado por la misma Casa de Austria porque en sus venas corría la sangre real de los Habsburgo, se le había dado un palacio por cárcel. Pero en ninguna de las habitaciones y las enormes salas de Schönbrunn: ni en la Sala del Carrusel, ni en el redondo Cuarto Chino ni en la Sala del Millón, encontró El Aguilucho las sillas forradas con terciopelo que en sus anchos respaldos ilustraban el Río Tíber y las Siete Colinas de Roma. Tampoco encontró nunca los platos de Sèvres que Napoleón mandaba hacer para que allí sirvieran los alimentos del Rey de Roma, y que ilustraban batallas famosas, monumentos de París, extractos del Código Napoleónico, las cataratas del Niágara. No estaba allí, para echarle los brazos y para que ella hundiera el rostro en sus bucles dorados, Mamá Quiou su amada aya, quien por instrucciones de Metternich había sido enviada de regreso a Francia, y no estaba su madre, la cual por órdenes del Emperador Francisco se fue a vivir a Parma transformada en gran duquesa, y allí, entregada en cuerpo y alma a un mariscal tuerto que la hizo concebir más de un bastardo, se olvidó de Napoleón, del amor que el corso tenía por el hijo de ambos y de la devoción que siempre tuvo por ella y cuya primera prueba se la dio el día en que hecha un mar de lágrimas llegó a París y se encontró que por órdenes del Emperador de Francia todos los muebles y los objetos que ella tenía en su recámara del Hofburgo habían sido trasladados a las Tullerías para reconstruirla hasta el último detalle: y allí estaban su cama y las cómodas y las sillas y las alfombras y los retratos de Papá Francisco y de su madrastra, y los relicarios y su polvera y los pájaros en sus jaulas y sus espejos y sus cortinas y, vivo, gordo y babeando, su perro favorito.

Cuando el Archiduque Franz, alias El Aguilucho extendía el brazo, no era para apoderarse del mundo sino para que su mentor, el Conde Dietrichstein, le diera un varazo en la palma de la mano por haber dicho algo en francés. Sin embargo, más le dolían estos varazos a algunos bardos de Francia, que se imaginaron, como uno de ellos escribió, que el pequeño Jesús de las Tullerías sería el futuro Cristo de Schönbrunn. Pero El Aguilucho, además de aprender el alemán y los otros idiomas que debía saber un archiduque, y nociones de las otras lenguas que debía conocer un príncipe del Imperio que dominaba entre otros a checos y magiares, polacos y rumanos, italianos y servocroatas, además de aprender la historia del Sacro Imperio Romano, cuya corona poseyeron los Habsburgo durante casi trescientos sesenta años, y de aprender los artificios y vericuetos del ceremonial y del protocolo de la corte austriaca y de cómo se esperaba que él se comportara, no sólo como nieto del emperador o como futuro miembro del ejército imperial sino quizás algún día como Rey de Bélgica o de Polonia: sin la altanería ni la soberbia de la que fue en un tiempo la rama española de los Habsburgo, pero sí con la dignidad y la grandeza, la generosidad que había distinguido a la rama austriaca desde el reinado de María Teresa; además de todo esto, El Aguilucho aprendió a hacerse querer de su abuelo, de sus tutores, de su abuelastra, de los soldados austriacos, de los vieneses.

Rubio, pálido, de ojos azules y grandes, más parecido a su padre que a María Luisa, pero con una hermosura que no tuvo ninguno de los dos, callado, serio y tierno, obediente y juicioso. El Aguilucho se transformó en un espléndido jinete, en un estudioso de la artillería y de las artes de la fortificación, de la logística, y juró que aplastaría no sólo a los rebeldes de Parma que se habían levantado contra la gran duquesa, sino también a todos los enemigos del Imperio Habsburgo. Pero uno de los pocos que jamás lo amaron, el Canciller Metternich, sabía muy bien que El Aguilucho nunca se atrevería a combatir contra Francia o los franceses: sus espías le contaron que El Aguilucho, quien tuvo además que aprender el francés como idioma extranjero tras haberlo olvidado como idioma natal, había traducido en secreto a esa lengua para aprendérselo de memoria, palabra por palabra, el libro «La Batalla de Waterloo» en el que el Conde Anton von Prokesh rendía un homenaje al Gran Corso.

Desafortunado Rey de Roma, que mientras más le crecían las piernas más se le estrechaba el tórax y se le afilaba la cara. Pobre François que cuando fue nombrado capitán de infantería a los quince años, perdió la voz cuando daba órdenes a un batallón. Desgraciado Duque de Reichstadt que un día se le decoloraron las puntas de los dedos, y otro día comenzó a escupir esputos sanguinolentos, le dio dispepsia y tos crónica, le salieron almorranas, el cuello y el cuero cabelludo se le cubrieron de costras, se desmayó en medio de la calle y le prohibieron la esgrima, le prohibieron bailar el vals torbellino, cabalgar a la orilla del Danubio. Infeliz Aguilucho que cuando ya no lo sostenían las piernas su abuelo lo nombró coronel. De nada sirvieron las recetas y las pócimas del Doctor Malfatti, de nada los cuidados y el cariño de su tía la Archiduquesa Sofía de Baviera, apenas unos cuantos años mayor que él, y a quien comenzaban ya a apodar la Archiduquesa Amorosa y Madame Putifar. De nada sirvieron tampoco las cataplasmas de mostaza y la leche de burra diluida con agua de seltzer y agua de Marienbad. El 22 de julio de 1832, un viajero que pasó por Viena se detuvo frente a Schönbrunn, vio las dos águilas de piedra que Napoleón ordenó se colocaran en la entrada principal del palacio para conmemorar la caída de la ciudad, y que a los austriacos se les olvidó quitar de allí, y dijo: «Una de estas dos águilas habrá, sí, muerto en la Isla de Santa Elena de tristeza, desolación, nostalgia o impotencia, o quizás envenenada con arsénico; pero la otra pronto levantará el vuelo para reconquistar a Francia». Cuando el viajero dijo esto, a esas mismas horas el Duque de Reichtadt, empapado en sudor, abrasado por la fiebre, con las piernas cada vez más hinchadas y la boca llena de sangre fresca, el bazo hipertrofiado, las glándulas mesentéricas hinchadas y endurecidas y los ojos bailando en las cuencas en busca del fantasma de su padre, o de su retrato al tamaño natural y de su espada, que fueron los dos únicos recuerdos del Gran Hombre que Metternich permitió que conservara, moría en una habitación de ese mismo palacio. Unos dicen que de tuberculosis. Otros que Metternich, que nunca creyó conveniente para Austria tener en el trono de Francia a alguien que un día, de pronto podía resultar más Bonaparte que Habsburgo, al darse cuenta de la fragilidad de El Aguilucho le propició los favores de la célebre y bella Fanny Elsler y de otras bailarinas y cortesanas como Mademoiselle Pèche y una condesa polaca, en cuyos brazos y lechos, muslos y pechos el infeliz, desventurado Franz fue dejando la vida. Otros más dicen que el propio canciller le envió de regalo un melón envenenado, y que El Aguilucho había muerto virgen. Otros más dijeron que no, que había sido virgen sólo hasta el momento en que la archiduquesa se había dado cuenta de que ya era un hombre, y que si hubo algo que le envenenó el alma y le consumió el cuerpo, fueron sus amoríos con la archiduquesa, y dijeron más, dijeron las malas lenguas que El Aguilucho era el padre del niño que nació dos semanas antes de su muerte, y que se llamó Fernando Maximiliano y que sería, muchos años después, Emperador de México.

Las campanas de la Catedral de San Esteban tañeron a duelo, y los barqueros que navegaban por el Danubio rumbo al Mar Negro; los conductores de los *Zieselswagen* con calzones cortos y azules y sombreros de copa que deambulaban por la Landstrasse; los archiduques y las princesas de la corte; los niños cantores de Viena; los lacayos con sombreros de tres picos y chaquetas bordadas con oro; los violinistas de los cafés; los soldados de caballería de largas túnicas azul cielo, pantalones púrpura y cascos empenachados; los burgueses que hacían pic-nics en el Prater; los relojes musicales; los valses; los bosques; el viajero que se había detenido frente a Schönbrunn: todo el mundo, todas las cosas lloraron, en Viena, a El Aguilucho. Hasta el propio Emperador Francisco, que sollozó como un niño con la muerte de su nieto adorado. Pero nadie lo lloró más que la Archiduquesa Sofía, que de la enorme pena se quedó sin lágrimas y se quedó sin leche. Nunca se sabrá si Sofía y El Aguilucho pasaron más allá de tocarse la punta de los dedos cuando caminaban por los Jardines de Schönbrunn y bebían de sus fuentes; nunca se sabrá si fueron más allá de besarse las manos cuando leían, juntos, a Byron, en voz alta, en los oscuros corredores del palacio. Y si fue verdad que Fernando Maximiliano era hijo de El Aguilucho, nunca se sabrá si fue engendrado tras innumerables noches en que ambos descubrían una y otra vez el calor y la hermosura, la juventud y el fulgor, la suavidad de sus cuerpos, o si fue el producto de un solo coito apresurado, súbito, lastimoso, que pudo haber ocurrido tras una cortina de brocado en un retrete hediondo, en las rosas de la alfombra del teatro rococó donde María Antonieta le puso una zancadilla a Mozart o en la cabaña del jardín que El Aguilucho construyó de niño con sus propias manos tras haber leído Robinson Crusoe y haberse imaginado a su padre como otro solitario, abandonado por los hombres y dejado de la mano de Dios, en otra isla inalcanzable y desierta. Lo que sí se sabe con certeza es que un día la archiduquesa y El Aguilucho se arrodillaron ante el altar de la capilla real de Schönbrunn. Ella le había pedido que fueran a orar, juntos, para que Dios lo aliviara. El no supo que iba a comulgar por la última vez en su vida, y que ellos y el sacerdote no eran las únicas personas que había en el templo: tras una puerta, y en silencio, estaban los archiduques y los chambelanes y todos los dignatarios de la corte que de acuerdo al protocolo debían estar presentes cada vez que un Príncipe de Austria recibía el último sacramento, y que casi sin saberlo y sin creerlo fueron testigos mudos, casi cómplices, de esa especie de matrimonio casi secreto y adúltero, inocente casi. Otras personas, en fin, dicen que de su muerte no se debe culpar a la tisis, al amor, o a las frutas envenenadas, porque el Rey de Roma, El Aguilucho que nunca llegó a ser águila, en realidad murió de vergüenza por haber sido huérfano, por haber sido un rey sin reino, un príncipe sin principado, un coronel sin soldados, un emperador sin imperio.

La cuna de El Aguilucho, obra maestra de la orfebrería, prodigio de plata esterlina y madreperla, incrustada de abejas napoleónicas, en uno de sus extremos la figura de la gloria y en el otro un aguilucho a punto de alzar el vuelo, se encuentra en un museo de Viena, la ciudad donde murió. En esta ciudad descansaron también sus restos junto a aquellos de los emperadores y príncipes Habsburgo de la Casa de Austria, en un sepulcro de la Iglesia de los Capuchinos en cuya lápida estaban inscritos todos los títulos que Austria y el destino le habían arrebatado al Rey de Roma. Más de cien años después de su muerte, un austriaco paranoico que soñó con ser rey del mundo ordenó que sus restos fueran llevados a París, la ciudad donde nació, y colocados junto al sepulcro de su padre, Napoleón el Grande.

III
CASTILLO DE BOUCHOUT
1927

¿PARA QUE no sepa yo que Alfonso Trece de España anda por el mundo en un automóvil atropellando burros y vacas? ¿Para que no me entere de las vergüenzas que le hizo pasar a tu familia tu sobrino el Archiduque Otto que cabalgaba desnudo en pleno día por el Prater? ¿Para eso quisieran que esté siempre quieta, sin hacer nada, viendo a ninguna parte, o viendo a las telarañas?

No les doy gusto con nada. A veces me estoy quieta toda la tarde, con la boca abierta, y de la boca se me escurre la baba. Y entonces me dicen que me van a comprar un babero. Que me van a amarrar la mandíbula como a los muertos. Que si sigo así, van a juntar toda mi baba en un frasco y se la van a enseñar a todos, a mi sobrino el Rey Alberto, a Enriqueta mi cuñada, a mi sobrino nieto el Príncipe Leopoldo, para que me muera yo de la vergüenza, fíjese Su Majestad, me dicen, que a Leopoldito siendo tan pequeño ya no se le cae la baba, fíjese bien, Doña Carlota y cierre bien la boca.

¿Para eso quisieran que cuente yo los hilos de las telarañas, que esté callada y casi sin respirar? ¿O sí, que respire yo y cuente cada uno de mis suspiros, que esté sentada en mi balcón, viendo al cielo y cuente yo las nubes de cada mañana y cada tarde, los grumos y los andrajos de cada nube, los borregos? ¿Para que no sepa yo que mi sobrino Guillermo Segundo de Alemania acabó siendo un títere de Von Hindenburg y Ludendorff? ¿Para que no me entere nunca que después de la Comuna de París se les prohibió a los Orleáns y a los Bonaparte que volvieran a poner los pies en Francia?

Sentada toda la noche, con las piernas abiertas y el camisón arremangado, me masturbo hora tras hora, sin parar, y la baba que me escurre de la boca se junta con la baba que me escurre de las piernas y forma un solo hilo espeso y blanco como tu esperma, Maximiliano, y así me encuentran ellas y ponen el grito en el cielo, me dicen qué barbaridad, qué escándalo, una Emperatriz jamás debe hacer eso. ¿Una Emperatriz, Maximiliano? ¿De quién dime, soy yo Emperatriz? ¿De dos indios y un mono, como hubiera querido Charles Wyke? ¿O Emperatriz de qué, de un país que para mí dejó de existir hace tantos años? ¿Emperatriz de mis recuerdos? ¿De tus despojos? ¿Dónde, dime, están los guardias del palacio en cuyos petos bruñidos como espejos se reflejaba la Emperatriz Carlota jinete en un alazán árabe que pasaba revista a las tropas en los patios del palacio? ¿Dónde, dime, escondieron mi corona? ¿La arrojaron al lago de Xaltocan, para que se hundiera para siempre en el fango y en ella hicieran su nido los sapos? ¿O la escondieron en la selva lacandona para que en ella pusieran sus huevos las iguanas?

¿O lo que quieren es que cuando las nubes se vuelvan lluvia cuente yo las gotas de la lluvia? ¿O que cuando deje de llover y salga el sol y el arcoíris que recuerde yo, que los cuente, todos los arcoíris que he visto en mi vida? Jamás, jamás vi tantos arcoíris, y tan hermosos, como en el Valle de México, Maximiliano, ¿te acuerdas?, pero yo no seré jamás la Emperatriz del arcoíris. ¿La Emperatriz de qué, dime? ¿Del verde de tu rostro enmohecido? ¿Del morado de tus labios podridos? ¿Del rojo de tu sangre derramada? ¿Que no se dan cuenta, Maximiliano, que yo no seré jamás la Emperatriz de nada, que me quitaron mis montañas y mis ríos, que me quitaron el Papaloapan y sus mariposas, y que ya no hay aguas dulces donde pueda yo refrescar mis pies tras las largas caminatas por la selva de Oaxaca, que me quitaron el Iztaccíhuatl y ya no hay nieve que pueda yo derretir en mi boca, muerta de sed de tantos años de vivir en el desierto?

Cierre bien la boca, Doña Carlota. Cierre bien las piernas, Señora Emperatriz. ¿Qué quieren entonces? ¿Que además de quieta y callada ni ría ni llore? ¿O sí, que llore yo, que llore a cántaros y que cuente mis lágrimas antes de bebérmelas, o que no me las beba, que me escurran también, como la baba, y las recoja yo en un dedal y con los dedales haga yo una torre más alta que la torre más alta del castillo? ¿O que desbarate yo la torre y derrame los dedales en el agua del foso, uno por uno, y cuente yo las ondas del agua?

¿Pero llorar por quién o por qué? ¿Porque el primo de Eugenia Ferdinand de Lesseps murió hecho un idiota por haber fracasado en Panamá? ¿O porque a Aquiles Bazaine de nada le valió ser comandante en Sebastopol ni oficial en España al servicio de la Reina Cristina ni mariscal en México porque de todos modos murió como un traidor? No, no quisieran, siquiera, que llorara, porque de hacerlo lo haría por lo que ellos han tratado de ocultarme todo el tiempo. Lloraría, sí, por Concha Méndez, que cuando se negó a cantar en el teatro Mamá Carlota la cubrieron con una lluvia de cáscaras de naranja. Lloraría, sí, por la muerte de nuestro principito Iturbide. Lloraría porque tus intestinos fueron a parar a una cloaca de Querétaro. Lloraría, sí, por todas tus vísceras, las cogería con mis manos, las salaría con mis lágrimas, me las comería a besos.

Pero no lloraré por la muerte del Segundo Imperio Francés. No lloraré por la muerte de Juárez. No lloraré por el exilio de Don Porfirio. No lloraré por la caída del Imperio Habsburgo. Me reiré de todos y de todo y del brazo de la Gran Duquesa de Gerolstein por las calles de París me moriré de la risa, me reiré de mi propia locura a carcajadas hasta que se me caigan los dientes. Para eso me tienen aquí encerrada. Para que cuente yo todos los dientes que se me caen y con ellos haga un collar y con el collar me muerda yo el cuello hasta que se me salga la lengua. Póngase frente al espejo, Su Majestad, y saque la lengua y cuéntese las papilas. Cierre la boca y frunza la frente y cuéntese las arrugas, Doña Carlota, cuéntese las patas de gallo y desnúdese y cuéntese los lunares y ¡as manchas de la piel, las pecas que le sacó el sol de Yucatán, las verrugas que le han salido por vieja y por necia y todos los pelos de los lunares, la nariz y las orejas que le salieron por tonta y por loca, por no haber sabido ser siempre joven como su concuñada Sisi que a los cincuenta años, cuando nadaba en Corfú, el sol se detenía para verla de tan bella que era, y los peces se enamoraban de su cabello negro como el azabache, largo como la cauda de un cometa.

¿O que camine yo por el castillo y cuente los rincones, y cuente los escalones de todas las escaleras y las grietas de todos los escalones, sin siquiera dejarme recordar que en ese rincón de Laeken me escondía a rezar las horas enteras hasta que mi hermano Felipe me encontraba dormida y me despertaba con sus caricias, y que esos escalones de la escalinata de Miramar que llevaban al muelle se multiplicaron un día casi hasta el infinito, porque me tardé sesenta años en bajarlos sólo para darme cuenta que había yo descendido a mi propio corazón, y que allí estabas tú, ahogado en el olvido?

¿De eso quieren que sea yo Emperatriz? ¿La Emperatriz del Olvido? ¿La Emperatriz de la Espuma y de la Nada? ¿Es eso lo que quisieran, que el velo de mi primera comunión, y todas las alfombras de conchas de caracoles que me hicieron mis indias mexicanas, y el arco de nardos que coronaba la lancha imperial cuando paseábamos por el Canal de la Viga y el poncho rojo que me regaló Garibaldi se vuelvan nada, un racimo de burbujas como la espuma que me sale de la boca de la pura rabia cuando les digo, cuando les grito que ya quisieran ellas, cualquiera de esas estúpidas, haber sido ya no la Virreina de Lombardía y Venecia, ya no la Emperatriz de México, sino siquiera la Princesa de Laeken, la hija adorada de Leopoldo Primero de Bélgica? ¿Eso quisieran, que no pueda yo beber de mis recuerdos y que el agua de la Fuente de Trevi y de la Fuente de la Tlaxpana se me escurran como se me escurrió la vida, como se me fueron los años, entre los dedos?

¿O que ponga yo mil agujas en un alfiletero y en cada aguja ensarte yo una de mis canas, cuando que ya casi ni canas tengo, Maximiliano, porque me estoy quedando calva? También me estoy quedando ciega. ¿Te acuerdas, Maximiliano, cuando te ponías a cazar arañas y lagartijas con el Doctor Bilimek en Cuernavaca? El otro día vino el mensajero del Imperio disfrazado de Bilimek, con su delantal lleno de frascos y su gran parasol amarillo, y me trajo cinco arañas viudas que hicieron sus nidos en mi peluca y tejieron sus telarañas en mi cuerpo, y con los hilos de sus babas me cubrieron como una lluvia densa y me envolvieron en una red viscosa que no me deja ver bien, que casi no me deja moverme, porque también estoy tullida.

¿Pero por qué crees que me quisieran ciega? ¿Para que no pueda asomarme a la ventana y ver desde allí los espinos en flor? ¿O para que no vea yo a los soldados alemanes que invadieron mi adorada Bélgica y mataron y torturaron a tantos inocentes? ¿O para que yo no los vea descubrirse porque saben, y así se los dice el letrero que colgaron junto al foso de Bouchout, que en este castillo vive la cuñada del Emperador Francisco José? ¿O para que no los vea yo sonreír porque saben que si no deben perturbar mi tranquilidad no es tanto porque sea yo pariente del aliado de Prusia, sino porque estoy más loca que una cabra? ¿Es para eso, dime, que me quisieran ciega? ¿O para que no encuentre yo el ropero donde te tengo guardado y te lleve a mi cama y me entregue a ti como aquella primera vez, te acuerdas, en nuestro viaje de bodas cuando viajábamos por el Rhin y pasamos cerca de la roca de la sirena Lorelei y cinco veces repitió el eco mis gemidos de amor y de placer? ¿O para que no pueda yo leer los periódicos ingleses y me entere que mi hermano Leopoldo, imagínate qué vergüenza, Leopoldo el Rey de Bélgica se va a Londres a escondidas para visitar los burdeles de niñas de Miss Jeffries? ¿O para que no pueda yo leer el Almanaque Gotha y enterarme que al fin apareció allí tu nombre entre los nombres de los muertos? ¿O para que no vaya yo a México a la capilla del Hospital de San Andrés y te vea desnudo y con la piel negra y quebradiza, sí, así como te vio Juárez, acostado en la mesa del Tribunal de la Santa Inquisición, así como te vio el tirano zapoteca que nunca se atrevió a conocerte mientras estabas vivo, que nunca te visitó en la celda del Convento de las Teresitas porque sabía muy bien que tu sola presencia habría de humillarlo y no sólo porque tú eras muy alto y él un pigmeo, sino porque tú eras un Príncipe de la Casa de los Habsburgo y él era un indio, un patán, un plebeyo que hubiera tenido que alzar la vista para encontrarse con tus ojos azules e imperiales y que por eso prefirió verte así, desnudo y muerto y con la piel del mismo color que su piel india, y que por eso, también, ordenó que te pusieran unos ojos de pasta negra? ¿Para eso quisieran que yo estuviera ciega, Maximiliano? ¿Para que nunca encuentre tus ojos? Dime, dime, Maximiliano: ¿qué hizo el indio con tus ojos? ¿Se los metió en los bolsillos de su chaleco? ¿Los guardó en una caja fuerte con los archivos de la nación? ¿Se los regaló al Coronel López para que los cambiara por los suyos y dejara de tener mirada de traidor? ¿O los arrojó en una botella desde la Fortaleza de San Juan de Ulúa para que se los llevaran las aguas de regreso a Miramar?

¿O acaso me quieren ciega para que yo no vea cómo todos ellos, mis doctores y mis damas de compañía, mis parientes más queridos, todos, esperan de mí el menor descuido, un solo pestañeo, para envenenarme? Como la bruta de Matilde Doblinger que el otro día me quiso matar con un peine de dientes mojados en la saliva de una salamandra. O el tonto de mi hermano Felipe que me quería hacer beber un filtro de flores de beleño para dormirme, y dormida llevarme a escondidas de Miramar a Terveuren para que nadie supiera que iba yo a tener un hijo, y para que dormida lo tuviera yo, dormida y sin soñarlo, para que mis ojos nunca lo contemplaran, para que mis brazos nunca lo mecieran, para que nunca contara yo sus sonrisas y sus llantos, sus palabras y sus pasos, sus años y sus días: pero fue inútil porque mi hermano Felipe no sabía que mi embarazo iba a durar toda una vida y que yo iba a dar a luz mucho tiempo después de que él se volviera sordo como una tapia y se muriera de pulmonía el principito Balduino y se muriera él mismo también, pobre de mi hermano, el tonto y bueno del Conde de Flandes.

Lo que no saben ellas es que, si estoy ciega, es porque me quitaron tus ojos. Cuando me los quitaron, Maximiliano, me quitaron todo. Me quitaron el azul del Adriático y el acuario de los peces rojos y dorados incrustado en el cielorraso que remataba la escalera de Miramar. Me quitaron todo lo que yo veía a través de ellos, porque fue con tus ojos que aprendí a ver. A amar las campiñas de Waterloo por las cuales cabalgamos un día, ¿te acuerdas, Maximiliano? en que un campesino se acercó a nosotros para regalarnos una bala de fusil, oxidada y llena de barro, que tenía, en bajorrelieve, las iniciales de Napoleón el Grande. Fuiste tú, fueron tus ojos los que abrieron los míos y les enseñaron a amar el Palacio de Laeken, los canales verdes de Brujas, el bosque de chimeneas de Bruselas. Y para enseñarme que todas esas cosas habían sido hechas para mí. Tú iluminaste mi infancia, Maximiliano. Y después, cuando llegaste por mí para llevarme a Miramar, iluminaste mi juventud y me enseñaste también que todo ese mundo que estaba más allá del pequeño mundo de mis ilusiones infantiles, que todos esos años que tú y yo, el Archiduque y la Archiduquesa de Austria, el Virrey y la Virreina de Lombardovéneto íbamos a vivir juntos, y con ellos todas las cosas que nos rodearan, todas las personas, todos los paisajes, estarían hechos, de allí en adelante, a la medida de nuestros deseos. Con ellos, también, iluminaste todos los años que te estuve esperando sin saber que te esperaba, mientras mi padre Leopoldo se entretenía en hacer polvo de oro las charreteras de sus generales y mi madre, la Reina Luisa María, le suplicaba a cada avemaría del rosario que se la llevara, de una vez por todas, al paraíso. Aquellas guirnaldas de flores entretejidas que bajaban por el Rhin, arrojadas al paso de nuestro barco, como regalos flotantes. Las guirnaldas, y tus brazos. Las barcazas cargadas de maderas de resinas olorosas que venían de Colonia y las botellas de vino Mosela que los capitanes vaciaban por la borda de las barcazas para endulzar aún más las aguas del río y entreverarlas de hilos de sol. Las barcazas y el vino, las estelas de espuma dorada de las barcazas, y el graznido de las cigüeñas que sobrevolaban el río, y el río entero. El río y tus brazos que rodeaban mi cintura y el perfume de las resinas y tu aliento y el atardecer y la silueta negra de los castillos recortada en el cielo bañado con la sangre del dragón al que Sigfrido dio muerte para hacerse invulnerable, y las columnas del Palacio de Carlomagno de Ingleheim sobre las cuales se levantó el Castillo de Heidelberg donde el viejo Goethe se enamoró de Marianne von Willemer, y las Siete Montañas de las que sacaron la piedra para construir la Catedral de Colonia, y la catedral también y sus leyendas, las reliquias de las once mil vírgenes de Santa Ursula masacradas por Atila y el sepulcro de los tres Reyes Magos que cuando yo era niña, en la Noche de Epifanía, entraban en secreto al Palacio de Laeken para dejar al pie de mi lecho el mundo que había sido hecho para mí. El mundo entero con sus montañas y con todos sus ríos, y entre ellos ese mismo río en cuyas aguas me retrataba transverberada de destellos mientras pensaba en ti. Despertar, abrir los ojos cada mañana, así en Laeken como en el Hofburgo, así en Schonbrünn como en Miramar y ver la luz que se filtraba por las rendijas de las cortinas, era recordar que ese sol había sido hecho para mí, inventado nada más que para mi placer y con él el cielo y las nubes, y más allá las estrellas. Verlas, ver las estrellas antes de dormir y despedirme de los luceros de Orión en los que viajaban los Reyes Magos y correr de nuevo las cortinas para meterme en la cama y cerrar los ojos, era nacer, cada noche, a un mundo de sueños que había sido, también, inventado para mí. Mañana sería otro día, otro amanecer que los dioses habrían de fraguar para mí durante la noche, para ofrecérmelo en todo su esplendor, para dejar al pie de mi lecho el más nuevo de todos los días y, con él, el más luminoso y grande de todos los imperios.

De ti aprendí que cuando yo era una niña y aún vivía mi madre y mi hermano Leopoldo me contaba la historia de Bélgica y mi padre y mis maestros la historia del mundo, que los caballeros que se despedían de sus novias al pie de las torres de los castillos de Flandes para ir, con Balduino el Rey de Jerusalén, a esperar las aguas del Mar Rojo con la sangre de los infieles degollados y después morir ellos también, en las arenas candentes del desierto del Sinaí, y que las turbas de calvinistas que saquearon el Monasterio de Armentières y la Catedral de Amberes y quemaron en las plazas las efigies de Santa Gudula y San Amando, y los franceses jacobinos que recorrían los mercados de Bruselas con capuchas rojas y las picas con las que ensartaban las coliflores y obligaban a la gente a plantar árboles de la Libertad: toda esa historia, la historia de Bélgica, arrasada por los hunos y los normandos, arruinada por Felipe Segundo, devastada por Luis Catorce, invadida por Napoleón, había sido inventada para mí, para mi placer o mis lágrimas, mi angustia o mi asombro, y con ella la historia de Europa y del mundo: el filibustero Francis Drake que se pudrió en el lecho de la Bahía de Portobelo, Alejandro el Grande que cruzó el Helesponto para sojuzgar a los sátrapas persas, Lady Godiva desnuda y a caballo por las calles de Coventry y la Guerra de las Dos Rosas y con ella la rosa roja de Lancaster y la rosa blanca de York y con las rosas todas las flores del mundo: los corimbos púrpura de los rododendros y las copas blancas de los nenúfares y las corolas moradas y olorosas de las lilas: para mí habían nacido, para mí florecían, en junio, los rododendros de Bouchout, para mí, y para que mi hermano Felipe los recogiera y me los ofreciera, arrodillado, subían los nenúfares a la superficie del agua de los estanques de Enghien; para mí, y para que la Condesa d'Hulst llenara los floreros de mi cuarto de Terveuren cuando me llevaron allí enferma de fiebre y tosferina y que tosía yo tanto y vomitaba que pensé que por la boca se me iba a salir la vida, y con la vida el mundo, habían crecido, en ramilletes triunfales, las lilas de Laeken.

Y eso, Maximiliano, me lo enseñaste tú. Tú, que también inventaste a México para mí. Tú que inventaste sus selvas y sus mares. Tú que con tus palabras inventaste el aroma de sus valles y el fuego de sus volcanes.

Muchas veces me he preguntado, también, qué hizo el indio con tu lengua. ¿Qué hizo con ella, dime, el indio Juárez, que nunca aceptó tu invitación para hablar con él porque sabía que apenas abrieras la boca lo ibas a abrumar, lo ibas a derrotar con tu sabiduría y tu nobleza, con tu generosidad, qué hizo, dime, el indio, con la lengua que te cortó el Doctor Licea en Querétaro? ¿La puso en una jaula que colgó de una esquina del palacio para que todo el mundo supiera a dónde iban a parar las lenguas de los usurpadores? ¿O la envió a las Tullerías de regalo para que les recordara a Napoleón y a Eugenia las promesas que nunca nos cumplieron? ¿O se cosió el indio tu lengua a su propia lengua para adornarse con ella, para hablarles con tu voz a los mexicanos de la patria y la libertad, la igualdad y la justicia?

Desde que me quitaron tu lengua, Maximiliano, me quitaron todo, porque fuiste tú quien me enseñaste a inventar el mundo con palabras. ¿Pero por qué crees tú que me quisieran muda? ¿Para que no les cuente que José Manuel Hidalgo y Esnaurrízar murió olvidado del mundo y el Príncipe Salm Salm de una bala francesa, tu sobrino el Emperador Carlos destronado y de tristeza en Madeira, mi sobrina la Emperatriz Victoria de Alemania repudiada por sus súbditos, Van Der Smissen el padre de mi hijo muerto por su propia mano y tú fusilado en el Cerro de las Campanas?

¿O para que no abra yo la boca para recordarles que así como he enterrado a todo el mundo también a ellas las voy a enterrar, también las enterré? Porque habrás de saber, Maximiliano, que yo enterré a todas mis damas de compañía, a la Julie Doyen y la Marie Bartels y la Sofía Müsser que fue la que me sacó a rastras de Terveuren la noche en la que le prendí fuego al castillo, si hubieras visto Maximiliano, qué llamas tan altas y tan hermosas, y cómo enterré a todas las otras espías y carceleras que me pusieron el Doctor Hart y el Doctor Basch y la Señora Escandón y Radonetz y Détroyat y tú mismo, Maximiliano, y a mi hermano Felipe y mi cuñada Enriqueta que me tuvieron encerrada a piedra y lodo en el Gartenhaus de Miramar, y como enterraré a todos los que quisieran que nunca saliera de mi cuarto y del castillo para visitar la tumba de mi madre en Laeken y jurarle que siempre he honrado su memoria y que la quiero todavía como si estuviera viva y que no he dejado de leer todos los días el «Tratado de Amor de Dios» de San Francisco de Sales ni las «Glorias de María» de San Alfonso de Ligorio y que todas las noches rezo por su alma y por el alma de papá Leopich y de abuelito Luis Felipe y abuelita María Amelia y que nunca se me han olvidado las enseñanzas del Padre Deschamps y que ya no soy tan perezosa como cuando era niña y de todo me fatigaba, porque aunque no lo creas, Maximiliano, no me dejan ir al Palacio Ducal de Milán para ver cómo van las crías de mis gusanos de seda y ver si con su seda me puedo hacer un rebozo para estrenarlo la próxima vez que vaya a ver a la Guadalupana, ni me dejan ir a Schönbrunn para visitar el jardín del Rey de Roma donde tu padre el jardinero galante como lo llamaban cultivaba de niño, con las semillas que le enviaba Monsieur Célestin Chantepie de las violetas que crecían en las Tullerías y en Los Inválidos, las violetas blancas que tanto le gustaban a Napoleón el Grande, ni me dejan ir a jugar con el caballito de madera de mi prima la Princesa Minette en Claremont y mucho menos, claro, muchísimo menos, ni locas, me dejarían ir a México, ya está usted muy vieja, Doña Carlota, me dicen, para un viaje tan largo, me dicen, para tanto ajetreo, se marearía con los bandazos de La Novara camino a las Islas de Sotavento y cuando se rompiera la rueda de su carroza camino a Córdoba se le romperían los huesos porque ya los tiene muy secos y esponjosos, porque ya está usted muy vieja, muy vieja para nadar, Doña Carlota, y se ahogaría en el Lago de Chapala, muy viejo su corazón y reventaría en el Valle de Anáhuac, y muy viejos los pocos dientes que le quedan y se le astillarían cuando comiera charamuscas, cuando mordiera los muéganos de miel de abejas que para recibir al Emperador ordenó que prepararan el Capitán Blanchot, me dicen, pero yo, Maximiliano, cada aniversario de nuestra partida de Miramar a México me pongo mi corona y mi manto de púrpura y mi gran collar de la Orden de San

Carlos y bajo al foso de Bouchout y me subo en el lanchón y les digo hoy nos vamos para México, y cuando ellas, mis carceleras, me ven así, sentada en el borde del lanchón con los ojos fijos en el agua como si estuviera yo contando los peces y los insectos acuáticos, los lirios y las ranas, las manchas de la piel de las ranas, las escamas de los peces y las túnicas de los lirios, las hojitas redondas de la lenteja de agua, las piedras del fondo y las alas de los insectos, ellas no piensan, no se imaginan, Maximiliano, que yo sé más que ellas y que nadie, que yo lo sé todo porque cada noche viene a verme el mensajero y me lo cuenta: anoche vino disfrazado de San Miguel Arcángel y trajo a los dioses de la lluvia y me dijo, me dijeron los Chaakob, que iba a tener un hijo, y me cubrió el arcángel con sus alas, me cubrieron los dioses con sus hilos de agua y cuando ellas, mis damas de compañía, tocaron en la mañana a mi puerta y entraron y me dijeron buenos días Señora Emperatriz, cómo es que ya está usted levantada, Doña Carlota, el arcángel se fue por la ventana disfrazado de viento azul y ellas me encontraron recogiendo las plumas que se habían caído de sus alas y yo les dije, para reírme de ellas, que esa mañana me había dado por contar las plumas de mis almohadas, y que por eso estaban así todas las almohadas y los edredones y los cojines: destazados, hechos garras, y yo danzando entre las plumas, contándolas una por una, una por una llevándomelas a los labios para soplarlas y dejarlas caer por la ventana, para hacerlas volar, nevar los jardines del castillo, navegar en las aguas del foso de Bouchout, y que quería que me trajeran todas las gallinas que hubiera en el castillo para desplumarlas y contar cada una de sus plumas, y las gallinas que ponían huevos para mí en la suite del Albergo di Roma, y los quetzales que me regalaron mis sacerdotes mayas de Tenabo y Hecelchakán, y las garzas que acompaña-ron tu tren cuando viajabas por Bohemia, Maximiliano, y las cigüeñas que perturbaron tu sueño en las llanuras de Blidah, para contar sus plumas una por una y para contarlas que me trajeran también las golon-drinas que anidaban en los patios de la Hacienda de la Teja, y los zopilotes que sobrevolaban en círculo los eriazos del Cerro de las Campanas, y la paloma, Maximiliano, de la canción de Concha Méndez y los canarios anaranjados que me regaló mi abuelo Luis Felipe cuando todavía era Rey de Francia, y que me trajeran también, les dije, un colibrí blanco de las selvas de Petén, para contar sus plumas una por una y elegir la más pequeña y suave como me dijo el arcángel y esconderla en mi seno y así embarazarme para que en mi vientre, redondo y luminoso, creciera du-rante nueve meses y sesenta años el hijo que un día de estos voy a dar a luz, Maximiliano, y que será más grande y más hermoso que el sol.

¿O tú piensas, Maximiliano, que si me quieren muda es para que no les recuerde que todas están muertas? ¿Tú crees, Maximiliano, que tú y que ellas, mis carceleras, y ellos, mis verdugos, que quisieran que nunca saliera no sólo del castillo, sino tampoco de mi cabeza y que me quedara encerrada para siempre contando los hilos y las filigranas y las raíces del musgo que cubre los muros de Bouchout y las gotas de rocío que lo alfombran en las mañanas y los destellos de las gotas y las aristas y las protuberancias y las arrugas de la piedra, las junturas, los agujeros donde anidan los escarabajos y que cuente yo los élitros, las alas, las patas de cada escarabajo, tú crees Maximiliano, que lo que no quieren es que yo les recuerde que hablo con puros fantasmas? Porque habrás de saber, Maximiliano, y como te lo repito, que yo enterré a todo el mundo. Yo enterré a Próspero Merimée, el imbécil que cuando vine a Saint Cloud a pedirle ayuda a Luis Napoleón y Eugenia le dijo a todos que me darían de comer, sí, pero que no me soltarían ni un quinto ni un soldado. Al Coronel Aureliano Blanquet, que fue uno de los hombres del pelotón que te fusiló en Querétaro, lo enterré en la barranca de Chavaxtla, y junto con él a todo el pelotón. Yo enterré al General Porfirio Díaz con la tierra del Cementerio de Montparnasse y con la tierra del Cementerio de Highgate enterré a Carlos Marx. Yo enterré a tu hermano Francisco José y con él al Imperio Austro Húngaro. Yo enterré a todos los Romanov en Ekaterrimburgo y con la tierra del Cementerio de Heilingenkreutz enterré, bañada de sangre seca y de pétalos de rosas marchitas, a la Baronesa María Vetsera. Yo enterré a mi hermano Leopoldo también y también a Margarita Juárez, también a sus hijos, yo enterré al siglo, Maximiliano, y si te portas bien te prometo que le voy a decir al mensajero que venga un día disfrazado de enterrador con un costal lleno de la tierra mojada de Orizaba y de la tierra del Valle de México donde se derramaban como lava ardiente las flores amarillas del acahualillo cuando ibas camino a Cuernavaca y del polvo de los llanos de Apam donde cabalgabas todas las mañanas, y con ellas y mis propias manos te voy a enterrar, Maximiliano, para ver si así, tú que nunca aprendiste a vivir en esas tierras que dijiste que amabas tanto, para ver, te decía, si de una vez por todas aprendes a estar muerto bajo esas tierras donde nunca te quisieron.

Yo soy Carlota Amelia de México, Emperatriz de México y de América, Marquesa de las Islas Marías, Reina de la Patagonia, Princesa de Teotihuacán. Tengo ochenta y seis años de vida y sesenta de vivir en la soledad y el silencio. Asesinaron al Presidente Garfield y al Presidente McKinley y no me lo dijeron. Nacieron y murieron Rosa de Luxemburgo, Emiliano Zapata y Pancho Villa, y no me lo contaron. No sabes, no te imaginas, Maximiliano, la de cosas que han sucedido desde que tu caballo Orispelo se tropezó en el camino a Querétaro y tú y tus generales se quedaron sin agua, pero con champaña, cuando envenenaron con los cadáveres de los republicanos las aguas del Río Blanco. Gabriel D'Annunzio se apoderó de Fiume y Benito Mussolini y sus camisas negras entraron, triunfantes, en Roma. Nacieron Kemal Atatürk y Mahatma Ghandi y descubrieron las vitaminas y los rayos ultravioleta y yo voy a ordenar una lámpara para tostarme con ella, para que la piel me quede más bonita que la piel de tu amante india, mi querido, mi adorado Max. Yo soy Carlota Amelia de Bélgica, Baronesa del Olvido y de la Espuma, Reina de la Nada, Emperatriz del Viento. Miguel Primo de Rivera derrotó a Abd-el-Krim en Alhucemas, y nadie me lo dijo, las tropas norteamericanas invadieron Nicaragua y Niels Bohr inventó el átomo y Alfredo Nóbel inventó la pólvora sin humo y nadie, nunca, me dijo nada, porque creen que estoy loca y porque me quisieran sorda, ciega, muda, tullida, como si de verdad sólo fuera yo una pobre vieja con los pechos carcomidos y fofos como los pechos de la amante de Raimundo Lulio y con almorranas del tamaño de huevos de codorniz y con uñas amarillas y quebradizas y con los pelos del pubis plateados y tiesos como fibras de alambre y sentada en mi cuarto con la cabeza baja y los ojos entrecerrados: así me quisieran ver. Y porque así me ven, Maximiliano, con las manos en el regazo y las palmas vueltas hacia arriba, piensan que no hago otra cosa todo el día que contarme las líneas del amor y de la vida, las líneas de la mentira y el olvido, del sueño y de la risa, y muerta, sí, vieja y de risa, loca de olvido, a carcajadas acordándome de nada y con las lágrimas cayendo en el cuenco de mis manos confundidas con la saliva que escurre de mis labios como una hebra de pulque llorando por la muerte de nadie —la tuya— al otro lado de ningún mar el Atlántico, o con los ojos cerrados, invertidos, mirando la oscuridad, adivinando las volutas de mi cerebro, perdida en ellas como en un laberinto, y preguntando a nadie —a todos— por un nombre jamás pronunciado —Fernando Maximiliano— y callada, sí, sin decir esta boca es mía, sin decir esta boca que una noche en el Cerro del Chiquihuite embarré con luciérnagas para que tú las apagaras con tus labios, sin decir estas manos que en la Isla de Lacroma coronaron tu frente con delirios y que estaban vivas y tibias y conocían el contorno de tu pecho y los meses más fértiles del año; sin decir estos pezones que maduraron como uvas azules en las aguas cristalizadas del Xinantécatl, sin decir estos ojos que con el luminoso reflejo de tu rostro se humedecían de esmaltados verdores, son míos. Y sin decir que son tuyos, que toda yo soy tuya, tuyas estas mis dos piernas que bañé con limón y polvo de piedra nácar y tallé con piedra pómez para que tú, cuando regresaras a México de tu viaje por las provincias, las encontraras más brillantes y lisas, tuyas las nalgas que restregué con rosas y polvos de arroz para que tú, cuando a la orilla del lago congelado te bajaras de tu caballo para montarlas y las vieras, las sintieras, las besaras más perfumadas y más blancas. Y también, también estos pechos que eran para ti y que yo los hubiera querido, redondos y macizos, que reventaran de leche para salvarte la vida con ellos: para que las señoras de Querétaro no te engañaran con sus naranjas inyectadas con agua tofana, ni las monjas con sus galletas de almendras envenenadas, ni la Princesa Salm Salm con sus pasteles rellenos de adormideras. Para salvarte la vida, Maximiliano, para que tu cocinero Tüdös no te engañara con su goulasch de perro aderezado con láudano ni el Padre Soria con su vino de consagrar emponzoñado, hubiera ido a verte todas las mañanas a tu celda del Convento de Teresitas, para darte de mamar de mis pechos, y para que siempre estuvieran llenos, para que nunca se le fuera le leche como se le fue a la infeliz de Concha Miramón cuando Juárez le dijo que no habría nada que salvara a Miguel de morir fusilado, le hubiera pedido al mensajero que viniera disfrazado de borrego y me los hubiera embarrado yo con sal mojada para que no se cansara de mamarlos.

Si supieran, Maximiliano, si tan sólo se imaginaran, sabrían que no estoy loca, que las locas son ellas. Ayer vino a verme el mensajero del Imperio y me trajo, en un estuche de terciopelo, tu lengua. Y en una caja de cristal, tus dos ojos azules. Con tu lengua y con tus ojos, tú y yo juntos vamos a inventar de nuevo la historia. Lo que no quieren ellas, lo que no quiere nadie, es verte vivo de nuevo, es que volvamos a ser jóvenes, mientras ellas y todos están enterrados desde hace tanto tiempo. Levántate, Maximiliano y dime qué es lo que deseas, qué es lo que prefieres. ¿Te gustaría no haber nacido en Schönbrunn, sino en México? ¿Te gustaría no haber venido al mundo a unos cuantos pasos de distancia de la recámara donde agonizaba el Duque de Reichstadt y del cuarto donde Napoleón Primero le hizo el amor a la Condesa Walewska? ¿Hubieras preferido, dime, nacer en los jardines de nuestra Quinta Borda, que te dieran su sombra los flamboyanes, que te alimentaran en la boca los colibríes, que te arrullara la brisa dulce de las tierras templadas? ¿Te gustaría, Maximiliano, que no te hubieran fusilado en México, haber sido el gobernante justo y liberal de un país grande y próspero donde la paz reinara para siempre, envejecer como un patriarca de barba blanca y morir adorado por tus indios, por todos esos indios mexicanos a quienes también inventamos nosotros, y a los que nosotros mismos volvimos tan ingratos, pero tan ingratos, Max, que no hubo uno solo, uno solo, escúchame, Maximiliano, que cuando ya estabas caído, prisionero, dejado de la mano de Dios, condenado por Juárez, uno que te visitara en tu celda para llevarte una gallina, uno solo que se colgara al cuello un manojo de cactos y de rodillas fuera al templo de la Virgen de Guadalupe para pedirle que salvara tu vida y la vida del Imperio? Andale, Maximiliano, levántate, que vamos a inventar de nuevo nuestra vida. Vamos al Africa de cacería con David Livingston para que adornes con cabezas de elefante la Sala Iturbide del Palacio Imperial de México. Vamos al auditorio de Boston para escuchar a Johann Strauss y sus cien orquestas y veinte mil músicos y traerlos a México para que toquen el Vals Emperador en la Plaza de Armas de la capital. Vamos, si quieres, Maximiliano, a dejar una corona de siemprevivas sobre la tumba que le hicieron a Juárez en la Rotonda de los Hombres Ilustres, para enseñarle al indio que los monarcas sabemos perdonar, y que no corre por nuestras venas el rencor. Vino el otro día el mensajero, y era Santos Dumont, ¿sabías, Maximiliano, que inventaron el zepelín y el aeroplano, y que bombardearon Londres y París, y que Santos Dumont me invitó a darle de vueltas a la Torre Eiffel en un zepelín y que desde lo alto vi París entero y me vi jugando en los Jardines de las Tullerías con una pelota roja y mi abuelito Luis Felipe espantaba a los abejorros dorados con su sombrilla negra y te vi en Satory cabalgando al lado del Príncipe Oscar de Suecia, vi Versalles y el Gran Trianón donde fue juzgado el Mariscal Aquiles Bazaine, el Palacio de Saint Cloud al que llegué una tarde en que hacía un calor espantoso, con el corazón hecho pedazos porque sabía que hiciéramos lo que hiciéramos sería inútil, todos nos habían ya abandonado? Levántate, Maximiliano, y vamos a bombardear Sinaloa en un aeroplano con el General Pesqueira, vamos con Santos Dumont en un dirigible a darle vueltas al Valle de Anáhuac, a contemplar desde lo alto la matanza de La Ciudadela que hizo el General Sóstenes Rocha por órdenes de Benito Juárez, a ver la entrada triunfal de los Dorados del Norte, a ver la sangre de Francisco Madero y Pino Suárez regada en las calles de la ciudad de México, ven conmigo, Maximiliano, inventaron la lavadora automática, inventaron los semáforos de tres colores y los tanques de guerra, y no me lo dijeron, inventaron la ametralladora, y esas brutas piensan que porque me tienen encerrada y porque estoy siempre sola no me entero de nada, cuando que soy yo la que cada día invento de nuevo el mundo. ¿Y sabes a lo que más le tienen miedo, Maximiliano? A que te invente a ti de nuevo. A que de tu fantasma, de ese fantasma que vaga por los corredores del Hofburgo abandonados por las ratas y los halcones, y por las terrazas del Álcazar de Chapultepec y por las faldas del Cerro de las Campanas, que de ese espectro haga yo un príncipe más alto aún de lo que fuiste en vida, más alto que tu tragedia y que tu sangre. Andale, levántate, Maximiliano. Pero eso sí, tienes que prometerme que nadie más te va a humillar, que te vas a cuidar, fíjate bien lo que te digo, de Luis Napoleón y Eugenia, de Bazaine y de Bombelles, y del Conde Hadik y de todos tus amigos, porque te quieren envenenar. Si te da catarro, escúchame, Maximiliano, no bebas bálsamo de tolú. Cuídate, Maximiliano, y cuando vayas a Puebla, no bebas rompope en la Casa del Alfeñique, y no aceptes el oporto que te ofrece el General Codrington en Gibraltar y cuando vuelvas a Esmirna, no fumes en narguile. Cuídate, cuídate, Maximiliano, de las barras de chicle que te regale el cojo Santa Anna. Y de la charanda de Michoacán cuídate, y del comiteco que te den en Chiapas. Si quieres hacer el amor con Amelia de Braganza, no bebas agua de cantáridas. No bebas, tampoco, del agua de las Fuentes Brotantes, ni comas cenizas ardientes del Popo. Cuídate, y si regresas a Viena, no bebas café capuchino en la Blauen Flasche, y si visitas la bodega del Hofburgo, no bebas de los vinos medicinales de tu tatarabuela la Emperatriz María Teresa. No comas tunas en Capri, Maximiliano, ni huevos de turrón en Mixqui.

Si vas al Parián en Semana Santa, no bebas del agua carmesí coloreada con palo de Campeche. Y cuando vayas a bautizar al hijo de Miguel López, no bebas, Maximiliano, del agua bendita, ni brindes con champaña. Cuídate, Maximiliano: no comas cola de tlacuache en Colimba, y si vas a la Exposición Internacional de París, no bebas esencia de rosas de Adrianápolis ni licor de acacia de la Martinica. Y cuando vayas a Cuernavaca, no bebas de los labios de Concepción Sedano: cuídate, Maximiliano, que están envenenados.

IV
UNA CUESTION DE FALDAS
1862-63

1. Partant pour le Méxique

«SU MAJESTAD: acabo de recibir de México noticias muy importantes. Los acontecimientos nos favorecen y pienso que la Intervención y el Imperio son ahora realizables. Quisiera comunicárselo al emperador».

«Su Majestad» era la Emperatriz Eugenia. Y el hombre que, según se dice le murmuró tal cosa al oído, era Don José Manuel Hidalgo y Esnaurrízar, un emigrado mexicano que vivió —y vivió muy bien, como *bon vivant* que fue— en Madrid y París entre otras ciudades del Viejo Mundo.

Se dice también que entonces Eugenia de Montijo dejó a un lado su costura, se puso de pie y se dirigió al despacho de su marido.

Su marido, Luis Napoleón, podía estar haciendo cualquier cosa en su despacho: leía quizás, como lo cuenta el Conde Corti, una carta del Rey de Siam. O pensaba en mil cosas distintas: en la vida de César que escribía en sus ratos de ocio. En que esa noche iba a jugar a la Lotería de los Animales Exóticos con Lulú, el principito imperial. O en la colección de medallas que el Duque de Luynes había prometido obsequiar a la Biblioteca de las Tullerías. O quizás en cosas más trascendentales, como el proyecto para el nuevo drenaje de París presentado por el Prefecto del Sena, o acaso en la política europea: hacía tiempo que la cuestión de Italia no le inquietaba ya más, pero tal vez pensaba en España. O quizás, por coincidencia, en México. O en los dos: En México y en España, porque en febrero de ese año del 61 había hablado en Compiègne con su amigo el primer ministro británico Lord Palmerston —quien diez años antes había provocado la ira de la Reina Victoria al aprobar, sin consultarla, el golpe de Estado de Luis Napoleón— de la conveniencia de derrocar a los Borbones. Palmerston, para quien todo Borbón valía un comino, deseaba colocar en el trono de Madrid al Rey de Portugal.

Luis Napoleón, por su parte, anexaría a Francia la provincia de Navarra y quizás las Vascongadas. Pero la idea de crear en la América Hispánica un Imperio continental era, sin duda, mucho más seductora que mandar al exilio a Isabel II, y tratar así de emular con esta hazaña a su famoso tío. Con la ventaja de que, tranquilizada España con la reconquista de Tetuán —pensaba quizás, Napoleón—, podría convencérsela a participar en la regeneración de México, y de paso compensarla así por el papel de comparsa que había hecho en la expedición a la Cochinchina. De la buena disposición de Isabel II para acompañar a Francia en la empresa, Napoleón sin duda tenía ya algunos indicios porque ese mismo verano, en el Balneario de Vichy, había tenido también oportunidad de verse a solas, en secreto y no, con un Grande de España: el General Prim, Conde de Reus, héroe de Marruecos y Marqués de Castillejos.

Eugenia casi no cabía por la puerta del despacho. Y es que la Emperatriz Eugenia, olorosa siempre a pachulí, era famosa por la inmensidad de las crinolinas o miriñaques que, cuando se embarazó y con el propósito de disimular la cada vez mayor redondez de su vientre —la *heureuse grossesse*— habían crecido tanto y no sólo en amplitud, sino también en encajes, sedas y terciopelos, que pronto todo París y toda Europa imitaron a la «Reina Crinolina», como desde entonces fue conocida Eugenia, y de las anchurosas faldas hicieron una moda que sobrevivió, por muchos años, al nacimiento del principito imperial.

«Está aquí José Manuel Hidalgo», dijo la emperatriz, «y trae noticias de México».

Pero quizás y sin quizás, así la mente de Luis Napoleón estuviera muy lejos de México aquel día de septiembre en que, por estar en Biarritz de descanso bien podía darse el lujo de pensar en cosas triviales como por ejemplo en la próxima obrita que presentaría Violet Le Duc a los invitados de Compiègne —en la última el propio Lulú, de levita granate que le llegaba al suelo y pantalones de nanking había hecho el papel de un anciano sabio que en todas partes creía descubrir ruinas romanogalas— lo cierto es que esas noticias obligaron al emperador, desde ese momento y durante el resto de sus vacaciones, a pensar en México como nunca antes.

«Benito Juárez», había dicho Hidalgo, «acaba de suspender los pagos de deuda exterior».

Tan anchas, pero tan anchas eran las crinolinas de Eugenia, que un hombre, o hasta dos, podían ocultarse bajo ellas, de manera que Hidalgo y Esnaurrízar bien podía haber asomado la cabeza entre los pies y los *bloomers* de la emperatriz para darle la noticia a Luis Napoleón.

Si esto no sucedió así, porque es una fantasía, o, aun si no fue Hidalgo —y sueña entonces en sus Memorias— el primero que le dio esta comunicación al emperador y agregó que el representante francés en México Dubois de Saligny, y el inglés, Sir Charles Wyke, tras el ultimátum que le dieron a Juárez para derogar el decreto habían arriado sus respectivas banderas y roto las relaciones diplomáticas con México, y sí en cambio, fue el *Quai d'Orsay* en la persona de su ministro, Monsieur Thouvenel, el que se encargó de comunicárselo oficialmente al emperador, no tiene ninguna importancia. El caso es que durante su estancia en la «Villa Eugenia» de Biarritz Luis Napoleón supo, *primero*, que Juárez le ofrecía el pretexto para la intervención en bandeja de plata.

Segundo, que ahora podía contar también con el apoyo de Inglaterra. Y si Wyke era de la opinión de que México no era víctima de una tiranía y Juárez estaba muy lejos de ser un sátrapa, o si el propio ministro de Relaciones Exteriores británico Lord Russell pronosticara, como lo hizo, que una intervención en México tendría consecuencias trágicas, eso tampoco tenía importancia pues, como le dijo Hidalgo al emperador: «Sire, ahora tenemos lo que deseábamos: la participación inglesa. México, al ver los tres pabellones reunidos, sentirá todo el poderío de la alianza, y el país en masa proclamará la monarquía».

Tercero, Luis Napoleón no podía olvidar que el 12 de abril, también de ese mismo año 1861, había comenzado en Estados Unidos la guerra entre la Unión abolicionista y la Confederación esclavista y que por lo tanto ese país se vería imposibilitado de poner en práctica la Doctrina enunciada por el Presidente Monroe en los años veinte según la cual su nación se erigía guardián de todo el continente americano —«América para los americanos» era la esencia de la Doctrina—, y advertía que toda tentativa de las potencias europeas de intervenir en Hispanoamérica o de extender a ella sus regímenes políticos sería considerada como un peligro para la paz y la seguridad de los Estados Unidos. A esta Doctrina se había agregado la teoría del *Destino Manifiesto* que establecía el derecho que Dios le otorgaba a los Estados Unidos para extender a voluntad su territorio, teoría que la Divina Providencia reveló varias décadas más tarde y se manifestó por primera vez apenas a los dos años de haber surgido cuando, en 1847, a principios de la guerra en que México perdió la mitad de su territorio a manos de los Estados Unidos —equivalente a la sexta parte de la superficie de Europa— el general norteamericano Winfield Scott desembarcó en Veracruz al frente de tres mil hombres para decirle a los mexicanos: «Pensad que sois americanos, y que no es de Europa de donde habrá de venir vuestra felicidad».

En realidad, Eugenia fue en busca de Hidalgo y lo invitó a acompañarla al despacho de Luis Napoleón. Lo precedió con el frufrú de sus inmensas crinolinas. Tan anchas, pero tan anchas eran las faldas de la emperatriz de los franceses, que en una de las habitaciones de su departamento privado de las Tullerías mandó construir un montacargas para que, desde el piso superior y sin que se maltratara a su paso por las estrechas puertas de los cuartos de la servidumbre, la enviaran la ropa que deseaba ponerse. En el montacargas había un maniquí que varias veces al día subía desnudo al otro piso, y bajaba después vestido de pies a cabeza con el sombrero de plumas de avestruz, la faja de barbas de ballena, los miriñaques almidonados, la falda de brocado de Lyon bordada quizás con tulipanes y rosas de Damasco, las medias de seda, las ligas con filigranas de oro diseñadas por Froment-Meurice, las zapatillas con sartas de brillantes y los guantes de piel de Suecia que había ordenado la emperatriz.

«Cuéntele usted al emperador lo que me ha comunicado», le dijo al mexicano.

El Presidente Lincoln no era uno de los *manifesdestinistes*, como los llamaban en Francia: congresista por Illinois en ese entonces, se opuso a la guerra contra México. Pero, ya presidente, había declarado que su país no toleraría ninguna desviación de la Doctrina Monroe y por boca de Seward, su secretario de Estado, advertido a Europa que la Unión consideraría como ofensiva y hostil la creación de una monarquía en México. La validez o la invalidez legales, morales, históricas, políticas o imperialistas de la Doctrina que le permitía a Estados Unidos arrogarse ese papel sin haber consultado a las naciones involucradas, también le tenía sin cuidado a Luis Napoleón. Lo que ahora sabía es que, mientras hubiera en Chesapeake, Richmond o los Apalaches un solo soldado confederado —así estuviera con el uniforme hecho garras— que se defendiera de un soldado *yankee* —así fuera con un anticuado fusil de madera de arce como los que usaban los Texas Rangers— él, Napoleón III, podía seguir adelante con la aventura mexicana y sustituir el *Destino Manifiesto* por el *Gran Designio* napoleónico. No en balde Estados Unidos, había que reconocerlo, era ya una potencia temida en Europa como además de Tocqueville y de Raousset Boulbon lo había vaticinado al Marqués de Radepont, ex ministro francés en Washington que vivía en México y quien, además de tener su propio candidato para el trono mexicano —el Duque de Montpensier— advirtió que la política de los Estados Unidos en el continente americano era muy parecida a la política de Rusia en Europa, y que ésta se daría cuenta muy pronto que los norteamericanos eran ya dueños de La Habana y que se preparaban a enviar un contingente de infantes de marina a Santo Domingo, para ocuparlo.

José Manuel Hidalgo y Esnaurrízar dijo lo que tenía que decir. Luis Napoleón encendió un cigarrillo de tabaco lavado con té y miró a su mujer.

Cuarto, y ésa era otra cosa que era necesario tomar en cuenta, las crinolinas de Eugenia eran muy anchas y, si es cierto que bajo ellas podría caber un hombre, la emperatriz nunca tuvo que acudir a esta clase de subterfugios para ocultar a sus amantes por el simple hecho de que no los tuvo, o si los tuvo nadie se enteró, si bien hubiera sido más que justo en vista de las tantas veces que la engañó Luis Napoleón, aunque no con *les grandes horizontales* como llamaban en París a las prostitutas de gran categoría, porque para eso tenía a su disposición a varias de las esposas de sus cortesanos y altos oficiales a las que esperaba en las noches en su habitación vestido con una bata de seda magenta que tenía bordada en oro una abeja napoleónica, y nunca le faltaron princesas y duquesas o condesas como la Labéyodère y por supuesto la más famosa de todas ellas la Castiglione, quien junto con la Duquesa de Hamilton y la Duquesa de Pourtalés fue una de las mujeres más bellas de su época y quien además de haber compartido el lecho de Víctor Emmanuel, Rey del Piamonte y de Cerdeña, y de haberse entregado un día a un viejo lord por un millón de francos, fue enviada a la corte de Luis Napoleón por el Conde Cavour para seducir al emperador francés y convencerlo de que ayudara a Italia en su lucha por la unidad.

Y es que Eugenia había nacido para ser varias veces fiel. Fiel a sí misma: «Jamás desempeñaré el trabajo de una La Vallière», le escribió a la Baronesa Beyens refiriéndose a la famosa amante del Rey Sol, cuando le contó que Luis Napoleón quería llevársela a la cama antes de casarse con ella. Fiel después a su marido. Y por último fiel a la dinastía Bonaparte: admiraba con delirio al primer Napoleón y le agradecía al cielo haber venido al mundo el día exacto en que se cumplían cinco años de la muerte del Gran Corso en la Isla de Santa Helena. Y esto, ser fiel a todas horas del día y de la noche, debió resultarle muy aburrido a Eugenia. La emperatriz necesitaba un amante que sustituyera a su bibliotecario Saint-Alban quien con tal de distraerla se sacaba de los bolsillos toda clase de chucherías, dulces, sellos de correo, cajitas de rapé, canicas. Un amante con el cual hablar por medio del alfabeto de gestos que ella misma había inventado para comunicarse con las señoritas Marion y De Larminat. Un amante, en fin, que la acompañara en el tedioso paseo de todas las tardes al Bosque de Boulogne o a visitar los grandes almacenes como La Compagnie des Indes en la Rue Richelieu o la Casa Worth en la Rue de la Paix donde su modisto favorito tenía una serie de maniquíes de carne y hueso a los que pagaba para que ni siquiera parpadearan, de tal manera que a la escalera interior de su tienda se le llamaba la Escalera de Jacob porque había, decían, un ángel en cada escalón. Pero como nunca tuvo un amante, lo que necesitaba Eugenia era algo más que ocuparse de la anchura de sus crinolinas: una idea. Una gran idea por la cual luchar, ahora que el Canal de Suez no le hacía palpitar ya más el corazón porque, qué horror, parecía que su primo Ferdinand de Lesseps no iba a terminarlo ni en mil años. Y esa idea se la dio el mexicano.

«No he recibido aún los despachos de Monsieur Thouvenel», le dijo el emperador a Hidalgo, «pero si Inglaterra y España están dispuestas a ir a México y los intereses de Francia lo exigen, también tomaremos parte. Aunque sólo enviaré una escuadra, sin tropas de desembarco».

Ni esa idea, ni ese mexicano, asombraban ya a Napoleón que conocía a una y otro desde hacía varios años y que sólo le confirmaban que los intelligentes y los políticos mexicanos, así los conservadores como los liberales, se pasaban la vida ofreciendo su país, o parte de él, a las potencias extranjeras. Porque no sólo unos cuantos años antes el presidente conservador Zuloaga había solicitado a Francia un ejército y un general franceses para pacificar el país y conservarse en el poder, y no sólo Santa Anna y después Murphy un ex Embajador de México en la corte de Saint James, y ahora Hidalgo y con él Gutiérrez Estrada otro mexicano ultraconservador que vivía en el Palacio Marescotti de Roma querían hacer de México una monarquía y sentar en el trono a un príncipe europeo como antes lo había deseado el Cura de Dolores, caudillo de la independencia de México y cuyas tropas llevaban en su uniforme el escudo con las armas de Fernando VII: también el mismísimo Presidente Juárez había comprometido más de una vez el honor y el territorio de su desdichado país.

En 1859, instalado el gobierno de Juárez en la ciudad de Veracruz, el General Miramón lo sitió primero por tierra y después, para completar el cerco, movilizó dos barcos fondeados en Cuba: el *«Miramón»* y el *«Marqués de La Habana»*. Juárez decidió que, siendo barcos sin bandera, podía considerárseles como piratas, y que por lo mismo cualquier nación tenía el derecho a atacarlos. Solicitó entonces el auxilio de unos barcos americanos que se encontraban en el surgidero del puerto y el Comandante Turner, a bordo del *«Saratoga»*, y al mando de esta corbeta y de los vapores *«Indianola»* y *«Wave»*, abrió fuego contra las naves de Miramón al negarse éstas a izar una insignia cuando se las conminó a hacerlo a su arribo a la rada de Veracruz.

Derrotado Miramón en lo que pasó a llamarse «el incidente de Antón Lizardo», Juárez se afianzó en el poder. Pero, si los cañonazos del *«Saratoga»* escandalizaron a México porque para muchos además de humillante fue inconcebible que dos barcos de guerra extranjeros entraran en acción en aguas territoriales mexicanas no sólo con la bendición de Juárez, sino lo que era peor, a su pedido, mayores fueron el ruido y la conmoción que causó el Tratado McLane Ocampo.

Cuenta Hidalgo y Esnaurrízar en sus Memorias que se permitió preguntarle a Luis Napoleón si tenía un candidato para el trono de México, y que el emperador, tras encender otro cigarrillo, le contestó: «No, no tengo ninguno».

Y sí, aunque es poco probable que en esos momentos no estuviera pensando en su candidato favorito, al mismo tiempo es más que probable que en esos mismos momentos el emperador se convenciera de la necesidad de intervenir, y pronto, en México, si no se quería que Europa —y por supuesto Francia en particular— perdiera para siempre un mercado vital para sus productos y una magnífica fuente de materias primas, ya que México no sólo era importante como productor de plata: de él podía hacerse un gran país algodonero. Muy bien que Luis Napoleón hubiera ordenado que se incrementara la producción de algodón en la posesión francesa de Senegal. Pero eso no bastaría para alimentar las hambrientas fábricas de hilados de Flandes y los Vosgos que se estaban quedando sin materia prima porque el principal proveedor mundial, Estados Unidos, había dejado de exportar el algodón debido a la guerra civil... y a propósito de la guerra: en cuanto terminara, los americanos volverían a ser un peligro para México, cualquiera que fuera el resultado y así quedaran unidos de nuevo o desunidos para siempre, porque como había dicho el Príncipe Richard Metternich, Embajador de Viena en París, no podía descartarse la posibilidad de que al final el Norte se anexara a Canadá y el Sur a México... y a propósito de Metternich: éste no apoyaba la candidatura del Duque de Módena al trono de México, aunque las malas lenguas decían que quien en realidad se había opuesto era su mujer Paulina Metternich, famosa por fea, inteligente y mundana —dos terceras partes *gran dama* y una tercera parte *puta,* había dicho de ella Próspero Mérimée— y por fumar unos enormes cigarros puros del mejor tabaco que enrollaban los chinitos de La Habana.

«Sería ideal un príncipe español», dijo Eugenia y abrió el abanico que tenía en las manos. «Pero me temo que no hay ninguno adecuado».

«Le Journal des Débats» le reprocharía pronto a Juárez y su gobierno «no haber tenido vergüenza en vender por trozos el territorio mexicano con tal de mantenerse en el poder», y Charles de Barrés diría en *«L'Estafette de Deux Mondes»:* «El señor Juárez ya olvidó que los huesos de sus compatriotas se blanquean en las soledades de América y California». Pero no sólo fue la opinión francesa, sino también muchos mexicanos y entre ellos varios historiadores los que calificarían a Juárez de traidor desde el momento en que se supo que su Ministro de Gobierno Melchor Ocampo —su compañero de exilio en Nueva Orleáns— y el enviado americano McLane habían firmado un tratado mediante el cual México le cedía a los Estados Unidos, sus conciudadanos —incluidas aquí sus tropas— y sus bienes —incluidas sus armas— y en perpetuidad, el derecho de tránsito por el Istmo de Tehuantepec, de uno a otro océano. Por el hecho de que tal tratado fuera concluido poco antes del incidente de Antón Lizardo, se acusó a Juárez de haberlo instrumentado para lograr, costara lo que costara, así fuera comprometer la soberanía de una considerable porción del territorio mexicano, el reconocimiento y el apoyo de los americanos. Era «la consagración del monroísmo», le escribió alarmado, al Rey de Prusia, su ministro en México. Y otro diplomático, el Vizconde de Gabriac —antecesor de Saligny— declaró que a la corta o a la larga el Tratado McLane Ocampo significaría la exclusión del comercio europeo en el continente americano. El tratado, firmado cuando James Buchanan era Presidente de los Estados Unidos, no fue ratificado por el senado norteamericano al llegar Lincoln al poder. Según unos, se le consideró ignominioso: «Era la buena época romántica», dijo un bió-

grafo de Juárez, el mexicano Héctor Pérez Martínez. Pero otros opinaron, y de ellos se hizo eco su compatriota Justo Sierra, que se le había rechazado por el odio que los republicanos tenían a la política del Presidente Buchanan y los demócratas.

Sea como fuere, el hecho es que ese día Eugenia decidió que el proyecto de llevar a México un príncipe europeo era una idea más importante, más absorbente y, por qué no, hasta más divertida que ocuparse de la anchura de sus faldas o del color de su sombrero, e incluso que organizar los Lunes de la Emperatriz, cuando más de quinientos invitados llegaban a las Tullerías y se bailaba en el gran Salón de Apolo, se cenaba en la Galería de la Paz y la fiesta concluía con un cotillón de figuras simples, o que planear —y pasar— las vacaciones en Saint Cloud y en Chantilly, o en Fontainebleau donde la emperatriz surcaba las aguas del lago en una góndola que conducía un gondolero de verdad, importado de Venecia, y a su lado pedaleaba el príncipe imperial en un bote de juguete que imitaba los vapores de ruedas de paletas que navegaban por el Mississippi, o en Compiègne donde Merimée recitaba trozos de cantos ilirios, Mallarmé poemas al azar o el astrónomo Le Verrier contaba cómo había descubierto, sin haberlo visto jamás, el planeta Neptuno.

Los otoños de Biarritz eran otra cosa, porque a Eugenia le gustaba escaparse a Bayona, que estaba a unas cuantas leguas, para asistir a una corrida de toros y allí, lejos de la corte y cerca de la tierra donde había nacido, más se olvidaba que era emperatriz mientras más se acordaba que era maja y española. Y fue así que un día, tras darse un baño de mar y emprender un viaje a Bayona, la ciudad que inventó las bayonetas y en la que el Rey Carlos IV le había cedido a Napoleón el Grande los derechos al trono de España y de las Indias, se encontró con un caballero que la saludó al paso de su carruaje, y en quien reconoció —y por eso detuvo el carruaje para saludarle primero y luego sentarlo a su lado— a un antiguo, querido amigo mexicano de quien se dijo había sido, a pesar de lo joven que era, amante de su madre la Condesa de Montijo, y que en las reuniones en la residencia madrileña que las Montijo tenían en la Plaza del Angel así como en su finca de Carabanchel, se prestaba a ponerse en cuatro patas junto con otros de sus compañeros, para que las damas: Eugenia, Paca, la condesa y sus amigas, montaran en sus lomos y jugaran a ser caballeros en una justa medieval. Y ese hombre de barba negra, elegante y atractivo, descendiente de nobles andaluces, y que viajaba de España a Francia porque de ser secretario de la legación mexicana en Madrid pasaba a serlo en París, y que en éstas y otras cortes de Europa lloraba la pérdida de sus haciendas a manos de los juaristas, era el mismo que ahora, cuatro años después de ese encuentro, ¡cómo vuela el tiempo!, estaba de nuevo en Biarritz para implorar, una vez más, el envío a México de un príncipe europeo.

¿Pero quién? ¿Un príncipe de la dinastía Orleáns? ¿O Don Juan?

«¿Sabía Su Majestad que se mencionó a Don Juan de Borbón?», había preguntado Hidalgo al emperador en 1857.

¿O a una mujer: Isabel II de España que, como había dicho Lord Clarendon si la mandaran a México a gobernar le haría un bien a ese país sin que, por su ausencia, le hiciera un mal a España?

Y mientras tanto, a los años y las intrigas se habían agregado las súplicas de otros mexicanos. Entre ellos la de quien fuera plenipotenciario del Presidente Miramón en París, el General Juan Nepomuceno Almonte, hijo natural de José María Morelos caudillo también de la independencia mexicana y el cual por ser sacerdote, no le dio su nombre —aunque lo hizo coronel cuando era casi un niño— pero el tiempo y los azares de la guerra se encargaron de bautizarlo, porque cada vez que el cura temía por la seguridad de su vástago, decía: «llévense el niño *al monte*». Y ya para entonces todo el mundo conocía a un mexicano más, José María Gutiérrez Estrada, rico hacendado henequenero que desde hacía veinte años y sin regresar en todo ese tiempo a su país vivía en la ciudad de Roma en un gran palacio, obsesionado desde 1821 —en aquél entonces se había pensado en el archiduque austriaco Carlos, vencedor de las tropas napoleónicas en Aspern— con la idea de crear una monarquía en México, y alentado por el ex dictador mexicano Santa Anna, quien siendo presidente una de tantas veces le había dado poderes plenos para hablar sobre el proyecto en París, Madrid, Londres y Viena, y que habiendo escrito un folleto titulado *«Le Mexique et l'Europe»* que entregó entre otros a Luis Felipe, Palmerston y Clemens Metternich, había propuesto como candidato a todo el mundo, desde el otro Borbón el Infante Don Enrique y los dos tíos de Carlota: el Príncipe Joinville y su hermano el Duque d'Aumale, hasta Agusto de Morny el medio hermano de Luis Napoleón, pasando por el Duque de Módena —el rechazado por Paula Metternich— a quien la anexión de su país al Piamonte había dejado disponible, y por Leopoldo de Bélgica cuando era todavía un príncipe Coburgo que vivía en Inglaterra, y seguía proponiendo candidatos sin descanso por medio de largas, larguísimas cartas rimbombantes —algunas pasaron de las ochenta páginas— en donde citaba a todos los santos del cielo y anunciaba con términos apocalípticos *la débâcle* que no tardaría en ocurrir en México si Europa no intervenía a tiempo para acabar con toda esa sarta de bandidos y bárbaros que violaban los altares y los templos, hacían gárgaras con agua bendita, lazaban a los curas, jugaban a la pelota con las cabezas de los ángeles, arrancaban las piedras preciosas de las imágenes para engastarlas en las toquillas de sus sombreros jaranos y fundían las custodias de oro y otros objetos del culto para hacer monedas que de un lado tenían un águila parada en un cacto que devoraba una serpiente, y en el otro la cara de otra serpiente ponzoñosa: la del indio Juárez.

En su libro *«Die Trägodie eines Kaisers: Maximilian von Mexiko»*, Corti cuenta que Hidalgo habló entonces de ofrecerle el trono a uno de esos archiduques austriacos, que eran tantos que se los encontraba uno —eso, claro, no lo dijo el mexicano— en la sopa de todos los banquetes.

«Se había mencionado el Archiduque Rainer...», agregó.

«Sí, porque al parecer el Archiduque Maximiliano no está dispuesto a aceptar», murmuró Eugenia.

Quinto, para apresurar la intervención en México, había que tomar muy en serio el rumor que unos días antes causara revuelo en el *Quai d'Orsay* cuando se supo que el gobierno de Juárez estaba a punto de firmar otro convenio en la Unión americana, tan increíble como el de McLane Ocampo: el nuevo ministro del gobierno de Lincoln en México, Thomas Corwin, quien en los años cuarenta se había opuesto a la intervención americana de manera tan enfática que fue acusado de traidor y su efigie quemada en las calles —dijo en ese entonces que esperaba que los mexicanos recibieran al ejército invasor «con manos cruentas y tumbas hospitalarias»— comunicó al gobierno de Juárez poco después de la suspensión de los pagos de la deuda exterior mexicana, que su país podría asumir durante cinco años el pago de los intereses de dicha deuda, y México se obligaría a su vez a reembolsar la suma total en seis años, más los intereses, con una condición: el proyecto incluiría un gravamen específico sobre tierras baldías y derechos mineros en los estados de Baja California, Chihuahua y Sonora, territorios que pasarían «a poder absoluto de los Estados Unidos» en caso de que al expirar el término del tratado México no hubiera efectuado «el reembolso de las sumas en cuestión».

Y, por si todos esos motivos no fueran suficientes, ni Napoleón ni Eugenia tenían por qué prestar oídos a razones estrambóticas para justificar ante la historia la magna empresa —hubo quien dijo que era urgente la intervención en México porque Benito Juárez, ese indio «anticarismático» que cuando visitaba las tierras calientes se vestía como cualquier compesino: de camisa y pantalones de dril blanco y sombrero poblano, lo que quería por ser eso, un indio zapoteca, era provocar en su país una guerra de castas, para aniquilar a todos los habitantes blancos... porque, *sexto*: si Maximiliano aceptara ¡ah, si aceptara! el trono de México para el Segundo Agnado de la corona de Austria sería, para este país, una especie de compensación que le daba Francia por las derrotas de Magenta y Solferino.

Y *séptimo*: muy bien que después de esas dos batallas el Papado nunca más tendría el mismo poder, pero muy mal que Pío Nono estuviera resentido con Luis Napoleón por tantas humillaciones sufridas en la guerra por la unidad de Italia, y entre las cuales las menos dolorosas no habían sido el triunfo en Castelfidardo del ejército piamontés sobre el pontificio, la ocupación de Roma por las tropas francesas y la pérdida de la Romaña, y por lo tanto Luis Napoleón y Eugenia tenían la oportunidad de consolar al Papa al emprender una cruzada por la fe católica en el Nuevo Mundo.

Entonces Eugenia cerró su abanico. Y si es verdad y no leyenda la anécdota del golpe que el Bey Hussein le dio al cónsul francés con su espantamoscas, no cabe duda que el suave golpe que se dio Eugenia en el pecho con su abanico mereció también pasar a la historia: si el primero decidió el destino de Argelia, el segundo decidió el destino de México —al menos por unos años— y desde luego el de un hombre: Maximiliano.

Y es que, tras darse el golpe en el pecho con el abanico, Eugenia dijo:

«Algo me dice que el Archiduque Maximiliano sí aceptará...»

De la cruzada en México, Eugenia fue la abanderada por decisión propia, y porque fue su gran oportunidad para que Luis Napoleón y Francia supieran lo que ella, como mujer —y española por añadidura— era capaz de hacer, y que iba mucho más allá de las pequeñas osadías conocidas por toda la corte, como vestirse de hombre y beber vino en bota en las corridas de toros de Bayona, o invitar a comer con Luis Napoleón, a solas, a las veinte mujeres más hermosas de París, con tal de demostrarle —aunque no era cierto— que sus infidelidades la tenían sin cuidado, y que podía llevarse a la cama a las veinte juntas, o a una por una, como quisiera. Sin cuidado, por ahora, la tenían también todos sus servidores y no sólo su lectora y su vicelectora que a veces la entretenían con libros de historia, sino también su maestre, su primer chambelán, sus doce damas de palacio y damas de honor y camareras, su peinador que vestía calzón corto y espada al cinto, su secretario particular y el bibliotecario que se sacaba de los bolsillos patitas de conejo, y sin cuidado también y por un tiempo todos sus modistos y modistas, Laferrière que le hacía sus vestidos de tarde, Félicie sus capas o Madame Virot y Madame Libel sus sombreros: allí, en el rincón de su gabinete de trabajo de ventanas de caoba y muros con tapices color verde-agua y una chimenea de mármol con adornos de bronce y lapislázuli, arriba de ella dos jarrones chinos y el retrato de su llorada hermana Paca la Duquesa de Alba cuya muerte repentina tanto la había afectado, a un lado la vitrina donde guardaba el sombrero de su marido destrozado por la bomba de Orsini y los chupones y las sonajas del principito imperial y sus bucles y sus primeros zapatos, al otro lado una mampara de bambú dorada, allá el retrato de Luis Napoleón vestido de negro y pintado por Cabanel, y en ese rincón la mesa donde escribía de rodillas, porque así le gustaba hacerlo, todas sus cartas personales, allí podría ahora y con sus plumas de oca escribir cosas mucho más importantes que contarle a Mamá La Condesa cómo iban las obras del nuevo edificio de la Opera que culminaría el estilo multipastiche del Segundo Imperio o cómo fue que Lulú se había enfermado del estómago por comerse un huevo de Pascua con todo y papel de plata con florecitas rojas: bajo las faldas protectoras de Eugenia de Montijo, emperatriz de los franceses, cabía ahora no sólo México, sino América entera.

De allí en adelante, todo se resolvería en cuestión de unas cuantas semanas. El Conde de Walewski, hijo natural de Napoleón el Grande y quien como Ministro del Exterior de Luis Napoleón se había opuesto en años anteriores a la intervención en México, manifestó su apoyo tras escuchar a Hidalgo. El emperador austriaco Francisco José envió a Miramar a su Ministro del Exterior, el Conde de Rechberg, para conferenciar con el Archiduque Maximiliano. Y Luis Napoleón escribió dos cartas: una a su embajador en Londres el Conde Flahault —padre de su medio hermano uterino el Duque de Morny— en la que le ordenaba que presentara a la Gran Bretaña el proyecto de intervención y le expusiera la conveniencia de su participación con el propósito de recuperar el dinero prestado a México, poner coto a la política expansionista de los Estados Unidos en el continente americano y asegurar para Europa los futuros mercados de éste. La segunda carta fue dirigida al Rey Leopoldo de Bélgica, con el fin de pedirle que ejerciera su influencia por partida doble: sobre su sobrina la Reina Victoria de Inglaterra, y sobre su yerno, el Archiduque Max. Por último, Luis Napoleón dio a conocer al Ministro de España en París el contenido de la carta a Flauhault y el ministro a su vez comunicó las intenciones del emperador de los franceses al premier español Calderón Collantes, quien a su vez le escribió a su embajador en Londres para que éste manifestara a la corte de Saint-James que en España se consideraba como inevitable que las fuerzas navales de los tres países ocuparan los puntos más importantes de las costas mexicanas no sólo para obtener las satisfacciones reclamadas, sino asimismo para organizar en México un nuevo gobierno que proporcionara «seguridad en el interior» y «garantía en el exterior».

Fue así como el 30 de octubre de 1861 las tres principales potencias marítimas del mundo firmaron una Convención Tripartita en Londres en la que se comprometieron —como dijo el historiador mexicano Fuentes Mares: Inglaterra «que podía y no quería», España «que quería y no podía», y Francia «que quería y podía»— al envío inmediato de tropas de ocupación a las costas de México con el objetivo, definido como «ostensible» de presionar a las autoridades mexicanas para que éstas ofrecieran una protección más eficaz a las personas y propiedades de los súbditos de las tres naciones signatarias, y exigirles que México cumpliera las obligaciones financieras contraídas con las mismas. En el segundo artículo, los signatarios se comprometían a no buscar, mediante el empleo de las medidas coercitivas previstas por el convenio, ninguna adquisición de territorio o ventaja particular, y se obligaban a no ejercer en los asuntos interiores de México «influencia alguna capaz de menoscabar el derecho de la Nación mexicana para elegir y constituir libremente la forma de su gobierno».

De la noche a la mañana, los españoles se transformaron en anfitriones de la expedición. Francisco Serrano, Duque de la Torre y Capitán General de la todavía posesión española de Cuba, recibió órdenes de la Metrópoli de enviar a Veracruz una escuadra compuesta por once buques con cinco mil hombres a bordo, además de cien lanceros, ciento cincuenta ingenieros y un total de trescientos tres cañones. Los buques españoles anclaron en Veracruz el 10 de diciembre de 1861.

Pareció, de pronto, que iba a cumplirse lo que no sólo era el deseo del ministro español Calderón Collantes, sino también el de uno de los dos únicos representantes de Juárez en el extranjero: su plenipotenciario en Europa, Juan Antonio de la Fuente, a quien se le ocurrió —así al menos lo cuenta Ralph Roeder— que lo mejor que le podía pasar a México, para salvarse de Francia, era que España lo invadiera. Por su parte el representante en Washington, Matías Romero, opinaba que si la intervención era inevitable, era preferible entonces que también los Estados Unidos formaran parte de ella, ya que así, al menos, inclinarían la balanza hacia la legalidad constitucional.

Pero el Presidente Juárez había ordenado al Gobernador de Veracruz que rindiera el puerto sin resistencia y se retirara. Y pocas semanas después, el comodoro británico Hugh Dunlop arribó a las costas mexicanas al frente de dos navíos de hélice y cuatro fragatas, con un total de doscientos veintiocho cañones. Casi al mismo tiempo llegaba la escuadra francesa: catorce barcos de vapor con un total de tres mil hombres a bordo, entre ellos un regimiento de infantería de marina, un batallón de zuavos y un destacamento de cazadores de Africa, al mando de los cuales iba el Almirante Jurien de la Gravière, astrónomo e historiador de la marina francesa.

Llegó también el General Prim, no sólo para ponerse al frente de sus tropas, las españolas, sino además con la intención fallida de ser elegido jefe de la Expedición Tripartita. Por último llegaron a las tierras tórridas veracruzanas los dos ministros —el inglés y el francés—, que habían roto relaciones con el gobierno de Juárez: Sir Charles Wyke y el Conde Dubois de Saligny.

Las ciento noventa y seis bocas de fuego del Fuerte de San Juan de Ulúa y de los baluartes de Concepción de Santiago, entre los cuales había cincuenta cañones de hierro y sesenta de fundición ingleses y belgas, permanecieron silenciosos.

A comienzos de la segunda semana de enero del 62, la Expedición Tripartita comenzó a desmoronarse al surgir los primeros desacuerdos entre los representantes. Los españoles y los ingleses se negaron a respaldar la reclamación francesa sobre los ya célebres bonos Jecker, y expresaron que las reclamaciones francesas carecían de toda «base jurídica real». El General Prim insistió en que se cumpliera el Tratado Mont-Almonte en el que se exigía que México pagara una indemnización por el asesinato de los súbditos españoles en Chiconcuaque, y el Comodoro Dunlop pidió el pago de las obligaciones reconocidas por el gobierno británico en las aduanas de los principales puertos mexicanos del Golfo, esto es: Veracruz y Tampico.

Sin embargo, poco después ingleses y españoles, en una declaración bilateral, comunicaron al gobierno de Juárez que su intención no era la de reclamar ultrajes, sino la de tender una mano amiga a México para ayudar al país a salir del caos, y que a su vez pretendían ser testigos de su regeneración.

Benito Juárez sugirió a los aliados que se retiraran a La Habana para desde allí contemplar la regeneración de México, y como tal sugerencia fue ignorada, envió a su ex Ministro Manuel Zamacona para invitar a los jefes invasores a conferenciar en el pueblo de La Soledad, con sus delegados: el Ministro del Exterior Manuel Doblado, y los generales Ignacio Zaragoza y López Uraga. Al mismo tiempo, el gobierno mexicano autorizó a los ejércitos invasores a abandonar el insalubre Puerto de Veracruz —para esas fechas Prim había tenido ya que enviar a los hospitales de La Habana a ochocientos de sus hombres— y trasladarse provisionalmente a Córdoba, Orizaba y Tehuacán, ciudades de clima más benigno, en el entendido de que si las conversaciones de La Soledad no llegaban a ningún resultado, las fuerzas extranjeras se replegarían a Veracruz.

Mientras tanto, Juárez había aprovechado la indecisión y los desacuerdos de los jefes de la Expedición Tripartita para emitir el «Decreto del 25 de Enero», en el que se condenaba a muerte a todo aquel ciudadano mexicano que colaborara con la intervención.

Aparecieron también otros personajes en escena: el ex Presidente Miramón, a quien los ingleses no le permitieron desembarcar; Juan Nepomuceno Almonte y, el 6 de marzo, el General Ferdinand Latrille, Conde de Lorencez, quien llegaba a México con órdenes de Luis Napoleón de tomar el mando de las tropas francesas de manos del Almirante Jurien de La Gravière.

La actitud conciliatoria del Presidente Juárez, quien ofreció renegociar los términos de la deuda exterior y las indemnizaciones, desarmó a los delegados español e inglés, quienes de acuerdo al Tratado de La Soledad aceptaron un arreglo pacífico y se retiraron de México, junto con sus tropas.

El Conde de Lorencez desconoció el Tratado de La Soledad y buscó —y encontró— un motivo para declarar la guerra al gobierno de Benito Juárez.

«Nous voilà, grâce à Dieu, sans alliés!» —«Gracias a Dios, nos hemos quedado sin aliados»—, le escribía la Emperatriz Eugenia a la Archiduquesa Carlota cuando las noticias llegaron a Europa.

Y, hacia fines de abril, Lorencez, en una carta dirigida al ministro de Guerra francés, expresó que era tal la superioridad racial, de organización, de disciplina y moralidad de las tropas francesas sobre las mexicanas que desde ya, y a la cabeza de sus seis mil hombres, se consideraba como el amo de México.

Dicho esto, partió con ellos rumbo a la ciudad de Puebla de los Angeles.

2. El Archiduque en Miramar

El Archiduque Maximiliano se encontraba esa tarde tranquila y soleada en el Salón de las Gaviotas del Castillo de Miramar en las cercanías de Trieste, la vieja ciudad en cuya catedral, San Justo, fueron sepultados tantos pretendientes carlistas que nunca realizaron su sueño de ser reyes de España. El Archiduque estaba de pie junto a un atril que sostenía un mapa de la República Mexicana montado en cartón. A un lado, en una mesa, había una pequeña caja de laca con incrustaciones de plata, llena de alfileres marcadores.

Miramar, o *Miramare* en italiano, se llamaba así, por supuesto, porque miraba al mar: al Adriático, que quizás es el más azul de todos los mares, aunque se antoja de un azul cuajado y frío. Un día, cuando Maximiliano viajaba a bordo del buque de guerra *«Madonna della Salute»*, tuvo que buscar refugio, ante la inminencia de una tormenta, en la Bahía de Grignano, donde pernoctó en la humilde casa de Daneu, un pescador. Allí, en un promontorio decidió Maximiliano edificar el palacio de sus sueños, y le encomendó los planes y la obra al arquitecto Carlo Junker, quien inició la construcción en marzo,1856. Fue éste el mismo castillo a cuyas torres blancas se refería el poeta Carducci, como enfoscadas por nubes que llegaron con el vuelo de ángeles siniestros. De estirpe romántica en su estilo, se considera a Miramar como uno de los ejemplos más singulares y completos *«di residenza principesca del pieno Ottocento»:* de residencia principesca de pleno siglo XIX... El Archiduque cogió un alfiler de cabeza plateada y lo clavó en el lugar del mapa correspondiente al estado de Sonora.

«Sonora. Si *Herr* profesor me permite una broma, yo puedo... ¿yo podría...?»

«Sí, Su Alteza: yo podría, tú podrías, él podría...»

«Yo podría —continuó el Archiduque— decir que el nombre de Sonora es sonoro por la mucha de la plata que tiene, y que la quiere Napoleón. Pero no se la daremos. Es para nosotros los mexicanos».

Y la habitación donde estaba el Archiduque era conocida como *«La Sala dei Gabbiani»:* «La Sala de las Gaviotas», porque en el cielorraso había pintadas docenas de gaviotas en vuelo. Cada una sostenía un listón con el pico, y en cada listón estaba inscrita una leyenda en latín. Había también dos cuadros, de Geiger, que describían el primer viaje de Maximiliano a Esmirna. En la misma sala, sentada en un canapé, absorta en un bordado de punto de cruz que ilustraba el yate *«Fantaisie»* anclado en la Isla de Madeira, estaba la Archiduquesa Marie-Charlotte, o María Carlotta como se había hecho llamar desde que fuera Virreina de las provincias de Lombardía y Venecia. Quizás, de todos los proverbios latinos imaginables —desde *Gaudet tentamine virtus* hasta *Tempus omnia revelat*—, el que no debió faltar fue aquel que el Canciller Metternich aplicó siempre en su política, porque la grandeza de la Casa de Austria: *Divide et impera:* Divide y reinarás.

Y de pie, vestido con una levita de color gris oscuro, pantalones azul claro, corbata blanca y chaleco de terciopelo pajizo, estaba un hombre de rasgos mestizos, con espejuelos, de mediana estatura, cabello negro y rizado: *Herr* profesor, como le decía el Archiduque, o *Monsieur le professeur*, como le decía la Archiduquesa.

«Pero en todo caso, *Madame* —y *"madame"* era a su vez una de las varias formas con las que *Monsieur le professeur* se dirigía a la Archiduquesa—, en todo caso pienso que usted quizás debería quitarle una de las "tes" a su nombre, y de ahora en adelante escribirlo en la forma castellana, Carlota, con una "te" nada más».

La Archiduquesa levantó los ojos del bordado y sonrió a *Monsieur le professeur.*

«Es una bella idea. Gracias».

Monsieur le professeur se inclinó y sus espejuelos resbalaron hasta la punta de la nariz.

«Sería un gesto que nosotros, los mexicanos, apreciaríamos muchísimo. Y ahora, sigamos, ah? con la conjugación: Nosotros podríamos, vosotros podríais, ellos podrían... ah?

Herr profesor recorrió a grandes pasos el salón, con los pulgares en los bolsillos del chaleco, y se acercó a la inmensa ventana que daba al Adriático. Maximiliano y su amigo Junker se habían puesto de acuerdo: no habría habitación, en todo el Castillo de Miramar, que no mirara al mar. Una de las ventanas tenía tres secciones, con cristal de diferente color cada una: así, el Adriático aparecía de un azul morado subido a través de una, de un rosado-lila si se le contemplaba desde la segunda, de un verde pálido visto por la tercera. El profesor se acercó al Archiduque y contempló el mapa. Maximiliano tenía otro alfiler de cabeza plateada en la mano. *Herr* profesor señaló un lugar del mapa cerca de la capital.

«Y no sólo Sonora tiene plata, Don Maximiliano —dijo— sino que aquí, ah? están otras de las minas más ricas del mundo: las de Real del Monte».

Maximiliano clavó el alfiler. El profesor reanudó su paseo.

«Aunque para ser honestos —continuó— habrá muchos de mis compatriotas que no se darán cuenta del cambio. Me refiero a Carlota con una sola *te,* porque por desgracia, son muy pocos los mexicanos que sabemos leer y escribir, ah?»

«*Davvero?*», exclamó el Archiduque a su vez levantando la mirada del mapa.

«*Davvero,* Don Maximiliano, se dice: ¿de verdad? Y desafortunadamente, ah? es verdad. Ahora continuemos: yo podría, tú podrías...»

La Archiduquesa dejó a un lado el bordado y desplegó un abanico.

«*Io* creo que esos son... ¿*Comment dis - tu, Max?... Des inventions? Des mensonges?*»

Monsieur le professeur sacó un pañuelo rojo del bolsillo de su levita y se enjugó el sudor de la frente.

«Patrañas, Madame, ah? Calumnias, mentiras».

«Sí, *Io* creo que son mentiras, *Monsieur le professeur,* patrañas *Io* creo que hay muchos de los mexicanos que saben leer. Pero no fue nuestra intención decir que *Monsieur le professeur* diría mentiras...»

«Que el profesor dice mentiras, Madame. Por otra parte... ¿me permiten Sus Altezas sentarme por un minuto? Gracias, ah? Por otra parte yo diría, si se me perdona la redundancia, ah? yo diría mentiras, tú dirías mentiras, él diría mentiras, nosotros diríamos mentiras, vosotros... en fin, que yo preferiría...»

El Archiduque sonrió.

«Quizás *Herr* profesor preferiría un poco de vino. Nada mejor en un día cálido que un vino fresco... *pétillante...* Sírvase el profesor por él mismo, *a piacere* —agregó Max señalando un rincón de la sala—. Hay también de las galletas irlandesas que me envió el *governatore* de Gibraltar. Mojadas en vino *à l'anglaise,* son una esquisitesa».

«Una delicia, Don Maximiliano».

«Ah, ¿ya las ha probado *Herr* profesor?»

«No, no, es que... es decir, sí, sí las he probado. Son en efecto una... una *squisitezza*».

Herr profesor se levantó y se dirigió a una pequeña mesa redonda, taraceada con madreperla, donde estaban el vino y las galletas.

«Bravo, sírvame un poco, *per favore,* y venga acá. *Übrigens... à propos:* dígame dónde se hacen en México los buenos vinos... *Et toi, Charlotte, un peu de vin?*»

«*Non, merci*».

Carlota tenía a su lado un vaso de naranjada. *Herr* profesor sirvió dos copas. Caminó hasta la mesa y le entregó una de ellas al Archiduque. Después, cogió un alfiler de cabeza roja.

«Aquí, en Parral —dijo, y clavó el alfiler— se producen vinos, ah? pero me temo que en México, Don Maximiliano, no existe lo que podría llamarse, yo podría, tu podrías, nosotros podríamos, vinos buenos de verdad, ah? Los tenemos que importar de Europa, junto con otras muchísimas cosas, como carbón de piedra, instrumentos de música, jabón, armas, papel, vidrio y toda clase de comestibles. La estación calurosa suele ser muy larga, y como resultado, hay un exceso de azúcar en la uva...»

«*Es ist Schade*, profesor: *it's a pitty*...»

«Y salen capitosos... Imposible compararlos, pues, con los vinos franceses o italianos...»

O con los alemanes del Rhin —dijo el Archiduque alzando su copa— *Am Rhein, am Rhein, da wachsen unsre Reben... Salute!*»

«*Le comparazioni sono tutte odiose*», terció la Archiduquesa.

«O con los alemanes, ah? —acordó *Herr* profesor—. *A votre santé*, Don Maximiliano. Con el permiso de usted, Doña Carlota, ah? Verán ustedes: los dueños de las minas de Real del Monte, Don Maximiliano, son ingleses. El propietario de todo el algodón que exporta México es un español, José Pío Bermejillo, o algo por el estilo. Mmmmm... qué vino tan excelente, ah? ¿Cómo dijo que se llamaba? Con esto quiero decir que las riquezas de México están en manos de... Sus Altezas no se ofenderán: ustedes no serán extranjeros en mi país. Ya no lo son... las riquezas, decía, están en manos de extranjeros... ah?»

«Fierro, *Herr* profesor. México tiene fierro».

«¿Me permite Don Maximiliano tomar un alfiler?»

El Archiduque le extendió la caja. *Herr* profesor cogió un alfiler de cabeza negra y lo clavó en el mapa.

«Aquí, en Durango, Don Maximiliano, Doña Carlota, está un cerro de ciento ochenta y siete metros de altura, un kilómetro y medio de largo y tres cuartos de kilómetro de ancho, que se calcula es de fierro puro en un sesenta y cinco por ciento... Ah?»

«Haríamos nuestras propias armas —dijo el Archiduque— nuestro *railway*...»

«Haremos, Don Maximiliano. Yo haré, tú harás, él hará. Ahora que, si ponemos a un lado el algodón, la plata y el fierro, no creo que nos quede mucho que exportar, como no sean cueros de chivo y vaca, de los que cada año enviamos miles de pacas a los Estados Unidos... nosotros haremos, vosotros haréis... Y es que durante los trescientos años de la Colonia, ah? España no permitió que se creara en México ninguna industria que compitiera con las industrias de la Metrópoli, Su Alteza: ni viñedos, ni cría de gusanos de seda, ni teñido de pieles, nada... Por eso se enojaron tanto cuando el Cura Hidalgo y Costilla comenzó a plantar moreras... Ah, se me olvidaba, México produce también mucha cochinilla...»

«¿Cómo dice *Monsieur le professeur?*», preguntó la Archiduquesa, y cerró el abanico.

«Cochinilla. En italiano es *cocciniglia*, del latín *coccinus*, que significa escarlata. La cochinilla es un insecto muy prolífico, ah? que produce la laca y la cera de la China. Como la laca de esta caja —dijo *Monsieur le professeur* y levantó la caja de los alfileres—. Es decir, una de las especies. Otras producen colorantes, como la cochinilla mexicana, ah? que cuando se tritura a las hembras se obtiene un hermoso polvo de color carmín intenso, o grana, que sirve para teñir telas de lana, de seda, terciopelo.

«Y se *come...* la *cocciniglia* de Madeira, *Herr* profesor?»

«La misma, Don Maximiliano, pero es originaria de México. Sahagún la llamaba "sangre de tunas"... usted sabe, la tuna, ah? es el fruto del nopal, y el nopal, ah? es un cacto, y el cacto, ah? es...»

«¿Y se puede, *Monsieur le professeur,* pintar un manto imperial no con púrpura sino de la cochinilla?», preguntó Carlota.

«Eso es algo en lo que no había pensado, Su Alteza, pero... no veo por qué no... claro, sí, por supuesto. De todos modos, la púrpura también se saca de un animal... de la púrpura, del molusco. Sí, ¿por qué no? Ah? Lo único que me parece es que con perdón de Sus Altezas, pero sonaría extraño, en lugar de hablar de "la púrpupra imperial", hablar de "la cochinilla imperial"... ah? ah?»

El Archiduque sonrió. *Herr* profesor volvió a sentarse, ésta vez sin solicitar la autorización de Sus Altezas.

«Podríamos, sí, ¿por qué no, ah? Pero ahora vamos a practicar este tiempo con un pequeño complemento: ir a México. Conjugue usted, Doña Carlota: Yo podría ir a México, tú podrías ir a México, él podría ir a México, ah?»

«Yo podría... pero no es una *question, Monsieur le professeur...*»

«Una cuestión, Madame».

«Una cuestión de si *Io* podría o no ir a México, porque *Io* voy a México, Max y yo vamos a México, ¿verdad, Max?»

«Por Dios, *mia cara Carla, Charlotte, Carlotta: Herr* profesor sólo desea dar un... *essempio? Ein Beispiel?*»

«Un ejemplo, Don Maximiliano. Pero yo podría dar otro ejemplo, por supuesto... ah?

La Archiduquesa golpeó el abanico en su regazo.

«Ah? Ah? Ah? El profesor podría dar otro ejemplo, tú podrías dar otro ejemplo, Max, nosotros podríamos dar otro ejemplo...»

El Archiduque soltó una carcajada, dio un trago de vino y le dijo a *Herr* profesor:

«Como usted ve, mi princesa Carla tiene sentido del *umore.* Yo soy germano, *tedesco, un uomo triste...*»

«Un hombre».

«Un honbre».

«No, Don Maximiliano: un hombre...»

«No está... *ben pronunziato?*»

«Es que no es *ene* sino *eme...* hommmmbre».

«Hommbre. Hommbre».

97

«Perfecto. Hombre es además, en español, y tal vez sobre todo en México, una exclamación que puede expresar muchas cosas distintas, según la ocasión: sorpresa, alegría, incredulidad, ah? "Hombre, hubo un terremoto muy fuerte! ¡Hombre, cómo es posible que se haya muerto Fulano, hombre, qué pena!»

«Por Dios, profesor —dijo el Archiduque y tomó otro sorbo de vino—, sus *essemp...* sus ejemplos casi todos son más tristes que yo».

Herr profesor se atrevió a señalar al Archiduque con su dedo índice:

«Su Alteza tiene el don de las lenguas, y adelanta en forma pasmosa».

«Hombre, sí».

«Y también, como Doña Carlota, tiene mucho sentido del humor. Y ahora, regresemos a nuestro verbo. Yo podría poner otros ejemplos. Yo podría imaginarme a Doña Carlota que va al mercado a comprar chirimoyas, mangos y zapotes, que son algunas de las frutas más suculentas y deliciosas que encontrarán en México, ah? y otras más que seguramente Don Maximiliano tuvo ocasión de probar en su viaje al Brasil, pero también podría imaginarme a Sus Majestades hostilizados por la Iglesia mexicana y los ultramontanos, o imaginármelos sufriendo en sus viajes por los malos, malísimos caminos que hay en México... Con esto quiero decirles, ah? que yo podría, que todos nosotros podríamos limitarnos a hablar de las maravillas que tiene nuestro país, que son muchas, no lo puedo negar, y no mencionar nunca sus enormes defectos, así como los peligros y los azares que supone esta magna empresa. Pero eso, desde mi punto de vista, sería inmoral, ah?»

Carlota se impacientaba. Abrió y cerró el abanico varias veces.

«*Monsieur le professeur* está sólo para enseñarnos español, y no otras cosas... *C'est à dire...*»

«*Laissez-le parler, Charlotte.* Tenemos mucho que aprender, no sólo español. Yo podría decir... ¿es correcto, así?»

«Sí, Don Maximiliano».

«Yo podría decir que *Herr* profesor, *quelquefois...* a veces parecería un enviado de Juárez para convencernos de no ir a México».

«Nada más lejos de mi ánimo, Su Alteza».

«Hemos sido visitados por un mexicano, el Señor Terán, que lo mandó el presidente, para convencernos de no ir».

«Juárez tiene miedo, Su Alteza».

«Y este cónsul americano en Trieste. ¿Cuál es su nombre, Carla?»

«Hildreth».

«Ah, sí, Míster Hildreth. Charlotte ha tenido que negarse, que decir que está *malade,* para no verlo. No quiere que vayamos a México, tiene esa *idée fixe*».

Monsieur le professeur volvió a enjugarse la cara con el pañuelo.

«El no expresa su opinión personal, sino la de su gobierno, Don Maximiliano».

«Le presentaremos, ¿verdad, Carla?, a Don Francisco Arrangóiz y a Monsieur Kint de Roodenbeek para convencerlo... Y dígame, *Herr* profesor: ¿no es usted un republicano en el fondo?»

«Yo, Su Alteza, soy monárquico, ah? Pienso que la monarquía es lo único que puede salvar a mi país del caos. Pero la clase de monarquía que deseo para México es muy distinta de la que quieren y esperan otros emigrados, ah? como Don José Gutiérrez Estrada y Don José Manuel Hidalgo. Aunque en realidad yo no soy un exilado. Soy sólo un hombre de ciencia que ha vivido en Europa unos años para completar su educación. Sus Altezas, con su perdón, deberían: yo debería, tú deberías, él debería, nosotros deberíamos, vosotros deberíais, ellos deberían, ah? estar conscientes que la monarquía liberal deseada por la clase ilustrada de mi país y por el emperador de los franceses, no es la clase de monarquía que esos señores, ah? con todo el respeto debido a sus personas, aspiran para nuestro país. Tampoco el clero de México, ah? Tampoco el partido monárquico mexicano, si es que existe, porque me permito ponerlo en tela de juicio...»

«*¿Come dici...?*»

«Poner algo en tela de juicio, Don Maximiliano, es dudar de ello. Y creo que ustedes podrían poner en tela de juicio las exageraciones y ditirambos del Señor Gutiérrez Estrada...»

«*Monsieur le professeur, je vous interdit...* le prohíbo...»

«*Laissez-le parler, Max...*»

«¿Podríamos... *rinfrescare?*»

«Refrescar, Su Alteza...»

«Refrescar la conversación con un otro vaso de vino? ¿O quizás *Herr* profesor preferiría tomar el viento del mar? ¿Tú quieres, Charlotte?»

Carlota prefirió continuar con su bordado.

«¡Vamos, mi *cara Carla, meine liebe: Frisch auf! Cheer up!*»

En el bello reloj Luis XIV con festones de madera labrada que estaba en un rincón de la Sala de las Gaviotas, eran las dos y cuarto de la tarde. Max cotejó la hora con su reloj y salió.

De pie en el pequeño muelle de Miramar, frente al azul Adriático, Maximiliano acariciaba la cabeza de la esfinge labrada en piedra que había llevado de Egipto.

«*Herr* profesor, dígame: *Il y a...* hay, en el tesoro imperial mexicano, de Iturbide, o de los virreyes espagnoles cosas como tenemos en Viena... la corona de... *des Heiligen römischen Reiches?...* ¿Santo Imperio Romano?... ¿la que perdió la piedra de la sabiduría? ¿O la corona imperial de Rudolph II, el orbe del Emperador Matthias? Ah, *Herr* profesor, tantas cosas bonitas históricas como la espada de ¿Charlemagne? ¿Carlomagno? que le regaló el Califa Harún al Raschid... ¿tienen, en México?»

«No, no, me temo que en México, Don Maximiliano, no tenemos ninguna espada de Carlomagno, ah? Y en cuanto a joyas que hayan quedado del Imperio de Iturbide, o de la época de los virreyes, yo no podría decirle nada... Miento, ah? ahora recuerdo que la espada del Emperador Iturbide está en la Sala del Congreso, sí, sí. Y la corona tal vez también... pero se me ocurre, Don Maximiliano, que las verdaderas joyas de México son los dones que le ha dado al mundo: el tomate, ah? el chocolate que su antecesora la Emperatriz Doña María Teresa puso de moda en Austria y la Emperatriz Eugenia en París, el tabaco, ah? la vainilla...»

«Bella idea... bella idea, *Herr* profesor...»

«Los hermosos árboles originarios de México, Su Alteza: los gigantescos ahuehuetes, el árbol del Tule... ah?»

«Ah, *Herr* profesor: *Io sono*... soy un *innamorato* de la naturaleza...»

«Y las frutas de que le hablaba, Don Maximiliano: los mangos, las piñas, los plátanos que tanto elogió el Barón de Humboldt por su abundancia, ah? y por su valor nutritivo...»

«Ah, sí, sí, un *innamorato*...»

«Los miles de orquídeas, ah? Aunque le diré, ah? joyas religiosas sí hemos tenido, muy bellas, como la Custodia La Borda: una obra maestra de puro oro macizo, de vara y media de altura, con un disco, imagínese, Don Maximiliano, que tiene como cuatro mil quinientos diamantes, cerca de dos mil ochocientas esmeraldas, quinientos rubíes, más de mil ochocientos diamantes rosas... Tan sólo en el pie de la Custodia hay dos mil novecientas y pico de gemas montadas, ah? aunque mucho me temo que ahora, con el saqueo de las iglesias que han hecho los juaristas...»

«Bravo, *bravissimo, Herr* profesor: tiene usted una memoria *prodigieuse!*»

«¿Memoria? ah? No: es que yo la conozco muy bien, Don Maximiliano, la he estudiado: me precio de la amistad de Don Manuel de La Borda, hijo de Don José, un minero de Taxco que fue el hombre más rico de América en el siglo pasado, y quien mandó hacer la Custodia, ah? en honor de Santa Prisca... Por cierto, el hijo, Don Manuel, ha construido unos jardines bellísimos en Cuernavaca...»

«¿En cómo?»

«Cuernavaca, Don Maximiliano: Cuer-na-va-ca, a unas quince leguas de la capital, ah? bellísimos: con una vegetación lujuriante, miles de flores, y poblados por cientos de mariposas, loros, colibríes...»

«Y... y... ¿podría *Io* conocer los Jardines Borda?»

«Sí, sí, Don Maximiliano, no faltaba más: yo podría, tú podrías, él podría, Su Majestad podría, incluso, comprarlos...»

El Archiduque volvió la espalda a las aguas del Adriático para contemplar los Jardines de Miramar.

«Mire, mire usted, *Herr* profesor: cipreses de California, cedros de Líbano, abetos del Himalaya... a todos los mandé traer para adornar mis Jardines de Miramar. Pero si no puedo traer aquí árboles del trópico: ceibas, baobabs, paletuvios... *Io* tengo entonces que ir al trópico... ¿Conoce usted estas líneas de nuestro poeta Schiller que dicen: *Io* también nací en Arcadia? Pues así es, *Herr* profesor: *Auch ich war in Arkadien geboren...*»

3. De la correspondencia —incompleta— entre dos hermanos

Acultzingo, abril 29 de 1862.

Muy querido Alphonse:

Perdona la tardanza en enviarte estas líneas, tú sabes que nunca me ha dado pereza escribir cartas, pero lo que más me desanima es pensar en el enorme tiempo que se llevan en cruzar el océano —¡ésta es mi primera carta transatlántica!—. Vieras qué larga se me hizo la travesía. Por primera vez sufrí de mareos y me pasaba las horas vomitando por la borda, para alegría, supongo, de los peces voladores y de algunos delfines que nos acompañaron en partes del trayecto y que debieron darse un gran festín. De todos modos, era preferible el olor del mar a la peste de los camarotes, que acababa por revolverme el estómago. Y sobre todo desde que en La Martinica se llenó el barco de unas cucarachas gigantescas que cuando las aplastábamos despedían un olor insoportable. Así pues, y si para entonces no me ha matado una bala juarista (lo cual es poco probable porque los mexicanos son unos pésimos tiradores), calculo que cuando leas esta carta, yo estaré ya en Puebla de los Angeles.

De hecho estamos casi a las puertas de la ciudad. En los últimos días completamos el ascenso de las cumbres de Acultzingo —aunque una parte de la artillería de campaña fue transportada a través del Paso de Maltrata, que es menos pronunciado—, de modo que en estos momentos, en que escribo estas líneas, tengo ante mis ojos un espléndido panorama. Falta poco para que anochezca y es una tarde clara: desde aquí puedo ver —hacia el oriente— la cúspide nevada del Pico de Orizaba, bañada de tintes rosas. Me recuerda esas ocasiones en que el Valle de Zermatt está sumido en la oscuridad y en el cielo se destaca, color rojo sangre, la cumbre del Matterhorn. Hacia el occidente, y con la ayuda de mi catalejo, alcanzo a distinguir las cúpulas espejeantes de las iglesias de Puebla y las torres de su catedral así como algunos de los numerosos fuertes con que cuenta la ciudad. Pero, por muchas obras de defensa que tengan, no nos cabe la menor duda de que podremos conquistarla en un solo día. Por supuesto, para eso tendremos que hallar, y pronto, mejores medios de transporte, porque cuando llegaron nuestras tropas a Veracruz todas las mulas habían desaparecido como por arte de magia. O por arte de los juaristas. Los españoles planeaban traer un buen cargamento de acémilas de Cuba pero, como decidieron irse al fin, los cuadrúpedos nunca llegaron. De todos modos qué bien que se fueron, tanto ellos como los ingleses, que deben andar por las Bermudas. Así, la conquista y regeneración de México será obra, tan sólo, de franceses. Bueno, claro, con la ayuda bienvenida de la Legión Extranjera y de los nubios que nos prestó el Virrey de Egipto y cuyo piel, negra como el carbón, es la única, pienso, que hará juego con este tórrido clima.

Prim, en realidad, no tenía nada que hacer aquí, sino el ridículo. Primero, quiso quedar bien con Dios y con el diablo: se opuso en las Cortes, como tú sabes, a que se enviaran tropas españolas, para adjudicarse el mérito en caso de que España considerara inadecuado el sumarse al proyecto, pero dejó bien en claro que de todas maneras estaba al servicio de su Católica Majestad, para llevarse la gloria de comandar el cuerpo expedicionario, si España se decidía por la participación, como así fue. Es decir, la comandó, pero no se llevó ninguna gloria, porque no sólo se dio cuenta muy pronto que su sueño de ser emperador de México era irrealizable, sino que además venía dispuesto a hacerle demasiadas concesiones al gobierno de Juárez con tal de sacar adelante su Tratado de Mont-Almonte. No me cabe la menor duda que en esto influyó el hecho de que Prim sea pariente político de Juárez. Es decir, no de Juárez sino de uno de los miembros de su gabinete: tengo entendido que su Ministro de finanzas es tío de la esposa de Prim —a la cual, por cierto, se trajo a México en calidad de «soldadera» de lujo—. Perdón: «soldaderas» se les llama aquí a las pobres mujeres que siguen a sus hombres en las campañas, vayan a donde vayan, con todo y trastos de cocina y a veces hasta con un niño de meses que cargan en la espalda. Son mujeres que no temen el peligro y que en ocasiones toman también parte en los combates.

En fin, sea como fuere, el caso es que las concesiones de Prim propiciaron una serie de decisiones absurdas, por no llamarlas ridículas. Que la bandera republicana ondeara en La Soledad a la par que las tres banderas aliadas, es algo que jamás debió permitir Jurien de La Gravière. Tampoco vinimos aquí para intercambiar regalos con los juaristas, como sucedió cuando le enviamos a Uraga, o Doblado —no recuerdo quién: uno de los delegados de Juárez—, un cargamento de conservas y vinos franceses, y ellos correspondieron —salimos perdiendo, y cómo— con unas cajas de unos dulces muy desabridos que hacen con «camote», que es el nombre que tiene aquí la papa dulce, y unas barricas de un licor blancuzco, espeso como baba, al que llaman «pulque», con un olor nauseabundo que recuerda al queso descompuesto. Y es que no hay buenos vinos en este país: pocas cosas extraño tanto como esa merluza con salsa Bechamel que solíamos comer en casa de los Durrieu, acompañada con una botella de Chablis helado.

Perdón por la disgresión: si critico también a nuestros jefes, es porque cedieron a la nefasta influencia de Prim y a la de algunos de sus generales, como Milans del Bosch, que adoptaron en México una actitud paternalista. A ellos se debió que las fuerzas aliadas aceptaran iniciar negociaciones con Juárez, con lo que se le dio oportunidad a éste de decretar la ley draconiana que establecía la pena de muerte para todo mexicano que colaborara con nosotros. Lo que es más grave, se le dio tiempo así para organizar sus tropas, aunque la verdad sea dicha, esto último de poco le ha servido: aquí, en estas mismas Cumbres de Acultzingo desde donde te escribo, no hace sino unos días que derrotamos e hicimos correr a Zaragoza, el general republicano que nos espera ahora encerrado en Puebla. Aunque creo que hice mal en hablar de «tropas». Nunca he visto ejércitos más desharrapados en mi vida y con tan poca disciplina. Pero esto, me imagino, se debe a la «leva», al enganche forzoso, pues de otra manera no se podría formar aquí un ejército: ninguno de esos miserables campesinos disfrazados de soldados sabe por qué o por quién pelea. Es famosa aquí la carta que le envió un oficial mexicano a otro, en la que le decía «le mando un grupo de voluntarios encadenados» (!). También abundan los asesinos entre las filas mexicanas. O al frente de ellas, incluyendo a los que están de nuestro lado, como es el caso de Leonardo Márquez. Este temible general se ganó el apodo de «el Tigre de Tacubaya» porque en la población de ese nombre, cercana a la ciudad de México, hizo una matanza de médicos y enfermeros indefensos. Aparte de esto abundan los grupos de guerrilleros contra los cuales no sirve de nada que me haya yo quemado las pestañas en Saint-Cyr estudiando trigonometría y logística, pues como sabes, no soy de los afortunados que podrán aplicar aquí todo lo que aprendieron en los matorrales de Saigón. Te daré un ejemplo: existe aquí un arma de la que jamás habíamos oído hablar: la «reata», que es una cuerda larga con uno de sus extremos atado al fuste de la silla de montar, y que los mexicanos, acostumbrados a los «jaripeos», manejan con tal habilidad que desde distancias muy respetables pueden lanzar cualquier cosa, así sea un animal, un fusil o un hombre. Cuando se trata de un hombre, lo arrastran al galope sin la menor misericordia. Yo vi morir así, destrozado, a un cazador de Africa. Y es que, sin duda, las atrocidades que cometen los llamados «soldados» mexicanos no tienen parangón en la historia.

En fin, que no acabo de entender, te decía, a qué vinieron nuestros aliados. Hasta aquí llegó el eco de la protesta hecha en Madrid por un diputado que dijo en las Cortes que si los españoles no tenían nada que hacer aquí, entonces para qué habían venido y que si sí tenían algo que hacer, entonces para qué se iban. El caso es que tanto ellos, como los ingleses, dieron como pretexto principal algo que sabían desde siempre:

que las intenciones de Francia eran las de establecer aquí una monarquía. Que tengan buen viaje. Adiós, Conde de Reus, adiós Marqués de Castillejos. Me cuentan que el nombre de Prim tiene tanto prestigio —hay quien lo compara a Murat—, que hasta sus enemigos lo veneran, así en El Rif como en las Montañas de la Luna, donde las madres callan a los niños con sólo mencionarlo, como si fuera el del coco. Pues bien, yo te lo aseguro, hermano: dentro de unos años, ningún mexicano sabrá quién fue ese catalán presuntuoso.

A fin de cuentas, los acontecimientos nos han favorecido, aunque confieso que he encontrado algunas contradicciones. Hubo un momento en que se supo, no sé cómo, que De La Gravière había recibido una carta secreta de nuestro emperador, en la que se afirmaba que el partido monarquista mexicano se levantaría en armas en cuanto llegaran las tropas aliadas, para ponerse de acuerdo con ellas. Sin embargo, comienzo a dudar que existan tantos partidarios de la monarquía como dicen que hay, aparte de ese montón de desharrapados de los que te decía, a muchos de los cuales ha rechazado Lorencez. Pienso ahora que quizás tiene razón Wyke, el inglés, quien desde antes que se filtrara la carta secreta afirmó que la mayoría de los ciudadanos mexicanos (o al menos los ilustres, supongo) son republicanos. Aun así, estoy convencido de que sólo una monarquía podrá arrancar a este país de la barbarie, y me ha alegrado saber que el Archiduque Maximiliano ha aceptado en principio el trono de México ya que otros candidatos, como el Infante Don Sebastián, no me inspiraban la menor confianza. Lo que no me imagino es cómo podrá lograrse, en este país de analfabetos, el «consenso nacional» que exige el Archiduque para la aceptación final.

Te diré por otra parte que, a falta de adeptos a una monarquía, sobran aquí los que al igual que Prim se sueñan emperadores o al menos aspiran a un título de nobleza, como el General Santa Anna quien según dicen está dispuesto a apoyar la intervención y el Imperio con tal que lo nombren «Duque de Veracruz». Santa Anna es el general que ha sido varias veces Dictador de México, el mismo que perdió una pierna cuando el Príncipe de Joinville atacó San Juan de Ulúa y que después la enterró con gran pompa. Recordarás, seguramente, el cuadro de las Tullerías que ilustra la «Guerra de los Pasteles», ¿verdad? Aunque te voy a decir: no todos los mexicanos tienen plumas como allí los pintan. De hecho no he visto a ninguno, y sólo espero ver hombres emplumados si me mandan a Durango o Sinaloa, donde al parecer hay algunas tribus apaches que tienen la mala costumbre de coleccionar cueros cabelludos.

Las cosas se complicaron aún más con la llegada a Veracruz del General Almonte, y de nuestro propio ministro en México, el Conde Saligny. De Miramón nos salvaron los ingleses, que supongo no le han perdonado el robo a la legación inglesa: en cuanto intentó poner un pie en Veracruz, lo arrestó el Comodoro Dunlop y lo despachó a Nueva

Orleáns o a La Habana, no sé dónde. Pobre General Miramón: venía furioso por los desaires que dice sufrió en París por parte del emperador, debido a las maniobras y las intrigas del General Almonte. Sin duda el bastardo hijo del Cura Morelos es una persona culta y refinada, pero comparte con sus compatriotas muchos de sus defectos y en especial de aquellos que se han pasado veinte años fuera de su país. No hace mucho, por ejemplo, Almonte se oponía furiosamente al establecimiento de una monarquía en México, y sobre todo a traer un monarca extranjero. Y helo ahora como abanderado del Imperio Mexicano, lleno de ínfulas, aspirando incluso a ocupar la Regencia mientras llega el Archiduque, y aureolado por el escándalo ya que, según se dice, es de los que apoyan la idea de crear un protectorado francés en Sonora y, aunque ésta es una idea que yo considero beneficiosa para ambos países, es rechazada por muchos de los propios conservadores mexicanos.

Para colmo, un grupo de mexicanos declaró desconocer al gobierno de Juárez y nombró Jefe de la Nación a Almonte, quien dijo aceptar «con la eficaz colaboración de las fuerzas francesas». Prim y Wyke —esto fue cuando les colmó el plato— pidieron su expulsión, y nosotros nos opusimos. Pero por lo visto, Almonte intriga contra quien puede, como lo hizo desde un principio contra La Gravière, diciendo que el almirante le pedía consejo a Prim y a Wyke en lugar de solicitarlo a Saligny. Si fue así, me alegro, por incorrecto que hubiera sido, porque Saligny —que siempre está ebrio o lo parece, y de un humor de los mil diablos— es un tipo no sólo siniestro, sino incompetente. Nuestra verdadera misión aquí, y eso ha quedado ya bien claro, no es la de saldar cuentas o cobrar viejas deudas, sino la de regenerar a este país. Pero el bruto de Saligny no lo entendió así, y siguió insistiendo en el malhadado asunto de los bonos Jecker y en el castigo de los que supuestamente intentaron asesinarlo en México. A la ineptitud y la necedad de Saligny se debió también en gran parte la contradicción creada por el tratado de La Soledad, ya que al reconocer éste al gobierno de Juárez como el legítimo de México, de fuerzas expedicionarias en un país carente de gobierno al que habíamos venido para implantar la ley y el orden, nos transformamos de la noche a la mañana en un ejército invasor, en tratos con un gobierno reconocido por nosotros mismos. No quedaba, pues, otra alternativa que declarar la guerra, y se puso en duda la autoridad de Lorencez para hacerlo, ya que según la legislación internacional (se citó a Henry Wheaton), ese derecho «pertenece, en toda nación civilizada, al supremo poder del Estado». De todos modos, La Gravière y Saligny se dedicaron a buscar una escaramuza que les proporcionara el *casus belli*. La encontraron, y declararon la guerra al gobierno de Juárez. En su retirada de Córdoba a Orizaba, la retaguardia francesa se topó con un pequeño destacamento de soldados mexicanos que bloqueaba el camino en las cercanías de un lugar llamado Fortín. Aunque los mexicanos huyeron, fueron perseguidos por nuestras tropas. Me pareció un poco triste ese comienzo de campaña, no sólo por la insignificancia de un encuentro que se antojaba innecesario, sino también porque con la «batalla de Fortín» se inició el derramamiento de sangre: cinco mexicanos perecieron bajo los sables de los cazadores de Africa. Hay cosas que tendríamos que vigilar con más atención: es cierto que fue un batallón de sudaneses, y no de franceses, el que se dedicó a hacer tropelías en Veracruz cuando el grueso de nuestras tropas se trasladó a Orizaba y La Soledad; pero todos se amparan bajo el prestigio de la bandera triunfante de Sebastopol y Solferino.

Y ahora, para no fastidiarte con tantas cuestiones de política, te contaré algunas de las cosas que más me han llamado la atención. Por principio de cuentas, te diré que desembarcar no fue ningún alivio, aunque no deja de tener interés la vista de los muros rojos y negros del baluarte de Ulúa, y lo mismo la intensa verdura de la —por eso mismo llamada— Isla Verde, donde por unos cuantos centavos se puede comprar unos espléndidos corales. También en la Isla de Sacrificios. Pero llegar a Veracruz, carísimo hermano, es llegar al infierno del Dante. Si es allí donde va a desembarcar el futuro Emperador, se llevará una decepción. Desde el mar, el puerto parece las ruinas de Jerusalén, con la diferencia que está muy lejos de ser una ciudad santa. De rica tampoco tiene nada, a pesar de que su nombre original es Villa Rica de la Vera Cruz (o sea de la Verdadera Cruz). Las calles están sin pavimentar, y excuso decirte cómo se ponen cuando llueve a torrentes, o sea cuando lo que aquí llaman un «aguacero». Un compañero me dijo que sólo había visto más lodo y más suciedad en los peores días de Pehtang, hace casi dos años, recién desembarcados nuestras tropas en el norte de China. Toda la ciudad es una inmensa cloaca. La «alameda», o parque central, está en ruinas, y rodeada de pantanos fétidos y, cuando no hace un calor insoportable, sopla un viento huracanado al que llaman «norte», que inunda la ciudad de arena: hasta en el Paseo de Malibrán, que es uno de los más decorosos, uno tiene que caminar con la arena a las rodillas, y claro, usar gafas especiales para no acabar ciego. Esto, para no hablarte del «pinolillo», un insecto que produce unas picaduras terribles. Por cierto, antes de que se me olvide, quería pasarte un dato curioso: un periodista inglés que nos acompañó en el barco, y que se pasó el viaje bien «groggy» y no por el mareo, sino por las grandes cantidades de ginebra que ingería, me dijo que la Isla de Sacrificios —que junto con la Fortaleza de Ulúa y la Isla Verde forma la riada triangular del puerto— no se llama así porque allí sacrificaran a nadie, sino porque era el lugar de los peces sagrados, los «sacred-fish». Ve tú a saber si es verdad. Volviendo a las calles de Vecracruz (aunque nunca quisiera volver a ese infecto lugar) lo que más me impresionó es el gran número de aves de carroña, los «zopilotes», que andan por todos lados, y a quien nadie molesta porque los protege la ley: son ellos los encargados de limpiar la basura que los habitantes tiran a la calle. Se ve también, con frecuencia, los cadáveres de caballos o asnos a medio pudrir. Aunque quizás más que verse se adivinan por su hedor, pues por lo general están materialmente cubiertos por un hervidero de alas negras. A esto se agrega un enorme bochorno, y el azote de esa región, que es una de las más insalubres del mundo: la fiebre amarilla, endémica, que ha comenzado ya a hacer estragos en nuestras tropas —a Veracruz lo llaman el «Jardín de Aclimatación»: si sobrevives en esa ciudad, sobrevives en cualquier lugar de México—. Los hospitales están llenos y me apena pensar en esos pobres enfermos y médicos que además tienen que soportar el olor del azufre quemado con el que se espanta a los moscos. A esto se agregan el paludismo y otras enfermedades comunes en las tierras calientes. El Doctor León Coindet, médico en jefe de los hospitales de Veracruz, me mostró una vez una larga lista de pacientes de los más diversos rangos y razas —lo mismo un tambor zuavo que un caporal de los cazadores a pie o un coronel de Batallón de Africa— que padecían disenterías, fiebres terciarias o comatosas, tifoideas. Se dice en México que a los fumadores no les da tifo. Ignoro si sea verdad, pero desde que me lo contaron no me despego de mi pipa. He encontrado muy buen tabaco en México, y a veces le agrego liquidámbar, como lo hacía Moctezuma —por cierto, aquí escriben así el nombre del emperador azteca y no *Montezuma,* de la misma manera que dicen Cuauhtémoc y no *Guatimozín.* Otras veces, combino el tabaco con vainilla. Es la misma vainilla con la que siempre hemos perfumado el chocolate en Francia, por supuesto, pero siendo tan delicada y fina, yo jamás me imaginé que fuera el producto de una orquídea originaria de un trópico salvaje que pareciera inventado por Bernardin de Saint-Pierre. A propósito de tabaco: no sé cómo se las arreglaron para conservarlas durante el viaje —y supongo que procedían de Cuba—, pero el caso es que venían, en un barco francés de los que llegaron a Veracruz, muchas flores de flamboyán y a los oficiales se les ocurrió desembarcar llevando cada uno, prendida a la casaca, un ejemplar de esas hermosas flores color de fuego. No pude menos que pensar en Jean Nicot —como bien sabes, uno de los que llevaron el tabaco de América a Europa—, quien se paseaba por las cortes europeas con una flor roja, la flor de la planta del tabaco, también prendida a su pecho. Pero te contaba de la fiebre amarilla o vómito negro, como también se le llama: gracias a que pudimos trasladarnos a tierras templadas, se evitó que se repitiera la tragedia de la expedición de Leclerc a Haití, donde más franceses murieron de fiebre amarilla que a manos de los negros de Toussaint L'Ouverture. Aunque te diré, mi querido Alphonse, que no sólo las enfermedades tropicales afectan y matan a nuestras tropas, sino también otras tan antiguas como el más antiguo oficio de la humanidad, y que, si existen en México, es porque llegaron de Europa junto con los conquistadores. O al menos eso dicen los americanos. Un ayudante del Doctor Coindet, cuya palabra no puedo poner en tela de juicio, me afirma que muchos de esos pacientes que abarrotan nuestros hospitales y que son más de los que puedas imaginar están internados a causa de enfermedades venéreas. La principal, la sífilis. Y que el tratamiento tanto con calomel como con vapores de mercurio, resulta con frecuencia ineficaz. Esto me ha cohibido de tener relaciones con las aborígenes entre las cuales, cuando uno se acostumbra a las características de la raza, hay algunas a quienes podría llamarse bonitas. No falta tampoco en Veracruz un burdel con prostitutas irlandesas, pero yo siempre preferí (en lo posible) serle fiel a mi adorada Claude, y cuando tenía una noche de asueto ponerme a jugar al monte después de cenar en el Diligencias. Este es, por cierto, el único hotel en todo Veracruz que puede llamarse así, y donde más o menos se obtiene una comida pasable por unos cinco francos. Por lo demás, la cocina, aquí, es repulsiva y sobre todo en esa especie de figones que llaman «fondas». Todo está materialmente nadando en grasa y es demasiado picante. Los aztecas tenían que cumplir con una especie de confesión pagana y en ocasiones los sacerdotes les imponían como penitencia que se atravesaran la lengua con unas espinas largas (de una planta que llaman «biznaga»). Esa sensación tuve yo, querido hermano: la de tener no sólo la lengua sino el paladar atravesado con espinas, la primera vez que probé el chile o ají, el *capsicum*.

Ahora que, si la civilización no ha llegado a Veracruz, no cabe duda que la incivilización se extiende mucho más allá del puerto. Las carreteras están también en un estado deplorable, y como la bendición del camino de hierro se limita a un ferrocarril para dos o trescientos pasajeros que recorre una distancia no mayor de cincuenta kilómetros —de Veracruz a Camarón, según tengo entendido— la mayor parte de los viajeros se ve obligada a trasladarse en las «Diligencias de la República» pintarrajeadas como carretas de circo, y que parecerían estar construidas usando como modelo las berlinas de los tiempos de Luis XV. Deberíamos ya empezar a llamarlas «Diligencias del Imperio»... (¿te acuerdas, Alphonse, del famoso libro de cocina de Viard que tantas veces cambió de nombre, y que dejó de llamarse «El Cocinero Imperial» cuando cayó Bonaparte y subió al trono Luis XVIII para ser «El Cocinero Real», y, a la caída de Luis Felipe y la instalación de la Segunda República «El Cocinero Nacional»? Dime: ¿existe todavía? ¿Se llama ahora de nuevo «El Cocinero Imperial?»). Pero volvamos a las diligencias: en ellas, y como te decía, los viajeros sufren toda clase de incomodidades y sobre todo los brincos y bamboleos causados por un infinito número de hoyancos, a lo que se agrega la terquedad de las mulas que vuelve aún más lento el viaje, ya que sólo obedecen a pedradas. No es raro ver a un conductor bajarse de la diligencia para volver a surtir su provisión de proyectiles. Incluso muchos peatones, sobre todo los muchachos, contribuyen apedreando a las pobres bestias, cuando pasa la diligencia. Y por si fuera poco, el país está infestado de bandidos y asaltantes —hablo de los que se atreven a llamarse así, y no de los que se disfrazan de «soldados». Cuando uno viaja por primera vez por estas regiones, llaman la atención unas cruces de madera colocadas aquí y allá, a la orilla del camino. Me han dicho que cada cruz representa a un viajero asesinado en ese lugar. No falta, claro, los detalles pintorescos, aunque también lúgubres: en algunas partes, no lo vas a creer, el kilometraje no está marcado con postes o piedras miliares, sino en una calavera de vaca ensartada, por el hueco de un ojo, en la rama de un árbol.

Aunque me encanta aprender cosas nuevas, la lejanía y el enfrentarme a costumbres tan distintas a las nuestras, me causa, a veces, una verdadera nostalgia. Te recuerdo mucho a la hora del ajenjo, el cual, por desgracia, ha escaseado en los últimos días. Qué quieres: no puedo evitar el imaginarte, sí, a ti, feliz mortal, dandy de Jockey Club, con patillas a la austriaca y con tu monóculo cuadrado y guantes amarillos estilo Morny leyendo esta carta, en el Tortoni, también acompañado por un ajenjo, sonreír y dejarla a un lado para planear tu itinerario... ¿a dónde piensas ir esta noche, Alphonse? ¿A la Brasserie des Martyrs, con Honoré Daumier? ¿O al Brébant con alguna dama de polendas?

Para mi consuelo, el hielo abunda en este país. No sólo del Popocatépetl (impronunciable nombre) que desde los tiempos de Moctezuma surtía a la ciudad de México, sino también el que viene de los barcos de Nueva Orleáns. Y bueno, qué más te puedo decir: existen otras compensaciones, desde luego. El alojamiento es una de ellas. Yo vivo en la casa de una familia mexicana adinerada, que me trata con frialdad pero me atiende bien, y que tiene una sirvienta que es un genio para planchar uniformes. Muchas de nuestras tropas han sido alojadas en los conventos confiscados por el gobierno de Juárez, lo cual no deja de ser una ironía, pues se supone que entre otras cosas —o al menos lo suponen Gutiérrez Estrada, Almonte y sus secuaces—, vinimos aquí para restaurarle a la Iglesia sus propiedades y su poder. Pero uno se acostumbra pronto a ver los templos convertidos en bodegas y a la vista de confesionarios que revientan de cajas de coñac, o de Cristos crucificados entre montañas de balas de algodón. Pero una cosa es ser católico y otra muy distinta ser un fanático. Los cabecillas conservadores que se han agregado a nuestro ejército al grito de «Viva la Religión», del cual desde luego *no* nos hacemos eco, no han entendido que la grandeza de la intervención de Francia en México consiste en que combina dos grandes tradiciones: la napoleónica de las glorias militares, y la de la política liberal emanada de la Revolución Francesa.

La magnificencia de la vegetación tropical, por otra parte, es impresionante. Las frutas, toda una lujuria. Tú también, a veces, me envidiarías si me vieras descansando, bajo una bóveda de verdura formada por lianas y helechos, hojeando *«Las Campañas de Italia»* de Von Clausewitz, y devorando una «guanábana». Bueno, sé que Clausewitz no te interesa. Pero a ti, que eres un gastrónomo, Alphonse, te encantaría la «guanábana», que es una fruta de pulpa blanca y dulce, perfumada, de sabor único (que yo conocí primero en Las Antillas) y con la que se hace aquí un sorbete o «nieve» que se come, imagínate qué delicia, usando en vez de cuchara una hoja de naranjo.

Querido hermano, ya cumplí con mi deber de informarte. Como te decía en un principio, espero que mi próxima carta esté fechada en Puebla, que según me han asegurado está llena de reaccionarios, y por lo mismo esperamos que nos reciban con flores y arcos triunfales tras una resistencia convencional que salve el honor de la ciudad. Confío que ya te esté pasando la fiebre de las ideas socialistas que no te van a llevar a ninguna parte (no te enojes, es un consejo desinteresado) y que podrían perjudicar a la familia. Por cierto, no se te olvide llevar flores a la tumba de mamá. Sus preferidas eran las magnolias. Si no deseas ir al Père Lachaise solo, pídele a Claude que te acompañe. Ella iba siempre conmigo. Ah, y dile a mi adorada Claude que le he comprado un abanico que hacen aquí con las alas de un hermoso pájaro llamado «espátula». En ella lucirá mucho mejor que en las manos de esas negras veracruzanas con dientes de oro, que se pasan el día fumando puros y bebiendo chocolate y vasos de agua helada. Y también eructando como señal de cortesía (yo pensaba que sólo lo hacían los chinos y los beduinos). Deseando, pues, que te encuentres bien de salud, se despide de ti con un abrazo tu afectísimo hermano,

JEAN PIERRE.

V

CASTILLO DE BOUCHOUT
1927

¿O LO QUE TÚ quieres es que todo el mundo sepa que Maximiliano y Carlota nunca hicieron el amor en México y que jamás volvieron a acostarse en el mismo lecho desde aquella primera noche que pasaron en el Palacio Imperial cuando las chinches los devoraron y el Emperador tuvo que levantarse para ir a dormir a una mesa de billar y dejó a la Emperatriz sentada en un sillón, sola, rascándose hasta hacerlas sangrar las ronchas fétidas, y que así, sola, la Princesa que con un manto de púrpura cruzó el mar para reinar en el Nuevo Mundo y que se encontró con la nada, sí, con la pura nada y la abulia y la desidia mexicanas, sola se quedó esa noche y mil más, sola y con las chinches y con los ojos fijos en esa peluquera de plata que me habían regalado esas indias que tuvieron el atrevimiento de abrazarme y fumar en mi presencia, y que creían que con ponerse miriñaques almidonados y faldas de seda y colgarse brillantes de las orejas se habían transformado en damas dignas de mi nueva corte de la misma manera que tú, tonto de ti, tontino Max, pensaste que con llevar a México gobelinos, pianos de ébano con incrustaciones de oro y vajillas de Limoges sólo con eso ibas a hacer una residencia imperial de ese horrible edificio, esa caserna a la que llamaban palacio los mexicanos, y donde me quedé sola tantas noches, sola allí en ese cuartel, y sola después en el Alcázar de Chapultepec y en el Albergo di Roma sola y sofocado mi pecho por el desprecio y el odio, por tu abandono, Max, llenos mis brazos y piernas de costras, secos mis labios por tanta saliva derramada por la boca abierta cuando pensaba en la piel de mi idolatrado Max, la piel que tanto hubiera deseado besar, recorrer con la boca y con la lengua, la piel blanca que te cubría la cara y los hombros, los muslos, besarla y llenarme la boca con ella, Maximiliano, que Dios me perdone, como lo quise hacer también en Italia la noche aquella en la que los aristócratas italianos despreciaron nuestra invitación a la Scala y mandaron a sus criados vestidos de negro a sentarse en los palcos para humillarnos, y cuando regresé al Palacio Ducal yo quise entregarme a ti, hacer el amor hasta que nos sorprendiera el sol reflejado en las cúpulas doradas de San Marcos, nada más que para demostrarles a esos insolentes: a los Dandolo, los Borromeo, los Adda, los Maffei y los Litta y demostrarte a ti que tú y yo solos nos bastábamos y nos bastaríamos siempre, yo desnuda y bocarriba y tú dentro de mí para siempre, así hasta que nos sepultaran?

¿Quieres, dime, que todo el mundo sepa que si tú fuiste un tonto yo lo fui más que tú por haber creído alguna vez en ti, en tu amor, en la fidelidad que tanto me juraste, como si no hubiera sabido yo que cuando ibas a Viena a arreglar lo que tú llamabas asuntos del virreinato, acababas en las camas de las coristas, y lo único, lo único que ahora me consuela es que ya no puedes engañarme, que ya no lo harás nunca, que ya no podrías hacerle el amor a tu condesita Von Linden que vino a visitarte a la bóveda de los capuchinos transformada en Condesa Von Bülow y dejó un ramo de rosas sobre tu sarcófago junto a las siemprevivas secas que había puesto tu madre y el rollo con el saludo escrito en lengua náhuatl de tus indios de Xocotitlán, ni haría falta que tu familia te alejara de nuevo para que el Vesubio y Esmira y Venus que sale de la espuma de Botticelli y el David de Miguel Angel y Sicilia, Nápoles y la roca desde la cual el Emperador Tiberio precipitaba a sus enemigos o la torre blanca a la cual subía para contemplar las estrellas hicieran que te olvidaras de ella, y aun si regresaras, Max, aun si fuera posible que volvieras a la vida, te enterarías de que Paola Von Bülow también está muerta y que lo único que podrías hacer sería corresponderle la visita, ir a llorar a su tumba, como hiciste cuando viajamos a Madeira, en Funchal, que te fuiste a visitar la casa donde murió de consunción tu Princesa María Amelia de Braganza a la que le declaraste tu amor eterno y secreto en los Jardines de Lumiar, y además si regresaras, Max, si regresaras a la vida y a Viena, qué susto te llevarías, mi pobre Max, no sabes lo fea que está tu pobre ciudad, lo sucia, lo desconocida que está Viena por culpa del miserable de Clemenceau y del Tratado de Saint Germain que le hicieron firmar a Austria después de la Gran Guerra, si vieras, Max, qué humillación, el Emperador Carlos huyó a Suiza disfrazado de jardinero, y en las calles de Viena pululan los mendigos y los tuberculosos, hay familias que viven en hoyos excavados en el Prater, y de los menús de los cafés desaparecieron las tartas de manzana y en lugar de café te sirven achicoria, la gente arranca el terciopelo de los asientos de los trenes para hacerse ropa porque no tienen qué ponerse, se acabaron la leche y la mantequilla y sólo comemos papas y polenta, ándale, Maximiliano, ven, si quieres, a Viena, y vete al Café Atlantis en la Ringstrasse para comprar el amor de una lesbiana, o vete al corazón de la ciudad vieja, en la Spittelberggasse, donde tendrás, para escoger, la prostituta de la edad y el color de ojos que quieras, disfrazada de monja o de niña de escuela, para acostarte con ella y contagiarle la muerte ya que no tienes otra cosa que contagiarle: porque hasta las úlceras de tu miembro, Maximiliano, o las verrugas o chancros o lo que fuera que trajiste de tu viaje al Brasil, hasta ellas están secas, Maximiliano, tan secas como tu piel y tus lágrimas, tu lengua y tu linfa. ¿Eso es lo que quisieras, que todo el mundo sepa que el Archiduque Fernando Maximiliano, el agnado de la corona del Imperio Austriaco y el esposo de la Princesa Carlota de Bélgica trajo como recuerdo de su viaje al Brasil no sólo un frasco lleno de escarabajos con caparazón de esmeraldas y turmalinas y un agutí vivo y un salacot de corcho y tiras de caña, y en las páginas de un libro las hojas como cuchillos rojos de una poinsettia, sino también bajo sus pantalones y en su sangre el estigma de una enfermedad venérea incurable que te pegó una negra brasileña, una esclava olorosa a almizcle con la que hiciste el amor bajo una palmera y entre los gritos de las guacamayas y las risas de los macacos, y que eso, Maximiliano, no te lo voy a perdonar nunca? Todo el mundo supo, imagínate qué vergüenza, todo México se enteró de que ésa era la razón por la cual el Emperador y la Emperatriz no volvieron a pasar nunca una noche juntos en la misma habitación. El malvado del Abate Alleau con la connivencia del hipócrita de Gutiérrez Estrada se encargó de publicar y gritar a los cuatro vientos que esas chinches que nos recibieron la primera noche en el Palacio Imperial y los ojos asombrados de los indios que nos espiaban tras los cristales de los balcones, habían sido nada más que pretextos, pretextos que te dio la Providencia para que me abandonaras esa noche y te fueras a dormir a una mesa de billar, y nunca más volviste a visitar mi recámara en las noches, Maximiliano, nunca desde aquella maldita vez en que me quedé sola, muerta de miedo en el sillón entre el ruido espantoso, inacabable, de los cohetes y los petardos y el propio estruendo de mi corazón, así hasta que amaneció, rascándome las ronchas de las chinches, lamiéndome las heridas como una gata, ¿y tú qué tal pasaste la noche en tu cama de madera y fieltro, Max? si cuando menos como tu hermano Francisco José te hubieras acostumbrado a dormir en un catre de campaña, o como papá Leopoldo en colchones rellenos con cerdas de caballo, no lo habrías pasado tan mal. Soñé el otro día que estabas tendido en un lecho de césped azul y que tu miembro era un taco de billar largo y barnizado y tus testículos dos bolas de marfil, una blanca y la otra roja, ¿te imaginas, Max, qué risa? y que me dolía tanto hacer el amor contigo: casi me atravieso la matriz, casi me rasgo el útero y me traspaso los intestinos. Por poco me reviento los ojos. Pero fue sólo eso, un sueño: la verdad es que me dejaste sola en el sillón del Palacio Imperial mexicano, como sola me dejaste la víspera de nuestra partida para México cuando te encerraste en el Gartenhaus de Miramar a escribir poemas de despedida a tu cuna dorada, y sola también en una hamaca en la Isla de Madeira sofocada con los aromas de todas aquellas flores y frutos exóticos: la piña de América, el café de Arabia, los naranjos de Italia, las lilas de Persia, todos reunidos en una sola isla a la que sólo le faltaba la fragancia ácida de tu aliento a menta y tabaco, a vinos espesos, a hombre, para ser el paraíso.

¿Y pretendías, pretendiste que yo tuviera compasión de ti cuando viajé a Bélgica para visitar a mi padre y fuiste tú entonces el que se quedó solo en el Palacio Ducal de Milán y le escribiste a tu madre y te quejaste que tu bondad, tu peligrosa bondad, como la llamaste, te habría de convertir en un profeta escarnecido? ¿Te acuerdas, Max, cuando íbamos a las casas miserables de la Valtelina para llevarle ropa y comida a esa pobre gente?, ¿te acuerdas de tus proyectos para restaurar la Cúpula de Murano y la Capilla de la Arena de Padua, la Biblioteca Ambrosiana, de tus mensajes de amistad a Manzoni cuando estaba enfermo? ¿Y de qué te sirvió todo eso?, ¿quién te agradeció, dime; que te preocuparas por el saneamiento de las lagunas de Venecia, y te angustiaras por las inundaciones de Lodi y de Pavía, quién el tanto amor que le diste a tus súbditos del Lombardovéneto, quién, dime? Soy un profeta escarnecido, le escribías a tu madre desde Milán, abandonado al igual por los austriacos y los italianos: lo mismo por Francisco José que por el Conde Cavour que temía que esa tu peligrosa bondad hiciera abortar la unidad italiana, y paseabas solo, en la noche y por los oscuros corredores del palacio, mientras desde la calle te llegaban el bullicio y los gritos, las luces del carnaval y tú esperabas la primera campanada de la medianoche para que el principio de la Cuaresma, y con ella la angustia que te pudría el alma, acallaran toda esa alegría, ¿y pretendes, pretendiste alguna vez que tuviera compasión de ti cuando te quedaste solo en Querétaro y solo en tu celda de las Teresitas, solo en tu caja, solo en la capilla del Hospital de San Andrés de la ciudad de México, solo en la mesa de la Santa Inquisición o cuando solo viajaste a Europa en la capilla ardiente de La Novara y solo en un lanchón y en un alto catafalco bajo las alas de un ángel llegaste a Trieste, y solo en el ferrocarril que te llevó de Trieste a Viena mientras caía la nieve, solo cuando tu madre Sofía se echó sobre la tapa nevada de tu ataúd para llorar, sí, pero no tu muerte, Maximiliano, sino su propio abandono, su inflexibilidad, su dureza, porque así como en el cuarenta y ocho, cuando las tropas de Windisch-Graetz recobraron Viena y el Odeón fue consumido hasta los cimientos por el fuego, recuerdas, ella dijo que soportaría mejor la pérdida de uno de sus hijos que someterse a la masa de estudiantes, así también ella fue culpable de que te asesinaran en Querétaro, ella que cuando tú le escribiste desde Orizaba diciéndole que querías abdicar y dejar México, ella la puta que se entregó a Napoleón Segundo para hacerlo tu padre, te escribió y te dijo que sí, claro, que en Schönbrunn y en el Hofburgo y en toda Viena, en Austria y Hungría te extrañaban mucho, y que suspiraban cuando escuchaban el carillón de tu reloj de Olmütz, y cuando volvía a contemplar los largos bucles rubios que te cortaron cuando cumpliste cuatro años, a acariciar y oler las faldas de niña que usabas entonces, pero tienes que quedarte en México, te escribió, porque un Habsburgo, hijo, un Habsburgo jamás huye, nunca, y por supuesto, quién podía dudarlo, aquí pensamos mucho en ti, y recuerdo, la tengo muy grabada, no sé por qué una mañana en que tú, con tu uniforme de los húsares de María Teresa pasaste bajo la puerta suiza del Hofburgo, alto tú y esbelto bajo el arco que contiene los símbolos heráldicos de Austria y de Castilla, de Aragón y Borgoña, el águila del Tirol, tú y tu pelo rubio flotando en el aire, el león de Flandes y de Estiria otra águila y de Carniola la pantera, tú y tus ojos azules, mi querido Max, aquí todos te extrañamos una barbaridad, nos reunimos con nuestros cuatro nietos la última Nochebuena y el emperador meció al gordito Otón, Franzi se sentó en un canapé al lado de Sisi, pero tú, por supuesto, aunque te extrañemos tanto tienes que quedarte en México, aquí tu posición sería ridícula, y también la tarde aquella que jamás olvidaré en que te perdiste en los Jardines de Schönbrunn, y en que yo, desesperada, gritaba a los cuatro vientos, les gritaba a todos en dónde se habrá metido esa criatura, quédate en México, hijo mío, aquí tu posición sería insostenible, en dónde se habrá metido, Dios mío, quédate, no regreses: mejor que verse humillado por la política francesa es enterrarse entre los muros de México, no vuelvas hijo a Viena, y tú en verdad esa mañana no te habías perdido, nadie te había secuestrado: toda una tarde habías jugado a navegar veleros miniatura en la Fuente de Neptuno, y te dormiste luego junto a la fuente de la ninfa Egeria, tras beber de las aguas del Schöner Brunnen el arroyo que descubrió el Emperador Matías y que le dio su nombre al palacio, y cuando tus hermanos Luis Víctor y Carlos Luis levantaron a Sofía que estaba echada de bruces sobre tu caja, tu madre tenía la cara llena de nieve y en ella, en la nieve adherida a la piel como una máscara de talco las lágrimas habían abierto unos surcos diminutos, pero cuando te quedaste solo en la bóveda de la capilla de los capuchinos ella ya no volvió a llorar, nadie lloró, todos te olvidaron y siguió el carnaval, siguió la fiesta pero no nada más el carnaval de Milán y de Venecia, sino el carnaval del mundo, la fiesta delirante de la historia. Porque sabrás que la hipócrita de Eugenia, que tanto fingió sufrir por tu muerte el día del reparto de premios de la Exposición Internacional de París, no quiso ir a Viena a darle el pésame a tu madre y a tus hermanos, no deseaba aparecer demasiado trágica o exagerada, según juraba, o lo contrario: demasiado fría, y cuando unas semanas después viajó con Luis Napoleón a Salzburgo para encontrarse con Francisco José y Elisabeth, todos deseaban olvidarte lo más pronto posible, no querían una guerra entre Austria y Francia, más les interesaba hablar de Creta y del Medio Oriente, de Garibaldi que preparaba su marcha hacia Roma y que sería derrotado ese mismo año por los franceses y las tropas papales en Mentana, que llorar tu muerte en Querétaro, había que enterrarte y pronto, de una vez por todas, y mientras Eugenia procuraba no dejarse opacar por la belleza de Sisi, a Sisi, a quien nunca le perdonaré que no haya ido a Miramar a despedirse de nosotros cuando nos fuimos a México, dizque porque tenía reumatismo en las piernas, o que me haya llamado esa oca belga arrogante sedienta de poder, a Sisi le interesaba más eclipsar a Eugenia y largarse cuanto antes a Inglaterra para ordenar otro traje de montar en Henry Poole de Savile Row con el cual ir a Northamptonshire a cazar zorras y a cazar otro amante, que llorarte a ti, Maximiliano, su cuñado favorito, que siempre fuiste tan bueno con ella. Sí, siento mucho tener que decírtelo, Maximiliano, pero es verdad: ya nadie se acordó de ti. Ni tu madre, que en los últimos sesenta años no ha vuelto a preguntar dónde estás. Ella sabe que no te dormiste en el regazo de la ninfa Egeria. Que no estás sentado en un rincón del cuarto de la porcelana de Schönbrunn e inventas un idioma secreto para emular a Alberto Segundo el Cojo, el primer príncipe de la paz entre los Habsburgo. Que no caminas por los once cuartos del tesoro de Hofburgo y te detienes asombrado ante la corona turca de Esteban Bocskay el Príncipe de Transilvania que murió envenenado por los austriacos. Ella lo sabe, Maximiliano, porque le dijeron dónde te metiste, y que no fue en la cabaña donde soñabas no sólo que eras otro Robinson Crusoe, sino otro Rey de Roma que jugaba a lo mismo: a conquistar al mundo desde su soledad. Y no fue, tampoco, que te hubieras metido en la recámara donde murió el Duque de Reichstadt para preguntarte una vez más, la centésima tal vez, ante la acuarela de Ender que lo pinta en su lecho de muerto, si ese príncipe de nariz y corazón de águila, inmensamente pálido que parece que sueña que está vivo, había sido de verdad el hombre que te engendró, o todo era una invención. No, tu madre la Archiduquesa Amorosa sabía muy bien, lo supo siempre, dónde te habías metido: en un nido de alacranes, en un avispero, Maximiliano, te lo advirtió Sir Charles Wyke. En una ratonera de la que no ibas a salir vivo, te lo advirtió mi abuela Amelia, y te lo dije yo, Maximiliano, no me digas ahora que no. Te dije y te repetí que todo era inútil.

Pero yo sí quiero hablar de ti. Yo me propuse no olvidarte nunca y que nadie, jamás, te olvide de nuevo. Es por eso que decidí quedarme en un sueño con los ojos abiertos. En un denso claroscuro poblado de fantasmas que me hablan todo el tiempo, que me murmuran al oído o que me gritan, cuando quiero hacerme la ciega y la sorda, que esos ojos que los ven no son los míos, ni míos los oídos que los escuchan, ni mía la voz que los impreca o que les suplica que me dejen tranquila, que me dejen sola, que ya no quiero soñar, que ya no quiero ser otra que no sea yo misma. Sólo que es tarde. Y si te digo que es tarde, Maximiliano, no quiero decir con eso que sesenta años es mucho tiempo: porque el día en que elegí escapar de México y de Miramar, de Bouchout, de tu muerte y de mi vida, ese día no existió jamás: no fue hace sesenta años, ni hace un instante. Es desde siempre que yo soy todas las voces, la voz tuya y la de tu conciencia, la voz del rencor y de la ternura, la voz que un día, y más por compasión hacia mí, que por amor a ti, puede transformarte de nuevo en el Rey del Universo y sentarte en el trono que labraron los indios de la Nueva España en el pedregal de Tlalpan para el Virrey Antonio de Mendoza, y la voz que antes o después, ahora, mañana, y más por odio a mí misma que por rencor hacia ti puede dejarte abandonado, acribillado de balas, en el polvo del Cerro de las Campanas. O puedo, si quiero, que de las heridas de las balas broten amapolas líquidas o ríos de mariposas. O por esas mismas heridas, y con ese cordón de oro que llevaban siempre consigo los guerrilleros de Tamaulipas para colgarte de un árbol si te pescaban vivo, por sus agujeros puedo ensartarte como a un títere, para hacerte bailar el can-can en la Plaza de Armas de la ciudad de México. Porque si es mi condena, también es mi privilegio, el privilegio de los sueños y el de los locos, inventar, si quiero, un inmenso castillo de palabras, palabras tan ligeras como el aire en el que flotan: como papel de azúcar, como naipes, como alas, y con mi aliento derribarlo para que las más dulces de todas mis palabras vuelen con las alas de la paloma de Concha Méndez y te lleven hasta Querétaro, y para que te dé buena suerte, Maximiliano, el retrato de la Emperatriz Carlota disfrazada de reina de corazones.

Y porque también es potestad de los sueños hacer que el espejo sea una rosa y una nube, y la nube una montaña, la montaña un espejo, puedo, si quiero, pegarte con engrudo las barbas negras de Sedano y Leguizano y cortarte una pierna y ponerte la de Santa Anna, y cortarte la otra y coserte la de Uraga, y vestirte con la piel oscura de Juárez y cambalachear tus ojos azules por los ojos de Zapata para que nadie, nunca más, se atreva a decir que tú, Fernando Maximiliano Juárez, no eres; que tú, Fernando Emiliano Uraga y Leguizano no fuiste; que tú, Maximiliano López de Santa Anna, no serás nunca un mexicano hasta la médula de tus huesos. Tan mexicano como esos huesos y esas calaveras de azúcar que vendían en la verbena del Día de Muertos del mercado de Dolores, donde vi los tres ataúdes de tejamanil que un gringo llamado Chester Cuppia se robó junto con nuestra vajilla de plata imperial para exhibirlos en Nueva York, y donde estabas tú tres veces hecho un muñeco de cera, tres veces quieto y blanco y vestido pero no con la casaca azul de botones, dorados, los pantalones negros, las botas militares y los guantes de cabritilla que se echaron a perder, todos, cuando se impregnaron con tu podredumbre en Querétaro, no: un muñeco tenía un uniforme rojo púrpura de coronel de opereta, el otro estaba de frac y de chistera, y el tercero casi desnudo, con un taparrabos, como si fueras otro Cristo. Yo hice esos ataúdes y esos muñecos, porque nadie hay en el mundo, Maximiliano, como yo, para hacerte y deshacerte. Nadie como yo para modelarte con mis propias manos, para esculpirte de cera y que con el calor de mi cuerpo te derritas de amor, para hacer tus huesos de dulce de almendra y devorarlos a mordiscos, o para hacerte todo de jabón y bañarme contigo y restregar mi cuerpo con tu cuerpo y lamerte hasta que nos volvamos los dos una sola lengua, una sola piel amarga y perfumada. Nadie como yo, tampoco, si se me da la gana, para hacerte chiquito, para hacerte un niño de pecho y enterrarte en una caja de zapatos, para volverte un feto de quince días y enterrarte en una caja de cerillas. Para hacer que no hayas nacido y un día de estos enterrarte, vivo, en mi vientre.

Con esto, lo que quiero decirte es que te voy a dar a luz en cualquier momento, para que todos sepan que es mentira que estás muerto. Y es por lo mismo que el otro día me fui con la Condesa Mélanie Zichy y mi cuñada Enriqueta a la Exposición Internacional de París. Vieras, Maximiliano, cómo me divertí, qué de cosas no vi, cuántas no compré. Estaba allí el Sultán Mohammed Effendi. Estaba también Eugenia, que caminaba del brazo de su amiga la Marquesa de las Marismas y atrás de ellas caminaban, también del brazo, Luis Napoleón y el príncipe imperial que acababan de visitar el acuario de Brighton, pero a Lulú le había gustado más el acuario humano de la exposición, en el que había buzos que comían, fumaban, bebían y jugaban dominó debajo del agua, vieras qué fantástico, Max, y así se lo dijo Lulú al Emperador de Solo y al Príncipe de Manko Negoro que se paseaban por el Campo de Marte en los carruajes diseñados por Monsieur Hermans de La Haya. Eugenia le contaba a la Marquesa de las Marismas cómo le había ido en la inauguración del Canal de Suez, lo imponente que era esa maravilla de construcción hecha por su primo De Lesseps que también, claro, estaba en Ismailia, y lo orgullosa que se había sentido a bordo de su yate L'Aigle al que seguían más de cincuenta barcos y entre ellos el de Francisco José y el del Príncipe Real de Prusia y el del Príncipe Enrique de los Países Bajos. Yo, Maximiliano, hice como si no los viera, como si no los oyera, porque estaba de prisa y porque estaba de compras, y porque estoy cansada de sus chismes y de sus intrigas y de sus porquerías, así que mejor le pedí a la Condesa de Zichy que fuera al pabellón de Amiens y ordenara cincuenta yardas de terciopelo azul para ponerle cortinas nuevas a tu despacho de Miramar, mientras yo misma iba a comprar un gabinete de madera de pistache para la recámara del Príncipe Agustín, pero la verdad es que sí los vi, sí los escuché, no pude evitarlo, y cuando dijeron tu nombre y Sara Bernhardt le prestó a Luis Napoleón el diamante en forma de lágrima que le regaló Víctor Hugo para que Luis Napoleón fingiera llorar por ti, ya no pude más, porque tú bien sabes lo hipócritas que son todos ellos; primero llorará Luis Napoleón por no haberse llevado a Sedán el relicario de zafiros con un trozo de la verdadera cruz que el Califa Arún Al-Rashid le regaló a Carlomagno y que le hubiera asegurado el triunfo, me dijo, y se quejó de dolores espantosos en la vejiga y de orinar piedras redondas y sanguinolentas como las perlas rosadas que había allí, en la Exposición, en el Pabellón de Las Bermudas, que llorarte a ti, Maximiliano. Primero llorará Enriqueta la suerte de Estefanía que después de muerto Rodolfo y haberse casado con su segundo marido en nuestro Castillo de Miramar, se hundió en la oscuridad y después nunca más, nunca más volvieron a llamarla Estefanía la Rosa de Brabante, tan fea que era con sus pies enormes y sus manos rojas, y tan estúpida, nunca más los campesinos de Transilvania volvieron a arrodillarse a su paso por los caminos para besarle la punta de sus vestidos, ni los habitantes de Trieste a gritarle Stephania benedetta, Stephania carissima, que llorarte a ti, Maximiliano. Primero llorará Eugenia de rabia porque el Papa León Trece se negó a recibirla en el Vaticano por haber visitado veinte años antes a Victor Emmanuel Primero en el Quirinal, primero llorará Eugenia, te lo digo yo, Maximiliano, por haber perdido un reino hace cincuenta años, que llorarte a ti.

Por eso, y para evitarles las lágrimas de cocodrilo que hubieran fingido derramar por ti, les dije que tú estabas allí, que no era cierto lo que decían y que sí, les repito, tú estabas allí en el pabellón de México y ya te verían después, si me acompañaban todos, pero primero le pedí a Enriqueta que me comprara unos papeles de fantasía de Guesnú para envolver los regalos de Navidad de los niños pobres de Trieste, y yo misma compré un cargamento de fusiles Howitzer para el arsenal del Molino del Rey, y le di los buenos días al Príncipe de Orange y con él y con el Príncipe de Gales y la Princesa Murat y con Paulina Bonaparte y mi cuñada Enriqueta nos fuimos a beber cócteles al pabellón americano, porque habrás de saber que inventaron el mint-julep, Maximiliano, inventaron el sherry-cobbler y el brandy-smash y luego se nos juntaron Luis Napoleón y Eugenia y todos tomamos cócteles y más que nadie Enriqueta que bebió un mint-julep tras otro hasta que se emborrachó. Yo no quería decirle a Enriqueta que allí estaba el duquesito de Brabante, su hijo, empapado y temblando de frío por haberse caído, el bobo, en un estanque. Yo no quería recordarle a la pobre que en unos cuantos días el duquesito se iba a morir de pulmonía. Yo no quería decirle a Eugenia que si se fijaba bien en el uniforme de Lulú, vería que estaba erizado de lanzas de azagaya, y que si el príncipe le contaba que con ése su uniforme de cadete de Woolwich se había hecho cada vez más amigo de Alfonso Doce con su uniforme de cadete de Sandhurst, iba a notar que su aliento olía ya a vísceras podridas. Pero eso sí, les advertí a los dos: nada de venirme con mentiras y contarme que Maximiliano esto y Maximiliano lo otro. Maximiliano está aquí, ¿me oyen? Maximiliano está aquí, vivo, en la Exposición Internacional de París. Y si tú comiste faisanes rellenos de higos en Suez y pechugas de pato salvaje en salsa de dátil, le dije a Eugenia, cuando yo fui a Yucatán me esperaba, en Veracruz, un carro forrado de terciopelo y seda con franjas de oro y racimos colgantes de mangos y chirimoyas, de piñas y mameyes, y los hombres del pueblo, como lo habían hecho una vez con Max en uno de sus viajes, desengancharon los caballos frisones para tirar, ellos mismos, del carro, y les conté que tú me habías acompañado hasta San Isidro y que en El Palmar condecoré a los soldados austriacos que se distinguieron en el combate de Tecomahuaca, y que cuando llegué a Mérida con un traje blanco con guarniciones celeste y un sombrerito negro también con adornos azul claro que dejaba al descubierto por atrás mis bucles de oro castaño, comenzaron a sonar entonces los cañones de la Fortaleza de San Benito y a repicar todas las campanas y el pueblo estaba allí, los habitantes todos vestidos de lino blanco inmaculado, los niños con alas de papel de yute, y me cubrieron con una lluvia de listones de colores con bordados que decían Viva Nuestra Esclarecida Emperatriz y poesías impresas en papeles perfumados en las que me llamaban El Angel Tutelar de Yucatán, Bendita seas Carlota, y te lo juro, el Príncipe de Orange, Maximiliano, no salía de su asombro, y Eugenia hizo como si no me oyera y siguió hablando de la noche en que las farolas de colores colgaban como cocos iluminados por dentro de todas las palmeras de El Cairo y ella brindaba con champaña rosada con el Jedive de Egipto por el porvenir de Francia y del Canal, pero bien que me oyó, bien que supe que se moría de la rabia y de la envidia como Paulina Bonaparte que comenzó a hablar de un esclavo negro con el que se bañada desnuda en una alberca de La Martinica, y Enriqueta, que había bebido tantos mint-juleps que se le salían unas hojitas de yerbabuena por la nariz, comenzó a quejarse de mi hermano Leopoldo, a decir que mientras más viejo está más libidinoso se vuelve aunque ya lo había sido siempre, apenas acabada su luna de miel se metió con esa actriz, cómo se llamaba, Aimée Desclée, y ahora como querida tiene a una putilla de dieciséis años, Carolina, a la que llaman la Reina del Congo, y yo le dije mira Enriqueta tú no tienes derecho a criticar a Leopoldo porque es mi hermano y lo quise mucho aunque a veces era malo conmigo, pero a veces también era bueno y cuando yo era niña me leía la historia de la Isla de las Flores liberada por el Rey de Athunt que mató a todas las brujas y la historia de los diamantes carnívoros de las Mil y Una Noches, pero entonces, Maximiliano, yo misma vi a mi hermano Leopoldo allí, sí, en la Exposición Internacional de París yo vi a mi hermano Leopoldo Segundo de Bélgica en un pabellón de muros tapizados con espejos, desnudo, muy viejo, con una barba blanca, que se revolcaba en una cama con una niña desnuda también y los espejos multiplicaban sus cuerpos desnudos hasta el infinito y unas manos de negros, con los muñones sangrantes y que se movían solas, como enormes arañas negras, se subían por sus piernas y su espalda, y él seguía fornicando.

Por eso, Maximiliano, no quiero que los veas. Ignóralos. No les pongas atención. Haz como si no existieran. Vete al pabellón de las colonias británicas para que conozcas las mesas forradas con piel de pingüino de las Islas Sandwich, y cómprame unos peines de sándalo en el pabellón otomano. Vete al pabellón belga para que conozcas la estatua ecuestre de Ambiórix el Rey de los Eburones, y cómprame un frasco de perfume de Guerlain en el pabellón francés. Vete al pabellón de Túnez para que veas a los árabes del bazar que se tragan ciempiés vivos, y cómprame una crema para la cara de glándulas de cocodrilo en el pabellón del Brasil. Ay, Maximiliano, quiero que me compres tantas cosas: una bolsa de cordobán, un velo de encaje de Bayeux, una tetera de Christofle como la que nos robaron en México, un vestido de cuentas de cristal como el que vi en el pabellón de Austria, un frasco de yerba mate de Argentina, un puñal de Toledo. Y si vas, cuando vayas, al pabellón de Holanda, cómprame la copa de cristal que tiene escondido en el fondo un muñeco de celuloide que aparece y va subiendo cuando se llena de licor, y que se usa para brindar por un nacimiento, porque el día en que me vuelvan a invitar Eugenia y Luis Napoleón a tomar cócteles en el pabellón americano, les voy a dar la sorpresa: el muñeco tiene tus ojos y tiene tu cara, tiene tu pelo, tiene los primeros pañales que te puso tu madre Sofía, tiene la leche de tu nodriza en los labios, y cuando me digan, ellos, todo ese montón de reyezuelos y príncipes y princesas de carnaval que están siempre presumiendo sus joyas y sus castillos, María Cristina de Saboya que vino a comprar sedas de Shang Tung para las cortinas del Palacio Chino de Caserta donde mi bisabuelo el Rey de las Dos Sicilias preparaba sorbetes para sus invitados, y su parienta María Pía que vino a la Exposición a comprar vajillas de Sèvres y Limoges para que las rompan sus caballos con las patas y adornar con la pedacería los arcos del Palacio de Fronteira, y Catalina la Grande de Rusia que vino con su diadema de diamantes que tiene un rubí del tamaño de un huevo de paloma y María Clotilde Bonaparte que se puso los aretes de perlas negras de las Islas Fidji que heredó de Eugenia, y Ena de España que se trajo el collar de inmensas aguamarinas que usó en la última ceremonia del lavado de pies en Madrid: para que cuando me digan que no tenemos un centavo, que las arcas están vacías, que vas a tener que rematar en subasta pública las joyas de la Corona les diga no, qué va, están muy equivocados: Maximiliano, ¿no lo ven ustedes?, está nadando en champaña. ¿Qué no han oído ustedes hablar, le dije al Mariscal Randon y al Conde de Chambord, de las riquezas infinitas de México, de sus metales y de sus piedras preciosas? ¿Quién dijo que tenemos que venderle al rastro tus caballos Orispelo y Anteburro? Maximiliano está nadando en los placeres de oro de la Sierra Madre Oriental, Maximiliano se está dando un baño de pulque en su tina de obsidiana. ¿Qué no saben ustedes, le dije a la Princesa Troubetskoy y a tu tío el Príncipe de Montenuovo y a mi tío el Duque de Montpensier que no hay país en el mundo, como México, sobre el cual la Divina Providencia haya derramado tantos dones? ¿No saben ustedes que México tiene todas las frutas, todos los paisajes, todas las flores? ¿Quién dijo que tengo que correr a todas mis damas de compañía y a la mitad de los cocineros de palacio? ¿Quién que le vamos a vender al Museo Kunsthistorisches de Viena el calendario azteca? Maximiliano está sentado en un trono de rosas que le regaló el General Escobedo. ¿Qué no saben ustedes, le dije al Conde D'Eu y al Duque de Persigny, no sabían la historia del virrey que invitó al Monarca de España a visitar México y le juró que de Veracruz a la capital y a lo largo de cien leguas castellanas sus pies no pisarían, su carruaje no transitaría por otro camino que no fuera de plata pura? ¿Quién dijo que vamos a empeñar nuestro carruaje dorado en el Monte de Piedad? ¿Qué no saben ustedes que cuando fui a Yucatán caminé desde la orilla del muelle y a lo largo de la playa y a través de la selva por un sendero de conchas y caracoles que mis inditos mayas tardaron un mes en hacer y que el camino estaba bordeado de árboles de maderas preciosas de los que colgaban festones de ramos verdes y por dos filas de indias vestidas de blanco que parecían vestales morenas y que me refrescaban con sus grandes abanicos de hojas de palma? ¿Quién dice que vamos a tener que subarrendar el Palacio Nacional? ¿Qué no saben ustedes que con las conchas de México y con sus caracoles podríamos cubrir el lecho de todos los lagos de Europa: el del Lago Como donde mi padre Leopoldo iba a llorar a su Princesa Charlotte de Inglaterra, el del Lago Starnberg donde Luis de Baviera ahogó a todos sus cisnes y sus pavorreales de cristal, el del Lago Constanza donde Luis Napoleón patinaba en invierno y soñaba con ser Rey de Nicaragua? ¿Quién dice que somos pobres y que vamos a tener que rifar el Castillo de Chapultepec? Ah, no, sepan ustedes, le dije a Madame Tascher de la Pagerie, le dije a la Condesa Walewska y le dije al Conde de Cossé-Brissac, sépanlo bien, que Maximiliano está tendido en una hamaca de hilo de plata pura que le tejieron las señoras de Querétaro. ¿Qué no saben ustedes que con la caoba y con el cedro, con el ébano y el palo de Campeche de México podríamos hacer todos los durmientes del expreso de Oriente? ¿Que con su oro podríamos revestir la Estatua de la Libertad, con el carey de sus tortugas cubrir la Catedral de Nuestra Señora de París, con la piel de sus venados forrar las pirámides de Egipto? ¿Qué no sabe todo el mundo, Maximiliano, que con las estrellas de México podríamos llenar los cielos de Europa, con los pétalos de sus orquídeas alfombrar los Campos Elíseos, con las alas de sus mariposas tapizar los Alpes? Ah, no, Maximiliano no está pobre: Maximiliano, en su tina de ónix, se está dando un baño de cochinilla imperial.

Inventaron el Expreso de Oriente, Maximiliano, y en él nos vamos a ir de luna de miel de París a Estambul. Inventaron la Estatua de la Libertad, y un día me voy a subir contigo hasta la punta de su antorcha, para que veas llegar a La Fayette. Inventaron la lavadora automática y con ella voy a lavar la sangre que manchó tu chaleco en el Cerro de las

Campanas. Inventaron el celuloide, y de celuloide te hice, yo misma, en chiquito, para hacerte nacer, para que subas del fondo de la copa y por la champaña como si subieras del lecho del cenote sagrado y por sus aguas, y vuelvas a respirar y respire yo también. Porque si de alguien voy a tener un hijo alguna vez, Maximiliano, no será, como ya te lo dije, ni de Van Der Smissen ni del Coronel Feliciano Rodríguez, ni de Léonce Detroyat, ni de nadie. Será de mí misma. De mí misma y mis palabras.

Y para que vieran todos que estabas vivo, y que si habías muerto volviste a nacer, resucitaste de entre los muertos, les dije a todos vengan conmigo, vengan a ver a Maximiliano que está aquí, en la Exposición de París: sentado en un trono forrado con pieles de vicuña y de alpaca, con tu uniforme de Almirante del Lago de Texcoco, toda tu piel cubierta con polvo de oro del Perú y en tu cara la máscara dorada de un jefe quimbaya, en tu mano izquierda un racimo de uvas de ónix, y en la derecha el orbe del Emperador Matías, en tu regazo un modelo de la fragata que cubrió de gloria tu nombre en la batalla de Lissa, y en tu cabeza la corona del Sacro Imperio Romano, en tu hombro derecho un tucán disecado, en tu pecho una joya eléctrica con tu propia cara que abre y cierra los ojos y la boca, en tu frente la sombra anaranjada de un parasol Achille-Gruyer, en tus labios una violeta artificial d'Ivernois y a tu alrededor las mariposas azules del Brasil, a tus pies una alfombra de musgo rojo y alrededor de la alfombra las peladuras que salen de la máquina para mondar manzanas, los pedazos de agua congelada que salen de la máquina para hacer hielo, las pieles de conejo que salen volando de los cilindros neumáticos para fabricar sombreros, los ríos de cerveza que se desbordan de la Bier-Hall y las cascadas de aguas minerales de Schwepps, al fondo una estatua de sal de Carlos Quinto, a tu izquierda un bloque de amatista de treinta kilos de peso y en el centro una libélula de ámbar gris, a tu derecha el aerolito de Yanhuitlán que te regalaron tus astrónomos mexicanos, y encima del aerolito un huevo de oro de Fabergé y adentro del huevo un grano de cacao nevado, así me hubiera gustado verte en la Exposición Internacional de París, así me hubiera gustado enseñarte al mundo, así me hubiera gustado mostrarte, vivo, al Príncipe de Gales que recorrió los pabellones montado en un cisne de plata de Bond Street, al Doctor Bilimek que cabalgó por los corredores montado en un microscopio de Nachet, así, para que nadie supiera que al heredero de Constantino y de los guerreros que dieron muerte a Otokar de Bohemia para fundar un Imperio, le dije a Eugenia que se fue con su dentista americano en el Rolls Royce plateado del Barón Rothschild, le dije al Príncipe de Sajonia que asomó la cabeza por la chimenea de una locomotora, para que nadie se entere que al noble austriaco que entre sus aforismos escribió un día sea vuestro espíritu de acero, vuestro corazón de oro, vuestra alma de diamante, el mismo que en la escalinata del Puerto de Barcelona invocó a su antecesora Isabel la Católica que recibió allí de Cristóbal Colón el homenaje del Nuevo Mundo, y que en la Torre de La Giralda recordó al poderoso Habsburgo que sitió al Papa en el Castillo de San Angelo y que tuvo entre sus prisioneros al Rey de Francia, para que nadie se atreviera a imaginar que al Príncipe heredero de las glorias de Lepanto y de Pavía que se sentó en el trono de los reyes aztecas, para que nadie supiera que cuando viste todo perdido quisiste huir y mandaste empacar tus muebles y tus libros y los cuadros que te robaste de México para que los embarcaran en el Dandolo rumbo a Trieste, para que nadie se enterara nunca que te humillaron, Maximiliano, juzgándote en un teatro que tenía el nombre de un emperador de pacotilla y te condenaron a muerte un coronel asesino y seis capitanes mugrosos que apenas si sabían leer y escribir, para que nadie sepa que envolvieron tu cuerpo con una tela de costal y te metieron en una caja que costó veinte reales y que un oficial mexicano dijo allí va el Emperador, pero qué importa un perro más o un perro menos, le dije a la Princesa Metternich que se escondió en una botella de ron de Jamaica, a Johan Strauss que dirigió una orquesta de cangrejos violinistas, a Napoleón Tercero que metió la cabeza en un cañón Krupp, al Duque D'Aosta que me invitó a otro mint-julep, a tu hermano Francisco José que me saludó desde su retrato ecuestre, al zar de todas las Rusias que salió de un molino de jabón, al Doctor Bilimek que se tragó un capullo de gusano de seda, así me hubiera gustado enseñarte, Maximiliano, vivo, para acallar el murmullo, para acallar el grito, para que nadie se atreviera a decir Maximiliano ha muerto, para que nadie se atraviera a imaginarte desnudo sobre la mesa de un anfiteatro con las cuencas de los ojos vacías y los intestinos de fuera, para que nadie, Maximiliano, te viera sino así, como yo te quería, en la Exposición Universal, vivo y en el pabellón más grande y más alto, en la cumbre de la Pirámide de Xochicalco, a tus pies los esclavos nubios que te mandó el Rey de Egipto con sus cuerpos untados de grasa de aguacate que duermen una siesta en sus almohadas de madera y tus indios kikapus que te traen de regalo unas botas de piel de caimán de la Luisiana, a tu izquierda La Malinche con un incensario, y enfrente y de rodillas el Coronel Rincón Gallardo que te ofrece la cabeza del Coronel López en una jaula de hierro, y a tu lado tu Secretario José Luis Blasio con una charola de plata en la que están tus tinteros y tus plumas. Para que con una pluma de quetzcal del penacho de Monctezuma firmes tus edictos imperiales y con una pluma de gallina le escribas a Sisi tu cuñada. Para que con una pluma de petirrojo le hagas un poema a mi boca, y con una pluma de ave del paraíso le escribas a Pío Nono. Para que con una pluma de cacatúa le escribas a tu madre Sofía, y con una pluma de cisne le hagas un poema a mi cuello. Para que firmes las invitaciones a las fiestas de palacio con una pluma de avestruz, y con una pluma de golondrina les escribas una canción a mis axilas, con una pluma de flamingo un himno a mis nalgas, y con una pluma de canario una oda a la lengua de colibrí que tengo entre las piernas. Para que firmes la declaración de guerra de México a Austria-Hungría con una pluma de águila, y con una pluma de gaviota escribas tu bitácora cuando viajes en La Novara por las islas del Mar Egeo, y con una pluma de cuervo firmes la sentencia de muerte de Benito Juárez para que lo fusilen en la Plaza de San Pedro.

VI

«NOS SALIO BONITO EL ARCHIDUQUE»
1863

1. *Breve reseña del sitio de Puebla*

ES VERDAD que muchos salieron corriendo como gallinas al grito de «ya vienen los franceses» para vergüenza de ellos y de los que no lo hicieron, como gallinas, sí, pero no quitándose las plumas y sí arrojando al aire los kepis, pantalones, portafusiles, camisas y chaquetas, portacaramañolas, botas, en el camino se desvistieron mientras huían, corrían, desaparecían en la oscuridad para que los franceses no los pescaran con los uniformes puestos y arrojaron al aire y en el camino las cuñas, las piolas largas, las mechas con las que iban a clavar los cañones, incendiar la pólvora, reventar los obuses, y hasta sus propios fusiles arrojaron al aire en lugar de romperlos como había sido la orden del general en jefe del Ejército de Oriente, arrojaron, aventaron al aire medias y polainas, cinturones, gallardetes, se esfumaron, es verdad, pero otros muchos sí se quedaron al pie del cañón, de sus cañones, para destruirlos, y aunque algunas bocas de fuego no se rompieron a la primera cargada, otras volaron hechas pedazos y cureñas, escobillones, avantrenes, muñones de morteros y cañones de a veinticuatro españoles e ingleses y de cañones-obuses de a quince neerlandeses, morteros a la Coëhorn, cañones-obuses belgas en cureñas Gribeauval saltaron en el aire desde las torres de los fuertes y los campanarios de los conventos y cayeron, llovieron sobre las calles, terraplenes y glacis, sobre las piedras y los escombros, sobre las manos, piernas, restos de los cadáveres mutilados por otras explosiones y en las trincheras inundadas donde se pudrían los cadáveres de las soldaderas con los cráneos destrozados por otros obuses, botes de metralla de a veinticuatro, granadas de mano: el General Mendoza, a quien se le inflaban los carrillos y se le erizaban los bigotes cuando se le subía la sangre a la cabeza, vestido como siempre con su estrambótico uniforme: casacón de cuello enorme y mangas de anchas vueltas, sombrero de gran escarapela y ancha carrillera de metal escamado, acicates gigantecos y otras extravagancias, se había dirigido la noche anterior a parlamentar con el General Forey, y regresado unas horas después con la espada entre las piernas (su espada cuya finísima hoja toledana había sido partida en dos por la bala de un cazador de Vincennes y que según decían había pertenecido al mismísimo y siniestro Duque de Alba), muerto de la vergüenza y de la rabia porque Forey se había negado a la petición del general en jefe de permitir que salieran de la plaza las tropas mexicanas con sus armas y los honores de la guerra para dirigirse a la ciudad de México, y había dicho que no, que la rendición tenía que ser incondicional y que las tropas mexicanas debían entregar las armas y declararse prisioneras y de no ser así, agregó el General Forey, vamos a asaltar la plaza y a pasar a los mexicanos a cuchillo. Y fue entonces, y para no dejar en posesión del enemigo armas o municiones que pudiera utilizar después, cuando el General Paz reunió en el Convento de Santa Clara a todos los jefes de artillería y les dijo que por órdenes del general en jefe a las cuatro y media en punto de esa mañana del 17 de mayo de 1863 tenían que volar todos los depósitos de pólvora, romper todos los fusiles, clavar los cañones, aserrar las cureñas y quemar o inutilizar todas las municiones, y esa fue la hora en que se escuchó en uno de los fuertes de la ciudad una gran explosión seguida de otras más y muchas más y el cielo se iluminó con los resplandores, se llenó de relámpagos, y al despuntar el alba de los fuertes y los conventos se levantaban todavía las fumarolas negras, las fumarolas blancas y las lenguas de fuego, inmensas lenguas de fuego amarillo, rojo, azul, como si todas las manzanas y plazas de la ciudad, la de los Locos y la del Rastro, la de la Estampa y la de la Misericordia y todos sus edificios: el Teatro de los Gallos, el Parián, el Hospicio de los Pobres, el Correo, la catedral construida por los ángeles estuvieran en llamas, y con las casas todos los soldados y los cadáveres de los soldados muertos durante el sitio y los habiantes: mujeres, ancianos, niños.

El General Forey se puso su sombrero de grandes plumas largas y blancas: estaban vengados el deshonor y la dolorosa sorpresa que había sufrido Francia casi un año antes, el 5 de mayo de 1862.

El 5 de mayo de 1862, la *grande armée* francesa, el ejército triunfador de la Guerra de Crimea y de la Guerra por la Unificación de Italia, invicto desde Waterloo, fue derrotado en su intento de tomar la ciudad de Puebla por los defensores mexicanos de la plaza: el Ejército de Oriente, al mando del General Ignacio Zaragoza.

El General Lorencez contempló algunas de las balas que habían disparado contra los franceses los cañones de los fuertes de Loreto y Guadalupe y dijo, al recordar que Saligny había prometido que las tropas de Luis Napoleón serían recibidas por los ciudadanos de Puebla con una lluvia de rosas: «Estas son las flores del ministro».

«No, mi querido general —le diría poco después en una carta el emperador de los franceses al general derrotado— el ministro nos ha engañado. El os ha dicho que las flores de las bellas mexicanas de Puebla caerían a vuestro paso cuando entrareis por las calles de la ciudad; pero no os dictó vuestros deberes militares ante el problema técnico que os tocaba resolver», sentenció el emperador y además de calificar de disparate la decisión de Lorencez de colocar los cañones en batería a dos kilómetros y medio de las fortificaciones enemigas, Luis Napoleón le dijo al general que era un mentecato, y que fuera preparando sus maletas.

La anécdota de la bandera de los zuavos condecorada en Solferino que cayó en el foso de un fuerte poblano al ser muerto el abanderado y fue después rescatada por sus compañeros al precio de varias vidas más, no alcanzó siquiera a cubrir con un poco de gloria a las tropas francesas que en la noche de ese día 5 de mayo de 1862 si de algo acabaron cubiertas fue de lodo: porque se abrieron las compuertas del cielo y cayó un aguacero, al cual y junto con el fango, el granizo, el viento, la niebla y la oscuridad quiso culpar el General Lorencez, o al menos en parte, de la derrota de Puebla y de la muerte de cuatrocientos ochenta de sus hombres, entre los cuales había muchos de esos mismos zuavos, descendientes de la raza de hombres intrépidos que habían alquilado su fuerza y su fiereza a los príncipes berberiscos y cuya memorable acción en la Batalla de Isly le hizo recordar a la *Revue de Deux Mondes* la jornada de las pirámides y los combates de Mario contra los cimbrios: los zuavos, los mismos que alguna vez habían marchado semanas y semanas entre los barros y las nieves del Jura calzados sólo con pedazos de piel de vaca cosidos con cáñamo. Los zuavos, con sus holgados trajes orientales, sus turbantes rojos y sus bufandas para protegerse del sol y de la arena, que así como habían triscado como panteras en las malezas de Inkermann, así saltaron entre las ciénagas de Veracruz rodeadas por árboles de caucho de negro follaje y mimosas de perfumes enervantes, y que así como habían subido como gatos por los acantilados de Alma, así también treparon por las cumbres de la Sierra de Acultzingo, rumbo a Puebla de los Angeles al compás, sí, al compás, así, de Père Bugeaud:

«As-tu vu
La casquette,
La casquette?
As-tu vu la casquette
Du Père Bugeaud?»

Y besaron el polvo, el lodo, de los llanos de Puebla.

La batalla del 5 de mayo pasó a la historia de México como una fecha gloriosa: «las águilas francesas han cruzado el mar —dijo el General Berriozábal— para depositar al pie de la bandera mexicana los laureles de Sebastopol, Magenta y Solferino... habéis combatido contra los primeros soldados de la época, y habéis sido los primeros en vencerlos».

Pero la verdadera Batalla de Puebla, la gran batalla, la heroica, trágica, grandiosa Batalla de Puebla, no duró un día, sino muchos más. En su carta a Lorencez, Luis Napoleón reconocía que Prim había tenido razón, y que para conquistar México hacía falta cuando menos treinta mil hombres. El Cuerpo Legislativo francés aprobó su envío, Lorencez regresó a Francia, y a México llegó el General Elías F. Forey, al frente de dos divisiones que hicieron ascender a veintiocho mil hombres el total de tropas francesas en territorio mexicano. Una división estaba bajo las órdenes del héroe de Malakoff, el General Carlos Abel Douay. La otra, al mando del General Francisco Aquiles Bazaine, futuro Mariscal de Francia. A esto se agregaban casi siete mil hombres más, entre las fuerzas auxiliares mexicanas comandadas por los generales Almonte y Leonardo Márquez, y los contingentes nubio y egipcio. Las tropas de refuerzo se habían embarcado en Toulon y en Mers-el-Kébir, e incluían un destacamento de la Legión Extranjera.

A principios de marzo de 1863, diez meses después de la derrota del 5 de mayo, y tras casi otros tantos de inacción y desidia, la columna de Douay se dirigió a Puebla por las cumbres de Acultzingo; el regimiento del 99 de línea, por las cumbres de Maltrata; Bazaine, vía Jalapa y Perote. La brigada de caballería iba al mando del General Mirandol. Entre cañones de sitio, reserva, campaña y montaña, los franceses tenían cincuenta y seis bocas de fuego con una provisión de trescientos disparos cada una. La reserva de cartuchos, de dos millones cuatrocientos mil unidades, aumentaría pronto con la llegada de nuevos convoyes.

Puebla, una ciudad entonces de ochenta mil habitantes, contaba con una guarnición de veintiún mil hombres, ciento setenta bocas de fuego, y dieciocho mil armas portátiles. Era la plaza mejor defendida de México y, desde mayo del 62, se había agregado varios fuertes a los ya existentes. Ningún esfuerzo se escatimó para aumentar las defensas, nada se había olvidado o descartado: izar piezas de montaña a los pisos superiores de la Penitenciaría; encargar a los indios de los alrededores la confección de cestones para las trinchereas; ordenar la instalación de dos talleres: uno de fundición y otro de fabricación de pólvora, y para ello reunir cuanto salitre, azufre y plomo fuera posible; aspillerar la parte alta del Fuerte de San Javier y la Penitenciaría; cubrir con sacos de tierra las fachadas de los edificios anexos a los fuertes y, con tierra que sobraba de las excavaciones y la tierra de acarreo, hacerle un extenso glacis al Fuerte de Santa Anita; derrumbar la iglesia del Fuerte de Guadalupe y construir una bóveda y un aljibe; elevar más de cien parapetos en calles y edificios; comprar cuarenta mil varas de manta, cinco mil schakós y ocho mil frazadas, usar la madera de la plaza de toros para construir espaldones con tierra suelta en las calles que desembocaban en las goteras de la ciudad y, por razones logísticas, ordenar que los ciruelos, manzanos, perales, tejocotes, naranjos y limoneros de la hermosa huerta del Carmen fueran talados sin misericordia. En la ciudad, además, al mando de la guarnición, estaban algunos de los generales juaristas de mayor prestigio, como Berriozábal, Negrete, Porfirio Díaz, O'Horan y el garibaldino Ghilardi. Pero al héroe del 5 de mayo, Ignacio Zaragoza, el general que había nacido en Tejas cuando Tejas era todavía de México, ya no lo encontrarían los franceses en Puebla, porque había muerto apenas unos meses antes de fiebre tifoidea, presa del delirio: en su lecho de muerte, se soñaba aún general en jefe del Ejército de Oriente, recorriendo las líneas y juramentando banderas, caballero en su caballo del Kentucky. En su honor y en su memoria, la ciudad dejaría algún día de llamarse Puebla de los Angeles, para llamarse Puebla de Zaragoza.

El nuevo jefe del Ejército de Oriente era uno de los militares mexicanos de mayor prestigio, y presidente de la Suprema Corte de Justicia: el General Jesús González Ortega, quien pronto se dio cuenta que, si bien la fortificación de la plaza era excelente, las municiones, tanto las destinadas a la artillería como aquellas de las armas portátiles, por abundantes que parecieran —se calculaba había tres millones ciento noventa y cinco mil cartuchos para fusiles de quince adarmes, fusiles Enfield, carabinas Minié, rifles Mississippi, mosquetones—, no bastarían para sostener un sitio que se prolongara más de dos meses. Solicitó nuevas provisiones al ministro de Guerra, pero el gobierno del señor Juárez pensaba que el sitio no podría pasar más allá de los cuarenta o cuarenta y cinco días sin que se rindiera la plaza o se cansaran los franceses de sitiarla, y no atendió su pedido.

El sitio de Puebla duró sesenta y dos días: dos más que el célebre sitio de la Zaragoza española.

El 10 de marzo, el General González Ortega anunció a la población que el asedio de la ciudad era inminente, y pidió que salieran de ella las bocas inútiles, así como los habitantes de ciudadanía francesa.

Los mexicanos pensaron que los franceses iniciarían el ataque el 16 de marzo, cumpleaños del hijo de Luis Napoleón, el principito imperial. Como no fue así, como saludo y advertencia a las tropas francesas en la mañana de ese día, del Fuerte de Guadalupe partió un cañonazo.

Las tropas francesas continuaron su avance. En algunas partes el terreno tenía tantos hoyos y quebradas, que las cureñas probaron ser más tercas que las mulas y los soldados tenían que romper filas y arrimar el hombro a las ruedas.

El 18 de marzo, la mitad de las fuerzas enemigas rodeó la plaza por el norte. La otra mitad, al mando de Bazaine, por el sur. Al suroeste, en el Cerro de San Juan, estableció su cuartel el General Elías Forey.

El 19 y el 20, sólo hubo intercambios de fuego aislados. El 21 comenzó la batalla en grande: el enemigo disparó ese día más de treinta cañonazos contra la división del General Negrete situada al pie del Cerro de Loreto.

Uno de esos días el Coronel Troncoso le preguntó al Teniente Coronel Jesús Lalanne: «Y las fuerzas de Comonfort... ¿para qué sirven?» Parte de estas fuerzas —un destacamento de caballería—, acababa de ser derrotado en Cholula, al oeste de Puebla, y sufrido serias pérdidas tras un encarnizado combate «al arma blanca» con los cazadores de Africa comandados por el General Mirandol.

Mientras tanto, los sitiadores de Puebla comenzaron a aplicar las técnicas de sitio inauguradas por Vauban, eligieron el frente de ataque e iniciaron la aproximación paulatina por medio de trincheras paralelas sucesivas. El 26 de marzo comenzaron a construir paralelas a setecientos metros del Fuerte de la Penitenciaría y San Javier. El comandante mexicano Romero Vargas montó en su caballo, salió del fuerte para inspeccionar las paralelas, cayó muerto de un tiro y una ambulancia de tres hombres con bandera blanca recogió el cuerpo. Un día después, los franceses construían otra paralela a sólo trescientos metros, y el fuerte fue objeto de un nutrido ataque de fuego concéntrico. El capitán mexicano Platón Sánchez fue herido en una oreja. El 29 de marzo, tras perfeccionar los franceses una cuarta paralela y agregarle dos alas en forma de «T», cayó el fuerte. En la vecina plazuela de toros y en las calles adyacentes, surgió un incendio que cundió hasta la Penitenciaría, en la cual murieron carbonizados numerosos presos comunes a quienes no hubo tiempo de liberar. En un patio del fuerte, un grupo de zuavos se parapetó tras una fuente circular coronada por un ángel con las alas abiertas. Los mexicanos abrieron fuego contra ellos, y unos tiros perforaron la fuente, y nacieron así varios chorros inesperados. Otro tiro le rompió un pedazo de ala al ángel. Otro más le voló la nariz. Un zuavo se puso de pie para cruzar el patio, cayó en la fuente muerto de otro tiro, y los chorros comenzaron a colorearse con su sangre. Por último alguien, desde alguna azotea, arrojó una granada que destrozó al ángel y mató a varios de los zuavos que quedaron allí, tendidos, y cubiertos de pedazos de alas, cara, túnica y pelo de ángel.

Nadie los recogió y comenzaron a corromperse. Pero si fue así, si allí quedaron esos zuavos, abandonados y pudriéndose junto con los cuerpos de otros de sus compañeros y los cadáveres de los hombres del tercer regimiento de los cazadores de Vincennes y de los húsares franceses que habían cruzado el trópico envueltos en mosquiteros de tul y que sin empinar sus caballos habían arrancado los racimos de plátanos para guardarlos en las mangas de sus casacas, y los cadáveres también de muchos mexicanos de las brigadas de Oaxaca y de Toluca, de los Zacapoaxtlas, del Batallón de Rifleros y del Batallón Reforma, del Cuerpo de Zapadores y del Cuerpo de Ingenieros, si todos esos cadáveres estaban allí en la Calle de Judas Tadeo y en muchas otras calles de la ciudad: la del Hospicio y la de los Locos, la de Cocheros de Toledo y la de la Santísima donde había un cañón llamado El Toro porque hacía tanto ruido con cada cañonazo que no dejó vidrio sano en una manzana a la redonda, y si estaban allí abandonados, pudriéndose, y si después comenzaron a ser pasto de los perros y los gatos, y por las lluvias y el tiempo a deshacerse, a liquidarse, a volverse jirones, piltrafas, un puré espeso, una papilla gris y hedionda, fue porque el sitio de la ciudad de Puebla, que comenzó con la toma de la Penitenciaría y San Javier y culminó con la caída de Totimehuacan y el Fuerte de Ingenieros se transformó, desde las primeras semanas, en una lucha manzana por manzana, cuadra por cuadra, casa por casa, piso por piso, cuarto por cuarto, y por eso, porque muchas veces el enemigo estaba al otro lado de la calle y se disparaba de una puerta a otra, de una ventana a otra, se quedaban abandonados los cuerpos de los que habían muerto a la mitad de la calle, y además los heridos que no podían caminar o arrastrarse y que pronto también serían, fueron, cadáveres.

Cuando el General Forey supo esto, cuando se enteró que día con día era necesario tomar reducto por reducto y ametrallar casas, bodegas y tiendas y arrojar granadas por ventanas, balcones, tragaluces y claraboyas y desbaratar barricadas hechas con todo lo imaginable: roperos, cubetas, planchas, loza, barriles, huacales, mesas, sartenes y jabones, y que en ocho días sólo habían sido tomadas siete manzanas, ni siquiera una diaria, y que quedaba como uno de los pocos recursos construir galerías subterráneas pero el subsuelo rocoso de Puebla era muy duro y sólo en algunas partes sería posible hacerlo como en la Calle de Pitiminí donde una mañana seis casas se derrumbaron como por arte de magia tras la explosión de media tonelada de pólvora, el General Forey reunió a sus oficiales en consejo de guerra, habló de la posibilidad de traer de Veracruz los cañones navales, se quejó amargamente, declinó su responsabilidad y propuso que levantaran el sitio y se dirigieran a la ciudad de México.

No lo hicieron así, para desgracia de Juárez y su gobierno, y siguió la batalla, y atacaron Judas Tadeo, amagaron el Fuerte de Zaragoza, atacaron Guadalupe y Loreto, cañonearon al Señor de los Trabajos y Santa Anita y las torres de la catedral que se salvaron quizás porque las salvaron los ángeles, y cañonearon también el Templo de San Agustín que fue pasto de las llamas desde los cimientos al cimborrio y con él los objetos del culto, las casullas y los muebles allí embodegados: sillas y mesas, escritorios, poltronas, recamiers, y explotaron las cajas de municiones y por los aires volaron las cuerdas y teclas, pedales de unos pianos que reventaron con gran estruendo y, entre otros innumerables hechos de guerra, escaramuzas, encuentros a bayoneta calada, fuegos nutridos en declive, incendios tácticos de cestones y barricadas alquitranadas, y mientras los atrincheramientos interiores de las manzanas se hacían dobles y hasta triples, estallaron unas fogatas pedreras de los mexicanos que hicieron llover sobre zuavos, egipcios y cazadores de Vincennes varios quintales de pedruscos de diversos tamaños y cantos, colores y aristas que les abollaron el cráneo, les rompieron las mandíbulas y los dientes, les hundieron las costillas y el alma.

El Capitán Manuel Galindo, al quedarse sin municiones, en la Calle del Moscoso, decidió rendirse: un zuavo lo mató a traición.

Un grupo de soldados franceses caminaba por la Calle del Mesón de Guadalupe con sus prisioneros mexicanos, cuando unos zuavos borrachos, ocultos tras unos escombros, dispararon contra ellos matando a un prisionero e hiriendo a otro. Un capitán francés, furioso, le hundió la espada a un zuavo en el vientre y a los demás los desarmó y los condujo presos.

En la Calle del Padre Valdivia, unas señoritas o soldaderas poblanas habían tomado el hábito de asomarse al balcón para hacer monerías y aventarles besos a los zuavos o cazadores acuartelados en las casas de enfrente, y se levantaban las faldas hasta las rodillas para que los franceses se asomaran a echarles flores y entonces les dispararan los mexicanos. Una de ellas, desesperada porque ya los franceses conocían el truco y no se asomaba nadie para admirar sus pantorrillas, llevó el señuelo hasta la altura del ombligo, y como respuesta recibió una bala que le dejó el sexo abierto en flor.

Hubo una que otra pequeña tregua para enterrar a los muertos. Los mexicanos recogieron los cuerpos de los franceses y los llevaron en carretillas al Portal de Morelos. Después levantaron a sus propios caídos. Algunos de los cadáveres, de los dos bandos, estaban casi completos. Otros, de tan deshechos, había que recogerlos con pala. Cuando llegaron al Cementerio del Carmen, se encontraron que algunas bombas habían destruido sepulcros y nichos y dejado al descubierto los cadáveres de civiles allí enterrados, y cuyo grado de descomposición variaba según las semanas, o meses, que allí llevaban. El hedor era intolerable. Se sentía también, en la lengua, el sabor dulce de las cenizas de los que habían muerto hacía muchos años.

El día 5 de mayo, la artillería de la plaza disparó una salva general contra el enemigo, en recuerdo del triunfo del 62. Las baterías francesas situadas frente al Fuerte de Ingenieros intensificaron el cañoneo. El Teniente Coronel Francisco P. Troncoso recibió órdenes de visitar el fuerte y comprobó que, apenas repuestos los parapetos, eran vueltos a destruir y todos los días, a cañonazos, eran desmontadas una o más piezas de artillería.

El 9 de mayo el Capitán Matus presentó al Teniente Coronel Troncoso uno de los varios proyectiles enemigos que no reventaban: era una granada de cañón rayado, americana, llamada de turbina. El teniente coronel sabía que a esas granadas, siendo de percusión sus espoletas y muy sensibles, se recomendaba quitárselas para el camino y suplirlas con tapones de madera para colocarlas de nuevo al cargar los cañones. Imposible que Estados Unidos se las hubiese vendido a los franceses: esas granadas sólo podían ser de la artillería del General Comonfort y por eso los franceses ignoraban que era necesario reinstalar las espoletas. Y si eran de él, de Comonfort, eso sólo quería decir una cosa:

Una noche, o al menos así lo cuenta Ch. Blanchot —un coronel que escribió sus Memorias de cuando fue capitán en México, y oficial del Estado Mayor de Aquiles Bazaine—, una noche en el pueblo de San Lorenzo, el general mexicano Ignacio Comonfort Comandante del Ejército del Centro, decidió que era tiempo de elevar la moral de sus oficiales con un baile. Comonfort, junto con los generales La Garza y Echegaray, había recibido órdenes del Ministerio de Guerra de ponerse al frente de cuatro divisiones para ir a romper el sitio de Puebla. Esa misma noche, el General Bazaine recibió a su vez instrucciones del General Forey para dirigirse al encuentro de Comonfort y a la medianoche en punto, tras rechazar unas píldoras purgantes para el estreñimiento que le ofreció el General Leonardo Márquez y entre otros oficiales para el Coronel Miguel López, Aquiles Bazaine partió con zuavos, tiradores argelinos, el 51 y la caballería y el batallón del 81 rumbo a San Lorenzo, a donde llegó de madrugada burlando los quienvives del camino y los ladreríos de los perros y, en lo que al parecer no era la primera vez que le sucedía a un ejército mexicano en sus luchas contra tropas invasoras —era la sorpresa de rigor que se repetía una vez más, dice el historiador Justo Sierra: la de San Jacinto, la de Padierna, la del Cerro del Borrego— cogió desprevenidas a las tropas de Comonfort. La Batalla de San Lorenzo, significó para el ejército juarista una pérdida de dos mil hombres entre muertos, heridos y prisioneros, ocho piezas de artillería, tres banderas, once banderolas, veinte carros cargados de víveres y municiones, cuatrocientas mulas y gran número de cabezas de ganado. El General Forey le envió al General González Ortega a un grupo de prisioneros para que le contaran de viva voz el triunfo de los franceses, y, tras ordenar para todas sus tropas una doble ración de eau-de-vie, mandó colocar en el muro de la terraza de la Penitenciaría todas las banderas y gallardetes capturados para que los viera el enemigo. Lo que no estaba entre estos trofeos: algún pañuelo de encaje, unos botines de charol, porque según el Coronel Blanchot las tropas de Bazaine (collares y peinetas y la ropa de algunos civiles como un fraque, un chaleco blanco con botones dorados) habían llegado a San Lorenzo cuando apenas (un corsage de orquídeas entre unos huaraches y el kepí de un sargento herido) cuando apenas estaba por terminar el baile en la Hacienda de Pensacola y quizás los oficiales mexicanos (blusas de fina batista, arrancadas) quizás estaban todavía bailando cuando escucharon los disparos de los centinelas y los gritos de alerta entre los acordes y los pasos del cotillón final, y cuando paró la orquesta y salieron de la hacienda para llamar a sus tropas y rechazar a los franceses, muchas de esas mujeres (blancas mantillas con flecos de plata, trenzas postizas y el cinturón de cuero bordado con seda azul de un coronel muerto) con las que bailaban, salieron con ellos, acaloradas y enardecidas por la danza y con las habaneras, con el ponche y por la Patria (guantes de cabritilla) y muchas quedaron allí también, en San Lorenzo, muertas, heridas, y ensangrentadas sus medias de rosa seda, sus ligas bordadas, sus bolsos de mano de terciopelo y chaquira entre las sillas de los caballos y los caballos muertos, algún jorongo y las botas federicas de algún capitán muerto, y un corpiño escotado y guarnecido con triple vuelta de blonda, muerta ella también, la mujer del corpiño, y otra con el vientre abierto por las esquirlas de una granada, rotas y abiertas y ensangrentadas la crinolina y la abullonada faja salpicada de camelias áureas.

A la pregunta del Coronel Troncoso, el Teniente Coronel Jesús Lalanne había respondido: «Las tropas de Comonfort sirven para todo y para nada». Enviadas en un intento de romper el sitio y reaprovisionar la plaza, llegaron demasiado tarde y, además de la pérdida de Cholula, habían sufrido dos descalabros más: uno en Atlixco, y otro en el Cerro de la Cruz. Por otra parte, comandadas siempre desde la capital, González Ortega nunca pudo disponer de ellas a su criterio, mientras había la posibilidad de hacerlo.

La derrota de San Lorenzo trajo aparejada, por lo tanto, la derrota de Puebla. Municiones había. Alimentos no. Calculados para durar tres meses, se comenzó a echar mano de ellos antes del asedio de la ciudad. La guarnición comía carne sancochada de mula y caballo. La gente, en los últimos días, asaltaba tiendas y almacenes que, por lo demás, estaban vacíos. Desaparecieron perros y gatos, ratas, y no era para menos, porque se acabó la carne, se acabaron los borregos, se acabaron las verduras: jitomates, espinacas, papas, zanahorias y la fruta fresca que traían los indios de la sierra y que ahora se las vendían a los franceses en Amatlán o en las lomas del Tepoxúchil; escasearon la leche y el queso, desaparecieron las vacas, se esfumaron patas, lomos, orejas y trompas de puerco: se esfumaron los puercos enteros, y cuando se supo que una vendedora callejera pregonaba los mejores tamales de carne no habiendo ya carne en toda la ciudad, las malas lenguas dijeron que el cadáver de un zuavo, de un zuavo muy gordo con una barriga enorme, había desaparecido de la Calle de Judas Tadeo, y que ésa era carne humana, pero nadie, y eso aparte de que muchos no consideraban a los zuavos como humanos sino como demonios, nadie se encontró nunca en esos tamales dedos, uñas, cola o cuernos de zuavo; y después escasearon los granos: el frijol, la lenteja, el maíz para las tortillas, el trigo para el pan, y cuando una bomba cayó en una de las pocas panaderías aún abiertas, por los aires volaron volovanes, bolillos, chilindrinas, hogazas de pan francés y estallaron, volaron los costales de harina y llovió, nevó harina del cielo y al espantoso hedor de los cuerpos en descomposición abandonados en las calles se agregó un aroma desolador de pan carbonizado.

Por lo demás, y como en todas las batallas, la suerte que unos y otros corrieron —mexicanos y franceses— durante y después del sitio de Puebla de 1863, fue de buena a mala, de pésima a milagrosa. Pero abundó la mala, como la del General Laumière, que cuando iba al lado del General Bazaine recibió un tiro en la frente que lo tiró del caballo, muerto, y lo dejó viendo, sin verlas, las estrellas. Mala, pero no tanto, la del Capitán Hermenegildo Pérez, a quien los franceses le ahorraron la pena de destrozar su cañón cuando lo inutilizaron con una granada que, como dio en el gualderín, hizo saltar miles de astillas de madera y unas se le encajaron en el vientre al capitán y otras en un ojo: la vida no la perdió, pero el ojo sí. Buena, y mucho, la del Teniente Francisco Hernández quien durante el sitio ascendió a capitán segundo y después a capitán primero por haber sido herido cuatro veces a las que sobrevivió entero: una en un brazo, otra en San Javier, la tercera en una pierna, la cuarta en Pitiminí. Mala suerte, de la que no perdona, la del cabo francés Saint-Hilaire, quien habiendo sobrevivido a una bala que le astilló el occipucio y se le resbaló entre el hueso y el cuero cabelludo para salirle por la frente, camino a Veracruz como parte de la escolta de los prisioneros mexicanos, una de esas víboras cascabel, coralillo, nauyaca o chirrionera que en las tierras calientes salen de sorpresa entre los pastos, charcos, piedras o raíces, lo mordió y lo mató con su mordida. Muy mala también la del Coronel y Marqués de Gallifet, a quien de un bayonetazo se le asomaron los intestinos. Los recogió con su kepí, se fajó, y caminó hasta un puesto de ambulancia. Cuando la Emperatriz Eugenia supo que el marqués había estado gravísimo porque no había en Puebla hielo que ponerle en la herida para ayudarla a cicatrizar, ordenó que no se empleara hielo en la preparación de los platillos y las bebidas del menú de las Tullerías. Y no tan mala (la de aquellos que sobrevivieron para contarla) cuando no sólo el hielo desapareció de Paula sino también las drogas y los medicamentos más indispensables y entre ellos el cloroformo. Por ejemplo, a una señora poblana le amputaron la pierna: le cortaron carne, músculo, nervios, ligamentos, le aserraron el hueso, todo sin cloroformo. Mala suerte, pésima, la de un soldado que al recibir la orden de quebrar su fusil, en lugar de agarrarlo por la culata lo hizo por el cañón y al golpear la culata contra la banqueta se disparó un tiro que, como el del General Laumière le dio en la frente, y allí quedó también mirando al cielo entre las piedras y el lodo, los zapapicos y las hachas abandonadas por los zapadores, los sacos de tierra rotos, los estandartes enlodados, los petardos húmedos y su carabina Minié partida en dos. Milagrosa la del Sargento Andrade el día en que una granada rebotó en uno de los parapetos de Santa Inés y se coló por una ventana del almacén y cayó en una caja de granadas descapuchinadas con las guías de fuera, y estallaron todas y mataron a todos los que estaban allí, menos al Capitán Andrade que salió con la cara negra y la levita hecha garras, pero ileso. Mala la de todos aquellos que se quedaron mancos, cojos, ciegos. Sordos también: como pensó que se había quedado un teniente del Mixto de Varacruz a quien unos cazadores a pie sorprendieron y atacaron con fuego nutrido toda una tarde cuando se encontraba detrás de una de las tres grandes campanas que habían sido bajadas de un templo para fundirlas. Suerte buena, y providencial, la de los generales Forey y Bazaine que un día, cuando inspeccionaban a pie las trincheras, tuvieron que saltar como cabras para sortear una andanada de obuses que rebotaban en las piedras, sin que ninguno les diera. Pero mala, aunque no tanto, la del espía que desde el Cerro de La Malinche enviaba mensajes escritos en barquitos de papel que bajaban por el Río San Francisco hasta la orilla de la ciudad de Puebla porque, mucho antes de llegar a la ladrillera de Loreto, los mensajes se despintaban y los barquitos llegaban vírgenes al Puente del Toro donde los esperaba un compadre. Y buena al parecer, pero en el fondo mala, la de esos prisioneros mexicanos que durante un armisticio *intra muros* fueron canjeados por prisioneros franceses en los primeros días de mayo porque, de estar cautivos pero a salvo y alimentados, los regresaron libres pero al hambre y al miedo. Y mala por una parte, pero mejor que mejor por la otra, porque él no estaba allí en esos momentos, la del dueño de la bodega de fuegos artificiales que se incendió con una bomba y fue, o al menos así lo pensaron las tropas sitiadoras, como si de pronto los mexicanos hubieran echado mano de todos los petardos, mechas, cohetes y demás artefactos de la telegrafía óptica para enviarle al General Comonfort una andanada de señales luminosas pero, ante tanto cohete chispero, luces de Bengala, estrellones azules y rojos y tantas girándulas locas, cometas plateados, pensaron después que los mexicanos quizás festejaban una fiesta nacional, un triunfo inminente imposible, una salida y escapada con éxito, el día de una Virgen, aunque los de adentro sabían que con esa miríada, catarata, diluvio de estrellas, centellas, minúsculas brasas que caían sobre Puebla y sus muertos como antes habían llovido los panes, la harina quemada, piedras y granadas, bombas y balas, escombros, polvo, pedazos de ángel y pedazos de hombre, poco era digno ya de festejar o iluminar. O mejor dicho, nada: nada que festejar donde había tanta hambre y desolación. Nada que iluminar donde había tanta miseria.

Cuando estaban ya izadas en los fuertes de Puebla las banderas blancas de la capitulación, y unas horas después de la destrucción de las armas, todos los oficiales mexicanos se reunieron en el Palacio Arzobispal de Puebla. El General Forey permitió que los jefes principales conservaran sus armas, los recibió en el cuartel general, les ofreció cigarros puros y coñac, elogió la valentía con la que se había defendido la plaza, y se admiró del gran número de oficiales y hasta generales jóvenes que había en el Ejército de Oriente. También dijo que el nutrido intercambio de fuego del 29 de marzo, la recordó los mejores días de Sebastopol, y que así lo había comunicado al ministro de Guerra francés.

De los ocho o diez mil solados mexicanos que según se calcula cayeron prisioneros, a cinco mil los pasaron, y se pasaron, al lado de las tropas imperiales, bajo el mando del General Márquez. A dos mil los destinaron los franceses a destruir trincheras y barricadas y a limpiar la ciudad de escombros y restos humanos para preparar la entrada triunfal. Al resto, junto con los generales y oficiales que se negaron a cambio de una libertad inmediata a firmar un documento en el que jurarían no tomar nunca las armas contra el Imperio, los llevaron a Veracruz para embarcarlos. Dubois de Saligny quería que los mandaran a Cayena, como criminales comunes. El General Almonte, vestido con un uniforme que resplandecía con bordados de oro de pies a cabeza, pidió que los fusilaran a todos. Pero el General Forey dispuso que unos irían a Francia y otros a La Martinica. Y así, rumbo a los barcos *«La Ceres»* y *«Darien»* que los esperaban anclados en la rada de Veracruz, y de Puebla al Cerro de Amalucan, del Cerro de Amalucan a Acatzingo, a San Agustín del Palmar, a la Cañada de Ixtapa, a Acultzingo, atrás las planicies de tierras coloreadas de amarillo y rojo que con el sudor se les pegaba a la cara y los hacía parecer mohicanos como dijo el Teniente Mahomet del batallón de turcos, y unos a pie y otros en carro, a veces durmiendo en tiendas de campaña y otras veces en corrales alfombrados con excremento, o unas pocas y unos cuantos en las camas de tijera con sábanas limpias que reunieron las señoras de Orizaba, y de Orizaba a Córdoba, de Córdoba a Paso del Macho, y de Paso del Macho a Palo Verde, unas veces escoltados por batallones de cazadores a pie, otras por los turcos, unas más por los egipcios o «panteras negras» que eran muy altos y negros, y hablaban nada más su propia lengua y lloraban la muerte de su jefe al que llevaban embalsamado junto a su caballo blanco enjaezado al estilo árabe para embarcarlo rumbo a Alejandría, o escoltados también otras veces por esos mismos legionarios de todas las nacionalidades y oficios: polacos y daneses, estudiantes y tejedores, italianos y suizos, médicos y doradores de madera, prusianos y bávaros, marineros y cazadores de bisontes, españoles y württemburgueses así como algunos príncipes de incógnito y buscadores de pepitas de oro que después se fueron para la California: con sus chaquetas azul oscuro, sus cubrenucas, sus pantalones rojo granza, sus polainas de tela cruda, sus quepís de visera cuadrada y sus gruesas cartucheras que les valieron el apodo de «vientres de cuero», dos mil en total al mando del Coronel Jeanningros y de otros oficiales con túnicas negras y galones dorados a la húngara, y que habían viajado a México con el General Forey y con ellos viajaron las leyendas de sus hazañas y batallas en las guerras carlistas, de Argelia y Crimea, del cólera que los diezmó en las Islas Baleares, de las *razzie* y el *cafard*, y llegó el eco de los ululatos de placer que lanzaban las mujeres argelinas cuando caían los legionarios presos y los ataban a un poste para que los perros de los argelinos se los comieran vivos, y de Palo Verde a La Soledad, de La Soledad a Veracruz, llegaron los prisioneros del sitio de Puebla, pero no llegaron todos:

Porque de los veintidós generales que rindieron sus armas sólo llegaron trece al puerto de Veracruz, y de los doscientos veintiocho oficiales superiores, sólo se embarcaron ciento diez. Los otros, se las habían arreglado para escaparse aquí y allá y entre ellos algunos de los jefes juaristas más importantes como el propio General González Ortega, los generales Negrete y Porfirio Díaz y, entre otros oficiales de alta jerarquía, un coronel de nombre Mariano Escobedo.

Y finalmente Monsieur Dubois de Saligny, quien hizo correr el chisme de que Forey se alegraba de que González Ortega se hubiera escapado porque admiraba la forma tan brillante y heroica en que había defendido Puebla, Monsieur Saligny algo, al fin, tenía de razón, porque si bien a la entrada triunfal en Puebla el 19 de mayo a banderas desplegadas, tambores batientes, clarinadas y gallardetes ondulantes el General Forey que se había quitado el uniforme de campaña para ponerse el de gala y lucir su penacho de plumas blancas para que nadie pusiera en duda que era él el general en jefe de las Fuerzas Expedicionarias fue recibido por una ciudad muerta y casi en ruinas y no llovieron rosas, besos, dalias, pañuelos perfumados, claveles desde los balcones y ventanas de vidrios, marcos, rejas, pilares, barrotes destruidos, sí en cambio a las puertas de la catedral, allí donde los franceses habían reunido todos los cañones que sobrevivieron a la hecatombe y entre ellos uno rayado de a cuatro, americano, que pronto sería embarcado para Francia como regalo de Forey para el principito imperial, allí y con los brazos abiertos a las puertas de la catedral, y con las sonrisas, cruces, aguas benditas, órganos, inciensos, cirios, palios dorados del caso, lo recibió el cabildo, el clero entero de la ciudad y con él todas las monjas resucitadas; abadesas, vicarias, sacristanas, novicias, que entonaron un *Te Deum Laudamus*, Gracias te Damos oh Alabado, izada en una torre de la catedral la bandera francesa y en la otra desplegado el pabellón imperial mexicano, y cuando los franceses entraron a la cercana población de Cholula, allí donde los cazadores de Africa habían hecho huir con sus sables a la caballería de Comonfort, y tal como cuenta en sus Memorias el Coronel Du Barail, durante tres días los templos, y era fama que, había en Cholula tantos templos y oratorios como días tiene el año, tañeron sus campanas, vomitaron reliquias, santos, efigies de mayólica en las calles, y procesiones, confesores y mártires escoltados por enjambres de querubes con trajes del ballet de la Opera, los indios se arrodillaban en el polvo, los arrieros se persignaron, las mujeres lloraban, y al sonido de clarinetes, cornetas y trombones, tímpanos y címbalos tronaban, rugían, rebramaban valses, polkas, chotis, mazurcas, hasta que después de esos tres días el General Mirandol, que se había quedado en Cholula para cuidar la plaza, mandó dispersar a rascatripas y charanguistas, dominós y midinettes, contrabajonistas, emperadores aztecas, cantores, directores de orquesta, caballeros tigre, piratas, sopranos, arpistas y tamborileros con una carga de caballería.

La gloria de la caída de Puebla se la llevó el General Aquiles Bazaine. Lo que de México se llevó Elías Forey fue el bastón y las abejas doradas de Mariscal de Francia, y el recuerdo de sus proclamas y su entrada triunfal en la ciudad de México, al lado de las dos personas que, en esos momentos, odiaba más que a nadie: Almonte y Saligny. Un tal General Salas entregó las llaves de la ciudad a Forey en la garita de San Lázaro y poco después las tropas francesas entraban en la capital mexicana, donde fueron recibidas por arcos triunfales y una lluvia de flores tan tupida que algunos caballos se encabritaron, asustados. Menudearon los gritos de «Vive l'Empereur!» y los balcones estaban adornados no sólo con banderas francesas, sino también con las bellas mexicanas que habían escaseado en Puebla de los Angeles. Al escritor y político francés Emile Ollivier, ese recibimiento le recordó el que los propios franceses le dieron a las tropas aliadas cuando entraron a París, en 1814, para liberarlo de la dictadura de Bonaparte: enloquecido, el pueblo parisino gritaba: «Vivent les alliés! Vive Guillaume! Vive Alexandre! Vivent les Bourbons!» Pero por otra parte, el recibimiento le costó a las propias tropas francesas más de noventa mil francos, la mayor parte, al parecer, en el acarreo de campesinos: el capitán francés Loizillon, en una carta dirigida a su madrina, le contó que Almonte había alquilado a los campesinos, para el recibimiento, a razón de tres centavos por cabeza, más un vaso de pulque. Esta técnica, sin embargo, no era ni mexicana ni nueva: años antes, las autoridades austriacas del Lombardovéneto, cuando Francisco José e Isabel visitaron Milán, habían alquilado a campesinos y pueblleños a razón de una lira por cabeza.

La entrada de Forey a la ciudad de México, el 10 de junio de 1863, coincidió con la salida de Veracruz de las naves «Cerès» y «Darien» en las que iban a bordo los prisioneros de guerra mexicanos, y con la llegada, a Fontainebleau, de la noticia de la caída de Puebla. La orquesta tocó el himno «Reine Hortènse», Luis Napoleón lloró de la emoción y José Manuel Hidalgo quedó rehabilitado en la corte de las Tullerías y nadie, al menos por un tiempo, pudo exclamar de nuevo al encontrárselo en una fiesta, como lo habían hecho ya: «Ecco la rovina della Francia!» —he aquí la ruina de Francia.

La columna francesa entró a México por el este. Juárez, tras arriar la bandera republicana, salió por el oeste. A la vanguardia marchaba el

General Negrete con quinientos soldados, y en las carretelas que seguían a la columna iban el presidente y miembros de su gabinete, de la Suprema Corte y de la Comisión Permanente del Congreso, así como el Archivo de la Nación. Grandes cantidades de armas y municiones quedaron abandonadas. Don Benito invitó al cuerpo diplomático —formado entonces por los representantes de sólo cuatro países: Ecuador, Venezuela, Perú y los Estados Unidos— a acompañarlo. Su invitación fue declinada, pero el Embajador del Perú, Manuel Nicolás Corpancho —quien deseaba que México se agregara a la «Unión Americana» proyectada por su país para defender la independencia de Hispanoamérica y que contaba ya con el apoyo también de Chile y Ecuador— mantuvo en la capital, por un tiempo, cuatro recintos amparados por la bandera peruana donde podían asilarse los liberales mexicanos. Benito Juárez se dirigió a la ciudad de San Luis Potosí, primera escala de su presidencia ambulante.

A Benito Juárez se le acusó de violar las convenciones internacionales de la guerra, al abandonar la ciudad de México sin designar autoridades que entregaran la plaza al enemigo. Los franceses habían ya olvidado que ellos las habían violado al haber sido Lorencez, y no el jefe de Estado francés, o sea el emperador, quien declaró la guerra al gobierno juarista. De cualquier manera, el General Forey consideró que, tomada la capital, la conquista de México era un hecho. Pero Benito Juárez dijo que la caída de Madrid y de Moscú no le había dado al primer Napoleón el dominio de España y de Rusia, y que el gobierno de los Estados Unidos Mexicanos estaría, de allí en adelante, donde estuviera él: así en San Luis como en Matehuala, Monterrey, Saltillo, Mapimí, Nazas, Parral, Chihuahua o Paso del Norte, que fueron las ciudades a donde Juárez viajó llevando a cuestas la presidencia —e investido por el Congreso en su última sesión antes de disolverse, de poderes extraordinarios— a medida que se extendían las operaciones militares de la intervención.

Forey, convertido en Mariscal de Francia, fue retirado en México y en su lugar quedó Aquiles Bazaine, militar distinguido en Argelia, en las guerras carlistas de España y en Solferino, que hablaba español y que poco después se transformó de hecho en Dictador de México al ordenar Napoleón que Almonte le transfiriera el poder civil.

Al General Miramón se le permitió regresar a México, se le asignó a Guadalajara, y más tarde se le llamó a la capital, y se le puso «a disponibilidad». Mientras tanto, algunos jefes liberales, y entre ellos el General Uraga, se pasaron del lado francés con todo y tropas. Otro de los generales liberales, Porfirio Díaz, permaneció fiel a la República y se acuarteló en Oaxaca, en el sur de México. El general juarista Comonfort murió en una acción de guerra. Bazaine organizó las tropas imperialistas mexicanas en dos grandes divisiones: una, al mando del «Tigre de Tacubaya», el General Leonardo Márquez, llamado también por algunos «Leopardo Márquez». La otra, bajo el mando de un general que años después compartiría, con Miramón, el destino de Maximiliano en el Cerro de las Campanas: Tomás Mejía, indio de raza pura, a quien llamaban «Papá Tomasito», y quien tenía numerosos seguidores en la Sierra Gorda. Tomado Tampico desde agosto del 63, otras ciudades fueron cayendo poco a poco en poder de las tropas imperialistas: Mejía derrotó a Negrete en San Luis y, junto con Douay, se apoderó de Querétaro. Cayeron después Morelia, Guadalajara y otras plazas, y cuando algunos barcos franceses comenzaron a arribar a las costas del Pacífico, los imperialistas pudieron considerarse dueños de una faja del territorio mexicano que corría de uno a otro océano. Pero esto no representaba sino una sexta parte del territorio mexicano y a pesar de que a principios del mismo año el total de hombres que habían llegado a México desde Cherburgo o Toulon, Orán o Brest, Lorient o Alejandría a bordo del *Amazone* o el *Finistère*, del *Navarin* o el *Charente*, del *Tilsitt* o el *Palikari* llegaba ya a los cuarenta mil, y las toneladas de material transportadas de Europa a México a las veintiséis mil, se había cumplido el pronóstico de Benito Juárez quien dijo que el enemigo, concentrado en un punto sería débil en el resto y, esparcido en todos, sería débil en todos también. Comenzaba así una de las pesadillas de Bazaine: las tropas imperiales echaban de una plaza a los juaristas, éstos se replegaban, los imperialistas dejaban una guarnición en la plaza y con el grueso de sus tropas se dirigían a otra ciudad para atacarla, los juaristas reaparecían, derrotaban a la guarnición y volvían a ocupar la plaza. Hubo ciudades que fueron tomadas, perdidas, retomadas y vueltas a perder hasta catorce veces.

Mientras tanto, en las tierras calientes se organizaron las contraguerrillas. Abundaban en Veracruz, Tamaulipas y otros estados del Golfo grupos de guerrilleros mexicanos que hostilizaban a las tropas imperialistas. Todos estos guerrilleros estaban considerados ni más ni menos que como bandidos y asesinos, y algunos lo eran. Entre ellos fueron célebres los «plateados», que así los llamaban porque sus ropas estaban recamadas, taraceadas y adornadas con plata de pies a cabeza. La organización y el mando de las contraguerrillas que de francesas casi sólo tenían el nombre porque estaban formadas por la hez de numerosas nacionalidades: ingleses, holandeses, martiniqueños, egipcios, turcos, americanos, suizos, estuvieron a cargo del Coronel Du Pin quien había participado en el saqueo del Palacio de Verano de Pekín. A Du Pin se le había destituido del ejército francés por haber efectuado una venta pública, en Francia, de los objetos que se había robado en China, y rehabilitado después en su grado de coronel para enviarlo a México. Alto y con una larga barba entrecana, un enorme sombrero lleno de bordados de oro y toquilla ancha de la que colgaban dos chapas con la cara de un león en cada una, holgada blusa de manta roja, grandes botas amarillas con espuelas doradas, capote de coronel, revólver y sable a la cintura y el pecho cuajado de cruces, medallas y condecoraciones, el Coronel Du Pin se hizo pronto famoso por su crueldad y por sus perros husmeadores: era fama que ningún guerrillero mexicano que caía en sus manos se le escapaba vivo.

Aparte de las constantes batallas e inacabables tomas y retomas de poblaciones y ciudades, hubo un hecho bélico, poco antes de la caída de Puebla, que pasó a la historia con más gloria de la que merecía, porque así lo decidieron los franceses. Un capitán de la Legión Extranjera, el Capitán D'Anjou, tenía una mano de madera cubierta siempre con un guante blanco. La original mano izquierda de carne y hueso le había sido amputada tras estallarle la culata de un fusil que empleaba para señalar una medida topográfica. Un día, el Capitán D'Anjou se ofreció como uno de los voluntarios que debían batir y despejar el terreno a lo largo de la ruta de un convoy que transportaba cuatro millones de francos en oro y varias piezas de artillería destinadas al General Forey. El Capitán D'Anjou, y unas cuantas docenas de hombres de la tercera compañía, fueron sorprendidos en el camino de Chiquihuite a Palo Verde por más de mil lanceros mexicanos. Refugiados en el corral de una hacienda abandonada, llamada Hacienda de Camarón, sin víveres y sin agua, los legionarios fueron aniquilados, habiendo sobrevivido sólo tres o cuatro de ellos. Inspirado quizás en Mac-Mahon, quien al tomar la ciudad de Malakoff en la Guerra de Crimea plantó en ella una bandera francesa y dijo *«J'y suis, j'y reste»* —aquí estoy, aquí me quedo—, el Capitán D'Anjou decidió que, ya que estaba en Camarón, se quedaba en Camarón. Y allí quedó, muerto, y separado para siempre de su mano de madera. El comandante de la Legión Extranjera, Jeanningros, se hizo cargo de la mano y la envió al cuartel general de la legión en Sidi-bel-Abbès. Más tarde, iría a parar a un museo de Aubagne, en las cercanías de Marsella. Desde entonces, el día de la Legión Extranjera se llama el Día de Camarón, y cada año, en el aniversario de la batalla, la mano del Capitán D'Anjou, con muñeca y dedos de caoba y palma de encina, y que por alguna razón, la humedad quizás, quedó hecha una garra y descolorida para siempre, es sacada de su caja de cristal, colocada sobre un cojín de terciopelo rojo en un pedestal en medio de un gran patio y saludada por las bandas y los cañones de la Legión Extranjera cuyos hombres desfilan ante ella. Después, los legionarios brindan a la memoria de Camarón con ron dulce de las Antillas Francesas.

QVOS HIC NON PLVS LX
ADVERSI TOTIVS AGMINIS
MOLES CONSTRAVIT
VITA PRIVS QVAM VIRTVS
MILITES DESERVIT GALLICOS
DIE XXX MENSI APR. ANNI MDCCCLXIII

(«Fueron aquí menos de sesenta enfrentados a todo un ejército, su magnitud los aplastó, la vida y no el valor abandonó a estos soldados franceses, el 30 de abril de 1863».)

2. *«Así es, Señor Presidente»*

«¿Dice usted uno ochenta y cinco?»

«Sí, Don Benito, un metro con ochenta y cinco».

«Pues sí que es muy alto...»

«Así es, Señor Presidente».

«Me ha de sacar una cabeza, por lo menos...»

«Por lo menos, Don Benito. Dígame: ¿Usted quería que yo incorporara todos esos detalles en mi resumen?»

Benito Juárez se puso las gafas y abrió el informe o «resumen» como lo llamaba el secretario, en la segunda página. Y leyó:

Maximiliano se transformó en el heredero al trono de la Casa de Austria, cuando el 1.º de diciembre de 1848 su tío el Emperador Ferdinand, habiendo renunciado ese mismo día a la sucesión su hermano Francisco Carlos, abdicó en favor de su sobrino Francisco José, hermano del Archiduque...

Luego volvió a la primera página y una vez más sus ojos recorrieron el primer párrafo:

Fernando Maximiliano José, descendiente en línea directa de los Reyes Católicos Fernando e Isabel y Carlos V de España y I de Alemania, nace el 6 de julio de 1832 en el Palacio de Schönbrunn.

«¿Detalles, Señor Secretario? ¿Como lo de la estatura y eso? No, era mera curiosidad. Son cosas superfluas que no vienen al caso. Lo que me gustaría es que me platicara de Schönbrunn... Usted visitó Schönbrunn, ¿no es cierto?»

«Así es, Don Benito. Pero nada más los jardines, que me gustaron mucho más que los de Versalles...»

«¿Por qué?»

«¿Por qué me gustaron más los Jardines de Schönbrunn que los de Versalles? Ah, pues porque... No sé. No había pensado en eso. En realidad se parecen bastante. Pero tal vez me gustaron los de Schönbrunn porque no son planos sino inclinados, y suben hasta la Fuente de Neptuno, y es como si formaran parte del horizonte. ¿Me explico, Don Benito?»

«¿Y son muy grandes?»

«Enormes, Señor Presidente. Y también el palacio. Dicen que tiene mil cuatrocientas habitaciones y más de cien cocinas...»

Benito Juárez continuó la lectura del informe: *«Siendo sus títu-*

los principales los de Archiduque de Austria, Príncipe de Hungría y de Bohemia, Conde de Habsburgo».

Y después miró por encima de las gafas al Señor Secretario.

«¿Sabe usted? —le dijo—. Siempre me he preguntado cómo puede uno sentirse en su caso en lugares tan grandes. Haga cuentas, Señor Secretario... Mil cuatrocientas. Si uno durmiera cada noche en una habitación distinta, tendrían que pasar... Déjeme ver... tres... cuatro... sí, como cuatro años para dormir en todas...»

Y leyó:

«... Fernando Maximiliano es el segundo hijo —el primero es el actual Emperador Francisco José— del Archiduque Francisco Carlos y la Archiduquesa Sofía».

Miró de nuevo al secretario por encima de las gafas.

«¿Maximiliano hijo del Archiduque Francisco Carlos? ¿Pues no decían que el Archiduque es hijo de Napoleón II?»

«Bueno, sí, Don Benito, eso es lo que dicen, que nació de los amoríos que la Archiduquesa Sofía tuvo con el Duque de Reichstadt... en cuyo caso, por las venas del austriaco correría sangre jacobina, ¿no es verdad, Señor Presidente?»

«¿Sangre jacobina? Vamos, Señor Secretario: Napoleón I nunca fue jacobino. Se hizo pasar como tal cuando le convino... Y dígame: ¿se parecen?»

«¿Se parecen quiénes, Don Benito?»

«Quiero decir si Maximiliano tiene algún parecido con el Duque de Reichstadt, con Napoleón II...»

«Ah, no, eso no lo sé, Don Benito. Lo que sí sé es que el Archiduque tiene los ojos azules, como los tenía el Duque de Reichstadt. Pero otros muchos Habsburgo también los han tenido y por otra parte, si pone usted un retrato del Archiduque al lado de quien se supone pudo haber sido su abuelo, Napoleón I, observará usted que no existe el más remoto parecido...»

«¿Y se parece el austriaco al Archiduque Francisco Carlos?»

«La verdad, Don Benito, no me he fijado. Conozco varios retratos del Archiduque Francisco Carlos, pero no me he puesto a pensar si se parece a Maximiliano. Lo que sí puedo decirle es que Francisco Carlos es epiléptico y muchos lo consideran como un débil mental, poco menos que un imbécil al igual que a su hermano el Emperador Ferdinand... y en eso sí que no se parece Maximiliano a ninguno de los dos, porque el Archiduque no tiene un pelo de tonto...»

«¿Ah, no?»

«No, Don Benito. El Archiduque es un hombre inteligente y culto, ha viajado mucho, tal como lo puse en el informe...»

Benito Juárez pasó varias hojas del informe, y sus ojos se detuvieron en un párrafo: *«El carácter del Archiduque se acerca más al de los*

Wittelsbach que al de los Habsburgo. Le encanta la buena mesa, la danza, la poesía, la música, la literatura. Colecciona piedras y minerales. Es aficionado a la arqueología y la historia, la geografía. Tiene, en Miramar, una biblioteca calculada en seis mil volúmenes. En cambio Francisco José es el más Habsburgo de los dos. Es parco, no le interesa la música, trabaja de pie, es frugal en sus alimentos?»

«¿Frugal en sus alimentos, el Emperador Francisco José?»

«Así es, Señor Presidente. Parece que casi todos los días almuerza nada más salchichas y cerveza. Y que duerme en un catre de campaña...»

«En un catre de campaña... Se imaginará que vive no en un palacio sino en un campo de batalla...»

«Probablemente, Don Benito. Tengo entendido que todo lo que tiene que ver con el ejército y la milicia le gusta particularmente al emperador...»

«¿Y a Maximiliano también?»

«Bueno, no. Sí parece que le gusta usar uniforme, y es verdad que acompañó a su hermano en algunos combates, pero su pasión, según tengo entendido, es el mar. A los veintidós años era ya Almirante y Comandante en Jefe de la Marina Imperial Austriaca. Sí, su pasión es el mar. El despacho que tiene en Miramar, me contaban, es una réplica de su despacho a bordo de la fragata *«Novara»*. También es muy aficionado a la equitación, Don Benito. Aunque claro, como todo príncipe de la Casa de Austria, Maximiliano recibió instrucción militar. Sabe manejar armas, y estudió esgrima...»

Don Benito se quitó las gafas y miró a la ventana.

«Dígame, Señor Secretario: ¿a usted le hubiera gustado aprender esgrima?»

«¿Esgrima yo, Don Benito? La verdad, nunca se me había ocurrido pensar en eso. ¿Y a usted, Don Benito?»

«No, esgrima no. Pero sí montar muy bien a caballo...»

«Pues nunca es tarde, Don Benito...»

«Sí, sí, ya es tarde para muchas cosas... para hacer bien todo eso, hay que aprenderlo desde niño, o desde muy joven...»

«Sí, posiblemente, Don Benito. Por algo los príncipes de la Casa de Austria tienen la mejor escuela de equitación del mundo, la Española de Viena...»

El presidente dejó el informe en su escritorio y se dirigió a la ventana.

«Yo lo único que sé montar bien es mula, Señor Secretario. Pero después de todo, las mulas saben andar mejor que los caballos por caminos muy difíciles sin desbarrancarse, ¿no es cierto?»

«Así es, Don Benito».

Don Benito contemplaba el cielo.

«A veces, cuando pienso en todos esos libertadores de nuestra América: Bolívar, O'Higgins, San Martín, hasta el propio Cura Morelos, me digo: todos ésos fueron próceres a caballo. Pero si tú pasas un día a la historia, Benito Plablo, vas a ser un prócer a mula...»

«Pero como usted ha dicho, Don Benito, las mulas llegan más lejos...»

«No, es usted quien lo ha dicho, Señor Secretario: las mulas *llegamos* más lejos».

«Perdón, Don Benito, yo no quise...»

«Usted no me replique. Así es: las mulas llegamos más lejos. Y ahora dígame, ¿por qué pone usted en su informe cuando habla de Francisco José: *el más Habsburgo de los dos hermanos* cuando que son cuatro en total, como usted mismo dice más adelante?»

«Ah, sí, claro, son cuatro: Francisco José, Maximiliano, Carlos Luis y Luis Víctor, además de una o dos niñas, sí, deben ser seis en total...»

Don Benito volvió la cabeza.

«¿Y cuál de esos dos me decía usted que es afeminado? ¿Carlos Luis?»

«No, Don Benito: Luis Víctor. Pero es más que afeminado, Señor Presidente: es invertido, sodomita. De aquí que no se haya querido casar con una de las hijas del Emperador del Brasil, como quería el Archiduque Maximiliano».

Don Benito contemplaba de nuevo el cielo gris.

«Aquí, en el norte, hay demasiados cielos grises, que me ponen triste. No sabe usted, Señor Secretario, cómo extraño los cielos azules...»

«Lo que pasa, le decía, Don Benito, es que yo intenté destacar el contraste que existe entre los dos hermanos, Francisco José y Maximiliano, por sus implicaciones políticas... Un contraste, por cierto, que como dice en el informe repite el habido entre otros hermanos de la dinastía austriaca, como Federico III y Alberto VI, José I y Carlos IV, Francisco I y el Archiduque Carlos...»

«Azules, azules como el cielo: así decía mi padrino...»

«¿Cómo dice, Don Benito?»

«Que así me decía mi padrino Salanueva, que en paz descanse: si te casas, Benito Pablo, cásate con hija de blancos, para ver si así tienes un hijo con los ojos azules. Azules como el cielo... Y dígame, Señor Secretario: ¿Es muy blanco el Archiduque?»

«Sí, Señor Presidente, Maximiliano es muy blanco. Y lo mismo la Princesa Carlota...»

Benito Juárez regresó a su escritorio, se sentó, se caló las gafas y hojeó el informe.

«Carlota... Carlota de Bélgica. No me cuenta usted mucho de ella, Señor Secretario...»

«Bueno, Don Benito. Me limité a los datos esenciales, que por lo demás me imagino que usted ya sabía: que es hija de Leopoldo de Bélgica el tío de la Reina Victoria de Inglaterra, que su madre la Princesa Luisa María, hija del Rey Luis Felipe de Francia...»

«Perdón, Señor Secretario: Luis Felipe no era Rey de Francia, sino sólo rey de los franceses...»

«¿Cómo, Don Benito?»

«Es decir, no era Rey de Francia por designio de Dios, sino rey de los franceses por voluntad del pueblo... pero siga usted...»

«Ah, sí, decía yo que la madre de Carlota, la Reina Luisa María, la dejó huérfana a los diez años de edad, que tiene dos hermanos, el Duque de Brabante y el Conde de Flandes, y que...»

«Cuando le comenté que no me contaba usted mucho de la Princesa Carlota, me refería, Señor Secretario, a su carácter y a su físico...»

«Es que, como le dije, Don Benito, consideré que algunos de esos detalles no eran tan importantes como para figurar en el resumen...»

«Sí, tal vez tiene usted razón. Pero eso no obsta para que me los platique. Dígame, Señor Secretario: ¿tuvo usted oportunidad de conocer a la Princesa Carlota?»

«Bueno, pues como le decía, Señor Presidente, también visité varias veces los jardines del Castillo de Miramar que están abiertos al público los domingos, y en una ocasión vi de cerca a la Archiduquesa del brazo del Archiduque, que paseaban por el muelle... Y la verdad, no me pareció tan bonita como dicen que es... Eso sí, tiene "buen lejos". Y en cuanto a su carácter, un sacerdote con el que conversé en Bruselas, me dijo que es muy católica. Usted sabe: a pesar de que Leopoldo es protestante, accedió a que sus hijos se educaran en la religión de su madre. Me contaba el sacerdote que la Reina Luisa María rezaba varias horas al día y que la llamaban "El Ángel de los Belgas". Según parece, la Princesa Carlota se ha hecho notar por su temperamento y por su perseverancia. También por una inteligencia precoz... y en cuanto a sus lecturas, creo que sí me referí a ellas en el informe, Don Benito...»

Benito Juárez hojeó el informe y sus ojos se detuvieron en un párrafo que decía: *Nutrida de una teología austera, ha leído a San Alfonso de Ligorio y San Francisco de Sales, la inspira Montalambert, lee a Plutarco*.

Don Benito miró al secretario por encima de las gafas y señaló el escritorio.

«Es nutrida *con*, y no nutrida *de*, Señor Secretario».

«¿Cómo, Don Benito?»

«Que debió usted poner "nutrida *con* una teología" y no "nutrida *de* una teología..."»

«Ah, qué Don Benito... siempre me corrige el español».

«Lo tuve que aprender muy bien, Señor Secretario, con todas sus reglas, porque no era mi lengua materna. Y lo aprendí con sangre. ¿Nunca le he contado que cuando mi tío me tomaba la lección yo mismo llevaba la disciplina para que me castigara las veces que no había aprendido bien?

Si nada más que por eso me fui de mi pueblo a Oaxaca, para aprender castellano... "castilla", como le decía entonces...»

«Hizo usted muy bien, Don Benito...»

«Sí, no me fue mal, lo admito. Pero me costó mucho trabajo, Señor Secretario, y nada más porque era yo un indio... un indio patarrajada, como a veces me decían...»

«¿De verdad, Don Benito?»

«Pues claro que de verdad, y usted lo sabe muy bien, Señor Secretario: yo he sufrido mucho por el color de mi piel. Aquí mismo, en mi Patria. No digamos en Nueva Orleáns, aunque allí tenía yo la ventaja de parecer casi blanco junto a los negros, nomás por comparación...»

Don Benito se levantó y comenzó a caminar despacio por el cuarto, en círculo. Se quitó las gafas y comenzó a agitarlas al hablar.

«Y de una vez por todas, Señor Secretario, le voy a aclarar una cosa. ¿Por qué cree usted que estoy interesado en los rasgos físicos del Archiduque? A fin de cuentas a mí me debería importar un comino cómo es, ¿no es cierto? Que si tiene el pelo rubio... lo tiene rubio, ¿verdad?»

«Sí, Don Benito, es de cabello y barba rubios...»

«Para acabarla de amolar...»

«Una barba larga, partida en dos. Pero usted ha visto algún retrato del Archiduque, ¿no es cierto, Don Benito? Dicen que la barba se la dejó para disimular una de las lacras familiares. Aunque se me ocurre ahora: si en efecto el Archiduque tiene el mentón hundido, no podría ser hijo entonces de Napoleón II, ¿no, Don Benito?, porque ésa es una característica Habsburgo».

«Olvida el Señor Secretario que si Maximiliano fuera hijo de Napoleón II, sería entonces nieto de María Luisa la austriaca, otra Habsburgo también...»

«Es verdad, Don Benito. Y además, claro, no todos heredan la lacra. Dicen que el Emperador Francisco José se afeita el mentón precisamente para demostrar que no tiene ni el labio colgante ni la barba hundida, y que con ese fin ensayó varios cortes de barba hasta decidirse por una variante estilo Príncipe Alberto... pero me decía usted, Señor Presidente...»

Don Benito seguía caminando, despacio. Despacio, también, columpiaba las gafas en el aire.

«Le decía, sí, que a mí me debía importar un comino cómo es el Archiduque. Pero las cosas no son tan sencillas, Señor Secretario. Usted tiene que considerar que los escritos raciales de Gobineau han tenido mucho más trascendencia en Alemania que en Francia... ¿por qué? Porque la teoría de la superioridad pangermánica va de la mano con la idea de la superioridad de la raza blanca, incluso con la teoría de que, a unas facciones bellas, corresponde siempre un alma bella y viceversa. Y como le decía, aquí mismo, en México, no escapamos a ese prejuicio. ¿Por qué cree usted, Señor Secretario, que yo servía la mesa descalzo en la casa de los que iban a ser mis suegros, en Oaxaca? Pues porque yo era un indio prieto. ¿Por qué cree usted que cuando llegué a Veracruz en el *"Tennessee"*...? Le he contado, ya, ¿no? ¿No? Pues fíjese que llego yo a Veracruz, me alojan en la casa del gobernador, y un día salgo a la azotehuela y a una negra que estaba allí le pido que me dé un poco de agua. Y claro, ella no sabía que yo era el presidente, y ¿sabe usted qué me contestó? Nunca se me olvidará: "¡vaya un indio manducón, me dijo, que parece improsulto. Si quiere agua vaya y búsquela!" Todo eso, Señor Secretario, me pasa por ser un indio prieto...»

«Pero le pasa cada vez menos, Señor Presidente...»

«Sí, cada vez menos. Pero todavía...»

«Y además, Don Benito, usted nos ha hecho sentirnos orgullosos de nuestros antepasados indios. Yo mismo... yo, Don Benito, estoy seguro que tengo algunas gotas de sangre india en mis venas...»

Juárez se detuvo, sonrió, y se caló las gafas, y miró por encima de ellas al Señor Secretario.

«¿Usted, sangre india, Señor Secretario? Me está usted tomando el pelo. Lo dice sólo por halagarme. Usted es tan blanco que casi es transparente. Y le decía...», dijo Don Benito y se sentó ante su escritorio, se quitó las gafas y sacó un habano y una caja de cerillos de un cajón.

«Le decía...»

«Permítame, Don Benito...»

«No, no, está bien» dijo Don Benito y encendió el puro. «Le decía que para colmo, nos quieren imponer un dizque Emperador, que tiene todo lo que aquí mucha gente considera bonito, como el color de la piel, blanca, o de los ojos, azules, y usted no debe olvidar, Señor Secretario, que vivimos en un país en cuya mitología el dios benefactor, podríamos decir el dios máximo, es un dios blanco, alto y rubio, que prometió volver un día...»

El Señor Secretario le alcanzó un cenicero a Don Benito.

«¿Quetzacóatl, Don Benito?»

«Quetzacóatl, Señor Secretario».

«Pero no insinúa usted, Don Benito... sería muy exagerado... No insinúa usted, ¿verdad? que nuestro pueblo podría confundir a Maximiliano con un Quetzacóatl redivivo...»

«Muchos, no, por supuesto. Cualquiera que sepa leer y escribir sabe muy bien que el Archiduque no es sino un títere de Napoleón. Pero hay tanta ignorancia todavía en nuestro país, Señor Secretario... seis millones de indios iletrados. Yo fui un indio con suerte...»

«Con voluntad, Don Benito».

«Con suerte, le digo. En lo que sí tuve voluntad, me parece, fue en la decisión de vencer la desconfianza en mí mismo...»

«Pero ¿de verdad cree usted que nuestro pueblo va a confundir a Maximiliano con un dios?»

«Usted mismo me ha contado que muchos indios se arrodillan ante las fotografías de Maximiliano y Carlota... pero no, la verdad sea dicha, no lo creo. Si el Archiduque llega a poner un pie en México, muy pronto se darán cuenta que no es un dios ni nada que se le parezca... Así pasó con los españoles... Pero lo que sucede es que todas esas cosas del color de la piel y de los ojos me enojan mucho, porque me convencen cada vez más de la arrogancia europea... de la hipocresía de todos esos países que se llaman cristianos, y discriminan por el color... ¿Se acuerda usted lo que dijo *"Le Monde Illustré"* de mí?: "El actual Presidente de México, Benito Juárez, no es ni mucho menos de la más limpia raza caucásica". Y eso lo dice un periódico que se llama a sí mismo "ilustrado". Y ese periódico inglés, ¿cuál era?...»

«¿*"The Times"*, Don Benito?»

«No, otro...»

«¿El *"Morning Post"*?»

«Sí ése. ¿Se acuerda usted, Señor Secretario, que me llamó *usurpador*, y que después de decir que había que consultar al pueblo mexicano dijo que por *pueblo* se entendía sólo a las razas europeas y semieuropeas?»

«Sí, me acuerdo muy bien, Don Benito».

«¿Y no le parece a usted el colmo?»

«Ya lo creo que sí, Don Benito. El colmo».

Don Benito hojeó de nuevo el informe y leyó al azar: *«Se conocen dos romances del Archiduque. Uno, con la Condesa Paula Von Linden, y el segundo, con la Princesa María Amelia de Braganza, de Portugal. La primera era hija del Ministro de Württemberg en Viena. Esto causa el disgusto de la Archiduquesa Sofía...»*

«Archiduquesa... *archi*-duquesa... ¿Sabe usted, Señor Secretario? Varias veces me he preguntado por qué esos austriacos no se conforman con llamarse "duques" nada más. ¿Por qué tienen que ser Archiduques, como si digamos hubiera también archicondes o archimarqueses, archirreyes?»

«Ah, sí, Don Benito. Eso, según tengo entendido, aunque no estoy seguro, fue idea de uno de ellos, creo que de Rodolfo IV, quien consideró que el concepto "ducado" era ya insuficiente para la magnitud de los territorios bajo la jurisdicción de un duque...»

«México, Señor Secretario, es todavía un país muy extenso, a pesar de todo el territorio con el que se quedaron los yanquis. Más grande que Austria, más que Inglaterra o que Francia, y quizás más grande que las tres juntas. ¿Y qué? ¿Por eso me voy a llamar yo "archipresidente" ¿El "Archipresidente Benito Juárez"?»

El Señor Secretario sonrió. Don Benito dio una fumada al puro y continuó su lectura.

«*Esto causa el disgusto de la Archiduquesa Sofía quien le pide a su hijo el emperador que envíe al Archiduque a un largo viaje, con el fin de que se olvide de la Condesa Von Linden. Al ministro württemburgués se le asigna otro puesto, en Berlín, y el Archiduque...*»

«¿Sabe usted? Al único que creo capaz de darse este título es a Santa Anna: "Su Alteza Serenísima Antonio López de Santa Anna, Archipresidente de México"», dijo Don Benito sin alzar la vista del papel y continuó la lectura:... «*y el Archiduque se embarca rumbo al Oriente Medio, acompañado por el Conde Julius Andrássy. En éste y otros viajes posteriores conoce, además de algunos países de esa región del globo, Sicilia, las Islas Baleares, Pompeya, Nápoles, Sorrento, Grecia, Albania, Las Canarias, Madeira, Gibraltar, Africa del Norte y varias ciudades de España como Barcelona, Málaga, Sevilla, Granada*».

«Y dígame: ¿tiene una querida el Archiduque?»

«No lo parece, don Benito: hace ya dos o tres años que vive aislado en su Castillo de Miramar... aunque se habla de unas escapadas a Viena... El que sí tiene o ha tenido varias queridas es el Rey Leopoldo...»

«Ah, ¿sí?»

«Sí, Don Benito?»

«¿Incluso cuando vivía "el Angel de los Belgas"?»

«Eso sí no sabría decírselo, Señor Presidente. Pero es posible. Ahora, entre las más conocidas están una prostituta parisiense llamada Hortènse y una tal Arcadie Claret a quien tuvo el descaro de casarla con uno de sus cortesanos, Von Eppingoefen, o Eppinghoven o algo así, a quien después le asignó una misión lejos de Bruselas. Con ella Leopoldo tiene dos niños pero el pueblo no la quiere: más de una vez han arrojado verduras podridas contra su coche...»

«Ah, ¿sí?», dijo Don Benito. «¿Y Francisco José?»

«No lo sé, Don Benito, pero debe tener una amante, ya que no se entiende para nada con la Emperatriz Elisabeth, con *Sisi* como la llaman que, ésa sí, créame, Señor Presidente, es una mujer bellísima...»

«Sí, creo que he visto algún retrato de ella... ¿y por qué no se entienden?»

«Pues porque son dos caracteres completamente opuestos, Don Benito: ella es muy alegre y vivaracha, y le encantan los espacios al aire libre, le fascina cabalgar por los bosques. Dicen que cuando niña, su padre se disfrazaba de gitano y se la llevaba a bailar en las tabernas de Hungría mientras él tocaba el violín...»

«¿Y será verdad eso, Señor Secretario?»

«Pues puede ser, Señor Presidente...»

El Señor Presidente continuó la lectura, esta vez en voz alta: «*En 1856, el Archiduque Maximiliano viaja a Francia. Su visita coincide con la del Príncipe Oscar de Suecia. El Archiduque es objeto de numerosos agasajos y de una cálida recepción por parte de Napoleón III y Eugenia. Más tarde se sabe que critica con ferocidad a la corte francesa».*

«¿Y cómo se supo?»

«¿Cómo se supo qué, Don Benito? ¿Lo de las críticas?»

«Sí...»

«Ah, bueno, pues al parecer, Maximiliano enviaba desde París a Viena, en el correo ordinario, cartas elogiando a Napoleón porque sabía que iban a ser interceptadas y leídas por agentes franceses antes de llegar a su destino. Pero con un correo secreto, mandaba otras en donde ponía a Napoleón y Eugenia por los suelos. Que cómo se supo, no lo sé. Pero ya ve usted que todas esas cosas trascienden. En Viena corren muchos chismes...»

«Qué hipocresía la del Archiduque, ¿no le parece? Y ahora se acoge a ellos. Ahora Napoleón y Eugenia son sus patrocinadores...»

«Así es, Don Benito. La memoria del Archiduque debe ser muy frágil y en especial si se toma en cuenta que fue Luis Napoleón el que ayudó al Conde Cavour en su lucha por la unidad de Italia, en la que Austria perdió la Lombardía...»

«Y es ahora Carlota, Señor Secretario, la nieta de Luis Felipe de Orleáns, la que acude a la ayuda de Luis Napoleón, cuando que fue él quien confiscó todos los bienes que los Orleáns tenían en Francia. Eso es lo que yo llamo no tener vergüenza...»

«Así es, Don Benito. Pero por otra parte es natural. Entre ellos se perdonan todo, porque todos son parientes... de allí la degeneración de la sangre y la locura... ha habido tantos reyes locos...»

«Pero el Archiduque Maximiliano no está loco, ¿no es cierto?»

«Bueno, Don Benito, mucha gente cree que sólo un loco aceptaría el trono de México, pero loco de verdad, loco loco, no está. Como le dije, el Archiduque tiene fama de ser inteligente y sensible. Incluso de ser un poco liberal... Ha escrito unas Memorias de sus viajes, y poemas. Y también una serie de aforismos que, según dicen, son brillantes. Y se sabe que siempre trae consigo desde muy joven, un cuaderno con preceptos morales... es decir, preceptos de conducta, que se ha propuesto seguir siempre».

Don Benito miró al secretario por encima de las gafas.

«¿Y no incluye el Archiduque entre esos conceptos el respeto al derecho ajeno, Señor Secretario, el derecho de otras naciones a decidir la forma de su gobierno?»

«Me imagino que no, Don Benito».

«Sólo cuando se respeta ese derecho puede haber paz entre las naciones, ¿no le parece, Señor Secretario?»

«Así es, Don Benito».

«Don, Don, Don Benito... Don Benito por aquí, Don Benito por allá. No sabe usted, Señor Secretario, el trabajo que me costó llegar a ser *Don* en la vida. Cuando nací, yo sólo era un Don Nadie, eso sí. En cambio, como decíamos, esos archiduques vienen al mundo con todos los títulos habidos y por haber. Nacen con la mesa puesta. Yo me gané el *Don* hasta que me hice maestro de física en el Instituto de Oaxaca. Pero ni siquiera lo gané para toda la vida... En San Juan de Ulúa y en Nueva Orleáns, dejé de ser *Don* de nuevo, para volver a ser Benito a secas... Y de Eugenia, ¿qué me dice usted?... ésa sí que es muy bonita, ¿verdad?»

«Parece que algunos pintores como Wintherhalter la favorecen un poco pero sí, dicen que es muy bella. Me imagino, Don Benito, que Eugenia heredó la belleza de su madre, la Condesa de Montijo, que fue la que posó desnuda para el pintor Goya...»

«Ahí sí que está usted equivocado, Señor Secretario: fue la Duquesa de Alba... La confusión está en que fue la hermana de Eugenia, Francisca, la que se casó con el Duque de Alba, y fue la madre de ese Duque de Alba, o la abuela, la que inspiró a Goya la Maja Desnuda...»

«Ah, muy bien, Don Benito. Si así lo dice usted... Qué de degeneraciones y adulterios, ¿verdad?»

«Sí, muchos...»

«No sabe usted de las cosas que me enteré, y que no puse en el resumen, porque también las consideré superfluas...»

«¿Como qué cosas, Señor Secretario?»

«Ah, pues me contaron que además el padre de Carlota, Leopoldo, cuando joven, en el 14, entró a París con las tropas rusas a las que se había incorporado, y fue seducido por la Reina Hortensia, la madre de Luis Napoleón...»

Don Benito dejó el habano en el cenicero y se recargó en el respaldo de la silla.

«No me diga. ¿Entonces Luis Napoleón podría ser hijo de Leopoldo de Bélgica?»

«No, Don Benito. Luis Napoleón nació... creo que en 1808. Ya tendría para entonces unos seis años...»

«En el año 8... dos menor que yo... ¿Y cuántos años me decía usted que tienen Maximiliano y Carlota?»

«Maximiliano tiene treinta años, Don Benito, y Carlota veintidós».

«¿Veintidós? ¿Tan joven?»

«Sí, Don Benito...»

Don Benito dio una fumada más al puro, volvió a dejarlo en el cenicero, puso las gafas en la mesa y se levantó para caminar de nuevo por el cuarto.

«¿Y duró mucho la relación entre Hortensia y Luis Napoleón? Perdón: ¿entre Hortensia y Leopoldo, Señor Secretario?»

«No lo sé, Don Benito. ¿Sabe usted? Se me ocurre, de broma, que todos esos adulterios y hijos... e hijos bastardos que han tenido los monarcas europeos, les sirven para limpiar la sangre de vez en cuando... Dicen por ejemplo que Luis Napoleón no tiene una gota de sangre Bonaparte...»

«Lo que sería una razón más para alejar de Europa a un hombre que podría tenerla...»

«Así es, Don Benito, pero como digo en el resumen, Francisco José tiene otras razones para alejar a su hermano. Entre ellas, los celos. No sabe usted cómo le molestó que Maximiliano fuera candidato a varios tronos europeos, como el de Polonia y ahora, muy recientemente, al de Grecia... Me decía que durante uno de los últimos levantamientos habidos en Polonia, el Virrey de Galicia, desde el balcón de su Palacio de Cracovia comenzó a gritar "Viva Maximiliano, Rey de Polonia"...»

«Sí, de esa rivalidad quiero también que me dé detalles, Señor Secretario... y el Archiduque, dígame, ¿es masón?»

«Parece que sí».

«Escocés, naturalmente...»

«¿Cree usted que en Europa sea como aquí, Don Benito? ¿Que los conservadores sean del rito escocés y los liberales del yorkino?»

«Más bien creo que aquí es como en Europa, y no al revés, Señor Secretario... Por lo demás, el vinagre será siempre vinagre, y el aceite será aceite siempre...»

«Bueno, pues en ese caso, me imagino que sí, que el Archiduque es del rito escocés...»

«Se contradice usted, Señor Secretario: hace unos minutos me decía usted que Maximiliano era liberal, y ahora está de acuerdo en que es un conservador...»

«Ah, qué Don Benito, que siempre me está poniendo cuatros... Yo quería decir "liberal" dentro de lo conservador, si me explico...»

Don Benito se detuvo ante un calendario que colgaba en la pared, y que ilustraba una corrida de toros.

«Hace tres meses que cayó Puebla... Cómo vuela el tiempo... Así que primero Polonia, luego Grecia y ahora México... al rato esos Habsburgo van a pretender crear otro Sacro Imperio Romano».

«Que como dijo Voltaire, Don Benito», Don Benito paseaba una vez más por el cuarto, «ni fue sacro, ni fue romano, ni fue imperio...»

«Bueno, Imperio sí que lo fue. Y lo ha seguido siendo. De hecho han reinado sobre tantos pueblos: italianos, españoles, holandeses, escandinavos, franceses, magiares, eslavos, qué sé yo... e hispanoamericanos, desde luego».

«Bien dijo en una ocasión Carlos V, como usted sabe, que en su reino jamás se ponía el sol... ¿o fue Felipe II, Don Benito?»

«Sí, Felipe II, creo... ahora que, si han podido gobernar a tantos pueblos tan diferentes, es precisamente porque el Imperio Habsburgo se levantó sobre la negación de la idea de la nacionalidad... Es decir, de todas las nacionalidades menos una: la alemana. Y la confirmación de esta política, como usted sabe, fue que en el Congreso de Viena se desconoció en la forma más cínica el principio de las nacionalidades...»

«¿Menos de la alemana, decía usted, Don Benito? Pero el Archiduque Maximiliano no es alemán, sino austriaco...»

«Es alemán, Señor Secretario, no nos hagamos tontos... todos ellos habrán nacido en Austria o en Baviera o en el Palatinado o donde le plazca a usted, pero son alemanes de corazón, es más: no pueden dejar de serlo. Y como le digo, los alemanes son un pueblo alimentado por teorías peligrosas de superioridad y dominio del mundo. ¿Ha leído usted a Fichte, Señor Secretario? Un gran filósofo, es cierto, pero imbuyó en la mente de los autócratas alemanes la idea de que, habiendo traicionado Bonaparte los ideales de la Revolución Francesa, los alemanes estaban mejor capacitados que los franceses para conducir a la humanidad al logro de esos ideales. Lo absurdo es que poco después de Fichte, Hegel acabó de divinizar al Estado, con lo cual no hizo sino divinizar la tiranía... Yo me pregunto: ¿cómo puede, una persona como el Archiduque, que según usted dice es "liberal", conciliar en su cabeza la idea del Estado como un contrato social emanado del consenso del pueblo, con la concepción mística del Estado? ¿Cómo, Señor Secretario? Parecería imposible, ¿no es cierto? Y sin embargo es posible, ¿sabe usted por qué? Porque son capaces de traicionar todo por ambición, hasta a sí mismos. Es, como le decía, a los designios del hombre que humilló a los austriacos en Magenta y Solferino a los que ahora se somete el Archiduque... Aunque Austria y sus emperadores tampoco se han distinguido por cumplir sus promesas, ¿no es verdad? Allí tiene usted a Andrés Hofer, el patriota tirolés: Austria le juró a Hofer que jamás le devolvería el Tirol a Baviera, y lo traicionó, lo cedió a Bonaparte quien, con la misma facilidad con la que César repartío las Galias él repartió el Tirol entre Italia, Iliria y Baviera... y el pobre de Andrés Hofer acabó fusilado por los soldados franceses. Lo mismo sucedió con Polonia: Austria y Prusia habían jurado defenderla contra el ataque de cualquier otra nación... ¿y qué pasa? Apenas Catalina invade Polonia, los austriacos y los prusianos se ponen del lado de los rusos, y se la reparten entre los tres. ¿Y Luis Napoleón? ¿No es también acaso un traidor a sí mismo? ¿Dónde, me pregunto, Señor Secretario, quedaron sus ideales carbonarios? Los carbonarios le declararon la guerra a muerte a todas las tiranías... ¿Y no se dijo también Cavour traicionado por Luis Napoleón? Claro que Napoleón puso el pretexto de que los prusianos habían comenzado a movilizarse en el Rhin. ¿Y no le había mandado Cavour a Luis Napoleón a la Condesa de Castiglione para que lo sedujera y lo convenciera a ayudar a la causa italiana? Puras sinvergüenzuras, Señor Secretario. Ah, y a propósito de los alemanes, se me olvidaba Herder que concebía al mundo como una sinfonía de pueblos, sí, pero dirigida por el pueblo germano y que se encargó de enseñarle a sus coterráneos a venerar las características nacionales peculiares... ¿Y qué me dice usted de Metternich? No en balde era un renano: él fue el creador de la Confederación Germánica, el *Bundestag*, un sistema dedicado a defender, no sólo contra la intervención de Francia, ¿no es cierto?, sino contra los movimientos liberales internos, a los soberanos de los estados alemanes, entre los cuales se incluyó siempre a Austria... Lo más irónico de todo es que si no hubiera sido por el primer Napoleón, los alemanes se hubieran quedado divididos en esas trescientas y pico de principalidades, ciudades "libres" y estados eclesiásticos. Bonaparte y su Código le hicieron al mundo, Señor Secretario, el dudoso favor de reducir esa multitud de entidades a sólo treinta y tantas... No tienen vergüenza... ni dignidad. A propósito de Metternich, fíjese: a mí me acusan de huir de México... ¿cuándo he huido yo de México? Yo sólo me he retirado de la capital... he tenido que hacerlo. ¿Y ya se olvidaron cómo huyó de Viena —porque ése sí que huyó— el Gran Canciller Clemens Metternich en el 48...? ¿Sabe usted cómo, Señor Secretario? Escondido en el carromato de una lavandería...»

«Sabe usted mucho de historia, Don Benito...»

«No se crea. Pregúnteme usted los nombres de las seis esposas de Enrique VIII, y verá que me acuerdo, si acaso, de dos o tres de ellas como máximo. Tengo grandes lagunas. Pero precisamente su informe me ha servido para aclarar algunas dudas que tenía yo sobre la actuación de Maximiliano en Italia, y que me interesa muy en lo particular...»

«Me alegra mucho saberlo, Don Benito».

Don Benito se dirigió a la mesa, se caló las gafas y hojeó el resumen.

«Aquí, donde dice usted... ah, no, esto es sobre Leopoldo y Carlota...»

Don Benito leyó:

«*Es durante el viaje a Francia que Luis Napoleón pone a disposición del Archiduque el yate "Hortense" en el cual Maximiliano se dirige a Bélgica. Conoce allí al Rey Leopoldo y a su hija Charlotte. Leopoldo se casó, en primeras nupcias, con la Princesa Charlotte, hija del futuro Rey de Inglaterra, Jorge IV, quien se desempeñó como regente en vida de su padre Jorge III...*»

Don Benito murmuró:

«Otro rey loco, Jorge III...»

Y continuó la lectura:

«*Con ese matrimonio Leopoldo pretendía llegar a ser algún día Príncipe Consorte de Inglaterra, cuando la Princesa Charlotte ascendiera al trono. Pero Charlotte muere poco después sin dejar sucesión, y Leopoldo, a los cuarenta y dos años, se casa con la Princesa María Luisa, hija del Rey Luis Felipe de Francia. Al nacer la Princesa Carlota, es la reina quien insiste en llamarla así, en homenaje a la memoria de la primera esposa de Leopoldo. El Archiduque y la Princesa se enamoran, y poco después la*

Casa de Austria solicita su mano. El enlace se lleva a cabo el 27 de julio de 1857 en Bruselas, con la aprobación no sólo de Leopoldo y Sofía y Francisco José, sino también de la Reina Victoria: en un viaje a Inglaterra, previo al enlace, el Archiduque conquistó la simpatía de la soberana inglesa y de su cónyuge, el Príncipe Alberto. Con anterioridad, Carlota había causado el enojo de Victoria al rechazar como probable esposo a Pedro de Portugal. Otro candidato para matrimoniarse con Carlota fue el Príncipe Jorge de Sajonia».

«Pero entonces», dijo Don Benito, «Leopoldo se equivocó dos veces. ¿No es cierto? Primero se le murió la inglesa y luego son los Bonaparte y no los Orleáns o los Borbones los que tienen el poder en Francia...»

«Así es, Señor Presidente: su casamiento con Luisa María fue un error de cálculo político...»

«Dígame», dijo Don Benito y miró al Señor Secretario a los ojos: «¿Ha estado usted enamorado muchas veces?»

«¿Yo, Don Benito?»

«Le pregunto eso porque no sé cómo se puede querer a tantas mujeres tan distintas. O cómo tantas mujeres lo pueden querer a uno...»

«Bueno, Don Benito, en el caso de Leopoldo, tal parece que en su juventud era muy atractivo y apuesto. Ahora, claro, está hecho un viejo. Me decían que no sólo se pinta las cejas sino que usa colorete y una peluca negra peinada al estilo antiguo...»

«Qué ridículo... es como si yo me polveara, ¿no le parece?», dijo Don Benito y prosiguió su lectura:

«Poco después del matrimonio, Francisco José nombra a Maximiliano Virrey de las provincias del Lombardovéneto...»

«Ah, aquí está lo de Italia. Sí, sí, me interesa mucho el papel que hizo el Archiduque en el Lombardovéneto... ¿Qué me puede decir usted sobre eso, Señor Secretario?», preguntó Don Benito.

«No mucho más de lo que puse en el resumen, Señor Presidente. El Archiduque hizo algunas cosas que no incluí...»

«¿Como qué cosas?»

«Ah, bueno, como por ejemplo... inspiró la construcción de la gran plaza situada frente al Duomo de Milán y restauró la Biblioteca Ambrosiana. Cuando enfermó el poeta Manzoni lo visitó personalmente, en fin... y lo que dice en el resumen: que el Archiduque intentó en vano que Austria liberalizara su actitud hacia el Lombardovéneto, porque Francisco José se opuso siempre de manera terminante y nunca le gustó la forma en que su hermano gobernaba las provincias. Dicen, Don Benito, que Francisco José llegó a ponerle espías a Maximiliano, y que las cartas del Archiduque eran censuradas por el llamado *Cabinet Noir* de Viena... La verdad es que el Archiduque llevó su liberalismo muy lejos, si me permite usted llamarlo así, "liberalismo". El Conde Cavour dijo que Maximiliano era el enemigo más terrible que los italianos tenían en Lombardía, precisamente porque se esmeraba en ser justo y en llevar adelante las reformas a las que Viena se negaba... Y Manin, por su parte, manifestó que los italianos *no* deseaban que Austria se volviera más humana, sino que se fuera...»

«¿Y se estaba volviendo Austria más humana, Señor Secretario?»

«Bueno, no exactamente. Me dijeron que en una ocasión, imagínese usted, Don Benito, la administración militar de Milán le pasó a la municipalidad la factura de los palos que la policía había roto en las espaldas de unos manifestantes... Y qué más le puedo decir que no haya yo puesto en el resumen... bueno, sí, que Maximiliano y Carlota se ganaron la simpatía de sus súbditos italianos, pero ésta sólo se manifestaba a nivel personal. Dejaron de presentarse en público, aunque a Carlota le encantaba ir a la Scala, por los abucheos del pueblo. Incluso las jóvenes italianas se rehusaban a bailar con los oficiales austriacos. Y dicen que el Archiduque dio más de una muestra de debilidad, por ejemplo, cuando se rebelaron los estudiantes de Padua... y me contaron que criticó la crueldad con la que Radetzky suprimió la revuelta de los milaneses en el 48, cuando el mariscal colgó y fusiló a varios centenares de patriotas italianos por el solo hecho de estar en posesión de armas...»

Don Benito continuó la lectura, esta vez también en voz alta:

«En más de una ocasión el Archiduque expresó a Viena que el dualismo entre la autoridad militar y la autoridad civil era incompatible con un gobierno, y solicitó el mando directo del ejército austriaco en el Lombardovéneto, pero Francisco José se lo negó. Y, cuando el Conde Cavour ordena a sus tropas marchar hacia la Lombardía junto con el ejército de Luis Napoleón, el emperador releva al Archiduque de sus funciones y nombra comandante político y militar de Venecia y Lombardía al Conde Gyulai...»

«Luego siguen los desastres de Magenta y Solferino, Don Benito, el 4 y el 24 de junio, respectivamente, del 59...»

Don Benito continuó:

«La reunión de Villafranca entre Luis Napoleón y Francisco José culmina en la liberación de la Lombardía...»

«Pero no con la de Venecia...», dijo Don Benito.

«Así es, Señor Presidente: es allí cuando Luis Napoleón traiciona a Cavour».

«El Archiduque Maximiliano y la Princesa Carlota se retiran entonces a su Castillo de Miramar, a orillas del Adriático, en las cercanías de Trieste. Allí es donde los monárquicos mexicanos van a ofrecerles el trono de México».

«Y me hablaba usted de una isla donde van a veces...»

«Sí, Don Benito, la Isla de Lacroma, frente a las costas de Dalmacia... Donde naufragó una vez Ricardo Corazón de León. Por cierto, pero esto es quizás nada más un chisme, dicen que Ricardo Corazón de León también era sodomita...»

«No me diga. Sí, como dice usted: qué de degeneraciones... eso sí que no lo sabía. Pero claro, esas cosas no las enseñan en las escuelas...» Don Benito dejó el resumen en la mesa.

«No me lo va usted a creer, pero hablar de vez en cuando de tantas banalidades, me ayuda a distraerme de cosas muy graves. ¿Sabe usted que ahora me culpan de la derrota de Puebla dizque porque no preví que el sitio fuera tan largo?... En fin, que le agradezco mucho, Señor Secretario, su sabrosa plática... ¿Cuándo regresa usted a Europa?»

«En unas tres semanas, Don Benito».

«Mándele mis saludos a Emile Ollivier y mi agradecimiento. Lo mismo a Victor Hugo, si tiene usted ocasión de verlo... Ah... y si también ve usted a Jules Favre dígale que por favor no compare a Maximiliano con Don Quijote... Don Quijote era un idealista. El Archiduque es un hombre cuyas ambiciones no conocen límite».

«Si el Señor Presidente me permite retirarme...»

«Sí, claro, cómo no... pero no, espérese... quería preguntarle algo más. ¿Qué era? Ah, sí... en su informe dice usted que el Archiduque tuvo dos romances, pero nada más habla de uno de ellos. Del de la Condesa Von Linden, y ya no dice nada de Amelia de Braganza...»

«Ah, sí, perdón, Don Benito. Amelia se me quedó en el tintero. Esa unión sí que la hubiera aprobado la Casa de Austria. Pero ella murió muy joven, de consunción, antes de que se pudiera anunciar su compromiso con el Archiduque. Por cierto, murió en la Isla de Madeira, allí donde más tarde la Archiduquesa Carlota, ya casada, pasaría un invierno sola mientras el Archiduque viajaba al Brasil. Y dicen, pero eso también es sólo un chisme, me imagino, que en Brasil una negra le contagió a Maximiliano una enfermedad venérea que lo volvió estéril y que por eso no han tenido hijos...»

Don Benito caminó hacia la ventana.

«¿Estéril? Bueno, ya ve usted por qué a mí no me ofende que me llamen mula, Señor Secretario, si es nada más que por lo tozudo, por lo terco... porque de mula no tengo nada más. Las mulas son estériles y yo no... he tenido varios hijos...»

«Así es, Don Benito...»

«Y algunos hasta me han salido bonitos, como se acostumbra decir... mucho menos prietos que yo. Fíjese usted...», dijo Don Benito y contempló, a través de la ventana, el cielo encapotado.

«Fíjese usted», continuó, «eso del prejuicio del color está tan arraigado, que hasta a mi propia esposa Margarita la he oído decir, hablando de un sobrinito o de otro niño: "salió muy bonito, con ojos azules y muy blanco". Un día de éstos le voy a escribir y le voy a decir: "¿Sabes, Margarita? ¿Sabes qué? Nos salió bonito el Archiduque"...»

3. La ciudad y los pregones

¡Alpiste para los pájaros!
¡Compren tinta!
«*Que en esta suidad hay muchas inundaciones y en mi pueblo*
»*ni una, pues sí. Pero en mi pueblo no hay la estatua de un*
»*león, como aquí en la Calle de San Antonio, que*
»*con su cabeza señala la altura a la que llegaron las aguas en*
»*el año de desgracia de 1629... Que en esta suidad hay muchas*
»*ratas, pues es verdad. Pero en el pueblo de donde vine no*
»*había carnavales y aquí en el Carnaval, hay huevos rellenos*
»*de aguas perfumadas, y confeti y serpentinas que me hacen*
»*cosquillas. Que no hay que fiarse aquí de la comida que dejan*
»*en los zaguanes porque puede tener veneno para las ratas,*
»*de ése que llaman polvo muricida, pues sí. Pero aquí en*
»*diciembre hay muchas piñatas, y en mi pueblo no las había.*
»*Y aunque a mí no me dan permiso de pegarles, porque soy muy*
»*bueno para romperlas, nunca dejo de darme un buen atracón de*
»*jícamas y cacahuetes... ¿Y dónde más se oyen tantos boleros y*
»*habaneras toda la noche, aunque sea de lejos? En mi pueblo no.*
»*¿Y música francesa en la Plaza de Armas después del toque de*
»*ánimas? En mi pueblo no. Que aquí me hacen desaires y a veces*
»*me tiran el sombrero de un sopapo para que me descubra cuando*
»*pasa un padrecito o un fraile, pues sí. ¿Pero dónde más hay*
»*un Tívoli del Eliseo con días de campo los domingos llenos del*
»*olor de las tortas compuestas de sardinas y salchichón? En mi*
»*pueblo, por ejemplo, nunca ha habido Evangelistas, que son los*
»*que escriben las cartas de los que no podemos escribir, como*
»*yo... Un día te voy a llevar a donde están ellos, la Plaza de*
»*Santo Domingo, nomás para que conozcas el olor de la tinta del*
»*huizache y oigas el ruidito que hace la pluma cuando rasguea*
»*el papel... Y si te portas bien, te voy a llevar a la esquina*
»*de la Casa de los Azulejos, que tiene las paredes más lisas y*
»*frías de todo México, y te voy a llevar un domingo a la*
»*Alameda, para que conozcas la banca donde se sentaba Don Foré...*
¡A cenar, pastelitos y empanadas!

Apoltronado, sí, un poco bizco desde siempre y viejo desde hacía ya algunos años y con una bolsa de dulces para los niños, cada domingo en esa banca de la Alameda se sentaba el General Elías Forey quien ya a punto de empacar sus maletas para regresar a Francia no entendía nada de lo que estaba sucediendo, ya que, al menos según su leal saber y entender, había cumplido al pie de la letra las instrucciones de su emperador, y así se lo comentaba al General Douay: ¿Acaso no disolví el gobierno creado por Almonte? ¿No soy ya el amo de México sin que, como me recomendó el Emperador Luis Napoleón, lo parezca? ¿No he evitado, como también me insistió el emperador en una carta que me escribió desde Fontainebleau, el identificarme con la querella de ningún partido político así fueran los liberales o los conservadores?

Cangrejos a compás/marchemos para atrás/
¡Ziz, ziz y zaz! marchemos para atrás
«¿Oyes? ¿Oyes la canción? En mi pueblo no canta nadie. Aquí
»sí. Aquí, a Don Foré, le hicimos unos versitos que dicen:
Con las barbas de Foré
Voy a hacer un vaquerillo
pa' ponérselo al caballo
del valiente Don Porfirio
»¿Quién será, eh, ése Don Porfirio de la canción?

Y el General Douay asentía: Sí, mi general, usted mismo en una de sus proclamas lo dijo bien claro: «Mexicanos, abandonad las denominaciones de liberales y reaccionarios que no hacen más que engendrar odios y perpetuar el espíritu de venganza». Y el General Forey: «Sí, sí, así les dije».

¡Jabón de la Puebla!
¡Gorditas al horno!
«En mi pueblo tampoco había ni proclamas ni edictos. No cuando
»yo me vine, hace muchos años. Aquí sí, a cada rato hay uno
»nuevo y por eso también me acuerdo de Don Foré: por todos sus
»pregones y sus pronunciamientos que Don Atanasio el de la
»vinatería me hacía el favor de leerme. Pero también, vas a
»ver, en algunas esquinas hay quienes leen en voz alta las
»proclamas fijadas en el muro, para quienes no podemos leer,
»como yo... Lo bueno de que vinieran los franceses, es que
»ahora tenemos fiestas dobles: las de México y las de París.
»Lo malo, es que ya volvieron a salir a la calle todos los
»curas y los frailes, y como cuando estaba Don Benito los
»conventos y los templos estaban vacíos y todos se habían ido,
»yo me desacostumbré a descubrirme. Por eso es bueno saberse
»de memoria dónde está cada convento, como el de Recoletos,

»el de los Antoninos, el de la Exclaustración, el de Santa
»Isabel, el de Regina: todos me los sé, como si los estuviera
»viendo. Y si se puede, es bueno también aprenderse los
»ruiditos que hacen las monjas y los frailes, aunque sea muy
»difícil, porque hay muchos: que si los Betlemitas y los
»Juaninos, que si los Franciscanos y los Hospitalarios... Pero
»de todos modos, con el tiempo uno se va enseñando a distinguir
»entre el frufrú que hacen las faldas de las monjas de Santa
»Brígida y el ruidito que hacen los rosarios que cuelgan del
»cinto de las Hermanas de la Caridad y el chapoteo de los pies
»de los Carmelitas descalzos... Aunque a mí, así como me ves
»de pobre, nunca me han faltado huaraches: con tantas cacas de
»perro y de gente que hay en la suidad, me pasaría la vida
»embarrándome los pies. Que en mi pueblo no hay tantas cacas...
»pues sí. Pero en mi pueblo no hay un Café Inglés y un restorán
»Fulquieri donde me regalen sobras...

Y, de acuerdo también a lo expresado por Luis Napoleón a Lorencez:
«va contra mis intereses, mi origen y mis principios el imponer un
gobierno al pueblo mexicano», Elías Forey, quien firmaba sus proclamas,
pregones y decretos como «el General de División, Senador y Comandante en Jefe del Cuerpo Expedicionario», ¿no había acaso nombrado
una Junta de Gobierno compuesta por treinta y cinco ciudadanos y
presidida por los desde ese momento llamados «Los Tres Caciques», a
saber: el propio General Juan Nepomuceno Almonte,

> Amo quinequi, Juan Pamuceno,
> no te lo plantas el Majestá
> que no es el propio manto y corona
> que to huarache, que to huacal

el mismo General Salas que a la entrada de Forey en México le había
entregado las llaves de la ciudad y el Arzobispo Labastida en su ausencia
representado por un tal Señor Ormachea, así como una Junta de Notables
—doscientos quince desde médicos a diplomáticos hasta tiradores y zapateros— la cual Asamblea a su vez, y apenas a cuarenta y tantos días
de la toma de la capital había proclamado:

> ¡Requesón y melado bueno!
> «Que por qué "to huarache" y "to huacal" en lugar de tu huarache
> »y tu huacal, no lo sé, pero así dice la canción. Y yo todos los
> »edictos de Don Foré me los aprendí de memoria de tanto que los
> »oyí, y lo mismo los de su General Duay, que nos vino a decir
> »muchas formas, como veinte, de merecer la muerte si no nos
> »poníamos del lado de los franchutes. Un día vamos y les

»*preguntamos a los Evangelistas por qué "to" y no "tu", y si eran*
»*escrúpulos o crepúsculos cuando Don Foré decía "Yo no vengo a*
»*hacer la guerra al pueblo mexicano, sino a un puñado de*
»*hombres sin crepúsculos que gobiernan mediante un terror*
»*sanguinario"... Y es lo que yo le argüía a Don Atanasio que*
»*decía que Don Foré nomás regañaba y regañaba a los mexicanos,*
»*pero para mí que a veces tenía algo de razón. "¿Qué se ve en*
»*vuestras calles?" decía en sus pregones Don Foré, "aguas*
»*corrompidas que envician el aire", que me lo digan a mí, que*
»*las huelo doble que los demás mortales, "¿qué son vuestros*
»*caminos? hoyas y pantanos" que me lo digan a mí, que no paso*
»*un día en que no esté al filo de romperme un hueso al caerme*
»*en una atarjea abierta, como en el Callejón de la Amargura,*
»*donde abren hoyos nuevos todos los días, "¿qué es vuestra*
»*administración? el robo organizado", que me lo digan a mí,*
»*que ya perdí la cuenta de las veces que me han robado las*
»*limosnas... Y vas a ver, allí con los Evangelistas, qué*
»*bonito huele también la tinta de la amapa rosa...*
        ¡Mantequilla de real y medio!

Uno —había proclamado la Asamblea—: la Nación Mexicana adoptaba la monarquía hereditaria y moderada; dos: el trono sería ofrecido al Archiduque Fernando Maximiliano de Austria y su esposa la Archiduquesa Carlota; tres: si el Archiduque no aceptaba, la Nación Mexicana se acogería a la bondad y la sabiduría del emperador de los franceses para que éste designara a otro príncipe católico para el trono mexicano...

»*¿Y tú crees eso del terror sanguinario? Yo no veo la diferencia.*
»*Aunque sí que la huelo. A mí me contaban que cuando llegaron*
»*los soldados de Don Fernán Cortés, el Emperador Moctezuma les*
»*echaba incenso no porque se imaginara que eran dioses, sino*
»*porque olían muy feo: no se cambiaban su ropa de hoja de lata*
»*ni cuando subían al Popo para bajar azufre para sus cañones.*
»*¿Tú conoces el olor del azufre? En mi pueblo no hay fábricas*
»*de pólvora. Y para mí, te decía, que así son los franceses:*
»*como que jieden más que los indios, y además son muy avaros*
»*para soltar sus tlacos... ¿O será que no entienden cuando les*
»*digo Una bendita caridá por el amor de Dios? ¿Será que tendré*
»*que pedirles limosna en francés, que decir pardiú en lugar de*
»*Por Dios? En eso sí que los franchutes se parecen a las*
»*hermanas de la Caridad, que aunque así se llaman, nunca me dan*
»*ni los buenos días, sólo quieren llevarme al convento a*
»*entular sillas. Pero yo no puedo comprometer mi libertad...*
»*Allí en mi pueblo, uno camina tres cuadras y ya llegó a las*

»nopaleras y a los barrancos. Aquí en la ciudad no: camina uno
»cuadras y cuadras y nunca sale. Te voy a llevar a Puente de
»Peredo, a Siete Príncipes, a la Calle Nueva, a la Carrera de
»Corpus Cristi, a la Calle de Verdeja y de Medinas, a la Puerta
»Falsa de La Merced y a Puente Quebrado y a la Calle de la Joya
»paque aprendas a conocer cómo huelen a borrego mojado los
»almacenes de paños poquito después de la lluvia, y a bencina las
»tintorerías. Los expendios de mármol se conocen más bien por
»el ruido, como las academias de esgrima, y de las boticas
»siempre salen muchos olores, como el del lavatorio de rosas
»para la gonorrea, el del elíxir paregórico o el del vinagre
»aromático para los granos...
            ¡Al buen turrón de almendra!

Y aunque Forey pensaba que eso era lo que deseaba Napoleón, y
Douay también, no lo era. O al menos, no exactamente: pas exactement.
Entre otras cosas, porque había comenzado ya a hablarse de las cartas
que un tal Capitán Loizillon le escribía desde México a la madrina de
Luis Napoleón, Hortensia Cornu, y en las cuales le decía que Forey
estaba entregando el país a los elementos ultrarreaccionarios y ultracle-
ricales —la mayor parte de los Notables de la Asamblea lo eran, en efecto,
y muchos de ellos, además, antiguos miembros de los gobiernos de Santa
Anna—, y una de esas cartas se la enseñó la madrina al ahijado, el cual
decidió, sin decirle el nombre del autor a Bazaine, enviarle una copia de
la carta a dicho general quien a su vez se había encargado ya de intrigar
en contra de Forey, quejándose en su correspondencia con el ministro
de Guerra francés que el comandante de la fuerza expedicionaria había
comenzado a repartir, con generosidad excesiva, cruces de la Legión de
Honor entre oficiales mexicanos que apenas conocía. No importaba ya
si era verdad o no que Forey se hubiera llevado una lista de nombres en
el bolsillo, escrita en las Tullerías con la asesoría de Hidalgo, y de la cual
tendrían que salir muchos de esos «Notables» mexicanos: lo que importaba ahora es que Luis Napoleón insistía en un gobierno liberal y ésa,
ésa desde luego no era la forma de hacerlo, y menos cuando se enajenaba
al partido liberal mexicano, que después de todo se instruía e ilustraba
en los libros, las instituciones, las costumbres y códigos franceses, mediante los edictos y los decretos a los que tan aficionado resultó ser el
general, como el llamado «De Secuestros» que ordenaba la confiscación
de los bienes de todos los republicanos que tomaran las armas contra los
franceses. Y mucho menos era la forma, ya no de servir a México, sino
la de servir los intereses de Francia, y sobre todo en vistas al protectorado
de Sonora, la de prohibir, como hizo Forey con otra proclama, la expor-
tación no sólo de moneda, sino de barras de oro y plata...

¡Al buen coco fresco!
»Que aquí en la suidad no se puede caminar por las calles de las
»siete a las nueve de la mañana porque sacuden los tapetes
»desde los balcones y tiran los orines de las bacinillas por
»las ventanas, pues sí. Pero mi pueblo ni a tapetes llega, y
»menos a balcones altos. Y te voy a llevar también a los bajos
»de Porta Cheli para que oigas los ruidos de la Imprenta
»Murguía: en mi pueblo no hay imprentas. Y al Hotel Iturbide
»para que oigas los ruidos que salen del restorán Recamié y los de
»las diligencias que llegan todos los días. ¿Las oyes? ¿oyes
»las esquilas? Son las esquilas del Santo Viático, que se lo
»llevan a alguien que se está muriendo... desde que llegó Don
»Foré, volvimos a tener Santo Viático y aquí se oye todos los
»días, porque en la suidad se muere más gente que en los
»pueblos... Por eso prefiero la suidad a mi pueblo: por los olores
»y los ruidos, por los pregones. Porque me gusta oyirlos:
        ¡Barriles de agua a un real!
        ¿Mercarán ranas?
»y porque es muy bonito como suena el agua en los barriles, y
»el ruido de los delantales de cuero de los aguadores.
»Aunque de las ranas no me gustan ni los croídos que hacen
»cuando están vivas, ni el olor que tienen cuando están muertas.
»... ¿Oyes? ¿Las oyes las campanas de la Catedral? Es el toque
»del alba. Imagínate qué casualidad: apenas acaba de pasar el
»Santo Viático, cuando comienzan a sonar... en mi pueblo nunca
»hubo campanas que tañeran tan bonito...

Tranquilo allí, cada domingo, sentado en la banca de siempre, los
niños con sus aros que gritaban «Allí está Don Foré, Allí está Don Foré»
porque sabían que siempre les traía caramelos y colación, el murmullo
de las fuentes, los rehileteros y vendedores de plumeros y los de pescaditos blancos que gritaban:

        ¡Juiles asados, juiles!

Los organilleros, los puestos de lotería, los marchantes de velas, el
ciego que le pedía «Una caridá Mosié Don Foré, pardiú», y él siempre
le daba unos tlacos, a veces un real, y el sol, sobre todo ese maravilloso
sol amarillo de México: quizás el General Forey hubiera preferido quedarse así, tranquilo, en esa ciudad llena de colores y ruidos tan distintos
a los de París y de los pregones de los que hablaba la Marquesa Calderón
de la Barca, de las frutas lujuriosas y extrañas como el delicadísimo
mamey y el mango cuyo aroma comparaba el Capitán Blanchot al per-

fume del terebinto afrodisíaco, y sin más que dar órdenes a sus generales desde su despacho del Palacio de Buenavista y dulces a los niños los domingos, sentado en esa misma banca de la Alameda. Pero a la campaña contra Forey y sus adláteres se agregó Monsieur de Radepont, quien dijo que Elías Forey era poco menos que una nulidad, y después el Barón de Saligny quien le pasó el chisme a Hidalgo de que el General Douay había dicho poco antes de la caída de Puebla que la ciudad era inexpugnable y que toda la empresa una locura, nacida del capricho de una mujer, *née du caprice d'une femme,* con lo que por supuesto se refería a la Emperatriz Eugenia. Hasta que al fin el emperador decidió retirar a Forey de México y dejar el comando de la expedición en manos del General Bazaine. Y para ello, premió y castigó a Forey al mismo tiempo: tras darle el bastón de Mariscal de Francia, le dijo que en México no había tropas suficientes como para que un Mariscal estuviera al frente de ellas, de modo que tenía que regresar a Francia y así fue, Forey se fue para no volver: de aquí de México se llevó el bastón de Mariscal, y allí en México dejó el recuerdo de los pregones y las proclamas donde una vez más ensalzaba el poderío de su Patria, y decía que las expediciones a China y la Cochinchina demostraban que no había comarcas tan lejanas como para que una ofensa contra el honor de Francia quedara impune, y donde otra vez también volvía a regañar a los mexicanos acusándolos de crueldad por su afición a las corridas de toros cuando que, y tal como apareció en un periódico de la capital, los franceses se habían dado el lujo de «lidiar toros de la talla de Luis XVI y María Antonieta», como rezaba el pie de la caricatura en la cual el verdugo, Robespierre en traje de luces, paseaba en alto no la cola o las orejas de un toro de la ganadería de Atenco, sino las cabezas despelucadas de los dos monarcas. Y con Forey, se fue de una vez por todas el Barón de Saligny, quien habiendo sido ya convocado varias veces por el Quai D'Orsay se mostraba rejego y se hacía el tonto, porque no quería dejar abandonados sus negocios en México, ni vestida y alborotada a la novia con la que pensaba matrimoniarse...

«Guajito, guajito/ Dame un traguito para Saliñí/
»Guajito, guajito/ Dame un traguito para Saliñí/
»... así decía la canción que le pusimos. ¿Sabes? De entre
»todos los franceses, Saliñí era el que olía peor que todos. Y no
»es que no me gusten los aromas del vino: es que no me gusta el
»olor de los borrachos... Un día te voy a llevar a la
»vinatería de Don Atanasio, el que te digo que me lee los pregones,
»y que me deja estarme allí las horas, pidiendo limosna. Al
»principio uno no diferencia los olores, porque se le echan
»todos juntos, como si fuera uno solo: después ya se van haciendo
»los distingos: ése es el del licor de frambuesa, ése

»*otro el de naranja, y ése, que es el que más me gusta, el de*
»*guayaba. Luego, si uno quiere, los puede juntar todos de*
»*nuevo en un solo perfume... ¿oyes? ¿Oyes ese pregón:*
    Carbosiu? Carbosiu?
»*son los indios, que traen carbón de la sierra y que gritan:*
»*¿Carbón, señor? ¿Carbón, señor? Pero se oye así: Carbosiu,*
»*Carbosiu... También los pregones perfuman la suidad...*

En nombre de esos principios iluminados que a tantos habían llevado al cadalso, la oposición en Francia al *imbroglio* mexicano estaba representada por cinco parlamentarios franceses, el grupo de *Les Cinq:* Ernest Picard, Émile Ollivier, Adolphe Thiers, Antoine Berryer y Jules Favre, destacado político, este último, que había declarado sobre la guerra con México: «No hay sino un camino: negociar y retirarnos. Hacer la guerra, ¿por qué? No se la hace sino a los enemigos. ¿Dónde están nuestros enemigos?». Y sobre la probable victoria: «Después de ella vendrá la responsabilidad. El gobierno que habéis fundado, tendréis que sostenerlo». Por su parte el novelista y poeta francés Víctor Hugo, quien en política había sido de todo: bonapartista, legitimista, republicano y orleanista, desde su exilio en Bruselas envió a México una proclama en la que decía «Ambos combatimos al Imperio. Vosotros en vuestra Patria, yo en el exilio. Os aporto mi fraternidad de proscrito». Benito Juárez ordenó que se tradujeran al español las declaraciones de ambos —Favre y Víctor Hugo— y se fijaran, como *affiches* o carteles en los muros y paredes de México, Puebla y otras ciudades. Por otra parte, menos entendió Forey por qué, si la guerra se había hecho para cobrar las deudas que México tenía con Francia, Luis Napoleón le había ordenado que por lo pronto se olvidara del asunto. Menos aún todavía por qué, si con la guerra se deseaba llevar a México para defender la fe al príncipe católico que habían pedido los reaccionarios y los clericales mexicanos, las órdenes de las Tullerías habían sido las de proclamar la libertad de cultos en México, y la de no tocar la cuestión de los bienes de mano muerta de la Iglesia expropiados y vendidos a particulares: porque por supuesto, con la llegada de los franceses y las vísperas del Imperio la Iglesia pensó que las cosas iban a ser lo que eran antes de la llegada de Juárez al poder y cuando vio que estaba equivocada, cuando se topó, primero con las proclamas de Forey y después, ya ido el mariscal, con las disposiciones de Bazaine, la Iglesia misma comenzó a redactar y a imprimir en secreto y a engomar y fijar, en las mismas bardas y tapias donde primero Juárez y luego Forey y Bazaine habían fijado sus decretos y edictos: en la Calle de Vergara famosa por sus gorditas cuajadas

¡A las gorditas cuajadas, señores!

en el Portal de Agustinos que olía siempre a turrón de almendras, otras proclamas y exhortaciones contra los franceses, en las bardas del Colegio de Niñas, contra Luis Napoleón, en los mismos muros del Convento de San Lorenzo o de Santa Teresa la Antigua, contra las autoridades y contra la intervención, sin olvidar el Callejón de Bilbao perfumado siempre con el olor del blanco de Chapala y los frijoles chinos, o las fachadas y puertas de todas las cantinas y cafés a los que iban los soldados franceses a comer y beber y algunas veces también a jugar —y hasta la calle se escuchaba el ruido de cartas, bolas y fichas—, y el mismo Monseñor Antonio Pelagio de Labastida y Dávalos, quien expulsado obispo por Juárez regresó arzobispo tras vivir como Príncipe de la Iglesia en Roma y en París, y que tanto temía volver a México por el riesgo de contagiarse con el vómito negro de las tierras calientes y para evitarlo eligió como fecha de retorno la época en que soplaban en Veracruz los vientos norte, tampoco quedó contento, a pesar de que el propio Bazaine le entregó intacto y remozado su Palacio Episcopal, le reconstruyó su seminario y reparó su casa campestre de Tacubaya, aunque lo único que no pudo hacer el general fue reemplazar los olivos del huerto que, ya crecidos y llenos de fruto, habían desaparecido con la revolución.

¡Cecina buena!
«Le rasco un poco, y siempre hay otro abajo. Y le rasco al de
»abajo, y más abajo hay otro. Me gusta descarapelarlos, agarrar
»un pedacito y jalarlo, y hacer tiritas. Pero eso sólo se
»puede hacer muy noche, cuando estoy casi seguro que no me están
»viendo. Y, como te decía, me sé de memoria todas las esquinas
»donde los ponen, y todas las iglesias, como aquí en Escalerillas
»y Tabuca, o en La Profesa. Pero ahora tengo que cuidarme
»mucho porque los curas, que últimamente no quieren a los
»franceses, aprovechan también la noche para pegar sus pregones.
»Este que tiene el engrudo todavía mojado, seguro que es uno de
»los que pusieron los padrecitos, y que está encima del último
»de Basén. Y el de Basén está arriba de un afiche de El Pájaro
»Verde y el de El Pájaro Verde tapando un decreto de Don Foré. Y
»el de Don Foré encimita de la de Napomuceno Almonte, y el de
»Almonte arriba del Don Víctor y Don Hugo. Y el Don Víctor y
»Don Hugo encima de una proclama de Don Benito. Y la de Don
»Benito tapando el Plan de Navidad de Echegaray y Miramón. Y el
»Plan de Navidad arriba de un pronunciamiento de Santa Anna, y
»bueno, es cuento de nunca acabar, y más que yo, fíjate, dejé mi
»pueblo hace un montonal de años y llegué a la capital cuando los
»muros estaban llenos con las proclamas del Plan de Iguala que

»quedaron después abajo de los pregones del Emperador Iturbide,
»que los taparon con las proclamas del Plan de Casa Mata, y así te
»decía, nomás es cuestión de rascarle un poco...
¡Tierra pa las macetas!

De todos modos, la Iglesia mexicana decidió reconquistar sus fueros
y privilegios, prohibió que se trabajara los domingos, y todos aquellos
sacerdotes, frailes y monjes que habían desaparecido durante el gobierno
de Benito Juárez volvieron a poblar las calles de México y a la multitud
de cristaleros que cambiaban floreros por ropa usada, de vendedores de
chichichuilotes vivos y de camotes asados, castañas y plátanos fritos, de
barberos ambulantes, de cabeceros que vendían de puerta en puerta
cabezas de carnero al horno con peluca de hojas de laurel, de polleros y
de vendedores de jabón de Marsella y al bullicio de sus pregones y al
ruido de los coches: los brougham, los barouches, los simones de los
sitios de Seminario y la Mariscala, las calesas tiradas por rollizos frisones
plateados, las diligencias que salían del Callejón de Dolores hacia todos
los puntos cardinales, los tranvías de mulas y los guayines agregaron su
bullicio las procesiones, las campanas de los templos y su revuelo las
sotanas y los hábitos, y a los colores de las flores y las frutas de los
portales, al violeta y al verde pistache de los chalecos de dandies y
lagartijos, al negro de los abrigos de nutria de catrines y currutacos, al
gris de las capotas militares, a los ocres, marrones, azulmarinos de escri-
bientes, guardias de alcabalas, recaudadores de pensiones y carretoneros,
despenseros, guardafaroles y demás empleados y tinterillos, sirvientas y
representantes de cuanto mester u oficio había, y a los rosas, amarillos
pálidos de los tules y las crinolinas de damas y damiselas con los traseros
acojinados con pufs rellenos de cerdas de caballo, y al magenta y verde
olivo tornasolado de las capas y faldas de terciopelo de Génova de las
futuras marquesas y damas palatinas mexicanas agregaron las siervas y
esposas de Cristo que habían renunciado al reino de este mundo y a las
pompas del siglo: las concepcionistas el azul cielo de sus mantos; las
teresianas al café de sus túnicas, y las recoletas, además del pardo de sus
sayales y del blanco de las cintas entretejidas en sus gorros, el encarnado
de los cinco discos, cosidos a las cintas, en memoria de las Cinco Llagas
de El Salvador. Volvió también el Santo Viático a pasar por las calles, y
volvió La Purísima a desfilar, por el centro de la ciudad, por Empedradillo
y Plateros y San Francisco, precedida por elegantes batidores montados
en alazanes soberbios, y seguida por bandas de música, los alumnos de
los colegios, las cofradías con sus estandartes y pendones y las comuni-
dades religiosas y sacerdotes del clero secular, en su bellísimo carro
triunfal que por medio de largos y gruesos cordones de seda roja tiraban
los obispos y los canónigos, virgen entre las vírgenes con su manto azul
cielo salpicado de estrellas y la leyenda escrita con letras áureas *Tota*

pulchra est Maria, entre nubes de tisú y organdí y arcoíris de céfiro multicolor por donde asomaban las cabezas de los ángeles y querubines.

¡A las palanquetas de nuez!
«¿Oyes? ¿Oyes ese tris-tras, tris-tras? Vamos, pélale, que ya
»vienen, tris-tras, ¿los oyes? son los presidiarios que vienen
»barriendo las calles. De los ruidos que se oyen, uno es el de
»las escobas cuando barren de un lado para otro, riz-raz, y el
»otro: tris-tras, es el de los grilletes que tienen en los pies
»y el de las cadenas que van de los pies de uno a los pies del
»otro y del otro y así. Siempre salen de la prisión con el toque
»del alba, y van una fila adelante y otra atrás y barren todos
»al mismo tiempo primero para un lado, tris, y luego para el
»otro, tras, apúrale, ándale, que a mí uno de los peones que
»viene con ellos y que sacan con cubetas el lodo y la basura de
»las coladeras y lo echan en medio de la calle para que se seque,
»una vez me tiró una cubeta entera y me bañó de mierda y el
»capataz y los guardas nomás se rieron porque son unos cabrones...
»ándale, jálale...»

Para cortar por lo sano, Bazaine decidió quitar al arzobispo del Consejo de Regencia, y se marchó a Guadalajara. Monseñor Labastida aprovechó su ausencia, citó al otro arzobispo mexicano y a cinco de los obispos que habían regresado al país y, reunidos en sínodo, redactaron un documento dirigido a los generales Almonte y Salas, en el que desconocieron la autoridad del gobierno para apropiarse de los bienes de la Iglesia, y condenaron a la excomunión total, incluso en artículo de muerte, *in articulo mortis* no sólo a los autores y ejecutores del despojo de los templos, sino también a quienes se negaban a dar las órdenes de restitución a sus legítimos dueños. Y, como esta responsabilidad abarcaba no sólo al gobierno, sino también a la oficialía francesa y en última instancia a todo el ejército, la Iglesia decidió que no había ya necesidad de celebrar la misa militar solemne de cada domingo, y anunció que las puertas de la catedral permanecerían, de allí en adelante, cerradas. El General Neigre, a quien Bazaine había dejado el comando de la capital, respondió que, si no abrían las puertas, las abriría a cañonazos. El domingo siguiente, a las siete de la mañana, y por órdenes de Neigre, se colocó un cañón frente a la Catedral de San Hipólito. Unos minutos después, las puertas se abrieron y se celebró la misa. Cuando Bazaine se enteró, ordenó a su vez que se disparara una carga de artillería que coincidiera con la elevación, en la misa que él y sus oficiales se preparaban a escuchar en la Catedral de Guadalajara.

¡Tamalitos cernidos
de chile, dulce y manteca!
«*Que en esta suidad hay mucho ruido y en mi pueblo no, pues sí.*
»*Pero en mi pueblo no nos organizan los curas como lo hicieron*
»*aquí con todos los léperos y mendigos para que fuéramos*
»*haciendo ruido con nuestros rosarios y nuestras latas y nuestras*
»*medallas y nuestros pocillos de peltre, en protesta contra las*
»*proclamas y los pregones de Don Foré y De Basén. Que aquí hay*
»*muchos temblores de tierra, pues también. Pero en mi pueblo,*
»*aunque de repente tiembla, como todas las casas son de adobe,*
»*todas las rajaduras son iguales. Aquí no, aquí las cuartiaduras*
»*del tezontle del Palacio de la Inquisición son muy diferentes*
»*de las hendeduras que dejó el último terremoto en la piedra*
»*de la arquería de Belén, donde se está saliendo el agua desde*
»*hace como un año. ¿Y sabes otra cosa? En mi pueblo no hay*
»*árboles. Aquí sí: aquí en la suidad fue donde por primera vez*
»*pude tocar un árbol completo desde la copa hasta las raíces:*
»*fue cuando el temblor de Santa Cecilia, que derrumbó un*
»*eucalipto muy grande, y yo me llené las bolsas de dedales de*
»*eucalipto que huelen muy bonito. Y es que aquí en la suidad hay*
»*muchas cosas que tocar, y en mi pueblo no. Ni modo que el*
»*arzobispo me dé permiso de tentar su sombrero de picos o la*
»*cruz de amatista que dicen que lleva colgada al cuello, pero*
»*una vez me dejó besar las hebillas de sus zapatos que dicen*
»*que son de pura plata. Aquí aprendí lo suaves que son las*
»*cabritillas de los guantes de las señoras que me dan limosna,*
»*y lo frío del charol de sus botines que es casi tan liso como el*
»*agua, y que tiene un rechinidito especial. Me gusta también*
»*tocar lo rasposo de la piel de los mameyes y los picos de la*
»*de las piñas. En mi pueblo no hay de esas frutas. Y como te dije*
»*antes, un día te voy a llevar en domingo, a la Alameda, donde*
»*me gusta escuchar los ruidos del agua de las fuentes y tocar*
»*las cabezas frías de los leones que la escupen y te voy a*
»*enseñar la banca de Don Foré. También, y eso hoy mismo,*
»*vamos a ir a la Plaza Mayor. Allí al ladito del Sagrario*
»*Metropolitano está el Paseo de las Cadenas que suenan cuando*
»*hace viento, y a un lado la piedra azteca que llaman el calendario*
»*y que a mí me gusta tocarla porque tiene muchas bolitas...*
»*Me acuerdo que el temblor de Santa Julia, del 58, fue el peor*
»*de todos porque las acequias se desbordaron y se dañaron*
»*muchos templos, como el propio del Sagrario y el de San Fernando*
»*y fue ése el temblor que tiró al suelo a una estatua de la*
»*Patria y también me dejaron tocarla, y se rieron mucho cuando*

»*le pasé las manos por las tetas... en mi pueblo no hay*
»*estatuas de patrias con las tetas al aire...*
     ¡Fósforos y cerillos!

Instalado ya en el Palacio de Buenavista de la ciudad de México y apaciguada, por el momento, la Iglesia, el General Bazaine ordenó la partida de un destacamento de turcos para sitiar por tierra el Puerto de Acapulco mientras desde el mar lo atacaba, con un destacamento de argelinos, el aventurero conocido como el *Maître* Salar, quien nueve años antes y al mando de un buque lleno de filibusteros había acudido a Sonora en un intento tardío de salvar la vida de Raousset Boulbon. El Capitán Blanchot, edecán de Bazaine, resintió que no se le hubiera mandado a Acapulco, porque según le habían contado a ese puerto, durante la Colonia, llegaban de Asia los cargamentos que, después de ser transportados a lo ancho del territorio mexicano, eran reembarcados en Veracruz con destino a la Metrópoli. Y, como al comenzar en México la inacabable serie de sublevaciones, pronunciamientos y asonadas el tráfico había quedado interrumpido, algunos ricos cargamentos se quedaron en el puerto del Pacífico. Se decía que, aparte de esos chinitos que nunca llegaron a las fábricas de cigarros de La Habana —donde sus amos españoles como no se podían aprender sus nombres los rebautizaban con nombres griegos como Sócrates, Protágoras o Alcibíades—, porque también ellos, los chinitos se quedaron en Acapulco, se rumoreaba que había allí bodegas repletas donde era posible comprar, muy baratas, algunas maravillas que envidiaría el Coronel Du Pin y de las que ya no vendrían quizás por mucho tiempo en las naos de la China y de las Filipinas, como cajitas de sándalo y laca, figurillas de marfil, diamantes de Golkonda quizás, y quizás chales de Lahore, mantones de Manila, bufandas de Cachemira. Pero el General Bazaine consoló al Capitán Blanchot al encargarlo de dos proyectos. Uno fue pedirle que se rediseñara el jardín español del Palacio de Buenavista: el general en jefe prefería un jardín estilo inglés, *à l'anglaise*. Entre otras cosas, el Capitán Blanchot desvió las aguas de un arroyo cercano para transformarlo en varios riachuelos rumorosos, pero como el arroyo estaba lleno de culebras de agua que se colaron en el jardín, se vio precisado a solicitar la ayuda del cacique, o como lo llama Blanchot en sus Memorias, del «nabab» de Chapala, quien a vuelta de correo le envió treinta grullas que en unos cuantos días zamparon a todas las culebras. La otra tarea del capitán fue la de organizar un baile de gran gala que sería ofrecido por el ejército francés a Maximiliano y Carlota a su llegada a la ciudad de México. El capitán calculó que, para cubrir con un toldo o carpa color azul cielo el gran patio del Palacio de Buenavista, necesitaba varios kilómetros de cretona, un ejército de costureras, una docena o más de cubetas donde se mezclaría el albayalde con las anilinas azules, otras tantas escobas que hicieran las veces de brochas, y un pequeño destacamento de marineros franceses traídos de Veracruz: gavieros, veleros y carpinteros provistos de sierras, jarcias, calabrotes y todo lo que fuera necesario para levantar el toldo azul cielo —lo más cielo posible— y de su centro colgar una gran águila dorada con las alas extendidas.

«*Dos cosas sí te voy a decir, para que te las aprendas bien:*
»*una es que nunca te voy a llevar a la Plaza de Mixcalco,*
»*porque allí, todas las madrugadas, afusilan a dos o tres*
»*juaristas o cuando menos uno, y no sea la de malas y nos toque*
»*una bala perdida. ¿Has oído a La Llorona? Es el fantasma de una*
»*mujer que se murió de cuita porque le mataron a sus hijos en*
»*Mixcalco y que en las noches camina por la plaza gritando... "Ayyayy*
»*mis hijos... Ayayayyyyy mis hijos" y cuando la oigo siento*
»*que se me encoje el corazón: dicen que tiene las greñas largas*
»*y un camisón que arrastra por las piedras... y la otra cosa*
»*que te digo es, fíjate bien: yo no sé de dónde vienes, y si eres*
»*de pueblo o de suidad. Pero si quieres andar conmigo y que*
»*te dé tus huesos y tus tortillas y que te deje dormir pegado*
»*a mí y que te acaricie y que te rasque, tienes que aprender a*
»*portarte bien y a no ladrarle sino a los indios y a los*
»*léperos. Cuidado vayas a gruñirle a un cura: a los curas se les*
»*mueve la cola. Cuidado se te ocurra tirarle una tarascada a*
»*una monja. A las monjas se les mueve la cola, y lo mismo a los*
»*frailes y a las señoras y a los policías de Basén. Sólo al*
»*Santo Viático no se le mueve la cola...*
 ¿Zapatos qué remendar?
 ¡Jericalla y champurrado!
 ¿Ropa usada que vendan?
 ¡A las catañas asadas, señores,
 a las castañas!

VII

CASTILLO DE BOUCHOUT
1927

ÁNDALE, Maximiliano, atrévete tú también a volver a ser todos los Maximilianos que fuiste alguna vez. El niño poeta del Palacio de Schönbrunn que en las avenidas de los jardines saludaba a las estatuas y decía sus nombres y sus leyendas en voz alta: Artemisa que llora la muerte de su esposo y hermano Mausolo. Mercurio el inventor de la flauta y de la lira. Olimpa con su hijo Alejandro el Grande que tanto se parecían al Emperador José Segundo y su esposa Isabela de Parma. Diana la diosa cazadora que el día en que te flechó el corazón se transformó en la Condesa Von Linden. Andale, Maximiliano, quítate los algodones que tienes en la nariz, y que no te dejan respirar: ni el aroma de los castaños que florecen en mayo en el Prater, ni el perfume de los melones de Jojutla que nos dio Sara York. Quítate, Maximiliano, la laca con la que barnizaron tu cara y que no te deja sonreír como sonreías en Albania cuando recibiste, bajo un baldaquín y tocado con un albornoz, a los enviados del Agá de Ismid. Esa laca que te estira la piel y no te deja llorar, como lo hiciste, después de que peleaste al lado de tu hermano Francisco José en la batalla de Raab cuando cayó Budapest y de sus faroles colgaban los cadáveres de cien notables de la ciudad, y las mujeres eran azotadas en las calles por órdenes del Barón Hayman. Porque lloraste, ¿te acuerdas? de rabia y de impotencia. Andale, Maximiliano, quítate los algodones que tienes en los oídos y que no te dejan oír: ni el estruendo del cañón que conquistó para ti el Príncipe Salm Salm en Querétaro, ni el soplo de mi aliento o el sonido de mis palabras que son más dulces que el eco de la gruta azul de Linderhof donde el rey loco Luis de Baviera soñaba que era Lohengrin y más cristalinas y claras, más puras que el murmullo de las aguas del Río Usumancinta. Levántate, Maximiliano, y ponte el sombrero de corcho donde están prendidas las mariposas nocturnas que cazaste, cuando estaban dormidas, bajo los altísimos y espesos árboles de la Laguna de Mangueira, y ponte el traje de minero y el gorro alquitranado con una vela encendida que tenías cuando descendiste a los pozos negros de las minas de plata de la Hacienda de la Regla, y el uniforme de almirante que tenías puesto la tarde en que conversaste con los espectros del Duque de Alba y de Felipe Segundo bajo los perfumados naranjos de la Lonja de Sevilla. Andale, Maximiliano, ábrete las venas para que se te salga el formol con el que te embalsamaron, y todo el oporto que bebiste en Gibraltar, y ábrete el estómago para que se te salga el aserrín rociado con espliego y la pechuga de pollo que nunca acabaste de digerir y ponte el chaleco y la levita que tenías cuando saliste, en la mañana del día más hermoso del año, del Convento de las Teresitas: mira que yo misma les quité las manchas con bencina y los mandé a los zurcidos invisibles para que remendaran los agujeros de las balas. Y quítate esos ojos de pasta y ponte tus ojos azules, los ojos que me dejaron de ver cuando tú tenías treinta y cinco años y yo veintiséis, porque si no te los pones, Maximiliano, si no vuelves a colocarte en las órbitas esos ojos azules que tanto se asombraron con las carpas monstruosas de los viveros de Caserta, ah, si no te pones de nuevo esos ojos que tanto se deleitaban, entre los vapores húmedos y violetas de las madrugadas de Cuernavaca con la vista de los volcanes nevados de Anáhuac, te juro, Maximiliano, que no me volverás a ver como era yo cuando tenía veintiséis años. Cuando yo tenía veintiséis años, la piel de mi rostro era lisa y suave y fresca, y mis trenzas eran todavía negras y me llegaban a la cintura y las adornaba yo con estambres de colores para que parecieran las trenzas de una mexicana recién bajada de la Sierra de Oaxaca. Andale, Maximiliano, levántate y ponte tus ojos y péinate y sacúdete de la frente y las mejillas el caliche que te dejó en la piel la máscara mortuoria que te hizo el Doctor Licea, y cepíllate las barbas para quitarte todas esas pelusas y telarañas, y lávate los dientes, haz buches con champaña para quitarte ese aliento a cloruro de zinc, Maximiliano, báñate en tu tina de granito y lapislázuli para que te quites ese olor a muerto que se te pegó en el mausoleo de los Medici de Florencia donde tan indecentes y repulsivas te parecieron las esculturas de Miguel Angel, y que se te pegó en Granada cuando visitaste los sepulcros de los Reyes Católicos y de Felipe el Hermoso y Juana la Loca, y en la mesa del tribunal de la Santa Inquisición de la capilla del Hospital de San Andrés de la ciudad de México.

Andale, Maximiliano, quítate la esponja empapada en vinos egipcios y sangre de drago con la que te rellenaron la boca y diles a los doctores Alvarado y Montaño que te pongan de nuevo la lengua y la campanilla para que vuelvas a hablar conmigo y me cuentes tus secretos y me digas que todavía me quieres. Levántate, Maximiliano, y cuéntame. Si tú me dices qué fue lo que soñó tu corazón abierto en la cúspide de la Pirámide de Xochicalco, yo te diré lo que soñó mi corazón dormido a la sombra de la Pirámide del Tajín. Andale, Maximiliano, no te hagas el mudo, no te hagas el sordo, dime: ¿con la pita de cuáles magueyes te cosieron los labios?, ¿con la cera de cuáles enjambres te taparon los oídos que no escuchaste mis gritos y sólo el zumbido de las alas de los colibríes que anidaban bajo tu balcón y las palabras envenenadas de Concepción Sedano? Andale, dime cómo has pasado tú tu vida entre tus sábanas de plomo, y yo te contaré cómo ha pasado la mía, cómo he pasado por ella, cómo casi he olvidado que algún día, muy lejano, cuando apenas era una niña, dejé de serlo para comenzar a ser una Princesa y para ello, me decía mi madre y me señalaba con el dedo, tendrás que aprender a amar a Dios, y señalaba hacia el cielo y aprender a amar a tu pueblo y no sólo al tuyo en el que naciste, y señalaba hacia la ventana, sino que también, me decía el Angel de Bélgica y señalaba de nuevo al cielo, al que Dios, mañana, pondrá a tus pies, y señaló hacia el piso y para que puedas hacerlo, me dijo, aprenderás, primero, a conocer el color de tu sangre, y con su dedo blanco y fino y largo se señaló las venas azules de la muñeca y yo aprendí, desde entonces, que la mía era la misma sangre de San Luis y de tu tatarabuela María Teresa de Austria y la de Luis Trece de Francia. La misma, me dijo Luis Felipe, que bañó el patíbulo de la Plaza de la Revolución el día en que le cortaron la cabeza a mi padre, tu bisabuelo, al que llamaban Felipe Igualdad, que si fue el traidor de la familia a cambio de ello tienes que tener en cuenta, mi pequeña Charlotte, que no sólo murió como un hombre y como un príncipe vestido con la mejor levita verde botella que tenía, su chaleco de piqué blanco almidonado y sus botas de charol recién lustradas, sino también como el gran glotón que fue toda la vida, porque no se dejó conducir a la guillotina sin antes zamparse una buena docena de ostras rociadas con vino clarete, me decía mi abuelo con los ojos brillantes de risa y lágrimas al mismo tiempo, y me contaba de su exilio en Suiza cuando enseñaba matemáticas y en Londres donde se compraba la ropa más barata que encontraba, mi pobre abuelo que olvidó setecientos mil francos en el cajón de una cómoda y salió corriendo de las Tullerías por el túnel que Napoleón el Grande construyó para que por él huyera el Rey de Roma si llegaba la revolución. Mi abuelo, que, sentado en el trono que profanó la plebe, me sentó en sus piernas y me contó que nadie, como él, había sido tantas cosas antes de ser rey: soldado y emigrante, republicano y profesor, viajero americano y noble siciliano, Príncipe de Orleáns y caballero inglés: sin saber entonces que por no hacerle caso a mi abuela que le pidió que no abdicara y que muriera como un rey, después de ser rey ya no iba a ser nunca nada ni nadie, pobre de Luis Felipe: más le hubiera valido que le cortaran la cabeza como a su padre Felipe Igualdad, o como a Carlos Primero de Inglaterra. Más le hubiera valido morir fusilado como tú, Maximiliano.

Dime, ¿dónde quedaron esas primaveras que fueron altas y limpias como el cielo del Adriático, que de rodillas besaron la punta de los manteles más blancos, y que enfurecidas y alegres derramaron su savia espesa en mi boca cuando yo era una niña, Maximiliano, apenas una niña

que con fábulas y sobresaltos, con lágrimas y cuentos de hadas bordaba
en los cojines sus sueños de grandeza y le prometía al cielo, por la vida
de mi madre Luisa María de Orleáns que de cara a las nubes ensartaría
mis ojos en la lluvia? Yo era una Princesa, y aún no te conocía. Mi saliva
era casta. Con ella bautizaba mis juramentos más puros. Aún no llegabas
tú, Maximiliano, en el yate la Reine Hortense, para llevarme a cabalgar
a las campiñas de Waterloo y acompañarme a la Opera a escuchar Las
Vísperas Sicilianas. Yo no había mirado con amor a otro hombre que a
mi padre y mis hermanos. Yo era entonces una Princesa seria y triste,
pero sin lágrimas, y callada: las palabras apenas si rozaban mis labios con
la punta de sus alas. Yo era una Princesa casta y tenía mis planchadoras
que planchaban los edictos del palacio, mis lavanderas que lavaban mis
deseos en los canales verdes de Brujas, y cuando yo despertaba, desper-
taban todos los carillones de Bruselas, los mismos carillones, Maximiliano, que me cuelgan ahora del cuello y que me ahogan de angustia y me
ensordecen porque dan al mismo tiempo todas las horas del día y todas
las horas de mi vida. Ay, Maximiliano, la corona que me diste se derritió
en mis sienes y los ríos de oro me quemaron los pechos y el vientre y
los carcomieron. Ay, Max, Max, mi querido, mi idolatrado Max, ¿dónde
están los veranos de fauces rojas y días que fingían ser tan anchos como
el mundo y que abrasaban mis mejillas con sus lenguas de fuego cuando
yo era una niña que jugaba con el viento, que arrojaba al viento su pelo
y corría tras él, cuando yo era una Princesa y le rezaba todos los días a
San Huberto el patrón de los cazadores de Ardenas para que nunca me
dejara caer en la trampa de las tentaciones o en las redes de fuego de la
lujuria, cuando yo, Maximiliano, era apenas una niña y la insolencia no
había aún encarnado en mi pecho, la sombra de un deseo no había
quemado mis muslos, y bastaba que alzara yo un dedo para que mis
lacayos arrancaran para mí de los árboles de Laeken pájaros vivos y mis
damas lavaran mi cuerpo con leche de avena y pasta de heliotropos y lo
secaran con hojas de azucenas y alas de alondras?
Lento fue el aprendizaje del orgullo y la vergüenza. A Felipe Igualdad
le podía yo perdonar que hubiera votado en favor de la ejecución de Luis
Dieciséis: pagó con su propia cabeza. A mi otro bisabuelo, Fernando
Primero de las Dos Sicilias, que le gustara ir a vender pescado a los
mercados, o que cada Jueves Santo, desde su palco en el Teatro de San
Carlos, les arrojara a los mendigos, con sus propias manos, puños de
espagueti cocinado: tuvo al menos la inteligencia o la suerte de casarse
con mi bisabuela María Carolina, que hizo de Nápoles una de las ciudades
más cultas de Europa. ¿Pero cómo perdonarle, al puerco, que la engañara
tantos años con esa puta a la que le regaló el título de Duquesa de
Floridia? ¿Cómo olvidar, dime Maximiliano, todas las infidelidades de
mi padre? ¿Cómo perdonarle a él, a quien tanto quise toda la vida, al
Néstor de los Gobernantes, a mi Leopich adorado, al mentor de la Reina

Victoria, al único monarca de la Europa continental que mantuvo a su pueblo unido durante las revoluciones del cuarenta y ocho, al bello y apuesto, inteligente Leopoldo Primero de Bélgica, luterano y moralista, cómo, dime, perdonarle que engañara a mi santa madre, a la reina que más amó Bélgica cuando estaba viva y más lloró cuando estaba muerta, como lo probaron sus campesinos y sus hilanderos, sus soldados, su pueblo entero que al paso del tren funeral que la llevó de Ostende a Bruselas se arrodilló a lo largo de todas las vías para bendecir la memoria y rezar por el alma del ángel tutelar de Flandes y Brabante, Limburgo y Henao, Namur y Amberes, Lieja y Luxemburgo? ¿Cómo perdonarle a mi padre que corrompiera esa sangre de Sajonia-Coburgo de la que siempre dijo estar orgulloso, mezclándola con la sangre plebeya de una meretriz como Arcadie von Eppinghoven para llenarme de hermanos bastardos? ¿Cómo, Maximiliano?

Conozco cada rincón de Bouchout. Conocí cada rincón de Miramar y de Terveuren, de Laeken. Y a veces pienso que mi vida no ha sido sino un largo peregrinar por casas y castillos, por cuartos y corredores, y que fue allí, en la soledad, y en sus escaleras y rincones oscuros, y de la boca de los fantasmas y no de los labios de mis ayas y profesoras y gobernantas, que aprendí no sólo lo que las matemáticas y la geografía no podían enseñarme: tampoco la historia, Maximiliano, no esa historia que me contaban mis padres y mis tíos y mi prima Victoria y el Príncipe Alberto y que estaba llena de nombres inmortales y de batallas que habían cubierto de gloria a todas las dinastías de Europa cuyas sangres, como pequeños ríos, alimentaban ese caudal noble y ardiente que mi padre no supo respetar y que yo juré mantener siempre puro y limpio, albeante, como mi conciencia y mi casa de muñecas, pero muy pronto esos espectros me dijeron que lo que él me había dicho no era cierto, y que ésa era una sangre sucia desde siempre. Y no porque creyera yo en las calumnias tontas de quienes decían que una tal María Stella era la verdadera hija de Felipe Igualdad, que mi abuelo Luis Felipe era en realidad el hijo de un jefe de policía de Toscana: esos no eran sino cuentos estúpidos, y si así hubiera sido entonces no habría corrido por mis venas la sangre de Orleáns: no, fue porque un día, en el Castillo de Chaumont, vi a Enrique Segundo de Francia hacer el amor con su amante Diana de Poitiers bajo el puente levadizo, aunque no le dije nada a nadie, y porque en otra ocasión en el Castillo de Edimburgo se me apareció el espectro de Jacobo Primero de Inglaterra que estaba tendido, desnudo, en las losas del piso y le pedía a gritos al Duque de Buckingham que lo fornicara pero no le conté a mi prima Victoria, porque me hubiera dicho que estaba loca, y porque una noche, en el pudridero de El Escorial, vi a Don Carlos de Austria que mamaba los pechos de su madrastra, Isabel de Valois, y tampoco dije una sola palabra porque entendí que esos eran mis fantasmas, y que a nadie sino a mí se le aparecían, y que nadie, tampoco, sino yo sola, podría exorcizarlos un día si me olvidaba de ese líquido que comenzó a salirme de entre las piernas y que no era otra cosa sino sangre, una sangre corrupta y hedionda como debió haber sido la sangre del hermano de Luis Catorce, Felipe de Orleáns, que abandonaba a su mujer en los baños de amatistas del Palacio de Schwetzingen para irse a hacer el amor con el Caballero de Lorena el envenenador de su primera esposa Enriqueta Estuardo: ese mismo líquido que por primera vez se escurrió por mis muslos una tarde en la que me monté en el caballito de madera de mi prima Minette en Claremont porque todavía me sentía niña y me gustaba jugar a serlo, y pensé de pronto que me estaba orinando pero no: cuando unas horas después mi abuela vio que en el lomo del caballo había unas como costras de color vino, casi negras de tan oscuras, las limpió ella misma con un trapo mojado, me pidió que le echara los brazos al cuello y me dijo en un susurro Mi pobre Charlotte, Mi pobre Bijou, ya no eres una niña ni lo serás nunca más. Y si me bañaba todos los días con agua helada y me acostaba con las dos manos juntas bajo la mejilla y no metía las manos entre las sábanas y rezaba el Credo, creo en Dios Todopoderoso que está en el Cielo y en la Tierra una y otra vez hasta dormirme del cansancio, así también ahuyentaría yo a todos esos espectros de reyes inmundos y reinas adúlteras y no volvería a soñar, ni dormida ni despierta, y en ninguno de los palacios y castillos y casas que conocía yo o que conociera en mis sueños, con esos animales de dos espaldas, con esos monstruos desnudos y jadeantes, sudorosos y con la boca llena de espuma que se revolcaban en lechos de púrpura y armiño, penetrándose unos a otros con sus miembros tumefactos y babeantes. Sólo así volvería yo a soñar con los ángeles.

Pero llegaste tú, Maximiliano, llegaste tú un día en el yate La Reine Hortense que te prestó Luis Napoleón y recitaste el poema de Víctor Hugo al Gran Corso y se te humedecieron los ojos al pensar en la derrota de ese hombre que quizás fue tu abuelo y tú lo sabías, aunque nunca nadie se atrevió a decírtelo, y yo te conté que también me había emocionado hasta las lágrimas cuando vi en el Castillo de Windsor la bandera que Wellington le arrebató a las tropas francesas, a mis queridos soldados los pantalones rojos, al ejército que en Austerlitz triunfó sobre dos imperios y que en Jena, en seis horas, humilló a un reino. Llegaste tú y contigo llegaron la juventud y la alegría y supe que Laeken y mi vida tenían una luz distinta porque los iluminabas tú con tu humor y tus sonrisas. Nos hablaste de París, ¿te acuerdas?, y me juraste que si París era una ciudad de emperadores, sólo Viena y nada más que Viena era la ciudad imperial por excelencia, y del protocolo de las Tullerías comentaste que era un protocolo de advenedizos y a mi padre Leopoldo le dijiste que a pesar de todo el desfile que contemplaste en el Campo Marte había sido espléndido, pero que los vestidos de todas las mujeres que asistieron al baile de la corte de Luis Napoleón eran verdaderamente escandalosos de tan impúdicos, y que el Príncipe Plon-Plon el primo del emperador tenía la facha de un bajo venido a menos salido de una oscura compañía de ópera italiana, y no sabes, Maximiliano, cómo te agradecí que te burlaras de la corte y de las pretensiones del hombre que usurpó el trono de mi abuelo Luis Felipe: te lo agradecí con mi risa, ¿te acuerdas?, casi me da un ataque de carcajadas cuando papá Leopich te preguntó cómo era la Condesa de Castiglione y tú le dijiste que aunque era muy bella parecía una bailarina de la regencia salida de su tumba: cómo te lo agradecí Maximiliano, cómo te agradecí que cuando llegaste a Bruselas, con tu uniforme blanco de almirante de la flota austriaca, llegaran contigo, a ese oscuro Palacio de Laeken, todo el esplendor y la magia de Viena: te seguía una turba de lacayos que masticaban pétalos de lirio para perfumar su aliento, te seguían los jinetes de la Escuela de Equitación Española de Viena con sus tricornios y sus redingotes marrones y altas botas negras en caballos garañones de crines y colas entrelazadas con cordones oro que marchaban a los compases de la Marcha Radetzky y de la Marcha Turca. Y en tus ojos aleteaban las violetas azules que crecen en las faldas de los Alpes del Tirol, y en tu voz cantaban los aleluyas de las campanas de la Catedral de San Esteban, y en tus brazos, ah, Maximiliano: ¿Te acuerdas del Langaus, el vals torbellino que se bailaba en los salones de Viena, cada vez más y más aprisa, hasta que las parejas caían al suelo y algunos viejos se morían de apoplejía?, en tus brazos, Maximiliano, me hundí yo en un torbellino más embriagador aún y más vertiginoso, en un torbellino que se llevó mi infancia y mi inocencia, oscuro y dulce, denso, tibio: porque que esos brazos y esos ojos, ese abultado labio Habsburgo que yo quería morder y esas manos largas y fuertes que yo quería que me tomaran de la cintura para levantarme hasta el cielo, no eran los ojos ni la boca ni los brazos ni las manos de un ángel, sino los de un hombre: no, Max, no me mató del corazón el vals torbellino, no me caí en las baldosas de Laeken cegada por esa vorágine de astillas de luz y relámpagos de vidrio que daban vueltas alrededor de mí cada vez más aprisa, como si yo estuviera inmóvil en tus brazos y fuera el mundo, el sol, el universo entero los que giraran a nuestro alrededor: pero casi, casi me muero de amor por ti, y de deseo, y de ternura y de lujuria esa noche en que ya sola y a oscuras en mi cuarto, mis manos reptaron bajo las sábanas: yo quería invitarte a perdernos en los Jardines de Laeken, deseaba correr contigo para escondernos en una glorieta del Tívoli y desnudarnos y hacer el amor bajo los sauces, coronarte de mirtos y de besos, arrancar a mordidas el pasto para desperdigarlo sobre tu cuerpo y que se confundiera, en la sombra, con los vellos rubios que crecían en tu pecho y en tu bajo vientre. Yo quería invitarte a bañarnos desnudos en las playas de Blankenberghe y a tendernos después a la orilla del mar en una noche sin luna y allí, bajo las estrellas, pasar mi lengua por toda tu piel, lamerla como un cordero sediento de amor y sal, pasarla por tu vientre y los muslos y llenarme la boca con tu miembro y sentir cómo crecías dentro de mí, cómo latías, cómo de pronto te vaciabas en mi garganta y bajaba hasta mi vientre tu leche cálida y agria, y esa noche, sola en mi recámara, le pedí perdón a Dios y a mi madre, les supliqué que arrancaran de mi carne y de mis pensamientos esos deseos inmundos y los quise arrancar yo misma, me flagelé, me pasé la noche entera de rodillas, me hinqué las uñas en los pechos calientes y en mi sexo húmedo hasta que los sangré, y entonces, entonces, pobre de mí, Maximiliano, entonces pensé de nuevo en ti, y supe que estaba haciendo el amor contigo, y que mientras más me clavara yo las uñas en los muslos y el pecho y la vagina, más me estabas amando, más te amaba yo. Te vi, sobre la cama, desnudo, inmóvil, inmensamente blanco, con los ojos negros abiertos, y te unté la sangre, mi sangre, en la piel, para lamerla. Ay, Maximiliano, cuánto no hubiera dado por estar en Querétaro, a tu lado, en el Cerro de las Campanas, y lavar después tus heridas, lavarlas con mi lengua, con mi saliva, lavar tu cuerpo y tus entrañas: hubiera enjuagado tus intestinos con agua de flores azahar, maceré tu corazón en vino, lavaré tus ojos con colirios, les diré al Barón Lago y a la Princesa Salm Salm que me den tus brazos, que los colgaré del vientre, le diré a nuestro compadre López que me dé tus manos, que las guardaré en mi pecho, le pediré a Benito Juárez que me dé tu piel para habitar en ella, que me ponga tus párpados para hundirme en tus sueños. ¡Ay, Maximiliano, cómo te hubiera querido!

Si tan sólo hubiera sabido entonces lo hipócrita y lo mentiroso que eras. Si me hubiera enterado que en tus cartas a Viena dijiste que mi hermano el Duque de Brabante era un ser maquiavélico, y de mi padre Leopoldo al que llamaste el casamentero de Europa que no aguantabas sus aires de superioridad paternal y que te aburrían hasta la muerte sus interminables peroratas y consejos. Si hubiera sabido que en Tournai y en Gante, y en Bruselas contemplaste con tristeza los vestigios de la antigua dominación austriaca y te dolió que ese país tan fértil y de ciudades tan ricas y señoriales, tan industriosas, no perteneciera ya más al Imperio de los Habsburgo. Si me hubieran contado que tú, que de los asistentes al baile de las Tullerías nos contaste que parecían comparsas de teatro, y que casi todos eran unos aventureros, tuviste el cinismo de criticar después el baile del Día de Reyes que ofrecimos en Laeken, porque en él, le escribiste a Francisco José, la nobleza belga alternaba con sastres y zapateros y tenderos ingleses retirados. Si tan sólo las malas lenguas me hubieran dicho, aunque entonces jamás lo hubiera creído, que el hombre que decía quererme tanto no mencionó una sola vez, en sus cartas a Viena, a su querida Charlotte, el amor más grande de su vida.

Por mentir así, Maximiliano, por ser tan hipócrita, por presumir de lo que no tenías: un espíritu noble y generoso, universal, y un corazón capaz de amar a todos los pueblos de la tierra, por eso te castigó Dios, por eso te envió a México, para que te atragantaras con tus mentiras. Porque dime: a ti, Max, a ti, sí, a ti Fernando Maximiliano de Habsburgo, guiñol de Hidalgo y de Eugenia de Montijo, fantoche de Gutiérrez Estrada y del Padre Fischer, títere de Napoleón Tercero; a ti, dime, ¿cómo, cuándo, por qué, de dónde te salió el amor a los indios mexicanos? A ti que cuando te ofrecieron el trono de Grecia dijiste que jamás serías el monarca de ese pueblo de cretinos y depravados; que llamaste a los italianos degenerados descendientes de Roma porque lo que más te interesó de Italia no fue su pueblo sino las palmeras de Nápoles con sus coronas lujuriantes y el aspecto pintoresco de los mendigos y los leprosos, y no sus llagas o su miseria y sí las dulces madonas de Rafael Sanzio y la lámpara de bronce de Galileo Galilei; que en Lisboa te asombró la fealdad de sus mujeres pero te fascinó el lomo verdinegro de los pericos y la mancha pectoral de los tucanes del aviario del Palacio das Necessidades; que en Madeira te repugnaron las caras de los isleños pero te sedujeron los geranios de densas umbelas y los vinos de uva malvasía y los paseos en palanquín por las calles asoleadas de Funchal perfumadas con el espíritu de Amelia de Braganza: dime, a ti, Maximiliano, que de Argelia y Albania dijiste que esos países merecían no sólo otros soberanos sino otros habitantes porque de ellos más que sus pueblos te interesó comer gacela asada rodeado de enanos y bufones y al lomo de un camello y vestido de beduino cazar avestruces; a ti, Maximiliano, que de Las Canarias más que su pueblo vivo te interesaron las momias de sus reyes guanches envueltas en pieles de cabra, las rocas volcánicas y el árbol de drago de Tenerife que tenía más de cuatro mil años de vida; que en San Vicente más te cautivaron las conchas y los caracoles que recogiste en las playas y las flores blancas con tintes lilas de las calabazas amargas que sus mujeres de las que dijiste eran como escarabajos negros, y que sus hijos a quienes llamaste pequeños animales de color chocolate; a ti, Maximiliano, que de Bahía escribiste en tus Memorias que en sus calles no se veía caminar a Ceres y Pomona, sino sólo a mulatos y negros de horribles facciones en cuyas negras órbitas no brillaba una sola chispa de inteligencia, porque de Bahía, de Brasil, lo que más te interesó, lo que más ocupó tu atención fueron las tarántulas y las luciérnagas gigantes, las barbas de macaco que colgaban de las ramas de los árboles, las lianas que eran como guirnaldas de rosas entretejidas y la casuarina que tenía la forma de una inmensa escoba de bruja. A ti, Maximiliano, ¿qué fue lo que te pasó en México? ¿Qué fue lo que hizo nacer en ti de pronto el amor a un pueblo exótico, ajeno a tus costumbres y al color de tu piel, extraño a la germanidad inmaculada que exhaltó Rodolfo de Habsburgo después de derrotar al Rey de Bohemia, la germanidad de la que tú mismo te vanagloriaste en tu diario y que tanto preocupaba a María Teresa cuando en sus cartas le decía a mi bisabuela María Carolina que nunca dejara de ser alemana de corazón aunque tuviera que actuar como una napolitana? Dime: ¿cuál brebaje te dieron en Miramar, Maximiliano, que te hizo abandonar los vínculos más sagrados que tenías con la tierra en la que estaban sepultados tus ancestros y en la que pasaron los años más hermosos de tu infancia y de tu juventud, para irte al otro lado del mundo a gobernar un país de curas ladrones y léperos roñosos, de políticos y militares corruptos, de inquisidores y reaccionarios y de indios con plumas y campesinos analfabetos que se adornaban con collares de dientes de coyote y comían hojas de cacto y testículos de toro? ¿Te hicieron beber un té de toloache? ¿O te dieron un vino de ololiuque la yerba de los ojos desorbitados? Dime, Max: ¿qué pócima, qué bebedizo tomaste en el pueblo de Dolores para que te animaras a hacer el ridículo y disfrazado de charro mexicano celebraras, de un país que no era el tuyo, el aniversario del día en que se emancipó del Imperio más grande que jamás tuvo la Casa de Austria, de tu Casa, Maximiliano, la Casa que Dios extendió por toda la redondez de la tierra, y la ensalzó para ensalzar con ella a su Iglesia? Y en Querétaro, cuando caminabas por la Plaza de La Cruz dictándole a Blasio los nuevos reglamentos del Ceremonial de la Corte y cuando subías a tu regazo a tu perro Baby y jugabas whist con el Príncipe Salm Salm, de qué embrujo, de qué encanto fuiste víctima que te hizo pensar que regresarías vivo a la ciudad de México, y te hizo imaginar que así como el Conde Radbot construyó sin muros el Castillo de Havischsburg que le dio nombre a los Habsburgo porque sabía que de la noche a la mañana y al solo conjuro de sus órdenes sus súbditos formarían la mejor y más poderosa de todas las murallas: una muralla de carne humana, viva y palpitante, qué te hizo pensar, dime, que esos indios y esos campesinos iban a acudir por cientos y miles a Querétaro por amor y lealtad a ti, un príncipe extranjero, para proteger tu cuerpo blanco con sus morenos cuerpos, para derramar su sangre mexicana con tal que no se vertiera una sola gota de sangre aria, de la misma sangre alemana que corrió por las venas de aquel que fundó tu dinastía al amparo de una nube roja con la forma de una cruz que extendió sus alas sobre la Catedral de Aquisgrán el día de su coronación? ¿Qué elíxir, qué agua bebiste en los ojos de Concepción Sedano que te impidió ver que ella era también una india ajena a tu raza? ¿De qué ensalmo fuiste víctima que no quisiste ver que en las calles de México había cincuenta mil limosneros y ningún dios, que por ellas no transitaba el Apolo de Belvedere sino sólo indios de piel oscura y de ojos negros y brillantes como los ojos de ciervo que nos acecharon desde los balcones del palacio nacional y que desde entonces me espían por las cerraduras y las ventanas de Bouchout y se me aparecen en el fondo de los lavamanos y revolotean en la noche por mi habitación como diminutos soles de obsidiana? ¿De qué bebedizo fuiste víctima, Maximiliano, que te impidió ver que así como en Brasil las negras descalzas vestidas a la europea parecían, dijiste, monos de circo, así también las damas de la corte mexicana, con sus crinolinas enormes como globos parecían indias esquimales metidas de la cintura abajo en un iglú chorreando de pedazos de cortinas y flecos de oropel? ¿Qué te hizo no darte cuenta que el pueblo que no acudió a tu llamado después de que tú acudiste al suyo no podía llamarse otra cosa que falso y pervertido? ¿De qué hechizo, Maximiliano, dime, de qué sortilegio fuiste víctima que no fuera la hipocresía y la mentira?

Morir, claro, es más fácil que seguir vivo. Estar muerto y cubierto de gloria es mejor que estar viva y sepultada en el olvido. Por eso, nada más, y para echarte en cara todas tus mentiras, es que cada noche viajo hacia atrás en el tiempo, y, sola en la oscuridad de mi cuarto te he visto una y otra vez, mil veces, caer en silencio bajo el fuego de una descarga silenciosa, y te he visto besar el polvo del cerro y abrir la boca sin decir una sola palabra, y al oficial que señala tu corazón con la punta de su espada y al soldado que te da un último tiro silencioso y de tu levita se levanta una llamarada, así, también, sola, cada noche, en silencio: no se mueve una hoja de los álamos de los jardines, no chisporrotea un leño de las chimeneas del castillo y una onda no turba el espejo de las aguas del foso. Así, sola y a oscuras en mi cuarto una y otra vez, mil veces también, he desandado el tiempo y he visto cómo se abren de nuevo tus ojos y vuelves a la vida y te levantas, y cómo las balas salen de tu cuerpo para entrar en el cañón de los fusiles, y cómo la sangre se evapora de tu pecho, se cierra el agujero que hizo la última bala en el escapulario, y tú juntas de nuevo las dos alas de tu barba y los soldados del pelotón te devuelven los veinte pesos oro que les diste a cada uno para que no te dispararan a la cara, y entonces, Max, si vieras qué divertido es desandar el tiempo, desandar la ladera del Cerro de las Campanas, verte saltar hacia atrás por la ventana del fiacre negro para meterte en él, y ver a la mujer del General Mejía que corre hacia atrás con un niño en los brazos y a tu cocinero Tüdös lo vieras, Maximiliano, qué cara de asombro pone porque no le cabe en la cabeza, no podría entender nunca por más que yo se lo explicara, cómo el tiempo está corriendo al revés, cómo es posible que regreses de entre los muertos a tu celda del Convento de las Teresitas y se aparezcan en ella los cuatro candeleros con velas de cera, el catre de campaña, la mesa de caoba en la que leías la Historia de Italia de César Cantú y le escribías al Padre Fischer para que te enviara unas cajas de vino de Borgoña de la reserva que tenías en la ciudad de México, y se aparezca el vaso de agua azucarada que te recetó el Doctor Basch para la diarrea y que estaba cubierto con un pañuelo para que no le cayeran las moscas, y la corona de espinas que te encontraste bajo un limonero en el jardín del convento y el crucifijo y la palangana de plata que te robaron esos bandidos.

Inventaron el cine, Maximiliano, y el mensajero vino y me trajo una cámara de luces y sombras y una larga cinta de plata y celuloide y él era

Charles Chaplin y con él me fui a la California a desenterrar pepitas de oro del tamaño de las manzanas de las Hespérides y a comer filetes de suela de zapatos a la parilla, y en otra ocasión era Rodolfo Valentino y con él hice el amor al sonido de pífanos y tamborines sobre la piel de una gacela blanca en las arenas del mismo desierto donde se erguía la tienda de tu amigo Yusuf, ¿te acuerdas?, el que te ofrecía la costilla asada de un cordero con la delicadeza de quien te regala una flor, pero no pienses, ¿me escuchas, Maximiliano?, no creas que si yo de verdad pudiera desandar el tiempo, como si el tiempo fuera una cinta de celuloide proyectada al revés, no te atrevas a imaginar que me gustaría verte caminar de nuevo por las calles de Argel coqueteando con las loretas y las grisetas de guantes de cabritilla color de rosa perfumados con pachulí, ni sentado en el Marabout de mi tío Aumale el Virrey de Argelia bajo el vitral colorido del tragaluz fumando en narguile entre los huevos de avestruz pintados con versículos del Corán que colgaban del techo contra el mal de ojo. No, Maximiliano.

Inventaron el cine, y con el cine es como si de pronto todas nuestras fotografías y daguerrotipos y pinturas se llenaran de vida y movimiento. Como si todas las banderas austriacas y francesas y mexicanas del cuadro de Cesare dell'Acqua que inmortalizó nuestra salida de Miramar a México se pusieran a ondear, y los remeros a remar, y mi corazón de nuevo a latir sobresaltado, y las aguas del Adriático, que eran ese día como un espejo, a ondear apenas bajo las velas de la Novara recién hinchadas por el viento que se pondría a soplar, suave y frío, voluptuoso y lleno de presagios y promesas azules. O como si desde la fotografía que me robaron y se llevaron al museo del Castillo de Hardegg nos guiñara los ojos nuestro pequeño Príncipe Agustín de Iturbide, o nos sonriera y nos enseñara los dientes, pobre Agustín que después de haber sido el heredero de un Imperio más grande que Francia, Inglaterra y España juntas, murió viejo y solo, convertido primero en profesor de español de la Universidad de Georgetown, y después en monje, ¿te enteraste, Max?

Pero no quiero verte nunca más en Cuernavaca. No quiero verte de nuevo en la plaza de toros de Sevilla arrojando bolsas llenas de monedas de plata a los pies del matador. No quiero verte en el Palacio de Cristal de Sydenham del brazo de la Reina Victoria. Quiero, nada más, verte y tenerte siempre en tu celda del Convento de las Teresitas. En tu celda y con tu catre y con tu bacinilla. Si para retroceder en el tiempo y encerrarte de nuevo en ella es necesario que saltes de tu caja de madera de pino de la que se te salían los pies, salta, Maximiliano, y corre para el fiacre, corre para el convento. Si para desandar los años tiene que volver la leche a los pechos de la mujer de Miramón, y tiene que volverle la vida al General Mejía, que vuelvan, Maximiliano: pero no volverán a la boca de Tüdös los dientes que le botó la bala de Calpulalpan, ni se levantarán los soldados del Imperio que quedaron muertos en las faldas del Cerro de

San Gregorio acuchillados por los cazadores de Galeana, ni volverá a correr por los arcos del acueducto de la Cuesta China el agua clara y fría con la que te lavabas la cara todas las mañanas, porque todo esto sucedió antes de que te encerraran en la celda de las Teresitas y es allí, en tu celda y en ninguna otra parte, ni antes ni después, donde te quiero tener para que nunca te me vuelvas a escapar: en tu celda y con tu crucifijo y tu largavista y tu espejo y tus cepillos y tus tijeras.

¿O acaso piensas que si en mí estuviera desandar estos sesenta años de humillación y olvido, me gustaría que todos aquellos que tienen la culpa de mi soledad y mi locura, volvieran a gozar los momentos más hermosos de su vida? No, Maximiliano: si el Coronel López se imagina que me gustaría volver a verlo a mi lado y a caballo camino de Veracruz a Córdoba con un ramo de orquídeas en las manos, alto como un dios de esos que tanto extrañabas en Brasil: apuesto y rubio entre la turba de negros del Sudán y de Nubia y de Abisinia que nos envió a México el jedive de Egipto, dile, cuando lo veas, que está muy equivocado, que a él lo quiero ver siempre en sus últimos días, cuando agonizaba mordido por un perro rabioso, muriéndose sin morir de asfixia y de sed, ahogándose con sus propias babas y con su propio espanto. A Benito Juárez no quiero verlo a su entrada victoriosa a la ciudad de México, de nuevo presidente y de nuevo dictador: quiero verlo también en su lecho de muerte, con el pecho desnudo y sobre el pecho cayendo un chorro eterno de agua hirviente. Y te imaginarás que ni a Eugenia ni a Luis Napoleón quiero verlos nunca más en ninguno de sus momentos de gloria: a ella no la quiero ver envuelta en una nube de perfume de verbena, de compras en el Salón Lumière de la tienda Worth coronada con la diadema de violetas que le dio Luis Napoleón en Compiègne: la quiero para siempre de rodillas en Zululandia, destrozada con el recuerdo del príncipe imperial que a los tres años de edad, con su gorro y casaca de granadero, pero con faldas blancas porque todavía lo vestían de niña, pasó revista a las tropas francesas vencedoras en Magenta y Solferino, y furiosa porque la estúpida de Victoria le echó a perder el placer de tocar, besar, comerse la tierra donde cayó el cadete de Woolwich que nunca llegó a ser Napoleón Cuarto. Y a Luis Napoleón, no quiero verlo frente a la Asamblea Nacional francesa, con el testamento de Napoleón Primero en una mano y en la otra la espada de Austerlitz, ni quiero verlo tampoco en su visita triunfal al Sahara, cuando veinte mil árabes lo aclamaron y le limpiaron las botas con sus barbas, no: a él lo voy a tener siempre en Chislehurst, en el potro de madera en el que lo obligaban a subirse todos los días para que no perdiera la costumbre de montar a caballo: así, pálido y tembloroso, con las mejillas pintadas con colorete como las tenía en Sedán, transverberado por los dolores de su próstata hipertrofiada y los cálculos biliares, mientras al otro lado del canal, en su adorada Francia, las cruces y los ángeles y las guirnaldas de mármol del cementerio del Père Lachaise eran salpicadas con la sangre de los ciento cuarenta comuneros que fusilaron los versalleses de Thiers y MacMahon junto al Muro de los Federados, y León Gambetta, el hombre que había proclamado en el Hôtel de Ville la Tercera República, huía, el cobarde, en un globo aerostático por el cielo de París.

Y a ti, Maximiliano, no me cansaré de repetírtelo mil veces: a ti te quiero en tu celda, ya te lo dije, acostado en tu catre de hierro y devorado por las chinches que en su sangre, que era también la tuya, llevaban el nombre que le tomaste prestado a la ciudad de Querétaro. O de pie y midiendo con tus pasos, sin detenerte jamás, la distancia infinita y desoladora que existía entre las cuatro paredes de la habitación más pequeña donde jamás habías ventilado tus pesadillas o los humores infectos de los excrementos verdes y líquidos que por culpa de la disentería depositabas cinco, siete, diez veces diarias en tu bacinilla: allí es donde quiero tenerte, en tu bacinilla. Verás entonces el susto de Tüdös, la cara de sorpresa que va a poner, cuando se dé cuenta que ha viajado hacia atrás en el tiempo, hasta los últimos días de Querétaro en que el pobre, sin páprika y sin sal, sin orégano y sin vinos, preparaba un pastel de carne de gato para su Emperador y el General Miramón, y salchichas de hígado de burro para el General Mejía y el Príncipe Salm Salm, porque al igual que en el sitio de Puebla, pero esta vez te tocó a ti ser el sitiado, mi pobre Max, se acabaron los colchones porque hubo que rasgarlos para darles la paja del relleno a los caballos, y se acabaron los caballos porque hubo que matarlos para darles de comer a los oficiales y se acabaron los cadáveres porque se los comían los perros, y se acabaron los perros porque se los comían los soldados, y se acabó el bronce para las medallas con las que querías condecorar a tus cazadores mexicanos, y se acabó el bronce para los cañones y no hubo héroes ni cañones que te defendieran de las tropas de Escobedo, y se acabó el azufre para la pólvora y no hubo juegos pirotécnicos, girándulas, castillos luminosos para celebrar el triunfo de la Batalla del Cimatario, y se acabaron las puertas y las ventanas porque al igual que Santa Anna decretaste un impuesto sobre ellas, y cuando recorriste las calles de la ciudad en el fiacre negro, en el día más bello del año, precedido por el Batallón de los Supremos Poderes, no hubo quien te gritara Adiós, Maximiliano, Dios te bendiga, desde las puertas y las ventanas de Querétaro, y se acabó el plomo de todas las imprentas de la ciudad porque tú lo mandaste fundir para hacer más balas y por eso no hubo quien lanzara proclamas al viento y fijara carteles acusando de asesino a Juárez desde los muros y las tapias de la ciudad de Querétaro, y se acabaron las campanas que mandaste fundir para hacer más cañones, y por eso no hubo, en la que aún era la mañana del día más bello del año cuando recorriste de nuevo, en tu caja y con los pies de fuera las mismas calles silenciosas y de puertas y ventanas ciegas no hubo, Maximiliano, el día de tu muerte, campanas que tocaran a duelo en la ciudad de Querétaro.

VIII

«¿DEBO DEJAR PARA SIEMPRE MI CUNA DORADA?»
1863-64

1. Cittadella acepta el trono de Tours

LUIS NAPOLEÓN le envió una carta a Bazaine en la que le pedía pruebas que confirmaran el rumor en el sentido de que Benito Juárez había sobornado a Jules Favre. Richard Metternich le escribió al ministro del Exterior austriaco, Conde de Rechberg, para decirle que la Emperatriz Eugenia odiaba a Miramón y que la intervención estaba destinada a fracasar. Don Francisco de Paula y Arrangóiz le escribió desde Madrid a su tocayo Don Francisco Javier Miranda diciéndole que la Reina Isabel de España prefería la República con Juárez al Imperio con el Archiduque. El Archiduque le escribió a Luis Napoleón felicitándolo por la caída de Puebla y la toma de la ciudad de México. El General Santa Anna le escribió desde la Isla de Santo Tomás a Gutiérrez Estrada, para ofrecer sus servicios al Imperio. El Teniente Coronel Loizillon, en una carta desde México, le contó a Hortense Cornu que se le había roto la boquilla de ámbar de su pipa, pero que un mexicano le enseñó a disolver los restos en aceite y esencia de terebinto, para remodelarla. Gutiérrez Estrada recibió una carta, de Miramar, en la que Fernando Maximiliano le aseguraba que la suerte del hermoso país del Señor G. E. siempre le había interesado vivamente, pero que él no podía cooperar a la salvación de México a menos que una manifestación nacional demostrara sin lugar a dudas el deseo del pueblo de colocarlo en el trono. Desde Chantilly, el general mexicano Adrián Woll d'Obm le escribió a su amigo el Coronel Pepe González en La Habana para decirle, al referirse a Leonardo Márquez, que la verdad era que «en nuestro desgraciado México el terror da prestigio», y que no se le olvidara enviarle cada mes un billete de lotería. El General Bazaine le escribió desde el Palacio de Buenavista al ministro de Guerra francés, el Mariscal Randon, para informarle que la división del General Castagny había ocupado con éxito las ciudades de León y

Lagos. En Bruselas, el Rey Leopoldo recibió una carta de su hija Carlota en la que ésta se quejaba de lo muy reaccionario que era el partido clerical mexicano. En Miramar, Carlota recibió una carta de su adorado papá Leopich en la que éste le advertía que un partido así, una vez adicto a uno, sigue siendo fiel, lo que no sucede con los volterianos, decía el monarca belga, porque «el volterianismo español y criollo es una cosa triste». El Príncipe Carl von Solms recibió una carta desde Carlsbad en la que el antiguo *chargé d'affaires* de Inglaterra en México, Sir Charles Wyke, le decía que esperaba que el Archiduque no metiera la cabeza en ese avispero. Luis Napoleón le escribió a su nuevo embajador en México, Montholon, recomendándole que tratara con la Regencia el proyecto de convertir el Estado de Sonora en un protectorado francés. Maximiliano le envió a Richard Metternich una carta que debía ser presentada a Luis Napoleón, en la que se refería al genio del emperador de los franceses, y manifestaba que su aceptación estaba sujeta al apoyo de Inglaterra. En Miramar, el Archiduque recibió una carta del comodoro americano Maury, en la que éste se ofrecía para el cargo de Gran Almirante de la futura Flota Imperial Mexicana. Desde Londres Sir Charles Wyke le escribió a Stefan Herzfeld una carta en donde le contaba de la audiencia que le había otorgado en París Luis Napoleón, y durante la cual el inglés le había manifestado al emperador que dadas las circunstancias el Archiduque Maximiliano no sería bien recibido en México. El General Almonte, en una carta en la que llamaba ya «Sire» y «Su Majestad» a Maximiliano, le aseguró a éste que en el momento en que leyera esas líneas, seis millones de mexicanos se habrían ya declarado por la monarquía. Desde Compiègne, Eugenia le escribió a Carlota para decirle que, por desdicha, en aquel hermoso país —México—, sólo había hombres de partidos que ardían por satisfacer su odio y su rencor. Maximiliano le escribió a Pío Nono una carta que Su Santidad consideró como impertinente porque en ella el Archiduque se permitió hablar del «corrompido» clero mexicano. Desde Londres, el antiguo corresponsal del *«Times»* en México, Charles Bourdillon, le escribió a Maximiliano y le dijo que la banca inglesa no parecía muy dispuesta a participar en el financiamiento de la empresa. Desde la misma Londres, Carlos Marx le envió una carta a Federico Engels, escrita mitad en alemán y mitad en inglés, donde le decía que Luis Bonaparte no sólo andaba a los saltos, sino además *«in a very ugly dilema with his own army»*, y que México y las genuflexiones ante el zar, a las que *Boustrapa* (empujado por *Pam*) se entregaba en *«Le Moniteur»*, bien podían romperle la crisma. «*Pam*» era Palmerston, y «*Boustrapa*» un apodo de Luis Napoleón, formado con los nombres, en francés, de las tres ciudades desde las cuales había intentado tomar el poder: Boulogne, Strasbourg y París. Y, si en su castillo de Nantes los esposos Cittadella y Blanche recibían una carta de Julien que dijera, por ejemplo: «Cittadella ha tenido ya ocasión de comprobar que sin la ayuda de Bordeaux y Rouen y guiado por la Divina Providencia el ejército de Metz ha conquistado Tours para aflicción de los conversadores y júbilo de los liberales, pero no obstante hace falta ahora, además de confirmar el apoyo de Orleáns, que Jean presione al cuerpo legislativo para lograr nuevas erogaciones de testimonios destinadas a la empresa, y convencer a Adolphe para que haga entrega del algodón», esto quería decir que en su Castillo de Miramar, los esposos Maximiliano y Carlota recibían una carta de Gutiérrez Estrada escrita de acuerdo a una de las claves secretas inventada por el mexicano para comunicarse con el Archiduque, el cual para descifrarla sólo tenía que sustituir unos nombres por otros, de acuerdo a la lista en la que Nantes era Miramar, Cittadella él, Su Alteza Imperial Maximiliano, y Blanche Su Alteza Imperial Carlota, Julien el propio Gutiérrez Estrada y Bordeaux Inglaterra, Rouen España, Metz Francia, Tours México, los conservadores los liberales, los liberales los conservadores, Orleáns Viena, Jean el emperador francés, el testimonio el dinero, Adolphe la Casa Rothschild, el algodón el empréstito y la Divina Providencia siempre la Divina Providencia que al igual que Dios y todos los Santos aparecían siempre en las cartas de Julien con sus nombres y sus atributos propios, al lado también de Louis, Paul, Charles, Julie, Daniel, Richard y el Havre —y muchos otros—, que eran respectivamente Eugenia, el Papa, Almonte, Francisco José, Miramón, Santa Anna y Veracruz.

Cartas, así, por docenas, cientos, de un lugar a otro de Europa y a través del Atlántico de Europa a América, y durante los años de 1862 y 63 y comienzos del 64, fueron y vinieron, unas por el correo ordinario, en burro, en diligencia, en los barcos de la *«Royal Mail Steam Packet Company»*, otras por correos especiales, inocentes unas, mentirosas otras, secretas o en clave, breves, interminables, optimistas, con mensajeros privados, reales. Y como esto no fue suficiente, todo el mundo viajó también de un lugar a otro, opinó, aconsejó, advirtió. Maximiliano envió a Roma a su antiguo *valet-de-chambre* y ahora su secretario particular Sebastián Schertzenlechner para pedirle consejo al Papa y de paso obsequiarle un modelo de la capilla sepulcral de Jerusalén labrada con la madera de un olivo del huerto, no faltaba más, de los olivos. El Rey Leopoldo envió a Miramar al antiguo Ministro de Bélgica en México, Monsieur Kint de Roodenbeck, especialista en informes que halagaban los oídos de sus superiores, para que hablara con su yerno de la viabilidad de una monarquía en México. El historiador Louis Adolphe Tiers manifestó que todo era una locura. Carlota mandó confeccionar a Bruselas las libreas de su futura mansión imperial. Maximiliano se quejó de que, mientras los parientes de su mujer, los Coburgo, conquistaban trono tras trono, la familia Habsburgo había perdido dos en fechas recientes: el de Módena y el de Toscana. El arzobispo mexicano Pelagio Antonio de Labastida y Dávalos le pidió permiso a Luis Napoleón para que el

Mariscal Forey viajara a Miramar y hablara con el Archiduque, y Napoleón lo negó. En Miramar, el Archiduque leyó un informe del Cónsul de Estados Unidos en Trieste, Richard Hildreth, en el cual éste aseguraba que los mexicanos tenían una antipatía terrible y congénita contra los reyes y los aristócratas. Monsieur Kint de Roodenbeck viajó a París con la consigna de aclarar que Maximiliano estaba dispuesto a aceptar el trono en cuanto las ciudades de Morelia, Querétaro, Guanajuato y Guadalajara se declararan en favor del Imperio. Luis Napoleón le manifestó a Metternich que no sería conveniente acudir en México a un sufragio universal. Santa Anna le escribió al Archiduque Maximiliano y le aseguró que no sólo un partido, sino la inmensa mayoría de la nación mexicana, anhelaba la restauración del Imperio de Moctezuma. El Archiduque Maximiliano, dijo Sir Charles Wyke, será elegido por la mayoría de votos de lugares habitados por dos indios y un mono. El Rey Leopoldo le advirtió a su hijo político *Cher Max,* que quienes conocían a los habitantes de México, tenían por desgracia el peor concepto de ellos. El señor Arrangóiz viajó a Miramar y le dijo al Archiduque que si bien la mejor forma de gobierno para México sería una monarquía, ésta, sin embargo, no debía ser permanente. Luis Napoleón se manifestó contra la idea de devolver al clero mexicano las propiedades confiscadas, y Maximiliano escribió al Consejo de Regencia ordenándole que no decidiera nada referente a los bienes eclesiásticos antes de su llegada. La Reina Isabel de España lamentó que no se hubiera pensado en su hija para Emperatriz de México. Y así como el Duque de Brabante le había escrito antes a su hermana Carlota en Miramar para decirle que si él tuviera un hijo mayor de edad trataría de hacerlo Rey de México, Eugenia le dijo al embajador norteamericano en Francia —quien le aseguró que en su país el Norte sería vencedor y todo acabaría mal para el Archiduque—, que si México no estuviera tan lejos y Lulú el principito imperial no fuera un niño, ella desearía que se pusiera a la cabeza del ejército francés para escribir con la espada una de las páginas más bellas de la historia del siglo, y el embajador le dijo a la Emperatriz que diera gracias a Dios por las dos cosas: porque México estaba tan lejos, y porque Lulú era todavía un niño. El señor Arrangóiz viajó a Londres como representante de Maximiliano, con la consigna de convencer a la corte de Saint-James que el Archiduque estaba muy alejado de toda idea fanática en cuestiones religiosas. Maximiliano invitó a Sir Charles Wyke a conferenciar con él en Miramar, pero Sir Charles declinó la invitación por órdenes de Lord Russell. El General James Williams del ejército confederado le escribió al Archiduque, y en su contestación el Archiduque le pidió que enviara sus saludos al Presidente de la Confederación, Jefferson Davies, y le manifestara que sus simpatías estaban con el Sur. Luis Napoleón le escribió a Maximiliano y le dijo que en México era necesaria una dictadura liberal, porque un país caído en la anarquía no podía ser regenerado por medio de la libertad parlamentaria. Cittadella

—o sea Maximiliano— y Julien —o sea Gutiérrez de Estrada— se encontraron en Merano en secreto y allí Cittadella, que viajaba de incógnito, le dijo a Julien que no exigía el voto de todos los habitantes de Tours —o sea de México— pero que por otra parte el de una fracción de la capital sería insuficiente. Julien seguía muy entusiasmado, porque, y tal como le había expresado en una ocasión el Conde de Mülinen, comparaba a Austria, en relación a México, «como una jovencita que espera pudorosamente el matrimonio». Aunque por otra parte Julien estaba muy decepcionado porque Richard —o sea Santa Anna—, a quién él había propuesto como único Regente de México —o sea de Tours—, los había traicionado y, junto con su hijo, se había declarado en contra del ejército invasor de Metz —o sea de Francia—. Por último Julien estaba muy alarmado porque en Francia —o sea en Metz— se hablaba ya de otro candidato al trono: el Príncipe Joinville, tío de Carlota, con lo cual, se rumoreaba, sería quizás posible apaciguar a la temida oposición orleanista en el Parlamento de Metz. Y en este caso, por supuesto, «orleanista» sí quería decir partidario de la Casa de Orleáns, de los Orleáns Orleáns por así decirlo. Julien, por último, estaba muy disgustado porque la prensa de Orleáns —y en este caso Orleáns quería decir de nuevo Viena— criticaba la ansiedad de Maximiliano —o sea de Cittadella— para aceptar el trono de Tours —o sea de México—, y lo que era peor, un diputado había dicho que si Maximiliano se iba, no lo haría sin antes renunciar a todos los derechos a la sucesión austriaca, y esto había alarmado también, y mucho, a Cittadella y a Blanche, quienes en su castillo de Nantes a la orilla del Adriático sopesaban cada día todos los pros y los contras.

Amaba tanto sus libros, esa espléndida biblioteca de seis mil volúmenes de arte, historia, literatura. Las novelas de Walter Scott. La Historia Universal de su querido amigo y profesor César Cantú. Los estudios de Leonardo sobre el vuelo de las aves. Los poemas de Byron, que se había propuesto leer algún día en voz alta a la orilla del Mar Negro. Amaba tanto también —amaban los dos— el Castillo de Miramar, su hermosísimo parque que cubría veintidós hectáreas, la *Saletta Novara* que reproducía el *«quadrato di poppa»* de la fragata del mismo nombre; el Lago de los Cisnes; la *Sala della Rosa dei Venti*, así llamada porque en el techo giraba una gran rosa náutica gracias a la cual se podía conocer la dirección del viento sin salir del castillo; la propia biblioteca con los bustos de Dante, Homero, Goethe y Shakespeare; la *piazzola* de los cañones que les había regalado papá Leopoldo, la fastuosa *Sala dei Regnanti*, tantas cosas: *¿Debo dejar todo esto a cambio de sombra y mera ambición?*, pensó, y decidió escribir un poema: *Me fascináis con el señuelo de una corona, y me turbáis con puras quimeras, ¿deberé prestar oído al dulce canto de las sirenas?*, y Viena, Viena también, su amada Viena, el Hofburgo y Schönbrunn, sí, sobre todo el espléndido Palacio de Schönbrunn que el esposo de María Teresa había convertido por fuera y por dentro en una de las maravillas del arte y la arquitectura rococó y que sólo los tontos podían comparar a Versalles o Caserta. Si se iba a México, quizás nunca volvería a verlos. *¿Debo separarme para siempre de mi amado país...* las falsas ruinas romanas del Jardín de Schönbrunn donde jugaba a las escondidas, la Sala de los Espejos donde María Teresa asistía al juramento de sus ministros y Mozart había dado un concierto cuando tenía sólo seis años de edad... y *de la hermosa tierra de mis años tempranos?*, el cuarto blanco y dorado donde nació, con cortinas de damasco rojo y el reloj de los querubines, las paredes tapizadas de azul cielo y la alondra disecada: *¿Deseáis, pues, que abandone mi cuna dorada, la tierra en la que transcurrieron los años más luminosos de mi niñez?*, y recordó con un poco de escalofrío a la Baronesa Sturmfeder que siempre había querido más a Franzi su hermano: nunca conquistó el cariño de la baronesa, a la que le decían «aja», así, en portugués. Y donde transcurrieron también los años más luminosos de su juventud, y recordó a la linda Condesa Von Linden y el día en que le compró un ramo de rosas en una florería de la Ringstrasse y esa noche ella llevó el bouquet a la ópera y cuando él la observó con sus binoculares la condesita hundió la cara en las rosas. Y pensar que su hermano Franz se había atrevido a separarlo de ella, a acabar con ese romance adolescente... *¿Y donde experimenté los exquisitos sentimientos del amor temprano?* Pero después la olvidó, olvidó a la condesita porque se había convertido en un viajero incansable. Y eso, viajar por todo el mundo, ya no podría hacerlo si aceptaba el trono. Es verdad que otros grandes monarcas habían dejado su país durante largas temporadas, para conocer y aprender. Pedro el Grande, por ejemplo, estuvo casi un año fuera de Rusia. Y Eric XVI, el rey loco de Suecia, se las había arreglado para visitar de incógnito las tabernas más sórdidas de Londres. Se decía también que el nuevo Sultán de Turquía, Abdul Aziz, planeaba viajar a Viena y París... Aun así, ya no sería lo mismo viajar como soberano que como simple Archiduque. No hacía sino unas semanas que le había dicho a su cuñada Elisabeth, más bella que nunca, que le gustaría hacer un viaje en globo por la India, el Tíbet, la China... Imposible que el Emperador de México se lanzara a una aventura semejante. Y recordó las mujeres de Nubia y de Berbería que tanto lo habían turbado con su desnudez en el mercado de esclavos de Esmirna y que a su pedido Geiger, el dibujante oficial del barco «Vulcain» que los llevó de Trieste a Grecia y el Asia Menor, había retratado con tanta maestría. Sí, porque sólo era un Archiduque, o un ilustre desconocido, en Sevilla pudo sobornar a los aduaneros para que no registraran su equipaje, y en una playa de Albania y a la sombra de las escarpadas rocas de Escutari pudo desvestirse, para bañarse *in conspectu barbarorum* —como escribió en sus *«Memorias»*—, a la vista de esos salvajes albaneses de rojos gorros turcos, caftanes de fustán bordado y guarnecida, la cintura, de pistolas y dagas.

Pero los pros eran muchos. Carlota no podía seguir pintando óleo y acuarelas toda la vida. Ni él tocando el órgano hasta hacerse un viejo. ¿Y acaso México no era un país muy grande, que tenía todos los climas del mundo, todos los paisajes: desiertos, junglas, cordilleras nevadas, bosques de coníferas? Viajaría por su Imperio, recorrería todas sus provincias, se bañaría en todos sus mares. Además, si se cumplía el Gran Designio, el mayor de todos: el de crear un Imperio desde el Río Grande hasta la Tierra del Fuego, viajaría a Honduras, exploraría el Darién, visitaría Venezuela la patria de Simón Bolívar, viajaría por el Amazonas como otro Orellana, subiría a la cumbre del Aconcagua, bebería en Valparaíso oscuros vinos rojos de Maipú...

Otro de los problemas, el del financiamiento de la empresa, se solucionaría solo: México era un país de recursos infinitos. La verdad es que Luis Napoleón había abusado y él, Maximiliano, tuvo que confesarse a sí mismo que en ese aspecto se había mostrado débil. México, o en otras palabras el Tesoro Imperial Mexicano, pagaría todo: el transporte de las tropas francesas, su alimentación, sus salarios, y por supuesto todos los gastos de la campaña todos los años que durara: cada bala, obús o granada utilizados o de reserva, los nuevos uniformes que se fueran necesitando, el pienso y forraje de caballos y animales de tiro, las fiestas, todo. Luis Napoleón, en una carta al Archiduque, confirmó que el ejército francés en México sería reducido gradualmente de manera que a fines del 65 hubiera todavía veintiocho mil hombres, veinticinco mil a fines del 66, veinte mil a fines del 67, y que seis mil hombres de la Legión Extranjera permanecerían durante ocho años en México. «Suceda lo que suceda en Europa», decía Luis Napoleón, «la ayuda de Francia no le faltará nunca al nuevo Imperio». Esta ayuda, y según los cálculos, costaría al tesoro mexicano, hasta julio de 1864, la cantidad de doscientos setenta millones de francos. Además, el Imperio debía satisfacer las reclamaciones de la Casa Jecker y, con ellas, todas aquellas que habían sido presentadas por Monsieur de Saligny a los aliados de la Convención Tripartita en Veracruz. Pero Maximiliano jamás accedería al deseo de Luis Napoleón de crear un protectorado francés en Sonora. Un «protectorado», por cierto, que hubiera comprendido algo más que ese Estado, pues según las instrucciones recibidas por Montholon, debía abarcar toda una franja del territorio mexicano, desde el Golfo de California al Pacífico, y por lo mismo grandes extensiones de Sinaloa, Chihuahua, Durango, Coahuila, Zacatecas, Nuevo León, San Luis Potosí y Tamaulipas: la mitad de México. Pero no sería así. La plata de México pertenecía a los mexicanos, y con ella bastaría y sobraría para sufragar la expedición y el Imperio. Sí señor, lo van a ver. ¿No habían dicho en Europa, cuando Felipe II construía El Escorial, que nunca lo iba a terminar porque no le alcanzaría todo el oro de España? Y Felipe II terminó El Escorial y en una de las torres mandó colocar un gran trozo de oro para que vieran que le había sobrado. Algo así harían Carlota y él en México... después de todo, el oro de El Escorial había salido de la plata mexicana.

Lo que más les quitaba el sueño, era otro problema. Durante toda una década desde 1848, el año en que Francisco José fue proclamado emperador, hasta el nacimiento del Príncipe Rodolfo en 1858, Maximiliano había ocupado el primer lugar en la línea de sucesión del trono austriaco. En 1853 los bordados de oro del cuello del uniforme de Francisco José ¿o habían sido los botones? que desviaron el puñal de Livényi, habían impedido que Max se convirtiera en Emperador de Austria. Al Archiduque le disgustaba pensar en la muerte de su hermano, al que tanto quería, o en la de su sobrino Rodolfo. Pero no podía evitarlo, y por otra parte era necesario tener los pies en la tierra: la muerte de ambos era una posibilidad... o dos posibilidades. Si así sucediera, él abdicaría al trono de México y regresaría a Europa: imposible renunciar a sus derechos en Austria. Recordó con amargura el rumor que corrió en la corte cuando el atentado: Francisco José había interpretado la prisa de Maximiliano en viajar de Trieste a Viena para visitarlo en su lecho de convaleciente no como un gesto de amor: Maximiliano, según Francisco José, estaba ansioso por ver con sus propios ojos qué tan grave estaba su hermano, para saber qué tantas posibilidades tenía de sucederlo en el trono. Tampoco le agradeció Franzi a Max que éste hubiera iniciado una colecta para construir, en el lugar del atentado, y como acción de gracias, porque hubiera sobrevivido, una iglesia votiva, la *Votivkirche*. Además lo más increíble había sido, desde luego, que Franz destituyera a Max del gobierno del Lombardovéneto. Eso jamás se lo perdonaría él, Maximiliano. El, que había nacido en ese palacio, dos veces cuartel general de Napoleón el Grande; escenario de los suntuosos festivales de José II, y de los interminables bailes del llamado Congreso Danzante de Viena de 1815 cuando, presa el águila en Santa Elena, los Grandes de Europa redibujaron el mapa del continente y se conjuraron para suprimir todo movimiento revolucionario. El, Fernando Maximiliano de Habsburgo, que desde niño en esos largos corredores y grandes salones de Schönbrunn que relumbraban con lacas y brocados, en los inmensos jardines, en las glorietas desde cuya torre se podía admirar al norte el palacio mismo y los bosques de Viena, al sur las faldas de los Alpes, había aprendido a conocer la grandeza de su Casa y del Imperio. El, que también había soñado con ser algún día otro más de esos emperadores: otro Rodolfo II, coleccionista de enanos, pintores y astrónomos con nariz de plata; otro Maximiliano I, parangón de nobleza, patrón de las artes, renacentista; otro Federico III que había incorporado, en innumerables objetos y edificios, el soberbio lema bilingüe de las cinco vocales, *AEIOU* —*Austriae est imperare orbi universo. Alles Erdreich ist Oesterreich un-*

terthan—; otro, en fin, otro Carlos V de Alemania y I de España, que después de haber gobernado medio planeta, se retiró a su monasterio a armar relojes, comer huevos de avestruz y contemplar su propio ataúd... ¿Y por qué no?

Apenas ayer —el tiempo pasa volando—, se había reunido con su hermano en Venecia, y las cosas parecían marchar de maravilla. Habían quedado de acuerdo en casi todo: en que adoptaría no el nombre de Maximiliano sino el de Fernando: Fernando I de México. En que viajaría a América a bordo de un buque de guerra austriaco: la fragata *«Novara»*, tal vez. En que a Santa Anna se le daría el título de Duque de Veracruz o Duque de Tampico, como quisiera, y treinta y cinco mil escudos de salario. Y Francisco José aprobó la idea que Maximiliano y Carlota visitaran Roma y París en el camino, en pedirle al Papa que le otorgara al Arzobispo de México la dignidad de cardenal o quizás de patriarca, en que se obtuviera un préstamo de veinticinco millones de dólares, en la idea de reclutar voluntarios de entre las filas de oficiales activos del ejército austriaco con la condición de que todos fueran católicos y ninguno italiano. El problema tan delicado de la sucesión al trono había sido pospuesto por un año, y Max pensó que Francisco José acabaría por ceder. Estuvieron tan contentos, en Venecia, y a propósito del Congreso de Viena de 1815: el tema salió a relucir por lo caro que le habían salido a los austriacos, aunque debió ser magnífico y muy divertido, con Beethoven que dirigió un concierto de gala en el Rittersaal del Hofburgo, los torneos y los desfiles en el Prater, las partidas de caza, las fiestas de los Esterházy, los Auersperg y los Liechtenstein y todo el lujo y el boato, pero para qué, se preguntaban, había servido después de todo, pues no sólo Viena se inundó de periodistas y charlatanes, mendigos, vendedores ambulantes y prostitutas, sino que además y como dijo alguien: el Zar de Rusia había hecho todo amor que había por hacer; el Rey de Prusia, pensado todo lo que había que pensar; el Rey de Dinamarca, hablado todo lo que había que hablar; el Rey de Baviera, bebido todo lo que había que beber, y el Rey de Württemberg comido todo lo que había que comer —ah, y el zar además bailó cuarenta noches sin parar—, y ¿quién había pagado por todo y por todos? El Emperador Franz, de Austria: cincuenta mil guldens diarios. Para qué, si el Congreso no evitó la catástrofe del 48 —a la que de cualquier manera Francisco José debía estar agradecido, pues le debía el trono— ni el desmoronamiento de la Santa Alianza, y ni siquiera el que Francia volviera a surgir en Europa como una potencia. Pero si esto vino a cuentas, fue porque los tiempos eran difíciles y no se debía despilfarrar el dinero. Maximiliano estuvo de acuerdo. Aunque la Casa de Austria no te abandonará, le dijo a su hermano, y le aseguró que continuaría recibiendo su dotación de ciento cincuenta mil florines al año, de los cuales cien mil serían pagaderos en Viena, y los cincuenta mil restantes destinados a amortizar varias deudas, como las originadas por la construcción de Miramar y la empresa mexicana. De acuerdo estuvieron también en restaurar en México la Orden de Guadalupe creada por el Emperador Iturbide, muerta después y resucitada por Santa Anna y de nuevo desaparecida, y establecer dos órdenes más: la de San Fernando y, para las damas y en honor del Santo Patrón de Carlota, la de San Carlos. Y sí, definitivamente viajaría a México en esa hermosa fragata de mil quinientas toneladas y cincuenta cañones cuyo nombre, *«Novara»*, conmemoraba la derrota de Cerdeña por parte de los austriacos, y con ella la muerte de toda posibilidad de resurgimiento de la República de Venecia.

Luego había seguido, unos meses después de la visita que en mayo del 62 hicieron Max y Charlotte a Bruselas para consultar a Leopoldo, ese asunto tan desagradable cuando, expulsado de Grecia Otto I, Inglaterra pensó que lo ideal sería que Maximiliano ocupara el trono vacante, y la Reina Victoria le escribió a Leopoldo para que convenciera al Archiduque, y al monarca belga le pareció una idea estupenda, aunque no fuera sino porque él mismo había aspirado en su juventud a ese mismo trono y soñado que caminaba a la sombra del Partenón o descansaba bajo la marquesina de una tienda de campaña de seda azul en las llanuras de Eleusis. Pero Maximiliano, indignado, y mientras el embajador inglés en Viena Lord Bloomfield prometía que, si el Archiduque aceptaba, las siete islas jónicas serían incorporadas a Grecia, escribió una carta al Conde de Rechberg en la cual afirmó que jamás aceptaría una corona ya ofrecida sin éxito, como una mercancía, a media docena de príncipes. Por su parte Carlota le escribió a su suegra la Archiduquesa Sofía, y le dijo que aceptar el trono de Grecia hubiera significado tarde o temprano, para su dinastía, la adopción de una religión cismática.

¿Qué estaba sucediendo? ¿Se trataba de una conspiración para deshacerse de él a como diera lugar? ¿Tendría que renunciar también a sus derechos en Austria si aceptaba el trono griego? *Me habláis del cetro y del poder*, escribió, *¡Ah, dejadme seguir en paz mi camino oscuro entre los mirtos! El trabajo, la ciencia y las artes, son más dulces que los destellos de una corona...*

Sin embargo, el Archiduque, según se dijo, envió a París y Londres muestras de telas y botones que podrían ser usados para las libreas de sus futuros lacayos mexicanos y, según se enteró el Embajador de Estados Unidos en Viena, mandó también hacer una corona de *papier-maché* para ver, frente al espejo, cómo luciría cuando fuera Emperador de México. Y Carlota, decidida ya a hacer cualquier sacrificio en bien de su futura patria adoptiva, escribiría: *¿Pero es que estamos aquí, en este mundo, sólo para vivir los días de seda y oro?* Por eso, y para que los ayudara a convencerse, Carlota había ido a Bruselas a conversar con el Rey Leopoldo y éste, entonces y después había dicho: el Imperio deberá ser constitucional; los franceses están en sus manos, y no ustedes en las manos de los franceses; del mismo modo, hay que convencer a los mexicanos que ellos los necesitan a ustedes, y no ustedes a ellos; los ciudadanos deberían ser iguales ante la ley, y la libertad de cultos respetada; la monarquía en México no contradice la Doctrina Monroe; y, en lo que a la sucesión se refería, Leopoldo aconsejaba contemporizar y obtener garantías de que, en caso de un fiasco, se reintegraran a Max todos sus derechos en Austria. Pero Francisco José insistió: *Mein lieber Herr Bruder, Erherzog Ferdinand Max,* le decía en sus cartas: «Mi querido Señor Hermano, Archiduque Fernando Max: Si yo muriera durante la minoría de Rodolfo, ¿cómo podrías ser regente desde México? ¿Abdicarías al trono mexicano? Y si así fuera, ¿no crees que para entonces las circunstancias de Austria te serían totalmente extrañas?»

La Emperatriz Eugenia mandó hacer una papelería con la corona de los Habsburgo sobre un águila mexicana. Maximiliano envió a París al Barón de Pont, otro de sus secretarios. Carlota leyó el libro de M. Chevalier, *«Le Mexique Ancien et Moderne»*, que le había enviado Luis Napoleón, y se admiró de que el Lago de Chapala tuviera más de trescientas mil hectáreas, y dio gracias a Dios de que el verano en la ciudad de México fuera tan tibio como los tres meses de otoño en París, ya que la temperatura, decían, rara vez pasaba de los treinta y dos grados centígrados. La expedición mexicana, le afirmaron al Archiduque, es cada vez más impopular en París. El diputado austriaco Ignaz Kuranda dijo que el *Reichsrat,* la Dieta Imperial, exigiría la renuncia de Max a los derechos sucesorios como *condicio sine qua non* a su aceptación al trono de México. Se citó el caso del Duque D'Anjou, nieto de Luis XIV, quien renunció a todos sus derechos en Francia para reinar en España como Felipe V. Por su parte Max puso el ejemplo de Enrique III, Rey de Polonia, que abdicó para transformarse en Monarca de Francia. El General Santa Anna llegó a Veracruz en el paquebote inglés *«Conway»,* y unos días después el Almirante Bosse lo puso en la corbeta *«Colbert»* rumbo a La Habana. Lord Palmerston dijo que México era una caldera de brujas. Almonte le escribió a Maximiliano para comunicarle que la derrota de Juárez y sus partidarios era total, y que los indios mexicanos se descubrían ante los retratos del Archiduque y la Archiduquesa. Luis Napoleón le escribió a Almonte y le advirtió que no permitiría que México fuera arrastrado por una reacción ciega que, a los ojos de Europa, habría de deshonrar a la bandera francesa. Max pensó enviar a Schertzenlechner en una misión secreta a México. Sir Charles Wyke le dijo a Stefan Herzfeld que el pueblo mexicano rechazaba la intervención. Monsieur Kint de Roodenbeek citaba, como ejemplo de la corrupción del gobierno juarista, que el Convento de Santa Clara de la ciudad de México, que valía cien mil piastras, se le había vendido al jefe de la policía por sólo diecisiete mil. Carlota leyó que Humboldt había dicho que en México una sola planta del árbol del plátano bastaba para nutrir a cien personas, y que el gran astrónomo Laplace se asombró al descubrir que los aztecas sabían medir el año mejor que los europeos. Don Francisco de Paula y Arrangóiz le dijo a Palmerston en Londres que si no aceptaba Maximiliano, le ofrecería el trono a un príncipe Borbón, y Palmerston exclamó que no había un solo Borbón que valiera un comino. Maximiliano releyó el *memorandum* o protocolo que había firmado en ocasión de la visita del General Almonte a Miramar en febrero del 63 y quedó satisfecho con las provisiones, en las que se establecía que las tropas francesas debían permanecer en México hasta que se formara un ejército nacional de diez mil hombres; que se solicitaría un préstamo de cien millones de dólares y que los bienes del clero aún no vendidos serían ofrecidos como garantía del pago de un interés de cinco por ciento; que sería prudente establecer un Senado y una Cámara de Diputados; que para asegurar los servicios de los líderes del partido conservador mexicano y quizás los de los jefes de otros partidos, se dispondría de una suma de doscientos mil dólares; que se reconocerían los títulos de nobleza de las familias mexicanas que los tuvieran, y se prometerían otros títulos a discreción con tal de que el número de barones no pasara de veinte y de diez el de marqueses y condes. Maximiliano recibió en Miramar a Don Jesús Terán, enviado especial de Juárez, quien le manifestó que la Asamblea de Notables era una farsa, las actas de adhesión una impostura, y el gobierno de Juárez un gobierno legítimo. Carlota se asustó al leer que en las áridas sabanas del norte de México, que eran como las estepas tártaras, había tribus de apaches que inspiraban un terror semejante al que causaban los bárbaros en las provincias romanas vecinas del Rhin. Max le escribió a su agente en Inglaterra, Bourdillon, y le pidió que demostrara a esa gran nación comercial las ventajas financieras del establecimiento de una monarquía en México. Monsieur Bourdillon advirtió al Archiduque y la Archiduquesa que no se fiaran de las promesas de los mexicanos, porque no había uno que no traicionara sus principios más caros por quinientos dólares. El Coronel Loizillon escribió a París, se quejó del polvo de Quecholac que penetraba los vestidos, y dijo que su caballo árabe podría ser vendido en México por quince mil francos, habiendo costado sólo quinientos cincuenta en Africa. Maximiliano manifestó que le sería muy útil en México su experiencia en la Lombardía, donde sus súbditos lo habían amado y respetado tanto. *Mister* Richard Hildreth dijo en Miramar que cualquiera que aspirara al trono de México debía considerarse afortunado si escapaba con vida. Y si Eugenia, ante la proximidad de un viaje a París de Max y Carlota, *no* pudo haberle escrito a su hermana Paca como asegura Bertha Harding en su libro *«La Corona Fantasma»* para pedirle que le comprara dos abanicos de color escarlata, uno para ella y otro para la Emperatriz de México —y que si era necesario los mandara buscar hasta Cádiz—: si no pudo hacerlo por la simple razón de que Paca había muerto varios años antes, de todos modos Eugenia seguía arrebatada por la idea y sobre todo después de la caída de Puebla, y además de la papelería había ya mandado hacer la vajilla de Max y Carla con el monograma imperial. Era ya demasiado para Maximiliano, demasiadas tensiones, zozobras. Aunque quizás Sir Charles Wyke exageraba en eso que había dicho de los indios y los monos, no había pruebas de que una mayoría de mexicanos deseara de corazón un Imperio, Inglaterra no se decidía a ofrecer su apoyo oficial ni los Rothschild a soltar el algodón —o sea el empréstito—, la diputación mexicana que debía ofrecerle el trono había iniciado su viaje a Europa, Luis Napoleón le pedía que la recibiera lo más pronto posible, y aunque tanto él como Carlota tenían que repasar una y otra vez sus lecciones de castellano y le tocaba ahora el turno a los verbos irregulares, algunos tan difíciles como «ir» que comenzaba siempre de distinta manera «yo voy a Esmirna, yo iba a París, yo iré a México», de todos modos el español era para Carlota un idioma más cercano a su lengua natal, el francés, *je vais, j'allai, j'irai,* y por lo mismo ella tenía más tiempo para leer los libros sobre México de Chevalier o de la Marquesa Calderón de la Barca y aprender que en México los caminos tenían innumerables hoyancos pero que a cambio de ello eran muy pintorescos porque en ellos uno se encontraba piaras de los cerdos más rosados y gordos del mundo y recuas de mulas con aromáticas cargas de vainilla que perfumaban los aires y campesinas indias con flores entretejidas en las trenzas y blusas bordadas como las *gandouras* de los árabes que vendían pájaros exóticos de tornasolados colores en jaulas de bambú, y él, Maximiliano, menos tiempo para esas fruslerías. A esto se agregaban tantas listas, Dios mío: las equivalencias de medidas y monedas a las que con frecuencia tenía que acudir para saber de qué le estaban hablando: cuántos metros hay en una toesa, cuántas millas en una legua castellana, cuánto es un florín en piastras, cuánto una piastra en dólares, cuánto un dólar en francos, cuánto un franco en kreuzers, cuánto un kreuzer en *tlacos.* Y *tlaco* era uno más de esa lista de nahuatlismos y mexicanismos que les había proporcionado el profesor de español y donde no figuraba la obsidiana con la que los incas hacían sus espejos y los aztecas los cuchillos con los que sacaban el corazón a sus víctimas porque era lo mismo que el ágata de Islandia, y además una palabra de raíz latina, pero sí vocablos como *adobe* que era un ladrillo hecho con barro parecido al de los ladrillos de Cachemira —ya los franceses comenzaban a llamar a la expedición «la guerra de los adobes» por los parapetos de las trincheras que se hacían con ellos para defender las plazas— y otros impronunciables como *xoconoxtle* que era la fruta de un cacto usada en la cocina mexicana, o *tezontle* que era una roca volcánica y porosa color gris o rojo oscuro que se usaba en las construcciones, como por ejemplo el Palacio de la Inquisición (¡es para volverse loco, Carla!) y para colmo tenía que leer las interminables cartas que le enviaba Julien —o sea Gutiérrez de Estrada— que eran tantas que a veces recibía hasta tres en una semana, y tan increíbles como aquella en que, unos meses después, Julien le proponía por medio de Eugène —o sea el Barón De Pont— que viajara a Tours —o sea México— que desde allí declarara a Rouen, Bordeaux y Orleáns —o sea a Francia, Inglaterra y Viena—, que no era aceptado por una mayoría y que por lo mismo se regresaba a vivir, tranquilo, a su Castillo de Nantes —o sea de Miramar—. Y Maximiliano, que no se había aprendido de memoria todo el código inventado por Julien, tenía que cotejar: *Arteago* es Hidalgo; *Joseph* el Arzobispo Labastida; *Ernest* el Príncipe Metternich... Y *Cittadella*... bueno, por supuesto que eso sí lo sabía: *Cittadella* era él, Maximiliano —al menos mientras al mexicano no se le ocurriera cambiar todo el código y, como había sucedido, Maximiliano se transformara en «Núñez» y Miramar en «Bolivia».

Pero lo que también sabía el Archiduque de Austria, Príncipe de Lorena y Conde de Habsburgo era que, en el momento en que renunciara a sus títulos dejaría de ser todo eso: Archiduque, Príncipe, Conde, para transformarse en un ciudadano más del Imperio, en un cualquiera. ¿O también lo obligarían a renunciar a su ciudadanía austriaca? ¿Llegaría su hermano a ese extremo? ¿Se transformaría en un apátrida? ¿Lo condenarían a una muerte civil?

La Sala XIX del Castillo de Miramar, situada entre los salones Chino y Japonés y la antigua *Sala del Trono,* tiene el nombre de *«La Sala di Cesare dell'Acqua»* porque en ella se encuentran varios cuadros de ese pintor istrio. Uno de ellos, representa la fundación de Miramar por Maximiliano y en él aparece entre otras cosas una mujer con un tocado de plumas no muy diferente a un penacho azteca, que le ofrece al Archiduque —vestido con una túnica púrpura— una piña: la fruta tropical por excelencia que figuraba en el escudo de Maximiliano coronada por el lema: «Equidad en la Justicia». En otro cuadro, Cesare dell'Acqua ilustró *L'offerta della corona a Massimiliano.* Este ofrecimiento, hecho por la Diputación Mexicana presidida como era de esperarse por el Señor Gutiérrez Estrada, tuvo lugar en Miramar el 3 de octubre de 1863. Carlota no estuvo presente en la ceremonia, y Maximiliano aparece vestido de civil, sin condecoraciones. Formaban también parte de la Diputación José Manuel Hidalgo, Tomás Murphy, el General Adrián Woll d'Obm, Joaquín Velázquez de León, Francisco Javier Miranda y Antonio Escandón, entre otros. Poco tiempo antes, Maximiliano y Carlota habían viajado: él a Viena para hablar con su hermano sobre la cuestión de los derechos sucesorios, y la Archiduquesa a Bruselas. De regreso a Miramar, Carlota, a partir de sus notas, redactó una memoria de más de cincuenta páginas, titulada *«Conversations avec Cher Papá».* Leopoldo, feliz por haber recuperado su papel favorito —el de tutor de futuros soberanos—, insistía en que no debía renunciar ni al trono de México, ni a sus derechos en

Austria. Por otra parte, las instrucciones de Francisco José eran muy claras: no se debía dar a la diputación mexicana un carácter oficial sino privado, y de ninguna manera Maximiliano debía, en su respuesta, hablar en nombre del Emperador de Austria y ni siquiera mencionar su nombre. Como también era de esperarse, el discurso de Gutiérrez Estrada abundó en frases rimbombantes y excelsas. El Señor Gutiérrez Estrada, nacido en un país de funesto porvenir, sinónimo de desolación y ruina, presa de instituciones republicanas que eran un manantial incesante de las más crueles desventuras, presentaba la corona del Imperio Mexicano que el pueblo, en el pleno y legítimo ejercicio de su voluntad y soberanía, por medio de un decreto solemne de los Notables ratificado por tantas provincias y que lo sería pronto, según todo lo anunciaba, por la nación entera, y con la esperanza de que por fin para México luciera la aurora de tiempos más dichosos, presentaba la corona al digno vástago de la esclarecida e ínclita dinastía que entre sus glorias contaba haber llevado la Civilización Cristiana al propio suelo en el que se aspiraba a que El, Maximiliano de Habsburgo, a quien tan altas prendas había dispensado el Cielo con manos pródigas, hombre de rara abnegación que es el privilegio de los hombres destinados a gobernar, y con El su Augusta Esposa, tan distinguida también por sus altísimas prendas y su ejemplar virtud, fundaran, en este siglo XIX por tantos títulos memorable, el orden y la verdadera libertad, frutos felices de esa civilización misma.

En su contestación, Maximiliano pidió que se tomaran las disposiciones necesarias para consultar al pueblo mexicano sobre el gobierno que se quería dar a sí propio, en virtud de que El no estaría dispuesto a aceptar el trono sin que el voto de la capital fuera ratificado por la nación entera. El discurso de Maximiliano fue sobrio y directo, muy diferente al del mexicano, aunque una sola palabra: el verbo «exijo», aplicado a las garantías que aseguraran la integridad y la independencia del Imperio, habría de causarle al Archiduque un dolor de cabeza y una primera humillación: el ministro del Exterior francés se permitió censurar el discurso cuya publicación en «Le Moniteur» de París fue autorizado sólo después de que M. Drouyn de Lhuys cambió «j'exige» por «je demande». El Archiduque, pues, no exigía garantías: se limitaba a pedirlas.

Con o sin las garantías suficientes, con o sin el apoyo de Inglaterra, con o sin el voto de toda la nación, Maximiliano y Carlota habían ya decidido, desde la Nochebuena de 1863, aceptar el trono de México. Lo único que faltaba era finiquitar la cuestión de los derechos sucesorios. A principios de marzo, y en vísperas de su viaje a París, a donde habían sido invitados por Luis Napoleón, se recibió en Miramar la llamada Memoria de Arneth, documento comisionado por Francisco José al historiador austriaco Alfred von Arneth, y con el cual, tras invocar varios ejemplos históricos, se señalaba que en todas las ocasiones anteriores en que los dominios de los Habsburgo estaban divididos, siempre había sido posible reunirlos bajo un solo cetro, lo que no sería viable en el caso en que un emperador, domiciliado en México, intentara desde allí gobernar Austria. Arneth concluía que, en beneficio de los intereses tanto de Austria como de México, el Archiduque debía renunciar a todos sus privilegios.

En París, Maximiliano y Carlota fueron recibidos con honores imperiales. Luis Napoleón y Eugenia estaban de un humor espléndido. En un gran banquete en su honor, el *chef* de las Tullerías les presentó una inmensa águila mexicana de azúcar que devoraba una serpiente. Carlota posó tres veces para Winterhalter, el pintor de la corte. Eugenia le regaló a Carlota una mantilla española y a Maximiliano un medallón de la Virgen de oro macizo. En la capilla de las Tullerías a la que llegaron precedidos y seguidos por el gran mariscal, el gran maestre, el comandante en jefe de la Guardia Imperial y los oficiales y damas de las Casas Imperiales de Luis Napoleón y Eugenia, escucharon una misa cantada por los alumnos del Conservatorio y Carlota notó que el emperador francés no paraba un momento de retorcerse el bigote. Cenaron varias veces en el Salón Luis XIV adornado con soles y cuernos de la abundancia y el lema *Nec pluribus impar,* atendidos por *maîtres d'hôtel* con hábitos de seda azul cielo, levitas de cuellos bordados con flores imperiales, y sombreros de tres picos y plumas negras que llevaban bajo el brazo; en el centro de la mesa estaba una gran y bellísima pieza de Sèvres, y atrás de Eugenia, inmóvil, un lacayo nubio con vestidura veneciana. Luis Napoleón presumió su bastón favorito, forrado con piel de rinoceronte y un águila dorada en el puño. Se habló de todo un poco: de Puebla, de la huida de Juárez de la capital, de las brillantes campañas del General Brincourt; de que había que pasar muy de prisa por Veracruz para evitar el contagio de la fiebre amarilla o vómito negro; Eugenia les contó que en el último baile de Paulina Metternich, ella, la emperatriz, se había disfrazado de Juno y el Conde de Fleurier de haitiano vendedor de cocos, y Maximiliano volvió al tema de México y dijo que entonces Francia le pediría a Inglaterra que les devolviera la piedra Rosetta. Pero luego los egipcios se la pedirán a ustedes, dijo el Archiduque, y los griegos se aprovecharán para pedirles a los ingleses que les devuelvan los mármoles de Elgin. ¿Los mármoles de qué? Los frisos del Partenón, aclaró Eugenia que sabía mucho de historia. Ajá, pero entonces, dijo Luis Napoleón, ustedes los austriacos tendrán que devolverle a los albaneses la corona de Scanderberg, mejor que las cosas se queden como están. Hubo también una gran parada en su honor por las nuevas avenidas de la moderna París diseñada por el Barón de Haussmann y Maximiliano pasó revista a las tropas. El Escuadrón de los Cien Guardias golpeó la culata de sus fusiles en tierra, honor que sólo se rendía, además de al Emperador y la Emperatriz de Francia, a los monarcas extranjeros, y Eugenia contó que una vez le había dado un sopapo a un guardia para ver si se movía pero el guardia ni siquiera había parpadeado, y lo mismo cuando Lulú derramó todo un paquete de confites en las botas de otro, y Luis Napoleón dijo que desde 1858 había eliminado la costumbre de que uno de los miembros del escuadrón durmiera echado a la puerta de su habitación. Eugenia y Carlota visitaron varios templos, cubiertos sus rostros con espesos velos negros para que nadie las reconociera y Eugenia le contó, con un poco de asco y un poco de risa, que una vez había ido a una iglesia de incógnito acompañada de Hidalgo, tuvo que poner sus labios en un crucifijo después de que un negro lo había besado, pero como con eso cumplía una manda por la caída de Puebla no se arrepintió, le dijo, y además le encantaba salir disfrazada, y ojalá pudiera hacerlo para ir a ver *Les Géorgiennes*» de Offenbach que decían era una opereta deliciosa, pero eso sí que era poco menos que imposible. En fin, que era casi la primavera, la Ciudad Luz hacía honor a su nombre, había en las calles tragafuegos y músicos, saltimbanquis vestidos de arlequines, en los bulevares y los parques niños con faldas escocesas y *glengarries,* y por donde quiera que pasaba Carlota la gente la aplaudía y le gritaba: *Bonne chance, Madame L'Archiduchesse!,* ¡Buena suerte, Señora Archiduquesa! y Carlota no sabía si estar alegre o triste, porque no dejaba de recordar que allí, en las Tullerías, y en esos mismos corredores y salones, como la Salle des Travées, la Galerie de la Paix, el Salon des Maréchaux con los retratos de doce mariscales de Francia y los bustos de guerreros y marinos franceses, y la Galería de Diana, que pasaba al lado de las habitaciones de Eugenia, había jugado cuando era niña y su abuelo Luis Felipe la sentaba en sus piernas en el Salón del Rey y le contaba que ese señor magnífico que estaba enfrente de ella dibujado con hilos de colores no era otro que Luis XIV, y que la escena bordada en el tapiz conmemoraba la ocasión en la que el Rey Sol presentó a su hijo a los Grandes de España. Pero en las mismas calles de París las malas lenguas, que ya se habían encargado de llamar a la expedición francesa «la Guerra del Duque Jecker», decían que Maximiliano no era un Archiduque, sino un *archidupe:* un archicándido...

Pocas horas antes de la partida de Maximiliano y Carlota rumbo a Inglaterra, en donde visitarían la corte de Saint-James y a la abuela de Carlota en Claremont, el Archiduque y Luis Napoléon firmaron la llamada Convención de Miramar. El emperador de los franceses ratificaba los términos manifestados en su correspondencia anterior con el Archiduque. Sus futuros súbditos mexicanos pagarían a Francia los doscientos setenta millones de francos correspondientes a los gastos de la expedición hasta julio del 64, y mil francos anuales por cada soldado francés que permaneciera en México después de esa fecha. Maximiliano se comprometía también a satisfacer las demandas de la Casa Jecker. A cambio de ello rechazó, de plano, el proyecto de Luis Napoleón de hacer de Sonora y durante quince años un protectorado francés.

En Inglaterra, la Reina Victoria decidió que no se les rindieran honores imperiales, pero los recibió con afecto y comentó que Maximiliano parecía ansioso de liberarse del *dolce far niente,* y que sin duda Carlota lo seguiría hasta el fin del mundo. En Claremont, la abuela de Carlota, María Amelia, viuda de Luis Felipe desde hacía diecisiete años, perdió de pronto la compostura y les pidió entre sollozos que no se fueran a México. Su hija Clementina de larga nariz borbona y que repasaba el rosario entre sus dedos una y otra vez y la Condesa de Clinchamp y la propia Carlota y la princesita Blanche d'Orleáns, trataron en vano de calmarla. La abuela, delirante, gritaba: *Ils seront assassinés! Ils seront assassinés!* ¡Los matarán! ¡Los matarán! La princesita Blanche, que entonces tenía seis años, se asombró que fuera un hombre, Maximiliano, el que llorara, y no Carlota, que permaneció inmutable.

De Inglaterra, Maximiliano y Carlota viajaron a Bruselas para despedirse de papá Leopoldo y del Duque de Brabante y el Conde de Flandes y allí, con los generales Chazal y Chapelié, hablaron sobre la organización de un cuerpo de mil voluntarios belgas al que se bautizaría con el nombre de Guardias de la Emperatriz. La próxima etapa era Viena.

Otro de los cuadros de Cesare dell'Acqua de la Sala XIX del Castillo de Miramar se titula *La partenza per il Messico.* Maximiliano y Carlota están de pie en la barca de ocho remeros que los condujo a la *«Novara»* desde el embarcadero de Miramar. La fragata, allá a lo lejos, en la rada, estaba empavesada con sus oriflamas de gala. En su mástil mayor ondeaba una bandera imperial mexicana. Otra en la propia barcaza, una más en la torre del castillo. Cerca de la *«Novara»,* el barco francés *«Thémis»* que los acompañaría hasta México, y el yate imperial *«Fantaisie»,* además del cañonero austriaco *«Bellona»* y seis vapores de Lloyd que los escoltarían durante una parte de la primera jornada. Según el historiador belga André Castelot, Carlota señaló el pabellón francés izado en la *«Thémis»* y le dijo a Max: «es la bandera de la civilización la que nos acompaña», y Maximiliano permaneció callado. Todo Trieste había venido a despedirlos, y desde el muelle, cubierto de flores, los triestinos: hombres, mujeres, niños, arrojaban besos a los Príncipes, lanzaban vivas, les deseaban la mejor de las suertes. La banda municipal tocó el himno imperial mexicano y después el *Gott erhalte, Gott beschütze. Unsern Kaiser, unser Reich!...* Acompañaban a Maximiliano y Carlota a México, entre otros, el Conde Franz Zichy y su esposa Mélanie; la Condesa Paula von Kollonitz; el Marqués de Corio; el Conde Bombelles hijo del antiguo tutor de Maximiliano; el ingeniero belga Félix Eloin enviado por Leopoldo; Sebastián Schertzenlechner; los señores Angel Iglesias y Joaquín Velázquez de León; el General Adrián Woll d'Obm y Herr Jacob von Kuhacsevich. Desde la *«Novara»,* Maximiliano contempló el Castillo de

Miramar por última vez. *Comme il pleure, mon pauvre Max!*, le dijo
Carlota a la Zichy: ¡Cómo llora, mi pobre Max!

Era la mañana del 14 de abril de 1864. Entre ese día y la fecha de la
salida de Max y Carlota de Claremont, el sueño del Imperio Mexicano
estuvo a punto de quedarse en eso: en un sueño. El 19 de marzo,
Maximiliano y Carlota habían llegado a Viena, donde se les rindieron
honores imperiales. Al día siguiente, el Conde de Rechberg visitó a
Maximiliano en sus departamentos privados y le entregó de parte del
emperador un documento llamado «Pacto de Familia», que contenía la
renuncia del Archiduque y todos sus descendientes a los derechos de
sucesión de Austria incluyendo el derecho de tutoría sobre cualquier
príncipe austriaco. Max se negó a firmarlo y Rechberg le dijo que en ese
caso el emperador no podría autorizar la aceptación de la Corona de
México por parte del Archiduque. Al día siguiente, el Jefe Supremo de
la Augusta Casa de Austria le envió a su hermano una comunicación por
escrito en la cual le confirmó lo dicho por su ministro del Exterior. En
su contestación Max, indignado, dijo que se vería en la triste necesidad
de dar a conocer, a un pueblo de nueve millones de almas que había
depositado en él su confianza para un mejor futuro sin guerras civiles
devastadoras que habían durado ya generaciones enteras, el motivo de su
renuncia. Siguió a este intercambio epistolar una airada discusión: Max
le dijo a su hermano que se embarcaría en un buque francés en Anvers,
y Francisco José le respondió que si se atrevía a hacerlo, lo borraría de
la lista de príncipes de la Casa de Austria. Sofía, indignada, corrió a
refugiarse al Castillo de Laxenberg, a donde la alcanzaron Max y Carla
el 24 de marzo. Allí Carlota volvió a insistir que Austria debía hacer valer
un derecho histórico: México, después de todo, había pertenecido a la
dinastía Habsburgo, y ahora se trataba de recobrarlo. Dos días después
regresaron a Miramar, y cinco más tarde llegó al castillo el primo de
Maximiliano el Archiduque Leopoldo para comunicarle que Francisco
José lo urgía a firmar la declaración de renuncia. El 27 de marzo, Maximiliano comunicó a la diputación mexicana alojada en Trieste que en vista
a los insuperables obstáculos a los que se enfrentaba, había decidido
retirar su candidatura al trono de México. Carlota había propuesto embarcarse en secreto en el barco francés *«Thémis»*, y tan pronto llegaran
a Argel o Civitavecchia, hacer pública la aceptación, para así salvaguardar
los derechos de Max en Austria, pero la idea de la Archiduquesa no
prosperó. Max, en cambio, dijo que viajaría a Roma para explicarle al
Santo Padre la situación. Hidalgo telegrafió a París y su informe puso a
las Tullerías y al *Quai D'orsay* de cabeza. Esa misma noche Luis Napoleón hizo despertar a Richard Metternich a las dos de la madrugada por
medio de un mensajero que le entregó dos cartas: una del emperador y
otra de Eugenia, llenas de reproches, y advirtiéndole del escándalo que
iba a suscitarse. Metternich se presentó a primeras horas del día siguiente

en las Tullerías, y aseguró que su gobierno era el primero que lamentaba la situación. Luis Napoleón telegrafió a Miramar, para expresarle a Maximiliano su consternación y manifestó que una negativa, a esas alturas, era imposible. Esa misma mañana del 28 de marzo de 1864, Luis Napoleón envió a Viena y Miramar a su ayudante, el inspector general de artillería, General Charles Auguste de Frossard, con la misión de hablar con Francisco José y entregar al Archiduque una carta de puño y letra del emperador de los franceses. Incluía la carta, un párrafo del cual unos pocos años después se arrepentiría Luis Napoleón: *«¿Qué pensaría Usted de mí —decía— si Vuestra Alteza Imperial estuviera ya en México y yo le dijese de pronto que no podía cumplir las condiciones que hemos acordado?»*, y una frase que obligaría a Maximiliano a reconsiderar su actitud: *«Se trata —decía Luis Napoleón— del honor de la Casa de los Habsburgo».* En Viena, las gestiones de Frossard no tuvieron éxito: Francisco José, le dijo a Rechberg, había dejado en claro que Austria no podría ser gobernada por un Príncipe al que echaran de un trono —porque siempre habría esa posibilidad— y tampoco quería que, con el correr del tiempo, algún príncipe mexicano descendiente del Archiduque se creyera con derecho a disputar la Corona del Imperio Austriaco. En Miramar, al insistirle Frossard a Maximiliano que el honor de los Habsburgo estaba en juego, Carlota intervino y le dijo al general que, al ir a México, le hacían un servicio a Luis Napoleón. Frossard contestó que, al menos, el servicio era recíproco. El 2 de abril Maximiliano recibió en Miramar tres cartas de Francisco José. El Archiduque había comunicado antes a su hermano que aceptaría el Pacto de Familia si en él no se incluía la herencia familiar, y solicitaba que se agregara una cláusula secreta en la cual el emperador le prometiera restablecer al Archiduque en sus antiguos derechos, para el caso en que renunciara al trono de México o lo perdiese, y lo mismo la restitución de todos los derechos correspondientes a los archiduques austriacos y, las circunstancias dadas, para su viuda y sus hijos. En las dos primeras cartas, Francisco José confirmaba lo que ambos hermanos habían acordado en Venecia respecto a los ciento cincuenta mil florines anuales y el reclutamiento del cuerpo de voluntarios austriacos. En la tercera Francisco José prometía hacer todo lo que estuviera en sus manos, y siempre que fuera compatible con los intereses de su Imperio, para asegurar la posición dentro del mismo a Maximiliano o de su viuda y herederos, en el caso de que el Archiduque abandonase por su voluntad el trono de México o las circunstancias lo obligaran a hacerlo.

Como esto no era suficiente, Carlota viajó a Viena para hablar con Francisco José. Tampoco tuvo éxito la Archiduquesa: el emperador, inflexible, se limitó a hacer lo que en su opinión era una concesión importante: él mismo iría en persona a Miramar llevando consigo el Pacto de Familia.

El tren imperial de Francisco José llegó a Trieste el 9 de abril, en la mañana. Los dos hermanos se encerraron en la biblioteca del Castillo de Miramar. Hubo un momento en que Maximiliano abandonó la habitación para caminar, solo, por el jardín. Poco después el Conde Bombelles fue a buscarlo, y continuó la discusión. Varias horas después salieron de la biblioteca. Era evidente que ambos estaban muy exaltados y que habían llorado.

En el gran salón, y en presencia de sus dos hermanos los archiduques Carlos Luis y Luis Víctor, los ministros Schmerling, Eszterházy y Rechberg, los archiduques Carlos Salvador, Guillermo José, Leopoldo y Rainer, los tres cancilleres de Hungría, Croacia y Transilvania y otros altos dignatarios del Imperio, Francisco José y Maximiliano firmaron el Pacto de Familia.

Francisco José partió enseguida de Miramar. Antes de abordar el tren, se volvió hacia su hermano, abrió los brazos y exclamó: ¡*Max!* Los dos hermanos se abrazaron por última vez.

Al día siguiente, 10 de abril, el Conde Hadik fue a buscar a los miembros de la diputación mexicana, alojada en la Casa Consistorial de Trieste.

Era domingo, el día en que los Jardines de Miramar estaban abiertos al público. Maximiliano vestía el uniforme de gala de Almirante de la Marina Austriaca y portaba el Vellocino de Oro. Carlota llevaba un vestido de seda rosa, el listón negro de la Orden de Malta y la corona archiducal de diamantes. Gutiérrez Estrada se encargó de nuevo de hacer un farragoso discurso en francés en el cual hizo referencia al lema Habsburgo que aparecía en Viena en un arco triunfal frente al palacio, *Justitia regnorum fundamentum:* en la justicia se fundan los imperios, y afirmó que la mano de Dios se mostraba, visiblemente, en la empresa. Maximiliano, con voz temblorosa, leyó su respuesta en español, y en ella dijo que, gracias a los votos de los Notables, podía considerarse como elegido, que aceptaba la corona, y que, gracias a la generosidad del emperador de los franceses, el Imperio contaba con las garantías necesarias. Insistió una vez más en que todas sus intenciones eran las de establecer en México una monarquía constitucional.

Al terminar Maximiliano, Gutiérrez Estrada, radiante, se arrodilló ante él y exclamó: «Viva Su Majestad Fernando Maximiliano, Emperador de México». Hizo lo mismo ante Carlota: «Viva Su Majestad Carlota Amelia, Emperatriz de México». La bandera imperial mexicana fue izada en el mástil de Miramar, y saludada por los cañones de los barcos surtos en el puerto. El Abate de Lacroma se acercó para tomar el juramento de Maximiliano. El Emperador se arrodilló, puso su mano derecha sobre el libro de los Evangelios, y juró preservar la integridad y la independencia de su nueva patria. La Convención de Miramar fue firmada a continuación, y Maximiliano I comenzó a tomar una serie de disposiciones, entre ellas la designación de nuevos embajadores de México en varias capitales europeas. Le envió también una carta al Podestá de Trieste, en la cual le decía haberle conferido la cruz de Comendador de la Orden de su Imperio, y ordenado que se le enviasen veinte mil florines cuyos intereses debían ser repartidos cada año, en Navidad, entre las familias más necesitadas de Trieste.

Algunos historiadores dicen que, antes de terminar la ceremonia, llegó un telegrama de felicitación de Luis Napoleón. Otros, como Gaulot, afirman que el telegrama llegó al día siguiente, lo recibió Carlota y se lo llevó a Maximiliano, quien se encontraba desayunando con el Doctor Jilek y que el Archiduque arrojó el tenedor en la mesa y exclamó: «Ya te he dicho que no quiero que me hablen de México ahora». Maximiliano se encerró en el *Gartenhaus* y se negó a ver a nadie. El Doctor Jilek dijo que el Emperador estaba exhausto y necesitaba reposo. Carlota tuvo que recibir a las diputaciones de Trieste, Venecia, Fiume, Gorizia y Parenzo, y presidir el banquete oficial en el Salón de las Gaviotas. En el *Gartenhaus*, Maximiliano terminó su poema y decidió aplazar la salida para el día 14: el 13 era de mala suerte. Y así, el 14 en la mañana, después de haber recorrido una vez más los salones y los Jardines de Miramar, Maximiliano y Carlota se despidieron de la servidumbre. Una vez más, Maximiliano se conmovió hasta las lágrimas. Richard O'Connor, en su libro *«El Trono de Cactos»*, dice que el mayordomo de Miramar prefirió suicidarse que acompañar a los Emperadores a México. A última hora, Maximiliano recibió un telegrama de su madre Sofía: «Adiós. Reciban nuestras oraciones y nuestras lágrimas. Que Dios te proteja y te guíe. Adiós para siempre desde la tierra natal donde nunca más te volveremos a ver. Con el corazón acongojado te bendecimos una vez más».

La *«Novara»* levó anclas y enfiló hacia Pirano, bordeando las costas de Istria.

2. *«Camarón, camarón...»*

Camarón, camarón... Estaba yo no voy a decir que contento pero tampoco triste, no voy a decir que despierto pero tampoco dormido, y embobado viendo cómo un chupamirto cornudo se colgaba del aire para sorber el néctar de las flores del manto de la Virgen bajo las que yo estaba escondido porque eso sí, de estar escondido sí que lo estaba y no a medias, cuando los vi llegar, todos con sus kepis de visera cuadrada, sus cubrenucas, sus chaquetas azules y pantalones granza y sus polainas, todos menos los oficiales, menos un capitán o lo que me pareció un capitán con túnica negra y galones dorados, que yo no estoy para contarlo ni ustedes para creerme, pero tenía una mano de madera, la izquierda, y entonces me dije son los legionarios, pero lo importante no es que me lo diga yo, me dije, sino que se lo diga al coronel, que para eso me pagó: para que le informe quiénes son y cuántos. Y comencé a contarlos con los dedos: uno, dos, tres, y cuando llegué a cuarenta el chupamirto se espantó y perdí la cuenta, pero volví a encontrarla, y llegué como a sesenta. Apenas se les veía el polvo que iban dejando, cuando comencé a correr, pero a mí ni el polvo me vieron porque a correr no me gana nadie. El coronel estaba tomando la sombra bajo un algarrobo y casi ni me agradeció el mensaje porque se le habían metido unas niguas entre las uñas de los pies que su mujer le estaba escarbando, y reventaba de picazón y mal humor. Pero cuando se puso las botas cambió de talante y me agradeció un poco más, me dio una palmada en la espalda y me dijo Muy bien, dices que son como sesenta legionarios, muy bien, vamos a acabar con ellos, ven con nosotros para que veas cómo les vamos a dar en la madre a esos franceses. Sólo que un capitán bastante versado le dijo Con su perdón, mi coronel, si son legionarios, si son los mismos que según mis noticias llegaron a Veracruz en dos barcos que venían de Argelia bajo el comando del Coronel Jeanningros, si son los mismos, decía, lo más probable es que haya entre ellos más alemanes, prusianos y hasta italianos, sin exagerarle, mi coronel, que franchutes. Para el caso es lo mismo, dijo el coronel. Y sí, para el caso era lo mismo, porque de ese lado todos eran extranjeros, y de éste todos éramos mexicanos, con la ventaja que ellos eran sólo sesenta, o sesenta y pico y nosotros como mil, dicho sea también sin exagerar. Si hubiéramos sabido entonces del convoy, si nos hubieran dicho que esos legionarios andaban a la limpia del camino para abrirle el paso a un convoy cargado de oro y cañones para el General Forey o como se llame, en lugar de irnos tras ellos habríamos esperado el paso de los carros, al fin y al cabo éramos muchos y de todo el oro la mitad hubiera sido para el Gobierno de la República y la mitad para nosotros, que lo merecíamos, o al menos eso es lo que yo hubiera ordenado de ser coronel, pero yo ni a sargento llego porque yo no soy soldado, a mí me pagan por espiar, por estarme quieto horas y felices días como estaba yo bajo el manto azul de flores, casi sin respirar, y me pagan por correr, como les dije, y me pagan por probador. Pruebo los nopales a ver si no están amargos, y pruebo los capulines a ver si no están ácidos, y pruebo los hongos a ver si no son venenosos aunque lo sé con antelación, pero ellos no saben que lo sé, y por eso, les decía, me pagan, porque me conozco todos los vericuetos y todas las jorobas de la tierra de cinco leguas a la redonda de Chiquihuite, y todos los manantiales y los ríos como el Arroyo de La Joya por donde estaban ese día los legionarios, y como el Arroyo de Camarón, que es el que le da nombre a la hacienda adonde se atrincheraron esa noche esos cabrones. Camarón, camarón... Camarón que se duerme, decía mi padre, se lo lleva la corriente. Y no es que se hayan dormido los legionarios, que ni tiempo les dimos para eso, pero se durmieron en sus laureles, se confiaron, como dijo el capitán versado, en su victoria de Sebastopol o Sépalabola como se diga y se creyeron que estaban entre los turcos y en lugar de retirarse como yo mismo lo hubiera ordenado si fuera soldado, pero no soy, el capitán de la mano de madera que llamaban Capitán D'Anjou o algo por el estilo, los llevó al corral de la Hacienda de Camarón y allí, como su nombre lo indica, los acorralamos. Es decir, los acorralaron ellos, los soldados, porque yo nomás me quedé escondido entre unos malvones para ver qué pasaba y escribirlo en un mensaje para llevárselo a alguien, al que mejor me pagara. Yo no sé leer ni escribir, pero escribo en mi cabeza. La de cosas que allí tengo escritas, no las sabe nadie, a veces ni yo mismo. Y sé leer las piedras y los caminos, leo los montes y los helechos. Ese día leí las nubes. O mejor dicho leí el cielo porque no había ni una sola nube y me dije que no iba a llover una gota en mucho tiempo y que ahora esos legionarios sí que iban a saber lo que era la calor, pero no la calor del desierto qué va, sino la de las tierras calientes que por algo así se llaman, la calor de la fiebre amarilla que ya había comenzado a diezmarlos porque los tenderetes de los hospitales estaban llenos de legionarios roñosos que vomitaban un batiburrillo negro y hediondo, yo los vi. Y yo los vi también al Capitán D'Anjou y a muchos otros que se acercaban fumando cigarros como lo hacen los oficiales mexicanos que no son de tierra caliente pero que vienen a ella: porque así se espantan a las moscas. Pero qué duda que los cigarros no espantan a las balas: el primer tiro que les mandamos le tiró el cigarro de la boca a un oficialete, el segundo mató a un caballo que un legionario tenía entre las piernas; del tercer tiro y de los muchos otros que siguieron ya no les digo nada, porque no tuve tiempo de contarlos. Allá fuimos tras ellos hasta que se metieron en el corralón de la hacienda y yo, como les dije, me quedé escondido en un malvón. Yo no necesito fumar para espantar a los moscos. Ellos ya me conocen y saben que tengo mala sangre. Yo me quedo quieto, sin pestañear siquiera, por horas y horas, y si me da hambre me como lo que tengo más a mano. Sin beber, en cambio, puedo estar días enteros. Pero ellos no, lo supimos después. Esos tarugos se olvidaron de llenar sus cantimploras y cuando los acorralamos en Camarón no tenían ni una gota de agua, sólo una botella de vino para sesenta y tantos, imagínense ustedes, ni siquiera lo suficiente para que la muerte les hubiera sabido más dulce. Yo los vi pasarse la botella de boca en boca. Bebió el capitán de la mano de madera. Bebieron otros dos oficiales y bebieron unos cuantos. «¡Pásennos un trago, cabrones!», gritó uno de los lanceros mexicanos, y yo vi cómo uno de los legionarios se orinó en la botella, le puso el corcho de nuevo y nos la aventó diciendo algo en un idioma que no colegí. Más le hubiera valido guardar su orina para después, pero eso no lo sabía él entonces. La botella fue como la señal para comenzar el tiroteo. Nosotros, así como nos ven ustedes, o mejor dicho ellos, porque yo no soy soldado, así como los ven con sus camisas desgarradas y con sus pantalones color de tierra, así, a primera vista, como que no damos miedo, pero en una batalla de verdad, quien nos vea a todo galope aullando más fuerte que los soldados del batallón egipcio y que los céfiros africanos, quien nos vea de lejos pero cada vez más de cerca, más que orinarse por gusto, como el legionario francés, se caga del susto. Pero lo malo fue que esa vez las lanzas y los caballos nos sirvieron para poco, y la verdad sea dicha, los de la caballería, por muy machos y avezados que sean en las batallas, la verdad, decía, no éramos muy buenos para luchar a pie. Con uno de los primeros tiros los franceses mataron a un soldado que uno de nuestros caballos tenía en el lomo. Pero cuando la Providencia está del lado de uno, todo mal es para bien. Los legionarios tenían un par de mulas cargadas de víveres y municiones, de esas mulas sin bridas y sin cabestros que están enseñadas a seguir a un macho, y cuando vieron al caballo suelto, que por pura casualidad se acercó a pastar en los enrededores de la hacienda, salieron corriendo tras él. Camarón, camarón... Esos legionarios sí que se durmieron. Se pusieron a gritarle a las mulas como locos para que regresaran, y yo me dije sí que serán brutos, cómo va a ser que siendo mulas mexicanas entiendan el francés, porque no es que las mulas entiendan lo que uno les dice, pero entienden, si me explico. Y bueno, si yo ni a soldado llego, menos a legionario francés, pero de haberlo sido las hubiera matado a la mitad del camino para que los víveres y las municiones no fueran de nadie. De otra manera, como sucedió, los legionarios no sólo se quedaron sin agua, sino también sin comer. Nos decía el capitán versado después que esos legionarios son unos demonios que aguantan todo, que la fuerza y las lascivia la sacan del ajenjo y de un vino rojo y espeso como sangre; nos decía que esos legionarios saben montar camellos y que matan a los beduinos como moscos, pero que cuando caen vivos en manos de ellos, se ha sabido de casos en que los atan a un poste para que los perros se los coman vivos, y que ellos ni chistan, y que todos, dijo el capitán, todos están enfermos de la sílfide o como se llame, que todos son un chancro vivo de pies a cabeza y que eso también les da fuerza a esos demonios. Pero aquí no, capitán, aquí, como ya se vio, no aguantan, le dije, o mejor dicho me hubiera gustado decirlo porque quién soy yo para contradecir a un capitán, quién soy yo para hablarle al tú por tú a un oficial. Aquí no. Aquí, en Camarón, los vamos a matar a todos si los números no mienten, porque allá de ese lado son sesenta y aquí de este lado somos mil. O me hubiera atrevido a decirle al coronel: aquí de este lado, aunque del otro sean veinte mil los soldados que nos mande Napoleón, aquí somos un millón, y más le hubiera valido, más le hubiera convenido al emperador, al franchute y a ese otro caracho austriaco que nos quieren mandar, más les hubiera valido hacer números, porque los números no mienten. A mí nadie me enseñó ni a sumar ni a restar. No sé leer los números ni escribirlos en un papel. Pero sé sumar las flores y los zopilotes. Sé restar los días y los muertos. Y nunca yerro. Los zopilotes tampoco yerran. Por eso, esa vez, y a pesar de que hubo muchos más muertos entre nosotros, que eso poco importaba porque para el caso éramos hartos, los zopilotes comenzaron a dar vueltas no arriba de nosotros, sino de la Hacienda de Camarón, por eso, o porque quizás los zopilotes, pienso, están comenzando a preferir la carne blanca de francés y de alemán, se están malacostumbrando. Y digo que había muchos muertos entre nosotros los mexicanos porque los legionarios, de cada doce balas que disparaban, una la ponían en un mexicano, así de buenos tiradores eran. De las otras once balas, una se perdía en el aire, otra se daba un chapuzón en el arroyo y se iba corriente arriba como un salmón plateado; otra besaba el polvo y se retorcía como buscapiés; otra se encajó en el tronco de un caobo y le sacó chispas azules, y otra, no lo van a creer, pero yo lo vi, me mató al chupamirto que estaba viendo yo en ese momento, y eso que de verdad les aseguro que si le apuntan ustedes a un chupamirto no le dan nunca, porque es más pequeño que una bala y tan veloz. Pero esa bala fue de puro azar y del pobre chupamirto sólo quedó una lluviecita de plumas, qué otra cosa podía quedar. Me puse a contar los muertos que nos hacían, pero como nuestros muertos eran muchos y estaban desperdigados, mejor me puse a contar a los legionarios, y como en la canción de los perritos dije De sesenta legionarios a uno lo mató una bala, y me quedaron cincuenta y nueve, de cincuenta y nueve legionarios a otro lo mató otra bala y me quedaron cincuenta y ocho, y cuando me quedaban sólo unos cuantos vivos, no es que hubiera perdido la cuenta sino que tuve que parar de contar. Era mediodía. Los legionarios dejaron de disparar y nosotros también. Se hizo el silencio. Un silencio enorme, que parecía del tamaño del mundo. Pero cuando digo silencio, no quiero decir eso exactamente, porque la selva nunca está callada. Si esos legionarios hubieran durado más tiempo, si hubieran pasado la noche en la Hacienda de Camarón, habrían visto, o mejor dicho habrían oído que la selva, en la noche, está más despierta que en el día. El coronel ató un pañuelo blanco a una lanza, la asomó por encima de un arbusto, y luego se asomó él y les pidió a los legionarios la rendición sin condiciones. Primero nos respondió un mono aullador. Luego, un legionario a quien ya había visto yo de bruces en un tejado todo el tiempo, y no sabía cómo las balas no lo habían tocado ya. Era un hombre de pelo güero que según dijo el capitán versado, por la forma en que hablaba debió ser un polaco. El güero se enderezó y les preguntó a los legionarios de abajo cómo se decía en español lo que nos dijo después: «¡Mierda!». El coronel se hizo el desentendido y esperó a ver qué decía el capitán de la mano de madera. Pero esos brutos no quisieron rendirse, dijeron que los legionarios no se rendían nunca. Camarón, camarón... Les respondió un pájaro reidor. Les respondió uno de esos pájaros que se ríen siempre, pero que nunca los ves. Y a ese pájaro no es que le respondiera otro, pero como si así hubiera sido: el coronel soltó la carcajada. Luego se rió un capitán, y luego nos fuimos riendo todos, y al poco tiempo ya había como mil pájaros reidores que se reían de los legionarios acorralados, de los legionarios sin agua y sin pan, de los legionarios con kepis de visera cuadrada, de los legionarios y de su capitán con su túnica negra y dorada y su mano de madera. Destapamos las botellas y les gritamos Salud franchutes. Abrimos las latas de galletas y las aventamos al aire para que vieran que nos sobraban, bebimos de nuestras cantimploras y les hicimos gárgaras y escupimos chorros de agua para que vieran que ni nos hacía falta. Atamos trapos blancos y tulipanes y calzones y aristoloquias y ramas de colorines a las lanzas y las bayonetas y les gritamos aquí está la paz que no quisieron, cabrones, se las vamos a meter por donde ya saben. Y agarramos las balas que cargaban las dos mulas escapadas, y como no nos servían porque eran muy largas y puntiagudas para nuestros fusiles Spencer, aunque después nos iban a servir cuando agarráramos los fusiles de los legionarios, las aventamos a puñados al aire, para que vieran que también las balas nos venían guangas. Es decir, y como ya les dije, cuando les digo que nosotros hicimos esto y nosotros hicimos lo de más allá, les repito que fueron ellos, los soldados, porque yo no soy soldado sino espía. Y no sólo sé quedarme horas y horas quieto, sino que también sé arrastrarme, sin hacer ruido, sin mover una hoja, como una serpiente forrada con plumas. Y aproveché la tregua y la risa de los pájaros reidores para arrastrarme, sin ruido, en busca de soldados muertos. De contar cosas, no se puede vivir. La gente me paga mal, cuando me pagan. Yo vivo más de los muertos que de los vivos. Un anillo de oro me deja más dinero que el que me deja contar el trabajo que me costó quitárselo a un muerto que tenía la mano engurruñada. Una cadena de plata me deja más que contar cómo ahorqué con ella al moribundo que la tenía puesta para ayudarlo a irse más pronto al cielo. Casi no hay batalla de la que no saque yo unos pesos, dos o tres dientes de oro, pañuelos de seda, puros habanos. Pero del sitio de Camarón, lo que yo más quería era un kepí de legionario, era unas botas francesas, era una chaqueta azul y unos pantalones granza. Del sitio de Camarón, lo que yo quería de verdad, no era ni el kepí ni las botas ni la chaqueta azul ni los pantalones granza. Lo que yo quería era la mano del Capitán D'Anjou. Al que me pague mejor, se la enseño. La tengo aquí en esta bolsa. No tuve que arrancársela al Capitán D'Anjou ni cuando estaba vivo ni cuando estaba muerto. La mano saltó cuando una bala le pegó en el pecho al capitán, y él se cayó por un lado y la mano se cayó por otro. Yo la vi saltar a la mano, la vi pegar tamaño brinco como si fuera un pájaro, y como si fuera un pájaro herido la vi caer en el polvo, y como si fuera un pájaro muriéndose la vi temblar en el suelo, y todavía otra bala perdida le pasó rozando y le hizo pegar otro brinco cuando ya el capitán estaba muerto. Y luego la calor comenzó a amainar, pero ya para entonces los legionarios estaban muertos de sed, y se lamían el sudor unos a otros, y se arrastraban para beber la sangre de los heridos y se orinaban en sus cantimploras sin ganas de orinar para beberse sus propios meados. Después sonó un clarín, o lo que pensamos nosotros que era un clarín y también lo pensaron ellos, y el coronel se amoscó porque creyó que venían otros legionarios para romper el sitio. Pero no pasó nada. Nadie llegó para ayudarlos y yo pensé que tal vez, así como hay un pájaro reidor, debe haber también un pájaro clarín. Y comenzamos a imitar los clarines franceses, y comenzamos a imitar las trompetas francesas mientras nos preparábamos para el asalto final a punta de bayoneta, porque de los cincuenta y ocho legionarios que nos quedaba a uno lo mató una bala que le entró por un cachete y le salió por otro junto con una hilera de dientes y un trozo de lengua, y me quedaron cincuenta y siete, y de los cincuenta y siete que me quedaron a otro lo mató una bala que se le metió por el sobaco sin siquiera hacerle cosquillas, y me quedaron cincuenta y seis, y de los cincuenta y seis que me quedaban a cincuenta los mataron otras cincuenta balas y cuando ya nada más quedaban seis legionarios acorralados en el corral de la Hacienda de Camarón, seis o quince si es que me equivoqué en la cuenta, pero no más de los que pudiera contar con los dedos de tres manos, el coronel dijo Ya basta, vamos a acabar con ellos, y nos lanzamos al asalto del corral. Es decir, se lanzaron ellos, porque yo me quedé quieto entre los malvones, nomás viendo, para contarles a ustedes lo que pasó, y no porque le tenga miedo a la muerte, sino porque yo entre otras cosas, vivo de contar sucedidos, y si me muero, señores, no les puedo contar cómo me morí. Si me muero, sería el único muerto del que no podría vivir. Una vez, en una batalla, gané unos anteojos largavista que tenía un capitán muerto, y se los vendí luego a otro, porque yo no necesito de largavistas: estoy acostumbrado a ver de lejos. De los malvones pegué un brinco para treparme a un capulín porque desde allí se veía mejor lo que estaba pasando cerca de la barda del corralón que da hacia el río. Del capulín pegué otro salto para esconderme entre unos espinos porque desde allí se veía mejor lo que estaba pasando en los cuartos que dan al corralón; del espino pegué otro brinco para treparme a un colorín, porque desde allí se veía mejor lo que estaba pasando en la entrada del corralón que da al camino principal. En el capulín me llené las bolsas de capulines y luego me quedé muy quieto para que no se espantara un cardenal de Jalapa que se escarbaba las plumas en busca de pulgas. En el espino yo fui el que me espanté porque me puse a cagar y me espiné las nalgas. En el colorín aproveché para comerme los capulines y escupir los huesitos sobre un muerto de los nuestros que estaba abajo con la boca abierta, para ver cuántos huesitos le atinaba yo a que le entraran por la boca. Desde el capulín vi cómo unos legionarios trataban de escapar saltando sobre una pila de cadáveres que estaba casi tan alta como la barda que da hacia el río, y vi cómo saltaban la barda, pero del otro lado había otros de los nuestros que los ensartaron como si fueran pollos con sus bayonetas. Desde el espino vi cómo uno de los nuestros le encajó la bayoneta a un legionario en el cuello y le saltó un chorro de sangre, y cómo un legionario, en venganza, le encajó a uno de los nuestros la bayoneta en la vejiga y le saltó un chorro de orina. Desde el colorín vi a un franchute y un mexicano que luchaban con sus dagas, y vi cómo se abrazaron para encajárselas en las espaldas de cada quien y cómo cayeron muertos, así abrazados, como si estuvieran queriéndose, y recordé lo que había dicho el capitán versado de que muchos legionarios de tanto no ver mujeres acaban queriéndose entre ellos pero que los oficiales se desentienden porque no les importa que no sean muy machos cuando se quieren, con tal de que sean muy machos cuando nos odian. Y de que lo son, lo son. Son demonios, son brutos. De los quince legionarios que me quedaban, uno se murió de un bayonetazo, y me quedaron catorce. De los catorce que me quedaban, uno se murió de una puñalada y me quedaron trece. Y como el trece es un número de la mala suerte cuando uno tiene la suerte volteada, de los trece sólo quedaron vivos tres o cuatro que los nuestros se llevaron presos. Todos los demás están allí, en Camarón. Es decir, estaban. Yo me esperé a que pasara todo y a que llegara la noche, y cerré los ojos, pero no me quedé dormido, porque yo nunca, ni con los ojos cerrados, me quedo dormido. Y ahora, señores, déjenme enseñarles lo que traigo aquí, en esta bolsa. Estos son los huesitos de los capulines auténticos de la Batalla de Camarón, señores, los huesitos de los mismísimos capulines que yo arranqué con mis propias manos cuando estaba trepado en el capulín viendo cómo se morían los legionarios. Estas son las auténticas plumas del chupamirto de la Batalla de Camarón, señores, las mismísimas plumas que yo recogí con mis propias manos cuando lo mató al pobre una bala francesa. Estas son las auténticas flores de colorín de la Batalla de Camarón, señores, las mismísimas flores que arranqué con mis propias manos cuando estaba yo trepado en el colorín viendo cómo mataban a los franceses. De esta batalla, como les digo, no les traje kepís ni polainas, ni chaquetas azules ni pantalones granza, y no sólo porque yo no quería ni kepís ni polainas ni chaquetas ni pantalones, sino porque cuando ya se habían ido los nuestros y yo me acerqué de puntitas al corral de la hacienda, me encontré que todos los cuerpos estaban desnudos, y que esos desgraciados se habían llevado todas sus ropas, y peor que eso, señores, todo el dinero, todos los anillos, todas las medallas de plata y los dientes de oro de los legionarios, que ya ni eso parecían sino simples cristianos, de tan encuerados que estaban, los pobres, pero ya ni calor ni frío, y como comenzando a pudrirse, como comenzando a hervir. A patadas espanté a los perros y a las ratas. Esta piel de rata que ven, señores, es la piel de una rata auténtica de la Batalla de Camarón. Pero allí, medio escondida entre unos cadáveres, como si nada, quieta y todavía caliente por así decirlo, estaba lo que yo quería encontrarme y que me encontré por fin: la mano de madera del Capitán D'Anjou. Y aquí la traigo, señores. Y si les dicen, y si les cuentan por allí que he vendido más de una vez la mano del Capitán D'Anjou, es que es verdad, pero es mentira. Como no nada más de contar cosas se puede vivir, como les decía, me puse a hacer varias manos de madera iguales a las del Capitán D'Anjou. Una se la vendí a un cura que la quería para colgarla de la cuerda de una campana. Otra se la vendí a un francés que sabía casi tantas historias como yo, pero no de espiarlas de verdad, sino de espiarlas en los libros. Otra más se la vendí por correo a la mismísima viuda del Capitán D'Anjou. Otras qué se yo a quién se las vendí, pero las vendí bien. Pero ésta es la auténtica mano de la Batalla de Camarón, la auténtica mano de madera del Capitán D'Anjou. Vean, véanle el polvo del camino que lleva a la Hacienda de Camarón. Esta que tengo aquí, entre los huesos de capulín y las plumas del chupamirto y los pétalos de flores de colorín, es la mano de madera con la que el Capitán D'Anjou le rompió la cara a los bereberes de Mers-El-Kébir, ésta la mano que un carpintero de Constantina hizo para sustituir la mano del héroe de Kabylia y de Magenta, del ilustre soldado de Saint-Cyr que perdió una mano en Argelia sin peligro y sin gloria, véanla, véanle la sangre del propio Capitán D'Anjou, véanle las astillas de la bala que le hizo pegar el segundo brinco que les conté; ésta es la mano que despertaba a bofetones a los legionarios embrutecidos por el cafard, la mano que hacía temblar a los príncipes disfrazados de legionarios, la mano que golpeó el mapa de Veracruz cuando el capitán dijo Aquí está Camarón, aquí llegamos y aquí nos quedamos. Véanla, señores, ésta es la mano auténtica que se quedó sin el capitán que se quedó sin mano, la tengo certificada por el Alcalde de Chiquihuite; pongo por testigos a Dios y las tuzas, a todos los santos y a los caobos, la tengo certificada por un desertor polaco que se largó a la California en busca de pepitas de oro del tamaño de una calabaza, la tengo certificada por el propio Capitán D'Anjou que la firmó poquito antes de morir, y la cambio, señores, cambio la mano por diez pesos de plata si son ustedes ricos, la cambio por una botella de aguardiente si son ustedes pobres, la cambio, si quieren, por otra historia que pueda yo contar y vender, señores, con una sola condición: que sea una historia mejor que la historia de Camarón. Camarón, camarón...

3. De la correspondencia —incompleta— entre dos hermanos

París, abril 25 de 1864.

Mi querido Jean-Pierre:

Admiro y agradezco tu constancia en escribirme. Recibir noticias tuyas siempre es una alegría. Pero que lleguen una segunda y hasta una tercera carta antes de que yo conteste la primera, me abruma un poco: no sé cómo puedo llamarme historiador y aspirar a escribir lo que pienso serán tres o cuatro volúmenes sobre la Guerra de los Treinta Años, si la desidia no me deja siquiera enviar unos cuantos renglones al único hermano que tengo, y que está al otro lado del mar. Te pido me perdones y prometo escribir más seguido.

La noticia que me diste de que te habías casado en México, me causó una gran sorpresa, por supuesto, pero también un inmenso alivio. Te explicaré las razones. Recordarás que hace ya tiempo me dijiste que le pidiera a Claude que me acompañara al Père Lachaise para llevarle flores a mamá. Así lo hice, en efecto, y después me tomé la libertad de invitarla a almorzar. Volvimos varias veces más al panteón, a insistencia de ella, y nació entre nosotros una gran amistad que como base tenía, más que nada, el amor de los dos hacia ti: ella, como tu futura esposa, y yo, como hermano tuyo. Pero Claude se aburría mucho, y tu estancia en México se prolongaba tanto, que me pareció que lo menos que podía yo hacer era sacarla a pasear, para que se distrajera, así que comenzamos a vernos con mayor frecuencia, a ir al teatro y a la ópera (en esas ocasiones acompañados siempre por una de sus hermanas), así como al jardín botánico, a los museos. Y no te voy a decir «ya te imaginarás el resto». No, no te lo imagines, querido Jean-Pierre: no hubo traición alguna, siempre hablábamos de ti, de tus cartas, de lo felices que iban a ser Claude y tú cuando se casaran. Incluso yo traté de persuadirla para que viajara a México. En fin, qué más puedo decirte: nos enamoramos como dos adolescentes, sin que jamás ninguno de los dos se atreviera a decírselo al otro. Por eso, como te digo, fue un gran alivio la noticia de tu casamiento, como lo será sin duda para ti saber que Claude no sufrió cuando la enteré. Me pide que les envíe sus mejores deseos para que seas muy feliz con María del Carmen, y lo mismo hago yo. Y ahora, querido hermano, me permito continuar la polémica epistolar que iniciamos hace casi dos años sobre el «*imbroglio*» mexicano. A pesar de que nuestro excelso Lamartine insiste en que se trata de «el pensamiento más grande del reinado, vasto como el océano» —qué otra cosa podía esperarse de quien dijo que salirnos de Argelia equivaldría a renegar de nuestra misión y nuestra gloria—, el entusiasmo comenzó a decaer no sólo entre el público general, sino también entre aquellos políticos que siempre han favorecido la intervención, y que consideran que si bien esta empresa fue concebida de manera muy audaz, la forma en que se la ejecuta es demasiado tímida, indecisa. A esto se agregó otro factor que distrajo a los opositores de la aventura: Polonia. Aunque la prensa no ha dejado de ocuparse de México, incluyendo a la que da cabida a la oposición —en «*L'Opinion Nationale*» aparecen con frecuencia trozos de los discursos de Favre y «*Le Courrier de la Gironde*» se ha propuesto publicar las declaraciones más importantes de Juárez— el año pasado, en que la política de Wielopolski precipitó el levantamiento en Polonia, los franceses dejaron de pensar en México y América Latina para preocuparse nada más que de los polacos. La eterna historia: Mickiewicz, Chopin y otros exiliados mesiánicos que se refugiaron en París, casi todos polacos, le hicieron creer a Francia que era algo así como el apóstol de las naciones y el guardián de la libertad. O el policía del mundo. Esta distracción, por supuesto, le dio mayor mano libre a Luis Napoleón en lo relativo a México.

Pero quizás lo que más desagrada de todo esto, es darse cuenta que este régimen, el de Napoleón, carece en lo absoluto de autoridad moral. Me dices que extrañas mucho la vida de París, que es maravillosa y lo entiendo. Maravillosa para ti y para mí, que somos privilegiados. Maravillosa para todo aquel que pueda pasarse las tardes en el Café Bignon, ir los domingos al club de tiro al pichón del Bosque de Boulogne, o darse el lujo de perder en una noche dos mil luises jugando al bacarrá. Maravillosa para el Duque de Gramont-Caderousse, que el otro día le dio a su amante un huevo de Pascua gigantesco, tan grande, que adentro había un carruaje con todo y caballo. Sí, la vida en París, o esa vida al menos de la que habla Octave Feuillet en sus novelas y Offenbach canta en sus operetas, podrá ser bella si eres cortesano, un nuevo rico (o uno viejo, o un aristócrata *no* arruinado como nosotros) o si eres Próspero Merimée y cocinas el gazpacho de los *tea-parties* de Compiègne (hasta dónde llega la gente, por Dios) o eres de los cinco mil «afortunados» a los que invitan a los extravagantes bailes de disfraces de las Tullerías o, en fin, un pequeño burgués adinerado que puede darse el lujo de comer bien, beber buenos vinos y seguir los dictados de la moda (me pregunto que si así como se pusieron de moda algunos colores con nombres de batallas en las que salimos victoriosos, como el magenta, el solferino, el verde Crimea y el azul Sebastopol, comenzarán ahora a fabricar telas de color amarillo Puebla o verde Tampico) y, en fin, qué más te puedo decir de una ciudad que tú conoces tan bien como yo. Pero me gustaría invitarte a recorrer, un día, el París de los hermanos Goncourt (la Ciudad Luz, dicen ellos, es el burdel de Europa) para que te dieras cuenta de tanta miseria y prostitución que hay. Para que fueras conmigo a Belleville y Ménilmontant. O a la inmunda Rue Harvey. Los Goncourt, que han asistido a cacerías de ratas (París está infestado de esos inmundos animales) hablan de otros horrores en sus novelas. Se calcula que hay más de treinta mil prostitutas en París, y zonas de la ciudad donde ni siquiera la policía se atreve a entrar. Con decirte que el propio Barón Haussmann calcula que las cuatro quintas partes de los habitantes de esta maravillosa ciudad viven en la miseria, para no hablar de los borrachos que te encuentras tirados en las calles, embrutecidos por el ajenjo, y de los niños que son rentados por sus padres a los mendigos, a fin de que inspiren más compasión.

Me preguntarás qué tiene que ver todo esto con el asunto mexicano. Ah, pues mucho. No veo cómo podemos justificar una intervención en ningún país en nombre de la justicia social, habiendo en Francia tanta corrupción y tanta desigualdad —toda empresa colonial que alardea de misión civilizadora no es más que una miserable estafa, decía el nunca bien ponderado Juan Jacobo Rousseau —ni me explicó cómo Luis Napoleón se atrevió a dirigirse al pueblo mexicano casi con las mismas palabras que usaron los aliados en 1814, cuando nos invadieron para «liberarnos de un tirano» que era nada menos que su propio tío.

De México, criticamos todo. Se ríen en Europa de que Santa Anna haya creado un impuesto sobre ventanas, cuando que el *window tax* fue una idea inglesa de allá por los años treinta. Se burlan también de Santa Anna por haber creado, en su islita danesa, una corte en miniatura. ¿Y qué hizo Napoleón durante su primer exilio? Lo mismo: crear el pequeño reino de la Isla de Elba, con todos sus ministros, su himno nacional, su bandera diseñada por el propio «Gran Corso». Pero por supuesto que de él sí que no se rieron, porque aún le tenían pavor.

Se aduce también que una prueba de la inestabilidad política de México es el número tan grande de gobiernos que ha tenido: pero ya Achille Jubinal se ha encargado de recordarnos que en los últimos setenta años ha habido más de doce gobiernos en Francia —y yo creo que sus cuentas andan mal, porque tan sólo durante el reinado de Luis Felipe hubo diecisiete gabinetes en dieciocho años—. ¿Y qué dices de la cantidad de gobiernos distintos que ha habido en España bajo la égida de María Cristina y Doña Isabel II? Creo que podemos contarlos por docenas, y no han sido otra cosa que una larga sucesión de dictaduras militares.

Califican a Juárez de tirano, por acudir a la leva forzada. Yo estoy en contra de ella, como te imaginarás, pero no fue Juárez quien la inventó, sino como bien sabes, nuestro Comité de Seguridad Pública en 1793, bajo los auspicios de Lazare Carnot, y Napoleón I la implantó en todos los países por él conquistados: de los setecientos mil soldados que llegaron a Moscú, sólo una tercera parte eran franceses. Más tarde, los austriacos arrastraron a los aldeanos del Lombardovéneto para servir en las filas del ejército que los invadió. Y allí tienes a todos los desertores del batallón egipcio que está en México: desertan porque a esos pobres diablos nosotros, los franceses, los llevamos a la fuerza, como lo hicimos también no hace mucho en Dahomey para formar los batallones de tiradores hausas que enviamos a Madagascar, y sin tener derecho —como es el caso de Juárez— de invocar la necesidad de defender la integridad del territorio nacional.

También se habla mucho aquí de las atrocidades de los mexicanos, y tú mismo me decías, en una de tus cartas, que en ningún país las hay tantas como en México. Por Dios, Jean Pierre: no entiendo cómo puedes hacer esa clase de afirmaciones cuando que tú, al igual que yo, sabes del infinito número de crueldades habidas a lo largo de la historia y entre todas *il sacco di Roma* en el cual los lansquenetes cometieron abusos y crímenes inconcebibles —hubo muchísimas monjas violadas y durante ocho días rodaron cabezas de clérigos y frailes— y la Noche de San Bartolomé serían, digamos, dos ejemplos clásicos. Pero hay mucho más. Sin ir más lejos, en este siglo, la matanza de británicos por los afganos en 1841, de cristianos por drusos en 1860, de turcos por griegos en Khíos en 1821, y de griegos por turcos en el 22 y la de polacos por los rusos en Varsovia hace apenas dos años, para no hablar de las masacres habidas durante el motín de la India, que por cierto fue sofocado por los británicos con la ayuda de hombres del Punjab reclutados *a la fuerza*. En fin, que no te voy a hacer un catálogo de atrocidades (la enciclopedia universal de la infamia ocuparía muchos volúmenes), pero sí me interesa aclarar algunas cosas.

Nunca se me olvidará (tenía yo entonces seis o siete años) la tarde aquella de la Navidad que pasamos con el abuelo François en su casa de Perpiñán (¿te acuerdas?) y en la que de pronto le dio por contar los horrores de la Revolución de los que fue testigo cuando él también era apenas una criatura. Dos escenas se me quedaron grabadas para siempre como si las hubiera visto con mis propios ojos: una, la de aquellos niños y mujeres que en la noche de la toma de la Bastilla danzaban, con antorchas, alrededor de las cabezas de tres decapitados. Otra, la visión de esa muchedumbre que desnudó y destazó a la Princesa de Lamballe, y en una pica encajó su cabeza y en otra el corazón para ir a arrojarlos a los pies de la ventana de la prisión de María Antonieta. Fue muy doloroso para mí aprender que nosotros, los franceses, éramos capaces de tales monstruosidades. Me podrías argüir que en el caso de la Princesa de Lamballe, como en muchos otros, se trató de un acto irracional por parte de una multitud enloquecida. Pero no podemos olvidar que nuestra Revolución tuvo líderes, como Robespierre y tantos otros, que fueron responsables de una serie de iniquidades espantosas y que en aras de la fraternidad, la igualdad y la libertad (libertad, cuántos crímenes se cometen en tu nombre, dijo Manon Roland al pie de la guillotina) murieron más de cuarenta mil personas ejecutadas en masa y de manera sumaria en París, Vendée, Lyon, qué sé yo. ¿Y todo para qué? Para traicionar todos los ideales de la Revolución, y someternos a un Robespierre a caballo, como llamó Madame de Staël a Napoleón I. En nombre también de la civilización y de la gloria de Francia, una nación que por ser católica debería regirse por el principio de la igualdad universal de los hombres, se lanzó a la exterminación, como si se tratara de animales, de los negros insubordinados de Haití. Es famosa la carta que le envió Leclerc a su cuñado Napoleón en la que decía que lo más recomendable era dar muerte a todos los negros de las montañas de Haití, incluidas las mujeres, y dejando vivos sólo a los niños menores de doce años. De otras infamias habidas en Europa, no necesito decirte nada: tú sabes muy bien la ferocidad con la que fueron reprimidos los movimientos del 48, aquí en

Francia por Cavaignac y, para citarte como ejemplo otro país inmiscuido en la aventura mexicana, en Brescia y Hungría, en nombre de Austria, por el General Haynau —a quien no en balde Palmerston bautizó como el «General Hiena».

Y ahora dime, mi querido Jean Pierre: ¿no me contaste tú mismo que al finalizar la Guerra de Reforma en México, Juárez, ya victorioso, decretó una amnistía general y no hubo un solo fusilamiento ni represalias de ninguna naturaleza? ¿Y que tras la victoria del 5 de mayo liberó a todos los soldados franceses heridos e hizo que se les transportaran a Orizaba y que además Lorencez recibió las condecoraciones de los que murieron en la batalla para que a su vez fueran enviadas a sus familiares en Francia? ¿Y es que para combatir el gobierno de este hombre («un hombre de Plutarco de quien cualquier nación estaría orgullosa», ha dicho Emile Ollivier) que enviamos a México a oficiales como Billault, quien como sabes se ha dedicado a incendiar aldeas y poblaciones enteras; a Berthelin, famoso ya por sus asesinatos o a Potier, denunciado por innumerables desafueros? Aunque sin duda, el siniestro Coronel Du Pin se lleva las palmas, como también lo sabes. Es un hecho irrefutable que los juaristas cometen a veces atrocidades, pero también hay que tener en cuenta que hay muchos bandidos que se cobijan bajo la bandera republicana para llevar a cabo sus tropelías de manera impune. Me contaban que unos liberales enterraron de pie hasta el cuello a unos soldados de la contraguerrilla que habían caído prisioneros, y que después, con un tiroteo, atrajeron a los hombres de Du Pin cuyos caballos, con los cascos, destruyeron los cráneos de esos infelices. Un acto salvaje, sin duda, pero que responde a los mismos métodos aplicados por el saqueador del Palacio de Pekín y sus secuaces: los guerrilleros mexicanos enterrados vivos en las dunas de Alvarado, los arrojados a las aguas del Tamesí con piedras atadas al cuello, los destrozados por los perros husmeadores en las marismas de Veracruz —me dicen que no sólo a la cabeza de Du Pin le han puesto precio, también a la de su mastín: dos mil pesos— y los ahorcados en los postes del alumbrado de las plazas de Tampico: todas esas víctimas de la barbarie alimentan el deseo de una venganza y una represalia brutales también. Y no me digas que esos oficiales son excepciones. No hay que olvidar que al frente de la expedición está un hombre que se ha manchado las manos con sangre. Sí, me refiero al Mariscal Bazaine, al que tantos admiran hoy, y que fue enviado a México no sólo porque habla español sino por su actuación en Argelia. Es decir, por haberse distinguido en el sometimiento de un pueblo que lucha por su libertad. No es un secreto que Bazaine, experto en las *razzie* contra tantas aldeas de Kabylia que fueron destruidas, fue uno de los responsables de la muerte de quinientos argelinos de la tribu de los Ouled-Riah que murieron de asfixia y quemados —incluyendo a muchas mujeres y niños— en la gruta del macizo rocoso de Dahra. Por cierto, como tanto en las contraguerrillas como en la Legión Extranjera el número de soldados que *no* son de nacionalidad francesa es aún más grande —un porcentaje enorme—, yo me pregunto: ¿es con esa horda de prusianos, holandeses, württemburgueses y negros de La Martinica con los que Luis Napoleón intenta defender la «latinidad» en el continente americano? Y la fe católica: la va a salvaguardar con esa cáfila de protestantes o de egipcios musulmanes que tras cortarles las orejas a sus prisioneros mexicanos se arrodillan de cara a La Meca para decir sus oraciones?

A propósito de «latinidad», me permitiré aquí un paréntesis. Sabrás que las Tullerías están llenas de sueños de grandeza —Eugenia se cree otra Isabel la Católica—, y Luis Napoleón habla abiertamente de las repúblicas americanas que podrán ser transformadas en monarquías, aparte de las que, según él, ya tienen inclinaciones, como Guatemala, Ecuador y Paraguay. Pero a todas esas repúblicas ya no se las llama «hispanoamericanas», y mucho menos «ibero» o «indo» americanas, porque ha surgido un nuevo término —al parecer inventado por Michel Chevalier— mucho más conveniente para los propósitos de Francia: México, Colombia, Argentina, etc., son ahora naciones «latinoamericanas». Claro, malamente podría Luis Napoleón autonombrarse abanderado de la «hispanoamericaneidad», ¿no es cierto? Pero al cambiar lo «hispano» por lo «latino» se soluciona el problema y de paso se abarca a todas las colonias francesas del Caribe, presentes y futuras.

Por supuesto que no es mi intención la de sugerir que hayamos sido nosotros, los europeos, los autores de las atrocidades más grandes de la historia: no creo que exista un pueblo, o una raza, que tengan el dudoso privilegio de ser dueños del monopolio de la barbarie. Lejos también de adherirme a Fourier y exclamar que nuestros barcos sólo abrazan al mundo entero para asociar a los salvajes y los bárbaros en nuestros vicios y nuestras pasiones. No creo en el mito del «buen salvaje» al que tanto contribuyó Colón al afirmar en sus cartas a los Reyes Católicos que había encontrado la mejor tierra y la mejor gente del mundo. Pero tampoco pienso como Bacon, Voltaire, Hume y otros, que no reconocieron como semejantes a los «hombres degradados» del Nuevo Mundo, y que parecieron justificar la afirmación de Aristóteles de que la guerra es naturalmente justa cuando se la hace a los hombres que han nacido para obedecer y se niegan a ello. No, de ninguna manera: no somos los únicos, nosotros los blancos, los que hemos hecho de este mundo un lugar más siniestro de lo que ya es por su propia naturaleza. Montesquieu nos cuenta que los sacerdotes egipcios sacrificaban a cuanto hombre rubio les caía en las manos, y basta echarle una ojeada a la historia de la esclavitud para enterarse, con horror, que las tribus de Africa Occidental se pasaban la vida luchando entre sí para hacerse prisioneros de guerra que después les vendían a los portugueses o a los británicos como esclavos. La crueldad del régimen del Rey Christophe en Haití es también bastante explícita.

Y sí, por supuesto, también los aztecas eran crueles, ¿no es verdad? Hacían sacrificios humanos. Eso, claro, estaba mal. Pero lo que no podemos permitir es que los europeos sigamos asombrándonos de esos sacrificios cuando que, en la época en que supimos de ellos, la Inquisición estaba vigente en Europa, con todo su horror. Con una diferencia: la religión de los aztecas era una religión de dioses crueles, y por lo tanto el sacrificio tenía una lógica, macabra, sí, pero lógica al fin. Nosotros, en Europa, torturábamos a inocentes y quemábamos a brujas en nombre de un Dios todo misericordia. La esclavitud estaba también en auge —en 1517 España le otorga a los flamencos el privilegio monopolista de la trata de negros—, y lo estaría varios siglos más.

Pero claro que si hablamos de los horrores de la esclavitud, mi querido Jean Pierre, tampoco terminaríamos: a la insaciable avidez de Europa por el azúcar, el algodón, el tabaco, el índigo y otras materias primas se debió lo que sin duda fue el tráfico más inhumano de la historia. Y los más culpables no eran sólo los desalmados traficantes que llevaban a los esclavos cargados de cadenas al Caribe, Brasil y Norteamérica, sino aquellos que, estando en el poder, permitían y alentaban ese monstruoso negocio: los reyes, los pontífices, el sistema entero. ¿Sabías que nuestro ilustre Colbert recomendó la trata de negros como indispensable para el progreso de la marina mercante francesa? ¿Saben los ingleses que su no menos ilustre Almirante Nelson —que en sus barcos llevaba siempre niños de diez y once años para servir a sus cañones— se opuso a la abolición de la esclavitud porque dijo que significaría la ruina de la marina británica? ¿Y qué de la ruina moral y física, de la tortura, de la humillación, el sufrimiento, la muerte de millones de seres humanos? Eso importaba menos. El sistema lo exigía y lo exige aún, porque la abolición de la esclavitud no acabó con ella. Y no me refiero aquí al hecho de que el tráfico continuó cuando ya estaba proscrita, lo que dio lugar a mayores atrocidades, pues como sabes, los capitanes de los barcos negreros preferían deshacerse de su carga humana antes que ser sorprendidos *in fraganti,* y el caso que denunció en la Cámara Benjamín Constant —el del barco *«Jeanne Estelle»:* todos los esclavos que en él viajaban fueron echados al mar en cajas cerradas— es sólo uno entre muchos. No, hablo de la clase de servidumbre condenada por Lamennais en *«La Esclavitud Moderna»,* y por Charles Dickens y ahora los Goncourt en sus novelas. Que no exista en nuestros días un Duque de York que marque sus iniciales DY con hierro candente en las nalgas de los tres mil esclavos que cada año enviaba a las islas del azúcar, no quiere decir que no prevalezcan las condiciones inhumanas que hacen de una mayoría de hombres —y mujeres y niños— bestias de trabajo al servicio de unos cuantos privilegiados. Cuesta trabajo creer que en pleno siglo XIX, en la civilizada Inglaterra durante el llamado movimiento «Luddite» que obligó al gobierno británico a movilizar a Nottinghamshire más tropas que el número de soldados que Wellington usó en España, se haya impuesto la pena de muerte por destruir un telar. Ya existía la pena capital, de todos modos, por atrapar un faisán y a veces por robarse una vaca. Con sus súbditos extranjeros, los ingleses fueron aún más crueles porque los mataban de hambre: tú y yo ya habíamos nacido cuando las tristemente célebres «Corn Laws» destinadas a proteger a los agricultores ingleses, fueron las responsables de una hambruna, en Irlanda, que mató a cientos de miles y obligó a millones a emigrar, hacinados en las sentinas de los vapores de la *Cunnard,* a los Estados Unidos.

Pero de todo esto también habría mucho que decir. Basta conocer, para avergonzarnos de la historia de Europa, todos los horrores que siguieron a la conquista de América —quiero aclarar aquí que, gracias a un erudito mexicano que vive en París, he aprendido muchas cosas de ese continente y creo que un día de estos voy a abandonar mis estudios sobre la Guerra de los Treinta Años, y a dejar de ser un experto en Gustavo Adolfo, Wallenstein y la defenestración de Praga para comenzar a serlo de Artigas, las epopeyas sangrientas de los bandeirantes y Leona Vicario si es que, desde luego, se puede abarcar tanto—. Pero, como te decía: basta conocer la historia de la colonización de América, en toda su crueldad: la matanza que cometieron Cortés en Cholula y Pedro de Alvarado en el Templo Mayor de Tenochtitlán, el suplicio de Atahualpa en Cajamarca a manos de la bestia analfabeta que era Pizarro, y en el Cuzco el de Túpac Amaru cuya cabeza y miembros fueron enviados a los cuatro puntos cardinales del Perú: el suplicio desde luego de Cuauhtémoc; las cacerías de indios de Balboa y sus perros; la violación de las tumbas en Colombia para sacar del vientre de los cuerpos las esmeraldas enterradas con ellos; los cientos de miles de vidas sacrificadas en la extracción del oro en el Cerro del Potosí. En fin, que tampoco quiero caer ahora en una lista interminable de atrocidades. La afirmación de Las Casas en el sentido de que los indios preferían irse al infierno para no encontrarse con los cristianos en el cielo y la forma en que se suicidaban para escapar a la inhumana esclavitud de las minas de metales preciosos, son más que explícitas y conmovedoras. Y a los crímenes de España, hay que agregar los de Gran Bretaña, como la exterminación sistemática de los indios pielroja en Norteamérica, que no se detuvo con las matanzas de Wyoming y Arapahoe, sino que continúa hasta nuestros días. ¿Te has enterado que el Gobernador de Minnesota acaba de publicar un edicto en el que ofrece veinticinco dólares por cada cuero cabelludo de indio?... una práctica, *by the way* (la de arrancar el cuero cabelludo) que *no* fue inventada por los indios sino por sus conquistadores sajones... y sí, ya lo sé: los indios tampoco eran blancas palomas: los iroqués torturaron y quemaron a muchos jesuitas y dicen que a veces hasta se los comían... ¿Pero qué podíamos esperar? La tortura de Valdivia en Chile a manos de los araucanos no se queda atrás en estos ejemplos. Cuando averigüe los detalles te los contaré, porque necesito corroborar lo que he oído al respecto: unos dicen que le dieron a beber oro derretido, y otros que los araucanos le fueron cortando miembros y trozos del cuerpo para comérselo vivo delante de sus propios ojos.

También *by the way*, y ya que hablamos de los ingleses, hay otra cosa que, por lo visto, nunca acabamos de aprender: a ningún pueblo le gusta que un ejército extranjero acuda a ayudarlo —sin que se le solicite— a liberarse ya sea de sus tiranos locales —en el caso de México se supone que serían Juárez y su partido liberal—, o de sus opresores extranjeros. Entre las pocas excepciones que recuerdo está, claro, el caso de La Fayette, Rochambeau y la alianza francoamericana. Pero por lo demás, eso nunca ha dado buenos resultados. Es distinto cuando se trata de un solo extranjero, un individuo, como sucedió con Garibaldi en Argentina y Uruguay, Lord Byron en Grecia o Francisco Javier Mina en el propio México. Pero recordarás en qué terminó la aventura argentina de Popam y Beresford en 1806 (la misma que hizo estremecer al Parlamento británico con el grito de *rejoice!* y al «*Times*» publicar una noticia que decía «desde hoy, Buenos Aires forma parte del Reino Unido»): Popam y Beresford creyeron que bastaba desembarcar en Buenos Aires y decirle a los bonaerenses que llegaban a liberarlos de sus opresores los españoles, para que el pueblo entero los aclamara. Y ya ves qué pasó: los echaron a patadas tanto en esa ocasión como al año siguiente en que regresaron. Hasta los niños y las mujeres pelearon contra sus «liberadores» ingleses, a quienes les llovieron piedras y palos y, desde las ventanas de las casas de Buenos Aires, cubetas de agua hirviendo y el contenido de las bacinillas. Al francés Liniers, héroe de esa guerrita angloargentina, no lo agregaría yo a la lista de Byron, Garibaldi y demás, porque de todos modos siguió entregado a la corona de España. A propósito: me he enterado de la muerte de Ghilardi. Ghilardi, no sé si sabrás, era un mexicano de origen italiano que combatió al lado de los juaristas en la Guerra de Reforma, se agregó después a las fuerzas de Garibaldi en Italia, y regresó a México para luchar contra los franceses. Me dicen que lo han fusilado en Aguascalientes.

En fin, de todos modos, la suerte está echada: ya va, rumbo a América, el flamante emperador «mexicano» en medio, y no exagero, Jean Pierre, de una aureola de escándalo. Por una parte, ha causado indignación en los círculos políticos el rumor calumnioso en el sentido de que Juárez soborna a Jules Favre para que éste lo apoye, mientras que al mismo tiempo los intervencionistas tratan de justificar el que Maximiliano haya dispuesto de doscientos mil dólares para comprar a liberales mexicanos. Y esto no es un rumor: está escrito en la llamada Convención de Miramar. Por la otra parte la gente pensante, que por desgracia no abunda, no deja de asombrarse que a México, el país *invadido*, se le exija que pague hasta el último centavo del costo de la invasión y por si fuera poco se quiere, con el proyecto del protectorado francés en Sonora, robarle toda su plata (a los mexicanos les dejaríamos una limosna del diez por ciento). Pero claro, es que de eso se trata y no de detener el avance de los infieles sajones como lo hizo Carlos Martel con los sarracenos. Y es que hacen falta enormes cantidades de dinero para seguir sosteniendo el lujo insolente de la corte francesa, para que los dragones alados del observatorio no dejen de vomitar agua perfumada y de colores cuando nos visite un «dignatario» extranjero y Madame de Rothschild siga disfrazándose de ave del paraíso, y para que nuestro emperador pueda pagar, con regalos adecuados, los favores que recibe de las esposas de sus funcionarios y cortesanos. Porque el cinismo ha llegado a tal extremo, que las señoras que asisten a las Tullerías colocan cada una un anillo o un arte, una prenda en fin, en una canastilla, para que la suerte decida cuál de ellas va a pasar esa noche con Luis Napoleón, quien a una hora convenida espera a la afortunada en sus habitaciones. Así están las cosas: todo es prostitución. Hasta el padre de la futura Emperatriz Carlota, Leopoldo, viene a París a acostarse con las grandes cortesanas: a veces Hortense Schneider lo hace esperar hasta una hora afuera del hotel. Y eso todo el mundo lo sabe. ¿Con qué cara vamos ahora a decirle a México que invadimos su territorio para civilizarlo y acabar con la corrupción? Dime, ¿alguna vez se ha acusado a Juárez de dilapidar el dinero de su pueblo con amantes y prostitutas? ¿O siquiera con su propia esposa? Porque para calmar los celos de Eugenia, Luis Napoleón tiene que ser muy generoso con ella. Una tarde, en el Jardín de Saint Cloud, la emperatriz se encontró un trébol de cuatro hojas con unas gotas de rocío. Estaba radiante de felicidad. Unos cuantos días después, Luis Napoleón le regaló un broche que le había mandado hacer con uno de los mejores joyeros de París: un trébol. Las hojas eran de esmeraldas, y las gotas de rocío, de brillantes. Mientras tanto, un novelista mediocre como Octave Feuillet se transforma en el escritor consentido de la sociedad mundana y la semimundana y a Gustave Flaubert se le enjuicia; y un pintor como Renoir se muere de hambre, y otro como Winterhalter (uno de sus últimos cuadros ilustra a Eugenia acompañada de sus damas, «un bouquet de las flores más exquisitas», dijo un crítico), otro como Winterhalter, te decía, se hincha de dinero.

Last, not least, como dicen los ingleses, aunque el Archiduque tuvo suerte en librarse de Santa Anna, muchos de los mexicanos que lo rodean y apoyan están muy lejos de gozar de un prestigio impecable. Lo mismo los que viven en Europa, como esa caricatura de Catón: Gutiérrez Estrada, enriquecido con el sudor y la agonía de sus esclavos henequeneros, o Hidalgo y Esnaurrízar, quien tuvo el descaro, apenas nombrado embajador en París por Maximiliano, de aumentarse él mismo el sueldo en varios miles de piastras, que los que viven en México como Leonardo Márquez el asesino de Tacubaya. Para colmo, entre los que ahora cruzan el Atlántico con el Archiduque, hay también más de un personaje de dudosa fama, como el General Adrián Woll D'Obm, antiguo tallador de naipes en un casino y que dejó abandonada a su mujer como cocinera en la Legación de Francia, y Francisco de Paula y Arrangóiz, acusado de ladrón, porque cuando representó a Santa Anna en el Tratado de La Mesilla se autoadjudicó una «comisión» exorbitante: cerca de setenta mil dólares. Nuevamente, toda esta información me la ha proporcionado mi amigo, el sabio mexicano.

Parecería que esta carta es un regaño interminable. Pero no, Jean Pierre, por favor: entiende que nada de esto es contra ti, que yo comprendo muy bien que eres un patriota, y que como oficial del ejército francés no haces sino cumplir con un deber que quizás te es desagradable, pero que es un deber al fin y al cabo. Sólo te pediría que reflexionaras un poco en lo que dijo Víctor Hugo: la guerra a México no se la hace Francia, se la hace el Imperio. También debería yo dedicar más espacio a cuestiones personales, a hablar de lo que todo el mundo habla en las cartas: del clima, de la salud. Bueno, pues estamos bien, Claude y yo, aunque ella acaba de salir de un resfrío que la tuvo en cama casi por ocho días. Tenemos una bella primavera (aunque cuando te llegue esta carta, me temo, nos estaremos ya asando). Precisamente elegí una tarde luminosa para enseñarle a Claude tu carta. Estábamos en los jardines de Luxemburgo, y caminábamos por una vereda materialmente alfombrada de pétalos. Dentro de unos días le entregarán ya su vestido de bodas. Me alegro que Carmen sea una excelente cocinera, como dices, y que hayas aprendido a disfrutar la cocina mexicana que, según mi erudito amigo, es muy variada y por su calidad (dice, con toda seriedad) está a la altura de la cocina china o la francesa. Me permito ponerlo en duda hasta no convencerme personalmente de lo contrario, y estoy de acuerdo contigo en que todo tiene un límite: si comer iguana o armadillo es una audacia, comer huevecillos de mosco o gusanos de agave sería una temeridad. Te abraza con el cariño de siempre tu afectísimo hermano que no te olvida,

ALPHONSE.

PS. Dos aclaraciones pertinentes: *sí* me atrae la obra de Von Clausewitz, pero no porque me interese la estrategia, sino por su contenido político. Después de todo, él fue el que dijo que la guerra no es sino la continuación de la política, ¿no es cierto? Ahora que, si el Fuerte de Perote estaba o no abaluartado al estilo Cormontaigne como las plazas del Mosela, tal y cual lo afirmas en una de tus cartas, pues eso sí que no me dice nada. Y por favor, Jean Pierre: yo *jamás* he usado un monóculo cuadrado. El que lo usa o lo usaba, según tengo entendido y por el afán de imitar a Morny, su protector, era Dubois de Saligny, quien por cierto ha caído de la gracia de Luis Napoleón. De nuevo un abrazo.

IX

CASTILLO DE BOUCHOUT
1927

CUANDO les digo que un día de estos Benito Juárez va a llegar al Vaticano de calzón de manta y huaraches y va a decir que es el indio Juan Diego y a pedirle una audiencia al Papa a la hora del desayuno, y que cuando extienda su tilma ante los ojos de Pío Nono me voy a aparecer yo convertida en la Virgen de Guadalupe, de pie sobre una media luna de marfil sostenida por angelitos cuyas alas tendrán los tres colores de la bandera mexicana y que el Papa se llevará tal sorpresa que se le atragantará el chocolate, echará espuma rosada por la boca y se pondrá luego de hinojos para besar mis pies y la orilla de mi manto color azul cielo bordado con estrellas de plata y así como en los bailes del Mondscheinsaal de Viena de pronto a la media noche comenzaban a caer rosas del techo, así, Maximiliano, se abrirá en dos la cúpula de la Basílica de San Pedro y lloverán rosas, lloverán e invadirán el Vaticano, naufragarán en la taza de chocolate del Papa las rosas y sus espinas, inundarán la Capilla Sixtina, enterrarán a la Piedad de Miguel Angel las rosas y sus pétalos, inundarán Roma y rodarán escaleras abajo por Trinitá dei Monti, anegarán la Villa Borghese las rosas y su perfume, cubrirán la estatua recién bañada con leche de burra de Paulina Bonaparte, correrán por la Via Appia y saltarán, se darán un chapuzón en las fuentes de Roma y en el Río Tíber las rosas y su frescura.

O cuando les digo que me voy a llevar a México la máquina de hacer hielo que vi en la Exposición Internacional de París para congelar el Lago de Chapultepec y que en uno de esos tórridos días de verano como aquellos en que los emperadores aztecas tenían que bañarse tres veces de tanto calor y mientras la orquesta toca el vals Sobre las Olas que escribió Juventino Rosas a quien tú no conociste, Max, porque nació dos años después de que me volví loca y murió hace más de treinta, tú y yo tomados de la mano vamos a patinar en las aguas azules y congeladas del lago, vestida yo de china poblana y tú de charro coronado con el penacho del emperador azteca el que tanto quisiste llevarte a México pero nunca te lo permitió tu hermano, el mismo que desde que eras niño y lo descubriste entre el piano cuadrado de Schubert y las estatuillas egipcias, el clavecín de Joseph Haydn y las máscaras de la Polinesia, te maravilló por sus largas y verdes plumas de quetzal, brillantes y tornasoladas, espolvoreadas de oro, que fueron para ti las plumas más hermosas que habías visto, así como el penacho te pareció, porque entonces no sabías lo que era, el abanico más grande y suntuoso del mundo: el deslumbrante abanico de la Reina de Saba, y que todavía está en Viena, no lo vas a creer, en el Museo de Etnología del Hofburgo, junto a las curiosidades que del Lejano Oriente trajo nuestra querida fragata la Novara, y la colección brasileña de Don Pedro Primero, y con algunas de las pocas cosas tuyas que no te robaron o destruyeron en México y junto, también, con los recuerdos de los mares del sur del viajero inglés James Cook a quien como tú bien sabes, Maximiliano, asesinaron los hawaianos a palos y cuchilladas por lo mismo que a ti te fusilaron en Querétaro, por creer en lo que no existe: la inocencia de los salvajes.

No he visto allí en el Museo del Hofburgo, Max, los botones que para tu camisón hicieron las señoras de Querétaro con ópalos de la Sierra Gorda, ni el corazón sangrante que nos regaló en nuestra boda tu hermano Francisco José y al que llamaban así, ¿te acuerdas?, porque era un brillante muy grande con forma de corazón rodeado por hileras de rubíes: hace mucho tiempo que no lo encuentro, nos han robado todo, Maximiliano, el honor y mis joyas, tus retratos, mi felicidad, tus sonrisas, mis ahorros de toda la vida, a pesar de que el Príncipe de Ligne me jura que soy cada vez más rica porque mi dinero está invertido en las plantaciones de caucho que sembró mi hermano Leopoldo en el Congo, pero yo sé que no es cierto: que todo se lo han robado, que nada nos han dejado. ¿Cómo quieren, les digo, que pague yo mi traje? Y aquellos rubíes de Birmania que olvidé en el Castillo de Chapultepec por las prisas de venirme a Europa también los perdimos: se los llevaron, me dijeron, unos nuevos ricos mexicanos que cuando llegó la Revolución huyeron de México en un barco que naufragó en la Bahía de Chesapeake.

O cuando les digo que voy a escribir al Museo de Madame Tussaud para que me manden la cabeza de mi bisabuela María Antonieta y la cabeza de Robespierre y la del Cura Hidalgo y que las voy a colocar en mi recámara de Bouchout y que todas las mañanas voy a conversar con ellas, a ponerle colorete a María Antonieta para que no se vea tan pálida, y con polvos de arroz a blanquear la cabeza del Cura Hidalgo que se puso negra de tanto estar colgado a la intemperie en una jaula y que en las noches las voy a colocar cada una en una campana de vidrio y que voy a pedir también que me envíen la cabeza de Carlos Primero de Inglaterra, y la cabeza de Von Katte el amigo y amante de Federico el Grande que fue decapitado ante sus propios ojos por órdenes de su padre el Rey Sargento, y la cabeza de Mons el amante de Catalina Primera de Rusia que le obsequió su marido Pedro el Grande y la obligó a tenerla en su recámara también bajo una campana de vidrio para que así no olvidara su traición la pobre de Catalina que nunca dejó de ser una criada, una campesina lituana, y que cuando me la encontré en la Exposición se caía de borracha.

Cuando les digo todo esto, Maximiliano, entonces sí que ellos pueden pensar y decir que estoy loca.

O cuando de pronto me levanto a la medianoche y les ordeno que enciendan todas las luces del castillo, hasta el último rincón, y que descubran las jaulas para que los pájaros crean que es de día y se pongan a cantar. Cuando hago que mis damas de compañía se disfracen de todas las Carlotas que he sido en mi vida, y a una le pongo el traje de novia que usé cuando me casé contigo en la Catedral de Santa Gudula, y a otra el cordón negro de la Orden de Malta y la crinolina color de rosa que estrené cuando aceptaste la corona de México y a otra el vestido de seda color cereza que me puse a mi entrada en Milán: entonces sí, que digan que estoy loca, que lo digan, Maximiliano, aunque yo sé que no me imagino esas cosas y que cada vez que las obligo a ellas a vestirse así, me persiguen y me acosan, me torturan, me gritan en los oídos lo feliz que era cuando tenía nueve años y mi tío Aumale me contaba cómo derrotó en Argelia al Emir Abd-el-Kader, y me acercan sus mejillas en la cara para que en ellas huela yo el perfume y el aliento a lirios de mi madre, y cuando me despierto en las mañanas todas están allí, en mi cuarto, las mismas de siempre: Mademoiselle de la Fontaine en mi cabecera con el vestido negro y el sombrero blanco de grandes alas que me puse cuando fui a beber en la Fuente de las Abejas, y al pie de mi lecho Carlota de Brander con mi traje de primera comunión y un rosario en las manos, y de pie frente a la ventana abierta y bañada por un rayo de luz, Anna Goedder, vestida con la ropa con la que me pintó Winterhalter en París cuando tenía yo veintidós años y calladas, sin decirme nada, me gritan todas lo inocente y lo altiva, lo bella que fui algún día y lo esbelta que era, lo luminosos que eran mis ojos y cómo cambiaban de color del castaño oscuro al verde claro cuando me asomaba a la ventana de mi cuarto de Laeken y el sol me daba en la cara y mis hermanos creían que estaba yo contemplando el horizonte, pero mi vista viajaba más lejos, más allá de los bosques de Soignies y d'Afflinghem y del campanil de Santa Gertrudis de Lovaina y del Hôtel de Gérard le Diable de Gante y de todos los domos y las torres y las agujas y los campanarios de los templos de Bruselas, Courtrai, Charleroi y más allá de mis sueños.

El otro día, que también estaba yo de pie junto a la ventana, Maximiliano, vi que salía del foso de Bouchout un submarino, y les dije que me lo había enviado el almirante de la marina mexicana el Comodoro Maury para que en él fuéramos a rescatar los rubíes que se hundieron en

Chesapeake y que tú y yo, tomados de la mano como cuando patinábamos en el lago, íbamos a descender juntos montados en hipocampos gigantes, con nuestras escafandras doradas que tienen tu monograma imperial realzado y seguidos de nuestros guardias palatinos con sus escafandras plateadas con plumas blancas hasta el lecho del mar y que allí encontraríamos los rubíes que nacieron de las gotas de sangre derramadas por Asura en su combate con el Rey de Lanka, el enemigo de los dioses, y que después nos vamos a regresar a México en ese mismo submarino que brotará en las aguas de Veracruz junto al Castillo de San Juan de Ulúa en medio de un remolino de espuma, negro y brillante y chorreado de algas y lilas, de madreselvas amarillas y de buganvillas mojadas y que tiene la forma, les dije, de una ballena, pero que es más grande que la ballena mecánica que tanto asombró, en Brujas, a los invitados de la boda de Margarita de Inglaterra con Carlos el Temerario.

Cuando les digo todo esto, entonces sí que les permito, que las dejo que digan que estoy loca de remate, loca de atar.

O cuando les digo que si voy a tener un hijo, ese hijo, Maximiliano, no será tuyo ni del Coronel Rodríguez ni del Coronel Van Der Smisson: porque si alguna vez he tenido dentro de mí algo vivo, no ha sido ni es un ser humano, sino un ajolote, y yo lo sé porque cuando estoy sentada en mi mecedora con la cabeza baja lo veo crecer en mi vientre que es redondo y transparente como una pecera, pero que nadie, nadie, ¿me oyes, Maximiliano?, nadie me embarazó: ése es el ajolote que pescó el Barón de Humboldt en el Lago de Texcoco y que yo me tragué sin querer el otro día que fui al zoológico de París con mi tío el Duque de Montpensier porque tenía yo tanta sed, había yo corrido tanto en los Jardines de Luxemburgo tras el aro amarillo que me regaló abuelita María Amelia, que bebí, con las dos manos, del acuario.

Que digan, sí, entonces, que estoy loca. Pero no cuando les digo, no cuando les juro que vivo a la hora de muerte: porque he ordenado que todos los relojes del castillo estén detenidos para siempre a las siete de la mañana, la hora en que esos bandidos acabaron con tu vida en el Cerro de las Campanas. No hay una recámara de Bouchout, no hay una sala en este castillo donde me tienen prisionera, un corredor, una ventana, en donde no sean las siete de la mañana de un diecinueve de junio de hace muchos años cuando tu sangre, Maximiliano, corrió por las faldas del cerro, y corrió por las calles de Querétaro y por los caminos de México y cruzó el mar con un clamor inmenso. Puede la luna alumbrar las almenas y los parapetos de Bouchout, pueden las aguas del foso columpiar los reflejos del sol de mediodía, Maximiliano, pero en mi castillo y en mi cuarto, en el reloj de los ángeles azules de mi mesa de noche, en tu adorado reloj de Olmütz y en el reloj de sol de la Isla de Lacroma y en mis ojos y en mi corazón son siempre, Maximiliano, las siete de la mañana. Hay veces que me despierto y estoy casi segura que es pleno mediodía, por el sudor que me moja los pechos, por el sol que me ciega los ojos, y les pregunto a mis damas de compañía que vigilan siempre a mi lado, de pie y despiertas, qué horas son, díganme, deben ser las doce del día, por qué no me han despertado, y mis damas con los ojos abiertos siempre, siempre vivas y diligentes me dicen no qué va, Doña Carlota, cómo se imagina Usted Su Majestad la Emperatriz de México, es hora de que se levante, son las siete de la mañana, ándele despabílese, ándele estírese son las siete de la mañana, hora de levantarse, hora de lavarse y de vestirse y de desayunarse, me dicen mis damas y bailan alrededor de mi cama, una con mis anteojos y otra con mi bata y otra con mis pantuflas de astracán y yo les digo pero hay mucha luz no ven el sol allí en el cielo, no ven cómo sus rayos se cuelan por las barbacanas del castillo y juegan en las vidrieras y mis damas de compañía me dicen sí, claro, Doña Carlota, Doña Regente de Anáhuac, es que siempre es verano, y me ponen los anteojos, y no pudo verse la hora en que amaneció porque todo el mundo en el castillo estaba dormido, me dicen, y me ponen las pantuflas, y yo les digo es que siempre es verano y ellas me responden sí, Su Majestad, siempre, y me ponen la bata, y el mundo ha ardido en llamas, ha ardido en llamas, Su Majestad, desde hace sesenta años, y yo les pregunto por qué desde hace sesenta años y ellas me dicen es que comenzó a arder cuando se incendió el chaleco del Señor Don Maximiliano con el tiro de gracia que le dieron en el Cerro de las Campanas y desde entonces todo ha ardido en llamas, porque habrá de saber Su Majestad la Emperatriz de América que ardió el bazar de caridad de la Rue Jean-Goujon donde murió carbonizada su sobrina la Duquesa d'Alençon y ardió la ciudad de Chicago por culpa de una vaca que de una patada tiró al suelo una lámpara de parafina y ardió La Ciudadela de la ciudad de México durante la Decena Trágica, ardió Europa entera cuando el Archiduque Francisco Fernando cayó bajo las balas de Gavrilo Princip en Sarajevo, ardió el Lusitania cuando lo hundieron los alemanes y ardió Terveuren, Doña Carlota, porque usted misma le pegó fuego, ardió la quinta de Biarritz donde la Emperatriz Eugenia y Don José Manuel Hidalgo inventaron el Imperio Mexicano, y ardió París, ardió durante cinco días incendiado por las petroleras y las amazonas del Sena de la Segunda Comuna, y ardieron las Tullerías y con ellas fueron consumidos por el fuego los muñecos que tenía el principito imperial vestidos con los uniformes de los soldados de toda la historia de Francia, y seguirá ardiendo, seguirá envuelto en llamas el mundo, hasta que su Alteza Imperial, Doña Carlota Amelia Clementina, Dios no lo permita, se muera, pero de todos modos Dios lo ha de permitir un día, me dicen mis doncellas y yo les ordeno que descuelguen todos los espejos del castillo, que los lleven a las ventanas, que con ellos reflejen la luz del sol y la lleven hasta el último rincón de todos los palacios y castillos en que hemos vivido para que con ella arda tu retrato de Almirante, la Sala de la Rosa de los Vientos, la esfinge del embarcadero de Miramar, el retrato de Catalina de Médicis y todo lo que tuvimos y fuimos y pudimos haber sido, Maximiliano, todos nuestros recuerdos y nuestras ambiciones, mi querido, adorado Max, y entonces cierro los ojos y sueño al mundo en llamas, sueño que mi corazón es un ascua y cuando despierto pienso que es la medianoche, por la negrura que pesa sobre mis párpados, por el frío que tengo en los huesos y en la boca del estómago y me siento en la cama, busco a tientas una vela, la enciendo, despierto a mis damas de compañía que duermen a mi lado sobre la alfombra y les digo despierten, perras, díganme qué horas son, y ellas se ponen de pie, temblorosas y con los ojos legañosos y me dicen entre bostezos y tartamudeos, las zánganas, ah, Su Majestad, ah Su Emperatriz de América, es hora de que se levante, son las siete de la mañana, levántese, despabílese, desperécese, Su Majestad, me dicen mis damas, y me traen mi faja y mis uñas postizas, me traen mis medias de lana y mi dentadura, me traen mi peluca, y yo les digo pero no ven que está muy oscuro, no están viendo las estrellas temblar en el cielo y desparramar sus luces en los chorros de las fuentes, no están viendo cómo la oscuridad se arrastra por el puente levadizo del castillo y lame las piedras de las murallas y mis damas me responden sí Su Majestad, la Emperatriz de México y de América, sí Doña Carlota Amelia, pero es que es invierno y no se ve todavía la hora en que amanezca, por eso está tan oscuro como si fuera la medianoche, pero son las siete de la mañana, se lo juramos a Usted, Su Majestad, se lo prometemos por todos los santos y los ángeles del cielo, y yo les digo siempre es invierno, verdad, siempre. Y ellas, las holgazanas, que se quedan dormidas hasta cuando están paradas, apoyadas unas en otras, con los ojos cerrados me dicen sí Su Majestad, sí Doña Carlota Leopoldina, siempre es invierno Su Majestad, y ha nevado durante sesenta años. Comenzó a nevar sobre el ataúd de Don Maximiliano, cuando lo llevaban en la Novara de Veracruz a Trieste, nevó sobre la espuma de las olas y el olmo de los delfines que lo acompañaron, nevó en los galones dorados del uniforme del Almirante Tegetthoff que cuidó a Don Maximiliano de pie y a su lado todo el viaje y nevó sobre la bandera de guerra austriaca que con los colores rojo, blanco y rojo, cubrió la caja de cedro que le mandó hacer Don Benito Juárez, nevó cuando lo llevaron en ferrocarril de Trieste a Viena, nevó y la nieve cubrió los rieles, la locomotora, los árboles del camino, el vagón funeral donde viajaba, muy quieto, Don Maximiliano, y desde entonces ha nevado siempre, nevó cuando mandaron a Dreyfus a la Isla del Diablo, Su Majestad, nevó sobre los cuerpos de los soldados muertos en la Batalla de Celaya, y sobre los cadáveres de los armenios masacrados en Constantinopla, nevó sobre el Puente de Brooklyn y nevó también, Doña Carlota, ha nevado todo este tiempo en los picos de Ardenas que escala disfrazado de tirolés su sobrino el Rey de Bélgica Alberto Primero, y en los senderos y las barrancas de los

Pirineos a donde iba acompañada por sus damas la Emperatriz Eugenia para ver desde Francia la tierra de su amada España y nevó sobre las chimeneas del barco Ipiranga donde Don Porfirio Díaz lloró su exilio, que en paz descansen Doña Eugenia y Don Porfirio Díaz, en paz descansen todos, y seguirá nevando, Dios no lo quiera, pero de todos modos Dios lo va a querer un día, hasta que Su Sagrada Majestad, Su Alteza Doña Carlota Imperial se muera, me dicen mis doncellas y se quedan dormidas de pie las holgazanas, y entonces yo pienso en ti, Maximiliano, te imagino de pie en el lago, congelado, de Chapultepec, atrás el castillo con sus terrazas y escalinatas cubiertas de nieve, veo tus lágrimas como granizos resbalando por tu piel escarchada, tus ojos de cristal helado que contemplan las pirámides vestidas de armiño, los platanares nevados, los ríos de lava azul y fría que bajan de los volcanes, y mientras mis doncellas siguen dormidas, de pie y apoyadas unas en otras yo abro la ventana del castillo para dejar que entre la nieve y nieva entonces dentro del castillo, nieva en mi cuarto, les digo, nieva dentro de mis ojos, les grito, nieva en el fuego de mi corazón, les imploro, y ellas abren los ojos y me dicen sí Su Majestad Carlota, sí Su Alteza Amelia, sí Su Gracia Leopoldina, sí Su Serenísima Clementina, sí Su Emperatriz la Loca, sí, Su Archiduquesa la Archivieja, sí, las malditas, las pérfidas, las perras, como si yo no supiera que están siempre a la espera de sorprenderme para lanzarse sobre mí y desnudarme y llevarme a la tina y bañarme a la fuerza, y a la fuerza ponerme ungüentos y perfumes y ropa limpia y llevarme a la cama de nuevo y decirme ahora sí, Su Majestad, ya está muy bonita y albeante y olorosa y su barriga y sus nalgas están recién talqueadas, póngase su peluca que toda la noche la cepillamos con sal para sacarle brillo, le va usted a gustar mucho a Don Maximiliano, póngase sus uñas que toda la noche las pusimos en una copa de plata con polvos de nácar y Don Maximiliano se bajará de su coche, se sacudirá los pétalos de flamboyán y las hojitas de lenteja de agua que se le quedaron pegadas en sus botas, póngase sus calzones que los lavamos con jabón de raíz de amole, Doña Carlota, se sacudirá el polvo de los llanos de Apam que se le quedó pegado en sus charreteras doradas, póngase sus pestañas que le rizamos con pinzas calientes, y le traerá en su gran sombrero de fieltro blanco un ramo de rosas rojas que cortó en su último viaje a El Olvido, póngase sus dientes que toda la noche se quedaron a remojar en un tazón de leche, me dicen mis doncellas, ándele, no se haga la remolona coma un poco que mucha falta le hace, mire nada más cómo está de flaca, si parece Su Majestad un esqueleto, y yo le pregunto al Doctor Jilek qué horas son, dígame, doctor, qué horas por amor de Dios, las siete de la mañana, Su Majestad, la hora del desayuno, ándele, sírvase usted comer algo, me dijo y yo le boté la cuchara y el huevo le cayó en los anteojos si supieras cómo me reí, Maximiliano, de ver que le escurría por la nariz un moco largo y amarillo y tembloroso, vieras cómo pensé entonces en María

Vetsera y en su ojo que colgaba y de la cuenca salía un licor viscoso y la imaginé bajando, muerta, la escalinata de Mayerling. Y casi, casi de pensar en María Vetsera, que tuvieron que acomodarle con alfileres el cuero cabelludo desprendido por la bala, de pensar en ella y a su lado desnudo en la cama y con los sesos de fuera a tu sobrino Rodolfo, qué lástima que nunca lo volviste a ver, Max, tan orgulloso que hubieras estado de él, casi me vomito allí mismo en la cara del doctor pero no tenía yo nada en el estómago, nada sino el fuego de un rencor helado, y no quise comer, no probé bocado en todo el día, Max, pero no fue por el asco, no fue porque me arrepintiera de aventarle el huevo a ese estúpido de Jilek. No, no fue por eso.

Cuando Jilek y Basch y todos los médicos que me encerraron aquí, y cuando mis damas y María Enriqueta y el Barón de Goffinet me ven así, sentada y quieta en mi recámara, y que así me paso las horas y los días, los años, ellos piensan que lo hago porque me lo ordenaron, porque me enseñaron a no moverme, porque me amenazaron, porque me regañan si me muevo, pero lo que no saben ni sabrán nunca es que eso lo intenté yo, y que desde muy niña nadie me ha ganado nunca a quedarme quieta, inmóvil como si fuera de piedra, sin mover un dedo ni cerrar los párpados, sin respirar apenas, Max, sin que se mueva mi pecho, sin tragar saliva, sin que en mis ojos tiemble una lucecita siquiera, así, quieta, como si estuviera dormida con los ojos abiertos, o más que dormida, como si estuviera muerta, o más que muerta, como si nunca hubiera existido, como si esa tarde de Jueves Santo yo no hubiera ido con mis hermanos el Duque de Brabante y el Conde de Flandes a la Iglesia de Saint Jacques, como si yo no hubiera rezado en voz alta, apenas sin mover los labios, mi oficio de Semana Santa, como si yo no estuviera allí, en los Jardines de Laeken, con mis dos hermanos Leopoldo y Felipe que como yo estaban quietos, muy quietos, encantados, transformados en estatuas, hasta que una abeja se paró en la frente de Leopoldo y a Leopoldo le dio mucho miedo, la espantó con la mano, maldijo, perdió el juego, y Felipe se rió, le gritó miedoso, perdió el juego, y los dos me miraron pero yo no me había movido y la abeja se paró en mi pelo y yo no la espanté, no quise mover la cabeza, ni siquiera cerré los ojos, y yo gané, porque siempre he ganado a quedarme quieta, Maximiliano, pregúntale a mi padre Leopich, pregúntale si cuando me regañaba por una travesura y me decía que yo tenía que portarme siempre como una gran princesa y algún día como una reina, pregúntale si movía yo un dedo, pregúntale si después, cuando se arrepentía y me besaba la cabeza, y repetía una y otra vez que yo era su pequeña sílfide, la alegría alada del palacio, el Angel de los Coburgo, pregúntale si yo le contestaba una palabra, si mis labios se movían para sonreír, si le echaba los brazos al cuello y lo abrazaba, si abrí la boca para decirle a Denis d'Hulst que no quería que mi madre muriera, cuando la condesa me sentaba a su lado todas las tardes para escribirle cartas a mi tía la Duquesa de Nemours donde le contaba cómo era que mi madre estaba cada día más enferma, cómo era que cada día estaba más y más pálida y débil y la cara se le afilaba y le crecía más su larga nariz borbona, pregúntale a Mademoiselle Genslin mi profesora de inglés, a Madame Claës mi profesora de aritmética, pregúntale, Maximiliano, si alguna de ellas vio algún día que la sangre se me subiera a la cara para sonrojarme cuando no sabía una respuesta, pregúntale a mi padre, Maximiliano, si lloré cuando enterraron a mi madre la Reina Luisa María en la Capilla de Laeken. Y allí estaba yo con la abeja en el pelo, y mi hermano Felipe, Lipchen, que siempre fue tan bueno conmigo, no sabes cómo lo extraño, se murió de tanto comer y tanto fumar, con él bailé seis contradanzas en un baile de la corte, cómo nos aplaudieron mis condes y mis duquesas y mi tío el Príncipe Joinville me levantó en sus brazos muy alto y casi toco los candiles del palacio y mamá me leyó esa noche La Bella Durmiente del Bosque, y yo me quedé muy quieta y allí estaba Felipe y esta vez yo no quise bailar con él, pero Felipe bailó a mi alrededor haciendo visajes para hacerme reír y como era mago, me dijo, me sacó una rosa de detrás de la oreja, y se hincó y dijo he aquí mi bella dama la prueba radiante de mi amor ardiente, y arrojó la rosa y la desapareció en el aire y sacó de la manga tres pañuelos de colores anudados y se levantó y me dijo y ésta es la cuerda que os permitirá oh bella dama escapar del castillo y burlar al dragón y después se hizo cosquillas él mismo y se revolcó de la risa. Pero yo no me reí, no moví un dedo, no abrí los ojos asustada cuando mi hermano Leopoldo, que sabía tantas cosas, me contó cómo asesinaron en Zelandia al Duque de Lotaringia Godofredo el Jorobado, ni cuando se acercó a mí como si me fuera a encajar las uñas en la cara, ni me asombré cuando me recordó que cuando encontraron a Carlomagno en un sótano de la Catedral de Colonia, ocho siglos después de muerto, estaba sentado en un trono y con el cuerpo intacto salvo un pedazo de nariz que se lo pusieron de oro: me lo recordó para que abriera la boca, pero yo no me moví, y fue como si no lo hubiera escuchado. Tampoco me sonreí ni enseñé los dientes, como él quería, cuando comenzó a narrarme las historias de Isengrain el lobo y de Renard el zorro, ni me puse furiosa y fruncí el ceño porque él bien que sabía todo lo que yo quería entonces a los franceses por ser nuestro abuelo francés, cuando me dijo que el Mariscal de Villeroi había bombardeado Bruselas durante dos días y cómo, cien años más tarde, durante la Revolución, los franceses destruyeron San Lamberto la Catedral de Lieja y redujeron a escombros la Abadía de Orval que era la más bella del mundo, y tampoco me puse a temblar cuando me recordó el grabado de Durero de los Cuatro Jinetes del Apocalipsis que está en Laeken y que siempre me ha dado tanto miedo. No, fue nada más como si él no estuviera allí y no me levantara las faldas para fingir que me iba a azotar las piernas con una vara de espino que tenía en las manos: ni me temblaron las rodillas ni me ruboricé, cómo él lo hubiera deseado. Fue, Maximiliano, como si no lo escuchara decirme, al oído, sin que Felipe se enterara y para ponerme triste y hacerme llorar, que odiaba a mi padre, y que qué lástima que abuelito Luis Felipe no se había muerto cuando Fieschi lo quiso matar con una bomba ni cuando intentó asesinarlo Lecomte la vez que yo dije que de seguro ese señor no sabía que abuelito iba adentro del coche: no lloré, no derramé una sola lágrima y una sola sombra no cruzó por mi frente, ni entonces ni cuando por último Leopoldo me mordió el cuello de verdad hasta dejarme los dientes marcados, ni cuando mi buen Felipe, indignado, le gritó eres un bárbaro por qué mordiste a Bijou como me llamaba siempre, y se echó encima de Leopoldo y comenzó a pegarle y Leopoldo que era un cobarde se fue lloriqueando y salió corriendo y atrás de él se fue Felipe, no sin jurarme, oh mi hermosa dama, que regresaría para salvarme del encanto, pero sólo después de matar al dragón que estaba disfrazado de Leopoldo y de paso al Duque de Alba para vengar al Conde de Egmont y sólo después, claro, de que Felipe el bravo, el brabanzón, echara de Flandes a los hunos y a los normandos invasores o los colgara a todos de los árboles de la silva carbonaria. Pero Felipe se olvidó de mí y yo me quedé quieta en el jardín, sin llorar. Recordé entonces la leyenda que me contó Leopoldo de la fuente en la que a Ermesinda la Condesa de Luxemburgo se le apareció la Virgen rodeada de ovejas blancas con una mancha negra en el lomo en forma de escapulario, para pedirle que allí construyera un monasterio que se llamó el de Clairenfontaine, y entonces, nada más que de pensar en la fuente, me dio de nuevo una enorme sed: la misma sed, Maximiliano, que he tenido durante todos estos sesenta años, pero no me moví, y ni siquiera mis labios secos temblaron: me quedé así, en medio del Jardín de Laeken, en medio del sombrío Jardín de Enghien, perdida a la mitad del Bosque de Soignies, y de pie en medio del Jardín de Miramar: sólo hasta que comenzó a llover fue cuando pude llorar porque así mis lágrimas se iban a confundir con las gotas de lluvia y sólo entonces también pude beber de esa misma lluvia y de esas mismas lágrimas que resbalaban por mi cara.

Lipchen regresó muchos años después y yo estaba allí todavía, sin moverme, casi sin respirar. Me tomó de la mano y caminamos por el jardín, y a la sombra de un abeto me dijo que yo era aún lo que más quería en la tierra y me recitó un poema de Heine. Yo recordé entonces: tenía dieciséis años, era casi una niña, y hacía mucho calor, y los invitados a palacio recorrieron el Boulevard Botanique y la Rue Royale hasta la Place de Palais. En el vestíbulo de honor, junto a la ventana con vista a Trieste y a la costa de Istria, a la Punta Salvore, Felipe me dijo que yo era aún la más bella de las mujeres que conocía, y yo te vi, Maximiliano, en la Sala de las Conversaciones de Miramar. Contemplabas la escultura que muestra a Dédalo colocándole a Icaro el ala derecha. Te vi también en la Sala Novara, escribías una carta, y frente a tu escritorio estaba otra escultura: la que hizo Durero, en madera, de Maximiliano Primero. Felipe señaló hacia el Adriático y me dijo han llegado noticias del otro lado del mar. Subíamos por el Rhin, en el Stadt Elberfeld, por Mayenne, hacia Nuremberg, y tú me dijiste que acababa de morir en Bulgaria, de sarampión, uno de los hijos de tu hermano Franscisco José. Felipe me dijo que él jamás, jamás en su vida me haría llorar como el malvado Leopoldo, perdóname que lo llame así, me dijo, y de espaldas a la fachada de Miramar, cubierta con viña virgen, me juró que yo era aún la Emperatriz más adorada del mundo. En su mano derecha tenía una paloma que alzó el vuelo hacia La Habana. Recordé que paseaba contigo en los Jardines de Laeken una tarde en que me describiste Miramar. Volteé la cara y te vi en el fondo del bosque, con tu levita azul chorreada de cera, y una extraña corona en la cabeza, algo así como un turbante sanguinolento: me di cuenta que estabas coronado con tus propios intestinos. Felipe me dijo: han llegado noticias del otro lado del mar. Yo me juré que seguiría siempre el lema de la Casa de Coburgo, y te sería fiel y constante en mi amor. Tú me contaste que tu madre Sofía, porque eras muy flaco, te llamaba a veces Monsieur Maigrelet. Maximiliano, me dijo Felipe, fue hecho preso en Querétaro. Y visitamos después de la boda, ¿te acuerdas, Max, qué risa?, el Manneken Pis. Maximiliano fue traicionado, me dijo como para hacerme llorar a pesar de lo que me había prometido, mi hermano Felipe. Pero no lo traicionó el pueblo, lo traicionó un solo hombre: Miguel López. Y hubo un concierto en el Teatro de la Monnaie y una fiesta náutica veneciana. Maximiliano, me dijo Felipe como para hacerme reír, nunca estuvo preso. Cuando caminaba por su celda de las Teresitas en realidad caminaba por la Plaza de La Cruz, y le pedía fuego a los transeúntes para encender su habano, y saludaba a las señoritas queretanas de ojos negros y a los sirvientes que le llevaban en un portaviandas su sopa de fideo y sus frijoles y su arroz con leche cocinados para él en la Hacienda del Señor Rubio, y saludaba a las monjas que le llevaban sábanas y a los coroneles que le llevaban listones azules para las seis mulas blancas de su calesa. Cuando se sentaba en el banco de su celda, se sentaba en su despacho del Palacio Imperial y planeaba su próximo viaje a Guanajuato y redactaba los reglamentos del Ceremonial de la Corte, le decía a Blasio: apunta, Blasio, esto y lo otro, las birretas de los cardenales y los galones de los almirantes. Cuando se acostaba en el catre de su celda, se acostaba en la hamaca de la terraza de su Quinta Borda, les arrojaba migas a las golondrinas, y le pedía a uno de sus muchachos del Club del Gallo que le sirviera un vaso de vino de Hungría. Escucha, Carlota, escúchame bien, Charlotte, me dijo Lipchen: a Maximiliano le condenaron en Querétaro, pero no lo condenó su pueblo, lo condenó un solo hombre: se llamaba Platón Sánchez, me dijo Felipe como para hacerme llorar, y me dijo más: escúchame, Bijou: no le creas al Almanaque Gotha. Si en él no aparece Maximiliano entre los muertos, es porque el almanaque que te dio María Enriqueta es falso: a Maximiliano lo mataron en Querétaro, pero no lo mató su pueblo, lo mató un solo hombre. Y entonces Felipe sacó del bolsillo de su chaleco una bala y me dijo: y no fue el soldado del pelotón que le disparó esta bala de gracia: fue Juárez. Benito Juárez, me dijo mi hermano fue el que lo mató. Y yo no moví un dedo, no bajé los párpados, me quedé inmóvil, casi sin respirar, como si estuviera dormida con los ojos abiertos y sólo hubiera querido entonces que el viento frío y lluvioso que nos llevó hasta el Cabo de Istria y que fue el mismo que desgarró el tapiz rojo del Salón de los Embajadores y que agitó los lirios del lago y que empañó las ventanas de la Sala del Trono, sólo hubiera querido, Maximiliano, que ese mismo viento me llenara de nuevo el rostro de gotas de agua aunque Felipe me decía y me juraba, como para hacerme sonreír, no me creas a mí, Princesa, porque Maximiliano está vivo en tu corazón y en el mío, vivo en los sauces llorones y en los senderos de los Jardines de Miramar, vivo y de rodillas ante la Asunción de Rubens de la capilla del castillo, vivo en el Salón de los Príncipes y en su cuna dorada del Danubio donde cabalgaba su padre el Rey de Roma. Así, Doña Carlota, no vamos a llegar a ningún lado, me dijo el Doctor Jilek y se limpió el moco largo y amarillo que le colgaba de la nariz. Su Majestad Imperial no puede viajar a México en ese estado, mire nada más cómo se le salen los pómulos, cómo se le dibujan las costillas, cómo le cuelgan los pellejos de la papada, cómo se le han puesto los codos de puntiagudos. ¿Qué dirán los alcaldes? ¿Qué dirán los húsares? ¿Qué dirán, Su Majestad, sus guardias palatinos? ¿Dirán que no le dimos de comer en Bouchout? Le voy a escribir una carta a Don Fernando Maximiliano, dijo Blasio, sacó un lápiz de su maletín, lo chupó y me preguntó con los dientes manchados de tinta morada: ¿Qué le diré, Su Majestad? Le diré... ¿por qué no me dice Usted, Su Majestad, qué le puedo decir a Don Fernando Maximiliano el Emperador, su Augusto Esposo?

Mi querido Maximiliano. Mi adorado Rey del Mundo y Señor del Universo: No creas a nadie de los que te digan que estoy loca porque no quiero comer. Es mentira. El otro día le dije a mis servidores que venías a almorzar al castillo. Ordené que pusieran en la mesa las mermeladas inglesas que tanto te gustaron desde que las probaste en Gibraltar una tarde en que los moros y los españoles peleaban en Ceuta y tú contemplaste la batalla desde el otro lado del mar, con un telescopio. Recordé que una vez, en Valencia, te mostraron una magnolia gigantesca que había crecido en un cementerio de padres capuchinos y tú dijiste que los religiosos debían dar muy buen abono al suelo, así que mandé traer varios manojos de los espárragos silvestres que se dan en el Cementerio del Père Lachaise. Recordé que durante la guerra de los turcos el Emperador José Segundo se hacía llevar a Belgrado el agua de Schönbrunn, y ordené que trajeran varios botellones con agua de Tehuacán. El mensajero trajo una canasta con mangos y guayabas y una jarra de leche blanca como botones de jazmín y espumosa como champaña, como aquella que en Las Canarias te dio el cabrero alemán que te besó la punta de los pies. Tu madre la Archiduquesa Sofía me envió unos pastelitos de semillas de amapola con miel y un frasco de milchrahm. De las bodegas de Miramar llegó un cargamento con los vinos suaves del Rhin y los vinos fuertes de Rioja que tanto disfrutabas. La Princesa Paula Metternich te mandó, desde París, una caja de tus habanos favoritos. Le ordené a Tüdös que cocinara una sopa Brunoise y salmón a la tártara y filete a las brasas con salsa Richelieu. Y le dije a los músicos y a los cantantes que ensayaran la Fantasía Brillante que Jehin-Prume compuso en honor de mi padre Leopoldo, el Brindis de Lucrecia, La Paloma, el himno imperial mexicano. Y te esperé, Max, sentada a la mesa, te esperé toda la tarde y no llegaste. Te esperé quince años. Te he esperado sesenta y no has llegado. Y mientras tanto aquí me tienes, Max, sin probar bocado. Y no es porque esté loca que no quiera yo comer, Max, eso no es cierto: si te lo dicen no lo creas, cómo no voy a querer comer si me muero de hambre, cómo no voy a querer beber si me muero de sed. Porque si hay alguien que tuvo que meter la mano en una olla de caldo hirviendo en el Orfelinato de San Vicente para comer un miserable trozo de carne, fui yo, Maximiliano. Si hay alguien que tuvo que meter los dedos en la taza de chocolate del Papa fui yo, y no tú, porque estaba muerta de hambre, porque todos me querían envenenar. Si hay alguien que tuvo que beber agua de las fuentes de Roma, si hay alguien que tuvo que llevar gallinas al hotel para no comer otra cosa que los huevos que pusieran frente a mis propios ojos y que yo pudiera quebrar y cocer con mis propias manos, fui yo. Si hay alguien que ha tenido que salir a media noche del Castillo de Bouchout a beber agua del foso y comer tréboles y rosas del jardín, soy yo, Maximiliano, yo, Carlota Amelia, que me arrastro por los corredores del castillo para comer arañas y cucarachas, porque estoy muerta de hambre, porque todos quieren envenenarme. Dicen que estoy loca porque como moscas, Maximiliano. Dicen que estoy loca porque quisiera devorar las sobras que de ti me dejaron, porque quiero ir a Viena a la cripta de los capuchinos y devorar tu caja, devorar tus ojos de vidrio aunque me corte los labios y me desgarre la garganta. Quiero comerme tus huesos, tu hígado y tus intestinos, quiero que los cocinen en mi presencia, quiero que los pruebe el gato para estar segura que no están envenenados, quiero devorar tu lengua y tus testículos, quiero llenarme la boca con tus venas. Ay Maximiliano, Maximiliano: a los que te digan que parezco niña chiquita porque me como la tierra de los macetones, no se lo creas. El Doctor Bohuslavek se enojó conmigo cuando le dije que no se preocupara, que siempre me lavo las manos antes de comer tierra, y me dijo que era una tonta porque devoro a mordiscos las alfombras, me dijo vamos a quitar todas las alfombras del castillo, porque me como las cobijas y las colchas, me dijo por favor Su Majestad: sin cobijas y sin colchas no podemos dejarla, porque me como mi ropa, Virgen Santa me dijeron mis damas no la podemos tener encuerada, porque me arranco los pelos y me los como: eso sí, me dijo el Doctor Riedel, eso sí podemos hacer. Su Majestad, que es pelarla al rape y rasurarle las axilas y el pubis, si no deja Usted de comerse los pelos, eso sí que sí.

¿Verdad, Maximiliano que nadie te contó que inventaron las aspirinas y la máquina de escribir? Con las aspirinas se me alivian las espantosas jaquecas que me dan cada vez que me acuerdo de México. Con la máquina le voy a hacer una carta muy larga al General Escobedo para que te deje salir de Querétaro, y voy a escribir un poema sobre tu viaje a Sevilla el día en que almorzaste junto al Guadalquivir en un bosquecillo de limoneros cargados de frutos de oro. Y también inventaron, ¿verdad que no te lo dijo nadie?, un aparato mágico para ver los huesos y las vísceras de las personas vivas y tomarles fotografías, y para ver si te tragaste algo que te pueda hacer daño: tienes que saber que tu madre Sofía se tragó el anillo que le enviaste con el Doctor Basch, y a la pobre se le derritió en el estómago y la abrasó las entrañas. Que Luis Napoleón se tragó la carta en la que te dijo que siempre cumpliría sus promesas y tu hermano Francisco José el Pacto de Familia, y casi se mueren los dos ahogados de la angustia, y que nuestro compadre el Coronel López se tragó los veinte mil pesos oro que le dieron por su traición y se le volvieron espuma en la boca, y que Eugenia se tragó un soldadito de plomo vestido de oficial inglés que le encajó su espada en el corazón. Y que yo, ah, yo, Maximiliano, el otro día que vinieron a verme Jilek y Bohuslavek y Riedel y me empezaron a regañar y a decirme ay Su Majestad sin cortinas podemos dejarla pero no sin jabón porque entonces no podríamos bañarla, no se lo coma Usted porque le amarga la boca, no se coma Usted sus polvos porque le van a dar náuseas, Doña Carlota, y si se come Usted las brasas de la chimenea se queda sin voz y se le llenan de llegas la boca y la garganta, y yo, Maximiliano, les conté entonces que me había tragado la bala que te quitó la vida en el Cerro de las Campanas. La misma bala, les dije, que mi hermano Felipe me dio en Miramar para hacerme reír, para hacerme llorar, para hacerme vivir loca y lúcida, dormida y despierta, viva y muerta, sesenta años más. Vieras, Maximiliano, qué revuelo se armó en el castillo. Creyeron que la bala me iba a perforar los intestinos. El Doctor Bohuslavek me palpó el estómago. El Doctor Riedel me dio un vomitivo. El Doctor Jilek, con el perdón de Usted, Su Majestad, me puso una lavativa. Por la boca me salieron unos cuajarones de moco con pétalos de rosas a medio digerir. Por la nariz me salieron hilos de seda de varios colores y unas pompas de jabón. Por el ano me salió una bola de pelos blancos apelmazados y los dos brillantes de mi diadema de bodas que me tragué el otro día. Pero no salió la bala. Desde entonces, todas las mañanas, cuando acabo de defecar, el Doctor Jilek y el Doctor Riedel y el Doctor Bohuslavek se llevan al Salón de Audiencias mi alta bacinica de porcelana y oro, la ponen en una mesa barnizada con laca, se sientan, y con un cucharón de plata la reparten en tres platitos hondos, y con las manitas de marfil con las que mis doncellas me rascan la espalda, los tres espulgan mi mierda, Maximiliano, para ver si encuentran la bala, mientras mis doncellas danzan alrededor con incensarios y pulverizadores de los que salen nubes de agua de colonia. Hoy les di una sorpresa. Cuando llegaron a recoger la bacinilla la encontraron vacía porque tenía yo tanta hambre, Max, que me comí mi propia mierda. Al Doctor Jilek le temblaban los cachetes de la furia. El Doctor Bohuslavek me dijo que me iba a acusar con la Reina Victoria. El Doctor Riedel me dijo que de ahora en adelante voy a tener que defecar siempre delante de mis doncellas. Me humilló tanto tener que hacerlo delante de ellas, Max, a pesar de que son tan buenas, de que empiezan a cantar para que no se oigan los ruidos que hago, y de que se ponen sus abanicos frente a la cara para fingir que no me están viendo aunque yo sé que los abanicos tienen unos agujeritos por donde me espían, me dio tanta pena y sobre todo tanta rabia que decidí vengarme y defequé en mi cama, defequé en un corredor del castillo, defequé en una fuente del jardín, defequé en la sopera de nuestra vajilla imperial.

X
«MASSIMILIANO: NON TE FIDARE»
1864-65

1. De Miramar a México

¿AZUL? ¿Azul como en Francia? ¿O verde? ¿Verde oscuro como el verde de la bandera mexicana? El verde es también el color del profeta, comentó Don Joaquín. ¿De cuál profeta?, preguntó la Condesa de Kollonitz. De Mahoma, Señora mía. Y soplaba un viento noroeste, frío y fuerte, pero favorable para el viaje. Maximiliano pensaba, imaginaba, preguntaba, escribía. Los alcaldes, dijo, y le dio una palmada en el hombro al Señor Iglesias, casaca, pues, verde bandera con bordados de plata y sombrero de plumas negras: ¿satisfecha, Carla, Carlota? Pero a pesar del viento, el Adriático, turbulento de costumbre, era ese día un espejo. La llave, dijo Max, y levantó la mano como si la tuviera en ella, la llave del Archivo Imperial la llevará siempre consigo el Tesorero de la Corona, anote usted, Sebastián. El yate «Fantaisie» abría la marcha. Seguía la «Novara» y en las aguas de esta fragata, a cosa de unas doscientas cincuenta brazas, la «Thémis» al mando del Capitán Morier. Los Jueces de Paz, escribió Maximiliano de su puño y letra, faja de seda naranja con bellotas verdes, y se imaginó al arzobispo, en las fiestas nacionales, ofreciendo el agua bendita a los embajadores para incorporarse después al cabildo. Nunca las aguas del Adriático fueron tan azules. La escuadra desfiló ante la ciudad de Trieste, entre los buques anclados en la bahía y empavesados con sus pabellones. Todas las baterías de la costa saludaron a la escuadra y los disparos se sucedían sin interrupción, a medida que la «Novara» pasaba frente a cada una de ellas. Los vapores de Lloyd se despidieron, y la escuadra siguió rumbo a Pirano, donde había una multitud de barcas de pescadores que rodearon a la «Novara» para despedir al Príncipe y la Princesa que se ausentaban. Y si a ustedes les parece bien, dijo Maximiliano y sumergió una galleta en su copa de jerez, en las Audiencias Públicas que serán cada domingo en la mañana, y en las que recibiré a todo el que quiera verme, el chambelán vestirá frac de corte, su corbata será blanca, y tendrá puestas sus condecoraciones. Las condesas de Zichy y Kollonitz arrojaron monedas a los pescadores, y Maximiliano tomó la mano de Carlota y con voz muy baja, para que ella no lo escuchara, murmuró: el día en que muera el infante de una testa coronada, uno de nuestros hijos, Carla, el Emperador no portará duelo, pero se ordenará cubrir la cámara y la antecámara de palacio, los sofás y sillones con telas, fundas y tapices de color violeta y en el puño de mi espada pondré un crespón violeta también, y violeta será la banda de seda que rodeará mi brazo. ¿Cómo dices, Max? El Conde de Bombelles dio un profundo suspiro y continuaron bajando por el Adriático, sereno aún, surcado apenas por espumillas tersas. Carlota se retiró a su camarote bien entrada la noche: había esperado la puesta del sol y después se quedó contemplando por un largo rato, callada, las lucecitas de las costas de Istria y Dalmacia. Maximiliano, del brazo del General Woll, decidía: los rangos de las tropas en orden de batalla, de paradas y de revistas. Maximiliano pensaba: kepí, levita y pantalón de paño verde dragón para el Cuerpo Especial del Estado Mayor. Maximiliano escribía: manitas de siete canelones de oro apagado en las puntas de las alas del sombrero de los generales de división. ¿O quizás su adorada Charlotte —la Princesa estaba triste— prefería, para el gran uniforme de su Guardia Palatina, la Guardia de la Emperatriz, casco de plata bruñida con el aguila imperial de oro en el tope batiendo las alas? Triste, pero no sólo por irse de Miramar. ¿Y barboquejo de cuero de charol blanco? Sino triste también por no despedirse de la Isla de Lacroma. ¿Y levita de paño encarnado, guantes y pantalón de ante blanco, botas de charol negro arrugadas en la pantorrilla? ¿Sí, Carla? ¿Así te gustaría? Pero Carla, *cara* Carla: ¿No has pensado que para llegar a Ragusa hubiéramos tenido que desviarnos y perder un tiempo precioso? Y el gran mariscal tendrá a su cargo la conservación de los efectos mobiliarios de la corte incluyendo el ajuar del comedor, las vajillas, la mantelería, los jardines: te lo dije antes y te lo repito, Carla: ¡Somos muy afortunados! ¡Tenemos un reino a nuestros pies! Mientras seguían rumbo a Otranto, el amarillento, inculto Cabo de Otranto que le trajo a Maximiliano el recuerdo de su primera guardia marina matutina cuando por vez primera sintió en la piel el sol ardiente de Italia, envenenador, como lo llamó, de la sangre siciliana. La Condesa de Kollonitz comentó que las costas de Calabria eran muy feas, y el Ingeniero Félix Eloin estuvo de acuerdo. Maximiliano dibujaba. Maximiliano pidió lápices de colores, un carboncillo, y trazó el sombrero de un funcionario de la Corte de Apelación, negro y de fieltro con listón de muaré, plumas negras y escarapela tricolor: una lista verde, una lista blanca, una lista roja. ¡Como la bandera de Italia!, exclamó Carlota. ¿Hasta ahora te das cuenta, *carissima mia*, que las banderas de Italia y de México tienen los mismos colores? Eso tiene que ser un buen augurio. Y lejos ya de la nevada costa de Albania, habiéndole dicho adiós a Corfú, Maximiliano recordó que en una fiesta de San Silvestre en Schönbrunn, como sorpresa le había tocado una canasta miniatura con mangos, bananos y piñas y eso, el que aparecieran bajo el plomo derretido las diminutas frutas, y además una noche en que nevaba en Viena, había sido también un magnífico augurio. Un augurio tropical, dijo el Señor Iglesias. Y como el Comandante Morier acercó la *«Thémis»* a la *«Novara»* en la mañana, los pasajeros de uno y otro barco, a tiro de serpentina, se saludaron de borda a borda, conversaron un poco a gritos y Max y Carla aparecieron en la popa, salieron a relucir de nuevo los pañuelos y los adioses, más tarde se alejó la *«Thémis»*, Max se llevó los binoculares a los ojos, hizo críticas sobre las maniobras de la nave francesa y se las comunicó con el semáforo al Capitán Morier para que se le indigestaran las *tripes à la mode*, dijo Maximiliano, bajó a su despacho, contempló los sextantes, las brújulas, encendió un cigarrillo y a través del humo vio, se imaginó a los consejeros de Estado. ¿Con casaca azul claro, como en Francia? Nononó, diría Carlota: verde. *All right*, verde, pero verde claro, y con botones dorados, gruesos, en el pecho. Ajá, y con el águila labrada en ellos. *Das ist Recht.* ¿Y con chaleco y pantalones negros? Tomó la pluma, la mojó en el tintero, escribió: Entrega de birreta a los cardenales. En tanto que la *«Novara»* entraba en las aguas del Mediterráneo. Colocada, la birreta, en una bandeja de oro. Y bordeaban la bota italiana. Colocada, la bandeja, en una mesa cubierta de terciopelo rojo. Y doblaban el Cabo de Santa María de Leuca, entraban en el Golfo de Tarento. Y colocada, la mesa, junto a una de las paredes laterales del presbiterio. Maximiliano recordó: en su primer viaje, y con Leuca a la vista, a la izquierda de la batería del barco levantaron una capilla hecha con pabellones austriacos, pero el capellán estaba enfermo y la misa se suspendió. ¿Será un sacrilegio involuntario vomitar el Cuerpo del Señor, alimentar con su carne transubstanciada a los tiburones? Y ya era domingo 17 y de mañana, una mañana muy límpida confirmó el Conde Zichy y a la derecha se contemplaba el Etna, su cima nevada, aunque el clavo negro estaba escondido en la bruma, y Maximiliano les contó: en ése su otro viaje por las costas de Calabria, escuchó un grito: *un uomo é caduto in acqua*, y así fue, el hombre se había caído de la cofa mayor. ¿Se ahogó el pobre?, preguntó el Marqués de Corio. El *salva uomini* fue mal arrojado, dijo Max, pero lo rescatamos con una chalupa, gracias a Dios. Mientras navegaban rumbo al Estrecho de Mesina y Maximiliano, que sobre el Etna había escrito en sus Memorias «testigo de tantas edades pasadas y de la degeneración de las poderosas naciones», escribió ahora en una hoja inmaculada: cuando un vicealmirante visite por la primera vez un buque, se le saludará con nueve cañonazos. En cuanto lleguemos a México, recuérdeme, General Woll, recuérdeme usted también, *bitte*, le pidió a su flamante secretario Sebastián Schertzenlechner, que me comunique con el Comodoro Maury.

Y como el Ingeniero Eloin se moría de envidia por el nombramiento de Schertzenlechner, Max le dijo al belga que él sería el jefe de la policía secreta. ¿Y de qué color será, qué bordados tendrá la casaca de la policía secreta?, preguntó, en broma, Carlota, y Max le dijo: ah, eso es un secreto, y lo escribiremos con tinta invisible en el Ceremonial. Todos los barcos serían acorazados y, como también habrá un Senado: ¿cómo será su atuendo? Casaca azul, dijo Maximiliano, verde no porque sería demasiado verde, y Carlota se resignó: azul, pues, y con bordados en oro de hojas de palmera enlazadas con ramas de encino. ¿Y la espada? Dorada y con puño de nácar, le dictó a Schertzenlechner y mientras Carlota, absorta y apoyada en la borda quería descubrir en las aguas del Estrecho de Mesina el remolino que se tragaba a los antiguos navegantes, como le había contado de niña su hermano el Duque de Brabante, Max le mostró a su secretario el plano del Palacio Imperial de México con el Diseño Número Ocho para los Grandes Bailes de la Corte. Mientras pasaban cerca de Reggio, lejos de Mesina, y por las vertientes de las Calabrias se desbordaba el verdor de una vegetación admirable. Y dijo: a las doce de la noche los Emperadores se retirarán del Salón del Emperador precedidos por el pequeño Servicio de Honor. La montañosa costa de Sicilia quedaba a la izquierda, el monasterio benedictino de San Plácido dominaba el estrecho. Y con el dedo índice recorrió el plano: y atravesarán el Comedor, la Galería de los Leones, la Galería Iturbide, la Galería de Pintura, la Sala de Yucatán, tome usted nota. Scila, un faro. Caribdis, un enorme y viejo castillo. Y ningún remolino a la vista, nada que recordara los horrores de «El Buzo» de Schiller, antes al contrario, el mar era tan hermoso, anotó Carlota en su diario: color esmeralda, color lapislázuli, de nuevo esmeralda y así. A las doce llegaron al pie del Estrómboli cuyo cráter arrojaba espesos copos de humo. Luego, pensó Maximiliano, las personas de las dos primeras categorías saldrán del palacio por la Escalera de la Emperatriz, y recorrió las escaleras del plano con los dedos. Todas las demás por la Escalera del Emperador. Y como concesión a Carlota: ¿te gustaría, cara, querida Charlotte, que la levita del medio uniforme de la Guardia Palatina, la Guardia de la Emperatriz, sea de paño verde dragón, y las vueltas de las mangas sean encarnadas para que así, con los guantes de ante blanco tenga los tres colores de la bandera imperial mexicana? Claro que sí. Es bleibt dabei. Y, como al salir del archipiélago de las Lipari navegaron al largo, no divisaron Ischia y tampoco la costa de Nápoles, la cima de los Abruzos. Eloin sería además el Jefe de Gabinete Imperial, y el Conde de Zichy el Director del Gabinete Civil. Con la costa napolitana se perdió en la lejanía el recuerdo de una tarde en que las aguas doradas del Golfo de Nápoles bañaban las riberas de Castellamare y en medio de bosques de naranjos en flor se aparecía Sorrento. Un vapor violáceo envolvía al Vesubio y el Archiduque Maximiliano, guiado por un monje capuchino visitó el Camposanto, comentó que era una ciudad de casas o templos miniatura: griegos, egipcios, góticos, romanos; escuchó el susurro de los cipreses, aspiró el aroma de los mirtos, bebió *chianti* y *Lachryma Christi*, viajó a Capri, conoció las ruinas del Palacio de Tiberio y mientras se llenaba la boca con el jugo helado de una tuna admiró a una mujer con sonrisa de bacante que se dejaba arrastrar por la ola vertiginosa, encendida, de la *tarantella*. Pero de eso hacía ya varios años. El lunes 18 de abril, a la una de la tarde, la escuadra entró en la rada de Civitavecchia, donde fue recibida con bandas de música, los cañonazos de los barcos surtos en el puerto y las tropas francesas de ocupación, así como el tren especial que debía conducirlos a Roma.

Allí, en la Ciudad Eterna, y como dijo el Conde Egon de Corti, Maximiliano perdió la oportunidad de aclarar la situación de la Iglesia en México. Maximiliano solicitó al Conde Giovanni Maria Mastai Ferretti, por otro nombre Pío Nono, que enviara a México a un nuncio con «principios razonables» y el Pontífice, poco antes de dar a Maximiliano y Carlota la comunión, advirtió que los derechos de los pueblos eran sin duda grandes, pero que los derechos de la Iglesia eran aún mayores y más sagrados. «El Emperador Maximiliano —comunicó desde la «*Novara*» el Señor Velázquez de León al embajador mexicano en Viena Thomas Murphy— respondió al Santo Padre que si bien cumpliría siempre con sus deberes de cristiano, como Soberano tendría siempre que defender los intereses de su Estado». Es posible que Maximiliano recordara en esos momentos aquel cuadro de Tiziano que tanto le había impresionado en el Museo de Dresde, «*El Dinero del César*»... Pero Roma era una fiesta en honor de la Pareja Imperial mexicana, las multitudes los adoraron, el historiador alemán Gregorovius escribió que nunca el Papa había bendecido a un Príncipe con tanta emoción, y tan nutrida era siempre su escolta —un testigo presencial dijo que los franceses lo cuidaban tanto porque sabían que no encontrarían pronto a otro bobo que aceptara la corona de México—, que más valía olvidarse de la Iglesia, los nuncios, Juárez y los bienes de mano muerta hasta que llegaran a México. Otros motivos de gran alegría: Gutiérrez Estrada parecía un pavorreal porque no sólo se habían alojado en su Palazzo Marescotti los Emperadores, sino que además Pío Nono se había dignado visitarlo. Y también, por supuesto, los pinos y las blancas camelias de Roma, los festines y discursos, las misas en las Catacumbas, el pequeño lago y terrazas y parterres de la Villa Borghese y desde allí el panorama de toda Roma y de sus maravillas, alegraron el corazón de todos, y Maximiliano y Carlota acompañados de su comitiva recorrieron las calles de la ciudad, subieron y bajaron varias veces la escalinata de Trinitá dei Monti, caminaron por la Avenida de las Magnolias, visitaron de noche las ruinas y Carlota le escribió a su abuela María Amelia en Claremont que estaba enamorada del Coliseo a la luz de la luna, y mojaron sus manos en todas las fuentes: en la Fuente de

Trevi, en la Fuente del Moro, en la Fuente de Neptuno y en la Fuente de los Ríos a la que llaman así, le dijo Maximiliano a su adorada Carla, porque en ella están representados los cuatro ríos del mundo, que son... ¿El Nilo? El Nilo, sí. ¿El Ganges? Muy bien, Carla, muy bien: el Ganges. ¿El... el Amazonas? Nononó: el Danubio, ¿y cuál otro?, a ver, adivina. Carlota no adivinó. El Río de la Plata, mujer. ¿Y por qué no el Amazonas? ¿Por qué no el Mississippi? ¿Por qué no? ¿Por qué no el Yang-Tse-Kiang y el Danubio sí? ¿Por qué sí? Porque eran los ríos, *cara*, de los cuatro continentes, *mía cara* Carla, que estaban sometidos a la autoridad papal entonces, cuando la hizo el genial Bernini, Carla *carissima mia, meine liebe.*

De regreso a Civitavecchia y a la «*Novara*», y en forma de pasquín, comenzó a circular un poema, primero de mano en mano, después de boca en boca:

> *Massimiliano, non te fidare*
> *torna al Castello di Miramare.*
> *Il trono fradicio di Montezuma*
> *è nappo gallico, colmo di spuma.*
> *Il timeo Danaos, chi non ricorda?*
> *Sotto la clamide trovò la corda.*

Pero por supuesto a esas alturas Maximiliano y Carlota estaban dispuestos a seguir adelante, a no desconfiar, a no volver al Castillo de Miramar, y ¿quién, en esos momentos de tanto placer, iba a pensar que bajo la púrpura encontrarían la cuerda? ¿Cuál cuerda? Y además, y como afirmó el Señor Iglesias: gente mal intencionada y envidiosa nunca falta, nunca, corroboró el Conde de Bombelles, eso es basura, y todos desde la borda admiraron los delfines que los escoltaron un largo trecho y como dijo el General Woll sin necesidad de bayonetas francesas, rumbo a la Isla de Caprera tan amada por Garibaldi, Carlota se encerró en su camarote y casi no salía de él, absorta en sus lecturas del Abate Domenèch y del Barón de Humboldt, de Chevalier, y Maximiliano escribía, dictaba, decía, imaginaba. Escribía: cordoncillo de oro en cinta de terciopelo negro para el sombrero de los auditores; dictaba: el orden del pequeño y el gran séquito para las ceremonias del Sábado de Gloria será como sigue. Decía: el caballerizo mayor. Serán de su cargo el gobierno y cuidado de caballerizas, guarniciones y sillas de montar, ah, se me olvidaba, anote usted, Sebastián, *bitte:* el largo de la espada de los generales de división será de ochocientos treinta y cinco milímetros y el puño de madera, mientras pasaban entre Córcega y Cerdeña, de madera forrada de piel de sapo, ¿de piel de sapo?, preguntó Carlota con una mueca de asco. Sí, le contestó Max mientras pasaban por el estrecho, a la izquierda el Reino Sardo y la malaria, a la derecha la cuna del Gran Napoleón, de piel de sapo y rodeado, anote usted, Sebastián, de ocho revoluciones de hilo fuerte de filigrana dorada: las mujeres, Carla, no entienden de espadas. De espadas no, de rifles y charreteras tampoco pero de colores sí y de diseños también, protestó Carlota y no me convencen las hojas de viña y las espigas de trigo bordadas en oro sobre paño gris para los inspectores de finanzas, ¿por qué no hacer un diseño con plantas mexicanas y no con plantas europeas? Mientras dejaban atrás las Islas Baleares y enfilaban hacia Gibraltar. Por Dios, Carla, y la tomó de los hombros: no estás pensando, me imagino, en bordados de hojas de cacto doradas para los gorros de los generales, ¿verdad?, ni querrás que yo me ponga un penacho de plumas como el del Emperador Moctezuma. Ah no sabe Su Majestad cómo me emocioné, dijo Don Joaquín, cuando vi el penacho por primera vez en Viena. Pues en uno de los libros que leí, arguyó Carlota a la vista de esa roca gigantesca, calva, desnuda y calcinada por el sol que era el Peñón de Gibraltar, dice que en las casullas de los sacerdotes mexicanos se han incorporado los diseños de las grecas mayas y aztecas. Algo habrá que agradecerle a fin de cuentas a la Reina Victoria, dijo Maximiliano al General Woll, nombrado ya su primer edecán, cuando fueron recibidos por la flota británica con honores imperiales. ¿Lo ves, Carlota, lo ves? La Pérfida Albión nos rinde pleitesía. A la izquierda Ceuta, blanquísima, y una de las columnas de Hércules: el Monte Hacho. Le pasó a Carlota sus binoculares: mira, allí están los famosos monos de Gibraltar. Ya te había dicho, ¿verdad?, cuando fuimos a Madeira, que según la leyenda cuando desaparezca el último mono los ingleses abandonarán Gibraltar. No se irán jamás, dijo Don Joaquín: primero se pondrán a importar monos de Tumbuctú. Encantados estaban todos en el banquete, magnífico *tea-party* a la inglesa que les dio el gobernador, General Codrington, a los Emperadores de México y su comitiva, y encantados con el banquete que a su vez le dieron los Emperadores al general a bordo de la «*Novara*». Y lo mismo con la carrera de caballos: Maximiliano se admiró de lo verde que estaba la pista, porque era como un pedacito del Parque de Saint-James o de Richmond que se hubiera levantado por los aires como una alfombra mágica de césped para posarse en Gibraltar, y Maximiliano le dijo a Schertzenlechner: ¿ve usted, Sebastián? A donde van los ingleses allí se llevan su pasto, sus deliciosas mermeladas, sus *curries* y sus tés. Y sus inglesas, siempre tan desgarbadas, dijo la Condesa von Kollonitz (prefería el «von» al «de»), quien estuvo a punto de naufragar en el bote que la llevó de regreso a la «*Novara*» pero que había disfrutado mucho la visita a las cavernas de Gibraltar, aunque desde luego estaba de acuerdo con el Emperador: eran más hermosas las de Adelsberg. Mucho se rieron también de la grotesca estatua de Elliot el defensor de Gibraltar que resistió un sitio de cerca de tres años por parte de españoles y franceses: inmenso sombrero tricorne, las piernas como husos, peluca de coleta y en la mano las llaves doradas de la ciudad. Pero una nube oscureció la frente de Max a pesar de que la verde fosforescencia marina del estrecho fascinó a Carlota y fue que a Scherzenlechner, encargado por *motu proprio* de evitar que llegara a sus manos la correspondencia desagradable, se le coló una carta que venía en un costal de correo embarcado en Gibraltar, escrita al parecer, y a juzgar por el lenguaje usado, por un anarquista austriaco, y en la cual el autor anónimo llamaba *Usurpador* a Max y le decía que ningún *Tirano* se le había escapado nunca, que tenía un rifle y buena puntería, y que tan pronto pusiera los pies en las costas americanas se lo demostraría. Pero Su Majestad no es un usurpador, dijo el Conde Bombelles. Y nunca seré un tirano, agregó Max. Nunca nadie se atreverá a atentar contra la vida de Su Majestad, protestó el Señor Iglesias y unas horas después el anónimo estaba olvidado, o eso pareció y, metido en su litera, *Guten nacht,* y con los ojos abiertos Maximiliano imaginaba: cortejo del palacio a la catedral. Un carruaje, dos caballos, cuatro plazas: para el segundo secretario de ceremonias, el chambelán de servicio y dos damas de honor; segundo carruaje, dos caballos, dos plazas: para dos damas de palacio. A la mañana siguiente, *Guten morgen,* tras hacer sus abluciones y cepillarse la larga barba rubia partida en dos, la «*Novara*» ya en las aguas del Atlántico: tercero, cuarto y quinto carruajes. A la derecha, le dijo el Conde de Zichy a la Condesa de Zichy, está Trafalgar, donde el Almirante Nelson se cubrió de gloria. Y mientras dejaban atrás las Islas Desiertas habitadas sólo por cabras, rumbo a Madeira y después de una buena taza, *a nice cup* del té Earl Grey que les regaló el Gobernador Codrington, sexto carruaje: cuatro caballos, cuatro plazas: para la primera dama de palacio, una dama de palacio de servicio, el gran maestro de ceremonias y el intendente de la Lista Civil y comentaba, Max, lo inteligentes que son los ingleses, que con sus *men of war,* sus barcos de guerra, siempre llevan otras naves cargadas de bueyes y algunas vacas lecheras: seguirán, dijo, seis guardias palatinos a caballo, un oficial de ordenanza, seis oficiales de ordenanza, dos generales edecanes, el gran mariscal de la corte, los generales de división. Imposible, Su Majestad, dijo Don Joaquín. ¿Por qué imposible?, se asombró Carlota, en los momentos en que Max llegaba al carruaje de ella, la Emperatriz, que era —iba a ser— el número siete: seis caballos, Su Majestad la Emperatriz y su gran chambelán... Verá usted, Sire, dijo Don Joaquín, y en una hoja de papel dibujó un plano de la Plaza Mayor de México. Aquí está el Palacio Nacional. Perdón: el Palacio Imperial. Y aquí, la catedral. Como Su Majestad puede apreciar, la distancia entre uno y otro es muy corta, mucho más corta que lo largo del cortejo. De modo que cuando el primer carruaje llegue a las puertas de la catedral, dijo Maximiliano... el carruaje de Su Majestad la Emperatriz no habrá salido aún de palacio, completó el Señor Iglesias. Exacto. Y Maximiliano hizo cuentas: y además todos los secretarios de ceremonias, caballerizos, médicos, los otros chambelanes y las otras damas de honor. Imposible. Pero cuando estaba ya a la vista Madeira y su abigarrada flora perfumada: mimosas, aloes de espigas de flores púrpura, pelargonios: lo que se puede hacer, dijo Maximiliano —al acordarse del cuadro de Van Meijtens que describe la entrada a Viena de Isabel de Parma, la prometida de José II: los cientos de carruajes, todos, cupieron frente a la Plaza del Hofburgo gracias a que marcharon en zigzag, como una ondulada serpiente— lo que se puede hacer, dijo, es que el cortejo, al salir de palacio dé vuelta a la izquierda, rodee toda la plaza y llegue por el otro lado de la catedral. *Magnifique*, exclamó Carlota, y todos aplaudieron, Maximiliano propuso un brindis, imitó al General Codrington: *Gentlemen, will you charge your glasses, please*, y prometió que al día siguiente temprano harían la lista de los vinos y menús para los banquetes, según fueran o no banquetes ofrecidos a jefes de Estado, embajadores plenipotenciarios o lo que fuera. Madeira, sin embargo, entristeció un poco a Max y Carla. A Carla, por dos razones. La primera, porque en esa isla había pasado sola varios meses, mientras Maximiliano viajaba al Brasil. La segunda porque sabía que allí estaba sepultada —y ése era el motivo de la tristeza de Maximiliano— la Princesa Amelia de Braganza. Maximiliano recordó haber escrito en sus Memorias que allí, en esa isla inolvidable, se extinguió «una vida que había creído aseguraría alguna vez la tranquila felicidad de la mía»... Y algo más. ¿Qué era? Ah, sí: «Angel puro y perfecto que partió a su verdadera Patria», patria que no era otra, claro, que el cielo. Para alegrar a Carlota le aseguró: he pensado en todo, le dijo, y le besó la mano, pero no en esto. ¿Cómo?, preguntó Carlota. No en el *baciamano*. Te conté, también, ¿no es verdad?, que en Gaeta todos los principales personajes del Reino de Nápoles se arrodillaron ante mí: una ceremonia ridícula, que además de besamanos no tiene nada, porque se limitan a extender la mano derecha. Mientras la Condesa de Kollonitz contemplaba extasiada la flora de Madeira y musitaba un poema de Heine: el de un nevado abeto que soñaba ser una palmera, o algo por el estilo. Pero cuando digo todo, continuó Max después de la misa a bordo de la *«Novara»*, es todo: si en el Café Europa de Nápoles los bloques de mantequilla tienen el escudo de la flor de lis borbónica en relieve, en México la mantequilla tendrá también realzados el águila imperial y la serpiente. Mientras le ponía el chal en los hombros: acuérdame de mandar hacer los moldes. Ya las costas de Madeira se perdían en el horizonte. Allí, Max, quien en su primera visita a la isla se sintió un moderno Ahasvero, peregrino sin descanso, había confirmado que en ese trozo de paraíso se daban cita las frutas y las flores más exóticas de los cinco continentes. Lástima, sí, lástima que los habitantes sean tan feos. ¿Y el hielo, Max? ¿El hielo qué? Los cisnes de hielo que adornan las mesas de los banquetes: ¿se transformarán en águilas de hielo devorando serpientes de hielo? ¿Y por qué no?, contestó Max. Sí, por qué no: si en las Tullerías les habían ofrecido un águila de azúcar, por qué no de hielo o mantequilla, de turrón, de pasta de alajú, queso de tuna. Y aunque sólo se acostumbraba, en realidad, al atravesar el Ecuador, esa vez la tripulación de la «Novara» decidió festejar de igual manera el paso del Trópico de Cáncer, lo que quiso decir que marineros y capitanes, oficiales y Emperador, Carlota y damas que la acompañaban se disfrazaron de neptunos y anfitrites, nereidas, tritones y otros dioses, animales, diosas marinas, y nadie, salvo las señoras, se escapó al bautizo de agua de mar: mojada y regocijo general. También, vale decirlo, se salvó el Emperador. ¿Quién se hubiera atrevido a echarle un cubetazo de agua? *Dawider behüte uns Gott!* Dios no lo permita. Los ayudantes de mar del Emperador suplen a los chambelanes y hacen sus veces, escribía Maximiliano, y preguntaba: General Woll, los Príncipes, ¿tendrán derecho a hacer usar a su servidumbre la escarapela nacional sin flama? Una noche de calma chicha, sin luna, en que Orión brillaba como nunca se le veía brillar en el Mediterráneo, y Andrómeda también, y Erídano. Pero a Carlota, al parecer, ya no le interesaban el paisaje marino, las noches o los atardeceres: encerrada en su camarote, el tiempo se le iba en leer y escribir cartas. Con las velas inmóviles, la «Novara» apenas sí hacía tres nudos por hora. Y anote usted, Sebastián, para que nada se nos olvide, decía Max: de los sermones de Cuaresma, del lavado de pies en Jueves Santo, ah, por cierto: el Domingo de Ramos las damas de palacio llevarán la cifra de la Emperatriz e irán de vestido alto de seda negra y mantilla, Orden de San Carlos, y en los servicios de tierra caliente el traje de la Casa Civil del Emperador será levita y corbata blancas, ¿qué nos falta, Sebastián? Lea usted esto, Señor Eloin, y déme su opinión, por favor. A este paso no vamos a llegar nunca a Veracruz, comentó Don Joaquín. Deje usted a Veracruz, dijo el Señor Iglesias absorto en los saltos de los peces voladores, ni siquiera a las Islas de Barlovento y gracias a que lo pidió Maximiliano echaron las redes y sacaron una de las medusas que flotaban, como rosas marinas, alrededor de la fragata. Lo único que pudo hacerse, agotado ya el carbón, fue que la «Thémis» remolcara a la «Novara» hasta La Martinica, y así fue, y las condesas de Zichy y Kollonitz, Schertzenlechner, todos los austriacos a bordo, el propio Max, se sintieron humillados: los franceses arrastraban a los Emperadores a América, qué vergüenza, ¿no es verdad, Don Joaquín? No hay que tomarlo tan a pecho, dijo el mexicano, sino más bien por el lado divertido. Y así lo tomaron y cuando en Fort de France estaban ya ante la estatua de la Emperatriz Josefina, nacida allí en La Martinica, y la Condesa de Kollonitz se asombraba de los gigantescos aretes que usaban las negras y de sus turbantes de intensos colores tropicales, y admiraba la mandioca y los cocoteros, los árboles del pan, bambúes y otras plantas y árboles que jamás había visto en su vida, el incidente ya estaba olvidado: les hicieron de nuevo honores imperiales, parte de la comitiva ascendió a la cumbre del Vauquelin, y una multitud de negros subió a la «Novara» y en grandes cestones llevaron el carbón del mismo color de su piel, la Condesa de Kollonitz dijo que negros y negras ofendían el ojo, la nariz, el oído europeos, se despidieron de Fort de France y enfilaron hacia Jamaica descrita por Colón como un papel arrugado, desembarcaron en Port Royal y penetraron —según escribió la condesa en sus Memorias— en los misterios de la inmundicia negra, y de allí Sir James Hope los llevó en el vapor «Barracoutta» a Kingston donde al día siguiente en el almuerzo comieron conservas de jengibre y unas enormes uvas moscatel, y de Jamaica se despidieron para partir por fin, ¡por fin!, rumbo a México. *Good luck! Glück auf!*

De nada le servía cerrar los ojos: no por ello dejaba de ver las nubes de arena amarilla y los remolinos de zopilotes negros que los habían recibido en el Puerto de Veracruz. Lloró y recordó, la mirada fija en la peluquera de plata que destellaba con el reflejo de los cohetes. De nada tampoco le servía taparse los oídos: se sabía condenada a escuchar toda la noche el ruido espantoso de los cohetes y petardos con los que el pueblo mexicano celebraba, en la Plaza Mayor, el advenimiento de sus Soberanos. Lloró y recordó. Se rascó también, se rascó hasta sangrarse, pero lo único que logró fue desparramar la ponzoña ácida bajo su piel: tenía ronchas en los muslos, en las corvas, en los brazos, en los empeines. Algo estaba saliendo mal, muy mal. Al principio, y unas horas antes de que se vislumbrara en el horizonte el cono nevado del Pico de Orizaba, todo era alegría y optimismo a bordo de la «Novara», y los dos juntos, Max y ella, habían contado el número de diseños elaborados hasta entonces, y que debían figurar en el Ceremonial: veintidós, veintitrés, veinticuatro: sí, estaban casi todos los que, para cuanta función, concierto, grandes recepciones, tertulias de la Emperatriz, su cumpleaños, etc., etc., serían necesarios. Y cuando bajo el Pico de Orizaba sumergido en las nubes apareció Veracruz, Carlota le escribió a su abuela María Amelia que le fascinaban los trópicos y no soñaba sino con colibríes y mariposas, y me parece, le decía, que es un error llamarle a esto el Nuevo Mundo porque sólo le falta el telégrafo y un poco de civilización, y le contó que Veracruz se parecía a Cádiz sólo que era un poco más oriental, y que cuando vio la Fortaleza de San Juan de Ulúa recordó mucho, muchísimo, a su querido tío el Príncipe Joinville. Diseños que fueron posibles, y de ello Maximiliano estaba muy agradecido, en virtud de que se le habían proporcionado los planos de la planta baja y el primer piso del palacio, otro especial del Salón del Emperador, otro más de la Capilla Imperial, uno por supuesto de la Catedral Metropolitana y otro más de la Colegiata de Guadalupe, y, en fin, a la vista ya de San Juan de Ulúa, la Isla de Sacrificios y la Isla Verde, el malecón, y del esqueleto de un barco francés encallado en un arrecife de coral, cuando comenzaba a llegar hasta la «Novara» un olor que la Condesa de Kollonitz describió como mefítico y que debía provenir de las marismas que rodeaban la ciudad, y ante el silencio y la desolación que, con las ráfagas de arena y los gallinazos recibieron aquella tarde del 28 de mayo de 1864 al Emperador y la Emperatriz de México, y Eloin y Schertzenlechner casi se arrodillan para cantar el himno imperial mexicano, Maximiliano pensó que, si su dinastía no contaba con un museo histórico en el cual lucir qué se yo, dijo, la bolsa de San Esteban, el famosísimo rubí gigante conocido como El Jacinto, o el Faetón del Rey de Roma que en paz descanse, muy pronto iba a adquirir, esa su corte mexicana, una pompa y una dignidad, un esplendor, ante los cuales iban a palidecer Londres, Viena, Madrid y París. Anote usted, Sebastián, agregó: los ayudantes de campo del Emperador no montan a caballo en el ejercicio de sus funciones sino cuando el Emperador se presenta a caballo. Escriba usted, Sebastián: la faja de los vicepresidentes de la Corte de Apelación será de seda carmesí, con bellotas de plata. Recuerde usted, Sebastián, recuérdeme releer el Decreto Messidor del año II que reguló en Francia la precedencia de los altos dignatarios y funcionarios de la corte, que por supuesto *no* vamos a copiar, pero sí a tomar en cuenta. Recuérdamelo tú también, amada, *mia carissima* Carla.

Pero sucedió que nadie sabía, en Veracruz, la fecha exacta de la llegada de Maximiliano y Carlota. El General Almonte, temeroso del contagio de la fiebre amarilla, había sentado sus reales en Orizaba. Maximiliano se negó a desembarcar, y ordenó que la *«Novara»* anclara lejos de las naves francesas, que después de todo representaban a una fuerza invasora, y poco después arribó a la *«Novara»*, de pésimo humor, el Contraalmirante Bosse para protestar contra esa decisión y Carlota dijo que no estaba dispuesta a tolerar los malos modos del francés. Durante la noche, la cola huracanada de un viento norte derribó todos los arcos triunfales y las banderas desplegadas, y barrió con todas las banderolas, guirnaldas y alfombras de flores que había en Veracruz. Almonte llegó, urgió a Maximiliano a salir pronto del puerto para evitar el contagio, y Maximiliano decidió desembarcar a las seis de la mañana tras escuchar una misa a bordo, sin dar tiempo o apenas a que las señoras y señoritas de la sociedad jarocha se ajuarearan y peinaran, y los señores se engomaran los bigotes y vistieran de punta en blanco y el alcalde se vistiera de gala para darle las llaves de la ciudad y los barrenderos recogieran los restos de los adornos destrozados: flores mustias entre la arena, bandas de papel satén rasgadas, ¿las invitaciones para las tertulias de la Emperatriz las imprimiremos en satén azul, Max?, laureles y palmas enfangadas, serpentinas multicolores enredadas en las patas de los zopilotes, aunque el Emperador y la Emperatriz sí se dieron su tiempo para arreglarse, y Max decidió vestir frac negro con chaleco y pantalones blancos y corbata negra para el *Te Deum* en la Parroquia de Veracruz donde la Condesa de Zichy se asombró que los hombres también usaban abanicos —pero

Max le dijo que había visto a varones muy varones refrescarse con esos artefactos en el Teatro San Carlos de Nápoles— y después bajar del ferrocarril en Tejería vestido de blanco de pies a cabeza, y más tarde en el *Te Deum* de la Catedral de México con uniforme militar de general mexicano. Por su parte Carlota pensó que estaría bien que desde un principio sus nuevos súbditos supieran que a ella le gustaban los azules, y que no había otro color —ni siquiera la púrpura imperial— que mejor le viniera y sobre todo bajo esos cielos tan puros y transparentes y azules como le habían contado que tenía el Valle de México.

Y sí, así eran los cielos del Valle de Anáhuac, pero no todo en México era tan bello y transparente. Apenas había desembarcado Maximiliano en México y se había dado a conocer la declaración imperial que comenzaba diciendo «¡Mexicanos! ¡Vosotros me habéis deseado!», cuando en La Soledad un mensajero le entregó una carta a Maximiliano, firmada por uno de los tantos mexicanos que, por supuesto, no lo deseaban: el Presidente Benito Juárez. La carta estaba fechada en la ciudad de Monterrey, y decía así en uno de sus párrafos finales: «Es dado al hombre, Señor, atacar los derechos ajenos, apoderarse de sus bienes, atentar contra la vida de los que defienden su nacionalidad, hacer de sus virtudes un crimen y de los vicios propios una virtud; pero hay una cosa que está fuera del alcance de la perversidad, y es el fallo tremendo de la Historia. *Ella nos juzgará*».

La historia, con minúscula, lo cuenta así. O así dice la historia: que Maximiliano, durante toda la travesía, de Miramar a México, olvidó el dolor que le produjo abandonar su castillo blanco a orillas del Adriático, su dorada cuna austriaca y sus padres y hermanos, y se dedicó no sólo a soñar con un Ceremonial de la Corte, sino también a dictarlo y escribirlo de su puño y letra. Un Ceremonial que, impreso algunos meses más tarde en México, pasaba de las quinientas páginas. De lo detallado que era, el hecho de que la ceremonia de entrega de la birreta a un cardenal contuviera ciento treinta y dos cláusulas o párrafos, sirve de ejemplo. Una de las pocas veces que el flamante Emperador interrumpió esa tarea, fue para redactar, con la ayuda de su esposa, un documento que dio pie a un escándalo más: una protesta contra el Pacto de Familia que despojó a Maximiliano de todos sus derechos. En el documento, calificaban al pacto de «tentativa de usurpación», y juraban, Maximiliano y Carlota, que nunca lo habían leído.

Dice la historia también que en el camino a Córdoba, el coche en el que viajaba el Señor Joaquín Velázquez de León se volteó entre la Cañada y el Palmar, y Don Joaquín y otros cinco caballeros tuvieron que salir por la ventana, y que por si fuera poco, se rompió una rueda del carruaje imperial y Maximiliano y Carlota debieron continuar su viaje a bordo de una diligencia de la República, y Maximiliano dijo que hasta entonces nunca había creído que un coche pudiera dar más tumbos que los que daban las tartanas de Valencia. Que la comitiva imperial, agotada, llegó a Córdoba en medio de una lluvia torrencial, Maximiliano pidió un paraguas, caminó con Carlota hasta el Palacio Municipal, el Prefecto Soane se desmayó y Max ayudó él mismo a levantarlo. Que en honor de los Emperadores se concedió la aministía a unos cuantos presos de guerra, y que al día siguiente en esa misma ciudad Maximiliano, quien en su viaje al Brasil había probado el *chile* y escrito en sus Memorias «Ahora sé que en el purgatorio habrá comida americana con pimientos y anacardos», tuvo que hacer los honores al platillo nacional mexicano que se llama *mole*, le dijo Don Joaquín y señaló la salsa negra, y se hace con cacahuete, chocolate y catorce clases distintas de *chiles* o ajíes, agregó, y se combina con la carne de un ave que no es otra que el *guajolote* o pavo que es originario de México, pruébelo Usted, Su Majestad, es delicioso, y refrésquese después con un sorbo de pulque. ¿De México?, preguntó Carlota, ¿entonces por qué los ingleses llaman *turkey* al pavo? Me imagino que ellos piensan que los pavos vienen de Turquía, Su Majestad. Ah, es como pasa con las turquesas dijo el Emperador, y el Conde de Bombelles enarcó las cejas y se limpió una gota de mole que le escurría por la barba. Aquí en México hay muchas turquesas, dijo el Prefecto Soane.

Pero dejar atrás las infectas tierras tórridas y llegar a las tierras templadas, contemplar de verdad y de cerca a los indios, esos ejemplares de carne y hueso de la raza de cobre, *la race cuivrée* con ojos como ciervos, dijo la Kollonitz, aunque a Maximiliano según dijo le recordaban más bien los ojos de las gacelas de las llanuras de Blidah, y toda es magnífica flora: la caña de azúcar, los cafetos y bananeros, el agave que el viajero inglés W. H. Bullock había descrito como «un espárrago de Brobdingnag» el país de los gigantes al que viajó Gulliver, y el infinito número de flores de todos los colores imaginables: el violeta de las jacarandas que se recortaba sobre el guinda de las buganvillas o sobre el amarillo canario de la lluvia de oro derramada sobre los muros y a la orilla del camino el escarlata de las flores del aretillo que pendían de las ramas como faroles colgantes, al fondo el azul cielo del manto de la Virgen, a los pies el naranja pálido de las pequeñas flores acampanadas de la granadina, y por último la profunda emoción sentida al dejar a un lado los soberbios volcanes nevados, el Popocatépetl y el Iztaccíhuatl, aunque en realidad sólo el Popo es un volcán y no el Izta, dijo el Señor Iglesias, pero así los llamamos, para admirar en toda su extensión el Valle de México, a la Condesa Kollonitz le sangró un poco la nariz por la altura y al Conde Zichy le faltó un poco de aire, pero todos estaban al borde de las lágrimas. Estas maravillas, y los recibimientos que fueron cada vez más cálidos a medida que se acercaban a la capital, volvieron a alegrar a Maximiliano. A Carlota también, quien unos cuantos días más tarde contaba en sus cartas, una de ellas dirigida a su querida hermana la Emperatriz Eugenia, que ella y Max habían escuchado misa en la capilla levantada sobre el *teocali* o Pirámide de Cholula donde antes los aztecas hacían sacrificios humanos y que el Llano de Cholula le recordaba a la Lombardía así como la campiña de Córdoba se le hacía muy parecida al Tirol y que en Puebla de los Angeles había donado siete mil piastras de su propia bolsa para el Hospicio de Pobres, y además, le dijo a Eugenia, el pueblo es soberanamente inteligente y casi todos los indios saben leer y escribir.

No sólo en la ciudad de México no hubo viento huracanado que derribara los innumerables arcos triunfales, banderas, pedestales con alegorías de las Artes, el Comercio, la Música y la Agricultura, o los bustos de los Emperadores de México y Francia o las hileras de farolillos venecianos y vasos de colores que colgaban de un balcón a otro: los recibió además una multitud que los ovacionó y entonó poemas en su honor bajo el sol candente del mediodía —poemas en español y en latín, poemas en francés, poemas en mexicano antiguo escritos por Don Galicia Chimalpopoca— los esperaban todos los príncipes de la Iglesia, tronaron los cañones en su honor y a rebato tocaron las campanas y en las bóvedas de la Catedral Metropolitana resonaron por primera vez las notas y el canto del *Domine salvum fac Imperatorem*. En otras palabras, y al fin y al cabo, nada hubo más parecido en todo el viaje de Miramar a México a un desfile, una procesión imperial, que su solemne, solemnísima entrada triunfal a la ciudad de México, seguida la comitiva más de doscientos carruajes privados donde viajaba la crema y nata de la alta sociedad mexicana capitalina que había ido a encontrarlos en la garita de San Lázaro, tras haber pernoctado, Maximiliano y Carlota, en la villa de Guadalupe, y seguidos los carruajes —que al palacio se dirigieron por las calles de La Santísima y del Amor de Dios, Santa Inés, Moneda y Arzobispado—, por particulares a caballo, los alumnos de las escuelas y los gremios de billeteros, cargadores y aguadores con cañas y palos en cuyos extremos ondeaban, multicolores, las flámulas, tal como describieron la entrada de los Emperadores los periódicos del día y entre ellos «*El Cronista de México*», que ese día fue impreso en papel azul cielo, y quizás a Max le hubiera gustado tener a su lado a Sebastián Schertzenlechner para dictarle: Salvas de Artillería. Para los Príncipes mexicanos, veintiún cañonazos. Para los ministros de Guerra y Marina, diecinueve. Para los otros, quince. O quizás ya se lo había dictado, sí, quizás, cuando se alejaban de La Martinica al son del *Chant du départ*. Los lanceros de la Emperatriz, al mando del Coronel López, abrían la marcha. Seguían los cazadores de Africa y los húsares y luego la carroza rococó de los Emperadores. A un lado, el General Bazaine y del otro el General Neigre, con las espadas desnudas y sus caballos caracoleantes. Y nada se pareció tanto también a un verdadero luto de corte cuando, unos cuantos días después, al conocerse el fallecimiento de Su Majestad Imperial y Real la Duquesa de Baviera, apareció en el «*Diario Oficial*» la prevención para el luto y medio luto que debía guardar la corte y así, la seda y terciopelo negro y guantes negros y joyas sólo de diamantes o perlas para el luto de las señoras, y para el medio luto negro y blanco con morado y gris y alhajas de todos los colores —esmeraldas de Colombia o rubíes de Burma, zafiros de Ceylán o turquesas no de Turquía sino de México— se transformaron de letra muerta en duelo vivo. Firmaba esta prevención el General Juan Nepomuceno Almonte, a quien Maximiliano despojó de todo poder militar y político al darle el cargo decorativo de gran mariscal de la corte y ministro de la Casa Imperial.

Pero, pasados el festejo, los regocijos, la primera audiencia en el Salón del Trono, Maximiliano y Carlota no durmieron, esa noche, en un lecho de rosas. Descrito por la Condesa de Kollonitz y otros viajeros como una especie de cuartel o de hotel europeo de tercera categoría, el Palacio Nacional no sólo no contaba con una sala lo suficientemente grande para las recepciones con las que había soñado Maximiliano: las recámaras eran como corredores, estrechas y de techo bajo y la mayor parte, por haber estado deshabitadas durante largo tiempo, estaban llenas de polvo y telarañas. Estoy seguro que el Castillo de Chapultepec construido por los virreyes en un cerro rodeado de ahuehuetes centenarios, dijo Don Joaquín, gustará mucho más a Sus Majestades: desde sus terrazas se contempla todo el valle, hay un lago a sus pies, y por sus faldas corre el manantial en el que se bañaba el Emperador Moctezuma. Chapultepec, Sire, quiere decir «cerro del chapulín», es decir, cerro de la langosta. Don Joaquín, para no alarmar a Maximiliano, se abstuvo de contarle que en las grutas del cerro, en el año «7 Conejo», se había suicidado Huémac, el último rey tolteca. Esa noche, de todos modos, no había otra alternativa que quedarse allí, en ese cuartel llamado palacio, y de las cosas que según la historia les sucedieron a Maximiliano y Carlota, unas son comprobables y otras no. Es difícil saber, por ejemplo, si fue verdad que tras las cortinas rojas y los vidrios de las ventanas de su habitación los contemplaban, brillantes y negros, ladinos, esos mismos ojos oscuros y como de ciervo, los asombrados y dulces ojos llenos de miedo y con cuya mirada fija y atónita se habían encontrado al bajar de su carruaje atascado camino de Córdoba entre los mangles y las ciénagas, las napoleras y los convólvulos azules: los ojos de sus nuevos súbditos que, asombrados, contemplaron cómo se acostaba uno cuando es Emperador y una cuando es Emperatriz, porque según dicen también, cuentan, algunos servidores del palacio habían vendido a varios curiosos el derecho a espiar, desde el balcón, a los Soberanos que estrenaba el país.

En cambio, sobre los cohetes o *cuetes*, los petardos, no hay duda alguna, y comenzaron a estallar desde la entrada de Max y Carla a la ciudad de México bajo las mismísimas patas de los caballos que tiraban de la carroza imperial. Un día el monarca español Fernando VII le preguntó a un visitante mexicano: «¿Qué piensa usted que están haciendo

sus paisanos en estos momentos?» «Tronando cuetes, Su Majestad».
Algunas horas después, el monarca español repitió su pregunta y el
mexicano dio la misma respuesta. Así varias veces. Y Carlota lo aprendió
esa noche: para los mexicanos toda fiesta o conmemoración, cualquier
pretexto, era ocasión para hacer estallar cohetes y petardos ensordecedo-
res por horas, días enteros, años, sin acabar nunca.

Y así fue, hasta el alba, esa no era la única razón por la cual la
Emperatriz no podía pegar los ojos. Porque también lo de las chinches
fue verdad: apenas Maximiliano y Carlota se disponían a dormir, cuando
comenzaron a sentir la picazón. Llamaron a la servidumbre, encendieron
las luces, levantaron las mantas: el lecho imperial estaba invadido de
chinches, docenas de ellas, legiones, unas pálidas y planas, otras gordas
y rojas, relucientes, ahítas ya de sangre borbona y sangre habsburga.
Carlota pasó la noche en un sillón. Maximiliano, en busca de otra cama,
caminó por aquellas salas, salones y galerías que antes había recorrido
con los dedos sobre el plano del palacio: la Galería de Pinturas, la Sala
de Carlos V, la Sala de Yucatán, el Comedor. Al fin encontró un billar.
Contempló las paredes desnudas, y recordó la sala de billar de Schönbrunn con sus dos murales que conmemoraban la creación de la Orden
de María Teresa, tras la victoria de Federico II en la Batalla de Kolín. Se
trepó después a la mesa, y allí en una mesa de billar alfombrada de paño
azul, pasó su primera noche en la ciudad de México el Emperador
Fernando Maximiliano I. ¿Y el ministro de Instrucción Pública toga de
seda violeta bordada con palmas de oro, muceta de armiño, Don Joaquín?
¿Y las condecoraciones al Mérito Civil y Militar en bandeja de plata,
General Almonte? ¿Y la faja del presidente de la Corte de Apelación de
seda blanca con bellotas doradas, como en Francia? Porque no preten-
derás que cambiemos las bellotas por tunas verdes o chayotes con espinas,
¿verdad, Carla, Carlota querida, *mia cara carissima Carla?*

2. Con el corazón atravesado por una flecha

La barcaza estaba a la mitad del río, inmovilizada por unas cuerdas
que partían de ambas orillas, y en la mitad de la barcaza estaba el Coronel
Du Pin. En un cajón de madera había colocado un equipal donde estaba
sentado, con el sombrero puesto. El sombrero era un sombrero mexicano
de alas muy anchas y copa muy alta, con muchos alamares y arabescos
de oro, y en él tenía prendido, como si fuera un velo de novia antigua,
un mosquitero que le daba toda la vuelta y llegaba hasta el suelo.

El prisionero estaba delante del coronel, hincado, con el torso desnudo y los brazos crucificados, las muñecas atadas a un palo que le pasaba
por detrás de la cabeza.

A su lado, en el suelo, había un sombrero tejano de fieltro gris, constelado de una infinidad de pequeños resplandores metálicos. El coronel dijo:

«*Dis-lui que mon chapeau est plus grand que le sien*».

El intérprete tradujo:

«Dice mi Coronel Du Pin: Mi sombrero es más grande que el tuyo».

Además del intérprete, que estaba al lado del coronel, había otros cinco o seis hombres en la barcaza, que se mecía en las aguas del Tamesí. Todos usaban sombreros mexicanos de paja, de copa alta, pero sin adornos. Algunos estaban en cuclillas y fumaban. Era una noche de luna llena, poblada de ranas y chicharras.

El coronel agregó:

«*Et que ma moustache est aussi plus grande que le sienne*».

«Dice mi coronel: Y mi bigote también es más grande que el tuyo».

Además de un enorme bigote, el Coronel Du Pin, comandante de las contraguerrillas francesas y gobernador militar de Tamaulipas, tenía una larga barba, llena de canas. Vestía como siempre su gran dormán rojo estilo húngaro con vueltas de piel y alamares dorados, como los del sombrero, sus pantalones blancos, enormes botas amarillas y grandes espuelas. En la cintura llevaba dos pistolas y un sable que, así sentado, llegaba al suelo.

A su lado, dormido, estaba su mastín negro.

El coronel señaló el sombrero tejano de fieltro gris y habló por boca de su intérprete:

«¿Dónde conseguiste ese sombrero?»

«Me lo regaló el General Santa Anna... a él se lo había regalado un gringo que hizo preso en El Alamo», contestó el prisionero.

«¿Con todo y las estrellitas?», preguntó el coronel.

«Sí, con todo y las estrellitas. Yo después le fui poniendo los exvotos».

Había un intenso olor a naranjas y se escuchaba el ruido de alguien que molía café en la orilla del río.

«¿De dónde eres?»

«De Ciudad Victoria», contestó el hombre.

«Ciudad Victoria», dijo el coronel, «cabría toda entera en la Plaza de la Concordia».

Después abrió el mosquitero llevando las manos a la altura de la cara, como si se asomara tras una cortina, y ordenó que le acercaran el sombrero del hombre. Contempló por unos instantes las estrellitas de metal, los fistoles, las medallas y pequeños escudos prendidos a las alas y la copa del sombrero, los broches con forma de águila o anclas o rosas y los diminutos corazones y piernas, manos y orejas de oro y plata. Luego señaló al fondo de la barcaza y dio otra orden.

Dos de los hombres se levantaron, se dirigieron a un montón de costales y cajas y regresaron para poner a los pies del coronel varios objetos.

«Esto es nada más que una parte del botín de ayer», dijo el coronel. «Mira qué bonito: la caña de mando del Alcalde de Güemes, un tambor americano, un trombón, un gallardete de infantería. Yo me voy a quedar con todo, menos con esa bandera de caballería bordada con oro y plata. A ésa me la voy a llevar a París para que la pongan en Los Inválidos. Pero tú que vas a saber qué es la Concordia o qué son Los Inválidos. Dime, ¿cómo te llamas?»

«Juan Carbajal», contestó el hombre.

«¿Y sabes dónde está ahora el alcalde que el día de ayer tenía esa vara en las manos?»

El prisionero no contestó.

«Está colgado de un árbol de la Plaza de Güemes».

El coronel volvió a abrir el mosquitero, sacó un habano de un bolsillo de su dormán, y lo encendió.

«A los juaristas y los enemigos del Imperio», dijo, «a unos los cuelgo de los árboles o de los postes, otros se los dejo a los perros para que los hagan pedazos. El otro día agarré a uno, ordené que lo amarraran de los pies y lo bajaran a un pozo de esos que ustedes han envenenado con arsénico y con cadáveres de mulas. Lo subíamos y lo bajábamos, lo metíamos y lo sacábamos. No supimos de qué murió: si de tragar tanta agua, o de tragar tanta ponzoña».

«¿Cómo me va a matar a mí?», preguntó el prisionero. El intérprete tradujo la pregunta, pero el coronel no la contestó:

«De Pequín, ¿sabes lo que es Pequín? Es la capital de la China. De allí me traje muchas cosas: un cetro de jade que tenía la forma de un hongo sagrado al que llaman el ling-chi, y unas muñequitas de porcelana. Me traje unos ganchos también, de jade, con los que la Emperatriz de China ensartaba hojas de morera para darle de comer a sus gusanos de seda...»

El coronel echó una gran bocanada de humo y levantó los ojos al cielo. En esos momentos, una nube cubrió la luna y se escuchó el grito de un pájaro.

«De México a ver qué otras cosas me llevo... Por lo pronto tu sombrero para colgarlo en la pared de mi sala, junto con mis otros trofeos de caza...»

El coronel se quedó callado unos instantes. La luna volvió a salir y el coronel se levantó. Así, de pie sobre el cajón, parecía un gigante. Sacó un papel doblado del bolsillo de su pantalón y ordenó:

«Póngalo de pie...»

Dos hombres levantaron casi en vilo a Juan Carbajal. El coronel desdobló el papel y se lo mostró al prisionero. Después habló casi a gritos, y el intérprete tradujo:

«Y ahora dime, cabrón, qué carajos es lo que dice el papelito que tenías escondido en la carne».

El coronel se refería a un trozo de carne de vaca que colgaba del arzón del caballo de Juan Carbajal, y donde había encontrado el mensaje en clave de los juaristas. El mastín del Coronel Du Pin había ya dado cuenta de la carne.

El prisionero contestó:

«Yo no sé qué dice. Yo no sé la clave».

El Coronel Du Pin arrojó el puro, que trazó una curva luminosa en la noche para hundirse, con un ligero chasquido, en las aguas del Tamesí.

«Eres un mentiroso. Pero yo te voy a sacar la verdad, cabrón».

El coronel volvió a sentarse y corrió el mosquitero.

«Y además eres un pendejo, porque ni siquiera sabes esconder bien un mensaje. Tú no has de saber nada de diamantes famosos, ¿verdad? Pues verás: hay un diamante amarillo que se llama el diamante Orloff, el del cetro imperial ruso, pero que venía de un templo de la India... ¿sabes cómo lo sacaron de la India?»

El prisionero no contestó.

«Fue un soldado francés. Con su cuchillo, él mismo se hizo una herida en la pantorrilla, puso allí el diamante y después cosió la herida. Nadie se iba a imaginar dónde lo llevaba. Luego se lo vendió al Príncipe Orloff... Así se hacen las cosas. Las cosas se esconden en carne propia y no en un pedazo de carne de res, donde cualquiera las puede encontrar, ¿no es cierto?»

El prisionero no movió los labios. El coronel dijo:

«Estás muy callado y a mí me gusta la gente que habla. A ver, dime, ¿de dónde venías?, ¿a dónde ibas?, ¿cuántos son ustedes?»

El coronel se llevó la mano a la nariz y gritó:

«¡Y llévense a este perro de aquí que se está echando pedos!... Bueno, qué... ¿no me vas a contestar?, yo tengo muchas formas de hacer hablar a los mudos... eso sí lo sabes, ¿verdad?»

«Sí, eso sí lo sé», contestó Juan Carbajal.

«Déjame pensar qué es lo que voy a hacer contigo, para que hables... a ver, a ver... Ah, sí, tengo una idea. Pásenme el sombrero»...

El coronel abrió el mosquitero. Tomó el sombrero de Juan Carbajal y le dio vueltas muy despacio.

«¿Sabes?», dijo. «Voy a ser bueno contigo. No me voy a llevar todas las estrellitas de tu sombrero, ni todas las manitas de plata: te voy a dejar que te lleves algunas... que te las lleves puestas...»

Luego escogió una estrella.

«Esta. Esta estrella americana me gusta. A ver, tú: sácala de aquí...»

Uno de los hombres cogió el sombrero y desprendió la estrella.

«Y ahora», dijo el Coronel Du Pin, «ahora te vamos a condecorar con la orden del tarugo... tú, encájasela en el pecho».

El hombre se acercó al prisionero. Juan Carbajal cerró los ojos y apretó los labios.

«¿Qué pasa?», preguntó el coronel, «¿a poco tiene la piel tan dura?»

«No, mi coronel. Lo que sucede es que el alfiler está medio oxidado».

«Pues empuja más duro».

La estrella brilló en el pecho desnudo del prisionero. De ella escurrió un hilo de sangre.

«¿Y ahora sí me vas a decir cuántos son ustedes?», preguntó el coronel.

«No. No lo sé. A mí sólo me encargaron que llevara el mensaje».

«¿A quiénes?»

Juan Carbajal no contestó.

«¿A quiénes? ¿A dónde?»

El coronel se acarició la barba.

«¿Por qué eres tan terco? ¿Te gusta sufrir? La vida es tan corta... Mira: si no hablas, vas a hablar de todos modos, y después a lo mejor hasta te mato. Si hablas, te pasas de nuestro lado, te incorporo a mis filas y te vas a divertir mucho...»

En una de las orillas del río, tras la silueta negra de los árboles, brillaban las luces de unas antorchas en movimiento.

«Mira, mira allá... La otra vez nos dijeron que en un teatro de Tampico habían escondido armas los juaristas. Las requisamos todas: un montón de revólveres Colt y carabinas Sharp además de muchas municiones. Pero también nos encontramos un cajón lleno de pelucas de mujer y a veces mis hombres se emborrachan y se las ponen y bailan en la noche con antorchas encendidas y se divierten mucho. Dime... ¿no te gustaría a ti ponerte una peluca colorada y bailar una habanera con uno de mis hombres? Uno de ellos es un holandés muy grandote que con un solo brazo te podría romper la cintura...»

El coronel pidió que le dieran de nuevo el sombrero.

«Tú eres un hereje, ¿verdad? La gente lleva a las iglesias estas manitas y estas piernitas de plata y estos corazones de oro, como agradecimiento de que la Virgen o el Señor los curaron con un milagro... Y luego tú vas y se los robas a la Virgen... ¿que no temes a Dios?»

«¿Cuál Dios?»

«Ah, y además eres un blasfemo», dijo el Coronel Du Pin y desprendió una piernita plateada.

«Toma», le ordenó a uno de sus hombres, «y préndesela a los labios, para que aprenda a no decir más blasfemias».

El hombre se acercó a Juan Carbajal, le jaló el labio inferior y se lo atravesó con el alfiler del exvoto. El prisionero apenas si se quejó.

El coronel volvió a sacar el papel de su bolsillo y lo desdobló.

El intérprete tradujo las palabras del coronel:

«Si no me dices lo que dice aquí, por cada letra del mensaje te voy a prender una estrellita. Te voy a hacer que veas estrellitas. A ver, bájenle los pantalones al prisionero».

A Juan Carbajal le escurría otro hilo de sangre por la barbilla y el cuello.

El coronel se asomó por el mosquitero.

«Acérquenme el sombrero. A ver... sí: quiten ese zopilote mexicano».

«No es un zopilote», dijo Juan Carbajal, «es un águila».

«C'est un zopilote», insistió el coronel.

El intérprete tradujo:

«Es un zopilote».

«...y préndanselo en el prepucio», agregó el coronel.

«¿En el qué?»

«En el pellejo que le cuelga de la punta de la verga», dijo el Coronel Du Pin y hundió la cara en el mosquitero, «ya veremos al rato qué le vamos a encajar en los testículos...»

El hombre se acercó al prisionero, le jaló el prepucio y lo atravesó con el alfiler del águila de plata.

«Ustedes los mexicanos», dijo el coronel, «son además de muy tercos, muy tontos. ¿Tú sabes quién fue Napoleón Bonaparte?»

«Sí», contestó Juan Carbajal.

«Pues el emperador que tenemos en Francia también se llama Napoleón Bonaparte, porque es su sobrino. Y nuestro emperador ha hecho que Francia se cubra de gloria en muchas batallas, como en Magenta y Solferino, en Sebastopol...»

«Nosotros los derrotamos en Puebla», dijo el prisionero. El coronel siguió hablando como si no hubiera escuchado:

«Y hemos llevado la civilización a muchas partes: a la Cochin China, a Senegal, a La Martinica, a Argelia... y ahora que la queremos traer a México, ustedes no la quieren...»

«¿Y usted sabe quién es Benito Juárez?», preguntó Juan Carbajal.

«Ah, sí, un indio. Un indio terco como tú. ¿Por qué son tan tercos todos ustedes?»

«Napoleón no era francés», dijo el prisionero, «y Benito Juárez sí es mexicano».

El Coronel Du Pin se puso de pie y abrió el mosquitero.

«Carajo, mierda, carajo: ¿y a ti qué te importa? A ver, agárrenlo bien, porque esto sí que le va a doler. Ese, ese fistol de la piedrita amarilla: encájenselo en un testículo... ¡mierda, carajo, mierda contigo!».

Juan Carbajal se retorcía del dolor. El hombre le pinchaba una y otra vez el testículo, que se le resbalaba entre los dedos.

Al fin pudo asirlo y lo atravesó con el alfiler.

«Echenle agua en la cara para que reviva», dijo el Coronel Du Pin, se sentó en su equipal y volvió a correr el mosquitero.

Juan Carbajal abrió los ojos.

«Ahora sí te hice gritar, ¿verdad? Como marica. A ver, a ver... para que parezca más marica, préndanle una estrella plateada en cada nalga».

Los hombres le dieron vuelta al prisionero y cumplieron la orden del coronel. La festejaron a carcajadas. Dos hilos de sangre escurrieron de las nalgas de Juan Carbajal.

«Bueno, ya, ya está bien. Cállense. Denle vuelta... Dime: ¿ahora sí me vas a decir a dónde y a quién llevabas el mensaje? ¿O quieres que te condecore el otro testículo?»

A Juan Carbajal se le doblaban las piernas. Los hombres lo sostuvieron por el palo al que estaba crucificado. Temblaba, y el sudor se mezclaba con los hilos de sangre.

«Yo, ya te dije, hago hablar a cualquiera. Me decían que los plateados, tú los conoces, ¿verdad?, esos bandidos que así les llaman porque están cubiertos de plata de la cabeza a los pies... me decían que eran muy bravos: pues a uno de esos plateados, no sólo lo hice hablar... acabó pidiéndome de rodillas, por la leche de mi madre, que le perdonara la vida... También me decían que eran muy hombres esos otros bandidos que se ponen pantalones y chaquetas de cuero gruesas porque andan siempre en tierras llenas de zarzas y espinos, y lo mismo: todos los que han caído en las manos de las contraguerrillas del Coronel Du Pin me han contado hasta cómo vinieron al mundo... Yo, por mi parte, les cuento cómo se van a largar de él...»

El Coronel Du Pin se llenó los pulmones con el aire caliente, y resopló:

«Mira que te estoy teniendo mucha paciencia», le dijo a Juan Carbajal. Y a los hombres que lo sostenían: «suéltenlo».

Juan Carbajal se desplomó en el suelo de la barcaza. El mastín del coronel abrió los ojos y paró las orejas. Después, volvió a dormirse.

«Tercos, sí, muy tercos que son ustedes. Y además, no saben escoger. Porque siempre hay que escoger. No se puede tener todo. Tú, por ejemplo, vas a tener que escoger entre ser un traidor vivo, o un pendejo muerto. ¿Qué prefieres?».

Juan Carbajal alzó la cara, pero no contestó. El coronel se asomó por el mosquitero, sacó un brazo y señaló a una y otra orilla del río.

«Mira, mira», dijo, «todo esto me gusta: la selva, las lianas, las orquídeas, los gritos de los monos, la algazara de los pericos, el vuelo de los tucanes. Bueno, una sola cosa me fastidia, que son los mosquitos. Por lo demás, de la selva me gusta todo, hasta el calor... y me gustan los mares tibios... Entonces: ¿por qué no me quedo a vivir aquí para siempre?, ¿por qué no me hago una casa de granito rojo en la cumbre del Chiquihuite y la cubro de orquídeas? Ah, pues porque también me gusta París... Tú nunca has estado en París, ¿verdad?».

El Coronel Du Pin se acarició el bigote y después se lamió los labios.

«París... París... París es la ciudad más bella del mundo, y sobre todo desde que el Barón Haussman la llenó de avenidas muy anchas que además de ser bonitas, hacen más fáciles las cargas de caballería contra los revoltosos... las cargas de nuestros cazadores de Africa: de esos mismos que hicieron correr a los juaristas en Cholula... A ver: levanten al prisionero. Hínquenlo. Así... y pásenme el sombrero otra vez».

El coronel comenzó a darle la vuelta al sombrero, despacio.

«Ah, esto me gusta. Miren qué cosa tan bonita: un corazón de plata atravesado por una flecha. ¿Te lo regaló tu novia?».

El coronel arrancó el prendedor y lo contempló por un rato.

«Te doy una oportunidad más: ¿a dónde llevabas el mensaje?».

Juan Carbajal no contestó.

«Terco, te digo, terco como esas mulas a las que ustedes les gritan: ¡macho!, ¡macho! A ver... préndanselo en la tetilla izquierda... Una vez, a un chinaco, le amarramos los brazos con una cuerda y la cuerda a la silla de mi caballo, y lo traje al trote toda la mañana. Cada vez que se caía, yo detenía mi caballo y le gritaba: ¡macho!, ¡macho!, y le aventábamos piedras, como hacen ustedes con las mulas. Pero una vez ya no se levantó y lo arrastré, lo arrastré muchas horas, hasta dejarlo a las puertas del infierno... Esa vez montaba yo un caballo de La Panocha, de los que tienen los cascos tan fuertes que no necesitan herraduras... Dime: ¿te gustaría morir así?».

La selva comenzaba a llenarse con rumores y gritos distintos a los gritos y murmullos de la noche. En el horizonte, hacia la desembocadura del río, apareció un pálido resplandor blanco. De la tetilla izquierda de Juan Carbajal escurría un hilo de sangre.

«A algunos, a los que se portan bien, hasta les doy a elegir su muerte. Les pregunto si quieren morir fusilados. O destazados por cuatro caballos. O ahogados. Y a veces, también, a los que cuelgo, les doy la oportunidad de que escojan el árbol que más les guste. Y habrás de saber una cosa: el Coronel Du Pin nunca cuelga a más de uno con la misma cuerda: cada quien estrena la suya...»

«¿Cómo me va a matar a mí?», volvió a preguntar Juan Carbajal.

El coronel se hizo el desentendido.

«Aunque tengo que confesar que tengo un árbol favorito, y que es uno muy alto y grueso, muy frondoso y muy verde, que está en la Plaza de Medellín. Allí he colgado a más de veinte... pero no puedo llevarme a todos los condenados a Medellín... ¿no es verdad? Y mira, te decía: qué más quisiera yo que París estuviera a la orilla de un mar caliente de arena blanca... ¿me estás oyendo?».

Juan Carbajal tenía la cabeza doblada y los ojos cerrados.

«A ver, tú: dale un poco de mezcal para que se reanime...»

El coronel había dicho *anisette* pero el intérprete tradujo *mezcal*. Uno de los hombres cogió del pelo a Juan Carbajal para levantarle la cara, y con la otra mano le acercó una botella a los labios. El mezcal escurrió por la barbilla del prisionero, que siguió con los ojos cerrados.

«Y con uno de esos prendedores de manitas», dijo el coronel a otro de sus hombres, «levántenle el párpado y préndanselo a la ceja para que aunque sea un ojo me mire el cabrón éste...»

Algunos monos comenzaron a dar gritos. El mastín del coronel bostezó, paró las orejas, abrió los ojos, se desperezó, se levantó y caminó hasta la orilla de la barcaza para beber de las aguas del río. Las aguas, negras y plateadas, comenzaban a teñirse de rosa y violeta hacia el este, hacia la desembocadura. El hilo de sangre bordeó el párpado de Juan Carbajal y comenzó a escurrirle por la mejilla, hasta llegar a los labios.

«¿Ahora sí me oyes...? ¿Ahora sí me ves?».

El prisionero asintió con un suave movimiento de cabeza.

«Pues sí, qué más quisiera yo, te decía, que a lo largo de los Campos Elíseos corrieran los platanares... ¿Sabes lo que es los Campos Elíseos? La calle más bella del mundo».

El mastín se echó a los pies del coronel.

«Y que hubiera cocoteros a la orilla del Sena... Mira», agregó el Coronel Du Pin asomándose por el mosquitero: «ya está casi amaneciendo y no me va a quedar más remedio que matarte. Pero tú me estás obligando. Dime: ¿a dónde llevabas el mensaje?»

El prisionero no contestó.

«O que en el Bosque de Boulogne se dieran las lianas y los helechos, los bambúes, los mangos, qué se yo... ¿Oyes al pájaro campanero? Es como si diera la hora. Deben ser ya como las cinco... ¿qué horas son?».

Uno de los hombres consultó el reloj.

«Il est cinq-heures, mon colonel».

«Pero tengo que escoger, y me quedo con París. Allá me voy a morir. En cuanto acabemos con ustedes y dejemos bien firme en el trono al Emperador Maximiliano y civilicemos el territorio, pido mi retiro del ejército y regreso a Francia. Aunque sé que no va a ser tan fácil pacificarlos porque ustedes son muy escurridizos y México es muy grande. Oye... ¿has oído alguna vez hablar de la Barragana?».

«Dicen que es una guerrillera juarista...», contestó Juan Carbajal.

«¿Guerrillera? Bandida. Todos ustedes son bandidos, no guerrilleros. Pero tengo entendido que es muy valiente y no más por eso no sé qué voy a hacer con ella si la agarramos viva: si cortarle los pechos para que parezca más hombre, ya que eso es lo que le gusta, vivir y pelear como hombre, o si perdonarla en memoria de nuestra Santa Juana de Arco... ¿tú que opinas?».

El mastín del coronel se levantó, corrió a la orilla de la barcaza y se tiró al agua. Nadó rumbo a la orilla.

«Debe haber olido alguna tuza... le encantan las tuzas», dijo el coronel, «de todos modos, me llevaré a París algunas plantas a ver si crecen allí, y algunos animales, como una o dos guacamayas azules. Dime: ¿te gustaría morir ahogado en el Tamesí?».

Juan Carbajal alzó la vista para mirar al coronel, pero no contestó.

«Hay muchas cosas de este país que no entiendo», dijo el Coronel Du Pin. «Por ejemplo, por qué le llaman ustedes a este río casi como se llama el río inglés, el Támesis, si no tiene nada que ver. O por qué, y eso lo pensaba yo el otro día, por qué algunos indios como tú se bañan todos los días, y otros nunca, y traen en la cara unas costras de mugre gruesas como corteza de árbol. Tampoco entiendo cómo pueden ustedes comer tanta porquería. Estoy cansado de frijoles y tortillas. Si no es en el Restaurante Recamier de México o en el Café Reverdy de Tampico, no hay un lugar en este país donde se pueda tener una comida decente... Estoy cansado de bebidas hediondas como el pulque y de aguardientes ponzoñosos. En mi casa de París voy a tener una bodega llena de vinos de Burdeos, de Sauternes, ajenjo Pernoy, de licor de Casis... pero seguro que tú no sabes de lo que estoy hablando, ¿verdad? Y ahora... ahora ya estoy cansado de ti...»

El Coronel Du Pin se asomó por el mosquitero, levantó los ojos, sonrió y señaló hacia arriba.

«¡Mira, mira! ¡Arriba, arriba de tu cabeza: los cocuyos!».

Por encima de la barcaza pasó una luminosa nube de cocuyos, como una constelación fugaz de estrellas verdes.

«Cocuyos, cocuyos», dijo el Coronel Du Pin y se levantó del equipal, «eso es lo que quisiera yo: que una noche cuando esté yo en París haciendo el amor, una nube de cocuyos entre por la ventana y se quede, dando de vueltas, arriba de la cama... Pero no se puede tener todo».

El Coronel Du Pin bajó del cajón y con una mano le levantó la cara a Juan Carbajal.

«Tú también, ¿ya lo ves?, tuviste que escoger. Eres un pendejo, pero tengo que reconocer que eres un hombre. Eso tampoco lo entiendo: hay mexicanos que cuando los voy a matar lloran como maricas, y otros, como tú, que ni parpadean. Un coronel inglés me decía que así son los sepoys de la India: indiferentes a la muerte...»

«¿Cómo me va a matar?», preguntó por tercera vez Juan Carbajal.

El coronel pidió que le pasaran el sombrero.

«Qué bonita rosa de oro... Es de oro, ¿verdad?, ¿de dónde te la robaste? Con ésta sí que me voy a quedar. Se la voy a dar a una amiguita francesa que tengo en París, y le voy a decir que se la ponga en el ombligo... ¿Que cómo te voy a matar, dices? A ver, a ver... vamos a ver...»

El coronel caminó despacio alrededor de Juan Carbajal. Al prisionero le escurrían hilos de sangre por la cara y el cuello, por las nalgas y las piernas, por el pecho y el vientre. Los primeros rayos del sol pintaron de anaranjado el mosquitero del coronel a la altura de su rostro. Como antes los cocuyos, atravesó el río una alharaquienta banda de loros verdes y amarillos. El coronel se paró delante del prisionero, se acarició la barba y los bigotes y dijo:

«Tengo una idea».

Estiró la mano hasta tocar el prendedor que habían encajado en la tetilla izquierda de Juan Carbajal. Lo cogió, y lo arrancó de un tirón. El prisionero lanzó un grito. La tetilla, casi desprendida, quedó colgando, y un hilo de sangre, más grueso que los otros, brotó de la herida.

«Tengo una idea, pero, ¿sabes?, antes de matarte decidí que no te vas a llevar nada puesto, ¿me oyes? No te lo mereces... Voy a regresar todo al sombrero, y el sombrero me lo llevo a París. A ver, tú, y tú: arránquenle todo lo que le pusieron: el fistol, las estrellas, el zopilote, todo, para que aprenda: uno por uno y de un tirón, sin abrir los broches...»

Luego volvió a mirar a los ojos al prisionero.

«Y si tú quieres saber cómo te voy a matar, Juan Carbajal, ahora mismo lo vas a saber. Te voy a matar como nunca he matado a nadie...»

El coronel se quedó mirando por unos segundos el prendedor que tenía en la mano, y murmuró: *C'est beau!* Luego dijo:

«Faites venir l'Indio Mayo et qu'il apporte son arc et ses flèches».

El intérprete tradujo:

«Que venga el Indio Mayo, y que traiga su arco y sus flechas».

3. Escenas de la vida real: la nada mexicana

«¡El Nuncio, volando por la ventana!»

Luis Napoleón, absorto ante el mapa de París, contempla en él los proyectos pasados, presentes, futuros, que harían de la capital de Francia la ciudad más bella y moderna del mundo. Gracias, claro, al Barón Haussmann y a genios como Charles Garnier y Viollet-le Duc. Los Campos Elíseos. Los pabellones de hierro y cristal de Les Halles. La Santa Capilla. La Opera. El drenaje...

«¿El Nuncio, volando?», musitó Luis Napoleón y dejó su cigarrillo en uno de los dos ceniceros que le había regalado Maximiliano: eran las conchas ovaladas de un molusco llamado abulón, notables por la belleza irisada de su nácar. «Para esos cigarrillos que tanto predisponen a la meditación», le escribió el Emperador de México.

Por su parte Carlota le había prometido a Eugenia enviarle un álbum con fotografías de las ruinas y monumentos toltecas y mayas: las pirámides del sol y de la luna y los templos de Uxmal y Chichen-Itzá de la provincia de Yucatán a la cual quería viajar cuanto antes, y también de esos monstruosos gigantes de Tula que debieron haber sido los guardias palatinos del sangriento Huitzilopochtli, el dios devorador de corazones humanos.

«¡Sí, volando. Imagínate, Luis, qué gracioso!»

Eugenia se refería a lo que Carlota le había dicho a Bazaine: que ganas le habían sobrado, muchas, de echar a Monseñor Meglia, Obispo de Damasco y único nuncio papal que tuvo México en toda su historia, por la ventana del palacio. Porque la conversación con el Nuncio le había dado a Carlota una idea de lo que era el infierno: lo que Carlota y Maximiliano veían de color blanco, Monseñor Meglia lo veía de color negro y viceversa. Todos los argumentos se le resbalaban al prelado «como en mármol pulido»: para él, como para Francisco José, no existía un *mezzotermine,* un término medio, *le juste milieu* del que tanto hablaba en vida su abuelo Luis Felipe.

«Y además, Carlota dice», agregó Eugenia, «que la verdad es que Su Santidad Pío Nono es un *iettatore:* asunto en el que interviene, asunto que se pudre. ¡Su Santidad, un *iettatore!*»

Eugenia soltó una carcajada.

En el Salón de los Embajadores del Palacio Imperial de México, Maximiliano supervisaba el desmantelamiento del cielorraso. La experiencia de las chinches había sido muy amarga, y debía fumigar hasta el último rincón. El cielorraso cubría unas espléndidas vigas de cedro ignoradas por todos. Maximiliano ordenó que se quedarán así, descubiertas, para siempre. Y esa noche le dijo a Carlota.

«Son preciosas. Fue una verdadera sorpresa, como tantas otras que nos ha dado y nos dará este país».

Y bueno, aparte de sorpresas, y a pesar de que el Imperio Mexicano, lo que Carlota había pensado que para Max sería una ocupación, lo que Maximiliano había pensado que para Carla sería una distracción comenzaría, muy pronto, a ser una pesadilla para los dos, a pesar de ello era un placer recorrer las calles de la capital en la dorada carroza imperial obsequio de sus antiguos súbditos de Milán, o en el coche *à la Daumont* conducido por un auriga de inmenso sombrero blanco, *spencer* de terciopelo verde y en la espalda un poncho tricolor, tirado, el coche, por seis mulas *Isabelle* de patas de cebra. O cabalgar, ellos dos solos a las siete y media de la mañana después del Acuerdo, por la Calzada de la Verónica o por aquella otra destinada a unir el castillo con el palacio, y que sería más hermosa que esos *Champs Elysées* de los que estaba tan orgulloso Luis Napoleón... y que se llamaría... se llamaría, sí, Calzada del Emperador. O mejor, *Promenade* de la Emperatriz. ¿O Calzada del Emperador?

En las Tullerías, Eugenia se dijo a sí misma: «Voy a escribirle a Carlota para contarle que Monseñor Chigi me dijo que Meglia no es tan

inflexible como le gusta aparecer, y que si así lo hace, es para ablandarse
después...»

Y Eugenia se quedó pensando que si Monseñor Meglia había tenido
oportunidad de participar con los Emperadores de México el Jueves Santo
en la ceremonia del lavado de pies de los ancianos y que, si como todo
el resto de los mortales cuando en su camino Maximiliano y Carlota se
cruzaban con el Santo Viático bajaban de su carruaje y se arrodillaban
en la calle, la verdad es que el Nuncio no tenía por qué dudar de la devoción
y la piedad de los soberanos. Quizás tenía razón Carlota cuando dijo que
Meglia era sólo un muñeco, un *mannequin* del Arzobispo Labastida.

«El problema, Su Majestad», le dijo a Eugenia Hidalgo y Esnaurrízar
una tarde en que soplaba un vientecillo cargado de arena en las playas
de Biarritz, «el problema es el Decreto con el cual el Emperador Maximiliano restableció la libertad de cultos en México. Y además, que ha
confirmado *de facto* la nacionalización de los bienes de la Iglesia. Algunos
le han comenzado a llamar a eso el juarismo sin Juárez».

Eugenia suspiró...

En el Castillo de Claremont, en Inglaterra, María Amelia suspiró
también. Suspiraba cada vez que se acordaba de su infancia y de la
erupción del Vesubio que tanto la había amedrentado. Suspiraba cuando
recordaba a Luis Felipe, su triste coronación en la Cámara de Diputados,
con ese trono cubierto por la bandera tricolor francesa. Suspiraba cuando
recordaba a su primogénito Chartres, muerto, tan joven, al saltar de su
coche. Y suspiraba cada vez que recordaba a Carlota, a la que ella le había
advertido que la matarían, en México, junto con Maximiliano. Y ahora
Carlota, su dulce nieta Carlota, que apenas tenía veintitrés años de edad
y unos cuantos meses de haber llegado a ese país lejano y salvaje, le
contaba en una carta que envejecía. Envejecía, sí, porque todo en México
era corrupto o corruptible. Porque gobernar, en México, era una labor
de Sísifo. Y también porque, si bien era cierto que algunos liberales se
habían adherido al Imperio, se debía, según Carlota, porque como abejas
hambrientas encontraban más y mejor miel en las colmenas de Maximiliano que en las flores salvajes de Juárez...

María Amelia recordó que era hora de tomar la miel con limón que
le había recomendado el doctor para la laringitis.

«Los matarán, los matarán...», musitó.

«¿Diga usted, Mamá?», preguntó la Duquesa de Montpensier.

Un día paseaba el Duque de Brabante —y así se lo escribió a su
hermana Carlota— por las calles de París con Luis Napoleón, cuando de
pronto vio una gran multitud y le preguntó al emperador si se trataba
de un entierro.

«No, mi querido señor», le había contestado Luis Napoleón: «eso es la oficina de suscripción del nuevo empréstito a México. Se trata más bien de lo contrario, de un nacimiento: el de un Imperio. Los extremos se tocan. Los parisinos están ávidos de comprar acciones».

«Y sin embargo», le dijo Carlota a Maximiliano tras leer la carta, «por otra parte nos dicen que las acciones Jecker se han derrumbado y se venden en Francia por unos cuantos céntimos. Eso, cuando se venden. Y a nosotros el dinero no nos alcanza para nada».

Carlota dejó la carta entre las páginas de la «*Guía de la Ciudad de México*» de Marcos Arróniz para concentrarse en la «*Gramática de la Lengua Castellana*» de Herranz y Quiroz, mientras Max le hacía una larga relación de su gira por su nueva patria, y le contaba cómo se había asombrado al enterarse de que en alguna de las aldeas visitadas no se había presentado un sacerdote por diez, quince o veinte años, y que por lo mismo las parejas vivían en pecado mortal y había numerosos niños y hasta jóvenes sin bautizar, y que había tenido el placer de charlar largo y tendido con ese coronel rubio y ojiazul, Miguel López, que los escoltó de Veracruz a México.

Llovía también esa tarde, como casi todas, en Bruselas. El rey le confesó a Eloin que no entendía lo de las pulgas vestidas y lo de los frijoles saltarines...

«¿Pero son pulgas vivas?»

«No, Su Majestad, no, ya están muertas...», agregó Eloin, y trató de explicarle al monarca belga que los mexicanos se ingeniaban para vestir pulgas, de novio y novia, de charro y tehuana, de lo que fuera, y que uno las podía observar por medio de potentes lupas: pulgas con faldas y pantalones, velos y chales liliputienses hechos a la medida de las pulgas muertas y secas de bastón y gafas, botas o chinelas... Y los frijoles, pues era muy sencillo: por tener escondida, cada uno, la larva de un insecto, daban pequeños saltos y maromas lo mismo en la palma de la mano que en una mesa cualquiera...

«Ah, ya veo, sí, sí, claro... ¿Una larva?»

Pero Eloin no estaba en el Palacio de Laeken para hablar de pulgas vestidas y frijoles saltarines, sino para informar al padre de Carlota sobre el objeto de su viaje: Maximiliano le había encomendado que asegurara las garantías de las naciones europeas contra la codicia de Estados Unidos. Lincoln estaba muerto y, con él, muertas las ilusiones que se hicieron Max y Carla, quienes pensaban que el presidente asesinado por James Booth la noche del 14 de abril de 1865, tarde o temprano hubiera acabado por reconocer al Imperio Mexicano. Y por otra parte su mano derecha, Seward...

«Mire usted, Eloin, qué suerte la del *yankee* ése, ¿verdad?»

Sí, esa misma noche en que Lincoln caía herido de muerte en su palco del Teatro Ford, William Henry Seward había sobrevivido a un atentado contra su vida, cuando un hombre irrumpió en su casa y en su habitación, y lo apuñaló en la cama. Y con Seward sobrevivía la Doctrina Monroe de la cual se nombraba ya abanderado el nuevo presidente americano, Andrew Johnson, «el plebeyo». Eloin le contó con pena a Leopoldo que Johnson se había negado a recibir una carta de pésame que le envió Maximiliano.

«Ni siquiera se dignó recibir al mensajero, Su Majestad. Y le decía yo: el hecho de que el Emperador Napoleón haya perdido de pronto el interés en el Protectorado de Sonora, no es una casualidad: lo que desea es alejar a las tropas francesas de la frontera para evitar un *casus belli*. Y en cuanto a Montholon, usted sabe, Su Majestad...»

Leopoldo de Bélgica hizo un gesto para interrumpir a Eloin, tomó la mano de la Baronesa Eppinghoven, y le pidió que lo acompañara a su habitación. Le comenzaba, dijo, otro cólico biliar...

Eloin se retiró. Mañana, en fin, le contaría al rey cómo Maximiliano se había ganado la enemistad del que era ahora Embajador de Francia en Washington.

Algunos placeres, sin embargo, no faltaban. Un dulce de leche de cabra quemada, oscuro y denso, lujurioso, dulcísimo, llamado *cajeta*, hizo las delicias de la Emperatriz. La llegada del apuesto Coronel Van Der Smissen —corazón de oro, brazos de hierro, cabeza de chorlito— al frente de los voluntarios belgas de ondeantes túnicas azul rey bordadas con brandeburgos rojos, verdes o azules y sombrero de fieltro con penachos de plumas de gallo, fue otra razón más de alegría. Y, motivo de especial satisfacción, aprender algunas de las humildes costumbres del país. Carlota aprendió así a beber agua en la cáscara de una calabaza, a bañarse con una especie de esponja de pasto a la que llamaban «estropajo» y, mientras se asombraba de que alguna gente en México era tan pobre que comía moscos, hormigas, saltamontes y chinches de agua, probaba la *tortilla* que, siendo una especie de pan redondo y plano o más bien como *chapati* hindú, según la opinión de Sir Peter Campbell Scarlet, elaborada con una harina que se parecía a la polenta italiana, la *cruchade* francesa, la mazamorra de Argentina o el abatí-atá del Paraguay, tenía sin embargo un sabor que era aunque modesto, único, y tal vez valdría la pena incorporarla a los banquetes de segunda clase, en los cuales los platillos —en relación con los grandes banquetes oficiales de primera clase— no sólo cambiaban de naturaleza y calidad, sino también de idioma, de modo que el *Dinde au Cresson*, el *Vol-au-vent Financière* y el *Boudin à la Jussienne*, platillos del menú de la cena ofrecida a Bazaine al recibir su nombramiento de mariscal—, se transformaban en *Costillas a la Jardinera*, *Croquetas de Arroz* o *Budín de Sagú*. Y de todos modos, cuando su querido Max se cansaba del *Lenguado a la Holandesa*, de la

Cartuja de Codornices a la Bragation y otras exquisiteces preparadas por Monsieur Bouleret y Monsieur Masseboue —en cualquiera de los dos idiomas: francés o español—, siempre se podía pedirle que cocinara un *goulasch* si se quiere modesto y sencillo, pero *goulasch* al fin al que nada faltara, comenzando con una adecuada porción de *páprika*, al inseparable y fiel cocinero húngaro Tüdös a quien también le había dado por vestirse como ranchero mexicano de la época: chaquetilla con hombreras y bordados, pantalón abierto a media pierna que dejaba ver el calzón adornado con encajes, faja roja al cinto y sombrero de copa baja y amplísimas haldas.

Lo caluroso de esa mañana en Saint Cloud, no parecía afectar el humor de Eugenia. Quizás porque, siendo madrileña, estaba ya acostumbrada a esos seis meses de infierno que, en la capital española, seguían a los seis meses de invierno...

«A ver, a ver, Luis, tócala al piano, y yo la canto...»

Luis Napoleón, que creía haber heredado algo del talento musical de su madre la Reina Hortensia, accedió con gusto, y comenzó a tocar al piano la canción de Concha Méndez. Eugenia cantó:

> *«Si a tu ventana llega,*
> *Ay, una paloma...*
> *Trátala con cariño,*
> *Que es mi persona.*
> *Cuéntale tus amores*
> *Bien de mi vida;*
> *Corónala de flores,*
> *Que es cosa mía...»*

«Me dicen que a Carlota le encanta esta canción...»

Y sí, en esos tiempos Carlota cantaba, porque le encantaba, la canción de «La Paloma» que le había arrebatado el corazón desde que la escuchó por primera vez en el Teatro Imperial. Puesta de moda en México por la cantante mexicana Concha Méndez, y adoptada por la Emperatriz mexicana como su canción favorita de toda la vida,

> *«Ay, chinita que sí,*
> *Ay, que dame tu amor,*
> *Ay, que vente conmigo,*
>   *chinita,*
> *A donde vivo yo...»*

«La Paloma» fue una más de esas dulces *habaneras* que se habían puesto de boga en España, en México y otros países, y que desde luego se llamaban así porque venían, todas, de La Habana. Y las habaneras eran de un ritmo lento y dulce, tan dulce y lento, tan morosos y amorosos y *pianissimos* sus pasos que, como decía el Capitán Blanchot, no se bailaban: se suspiraban en dúos.

El Papa Pío Nono y Monseñor Meglia caminaban, muy despacio, por la Capilla Sixtina. Pasaron bajo el «Viaje de Moisés a Egipto», de Pinturicchio y el Perusino.

«No puedo estar más de acuerdo con Su Santidad», dijo Meglia, «en que la única solución es firmar con México un concordato como los que concluimos hace un año con El Salvador y Nicaragua...»

Pasaron bajo «Moisés y las Hijas de Jetro», de Botticelli.

«Y en los que definimos, Su Santidad lo tiene muy presente, a la doctrina católica como religión propia de esos pueblos...»

Pasaron bajo el «Paseo del Mar Rojo», de Cosme Rosselli.

«Pero la actitud del Emperador Maximiliano lo vuelve imposible. ¿Supo Su Santidad que uno de sus ministros, Pedro Escudero creo que se llama, calificó de *lettre insolente* una carta que publiqué antes de irme a Guatemala?»

Pasaron bajo los «Episodios de la Vida de Moisés», de Rosselli.

«Si lo único que dije en ella fue la verdad: que con el decreto sobre la libertad de cultos, la Iglesia mexicana ha sido rebajada a la condición de esclava del derecho público...»

Y pasaron bajo el «Castigo de Cores», de Botticelli.

«Yo me pregunto: ¿Cómo se ha atrevido Su Majestad el Emperador Maximiliano a decretar que ningún rescripto, breve o bula de Su Santidad puedan ser publicados sin el *exequatur* imperial?»

Pío Nono abrió los brazos y se encogió de hombros.

«No lo sé. Pero haremos que esa oveja descarriada vuelva al redil», dijo el Pontífice y alzó la vista. Sus ojos se posaron unos instantes en uno de los frescos de Miguel Angel: «Dios dividiendo la luz y las tinieblas».

«¿Iturbide? No sabía yo que México había tenido un emperador...»

Era la segunda o tercera vez que el Vizconde de Palmerston le decía a la Reina Victoria que México, en efecto, había ya tenido un emperador, Agustín de Iturbide. Ahora, en el Castillo de Balmoral, lo que le contaba era que México tendría, además de ese Agustín I, un Agustín II.

Victoria, como María Amelia, suspiraba también por un marido muerto: en su caso, el Príncipe Alberto. Pero escuchó con atención a Palmerston: si Maximiliano tenía o no amante o amantes, si no era estéril o si sí lo era, como afirmaba el pasquín de un tal Abate Alleau que decía que Carlota desahogaba su frustración de no ser madre en la tarea de gobernar, o si era o no impotente como sospechaban otros, el caso es que Maximiliano y Carlota no tenían relaciones maritales, y que esto los llevó a planear la adopción de un niño para asegurar la sucesión al trono. El elegido, le dijo Palmerston a Victoria, es un nieto del Emperador Iturbide. Tenía tres años de edad en ese entonces —1865— y era un niño inteligente y bonito con un solo defecto, por lo demás corregible: por ser su madre una americana, el niño Agustín —Dios mediante algún día Agustín II de México—, hablaba la mitad en español, la mitad en inglés. Decía: «me gusta a lot el *cake*», por ejemplo.

«*Mi querida Vicky:...*» Victoria dejó de escuchar a Palmerston para repasar, mentalmente, la carta que quería escribirle a su hija adorada. Casada con el Príncipe Federico, heredero del trono de Prusia, ese hombre tan alto, tan apuesto y de barba portentosa, pocas princesas europeas, como Vicky, parecían destinadas a un futuro tan brillante.

«*Mi querida Vicky:...*»

La que desde luego por ser española, sí entendía, o parecía entender todas aquellas exóticas costumbres mexicanas de las que hablaba Carlota, era Eugenia. Y porque además, Don José Manuel Hidalgo y Esnaurrízar se encargaba de darle todas las explicaciones necesarias. Eugenia se enteró así, una mañana, de regreso a las Tullerías tras una breve estancia en Compiègne, que las *piñatas* eran unas ollas de barro que por el arte de tres papeles: el *papier-maché*, el papel crepé y el papel de China, se metamorfoseaban en cualquier cosa: en un barco plateado, en una roja zanahoria o en un cometa con cola de aroíris, y que la gente, con los ojos vendados, golpeaba con un palo hasta romperlas y recibir como una lluvia de maná su rico contenido: frutas y raíces de extraños nombres: *tejecotes, jícamas*, y sabor tan extraño como sus nombres: *cacahuates, capulines...*

«De un sabor *sui géneris,* Su Majestad, que yo no podría describir...», le dijo Hidalgo a Eugenia. «Aunque del *capulín* podría decirse que es la cereza mexicana, más negra, y de sabor más definido».

Eugenia pensó que en un país tan extraño como México, en el cual el Día de los Muertos la gente comía huesitos de turrón y calaveras de azúcar que llevaban su propio nombre en la frente; en el que había lugares de clima tan tórrido que las aves cubrían los huevos no para calentarlos, sino para refrescarlos, y en donde en un solo estado, Michoacán, había más de cuatrocientas fumarolas que en cualquier momento podían transformarse en sendos volcanes y cubrir América entera con una marejada de lava ardiente —porque todo eso pasaba en México, y además temblores de tierra y ruido, ruido todo el tiempo: cohetes, buscapiés, matracas de madera y hasta de hierro y de plata, y la quema y explosión, en Semana

Santa, de unos enormes muñecos de cartón rellenos de pólvora a los que llamaban «judas» y que colgaban de un palo como racimos de cadáveres—, en un país así, podía pasar todo...

Podía pasar, por ejemplo, que a fin de cuentas México no fuera un país tan fácil de conquistar como la emperatriz de los franceses había pensado. Porque Eugenia, quien en un principio, y con ese entusiasmo que tuvo siempre por conocer la historia, conquistas y avatares de lo que ella llamaba la Cuba de Colón, la Florida de Ponce de León, el Perú de Pizarro y el Chile de Valdivia se preguntaba cómo era posible no dominar al México de Cortés con treinta mil hombres, cuando que el gran conquistador lo había hecho con unos cuantos hombres —¿cien?, ¿quinientos?—, con el tiempo había cambiado de opinión y pensaba ahora que para subyugar tan inmenso territorio se necesitarían quizás trescientos mil. ¿Y era en esos momentos cuando Luis Napoleón comenzaba a insinuar el retiro de las tropas francesas? Era cierto, sí, y Eugenia lo sabía, que los mexicanos ya no aguantaban a los franceses. Muchos cometían tropelías y quedaban impunes porque ningún soldado o policía mexicano podía arrestar a un soldado francés. El tercer regimiento de zuavos se hizo tristemente célebre por un gran pillaje cometido en Huauchinango. Y Potier, Berthelin, Du Pin, se ganaron muy pronto una fama negra, aunque a Du Pin, quien en nombre de la cilización había cometido tantas atrocidades y entre ellas el incendio de Ozuluama, Maximiliano había logrado que lo regresaran a Francia. Pero, ¿qué haría de todos modos Maximiliano sin los franceses?

«Organizar un ejército mexicano, que ya es hora», dijo Luis Napoleón. «Y puede muy bien hacerlo si canaliza más fondos a su formación, y deja de gastar en tantas tonterías...»

Bueno, basta ya de Montholon y también de Schertzenlechner. El Rey Leopoldo sólo quería escuchar lo que le interesaba. O lo que ignoraba. Sabía ya muy bien que Maximiliano se había ganado la animosidad de Montholon al destituir al Canciller del Imperio, el Señor Arroyo, por haber concluido éste, con la ayuda de Almonte y con la presión del propio Montholon, la convención que le otorgaba a Francia la explotación de las minas de Sonora. Perdido el interés de Luis Napoleón —al acabar la guerra civil americana— en la plata de Sonora, la enemistad, pues, había sido de balde... Montholon se marchó a Estados Unidos y en México, en su lugar, se quedó *Monsieur* Alphonse Danó.

Y en cuanto a Schertzenlechner... bueno, al monarca belga le tenía sin cuidado el destino del antiguo lacayo que había perdido la batalla contra Eloin. Austriaco uno, belga el otro, los dos habían intrigado todo el tiempo contra los franceses, y cuando se cansaban de hacerlo, intrigaban el uno contra el otro. Hasta que Maximiliano tuvo que elegir: eligió a Eloin, y Schertzenlechner se fue de México sin despedirse de Maximiliano a pesar de que éste lo había perdonado para eximirlo de un juicio acusado de difundir rumores alarmantes: siete mil indios, dijo Schertzenlechner, marchaban rumbo a la ciudad de México para defender su causa. Siete mil indios que nunca llegaron.

En cambio, lo que sí le interesaba a Leopoldo, y mucho, era el asunto de la adopción del niño Iturbide. No se resignaba a la idea de que Maximiliano y Carlota no tuvieran sucesión. A que fuera un extraño, y no un nieto suyo, un Coburgo, el que heredara el Imperio Mexicano.

Los príncipes Iturbide cruzaban el mar, rumbo a Europa. La única que se quedaba en México era la Princesa Josefa. Ese exilio era una de las condiciones del convenio secreto firmado por la familia Iturbide y Maximiliano. A cambio de ello, y además del pequeño Agustín y su hermano Salvador, todos, incluidos tíos y tías, habían sido nombrados príncipes, y recibido una indemnización de ciento cincuenta mil pesos y pensiones vitalicias. Según otros términos del convenio, ninguno podía regresar al Imperio sin el permiso de Maximiliano. El problema fue Alicia, la madre, de quien Maximiliano pensaba que estaba medio loca por no querer separarse de su hijo siendo que de esa separación dependía el porvenir grandioso del niño, y que si cedió a las presiones de la familia fue sólo por un tiempo. De todos modos era un privilegio contemplar en Chapultepec al pequeño Agustín en el columpio colgado de las ramas de uno de esos ahuehuetes milenarios chorreados de heno, o sentárselo en la barriga cuando uno —Maximiliano—, se mecía en una hamaca de la Quinta Borda, bajo las jaulas doradas de los tucanes, y los cuatro perros llegados de La Habana —como «La Paloma» y todas las habaneras— triscaban en la terraza o perseguían a las mariposas, y el sabio Doctor Bilimek, con su enorme parasol amarillo y esa especie de delantal lleno de bolsas, y las bolsas llenas de frascos, se dedicaba, provisto de unas pinzas, a la caza de lagartijas, lombrices y escarabajos.

«Con tal», pensaba uno de los príncipes Iturbide mientras la Fortaleza de San Juan de Ulúa se perdía en el horizonte, «con tal que Maximiliano y Carlota no tengan un hijo...»

Con tal, a tal efecto, que perseveraran en su abstinencia sexual. Bueno, la abstinencia entre ellos porque de Maximiliano se decía que qué va, que de impotente no tenía nada, al contrario...

Por supuesto que cualquiera de los museos y galerías de Europa que había visitado Maximiliano, incluido el Vaticano, contenía piezas más importantes y en un número muchísimo mayor, que aquellas que contemplaba el Emperador cuando visitaba la Escuela de Arte de San Carlos en la ciudad de México. Pero, pasear en la góndola imperial por el Canal de la Viga rodeado de canoas coronadas de amapolas, y contemplar «San Francisco de Asís» de El Greco y «Susana y los Viejos» de Rubens eran, sin duda, deleites que compensaban los reveses y los disgustos. Lo mismo nadar, como lo hacía cada mañana en el lago del Bosque de Chapultepec —tras pagar cinco pesos al guardia, para dar un buen ejemplo—, y extasiarse luego ante «Esther y el Rey Asuero» de Rembrandt, «Baco y Ariadna» del Tiziano, «Judith y Holofernes» del Tintoretto, por supuesto, cabalgar en los llanos de Apam y, aunque en una ocasión le susurró en un banquete a la Condesa de Kollonitz: *«Nichts Lächerlicheres, alls solch'einen Anzug selbst zu erfinden?»* —¿No es para dar risa que uno se encuentre vestido así?—, la verdad es que así vestido: de charro mexicano a medias, con su gran sombrero de fieltro gris y toquilla de plata, sarape, pantalón de paño azul con botones de plata y espuelas de Amozoc, caballero en su silla vaquera en su brioso caballo Orispelo o en el más manso, Anteburro, Maximiliano parecía feliz. «La Piedad», de Luis Morales *El Divino*, con una Virgen María cuyas lágrimas parecían de cera candente y el siniestro «San Agustín» de largas barbas negras, junto con una «Magdalena» cuyo hermoso rostro le recordaba el de la Emperatriz Carlota —pinturas, ambas, de Zurbarán—, le hacían olvidar, por un momento, el esplendor del Palacio Pitti. En San Carlos contempló también, con gran interés, varios cuadros de un talentoso pintor mexicano contemporáneo al que se propuso llamar a la corte.

«Apunta, Blasio, que tenemos que llamar a Juan Cordero».

José Luis, el secretario mexicano de Maximiliano, escribía entonces, con un lápiz que se llamaba «lápiz-tinta» porque si se humedecía la punta en un poco de agua —o con un poco de saliva, como lo hacía Blasio—, lo que parecía plomo o grafito se transformaba en el papel en una tinta de color morado. Así lo hacía también camino a Cuernavacas, cuando acompañaba al Emperador en el carruaje que había mandado construir el Coronel Feliciano Rodríguez, y que contenía un escritorio con cajoncillos. Blasio acababa siempre con la lengua y los labios pintarrajeados de morado, y a Max le hacía mucha gracia. Pero eso era mejor, sin duda que llevar un tintero en el viaje, porque con tantos hoyancos acabaríamos bañados de tinta, ¿no es cierto, Blasio?, y además: ¿cómo secaríamos las cartas y los edictos? Tendrías que sacarlos por la ventanilla ¿y qué tal si con el viento se te volaban, qué tal que los edictos del Emperador Maximiliano se transformaran en pájaros?

Fue suspirando una habanera en dúo con Pepita Peña como Bazaine, nombrado Mariscal de Francia por su campaña en México, se enamoró de la linda mexicanita de diecisiete años, y se casó con ella. Carlota, un tanto alarmada, un cuanto divertida, la escribiría a Eugenia: «Los hombres de su clase, cuando se enamoran, se vuelven demoniacos».

«Carlota, siempre tan atinada en sus comentarios...», dijo Eugenia.

Luis Napoleón tenía, como casi siempre, cara de loro adormilado, pero escuchó a Eugenia. De todos modos, más que el comentario de Carlota sobre los amoríos de Bazaine, le preocupaban otros comentarios que la Emperatriz de México hacía en su correspondencia con Eugenia, o que le llegaban al emperador por otras fuentes. Carlota afirmaba que lo imposible no era francés, y que gracias a Dios y a Luis Bonaparte tenían en México a sus queridos pantalones rojos, *les pantalons rouges*, y ya les había pedido a todos los oficiales franceses su retrato, para hacer un álbum. De modo que con la ayuda del ejército francés se podría, sin duda, pacificar el Imperio. En México, decía Carlota, los disidentes son un ejército fantasma. Las bandas, que no son otra cosa: bandas de bandidos, se forman cuando un hombre sale de un pueblo con un fusil y un caballo dispuesto a enriquecerse, y basta una carga de los pantalones rojos o de los cazadores de Africa, para dispersarlos. Además, como decía su querido Max, «mientras más estudio el pueblo mexicano, más me convenzo que tengo que hacerlo feliz a pesar de él».

Que Carlota se expresara así del ejército francés, no dejaba a halagar a Luis Napoleón, pero era necesario, una vez más, insistir que los franceses no podían quedarse en México para siempre. Maximiliano, pues, tenía que hacer algo al respecto.

Pero en un país donde podía pasar todo, como en México, no se podía hacer nada. Y unos cuantos meses después, así lo expresaría Carlota: en México, además del caos, se veneraba a la *nada*, una *nada* de piedra, «inamovible, tan antigua como las pirámides».

Napoleón decidió que esa hermosa tarde merecía una caminata por los Jardines de las Tullerías. Pero cuando cruzó la Sala de los Ujieres sintió un chiflón frío y decidió, mejor, pasear en el faetón. Al aparecer en el vestíbulo, el guardia suizo golpeó el piso con su alabarda, y gritó: «¡El emperador!»

El Emperador, es decir, el otro Emperador, el que estaba en Chapultepec, se ponía furioso cada vez que comprobaba que el Mariscal Bazaine sólo obedecía las órdenes del emperador, pero del otro emperador, el que estaba en las Tullerías y no las suyas, lo que era intolerable. Como primera medida, el Emperador —Maximiliano— decidió decirle de alguna manera al emperador —Luis Napoleón—, quizás a través de la correspondencia entre Carlota y Eugenia, que lo que sobraba en México no eran soldados franceses: sobraba un mariscal, Bazaine, que debería largarse a Francia con todo y su Pepita Peña. Por su parte, Douay, quien se encontraba en París, debía regresar a México cuanto antes para sustituir a Bazaine: Douay, a quien le había parecido absurda la reducción del ejército francés cuando Bazaine sugirió la repatriación de algunas unidades en junio del 64, el mismo mes de la llegada a México de Maximiliano y Carlota, era un hombre muy hábil, sencillo, enérgico y sin la clase de ilusiones que se hacía Bazaine. Bazaine afirmaba, por ejemplo, que los guerrilleros habían sido eliminados de regiones enteras. Lo cual, aseguraba a su vez d'Hérillier, no era verdad: él mismo tuvo que hacer frente, más de una vez, a grupos considerables de guerrilleros a las puertas mismas de la capital. Y cierto era también, como cuenta el Conde de Corti, que en ocasiones en medio de uno de los grandes saraos ofrecidos los lunes por Carlota, resonaban los tiroteos de un combate librado en las goteras de la ciudad... Nada, además, de lo que hacía o decidía Maximiliano, parecía aprobarlo Bazaine. El mariscal actuaba como si fuera el tutor de Maximiliano, y luego se asombraba que éste no lo recibiera en Chapultepec, sino sólo en palacio.

La emperatriz —la que estaba en las Tullerías— recibió un carta de la Emperatriz —la que estaba en Chapultepec— que contenía grandes elogios sobre la actuación del General Douay...

Carlota se quedaba como regente en la ciudad de México cuando Maximiliano huía a Cuernavaca a herborizar y cazar mariposas. Pero también se decía, iba a otras cosas: comenzó a rumorearse que en la Quinta Borda el Emperador recibía de noche a ciertas damas que entraban a sus habitaciones privadas por una puertecita del jardín semioculta por unas enredaderas. En la corte, comenzaron a circular los nombres de algunas de las posibles visitantes, y se habló a otras amantes en la ciudad de México y de una tal Señora Armida de Acapatzingo con la cual, dirían más tarde algunos historiadores, tuvo algunos descendientes. También se afirmó que, al menos en Cuernavaca, sí tenía una amante, y que era una bella mujer de piel morena, hija quizás, o esposa, del jardinero en jefe de la Quinta Borda.

Ahora bien, cuando Carlota se quedaba como Regente, no se podía decir que en la ciudad de México había un Emperador. Pero tampoco «un empeorador», como lo llamaban algunos. Apodo que, para colmo, en francés era igual: *«un empireur»*. Y era esta clase de insultos y chistes lo que sacaba a Maximiliano de sus casillas. En el periódico satírico *«La Orquesta»*, por ejemplo, salían a veces caricaturas que lo enfurecían. En una el Emperador aparecía con un gran habano o «puro» y se insinuaba que él, Maximiliano, era otro «puro» más porque así llamaban en México a los liberales acérrimos: «los puros». En otra, Maximiliano salía de un huevo y el pie de la caricatura rezaba: «Nos salió güero». Le explicaron a Maximiliano que «güero» quería decir varias cosas en México: un huevo «huero», o «güero», era el que no estaba fecundado por el macho, y un hombre «guero» era un hombre rubio, como él. Por último la expresión «salió güero» se le aplicaba a un asunto o proyecto cuando se malograba.

De todos modos, cuando Carlota se quedaba como Regente en México, era cuando se hacían las cosas, cuando de verdad México tenía un Gobernante que sabía tomar decisiones. Carlota, aunque un tanto pura, no había salido güera.

Y además de otras cosas positivas, como que Juárez continuaba su interminable huida y se iba cada vez más al norte del país, que había una excelente temporada de ópera italiana en la capital, y un buen teatro con actores traídos de La Martinica, y de una descripción pormenorizada de los bailes de la corte —destinada a los embajadores mexicanos en Europa—, el jardín de la Quinta Borda de Cuernavaca era uno de los temas favoritos de las cartas que Maximiliano escribía a sus amigos, y así fue cómo la Baronesa Binzer se enteró que el Valle de Cuernavaca era como un inmenso manto de oro rodeado de enormes montañas matizadas con todos los colores desde el rosa pálido al púrpura y el violeta o el más profundo azul cielo, unas rocosas y quebradas y oscuras como las costas de Sicilia, las otras cubiertas de bosques como las verdes montañas de Suiza, y que entre todas ellas las más hermosas eran el Iztaccíhuatl y el Popocatépetl, y que al Iztla lo llamaban La Mujer Dormida porque parecía una mujer tendida, cubierta con un sudario de nieve, que se había quedado dormida para siempre según la leyenda, y a su lado, arrodillado, el hombre que la había amado, o el hombre que le había dado muerte porque, según otra leyenda, eran una pareja de gigantes y él, el Popo, la había matado por celos, pero daba lo mismo, el caso es que de esas dos montañas bajaba el agua —nieve derretida— más fría, más deliciosa del mundo. Del mundo también, de la creación entera, el Valle de Cuernavaca era quizás el lugar más bello, le juraba Maximiliano a la Baronesa Binzer, y allí, en el corazón del valle estaba la Quinta Borda, que contenía terrazas sombreadas donde se mecían hamacas de seda blanca, rumorosas fuentes bajo espesos, verdes puentes formados por los oscuros naranjos y los árboles del plátano, enramadas cubiertas de rosas-té siempre en flor, tapias alfombradas con enredaderas color fuego y pájaros que cantaban todo el día, y luciérnagas, mariposas tornasoladas, flamboyanes y, también, en todos los tonos más allá del rojo, hasta llegar al púrpura y el borgoña, el lila oscuro, esas maravillosas enredaderas llamadas buganvillas en honor de un famoso viajero francés.

Era una noche tranquila en Saint Cloud. Lulú, el principito imperial, hizo el cálculo de cuántos soldados argelinos iba a matar con el próximo cañonazo, y le dijo a su papá que serían veinte.

Luis Napoleón hizo un gesto de cómica resignación. En el reluciente *parquet* del piso, los soldaditos de cartón reproducían la Batalla de Isly.

Luis Napoleón releyó la nota que Maximiliano había enviado a París, Bruselas, Londres y Roma, en la cual atribuía a su hermano Francisco José la iniciativa de ofrecerle el trono de México y convencerlo de que aceptara.

«Le voy a dar instrucciones al *Quai d'Orsay*», le dijo el emperador a Eugenia, «para que obre como si esta nota no existiera. ¿Y sabes qué...?»

«Te toca a ti, papá», le dijo Lulú. A Luis Napoleón no le gustaba mucho jugar a batallas que *no* habían sido ganadas por él o por su tío, como la de Isly, cuya gloria pertenecía al reinado de Luis Felipe. Pero al príncipe imperial le encantaba pelear contra los soldados rojos de Abd-el-Kader. Y cuando lo hacía, se ponía un sombrero lo más parecido posible al de *Père Bugeaud*.

«¿Que si sé qué, Luis...?»

Luis Napoleón dijo que con su próximo cañonazo mataría a diez soldados franceses. Lulú protestó y llegaron a una solución intermedia: seis muertos y cuatro heridos.

«Perdóname... lo que quería decirte es que voy a escribirle a Francisco José rogándole que no haga nada que agrave la situación de Maximiliano, que de por sí es delicada. Ese Pacto de Familia nos está causando muchos dolores de cabeza. Francisco José nunca debió publicarlo en

Austria, y Maximiliano hizo muy mal en ordenar a su vez la publicación de ese artículo en *"L'Ere Nouvelle"* de México, donde se dice que algunos de los juaristas más destacados impugnan la validez del pacto desde los puntos de vista legal y constitucional...»

Lulú hacía sus cálculos... si disparaba hacia el flanco derecho...

«Y ahora me cuentan que en el mismo periódico apareció un documento que han llamado la "Carta Veneciana" porque en él se critica mucho la actitud de Viena hacia sus súbditos del Lombardovéneto... Lo único que ahora nos faltaba sería una ruptura de relaciones diplomáticas entre Viena y México».

... mataría, esta vez, treinta argelinos. Luis Napoleón se resignó: de todos modos, ésa era una lucha deshauciada. El Mariscal Bugeaud estaba destinado a ganar siempre la Batalla de Isly.

Y Luis Napoleón se sorprendió a sí mismo tarareando «La Paloma»...

> *Si a tu ventana llega,*
> *Ay, una paloma...*

A Eloin le hubiera gustado contarle al Rey Leopoldo que su ausencia de México obedecía, también, a que Maximiliano lo quería alejar de México porque según el Coronel Loysel —jefe del Gabinete Militar—, Eloin —jefe del Gabinete Civil—, intentaba atribuirse demasiado poder.

De eso le hubiera gustado quejarse con el Rey Leopoldo, de Loysel, de que ese imbécil le había hecho la vida imposible.

Le hubiera gustado también, a Eloin, describirle al monarca belga el despacho de Maximiliano. Como a Maximiliano no le gustaba usar polvos secantes, Blasio colocaba en el piso una por una de las hojas escritas para que se secara la tinta, hasta que de hecho todo el despacho del Emperador quedaba alfombrado de escritos de pared a pared.

Le hubiera gustado hacer esa descripción, porque según algunos rumores, Loysel había aprovechado la ausencia de Eloin para sugerirle a Maximiliano que clausurara el pasaje que comunicaba las habitaciones privadas del Emperador con el despacho de Eloin. Maximiliano dijo que era una buena idea, y de paso clausuró también el pasaje que las comunicaba con el despacho de Loysel, y a partir de ese momento decidió que sólo recibiría informes por escrito y que todas las instrucciones que él diera serían por escrito también, para evitar cualquier malentendido. De modo que el número de escritos se multiplicó de manera prodigiosa de la noche a la mañana y eso, esa descripción del despacho de Maximiliano con el piso y quizás los corredores materialmente cubiertos de cartas, notas, edictos, mensajes, memoranda, circulares, invitaciones a fiestas y banquetes, pedidos a *Saccone & Speed,* cambios al Ceremonial de la Corte, presupuestos y proyectos de ley, es la que a Eloin le hubiera gustado hacerle al padre de Carlota, como un ejemplo de lo absurdo que era Maximiliano, del caos que prevalecía en el Imperio.

Pero por una parte no se atrevía a criticar al yerno del monarca, y por la otra a éste, como siempre, le interesaban otras cosas: ¿Por qué había renunciado el representante de México acreditado en Bruselas, Londres y La Haya, Don Francisco de Paula y Arrangóiz?

«No estaba de acuerdo, Su Majestad, con la actitud del Emperador Maximiliano hacia la Iglesia. Le escribió al Emperador, usted lo recordará, una carta abierta en la que le decía: "Todo, Señor, con el consentimiento de Su Santidad. Nada sin él"... y Su Majestad el Emperador Maximiliano dijo que eso era una actitud antipatriótica».

Luterano de toda la vida, aunque no fanático, Leopoldo hizo un gesto de desagrado. Lo que le interesaba saber también era por qué Monsieur Corta, el ministro de Finanzas que le asignó Luis Napoleón a Maximiliano, se marchó de México, contra los deseos del propio Maximiliano y, desde París, y en el Parlamento, se dedicó a hablar de las riquezas fabulosas de México, riquezas que nadie sabía muy bien dónde estaban, porque el dinero no alcanzaba —y menos, decían algunos, si el solo gasto de la cocina del Emperador sigue pasando de tres mil ochocientos pesos al mes—, o riquezas que nadie sabía administrar, porque a Corta siguió otro ministro de Finanzas, Bonnefond, y a Bonnefond otro más, *Monsieur* Langlais, además, claro, de Budin.

«¿Por qué no se hace nada?», preguntó Leopoldo.

El hombre que Eloin contemplaba ya no era el mismo monarca de antes. La novelista inglesa Charlotte Brontë lo describió una vez como «una victoria silenciosa, un nervioso, un melancólico...» Y sí, eso parecía Leopoldo entonces. También lo había afectado mucho la muerte de su sobrino el Príncipe Alberto, y se veía pálido y enfermo. Eloin decidió decírselo así, de plano, en una carta, a la Emperatriz Carlota.

De nuevo caminaba Pío Nono con Monseñor Meglia. Y de nuevo, también, por el mismo lado de la Capilla Sixtina. Pero esta vez hacia el altar.

Pasaron bajo «El Castigo de Cores», de Botticelli.

«¿Por qué envía el Emperador Maximiliano al General Miramón a estudiar artillería a Berlín y al General Márquez a Constantinopla y al Medio Oriente a estudiar el Sagrado Sepulcro de Jerusalén? ¿Por qué aleja a personas que tan últiles le pueden ser?»

Monseñor Meglia no tenía respuestas para las preguntas del Pontífice.

Pasaron bajo los «Episodios de la Vida de Moisés», de Cosme Rosselli.

«¿Y cómo es que quiere llevar a México a cien mil y pico de negros y asiáticos? ¿Quiere llenar el país de budistas y confucianos? ¿De adoradores del vudú?»

Pasaron bajo el «Paseo del Mar Rojo», de Rosselli.

«Me imagino, Su Santidad, que los catequizarán...»

«¿Sí? Y a todos esos confederados americanos, esos protestantes con los que quiere colonizar México, ¿también los va a catequizar?... A propósito..., ¿quién es ese tal Padre Fischer, pastor alemán convertido al catolicismo que el Emperador Maximiliano nombró capellán honorario de la corte? ¿Es cierto que le juró al Emperador que si lo enviaba al Vaticano regresaría con un Concordato en el bolsillo?»

Pasaron bajo el «Moisé y las Hijas de Jetro», de Botticelli.

«Es un convertido de labios para afuera, Su Santidad, un hipócrita, un inmoral que fornica y que tuvo hijos naturales en Durango. Un intrigante. Un antiguo buscador de pepitas de oro en California. Qué más puedo decirle, Su Santidad...»

«A mí nada. A ese Fischer, que no quiero verlo... Pero si viene como representante oficial de Maximiliano, qué le vamos a hacer...»

Y pasaron bajo el «Viaje de Moisés a Egipto», de Pinturicchio y el Perusino.

A la sombra de la Estatua Ecuestre del Emperador Esteban de Lorena, en los jardines del Palacio Imperial de Viena, el Hofburgo, el Archiduque Carlos Luis leía una carta de su hermano Maximiliano... En su correspondencia con Carlos Luis, el Doctor Jilek, el Conde Hadik y la Baronesa Binzer, el Emperador de México no les decía lo que a Luis Napoleón, que entre los mexicanos los hombres capaces eran inexistentes, ni les contaba las muchas cosas desagradables que les habían pasado. Es cierto que Carlota se repuso pronto de la impresión que tuvo cuando una de sus futuras damas de palacio mexicanas la tomó entre sus brazos y ella la rechazó indignada porque no sabía que ese gesto, el abrazo, era una costumbre del país. Pero más la ofendió que una dama de la aristocracia de la ciudad de Puebla, donde la Emperatriz festejó uno de sus cumpleaños, invitada a ser su dama de compañía, contestó que, mejor que ser criada en un palacio, prefería ser reina en su casa. Otra cosa que le disgustaba era que las mujeres fumaran, y más todavía que algunos de los invitados a los banquetes de segunda y hasta de primera clase se robaran los cubiertos del servicio que el propio Luis Napoleón había admirado cuando se exhibió en Christofle de París antes de ser enviado a México, y que algunos invitados se rascaran la cabeza con los tenedores, y que en las fiestas se desaparecieran las perillas de las puertas y las borlas de las cortinas y que en los bailes, por estar mal hechos los candeleros que colgaban del techo, los invitados acababan chorreados de cera. Tampoco contaba Maximiliano los múltiples achaques que tenía: la amigdalitis que le dio durante su viaje por México, con la subsecuente pérdida de la voz, o la hepatalgia que según le habían dicho quizás era sólo una obstrucción del hígado y que para eso nada mejor que el *ajolote,* ese extrañísimo animal anfibio, la salamandra mexicana, que Humboldt maravillado llevó a Europa y que tanto fascinó a Carlota cuando lo vio por primera vez en el jardín de aclimatación del Bosque de Boulogne. Pero el animalito era repulsivo y, ¿cómo se tomaba?, ¿frito?, ¿seco y molido?, ¿una infusión de ajolote? Además que para los malestares del hígado y las diarreas que lo acosaban, la mejor medicina, quizás la única, era remediar el estado de cosas del Imperio. Probablemente esa calvicie prematura no era el resultado de una afección nerviosa, sino el destino fatal de numerosos Habsburgo, pero de todos modos probaría los efectos de la pomada de quinina al ron. Gracias al buen Comodoro Maury la quinina había llegado a México en la forma de tres paquetes de semillas de cinchona que le envió la «*Clements Markham*» de las West Indies. ¿Cuánto tardarían las plantas en crecer?

No, nada de eso le contaba Maximiliano a su hermano Carlos Luis, pero sí, en cambio, su maravillosa gira por su nueva patria: León, Dolores, Morelia, Silao, Toluca... Vestido de hacendado mexicano, había dado «el grito» de independencia en el mismo pueblo, Dolores, donde el Cura Hidalgo proclamó la libertad de México. La industriosa León, estaba llena de mujeres hermosas, tantas, como no contemplaba desde su viaje a Andalucía. Querétaro era bellísima. En Morelia lo habían recibido con delirio. En uno de los tantos pueblos visitados, los habitantes desengancharon los caballos y ellos mismos arrastraron el coche del Emperador y Carlota había ido a encontrarlo a Toluca y los dos ascendieron hasta el lago congelado del cráter del Nevado, y las cosas, en fin, marchaban de lo mejor, Carlota gobernó en su lugar y gobernó con prudencia y sabiduría, y se le olvidaba decirle que parte del viaje lo hizo en su magnífico coche inglés o en soberbios caballos mexicanos...

El Archiduque Carlos Luis sintió en la casa el sol canicular y se movió unos palmos para quedar, nuevamente, a la sombra de la Estatua

Ecuestre del Emperador Esteban de Lorena, en los jardines del Palacio Imperial de Viena, el Hofburgo.

Camino a Cuernavaca, también el Emperador Maximiliano se hacía muchas preguntas. ¿No le había aconsejado su suegro Leopoldo rodearse de nacionales para no herir la susceptibilidad de los mexicanos? ¿Pues no era acaso un mexicano ese joven de veintidós años, inteligente y honrado que estaba a su lado, su Secretario José Luis Blasio? ¿No había logrado que un liberal mexicano, Don Fernando Ramírez, aceptara un puesto en su gabinete? Y el limosnero de la corte, Obispo de Tamaulipas, no sólo era mexicano, sino indio puro. ¿Y no se habían sentado a su mesa dos antiguos y destacados generales republicanos, Uraga y Vidaurri, además de varios amigos del propio Benito Juárez que habían dicho que si no eran imperialistas sí, en cambio, eran «maximilianistas»? ¿Y no habían demostrado Carlota y él su amor y compasión hacia los indios, hasta el punto que, un poco en serio, un poco en broma, se hablaba ya de la «indiomanía» de los Emperadores? ¿No había nombrado Carlota dama de palacio a una descendiente del Emperador Moctezuma? ¿Y él no había hecho lo mismo cuando en el curso de uno de sus viajes se encontró a una india que aseguró que el poeta Netzahualcóyotl era su antecesor? Y en cuanto a los extranjeros que lo rodeaban, ¿no eran todos hombres honrados e inteligentes, como el Padre Fischer, el Comodoro Maury oceanógrafo de prestigio mundial que traería a los confederados americanos a colonizar territorios mexicanos desperdiciados? ¿Y qué se podía decir en contra del Conde de Résseguier, que planeaba con él la futura anexión de América Central al Imperio Mexicano, incluido, quizás, Belice? ¿O del caballerizo mayor, el Conde de Bombelles? ¿O del Tesorero Jakobo von Kuhacsevich? ¿O de su fiel Valet Antonio Grill?

Por otra parte, mientras Eugenia le decía a Carlota que a México, como a todas las naciones latinas había que gobernarlo con mano de hierro en guante de terciopelo, Luis Napoleón le aconsejaba a Maximiliano que conservara la mayor parte del tiempo el poder absoluto. ¿Cómo, entonces, crear una monarquía liberal y constitucional si se le pedía transformarse en dictador? El propio Leopoldo afirmaba: «Sólo la dictadura puede decir: habrá luz y orden». ¿Cuál luz? ¿Cuál orden? ¿O tendría razón ese loco de Santa Anna que desde su refugio caribeño en la isla danesa de Saint Thomas lanzaba mueras al Imperio y afirmaba que en México lo único que existía era un cómico desorden?

Había, mejor, que actuar sin franceses y formar un ejército mexicano. Apunta, Blasio, apunta para que no se me olvide: convocar al embajador austriaco, el Conde Thun, para que nos ayude a organizar. Y Blasio chupaba el lápiz-tinta y apuntaba: aprovechar el creciente desprestigio de Juárez. A su huida interminable, Juárez agregaba ahora la mancha de un acuerdo celebrado entre su representante en Washington, Matías Romero, con un tal General Schofield. Romero decía que, para evitar que México se inundara de aventureros americanos del sur de los Estados Unidos, lo mejor era formar con ellos un ejército al frente del cual pondrían al General Ulises Grant, héroe de la Guerra de Secesión. Esta especie de «ejército auxiliar» estaría bajo las órdenes de Juárez, y se premiaría a sus oficiales y soldados con tierras, dinero, y la oportunidad de adquirir la nacionalidad mexicana. El convenio lo había hecho Romero, al parecer, sin conocimiento de Juárez, pero si esto lo sabía o no Maximiliano, para el caso daba lo mismo: se pretendía llevar a México una invasión, como diría años más tarde el historiador Justo Sierra, más funesta que la de los franceses, y a Romero, para encabezarla, no se le había ocurrido nadie mejor que un militar que había participado en la invasión americana de México en el 47. Hacia fines del 65 un rumor, falso, pero que Maximiliano quería creer, le dio en bandeja de plata el pretexto para dictar medidas draconianas con las que se pretendía pacificar México de una vez por todas: Benito Juárez, decía el rumor, había cruzado la frontera con los Estados Unidos, abandonando así el territorio nacional. Maximiliano, entonces, publicó el llamado Decreto del 3 de Octubre, al que Bazaine agregó una orden «oficiosa» para que no hubiera clemencia con los prisioneros: se trata, dijo el mariscal, de *una guerra a muerte*. Y así era. El decreto —conocido como «el Decreto Negro»— ordenaba que a todo aquel que se levantara en armas contra el Imperio se le sometiera a un juicio sumario y se le ejecutara. Una de las primeras víctimas fueron dos generales republicanos de limpio historial: Carlos Salazar y José María Artega. Su fusilamiento, llevado a cabo en Uruapan, Michoacán, sin el conocimiento de Maximiliano, levantó una ola de indignación. De nada sirvió alegar que el responsable había sido el general imperialista Méndez, quien, siendo enemigo de ambos generales, y llevado por un deseo de venganza, había decidido llevar adelante la ejecución sin notificar a sus superiores. De nada, tampoco, el intento de probar lo imposible: que de haberlo sabido el Emperador con antelación, les hubiera concedido la gracia.

«Y así hubiera sido, Blasio», le decía el Emperador Maximiliano a su secretario particular camino a Cuernavaca. «Cómo creen que yo me hubiera atrevido a sancionar la ejecución de dos honrados generales republicanos, patriotas a su manera. Los hubiera perdonado. Les hubiera pedido, quizás, que me ayudaran a organizar un ejército. Porque yo no sé qué pretende el mariscal. Tenemos ya aquí más de un año y es hora que no contamos con un ejército mexicano. Le propongo a Bazaine que nombre a Brincourt o d'Hérillier para organizarlo, y no quiere. Llamo entonces al Conde Thun y le ordeno la formación de una brigada que sirva de modelo al resto de las brigadas mexicanas, y Bazaine lo toma como una ofensa personal. Pero dime, Blasio, qué puedo hacer. El mariscal obedece a Luis Napoleón, no a mí. Se atreve incluso a hacerme llegar, de manera indirecta, algunos comentarios que le hace Luis Napoleón en sus cartas, como que yo debería emplear menos fondos en la construcción de palacios, ¿cuáles palacios?, y más en el orden y la seguridad pública. ¿Sabes?, la Emperatriz le escribía a Madame de Grünne y le aseguraba que es capaz de conducir un ejército, que tiene en su sangre la experiencia de la guerra. Si eso no fuera mal visto, le encargaría a mi adorada Carla la organización de las tropas mexicanas. Pero para eso tendríamos que contar con la cooperación de los mexicanos. ¿Y qué hacen ellos? Nada. *Rien. Rien de tout.* Los informes secretos del Comodoro Maury son lo bastante explícitos en ese sentido. Y claro, por eso he adelgazado y estoy de humor muy cambiante. Añádele a esto los achaques, Blasio, esta especie de disentería que me vuelve una y otra vez... Pero aquí los oficiales no tienen honor, todos los jueces son corruptibles y el clero no tiene ni moralidad ni amor cristianos. Y como decía la Emperatriz, Blasio: durante los primeros seis meses, todo el mundo encontraba a mi gobierno encantador. Después —así le escribió a la Emperatriz Eugenia— "tocad cualquier cosa, poned manos a la obra, y se os maldice"... Yo, por mi parte, le afirmaba a mi buen padre político el Rey Leopoldo: las buenas gentes deben aprender a obedecer antes de poder hablar. Aquí todo el mundo habla, todo el mundo opina. Hay un sueco loco que quiere secuestrar a Juárez. Otros me proponen que soborne a Romero. Pero nadie me ayuda... y pensar que yo he hecho tanto por este país, que yo he cabalgado en las junglas por ocho horas, con mi caballo sumergido hasta el vientre en las turbulentas y fangosas aguas de los ríos, que he subido montañas, recorrido sierras enteras para conocer a mi pueblo... que en las madrugadas he visitado hospitales, cárceles y panaderías... Y lo mismo ha sacrificado la Emperatriz... Y luego se me critica que patrocine yo a Rebull para que pinte un retrato mío, que le pida yo al arquitecto Rodríguez que proyecte un monumento a la independencia en la Plaza de Armas... Una nación, Blasio, es también espíritu... Sí, mi querida Carla tiene razón: en un país donde puede pasar *todo*, no pasa *nada*. Dime, Blasio, ¿has leído a Lucas Alamán, ese ilustre conservador mexicano? Alamán decía que como nación México era un aborto... A veces pienso que eso es cierto... Pero no te ofendas, Blasio, te lo suplico, porque si una verdad así te duele, piensa que a mí también; y quizás más que a ti porque ésta es la patria que elegí, mi patria adoptiva, y hasta la última gota de sangre que corre por mis venas es ahora mexicana... Apunta, Blasio, apunta...»

Y Blasio chupaba el lápiz-tinta y apuntaba, y ya para esas horas, como siempre, tenía la boca y los dientes del color, sin ir más lejos, de las más oscuras y brillantes de todas las buganvillas.

XI
CASTILLO DE BOUCHOUT
1927

¿PARA que no sepa yo que a Teodoro Roosevelt el creador de la política del garrote le dieron el premio Nobel de la Paz? ¿Para que no vaya a Ypres a ver cómo se arrastran por sus calles, ciegos, y cómo mueren de asfixia y con la piel cubierta de úlceras ardientes los miles de soldados belgas envenenados por los alemanes con gas mostaza? ¿Para que yo no me entere que el príncipe heredero al trono del Brasil murió en el exilio? ¿Para eso quisieran, dime, Maximiliano, que me pasara yo la vida contando los granos de un reloj de arena y las turquesas líquidas de una hidra, los copos de nieve, los días que faltan para mi muerte? ¿Para que no sepa nunca que Alfonso Doce de España murió sin conocer a su hijo? ¿Para que no me entere que murieron el Conde de París y el Conde de Chambord sin que jamás pudieran reinar en Francia, como reinó mi abuelo Luis Felipe? ¿Para eso quisieran que cuente yo las hojas de los árboles que se caen en el otoño y las ensarte en un hilo de seda, o que me pase la vida contando las teclas del piano? ¿Para que no me entere que durante la segunda comuna la chusma de París que se descubría todas las tardes cuando el principito imperial paseaba en su coche a la Daumont por los Jardines de las Tullerías escoltado por los cipayos argelinos que en su uniforme de capas aladas llevaban los tres colores de la bandera francesa, esa misma chusma no volvió jamás a recordarlo tras su muerte en Zululandia? ¿Que no saben que el otro día vino el mensajero y era el mago Houdini, y me dijo que inventaron el helicóptero, se transformó en una rosa de los vientos, me transformó a mí en una aviatriz, transformó el castillo en un helicóptero de aspas de plata y en el helicóptero y con mi sobrino Luis Felipe de Orleáns me fui de viaje al polo norte, y con mi tío el Príncipe Joinville a la América del Sur? ¿Que no saben que un día, de niña, mi tío Joinville, que murió muy viejo y tan sordo el pobre como mi hermano Felipe, me mostró a ese mismo Palacio de las Tullerías que la plebe de París redujo a cenizas un modelo de la Créole y lo puso a navegar en una fuente del jardín mientras me contaba que había sido en ese barco en el que recibió su bautizo de fuego cuando por órdenes de mi abuelo se fue a Veracruz a hacerle la guerra a los mexicanos? A quien vio cómo cruzaba el mar la fragata real, hinchadas sus velas por el viento de mi abanico. A quien vio cómo los marineros franceses me decían adiós con sus gorras, y a mi tío desembarcar en las playas de Antón Lizardo en una lancha impulsada por remos forrados de piel, y que fui yo y nadie más, Maximiliano, quien vio los diminutos cañones de la Créole disparar sus balas y a una de esas balas volarle una pierna al General Santa Anna, ¿le van a pedir que se pase la vida limpiando lentejas, contando cada lenteja, desescamando pescados, contando cada escama, o me van a obligar, dime, a estar todo el día bordando ramos de hortensias en las fundas de las almohadas y alhelíes en las servilletas? ¿O es que quieren que me ponga a hacer pompas de jabón a todas horas y que con tu red de mariposas me ponga a cazar las pompas por los corredores y los Jardines de Bouchout? A mí, a quien nadie vino a contarle cómo Gaetano Brasci asesinó en las calles de Monza a Humberto Primero de Saboya, porque yo lo sabía desde antes que él naciera, y a quien nadie vino a decirle, imagínate qué escándalo, Maximiliano, que el Príncipe Pierre Bonaparte asesinó a tiros a Victor Noir, porque de eso me había enterado yo desde hace siglos, desde muchos años antes que el propio Pierre Bonaparte asesinara primero a un agente del Papa y se fuera después a pelear al lado de Simón Bolívar, dime, ¿pretenden encerrarme en una pompa de jabón, tenerme prisionera en una campana de cristal vestida de virgen cuando que yo, Maximiliano, aprendí desde niña cuando me acercaba a la ventana en los días lluviosos, aprendí, te digo, a ver el mundo en una sola gota de agua? A mí, a quien nadie vino a contarle que mi madre iba a morir cuando tuviera yo apenas diez años de edad, porque antes de que ella se enfermara la contemplé en su agonía, escuché sus últimas palabras, recibí en mi cara su último aliento, y me vi yo misma a las puertas de la muerte, contemplé mi propia agonía, asistí a mis propios funerales: me cruzaron las manos y en los dedos me enredaron un rosario, tenía yo puesto un gorro de encaje blanco y con las cintas me sostuvieron las mandíbulas. No recuerdo quién me cerró los ojos, pero sí que encima de mi cama había un baldaquino azul cielo y que alguien dejó un ramo de flores a mis pies. La nieve blanqueaba los penachos negros de los caballos de la carroza fúnebre porque nevaba, Maximiliano, como cuando tú llegaste muerto a Viena, y la nieve blanqueó las gorras de los seis legionarios belgas todos tan viejos como yo porque habían sobrevivido no sólo a esos pobres muchachos que se quedaron tendidos en las llanuras y montañas de Michoacán, asesinados por los hombres del General Arteaga y Nicolás Guerrero, sino también habían sobrevivido al siglo y así como una vez nos acompañaron a México, el día de mi entierro me acompañaron también, llevando mi ataúd sobre sus hombros hasta la Capilla de Laeken donde estaba mi madre para que cumpliera yo la promesa que me hice a mí misma el día en que supe que, destronado y muerto mi abuelito, y abandonada mi madre por mi padre Leopoldo, ella no iba a vivir mucho tiempo: que si moría yo la alcanzaría muy pronto para estar siempre a su lado. No vi, en mis funerales, a mi hijo el General Weygand y me imaginé que quizás todavía estaría peleando en Polonia contra los bolcheviques. No vino tampoco tu hijo Sedano y Leguizano. Hasta que me acordé que Maxim Weygand no había aún nacido cuando yo tenía diez años y que a Sedano y Leguizano lo fusilaron en Vincennes por espiar a favor de los alemanes. Todo eso lo vi, Maximiliano, en una lágrima. En una sola, porque yo era una Princesa que había aprendido a estar triste sin parecerlo. A parecer alegre sin estarlo. En una sola lágrima que me enjugué con el dorso de la mano.

Desde entonces no he vuelto a llorar, y no quiero hacerlo por nadie, ni siquiera por ti. Así que más vale, Maximiliano, que te cuides. Si te digo que en el Convento de la Cruz no comas de la carne de burro que te cocine Tüdös ni pruebes los dulces de mazapán y el cabello de ángel que te den las monjas de Querétaro, hazme caso. Si te aconsejo, Maximiliano, que cuando vayas a Chalco no bebas leche de cabra. Si te pido, Maximiliano, que en la mañana de tu muerte te cuides del pollo y del pan que te ofrezcan para desayunar. Si te advierto, Maximiliano, que te cuides de Bazaine, de Miramón, de Sofía, de mí misma y hasta de tu propia sombra, es porque yo sé muy bien lo que te espera. Mira, escucha y no lo olvides: una noche, hace muchos años, cuando ya había dejado París y el aire que Napoleón Tercero volvía hediondo con su perversidad desde el Cabo Norte hasta el Cabo Matapan, camino a mi Castillo de Miramar y después camino a Roma a donde iba yo a besar las sandalias de Pío Nono para implorarle su ayuda, mi tren se detuvo un momento a la orilla del Lago de Bourget, y una anciana me regaló un listón para el cabello y un joven vestido de monaguillo una estampa de la Abadía de Haute Combe, el panteón de la Casa de Saboya. A la salida del túnel del Monte Cenis, un mendigo me arrojó una rosa. En Milán, el General Della Rocca vino a verme en nombre del Rey de Italia y me entregó una carta. En Villa d'Este, escuché misa en la tumba de San Carlos, y un sacerdote me obsequió una veladora bendita. Después en Desenzano se subió al vagón imperial el General Hany a saludarme en nombre de Garibaldi que sufría de la herida que recibió en Aspromonte, me dijo, y me regaló una bandera roja. En Padua me fue a ver el propio Víctor Emmanuel y me dio un retrato de mi bisabuela Carolina de Nápoles. Yo sabía que la anciana del lago era Pepita Bazaine disfrazada, y el monaguillo José Luis Blasio, y que Hidalgo y Esnaurrízar se había vestido de Della Rocca, y el Conde del Valle de Orizaba del General Hany, y que tú mismo, Maximiliano, te querías hacer pasar por el Rey de Italia. Lo sabía porque a mí nadie jamás me ha podido engañar. Pero escucha, escúchame bien y mira: ni siquiera en México, cuando una muchacha maya me dio a beber, en un caracol marino, aguamiel diluido con agua límpida del cenote sagrado, porque yo sabía que tenía también toloache para volverme loca. Ni cuando Concepción Sedano me dio leche de cacto ponzoñoso mezclado con jugo de guanábana para matarme y quedarse contigo, para que no fueras de nadie sino de ella. Ni cuando tú mismo quisiste envenenarme con chocolate y antimonio para quedarte en México, para que México fuera tuyo y de nadie más. Escucha: yo desde niña aprendí a cuidarme de todo y de todos, porque yo no sabía cuándo mi tío Joinville era mi tío Joinville, o un asesino disfrazado. De modo que cuando él me dio uno de los dibujos del álbum que hizo cuando viajó a la Isla de Santa Elena para llevarse a Francia los restos de Napoleón el Grande, así como al llegar a Miramar lavé la rosa que me dio el mendigo, cada uno de sus pétalos, cada una de sus espinas y hubiera lavado la rosaleda completa, así también lavé las hojas de la yedra que había ya cubierto el cenador del jardín y las hojas de los sauces llorones que estaban llenos de verdor y lavé todos los dibujos de mi tío Joinville y lavé cada una de las yerbas y flores secas que guardaba entre las hojas del álbum y que él mismo había recogido, me dijo, del Valle de Saule. Hubiera lavado el valle entero y con él la primera tumba de tu abuelo. Hubiera lavado cada una de las maderas y las cuerdas y las velas de La Belle Poule en donde mi tío trajo lo que quedaba del primer emperador de los franceses. Hubiera lavado las alas de las gaviotas que se posaban en las vergas del barco y se cagaban en el catafalco. Hubiera lavado el catafalco. Hubiera lavado Los Inválidos enteros como lavé el listón que me dio la anciana y la estampa del panteón de la Casa de Saboya, y la veladora bendita de Villa d'Este y la carta de Víctor Emmanuel y la bandera de Garibaldi y el retrato de mi bisabuela como lavé el telegrama que me enviaste desde México tras la caída de Tampico y el asesinato del gobernador imperial, y como lavé los números de La Estafeta que me envió Almonte por correo y las rosas marchitas que me regaló en Saint-Nazaire, y cuando llegué a Roma para ver al Papa hubiera lavado sus sandalias y el anillo de San Pedro antes de besarlos, hubiera lavado el Vaticano entero y sus jardines, la Via Appia y los azulejos de la Fuente de Trevi y las cabezas y los ojos, las crines, los cuellos de sus caballos de mármol, las barbas de Neptuno, antes de que mis labios tocaran sus aguas. ¿Me entiendes, Maximiliano? ¿Sabes que con esto te estoy diciendo que cuando vayas a Tenancingo no bebas licor de zarzamoras, y que cuando viajes a Tabasco no comas carne de chango? Cuídate, Maximiliano, y si te da empacho, no bebas té de canela. Si te casas, no bebas agua de azahar. Cuando vayas a Sinaloa, no comas pecho de iguana. Si hacen un brindis por tu buena suerte, no bebas vino de tréboles. Si te llevan a Tampico, no tomes tinta de pulpo. Y si te pierdes en la Sierra de Maltrata, no bebas sangre de cóndor. Cuídate, Maximiliano, y ayúdame a lavar todo lo que tengo que lavar. Del Castillo de Chapultepec, tendríamos que lavar las bancas y el vitral de Diana, los bargueños de marquetería, los pedestales de malaquita, los salones azules que Porfirio Díaz transformó en cuartos de huéspedes, la cama presidencial de Benito Juárez, la terraza donde murieron los niños héroes. De Miramar tendríamos que lavar la capilla, el altar, las ventanas y las bancas y los confesionarios y los reclinatorios de madera roja del Líbano, y lavar los cuadros del Cesare dell'Acqua. Al Hofburgo tendríamos que ir a lavar el carruaje imperial rococó construido para la coronación de mi tatarabuelo Francisco de Lorena. Tendríamos que lavar las patas de sus ocho caballos de Kladrup. Los once mil clavos de cabeza de plata de la litera de mulas en la que viajaba de Klosterneuburg a Viena, cada vez que había un nuevo soberano, el sombrero de los archiduques austriacos. De Querétaro, tendríamos que lavar la cúpula cuajada de azulejos de la Iglesia de Santa Rosa de Viterbo y las tres columnas truncas de la Capilla del Cerro de las Campanas que levantó en tu memoria y en la de Miramón y Mejía el arquitecto Maximiliano Van Mitzell, y la cruz que te hicieron con madera de la Novara. Y sobre todo, escúchame bien, tendríamos que lavar las llaves de la ciudad de México que en bandeja de filigrana de plata nos presentó el Ayuntamiento en el paradero de la Concepción: cuídate, Maximiliano, y no lamas el oro ni el esmalte de las llaves, no chupes los brillantes de su manija, no beses sus águilas imperiales.

¿Y sabes por qué? Porque todo está envenenado. Porque a ti y a mí nos quieren envenenar como lo han hecho con tantos otros. Que no te cuenten que tu abuelo Napoleón el Grande murió de nostalgia en Santa Elena: lo envenenaron, Maximiliano, por órdenes de Luis Dieciocho, y lo supe yo cuando lavé sus huesos y descubí, en el mechón de pelo que le quedó en el cráneo, los restos del arsénico. Que no te cuenten, Maximiliano, que tu padre el Duque de Reichstadt murió de tuberculosis: lo asesinó Metternich con un melón envenenado: lo supe porque el aliento de El Aguilucho olía a almendras amargas. Y tampoco Porfirio Díaz murió de tristeza: lo mandó envenenar Venustiano Carranza. Y así ha sido con todos. Envenenaron a Boris Gudonov, a Andrés Hofer, a Guillermo Tell. También a la Princesa Sofía de Sajonia, la tercera esposa de Fernando Séptimo. Y Felipe Segundo mandó envenenar a Guillermo de Orange, la Infanta Isabel a mi sobrina María de las Mercedes, Fernando de Aragón a Felipe el Hermoso. Apréndetelo, Maximiliano, y que no se te olvide: a tu primo Luis de Baviera lo envenenó el Príncipe Luitpold con las aguas del Lago Starnberg. A Enrique de Navarra lo mató Ravaillac con una daga envenenada. A Emiliano Zapata, el General Guajardo, con cien balas emponzoñadas.

Dicen que estoy loca porque comencé a limpiar todos los objetos que hay en mi cuarto. Pero es que yo sabía que estaban envenenados, que bastaba que mis dedos tocaran la perilla de una puerta, la tela de un cuadro, el marco de un espejo o el tirador de un cajón, para que la ponzoña entrara en mi cuerpo. Durante mucho tiempo también lavé mi propia ropa con mis propias manos: mis crinolinas y mis faldas azul cielo y azul marino, mis pañuelos y mis capas, mis calzones de encaje de Amiens, mis túnicas y mis gorros de dormir, mi vestido de china poblana, mis guantes, mis pantuflas, mis rebozos de seda. Lavé también toda la ropa blanca, mis sábanas, las fundas de las almohadas, las servilletas. Lavé las paredes y las sillas, los corredores, las balaustradas de granito. Lavé el plafón de la Sala de la Rosa de los Vientos, lavé los cisnes del estanque, lavé las glicinas moradas que cubren la pérgola, lavé las coliflores. Que tampoco creyera nadie, me dije, que me iba a dejar matar como una rata, y lavé las copas, los platos, los relicarios y las lámparas. De mi propio hermano, el Conde de Flandes, que me llevó de Roma a Miramar, rechacé una caja de chocolates de Perugia. De mi cuñada María Enriqueta, rechacé un chal de Cachemira. Las cajas de dulces de leche que me trajo Blasio de México, las tiré a la basura. El vino de jengibre que me envió Lord Kitchener de regalo de cumpleaños, lo eché por el fregadero. Con los corpiños que me compré en Alenzón y los guantes que me trajo Sisi, hice una fogata en el patio de Bouchout. También quemé un libro de historia de México que me regaló un extranjero de paso por Bruselas, porque sabía que todas sus páginas estaban envenenadas. Las galletas que me envió tu madre Sofía las desmenucé en los rincones del castillo, para que con ellas se envenenaran las ratas. Hasta que un día me di cuenta, Maximiliano, que ya no podía escapar. Que el agua con que lavaba las escalinatas estaba también envenenada; que el jabón con el que lavaba los muros y las columnas, los troncos de los cipreses y el barandal de las escaleras, estaba envenenado. Dejé de tocar muchos años el piano porque sabía que las teclas estaban envenenadas. Dejé de tocar el arpa, porque supe que habían frotado las cuerdas con sublimado de mercurio. Dejé de pintar, Maximiliano, porque sabía que me querían envenenar con las exhalaciones del verdegrís y del azul cobalto. Nunca volví a ponerme polvos de arroz en las mejillas. Nunca, polvos de haba en mis pelucas. Es más, nunca me volví a poner una de mis pelucas porque sabía que estaban emponzoñadas. Hasta que me di cuenta, como te decía, que las esponjas con las que restregaba las almenas de Bouchout y las ruedas de nuestra carroza imperial, que el trapo con el que limpiaba yo los roperos y las cómodas y los nidos de las golondrinas que cada verano hacen sus nidos bajo los balcones de Miramar, todo estaba emponzoñado con el mismo veneno. Pero cuando te hablo de veneno, Maximiliano, no te hablo del veneno de la Hidra que hacía hervir las aguas de las Termópilas o de la cicuta que congeló el corazón de Sócrates, no. El Rey Mitrídates tomaba todos los días unas gotas de una poción que contenía setenta y dos venenos distintos, para acostumbrar a su cuerpo: la ponzoña de la que yo te hablo es otra. No la tienen las arañas capulinas. No la tienen los hongos amanita. No la tienen en sus colmillos las serpientes de cascabel y vinagrillo que los guerrilleros veracruzanos escondían en las mochilas de los hombres del Coronel Du Pin. No la tiene en su sombra el árbol de Java a cuyos pies se acostaban los conquistadores holandeses para dormir la siesta con la muerte. No, Maximiliano, yo sé muy bien que si la viuda de Miguel Miramón me trae unos duraznos en conserva, se los tengo que dar a probar a los perros. Tú sabes muy bien que si vas a Puebla y te dan un té con flores de tochomitl para la diarrea, se lo tienes que dar a probar primero al Coronel López. Yo sé muy bien que si la Señora Del Barrio me trae unos aretes de plata de Taxco, se los tengo, primero, que poner a Matilde Doblinger, y si Eugenia me regala otro abanico valenciano, tengo primero que abanicar con él a mi gato, de la misma manera que tú sabes, Maximiliano, o deberías saberlo, que mejor que lavarte la cabeza en Cuatla con agua de flores de palobobo contra la calvicie, será que invites al Duque de Morny a que lo haga, para que no seas tú al que envenen el pelo, y que mejor que untarte en las almorranas el jugo lechoso de la adelfa amarilla que te den en Temixco, se lo des al Mariscal Bazaine para que no seas tú al que envenenen por el recto, y que mejor que mejor que frotarte la piel con la pomada de bulbos de lirio céfiro que te den en Guanajuato para quitarte las manchas de la piel, se la des al General Márquez para que no seas tú al que envenenen por los poros. Pero no es de ese veneno del que te hablo, y ni siquiera, Maximiliano, del perfume de las amapolas con las que te envenenaste de amor en Cuernavaca. No hablo, tampoco, del veneno de Nerón que el Emperador Claudio arrojó al Tíber y que alfombró sus aguas de peces muertos, ni de la ponzoña en la que Xenofón empapó la pluma con la que le hizo cosquillas en el paladar al propio Claudio para matarlo, ni del veneno que Agripina derramó en la copa de su hijo Británico. Escúchame: la Reina de Ganor, mató a su marido con un camisón envenenado en su noche de bodas, y el Caballero de Lorraine mató a Enriqueta la hija de Carlos Primero de Inglaterra con la ponzoña que mezcló con agua de achicoria. Pero yo no te hablo del arsénico con el que envenenaron al Papa Alejandro Borgia, ni de los venenos con los que Madame de Montespan, la amante de Luis Catorce, quería matar a sus rivales. No, no te hablo del cianuro, ni de la belladona, ni del curare con el que los indios brasileños mataban a los tratantes de esclavos portugueses, ni del acónito con el que los gurkas envenenaron los pozos del Nepal para matar a los soldados ingleses, ni del heléboro con el que Solón envenenó los pozos donde bebían los espartanos. Te hablo de otra cosa. De lo que descubrí un día, y que fue que todo, Max, el cielo, el aire y el viento, la luz del sol, las montañas, la lluvia y el agua del mar, todo estaba impregnado con la misma ponzoña que acabó contigo y con tus sueños y con mi razón y tu vida, y con nuestra devoción y nuestras ilusiones y con todo lo hermoso y lo grande que queríamos para México: la mentira.

Yo también, Maximiliano, te lo confieso, te mentí. ¿Te dije alguna vez que antes de que tú llegaras mi carne jamás había conocido ni el deseo ni el placer? Eso también, Maximiliano, escúchame bien aunque estés muerto, eso también fue una gran mentira. No sabes, Max, no sabes, jamás supiste ni te imaginaste cómo te hubiera querido, cómo me habrías amado si tan sólo me hubiera atrevido a decirte quién era yo, quién soy, quién seré siempre. Mi carne, Maximiliano, escúchame, escúchame aunque sea muy tarde: mi carne nació para el amor. Te voy a contar una cosa. Tendría yo doce o trece años, cuando una tarde, recostada en un diván y con una cesta de frutas en el regazo, me quedé dormida, con la boca todavía húmeda, mojada con la miel dulcísima de un melocotón. Madame Genlis me había dejado sola por unos minutos. Era ya casi el fin del verano y las ventanas estaban abiertas. Por ellas entraba una brisa tibia que jugaba con mi pelo, y el pelo rozaba mi frente, la acariciaba. Siempre me gustó sentir la caricia de mi propio pelo. En la cara, en el cuello. Me desperté casi enseguida, con una extraña sensación en los labios, pero no abrí los ojos. Me di cuenta que una mosca se había posado en mi boca y succionaba el jugo del melocotón revuelto con mi saliva. La dejé hacer. La dejé recorrer, con su trompa y sus patas finas, toda la comisura de mis labios, que entreabrí apenas, para darle más miel y más saliva, para alimentarla a ella y alimentar mi placer. Descubrí que mi piel estaba viva de una manera distinta: esa caricia inmunda no se parecía a nada de lo que antes había sentido. O quizás sí: era parecido a lo que sentía cuando deslizaba yo los flecos de las cortinas por mi antebrazo desnudo, de modo que los hilos apenas tocaran la piel, que apenas despertaran en ella un cosquilleo diminuto, un escalofrío que subía hasta el hombro y se desparramaba por la espalda. Mi piel y yo nacimos para eso: para ser acariciadas por las patas de las moscas, por los flecos de las cortinas, por los pétalos de las flores: yo vivo en medio de un bosque, desnuda, y cuando caen las flores de los cerezos sus pétalos rosados bañan mi cuerpo y perfuman mi carne con sus besos. Recuerdo que cuando íbamos a la Iglesia de Santa Gudula en un carruaje abierto me gustaba sentir el viento en la cara y me daban ganas, a veces, de abrirme el corpiño, de desgarrarlo, para que el viento tocara mis pechos. Desde entonces vivo desnuda, en una jaula, expuesta al viento, y el viento, con su hálito espeso y frío sube por mis tobillos y mis muslos, sigue el contorno de mi cuerpo, lo sorprende en sus más profundas hondonadas. Otra noche, en que hacía mucho calor, le pedí a la Condesa d'Hulst que me dejara un plato con miel. Cuando me quedé sola abrí las ventanas, me desnudé y me acosté bocarriba. Me unté entonces un poco de miel en los labios y en los pezones. Me unté otro poco en el ombligo y en el vello que me había nacido entre los muslos, y cerré los ojos, y convoqué a las moscas.

Recuerdo también que una vez el Coronel Van Der Smissen me ayudó a bajar de la carroza imperial. Veníamos de visitar una fábrica de manta de Cuajimalpa, donde habían hecho para mí un trono que parecía de pura nieve por estar cubierto, todo, desde la base al altísimo dosel, de copos de algodón. Con uno de esos copos venía yo, en el camino, haciéndome cosquillas en la nariz. Después lo pasé por atrás de la oreja. Cuando llegamos a Chapultepec, el coronel desmontó y abrió la puerta del coche. Yo tomé su mano y, al bajar, la llevé a mi pecho y la retuve allí por unos instantes, oprimiendo mis senos. De Van Der Smissen siempre me gustó su sonrisa y el brillo de sus ojos. Pero más me gustó, esa vez, el calor de su mano. Mi carne, Maximiliano, nació para sentir el calor de las manos de los hombres. Mi piel nació para ser amada por las nubes, por las mariposas. Yo vivo, desnuda, en una habitación llena de mariposas ciegas que con la punta de sus alas me acarician el vientre y los muslos, las corvas, la orilla de los párpados. ¿Sabes una cosa? Siempre me prohibieron deslizarme por los barandales de las escaleras. Me decían que era peligroso, que podía caerme y quedarme paralítica. A mí me gustaba hacerlo nada más que por sentir el roce del barandal entre mis piernas. Por eso mismo siempre hubiera querido montar a caballo como los hombres, para tener entre las piernas algo duro, algo contra lo cual tallarme para calmar la comezón. ¿Te dije que antes de conocerte jamás había deseado a otro hombre? Te repito que fue mentira. Es decir, fue mentira y no, porque entonces yo no sabía que eso era desear: sentir una comezón muy suave, un picor apenas, un desasosiego, entre las piernas. Ignoraba también que llevar la mano allí y palpar esa pequeña carnosidad, descubrirla, sentir cómo se endurecía y restregarla hasta que se me aparecía la cara de uno de los amigos de Felipe, ignoraba, te decía, que eso era casi, casi satisfacer un deseo. Cuando terminaba, no volvía a ver la cara del amigo de mi hermano: se desvanecía con el placer y con el sueño. Y no la volví a ver nunca desde que te conocí. La olvidé, como olvidé su nombre, y desde entonces cada vez que quiero recordarla sólo te me apareces tú. Mi carne, Maximiliano, entérate aunque sea muy tarde, mi carne nació para ser amada por el agua. Yo camino desnuda por el mundo, y la lluvia me baña de caricias, y el granizo se vuelve hilos de cera derretida que bajan por mi cuerpo, y lo lamen y lo abrasan. Y para el agua del mar, para el agua del mar nació mi carne, para que sus lenguas azules y tibias, su espuma amarga, beban de mi vientre y de mis muslos. También para tus manos, tus manos blancas y finas y largas, pero ellas nunca lo supieron. Yo vivo desnuda, Maximiliano, y bañada de polen, en una habitación llena de libélulas que cubren a veces toda mi piel hasta transformarme en un hervidero de alas transparentes y babas perfumadas. ¿Te acuerdas, Maximiliano, que cuando regresé de Yucatán te hablé de aquellas joyas vivas que usaban las indias mayas? Eran unos escarabajos que llamaban maqueches, de élitros gruesos engastados con piedras preciosas. En el día les ataban un hilo a un alfiler que se prendía en la blusa, y el maqueche se paseaba por los senos de las indias. Me regalaron uno, con una esmeralda del color de mis ojos. Le pedí al General Uraga que lo guardara. Me dio asco. Pero esa noche, estaba yo tan cansada, hacía tanto calor, mis ojos se habían cegado con los caminos de arena calcárea, sentí que me ahogaba de angustia en la Iglesia de los Caballeros de la Mejorada, me ensordecieron los cañonazos de la Fortaleza de San Benito, me llevaron una serenata bajo mi balcón y tuve que salir, la gente se subía a los árboles y las palmeras de la plaza y a las rejas de las ventanas del Palacio Municipal para verme, todo era ruido y luces, un estruendo insoportable, caí rendida, y soñé que sobre la piel desnuda me ponía yo un vestido de insectos vivos que me cubrían desde el cuello hasta las muñecas y los tobillos: abejas con el cuerpo de ópalos, gusanos con el dorso engastado de hileras de amatistas, arañas que llevaban una turmalina en el lomo, chinches de caparazones duros y rojos, pulidos como carbúnculos, y que se movían, serpeaban, danzaban sobre mi piel y la acariciaban con sus patas de terciopelo y sus vientres viscosos y clavaban en ella sus aguijones y succionaban mi sangre y mi linfa, me inyectaban con sus trompas finas como pestañas su miel y sus venenos luminosos, me cubrían de minúsculas burbujas, de una leche espesa y turbia. Me desperté empapada de sudor, de ríos de sudor que se deslizaban por mi cuerpo, que escurrían de mi frente y por el cuello, que me brotaban de las axilas. También tenía los muslos empapados de sudor pero de algo más, de otro líquido distinto, más caliente. Me llegó un olor ácido. Tenía yo otra vez trece años y acababa de llamar a las moscas. Y las moscas, con sus alas de turquesa, habían acudido a mi llamado.

Me gustaba también, pregúntale a mi hermano Lipchen si se acuerda, jugar a que yo era una bruja y asustarlo. Lo perseguía, montada en una escoba, por las habitaciones y los corredores de Laeken, por las veredas y entre los arbustos y los macizos de flores del jardín. Y mientras corría tras él cabalgaba yo en mi escoba, cabalgaba mi deseo insatisfecho, movía el palo de la escoba hacia arriba y abajo hasta que comenzaba a quejarme, y Felipe, el pobre, me miraba muy asombrado. Pero yo decía no es nada, Felipe, no te asustes, es mi corazón, mira, toca, ve cómo salta, y llevaba su mano a mi pecho. Entonces mis senos ya habían comenzado a florecer.

Alguien que siempre me repugnó fue Aquiles Bazaine. Recuerdo con desagrado aquellas veladas en el Salón Iturbide, cuando teníamos que bailar la cuadrilla de honor, tú con la mariscala y yo con el mariscal. Parecía que el suplicio no iba a terminar nunca. Pero después, cuando la mano del Coronel Van Der Smissen me rodeaba la cintura, cuando casi sin tocarla la apretaba, sin embargo, con una firmeza que invitaba, que le ordenaba a mi cuerpo acercarse al suyo para sentir su calor, ah, entonces, Maximiliano, me olvidaba yo que estaba en México y que era la Emperatriz Carlota, me olvidaba yo de ti, volvía a ser una niña que estaba dejando de ser niña, y volvía a perseguir a mi hermano Felipe hasta arrinconarlo entre los pliegues de una cortina, y a tocarle la cara y el pecho, las piernas y sólo entonces, hasta estar segura que era Felipe y nadie más, a pesar de sus protestas y que me juraba que era él y me suplicaba que ya no le hiciera más cosquillas, sólo entonces me arrancaba la venda de los ojos. Era su turno. El era ahora la gallina ciega y tenía que encontrarme en la oscuridad, y cuando me encontraba, tenía que tocarme todo el cuerpo, pasar sus manos por él, por mis hombros y mis piernas, por la cara, hasta que estuviera seguro que yo era Carlota.

Yo soy Carlota, la loca de la casa. Creen que estoy ciega porque las cataratas me cubren los ojos y cuando camino me tropiezo con los muebles y me pego en las paredes, y cuando me asomo por la ventana, no veo a las mujeres que cada mañana vienen desde Lovaina y Amberes, desde Courtrai, a lavar mis faldas y mis corpiños en el foso de Bouchout. Porque no veo el puente de barcas que hicieron los pescadores de Ostende para que por él me escape el día menos pensado. Porque no vi cómo el foso se fue cubriendo con las rosas que todos los días arrojaban a sus aguas los peregrinos que pasan por Bouchout: las rosas que me envías tú desde México, que me mandan Garibaldi desde Caprera y tu primo Luis de Baviera desde la isla de las rosas, y que han formado una alfombra tan apretada que podría, descalza, caminar por ella para irme de aquí, también el día menos pensado. Creen que estoy ciega, porque cuando quiero ensartar una aguja me pico las yemas de los dedos, porque tiro las copas en la mesa. Porque ya no reconozco a nadie. La otra vez vino Blasio a verme, y me enteré que era él porque me lo dijo, porque me juró que era el mismo José Luis tu antiguo secretario mexicano, y tenía muchas ganas de saludarme porque hacía años que no me veía, aunque yo sé que es un mentiroso porque todos los días, cuando me paseo por los Jardines de Bouchout, me espía desde detrás de los árboles, para ver si estoy loca. Blasio me trajo un álbum con fotografías, pero no supe de quiénes eran. Que la Emperatriz, le dijo después Blasio a mis doctores, no supiera quién es ese general calvo y de grandes bigotes, es de comprenderse, porque nunca conoció a Castelnau. Que no supiera quién es ese hombre de barba blanca y sin bigotes, también se entiende porque jamás vio al Padre Agustín Fischer. Y tampoco a Félix Salm Salm. Pero que no haya reconocido a la Emperatriz Elisabeth, tan bella que era, en su viaje por el Danubio, diciéndole adiós a los músicos de una banda que desde lo alto de un puente tocaban para ella un vals, que no haya sabido que ese hombre de larga barba aferrado a una bandera en un barco que navegaba no por el Danubio, sino por un mar tempestuoso, un barco que se hunde, era su propio y Augusto Esposo, el Emperador Don Maximiliano, eso quiere decir, o que la Emperatriz Carlota ha perdido la memoria, o que la Emperatriz Carlota está ciega, dijo Blasio y cerró el álbum, se lo dijo así a Jilek cuando estaba sentado a mi lado pensando, quizás, que también yo estaba sorda. O sorda y muda, porque yo no dije una palabra. O sorda y muda y paralítica, porque ni siquiera asentí o negué con la cabeza cuando me preguntaron: ¿y sabe Usted, Su Majestad, quién es este señor de la barbita negra? ¿Y sabe Usted, Doña Carlota, quién es este general de los anteojos? ¿Y sabe Usted, Señora Emperatriz, quién es este coronel de los ojos azules?

¿Y supieron ellos, supo ese Coronel López, nuestro compadre, cuando me miraba con sus ojos azules, que con los míos le pedía yo algo que jamás se atrevió a darme porque además de traidor era un cobarde? ¿Se enteró alguna vez el bruto ese de Jorge de Sajonia con el que me quería casar mi prima Victoria que yo era una de las princesas más bellas de Europa? ¿Supo Léonce Détroyat, cuando íbamos camino de Veracruz a Saint Nazaire que en las noches yo murmuraba su nombre y le ordenaba con un susurro que bajara a mi camarote para tomarme en sus brazos? ¿Se dio cuenta el Capitán Blanchot cuando camino a Toluca para ir a tu encuentro me ayudó a bajar del caballo y uno de mis muslos rozó sus hombros, se dio cuenta, dime, se le ocurrió pensar que bajo las faldas de terciopelo y las crinolinas almidonadas de la Emperatriz había dos piernas de mujer, dos muslos cálidos que podían apretar su cadera hasta hacerlo morir de amor y de rodillas? ¿Se dio cuenta José Luis Blasio el día en que me ofreció unas fresas cristalizadas, que bajo la blusa de holanda, bajo el corpiño de seda y encajes de su Emperatriz había dos pechos de mujer, más dulces y tibios que todas las frutas? ¿Se dieron cuenta alguna vez mis guardias palatinos, cuando les pasaba revista en el patio del Palacio Nacional, que la Emperatriz reflejada en sus cascos de plata bruñida, que la Soberana que con sus propias manos había diseñado para ellos cada detalle de su uniforme era también una mujer que con esas mismas manos podía quitarles sus botas de charol negro y desabrochar los botones dorados de sus casacas rojas para besarles los pies, besarles el pecho, ensalivarles las tetillas y dejarles la huella de mis dientes en sus cuellos? No, Maximiliano, porque los ciegos eran ellos. Y tú también. Y además de ciego, manco. Y mutilado, como tu efigie.

Porque me dejaron tenerte. Como creen que estoy loca, me dejaron hacer un maniquí de tu tamaño y guardarlo en el ropero. Hubiera querido enviar al mensajero a Versalles para que en el closet de las pelucas de Luis Catorce, entre todas las que se ponía el rey según fuera la mañana o la tarde, según se fuera a misa o de cacería. Para que entre todas las pelucas que se quitaba por las noches el Rey Sol, según se acostara con Luisa de la Vallière o la Marquesa de Montespan, me trajera la más fina y sedosa, la más rubia de todas, para hacer tu barba con ella. Yo hubiera querido que el Doctor Licea me trajera a Bouchout tu máscara mortuoria, la que se negó a entregar a la Princesa Salm Salm porque ya le habían ofrecido quince mil pesos por ella, para pintarla con polvos color de rosa y darte tu misma cara. Pero tuve que arreglármelas sola. Sólo Dios sabe cómo te hice, con medias viejas que rellené de trapos para formar tus piernas y tus brazos, y con cojines y almohadas con los que hice tu pecho y tu vientre, y con hilos y cordón y alfileres y las ballenas de mis corsés para amarrarte, para coserte bien y que no te me fueras a desbaratar. Con los flecos dorados de una cortina improvisé tu barba. A falta de tu cara en yeso, me hubiera gustado que estuviera aquí la Condesa de Courcy para que fuera a comprar una dentadura de Dejardin y unos ojos artificiales de Pilon, azules, como los que vi en la Exposición de París, para pegarlos a esa cara tuya que hice con una media de seda blanca rellena de algodón. Pero tuve que conformarme con lo único que me han dejado: con mi imaginación. Para vestirte, en cambio, no tuve problema porque me dejaron ponerte unas botas viejas y tu uniforme de Almirante de la Flota Austriaca que, ése sí, está como nuevo, como si no hubiera pasado los años por él, como si hubiera sido ayer apenas que viajaste a Mesina para imaginar cómo las naves de Don Juan de Austria que iban a destrozar la escuadra de Mehemet Siriko se perdían en el horizonte rumbo al Levante. Ese era el uniforme que tenías puesto cuando visitaste la tumba de Virgilio y el amoroso retiro de la ninfa de Capri, y cuando caminabas por las calles de Menorca entre las turbas de marineros ingleses ebrios, y cuando en la Isla de Madeira cortaste la flor del agapando y la strelizia real de lengua como lanza azul cielo y las azaleas indias, blancas como la nieve del Himalaya. Esas mismas flores las prendí a tu pecho, y mis carceleros lo saben. Y también que todas las noches te veo y te acaricio, y converso contigo de mil cosas distintas. Casi siempre te tengo lástima y te hablo de cosas agradables. Me gustaría a veces hacerte reproches y cuando pienso en Napoleón Primero, que se llevó a París todos los muebles y cuadros y objetos de María Luisa para que ella no extrañara su cuarto de Schönbrunn, me gustaría reclamarte por qué no te llevaste mi recámara de Laeken a Miramar, y de Miramar a México, y de México de nuevo a Miramar, cuando que yo, Maximiliano, me traje aquí tu sepulcro y no me lo has agradecido. Pero no, prefiero contarte cosas bonitas. Prefiero hacerte creer que no ha pasado el tiempo. Que todavía no ha muerto mi abuela Amelia en Claremont ni las tropas prusianas sitiaron París y los rusos no cruzarán nunca el Danubio y los americanos no invadirán Nicaragua para combatir al General Sandino. No es de eso de lo que me oyen hablar contigo mis carceleros, sino de los Jardines Borda, y de la villa pompeyana de Cuernavaca donde ibas a curarte de la nostalgia que sentías del mar, y de cuando compraste la Hacienda de Cuamala para extender los terrenos de Chapultepec. De eso, y del amor que te he tenido sesenta años.

Lo que ellos no saben, porque piensan que cuando me desvisten y me ponen mi camisón y me meten a la cama y apagan la luz me olvido que tú quedaste guardado en el ropero y que ya no volveré a hablar contigo sino hasta el día siguiente, lo que ellos no saben es que apenas me dejan sola me levanto, y voy a verte. Abro el ropero y te llevo a mi lecho y me quito el camisón y hago el amor contigo. Hago el amor con el palo que te puse entre las piernas. Una noche comencé a sangrar: casi me atravesé la matriz, casi me rasgué el útero, pero seguí haciendo el amor contigo hasta el amanecer, hasta caer rendida de sueño, a tu lado. Apenas si me dio tiempo, cuando desperté, de guardarte de nuevo antes de que llegaran esas estúpidas, que cuando vieron las sábanas y mi camisón manchados de sangre hicieron un escándalo, me preguntaron qué me había pasado, y comenzaron a dar de gritos, pronto, háblenle al Doctor Jilek, que venga corriendo el Doctor Bohuslavek, la Emperatriz se nos desangra, por más que yo les dije no, no pasó nada, no hay que hablarle a ningún doctor, hay que llamar a Don Maximiliano y decirle: aleluya, aleluya, Señor Emperador: su mujer, Doña Carlota, la Señora Emperatriz, ha comenzado a menstruar de nuevo, vinieron a verla sus santos favoritos, Santa Ursula que llegó con las once mil vírgenes, San Huberto que tenía cabeza de ciervo con una cruz luminosa entre los cuernos, y las once mil vírgenes besaron en la frente a Doña Carlota, y Doña Carlota le tocó los cuernos a San Huberto y se hizo el milagro: Doña Carlota, aleluya, está menstruando, así les dije, Max, que te dijeran, y vieras con qué ojos de incredulidad y de envidia, de odio y de miedo, de asombro y de espanto me miraron todas esas imbéciles, que Dios confunda.

Me quitaron el palo. Se lo llevaron. Te mutilaron, Maximiliano, Dios sabe qué fue de tu miembro. Si como a tus intestinos y a tu bazo y tu páncreas se lo tragó una cloaca de Querétaro, o, si como tu corazón, cortado en pedazos, está repartido por el mundo en frascos de formol. Pero yo tenía escondidos en mi recámara el cuchillo de monte con el que partías los cocos verdes en Argelia, y la escopeta con la que cazabas conejos en la Hacienda de Xonaca, y el largavista con el que contemplaste, desde el tren en el que viajabas por el Valle de Nocera, a esos muchachos que salían del mar y se revolcaban, mojados, en las playas de arena negra, hasta que su misma piel quedaba negra como el carbón. Tengo también la espada que le entregaste en Querétaro al General Escobedo. Y con todo me he desangrado, pero pensando siempre en ti y en nadie más, te lo juro, Maximiliano, ni en Van Der Smissen ni en el Coronel Rodríguez ni en el amigo de mi hermano, porque a todos los he olvidado. A veces pienso que de ti también me olvidé. Pero a ti, en cambio, te puedo imaginar, y a ellos no. Porque a ellos no los puedo resucitar y a ti sí. Tú vuelves a vivir cada vez que te nombro, cada vez que digo tu nombre: Maximiliano. En mi cama, en la mesa de billar del castillo, en las terrazas: en todas partes donde he invocado tu nombre, allí te has aparecido y allí, contigo adentro de mí, me he desangrado, qué escándalo, dijeron, se mancharon las sábanas, se manchó el fieltro azul, se mancharon las alfombras y las piedras, qué horror, qué vergüenza, se manchó el honor de la Emperatriz Carlota, qué escándalo, qué dirá el Doctor Jilek, Su Majestad, gritaron mis damas, qué dirá su hermano el Conde de Flandes, que diría el Emperador Maximiliano si viviera, qué diría si viniera, dijeron mis damas, y se llevaron las manos a la cabeza, se jalaron los cabellos, hirvieron agua como si fuera a dar a luz y yo, no lo vas a creer, Max, me moría de la risa, y lo que tuve no fue un hijo sino un pedazo de vela que se me quedó adentro y que el Doctor Jilek sacó con unas pinzas, si supieras qué trabajo le costó, qué roja tenía la cara que parecía que le iba a reventar, cómo apenas si podía hablar, una vez me metí el cuello de una botella y no quiso salir y me llevaron al baño para romperla y qué horror, qué susto porque el piso se cubrió de sangre, pero no, qué tontería se cubrió con tu vino de borgoña favorito y mis damas de compañía no me dejaron lamerlo, con qué gusto me hubiera llenado la boca con su espuma y con los pedazos de vidrio, pero no me dejaron, no me dejan hacer nada y yo me muero de esperarte con las piernas abiertas, me han dejado sin velas, sin cuchillos, sin botellas de vino, sin carretes de hilo, se llevaron tu espada, una vez me metí un carrete y el Doctor Jilek sólo pudo pescar la punta del hilo con sus pinzas, y qué cosquillas Max mientras el carrete daba vueltas dentro de mí parecía que el doctor nunca iba a terminar de sacar el hilo, se llevaron tu largavista y tus habanos, qué se creen esas perras que no puedo acostarme desnuda en el pasto y hacer el amor con las mangueras, la próxima vez me voy a meter una rata les diré no llamen al doctor Jilek llamen a un gato, qué se creen que no puedo entrar desnuda en la Fuente de Neptuno de la Plaza Navona para hacer el amor con los chorros de agua que vomitan los tritones, la próxima vez me voy a meter una zanahoria les diré no llamen al Doctor Jilek, llamen a un conejo, qué se creen que no puedo acostarme desnuda en mi cama y hacer el amor con un tallo de tulipán, la próxima vez me voy a meter un plátano les diré no traigan al Doctor Jilek traigan a un chimpancé, qué se creen esas perras: ¿acaso que estoy loca?

XII
«LO LLAMAREMOS EL AUSTRIACO»
1865

1. «Es como la gelatina...»

«DE MODO, Señor Secretario, que el Mariscal Bazaine le lleva casi treinta y cinco años de edad a su Pepita Peña...» «Así es, Señor Presidente». «Pues podría ser su abuelo... Pero dígame... Bazaine... ¿no estaba casado?» «Sí, Don Benito, pero su esposa, que se quedó en Francia, se suicidó. Al parecer era amante de un actor de la Comedia Francesa, y la mujer del actor encontró unas cartas comprometedoras y se las envió al mariscal después de decirle a ella que se las iba a mandar a su esposo. Pero según tengo entendido, Don Benito, un oficial de Bazaine las destruyó antes de que llegaran a manos del mariscal. Dicen que Pepita Peña es muy inteligente y bonita: hay hombres con suerte, Señor Presidente...» «A eso, Señor Secretario, yo no le llamo suerte. Suerte la que había tenido yo toda la vida, hasta hace muy poco tiempo, pero eso se acabó: cada vez estoy más solo...» «Entiendo que la muerte de su hijo lo ha afectado mucho, Don Benito, y lo mismo la ausencia de Doña Margarita. Pero en su lucha contra el Imperio el Señor Presidente no está solo: tiene a su lado a toda la nación». «Le decía yo a Pedro Santacilia: Santa ay, Santa... no sé cómo puedo soportar el dolor que me agobia. Dos hijos muertos en un año... a veces pienso que no me queda energía para sobrellevar tanta tragedia... y me preocupa mucho la salud de Margarita... con el frío que debe estar haciendo en Nueva York...» «Entiendo, Don Benito, entiendo...» «Le pedí a Santacilia que me envíe fotografías de los chiquitos. Me da miedo olvidarme de sus caras... ¿Y dice usted, Señor Secretario, que toda la Nación está conmigo? Por desgracia no es así. Ya lo ve usted: en el momento en que González Ortega debía acudir en mi ayuda, me acusa de dar un golpe de Estado y se proclama presidente desde Nueva Orleáns... que si los *yankees* no lo aprenden a bordo del *"Saint Mary"* y lo encierran en Brownsville, a estas horas ya tendríamos aquí a un enemigo más... Imagínese usted: tener el descaro de proclamarse desde territorio extranjero... Es verdad, sí, que yo llegué hasta la frontera, hasta Paso del Norte, pero no he abandonado nunca el territorio nacional desde que llegó el invasor: usted lo sabe, todo el mundo lo sabe... Lo sabía el Archiduque y sin embargo hizo correr el rumor de que yo me había pasado a Ciudad Franklin, para emitir el Decreto del 3 de Octubre que le sirvió para asesinar a los generales Arteaga y Salazar. El pretexto fue el fusilamiento de unos cuantos enemigos en Tacámbaro... Pero la verdad, fue un acto de venganza: primero, porque eran compatriotas de Carlota de la legión belga...» «Dicen que todos esos belgas, Don Benito, son unos muchachos imberbes, muy mal adiestrados...» «No todos son belgas en ese cuerpo de voluntarios. ¿No me había dicho usted mismo que hay también muchos que no lo son? ¿No me había contado usted que por sus tropelías los propios franceses dicen que el lema de la legión belga es...?, ¿cómo me dijo usted?, ¿el robo y la violación?» «Sí, Señor Presidente: *le vol et le viol*». «Y segundo, o quizás en primer lugar, lo que le debe haber dolido mucho a Carlota es que en Tacámbaro fuera muerto el Capitán Chazal, hijo del ministro de Guerra belga... eso fue. En fin, de todos modos, son dos generales menos, fieles a la República, con los que tampoco contamos ya en esta guerra. Es decir, en estas dos guerras...» «¿Dos guerras, Don Benito?» «Sí, Señor Secretario: una es la de México contra Francia. La otra, la de la República contra el Imperio... Y ya ve usted: Zaragoza, muerto, Comonfort, muerto también y sus restos profanados por el cura de Chamacuero que los mandó exhumar porque dijo que no tenía derecho a descansar en tierra sagrada...» «Eso fue un escándalo, Don Benito. El clero ha perdido el sentido de las proporciones, ¿supo usted que al antiguo Ministro de Bélgica, el Barón de Graux, se le negaron los auxilios espirituales en su lecho de muerte porque había adquirido bienes de la Iglesia nacionalizados?» «Manuel Doblado, muerto también en Nueva York... bueno, a ése lo mató su médico. Quiroga, traidor. Cortina lo mismo. Uraga y Vidaurri, también del lado del Imperio... aunque de Doblado y Vidaurri no supe, en un momento dado, si eran mis protectores o mis carceleros...» «Pero tiene usted a Don Sebastián Lerdo, Don Benito, y el apoyo de los gobernadores Trías y Pesqueira. Tiene usted al General Escobedo. Ah, y claro: al General Porfirio Díaz...» «¿Díaz? Ah, sí, Díaz es un buen muchacho. Pero está muy lejos... y además perdió Oaxaca. Lo que le admiro es su habilidad para escaparse de la cárcel...» «Volviendo a lo de los generales Arteaga y Salazar, Don Benito, tengo entendido que su ejecución se llevó a cabo sin conocimiento de Maximiliano y se dice que, de haberlo sabido, el Archiduque les hubiera otorgado el perdón...» «¿El perdón? ¿Cuál fue su crimen? ¿Es un crimen defender a la Patria contra las fuerzas invasoras?» «No, no, por supuesto que no, Don Benito. Pero estaba en sus manos otorgar la gracia...» «¿Y la ha otorgado muchas veces, desde entonces?» «Según mis informes, decidió que no le comunicaran las sentencias de las cortes marciales...» «Entonces, de hecho, abandonó así su derecho a otorgar gracia...» «Así es, Señor Presidente». «Se lavó las manos...» «Como se las lava siempre que puede, Don Benito, huyendo a Cuernavaca...» «A cazar mariposas, me contaba usted». «Así es, Señor Presidente: a cazar mariposas en los Jardines Borda, mientras Carlota se queda al frente del gobierno». «Extraño personaje, el Archiduque». «Sí, en efecto Don Benito... ¿pero sabe usted una cosa? Creo que ya no podemos llamarlo *Archiduque*» «¿Y por qué no? Eso es lo que es, un Archiduque, ¿no es cierto?» «No, Señor Presidente: Fernando Maximiliano ya no es nada. En el momento en que renunció a sus derechos de la Casa de Austria, no sólo renunció a todas las dotes, tierras hereditarias, dominios en fideicomiso, señorías y vasallajes actuales y hasta futuros, sino también a todos sus títulos como el de Príncipe de Lorena, Archiduque de Austria, Conde de Habsburgo, Coronel del Primer Regimiento de los Húsares de María Teresa, etc., etc., así como a sus derechos a todas las coronas, reales y ducales, de Bohemia, Transilvania, Croacia, qué sé yo, Don Benito». «Cuando yo estudiaba historia en Oaxaca, Señor Secretario, me asombró el número infinito de títulos que tenía Carlos V. Traté, una vez de aprendérmelos de memoria: Rey de Castilla, de León, de ambas Sicilias, de Jerusalén, de Granada, de Navarra, de Toledo... ¿qué más seguía? Cerdeña, Gibraltar... Conde de Barcelona y de Flandes, Duque de Atenas y Neopatria... era una letanía que no terminaba nunca. Me pregunto si el propio Carlos V se los sabía todos», dijo Don Benito y agregó: «Pero entonces, Señor Secretario, si no podemos llamarlo Archiduque, ¿cómo vamos a llamarlo?... ¿nomás el austriaco, así, a secas?» «Me parece muy bien, Don Benito: lo llamaremos el austriaco... aunque...» «Aunque, ¿qué?...» «Aunque él ya no se considera tampoco austriaco, sino mexicano...» «Ah, sí, ya me conozco esa historia. El austriaco no sólo "adoptó" la nacionalidad mexicana, sino que se *siente* mexicano, está convencido de que *es* mexicano...» «Es de una hipocresía inconcebible, Don Benito». «Sí y no, Señor Secretario... El austriaco pertenecerá siempre, de alma, a la raza germánica, como le había yo dicho en alguna ocasión, pero el derecho divino que según los Habsburgo les otorga el privilegio de gobernar a otros pueblos les permite colocarse —también hablamos de eso si mal no recuerdo— por encima de las nacionalidades, y pasar de una a otra como quien cambia de traje...» «Como quien se quita el uniforme de almirante de la flota austriaca para vestirse de charro...» «Así es, Señor Secretario. Pero lo más grave es que hay pueblos que aceptan esos absurdos o se resignan a ellos, y la historia está llena de ejemplos. Sin ir más lejos... ¿qué tiene Napoleón III de francés? ¿Y su tío? No sólo Bonaparte era un corso, sino que nació en Córcega apenas un año después de que Choiseul la adquiriera... que si los franceses se tardan un poco más en comprársela a Génova, Bonaparte ni siquiera hubiera sido "súbdito" francés de nacimiento... Y cuando él mismo, cuando el primer cónsul le expresó a Inglaterra su deseo de paz entre los dos países, el gobernador inglés manifestó que la mejor garantía para la paz sería la restauración, en Francia, del monarca legítimo... ¿Sabe usted lo que contestó entonces Tayllerand?» «No, Don Benito...» «Tayllerand se rió a carcajadas, porque el Rey de Inglaterra que ponía esa condición era un alemán, que ocupaba el trono de los Estuardo, y que ni siquiera sabía hablar inglés... Al mismo tiempo, meten cizaña entre los pueblos bajo su dominio, y así ve usted que mientras los patriotas alemanes luchan contra la autonomía checa, a los croatas y los eslovacos les interesa más independizarse de los magiares que de sus gobernantes germánicos, que son los verdaderos amos de todos ellos...» «Así es, Don Benito...» «Cuando me contaron que el Archiduque... es decir, que el austriaco se había puesto un traje de charro para dar el grito en Dolores... por cierto: me dijeron que se habían robado los badajos de todas las campanas antes de que él llegara, ¿fue así?» «No lo sé, Don Benito, pero no creo que se hayan atrevido a robar el badajo de la campana del Cura Hidalgo...» «En fin, que le decía yo: cuando lo supe, me vi en el espejo. Y allí estaba yo, el Presidente de México, con levita negra, sombrero negro, camisa blanca, corbata de moño negra... ah, no sabe usted cómo extraño a Margarita que siempre me hacía el nudo de la corbata: a mí siempre me sale chueco... debí traerme de las corbatas que tienen el nudo ya hecho... Me quedan menos aguadas. Pues sí, le contaba: me imaginé vestido de charro y llegué a la conclusión de que me vería muy ridículo, por la simple razón de que no soy charro, ni hacendado, sino un funcionario civil. Más absurdo es que lo haga un austriaco, un Príncipe europeo, ¿no es cierto?» «Así es, Don Benito». «Desde que tuve el carácter de gobernador abolí la costumbre de llevar sombrero de forma especial en las ceremonias públicas y adopté, como usted sabe, el traje común de los ciudadanos y viví en mi casa sin guardia de soldados de ninguna clase...» «Lo sé, Don Benito, lo sé». «¿Y sabe usted por qué? Porque tengo la convicción de que la responsabilidad del gobernante emana de la ley, de su proceder recto, y no de trajes ni de aparatos militares propios sólo para los reyes de teatro...» «Pero ellos necesitan de eso, Señor Presidente» «¿Ellos? ¿Maximiliano y Carlota?» «Sí, Don Benito, necesitan del boato y del fausto, de la pompa, porque son eso, reyes de teatro...» «En efecto, Señor Secretario...» «La carroza dorada que se trajeron de Milán, las vajillas de plata con el monograma imperial, las órdenes y condecoraciones... todo eso forman parte del escenario que necesitan, Señor Presidente... ya lo ve usted: Maximiliano le envió a Luis Napoleón el gran collar del Águila Azteca, Carlota le pidió a su padre que le enviara a Bazaine, tras la campaña de Oaxaca, la gran cruz del Rey Leopoldo»... «Así que entonces Bazaine, además de estrenar un mariscalato y una muchachita, estrenó también una Orden...» «Y el Palacio de Buenavista como regalo de bodas...» «El palacio, sí. Dígame usted, Señor Secretario: ¿cómo es posible que un usurpador extranjero disponga de un bien inmueble que pertenece al patrimonio de la nación para regalárselo a otro extranjero?» «No lo sé, Don Benito: el atrevimiento de esa gente no tiene límites... pero creo que el casamiento de Bazaine ha convenido a la causa republicana...» «¿Cómo así?» «Porque dicen que el mariscal está tan embobado con la tal Pepita Peña, que no quiere estar más que a su lado, y por lo tanto está descuidando la campaña militar. Bien dice el dicho, si me perdona usted, Don Benito, que más jala un par de tetas que cien carretas...» «El día... es decir, la noche en que el austriaco dio el grito de independencia en Dolores, yo estaba a la orilla del Río Nazas, sentado en la yerba, y había luna llena. Eso fue unas horas después de que nosotros diéramos el grito en la Noria de Pedriceña. Quería estar solo, y había también mucho silencio. Recordé cuando era un pastor, en Guelatao, y me quedé dormido en la orilla de la Laguna Encantada. Usted conoce la anécdota: durante la noche se desprendió el pedazo de la orilla donde yo estaba, y al amanecer me encontré flotando a la mitad de la laguna. Cuando llegué a la casa me dieron una paliza. Pues he pensado, he pensado a veces, Señor Secretario, no se vaya usted a reír de mí —lo pensé, al menos esa noche— que me está pasando algo parecido. Que desde que salí de la ciudad de México estoy flotando a la deriva, y que de pronto me voy a despertar en una realidad muy distinta, solo, a la mitad de un inmenso vacío. Este ir siempre de un lado a otro me ha servido para conocer más mi Patria y su grandeza. Sus bellezas naturales... Las llanuras de Zacatecas, el Bolsón de Mapimí, los ríos Concho y Florido rodeados de plantíos de algodón, el desierto ondulado de Samalayuca camino a Paso del Norte... A veces me veo yo mismo, en una llanura polvorienta, siempre en mi calesa negra, y seguido por los once carromatos jalados por bueyes donde llevábamos el Archivo de la Nación que ahora se quedó atrás, en una cueva... el Archivo de la Nación, en una cueva: hágame usted favor... Pero lo que quería yo decirle es que a veces me pregunto si de verdad conozco todo esto... Es decir... no sé si me explico. Mire usted... Esa noche, junto al Nazas, allá a lo lejos las montañas majestuosas bañadas por la luz de la luna, oí de pronto el canto de unos pájaros. Cuando yo era niño, Señor Secretario, no hablaba castellano, pero conocía el idioma de los pájaros. O eso creía yo. Y esa noche, a la orilla del Nazas, mientras el austriaco vestido de charro daba el grito en Dolores, y la gente lo aplaudía y lo vitoreaba, descubrí que ese idioma se me había olvidado... y que tal vez tampoco entiendo ya lo que mi país, lo que esta tierra, este suelo y mis compatriotas me están diciendo. ¿Que de verdad México, el pueblo, quiere eso? ¿El boato? ¿Reyes de pacotilla?» «Don Benito, eso fue hace más de un año, cuando Maximiliano y Carlota eran una novedad... en este último 15 de septiembre según tengo entendido, se oyeron en la ciudad de México tantas mueras a Maximiliano, como vivas a México. Y no necesito recordarle el artículo del corresponsal aquél del diario norteamericano en el que denunció a las autoridades francesas por obligar a todos los comerciantes de la ciudad de México a cerrar sus tiendas el día de la llegada de Maximiliano y Carlota, y de cómo el municipio amenazó con represalias a todo aquel que no iluminara y adornara su casa...» «Sí, sí, pero el caso es que estoy cada vez más solo. O quizás deba decir: estamos cada vez más solos. Era Melchor, ¿no es cierto? Melchor Ocampo el que decía: "yo me doblo pero no me quiebro". Pues a veces pienso que yo sí, un día, me voy a quebrar. Y Melchor también está ya muerto. ¿De qué me sirve, por ejemplo, que el Congreso de Colombia me haya nombrado "Benemérito de las Américas" y que mi retrato cuelgue en la Biblioteca Nacional en Bogotá, si nunca llegaron los quince mil hombres que el General Mosquera nos iba a mandar desde Colombia? Nunca, tampoco vinieron los cinco mil hombres que me prometió la Alianza continental propuesta por Perú. La Alianza y el Tratado Corpancho se vinieron abajo, como bajo los pies de Bolívar se desmoronó el sueño americano... Y Corpancho también está muerto...» «Pero la Guerra de Secesión ha terminado, y los Estados Unidos están de nuestra parte. Ah, y si Lincoln no hubiera muerto, Don Benito...» «Lincoln no merecía tan triste fin: la bala de un asesino. Pero Lincoln ofreció una ayuda contra la intervención que no cumplió. Como le he dicho a Romero: no podemos depender sólo de los *yankees* para nuestro triunfo. Y menos considerando que hasta ahora todo ha sido nada más que puros brindis y discursos... simpatías estériles. Romero incluso considera a Seward, ¿sabía usted?, como un enemigo de México. Quizás exagera, pero ya lo ve: no se ha cansado de protestar ante Seward por el paso de tropas francesas a través de Panamá. Para el caso que nos hacen. Urge que ellos mismos pongan en práctica la Doctrina Monroe y sí, es cierto que el Presidente Johnson se ha declarado en favor de ella, pero no porque los Estados Unidos estén con nosotros, sino porque están contra los franceses que están en México. No los quieren aquí. Y dije: están contra los franceses, no contra Francia. ¿O usted cree que a Francia le hubiera pasado lo que a nosotros con las armas que compramos en Estados Unidos, y que la aduana de Nueva York no autorizó que salieran? Teníamos ya ordenados como usted recordará, cerca de treinta y cinco mil fusiles, dieciocho millones de cápsulas, quinientas arrobas de pólvora, qué sé yo cuántas pistolas y sables, y después de que el secretario de Marina da su aprobación, la niega el secretario de Guerra... No, Señor Secretario... a Francia o a otro país europeo como Inglaterra, no le hubieran puesto esa clase de trabas. Y el mejor ejemplo usted lo conoce, Señor Secretario: el *"Rhine"*... el *"Rhine"* que salió de San Francisco cargado de un contrabando de armas para Acapulco con destino a las tropas francesas... Claro que me siento honrado y agradecido por el trato deferente que el gobierno americano le ha dado a mi esposa y mis hijos, lo mismo que a Romero, que ahora, para acabarla de fastidiar, nos ha salido con ese malaventurado arreglo que hizo con Schofield... ¡Por Dios! ¿Cómo se le ocurre sacar un clavo con otro clavo? Ah, Romero, Romero: que si Seward no interviene y manda a Schofield a Europa, no tengo que decirle que ya estaríamos invadidos también por los *yankees*... Por cierto, recuérdeme que le pida a Romero que me siga enviando los diarios de Nueva York... Y sí, le decía, una cosa son las atenciones que tiene la Casa Blanca con mi mujer, y otra muy distinta que se nieguen a entregarnos las armas que ya pagamos, o que tengamos un embajador americano, sí, pero que no se atreve a abandonar el territorio de su país. ¿Qué clase de embajador es ése? Y aquí estoy yo, en Paso del Norte, sin cuerpo diplomático, sin Congreso, sin ejército, y mi silla presidencial es ésta... una silla de capulín con asiento de bejuco...» «El Señor Presidente dijo que la presidencia, el poder ejecutivo de la nación, estarían donde él estuviera... viajarían con él...» «Sí, así dije, pero siento a veces, como le confesé, que me voy a quebrar de repente... Por favor, se lo suplico, Señor Secretario: que esto quede entre nosotros. Tengo que superar estos momentos de debilidad. No quiero que nadie se entere. Debo ser fuerte, porque también de la fuerza emana la respetabilidad y la eficacia de un gobierno. Y sí, lo voy a ser, aunque me quede solo...» «Yo diría, Don Benito, que quien está solo, o al menos se está quedando cada vez más solo, es el austriaco...» «No parecería. Toda la sediciente aristrocracia lo apoya... un ejército de treinta mil hombres...» «Pero mire usted, Don Benito: él mismo está alejando a quienes podrían serle muy útiles. Ya ve usted que a Miramón lo envió a estudiar artillería a Berlín, y que a Leonardo Márquez lo comisionó a los lugares santos con el pretexto de estudiar el Templo Sepulcral de Jerusalén, del que el austriaco quiere construir una réplica en México...» «Ahí sí que hizo bien: Márquez es un hombre peligroso... Aunque Miramón no le va a la zaga... pero mire usted que enviar como embajador a los Santos Lugares a un hombre que asesinó a mansalva a los médicos y los enfermeros inermes en Tacubaya...» «Y que a varias mujeres liberales las colgó de los pechos a los árboles, Señor Presidente...» «Y me decían que Márquez también le llevó la Orden del Aguila Azteca al Sultán de Turquía, ¿qué tiene que hacer México condecorando al sultán de un país que ni nos viene ni nos va?, dígame usted...» «Nada, Don Benito... pero el caso es que también a Almonte, usted lo sabe, Maximiliano lo ha despojado de todo poder político al nombrarlo gran mariscal de la corte». «Debe estar furioso, Juan Pamuceno...» «Ya lo creo, Don Benito. Y así ha sido de ingrato el austriaco con los hombres que más lo ayudaron a venir a México. El mismo los ha alejado, del país o del poder. También despreció la ayuda que le ofreció Santa Anna... aunque dicen que Santa Anna tiene intenciones de ponerse al servicio de la República...» «¿Santa Anna? Jamás aceptaría yo su apoyo. Más se podría confiar en la palabra del austriaco que en las promesas de Santa Anna... Además, seguro que me odia. Cuando yo era sirviente en la casa de mis suegros, los señores Maza, Santa Anna llegó un día a cenar, y yo atendí la mesa. Nunca perdonará que ese indiecito descalzo que le sirvió la comida se haya transformado en Presidente de México... en *su* presidente... qué tiempos aquellos, Señor Secretario. Usted sabía, ¿no? Estuve a punto de ser cura, de no haber sido porque se habían ido casi todos los obispos de la República y para recibir las órdenes sagradas había que ir a La Habana o Nueva Orleáns. Y fue así como mi padrino Salanueva me permitió que siguiera la carrera del foro. Y también casi me convierto en un comerciante... Mi padrino me dejaba a veces ir a la laguna de Montoya y allí hice un trampolín con pasto, tablas y barriles, y cobraba yo cuatro centavos por salto, y con las ganancias me compraba dulces. Pero eso fue hasta que lo construí por segunda vez con la ayuda de un amigo. La primera se desbarató cuando lo probé y casi me mato... pero como le digo, siempre he tenido suerte... Y a propósito de que usted mencionó a Miramón... Terán acaba de escribirme diciendo que Miramón ha manifestado su deseo de ofrecer sus servicios *contra* el Imperio... ¿no le parece increíble?» «Sí, Don Benito... y en lo que se refiere, si me permite continuar con el tema, a la sediciente aristocracia, pues eso es, Don Benito: gente que se dice aristócrata, y es la que está feliz con el boato, con el lujo, con el *"Ceremonial de la Corte"* que es un libraco de este porte, Don Benito, y con los saraos que cada lunes ofrece la Emperatriz, perdón, Carlota, imitando a Eugenia de Montijo. Pero se critica mucho los gastos excesivos del gobierno del austriaco. Los banquetes con diez o doce platillos y más de veinte vinos a escoger. Dicen que mandó traer de Europa un tapiz carmesí muy fino para cubrir el Salón de Embajadores del Palacio Nacional, y que se ha gastado una fortuna en candiles y cubiertos y en los uniformes de la Guardia Palatina... Mandó también reembaldosar los patios del palacio, y ha hecho muchas modificaciones en el Castillo de Chapultepec... y claro, como en Viena y las Tullerías hay bailes de disfraces, también los hay ahora en Chapultepec. Por cierto, acaba de publicarse un reglamento para los bailes de disfraces en el periódico oficial, en lo que ahora llaman el *"Diario del Imperio"*... Es muy curioso: está prohibido disfrazarse de sacerdote, de monja, de obispo o de cardenal...» «Más que curioso, diría yo, es redundante, porque prohíbe disfrazarse con disfraces... que eso y no otra cosa son las sotanas y los hábitos: disfraces de teatro. Me viene ahora a la memoria lo que afirmaba un amigo mío sobre los jesuitas, que son quizás los más peligrosos de todos: bajo el manto negro de Ignacio de Loyola, decía, se esconde la espada de Iñigo López. ¿Sabe usted, Señor Secretario? Una de las cosas que más me irrita es tanta hipocresía... Carlos III expulsó a los jesuitas, y muchos lo consideraron en Europa como un gran monarca, quizás como el mejor rey Borbón. Yo expulso a unos cuantos obispos y me llaman anticristo. La separación de la Iglesia y el Estado ocurre en Francia a fines de 1700... Yo hago lo mismo en México, y dicen que soy un demonio rojo, un hereje que trata de fundar un Estado ateo... como si un Estado pudiera ser ateo. Eso no tiene sentido. Sólo los individuos pueden ser ateos o deístas. El Estado es laico, ¿no es cierto?» «Así es, Señor Presidente» «Y dígame: el gobierno del abuelo de Carlota, Luis Felipe, que era constitucionalmente católico, ¿no lo dirigieron por muchos años Guizot, que era un calvinista, y Thiers, un volteriano?» «Así es, Don Benito». «Usted supo, ¿no?, que en Londres se le dio una gran recepción a Garibaldi y que Lord Shaftesbury o como se pronuncie, lo comparó al Mesías. Y sin ir más lejos en Bélgica, el país de Carlota, circulan con profusión las obras de Proudhon... Ah, vientos de libertad corren en Europa, Señor Secretario, pero aquí en México esa misma Europa quiere revivir la Edad Media, el oscurantismo... Yo no iría tan lejos como Zarco y Mata y otros que afirman que existe una conformidad fundamental entre la Constitución Mexicana y el Evangelio: son cosas que no pueden y no deben compararse. Pero la verdad es que mi gobierno no ha perseguido ni los dogmas ni las creencias, ¿no es cierto? Y si un guerrillero como Rojas rapa a los curas y los incorpora en sus filas, no es mi culpa... está fuera de mi control. Si usted se fija bien, todas nuestras guerras civiles han sido provocadas por los reaccionarios, desde el Plan de Jalisco hasta el Plan de Tacubaya. ¿Hablé antes de dos guerras? No, no son dos, sino tres, las luchas que estamos librando. Porque no sólo en México, sino en muchos otros países, incluidos los de Europa, las luchas intestinas no han sido otra cosa que campañas entre güelfos y gibelinos, entre la potestad civil y la eclesiástica, entre el Emperador y el Papa...» «Usted lo ha dicho, Don Benito: entre el Emperador y el Papa. Maximiliano está en serias dificultades con la Iglesia por lo que ya sabemos: no hizo concesiones al Nuncio, la cuestión de los bienes de mano muerta se ha quedado pendiente y decretó la libertad de cultos... y ésta es otra de las razones por las cuales el austriaco se está quedando solo en un intento vano de crear una monarquía liberal...» «Vamos, vamos, Señor Secretario: liberal entre comillas, como habíamos dicho. Aparte de que ha habido algunos monarcas populares que favorecen los ideales democráticos. Pero en fin, si por gobernante liberal usted entiende a quien intenta establecer una relación digamos más orgánica, más completa entre el gobierno y la comunidad, entonces sí, quizás el austriaco es un tanto "liberal". Pero esa relación no la va a establecer encarnando a otro Harun Al-Rashid u otro Luis XI y presentándose, ¿porque usted lo sabía, no es cierto?» «Todo el mundo lo sabe, Don Benito». «Y presentándose de improviso a medianoche o en la madrugada en las cárceles y las comisarías, para ver cómo funciona la justicia en lo que llama su país... ¿supo usted lo de la panadería?» «Sí, cuando una madrugada comenzó a golpear las puertas de una panadería diciendo "soy el

Emperador Maximiliano, déjenme entrar" y no lo creyeron, y hasta amenazaron con llamar a la policía para llevárselo...» «Eso se llama hacer el ridículo, ¿no es verdad, Señor Secretario?» «Así es, Don Benito». «De todos modos, pienso que el austriaco actúa así instigado por Luis Napoleón. Yo no creo que Maximiliano sea un Príncipe iluminado ni nada que se le parezca, y menos sufriendo la influencia nefasta de Gutiérrez Estrada...» «Pero Gutiérrez Estrada ya cayó de su gracia...» «¿Cómo así?» «Cuando lo del escándalo del Abate Alleau...» «¿Ese que decían que era un agente secreto del Vaticano?» «Ese mismo, Don Benito. Recordará usted que se le encontró un pasquín que decía que la obsesión de Carlota por gobernar se debe a la profunda frustración que siente por no tener descendencia, y que ello se debe a que el austriaco, en su viaje al Brasil, contrajo una enfermedad venérea que lo esterilizó...» «Sí, sí, conozco la historia... ¿Pero qué tiene que ver eso con Gutiérrez Estrada?» «Ah, pues porque dicen que al Abate Alleau se le encontró también una carta de Gutiérrez Estrada, en la que incitaba al clero contra el Imperio. El austriaco debió resentir mucho esa traición». «Sí, claro, naturalmente. Pero le insisto, Señor Secretario: el austriaco actúa así por presiones de Luis Napoleón, a quien tanto le ha interesado siempre darse ínfulas de liberal. Aquí, en Paso del Norte, he estado leyendo el primer tomo de su *"Vida de César"* que me acaba de llegar. Parecería haberla escrito como una apología de su propia vida. Pero dudo que él mismo pueda disculparse ante su conciencia o siquiera entenderse. Yo no comprendo cómo pueden coexistir, en una misma cabeza, el Principio de las Nacionalidades junto al de la Santa Alianza, y al mismo tiempo el plebiscito y las bayonetas. Y presume de ser el primer jefe de Estado europeo cuyo mandato está basado en el voto universal. Meras argucias como las de su tío Napoleón que creó una especie de despotismo científico basado en el referéndum. Usted lo sabe: tres veces obtuvo el poder del pueblo, primero como primer cónsul, luego como cónsul vitalicio, y finalmente como emperador. Pero él sí que tenía, mucho más que su sobrino, la estatura, digamos... no, no es eso. Pero fue casi un César, y así se portaba. No en balde, entre otras cosas, así como César dividió las Galias, él dividió el Tirol, y... pero en todo caso acabó por fracasar. Ni siquiera llegó a ser, como decían, el nuevo Carlomagno que uniera a las razones latinas y teutónicas bajo un mismo cetro. En cuanto a su sobrino, no sólo es un Napoleón pequeño, sino un César más pequeño todavía. En México se encontró a su Rubicón: no lo cruzará...» «Y encontrará a su Bruto, Don Benito». «Ah, yo no seré ése, Señor Secretario... brutos ya ha encontrado muchos, como Maximiliano, y también los que lo sostienen en el poder... aunque no, no deben ser tan brutos porque todos ellos se han enriquecido...» «Así es, Don Benito». «Bien, le decía: Luis Napoleón no se encontrará a su Bruto, sino a su Bismarck... fíjese bien lo que le digo, Señor Secretario: a su Bismarck. Y no es un puñal el que acabará con su vida, sino un fusil de aguja prusiano o un cañón Krupp los que acabarán con su Imperio...» «Ese Bismarck, Don Benito, es terrible, ¿sabía usted que dice que un hombre no debe morir sin haber fumado cien mil cigarros y bebido cinco mil botellas de champaña?» «Algo más grave ha dicho, Señor Secretario, usted recordará, apenas nombrado primer ministro: los grandes problemas actuales no serán resueltos, afirmó, por medio de discursos o las decisiones de las mayorías, sino a *sangre y hierro*. Y no descansará hasta humillar a Francia a sangre y hierro. ¿Cinco mil botellas de champaña? Qué barbaridad. A mí no me gusta la champaña. Me parece un poco salada. El tabaco sí, como usted sabe, lo disfruto, pero con moderación. Y a veces, cuando fumo, recuerdo mi exilio en Nueva Orleáns, cuando trabajaba en la fábrica de habanos y tenía que pasarme las horas enrollando tabaco. Durante un tiempo me dejaron hacer el trabajo en la casa, pero después ya no. Me obligaron a ir a la fábrica y me sentaban en una mesa donde había muchos negros que se pasaban las horas cantando salmos en inglés. Debo confesar que los negros tienen un olor, y sobre todo en verano, un olor un poco ácido, no muy agradable que digamos. Ah, Nueva Orleáns... Le contaré una anécdota de mi exilio en Nueva Orleáns, Señor Secretario». «Sí, Don Benito». «Ahí tiene usted que un día que paseaba con Ocampo, me quedé quieto, a la orilla del mar —bueno eso creía yo, que era el mar— y con la vista perdida en la lejanía. Y Ocampo me dijo qué te pasa, Benito, que estás tan pensativo. Y yo le dije me gusta pararme a la orilla del mar y ver el horizonte porque sé que allá lejos, pero no muy lejos, está México, mi Patria. Y entonces Ocampo me dijo, vamos, Benito tienes que aprender un poco más de geografía. En primer lugar éste no es el mar sino el Lago Pontchartrain, y en segundo tú estás mirando hacia el norte. Un día vamos al Delta del Mississippi, hasta la mera punta, y allí sí, si te paras de cara al suroeste, puedes imaginar que tu mirada viaja, en línea recta, hasta las costas mexicanas. Y yo le dije: vamos, Melchor, tienes que aprender un poco más de geografía, y él me preguntó ¿por qué? y yo le dije: mi mirada nunca llegaría a México, por mucho que viajara, porque la mirada viaja en línea recta y el mundo es redondo, ¿no lo sabías? Y Melchor se rió de muy buena gana». «Excelente broma le jugó usted a Don Melchor, Señor Presidente...» «Sí, sí, sí... Bismarck es un hombre al que hay que temer. Y no sólo porque ya probó la fuerza de su brazo en Dinamarca, sino también por lo que comentábamos una vez de Hegel, ¿recuerda usted? Hegel transformó el Estado en Dios, y como resultado la lógica de la tiranía se adorna ahora con el hermoso hábito del sacrificio. Bismarck bien podría encarnar, en una Alemania unificada, al hijo de ese Dios que para ellos es el Estado... Pero cambiando de tema, Señor Secretario: me dicen que está aquí en México José Zorrilla, el autor de Don Juan Tenorio, y que es muy amigo del austriaco... ¿es verdad eso?» «Así es, Don Benito?» «¿Y qué hace aquí Zorrilla?» «Pues supongo que lo que hace, Don Benito, es componer todo el tiempo elegías y odas para Maximiliano y Carlota... Y planear un nuevo Teatro Nacional, porque al austriaco le interesan mucho todas esas cosas. Dicen que piensa hacer una pinacoteca con los retratos de todos los gobernantes que ha tenido México, tanto virreyes como presidentes». «¿Incluyéndome a mí?» «Ah, eso no lo sabría decir, Don Benito... y que se preocupa mucho por embellecer la ciudad. La Plaza de Armas, usted sabe, está llena ahora de árboles y macizos de flores y veredidas. Y me cuentan que en las fuentes hay plantas artificiales flotantes...» «¿Plantas artificiales en el agua? ¿Y cómo es que no se deshacen?» «Ah no sé, Don Benito, estarán hechas de hule...» «Sí, deben ser de hule o de algo así... plantas artificiales flotantes... ¿y en todo eso pierde su tiempo el austriaco?» «En ésas y muchas otras trivialidades, pero lo que más ha irritado a los partidarios del austriaco no es tanto eso —al fin y al cabo muchos son como él en ese sentido—, sino sus coqueteos con los republicanos. Primero llamó a Ramírez a su gabinete, y ahora, ha escandalizado a los conservadores porque en algunas ocasiones, cuando se viste de charro, se ha puesto una corbata roja, o sea del color republicano como lo hizo, creo, en Michoacán». «Si no fuera tan trágico todo esto, Señor Secretario, sería divertido...». «Así es, Señor Presidente. Y por si fuera poco, el austriaco es indiscreto en sus comentarios. Se sabe, por ejemplo, que un día dijo "yo soy liberal, pero eso no es nada en comparación con la Emperatriz, que es roja..."» «¿Roja, Carlota? ¿Qué tiene Carlota de Roja?» «Bueno, en comparación, Don Benito... a una mujer que dijo que le había dado ganas de arrojar al Nuncio por la ventana —y ésa fue otra de las frases que ha trascendido: la conoce ya todo México—, a una mujer así, decía, no se le podría acusar de ultramontana...» «Arrojar al Nuncio por la ventana... qué buena idea, ¿y qué esperaban Carlota y Maximiliano de Monseñor Meglia? ¿Qué esperan de un Papa que en el *Syllabus* condenó todas las ideas filosóficas y políticas modernas? Hubo una época, sí, en que uno pudo haberse hecho ilusiones sobre Pío Nono, que al principio parecía un papa liberal. Pero después dio la machincuepa. También los italianos resultaron engañados cuando todo indicaba que Pío Nono bendecía la unidad de Italia: no pensaron que un pontífice jamás daría su apoyo a una guerra contra Austria, el país católico más importante de Europa». «Pues imagínese usted, Don Benito, la sorpresa de la Iglesia cuando el austriaco decretó que ninguna bula papal tendría efecto en el territorio mexicano sin su aprobación... Dicen que Monseñor Meglia se fue de México sin despedirse del Emperador... es decir del austriaco». «¿Y tiene usted alguna idea de por qué de aquí se fue a Guatemala?» «No, Señor Presidente, pero sí sé que fue a llorar sus penas y desahogar su rabia en los hombros de Carrabus, el cónsul francés». «Quien también debe estar inconsolable, Señor Secretario, porque con la muerte del Presidente Carrera que estaba siempre dispuesto a convertirse en cualquier momento en Virrey de Guatemala con el espaldarazo de Francia, se desbarata el sueño de Luis Napoleón de fundar un Imperio desde México hasta el Cabo de Hornos...» «Un sueño que también "adoptó" Maximiliano, como usted sabe, Don Benito». «Sí, sí. Vea usted qué soberbia: lo que Bolívar no pudo lograr, un austriaco se atreve a soñarlo...» «Así es, Señor Presidente...» «Pero esa actitud no hace sino reflejar la eterna arrogancia de los europeos. La idea de que la raza de Jafet está destinada a gobernar al mundo, a "repartirse las islas de las naciones", como dice, si mal no recuerdo, en el Génesis. Ellos se han arrogado siempre el derecho de dibujar y redibujar el mapa político de los continentes... incluyendo al suyo propio. El derecho a dividirse al mundo: ahí tiene usted al Tratado de Tordesillas, el de Utrecht, tantos otros. ¿Usted se ha puesto a pensar alguna vez, Señor Secretario, por qué al Cercano Oriente se le llamó así, cercano, y al Lejano Oriente, lejano?» «Pues porque están cerca y lejos, Don Benito...» «¿Cerca de qué y lejos de dónde? Pues de París, de Madrid, Londres y Viena. Pero no están ni cerca ni lejos de ellos mismos. ¿Me explico? La historia ha sido medida con una sola vara: la vara de hierro con la que el hombre europeo ha subyugado a las naciones...» «Es verdad, Don Benito, pero también es cierto que ha habido hombres de letras europeos, muy distinguidos, que se han declarado contra el colonialismo, Adam Smith, por ejemplo...» «Ah, no me salga usted con Adam Smith, Señor Secretario. A Adam Smith lo que le preocupaba era que el monopolio ejercido por la metrópoli falseaba la ley de competencia. Y a Bentham, que las colonias se hubieran transformado en una carga inútil y peligrosa, y que provocaran tantos conflictos entre los países europeos... En cuanto a Lamartine... Mire usted: si Lamartine ha pedido que se hagan reformas humanitarias en las posesiones francesas, es porque sabe muy bien que con esas reformas se consolida el sistema colonial...» «No había pensado en eso, Señor Presidente». «Pues hágalo, Señor Secretario, piense en ello. Y además, tendríamos que distinguir entre dos conceptos: colonizar, o sea fundar colonias, como hicieron los peregrinos del "*Mayflower*" y conquistar para subyugar y despojar. Yo no estoy en contra de fomentar la inmigración, por ejemplo. Siempre he creído que una inmigración de gente de diversos credos religiosos puede obrar en favor de la libertad de cultos. Pero tendría que hacerse en forma moderada, y como ahora lo quiere hacer el austriaco...» «¿Se refiere usted... a los confederados de Ciudad Carlota?» «No sólo a ellos, sino a los cien mil negros e indoasiáticos que Maximiliano y ese tal Maury quieren traer a México. Que además, eso no es colonización, sino un intento de restaurar la esclavitud en México. Y yo, yo Señor Secretario, que he estado en La Habana y en Nueva Orleáns sé lo que es la esclavitud... a mí no me cuentan... ¿Y a una mujer en cuyo honor se bautiza la ciudad que será el símbolo de esa restauración de la esclavitud la llama usted "roja"?» «Por favor, Don Benito, yo no la llamé roja. Fue el propio

Maximiliano quien la llamó así. Además, no es mi intención defender a nadie, y menos al austriaco y su mujer. Lo único que quiero es convencerlo a usted de que es Maximiliano el que cada día se está quedando más solo. Usted sabe que fue el informe del Ingeniero Bournof...» «Ah, sí, Bournof su ministro de Finanzas, ese que dijo haber visto a los peones cargados de cadenas, y a familias que se mueren de hambre y a hombres azotados y ensangrentados... Sí, sí, tal vez es verdad en algunas ocasiones... Pero de todos modos es al gobierno legal de la República al que corresponde impartir justicia, y no a un usurpador...» «Claro, Don Benito, pero el caso es que, según dice, fue ese informe el que hizo que Carlota convenciera al austriaco para decretar las reformas rurales de protección a los peones, y esas reformas las que han alienado a los hacendados. Así que haga usted cuentas nomás Don Benito: La Iglesia está en contra de Maximiliano. Los hacendados también. Los conservadores ultramontanos lo abandonan, y no ha podido ganarse a los republicanos, porque como su nombre lo indica, lo que nosotros queremos no es una monarquía sino una república. Con las tropas francesas, contará sólo por muy poco tiempo, y de hecho nunca ha contado con ellas: el emperador al que sirve Bazaine y al que siempre ha servido no es él, sino Luis Napoleón. Y la gente con la que se rodeó en un principio, el belga ése Eloin que le impuso el Rey Leopoldo, y el austriaco Schertzenlechner, no hicieron sino fomentar la discordia todo el tiempo entre Maximiliano y los franceses. El austriaco, Señor Presidente, está solo...» «Sí, tal vez tiene usted razón, Señor Secretario... Dígame, el asunto ese de la adopción del nieto de Iturbide: eso confirmaría que el austriaco es impotente, ¿no es cierto? puesto que han perdido toda esperanza de tener descendencia...» «No necesariamente, Don Benito... Primero, porque se ha rumoreado mucho que el austriaco ha tenido relaciones amorosas con varias mujeres aquí en México, y entre ellas la hija o la esposa, no sé, del jardinero en jefe de la Quinta Borda en Cuernavaca. Segundo, porque de todos modos el austriaco y su mujer no tienen relaciones maritales...» «¿Y cómo se puede saber eso?» «Bueno, usted sabe, Señor Presidente, que los reyes, los emperadores, en fin todos ellos, en el día están rodeados siempre de mucha gente, y en las noches duermen en habitaciones separadas, vigiladas por guardias. Y es un hecho que, al menos desde que llegaron a México, el austriaco no ha efectuado una sola visita conyugal a Carlota... ni viceversa». «Ah, ya veo, entiendo, sí... claro. Pero dígame una cosa, Señor Secretario: ¿ha perdido usted alguna vez a un hijo?» «No, Don Benito, por suerte...» «Es quizás uno de los dolores más grandes que pueden tenerse en la vida. Pero al menos yo he tenido varios hijos, a quienes heredarles no un trono sino algo más importante y sagrado: mis principios y el amor a la Patria. Y también lo que me enseñó Plutarco: el respeto y la admiración a la vida. Unos han muerto, sí, pero otros no sólo viven sino que habrán de sobrevivirme...». «Por supuesto, Don

Benito...» «No sabe usted cómo tengo ganas de ver a mi nietecita María... Me encantan las niñas... Cuando murió mi hijita, yo mismo la llevé a enterrar. La ley que prohibía la inhumación en los templos exceptuaba a los gobernadores y sus familiares, pero yo no quise hacer uso de ese privilegio. Yo mismo, solo, llevé su caja: una cajita así de pequeña, y blanca, al Cementerio de San Miguel...» «Sí, Don Benito...» «Pero en fin, qué sé yo. Debo sobreponerme a todas las desgracias, Señor Secretario, y de alguna manera actuar con constancia y abnegación... como lo hubiera hecho un Vicente Guerrero. ¿No cree usted? Después de todo, tengo un deber muy sagrado que cumplir hacia mis conciudadanos...» «Así es, Señor Presidente». «Todo va bien... *tout va bien*: en esa frase se encierra todo el *"Cándido"* de Voltaire, y durante mucho tiempo me ha acompañado para darme ánimos. La verdad es que *no* todo va bien, pero quizás usted tiene razón en muchas cosas. Sí, la fuerza con la que contamos es de toda confianza, y tenemos mejores elementos de guerra. ¿Y cómo olvidarme del apoyo a nuestra causa de Mazzini, ese gran patriota italiano?... aunque tampoco llegó nunca la legión europea que iba a organizar para que viniera a México a combatir al invasor...» «Es verdad, Don Benito, pero tuvo usted también la felicitación de esa asociación de demócratas belgas...» «Que tanto debe haberle dolido también a Carlota, ¿no le parece? Y bueno, en Allende, en Hidalgo del Parral, en Santa Rosalía, en Chihuahua, he recibido tanto entusiasmo del pueblo y tantas adhesiones...» «Eso es lo que yo quería decirle, Señor Presidente y también que, si unas plazas se pierden, otras se ganan. Tenemos de nuevo a Saltillo y Monterrey». «Claro, claro, si yo mismo le escribí a Santacilia diciéndole, me acuerdo, que los imperialistas ya son como Don Simplicio: no bien acaban de apagar una vela, cuando se les enciende otra... Sí, sí, tendría que estar más optimista, ¿no es cierto? Después de todo tenían razón los que decían, ¿recuerda usted?, que el enemigo es como la gelatina: se mueve, pero no avanza. Dígame, Señor Secretario: ¿le gustaría que le contara otra anécdota de mi exilio en Nueva Orleáns?» «Cómo no, Don Benito...»

2. *«Yo soy un hombre de letras»*

Yo soy un hombre de letras, señores, y por lo tanto casi pacífico. Y digo casi pacífico, porque tengo en mi haber un muerto. De pesarme en la conciencia no me pesa, porque lo maté en la guerra. Pero que su muerte la pagué, ya lo creo, y la pagué con creces, la pagué con esas mismas letras de las que les hablo, que al mismo tiempo son más de las que ustedes creen y muy pocas. O mejor dicho *eran*, porque por un lado tenía yo más de tres mil letras diferentes, y por el otro sólo veintiocho pero todas se desacompletaron cuando ocurrió el sucedido. Yo las llevaba en un cofre que a su vez llevaba en una mula con la que recorrí el territorio de Sonora a Yucatán y de Yucatán a Sonora, para poner mis letras al servicio de la República. Yo nunca me he encargado de transportar de un lugar a otro un mensaje escondido en un trozo de cecina, y mucho menos un mensaje metido en el casquillo de una bala a su vez metido donde ustedes podrán deducir por suposición. Pero yo escribí muchos de esos mensajes con mi propio puño y letra. Yo nunca he pronunciado un discurso o una filípica, ni firmado un edicto o un decreto: pero los he escrito. Para eso me pinto solo, o me pinto y me escribo, las dos cosas, porque mi amor a las letras me ha llevado también a hacer letreros de todos los tamaños y colores. Los primeros libros que leí en mi vida, y que todavía sigo leyendo, fueron «El Quijote» y «Las Mil y Una Noches». Pero antes de que yo aprendiera a leer, cuando apenas tenía seis años de edad, mi padre, que trabajaba en una imprenta, sacó de su ropero un estuche que tenía un alfabeto de plata refulgente, y con unas pinzas cogió letra por letra y las colocó en fila sobre la mesa, de la A a la Zeta. Mi padre, que nunca bebía sino en las grandes ocasiones, se sirvió una copa de bacanora refino y me dijo que aunque él lo que se llama pobre de pauperidad nunca había sido —y me recordó que teníamos dos vacas, tres puercos y diez gallinas— no podría dejarme mucho si de casas o tierras aledañas estábamos hablando, pero que me iba a dejar el patrimonio más rico del mundo, que eran esas letras que valían no tanto porque eran de plata —y de la mejor que daban las minas de las montañas de Arizona— sino, como dijo mi padre, por su valor intrínseco. Con esas veintiocho letras se fundan y se destruyen imperios y famas, me dijo, con ellas se escriben cartas de amor perfumadas con pachulí y se redactan, con sangre ajena, condenas de muerte. Con ellas yo no sé si Homero escribió «La Odisea» y Esopo sus «Fábulas», porque los dos eran ciegos, pero alguien, de todos modos, las escribió. Con estas letras se hacen los periódicos y las leyes, con ellas se hicieron la Revolución Francesa y nuestra Constitución y con ellas yo, tu padre, escribí con el seudónimo El Hijo del Aguila, mis ditirambos contra Hyppolyte du Pasquier de Dommartin, uno de los primeros cacos franceses de los tantos que, por Sonora y por su plata, le vendieron el alma al diablo. Con las letras se da vida a las causas y a los hombres, con ellas se les da muerte. Con ellas, acomodándolas unas veces en una forma y otras veces en otra, en grupos de dos, de cinco o de veinte y luego poniéndolas en hilera, tú podrás ayudar, hijo, a escribir la Historia de nuestra Patria, así con mayúsculas, y escribirás tu propia historia para bien o para mal, para tu honor o tu vergüenza. Mi padre me dio entonces las primeras nueve letras del alfabeto y me dijo: Para ganarte las otras tendrás primero que aprender que la letra con sangre entra. Y así fue: cuando se me cayó mi primer diente lácteo, dicho sea de leche, y lo puse bajo la almohada, al día siguiente no me encontré allí una moneda, sino una I de plata. Cuando se me cayó el segundo me encontré la Jota, y así sucesiva y posteriormente hasta que sin quererlo me tragué el último diente y como resultado tuve que buscar la Zeta no debajo de la almohada sino junto a unos magüeyes y, como dijo mi padre, en la hez y la haz de la tierra. Mi padre, que Dios lo tenga en su su Santa Gloria, feneció hace mucho tiempo: yo mismo le escribí un epitafio insigne que lo labraron según mis instrucciones con letras góticas en una lápida de mármol serpentino. Pero el viejo alcanzó a vivir lo suficiente como para enseñarme a leer y escribir y fomentarme el inmarcesible amor a las letras, al grado que él mismo con sus propias manos paró las tipografías de mis primeros panegíricos sobre la Patria y mis diatribas contra el *yankee* William Walker y el francés Raousset Boulbon —porque de mi padre heredé también la inquina nacional contra los filibusteros— y los imprimió y los dos los repartimos en el mercado de la ciudad, que era Guaymas, porque ya para entonces nos habíamos ido a vivir a las orillas del Mar Pacífico, en la bahía más hermosa del mundo: cómo no será de hermosa Guaymas, cuánto no prometerá, que nomás de verla a lo lejos Walker se eligió Presidente de Sonora y Raousset se creyó sultán. A esa Guaymas me regresé, como a la querencia, tras años y felices días de vivir en la capital a donde fui para inculcarme una mejor educación, y de viajar *in extenso,* como dije, por toda la República, y pelear en el ínterin contra los invasores de Napoleón III con los que llegó el austriaco. Pero de pelear como decía mi padre: no con el filo de la espada sino con el fulgor de la pluma. Qué iba yo a saber entonces que por mi culpa un hombre iba a besar, para siempre jamás, las mismas arenas doradas y espársiles que regó con su sangre pirata Raousset Boulbon. Qué iba yo a pensar, imagínense ustedes, yo, que al igual que el Presidente Juárez nunca he tenido una pistola o un fusil entre las manos, ni siquiera un arma blanca con que ponerme a pelar naranjas. Lo primero que fui fue ser poeta y componerle líricas y églogas a los bosques de Guerrero, a las serranías de Durango y a las selvas de Quintana Roo. En la capital, aprendí a ser lo que llaman evangelista, que son los que se colocan en los portales de las plazas con sus escritorios azules para escribir las cartas de los que no saben escribir. Y allí, de las diez de la mañana a las ocho de la noche escribí miles de cartas de declaraciones y confirmaciones de amor, de rencor y de despecho, cartas de desahucio y de pésame, cartas a licenciados y senadores, a curas de parroquia y presidentes municipales. Y me fue muy bien no sólo porque yo me las sé ingeniar sino porque mi padre, además del amor a las letras y del alfabeto de plata, me heredó una lista de esas fórmulas de cortesía y civilidad como Muy Señores y Estimados Míos o Su Seguro y Más que Atento Servidor, y una lista más con una retahíla de palabras poéticas que les sugería yo a los novios y a los amantes y a los hijos pródigos para que sus pretendidas, sus esposas o sus señoras madres se enteraran de lo gélido que estaba su corazón o de lo nubífero que al parecer se estaba poniendo el tiempo. Eso sin hablar del rosicler de los crepúsculos, que costaba varios reales más. Después de ser poeta, y cuando leí en la *«Revista Científica»* las entregas de *«El Fistol del Diablo»* de Don Manuel Payno, lo que más quise en el mundo fue hacer una novela, y allí traigo una en el cofre donde cargo mis tipografías, mis pinceles y mis letreros impresos, pero yo creo que se va a quedar a medias por Sécula Seculórum porque a cada rato me dejan de gustar unas cosas que ya escribí y me empiezan a gustar otras que no sé cuándo escribiré, y por si fuera poco, con el sucedido de la Bahía de Guaymas, más de la mitad de mi novela se me desapareció. De todos modos, el escribir novelas, o mejor dicho el no escribirlas, me llevó, no tanto por casualidad, sino por causalidad, como diría mi padre, a ser periodista: porque en mis panfletos y artículos lo que quiero decir lo digo pronto, y quedó dicho. Aunque eso de ser periodista es muy relativo: me he cansado de mandar mis escritos a los periódicos y no me los publican, y yo pienso que pura envidia, porque lo que es una ortografía impoluta y una gramática prístina nunca me han faltado, gracias a Dios. O gracias a mi padre. Mientras tanto, como simple mortal he tenido que hacerla de todo para irla pasando, y como también se ve que tengo facilidad para el dibujo, lo combiné con mi vocación por las letras y me puse a hacer anuncios y letreros. Si pasan ustedes por Cocóspera, que es un pueblecito de mi mismo estado de Sonora, ojalá vean una pulquería que se llama La Consolidada: yo pinté su nombre, y yo fui el que escogió sus letras, que son gordas y rojas y fileteadas de plata como tiene que ser y como su nombre lo indica todo lo que se consolida. Pero aparte de Sonora casi no hay un estado de los diecinueve que abarca la nación, señores, donde no haya una cantina, una tlapalería, una tienda de ultramarinos cuyo letrero no haya pintado yo con letras Pica o San Serrife rojas o amarillas, o Clarendon y renacentistas azules y negras, que son los nombres de las distintas tipografías que he ido coleccionando en el transcurso de mi vida y que traigo en mi cofre al servicio de la República. Quiero que quede bien claro que no me gusta comercializarme, y que pintar letreros no es lo que más prefiero hacer, pero como les dije, sirven para que me gane el pan y a veces, como diría mi padre, literalmente, que no es lo mismo que literariamente: cuando pasé por segunda vez por la capital y viví en la Calle de Tacuba, pinté el letrero de la panadería «La Isla de San Luis», para el que no pude escoger las letras porque el dueño era un franchute empecinado que ya las tenía escogidas, pero me pagaron con pan dulce durante tres semanas con la ventaja adicional de que yo podía elegir lo que quisiera: semitas, alamares o chilindrinas, lo que fuera. Pero eso pasó, claro, antes de la guerra. Que si un panadero francés me hubiera pedido lo mismo después que sus coterráneos hollaran mi suelo patrio, yo no le hubiera pintado un letrero, sino un violín, y con el violín le habría chorreado con mis colores todos sus bizcochos, así se hubiera armado otra Guerra de los Pasteles que, se lo juro, la segunda sí que la ganamos. Mientras tanto, durante esas tres semanas que pasé a pan y agua, por así decirlo y por hacer gala a la metáfora, le escribí varias cartas al Presidente Don Benito Juárez, Excelentísimo Señor, le dije, felicitándolo por las Leyes de Reforma, y mandé un artículo al «*Monitor Republicano*» que nunca apareció, lo que me hizo reflexionar que quizás a mis escritos no los publican porque son muy épicos o tal vez —y eso lo digo por lo bonito que suenan cuando los leo en voz alta y porque me parece que son más bien para ser recitados que para ser leídos—, tal vez, decía, no los publican porque son demasiado acústicos. Como es de suponerse, y porque no nada más de pan vive el hombre, a mí me gusta que me liquiden no tanto con especie como con plata contante y sonante y sólo una vez, que yo recuerde, me pagaron en especie y con plata al mismo tiempo y fue cuando pinté un letrero que decía Inglis espoquen para una platería de la ciudad de Taxco por la que años más tarde pasaría el Emperador Maximiliano en su carruaje de seis mulas blancas y auriga de librea púrpura. Y si no hubiera sido por los principios morales que me instauró mi padre, en otra ocasión me hubieran pagado con la mejor de todas las especies, mejorando lo presente: con una hembra. Pero cuando la vieja esa pintarrajeada y con peluca de rulos rojos que conocí en una fonda de Tampico me preguntó si le podía yo pintar un letrero que dijera: Se Alquilan Muñecas Finas, no me digné ni farfullarle una respuesta: cogí un lápiz y en el menú, con letras muy grandes, escribí No Señor, aunque era una señora, si es que de todos modos se le podía dar ese título. También soy el responsable de varios menús. El más bonito de todos lo hice en la misma ciudad de Tampico para el Café Reverdy, y le puse como adorno unos colgajitos de piñas y mangos que le gustaron mucho al administrador. En otra ocasión hice el letrero para una tabaquería y me pagaron con cigarrillos. Desde entonces cogí el vicio, ni modo de despediciarlos. Otra vez hice el letrero de una lavandería y me dijeron que sólo me podían pagar lavándome la ropa durante un mes y pico, pero como entonces era una época de vacas flacas y yo no tenía otra ropa que la que traía puesta, tuve que pintar el letrero de una tienda de pantalones y camisas y pedirles que me pagaran en especie para tener qué lavar. Y cómo se me va a olvidar nunca lo que me divertí cuando en un pueblecito de tierra caliente me pidieron que pintara el letrero de un almacén de hielo que traían a lomo de mula desde el Pico de Orizaba, y cuando terminé y me pagaron con dos bloques del tamaño de unos baúles, la gente me dijo Y ahora qué vas a hacer, una fiesta para consumir el hielo, y yo por toda respuesta agarré mi mula, la cargué con los bloques y me fui con ella a un manantial llamado del Ojo Caliente del que brotaban aguas de azufre hirviendo y allí eché los bloques para entibiarlo y fui el primer mortal, señores, que se bañó jamás de los jamases en sus ardientes aguas bulliciosas. Fue allí, en el estado de Veracruz, donde volví a poner mi talento al servicio de la República. Y digo que *volví*, porque como les dije, desde muy niño estaba yo muy en contra de todos los invasores, así fueran los comanches y los apaches del Valle de Gila que cada de vez en cuando querían llevarse a Sonora entre las patas de sus caballos, como todos los piratas *yankees* y franceses que llegaban por barco a Guaymas, y que nunca escarmentaban en cabeza ajena: ni porque corrimos a patadas a Walker de Ensenada, ni porque madrugamos a Charles Pindray con un balazo en la frente, ni porque fusilamos a Raousset Boulbon en la Bahía de Guaymas, ni por eso dejaron de venir Salar y De La Gravière y Castagny y Bazaine y tantos otros piratas. Pues bien: yo con los antecedentes tenía para saber quién era yo y de qué lado estaba, pero además en mis recorridos y eso nadie me lo contó, lo vi con mis propios ojos, que si fue cierto que el General Escobedo dijo en una proclama —y fue cierto porque yo ayudé a parar la tipografía— que le prometía a sus soldados el pillaje de todos los pueblos que no se sometieran en una fecha determinada al gobierno de la República, también era verdad y yo lo vi, que por donde pasaban las contraguerrillas francesas no quedaba un crucifijo o una copa de plata en las iglesias, y lo que es peor, no quedaban casi vírgenes, y con ello no me refiero, señores, a las que están quietecitas en los nichos de los templos. Y si es cierto también que los nuestros les aplicaban el suplicio de la cuerda a los franceses antes de ejecutarlos —lo cual por otra parte no me consta—, también fue cierto que los franceses colgaban de los árboles a los emisarios juaristas, yo los vi, balanceándose como racimos de plátanos del árbol más grande de la plaza principal de Medellín. Y aunque no fuera del todo cierto, pues para eso se inventó la fantasía y hay que ponerla, digo yo, al servicio de la causa, esa misma fantasía que yo traigo adentro desde que leí «El Ingenioso Hidalgo» y «Las Mil y Una Noches», y por culpa de los cuales dichos libros yo he sido siempre algo así como mitad Quijote y mitad Harún Al-Rashid, como creo que fue también un poco Maximiliano, si se me permite la libertad de expresión, y por eso nunca me cayó del todo mal el desafortunado Emperador, pero yo me dije Juárez es el indio prieto que aquí nació, el otro es el austriaco rubio que se vino a meter sin que nadie lo llamara, uno es el Presidente, el otro es el Usurpador, y sin vacilar un segundo o pestañear una duda decidí, como ya les he dicho, poner no sólo mi pluma, sino también mis pinceles, mis tipografías, una imprenta portátil y sobre todo mi talento, al servicio de la República, a pesar de que Don Benito nunca me contestó ninguna de las tres cartas que en total le mandé, y a pesar de que también la fantasía tuvo la culpa de que cuando veía yo a un soldado egipcio con su uniforme blanco y su fez roja, a un húsar con sus galones dorados, a un francés con sus pantalones carmesí y a los legionarios y los abisinios y los jenízaros y hasta a los cazadores africanos a quienes llamaban los carniceros azules, casi me daban ganas de estar de su lado, si no en México, sí cuando menos en otras guerras, en lugares muy lejos de aquí que tuvieran nombres muy raros, y donde hubiera oasis y camellos, odaliscas y alhambras. Pero les decía que fue en tierras calientes, en el Puerto de Veracruz, donde volví a trabajar para la República. Primero pinté un letrero que decía Se Prohíbe Matar Zopilotes, pero que no quise que me lo pagaran porque como habrán de saber ustedes, los zopilotes no sólo se comen la carroña sino también todos los desperdicios y la basura que desparraman los habitantes y que alborota el viento Norte. Esa fue mi contribución a la limpieza de la ciudad, y hasta diría a la higiene de la circunfusa. Mi contribución a la guerra contra los invasores la hice esa misma noche en que me levanté a escondidas y con mala letra y faltas de ortografía, como si fuera yo otra persona, en el mismo letrero y abajo de donde decía Se Prohíbe Matar Zopilotes, escribí Pero se Permite Matar Franceses. Y no menosprecien ustedes estos detalles, porque de minúsculos granos de arena, como decía mi padre, está formado el lecho inmenso del mar ecuóreo. Que si también me pagan el añadido y el letrero con especie, es decir con zopilotes vivos y con franceses muertos, pues aquéllos se hubieran comido a aquestos, y asunto concluido. Otras de mis contribuciones a la causa no fueron tan modestas, y todas, unas más y otras menos, tuvieron que ver con las letras. Una de las veces que el Presidente Juárez cambió la capital del gobierno, yo ayudé a distribuir la proclama donde decía algo así como La toma de Madrid no le dio a Napoleón I el triunfo en toda España, la toma de Moscú no le dio la conquista de Rusia. En otra ocasión me pasé pintando tres días letreros equivocados que iban a señalar la dirección de pueblos y lugares para donde no estaban, porque según una idea que tuve queríamos que se perdiera un destacamento belga y de ser posible que se estuviera dando vueltas, pero no contamos con que traían sus mapas fluviales y logísticos. Otra vez tuve un gran proyecto, que fue poner en un cerro pelado de un pueblo un enorme letrero hecho con piedras pintadas de blanco que dijera Viva Juárez, y que se pudiera leer a tres leguas a la redonda, o cuando menos a la semirredonda porque el letrero no le iba a dar sino media vuelta a la loma. Cinco días estuvimos yo y los ayudantes que me destinó el alcalde llevando piedras en una carreta porque en el cerro ni piedras había, y pintándolas con agua de cal, y cuando ya teníamos escrito el Viva y ya íbamos a poner la Jota de Juárez, le comunicaron al alcande que venían en camino las tropas francesas y nos dijo que pusiéramos, en lugar de la Jota, la Eme de Maximiliano, a lo que yo me negué rotundamente, como sus mercedes habrán de suponer, y me largué del pueblo no sin antes robarme de la imprenta oficial todas las letras A que tenían, así que durante varias semanas, mientras no les llegaron nuevas remesas de Aes, no pudieron decir nada de Maximiliano, porque de haber querido imprimir su nombre, hubiera quedado más parecido a un año de gracia escrito con números romanos, que a un apelativo. Con las Aes aumentó mucho el peso de mi cofre, pero me fui contento de mi contribución a la causa, y me prometí que se las iba a regalar, cuando pasara por ellas, a las ciudades o a los municipios que más las necesitaran, como Jalapa, Tlapan o Cosamaloapan. Hasta que al fin cansado ya de tanta andanza regresé a Sonora en los días en que la escuadra francesa del Pacífico salía de Mazatlán al mando del General Castagny para dirigirse a Guaymas, a donde llegué al mismo tiempo casi que los franceses: yo por tierra, viniendo de Tepic y ellos por mar vía el estrecho que se abre entre la Punta Baja y la Isla de Pájaros, y lo primero que hice fue encaminarme al cuartel de mi General Patoni que era el que defendía la plaza al frente de mil hombres, para poner mi imprenta y mi talento al servicio de la República, y aunque fui dispuesto a decirle al general que yo podía imprimirle sus peroratas y sus discursos, él no pudo recibirme por estar muy ocupado en cuestiones beligerantes, cosa que yo colegí era lo correcto y por ello y sin sentirme por aludido me puse, *ipso facto*, a trabajar por la causa. Por una parte ya para entonces me había iniciado también no tanto por la necesidad de dinero como por amor a las letras en el negocio de los carteles impresos y tenía infinidad de ellos, desde los que se usan nada más de vez en cuando como Se Renta Cuarto Amueblado, hasta los que se cuelgan siempre como Hoy No se Fía Mañana Sí, o los que se usan, por así decirlo, sólo una vez en la vida, como Cerrado Por Defunción, y me propuse imprimir otros de utilidad en las batallas. Y como por la otra parte yo me conocía al dedillo la Bahía de Guaymas con todas sus islas: la de Pájaros, la de la Pitahaya y la de San Vicente, la de la Ardilla y las Islas Mellizas, lo mismo que Almagre Grande y Almagre Chico, así como las montañas rocosas y áridas que la protegen contra todos los vientos, me puse a exponerles algunas proposiciones idóneas a la geografía del lugar, pero no todas las pudimos llevar a la práctica. Por ejemplo, lo que yo quería era crear un correo de palomas mensajeras que volaran de Almagre Grande a Almagre Chico, llevando en sus patas mensajes impresos con mi linotipia que invitaran a los soldados enemigos a pasarse a las filas republicanas, y que cuando una de esas palomas sobrevolara uno de los barcos franceses que estaban anclados entre las islas, la matáramos nosotros mismos de un tiro, para que la paloma cayera como plomada sobre la cubierta del barco, con su mensaje rebelde. Pero lo que sí pude hacer gracias a que conozco una marea nocturna que va de la punta de Playa de Dolores a Punta Lastre, una corriente de la que yo cuando niño me dejaba llevar haciéndome el muertito y que pasaba por donde ahora estaban los barcos enemigos, fue enviarles los mensajes en unas botellas que me vendieron en una vinatería de Guaymas y que les habían sobrado porque un barril de *Elíxir de Amor* se había desperdiciado casi entero al ser traspasado por las balas. Allí, dentro de esas botellas que eran azules y largas, y que todas las noches lanzaba yo al mar, metía mis mensajes y ponía también un puñado de luciérnagas para que tuvieran su propia luz, además de la luz de la libertad. Y una vez nos ocurrió que a un correo que enviamos a nuestro destacamento del estero de Cochore, las aguas lo arrojaron muerto al día siguiente en la playa de Punta Tortuga, y al cuello, amarrado, tenía un letrero de tinta indeleble que decía: «Aquí Está Su Cabrón Correo». No habían pasado dos días cuando nosotros fusilamos a un espía de los franceses, y por instrucciones expresas mías lo llevamos esa misma noche a la Playa de Dolores para que desde allí, con letreros al cuello que dijeran «Y Aquí Está su Cabrón Espía», las aguas se lo llevaran al enemigo sin necesidad de que se hiciera el muertito porque lo estaba ya, y sin el diminutivo. Pero como resultó que lo echábamos y se hundía, y lo sacábamos y lo volvíamos a echar al agua y se volvía a hundir, yo tuve la idea salvadora de amarrarle unas botellas a los dedos de las manos y otras a los dedos de los pies y de poner en cada una de las botellas no sólo un mensaje impreso, sino también su correspondiente y respectivo puñado de luciérnagas para iluminarlas, y así lo hicimos, y el muerto se fue flotando rumbo a los barcos franceses, abierto de pies y piernas como una inmensa estrella marina de picos llenos de luz azul. En fin, que para no hacerles la historia muy larga, les diré lo que ustedes ya saben: que aunque la República le ganó la guerra al Imperio, la Batalla de Guaymas, por desgracia, la perdimos, y mi General Patoni y sus hombres tuvieron que batirse en retirada, y por más que intentaron hacerse fuertes en las últimas casas, la artillería naval de Castagny se los impidió. Así que de pronto me vi yo también retrepado en la montaña rocosa y pelada que se llama Tetas de Cabra, escondido en una cueva con el cofre de mis tipografías. Una mañana estaba yo pensando muy quitado de la pena que de haber sido publicista del Imperio le hubiera dicho al austriaco que se cambiara el nombre y se llamara no Maximiliano, sino Meximiliano, cuando de repente escuché unos ruidos. Caminé de puntitas hacia el borde de la ladera, y allí, al fondo, a unos diez metros justos abajo de mí en línea recta, se arrastraba un marino francés pero mexicano, si me explico, con un fusil, y sospeché que le iba a apuntar a un capitán de los nuestros que estaba más o menos cerca viendo el mar con su largavista. Me hubiera gustado leerle a ese imperialista un discurso *impronto* para que se pasara de nuestro lado, me hubiera gustado leerle un poema lírico sobre la Patria, para que dejara de ser traidor. O cuando menos lo que hubiera querido hacer era haberle gritado al capitán para que se cuidara, pero me di cuenta que apenas abriera yo la boca el cabrestro ese, perdonando el eufemismo, me hubiera descerrajado un tiro, y yo me dije en una revolución, y como decía mi padre, vale tanto o más un hombre de letras que un militar. Y gracias a que me acordé en esos momentos de mi padre, y de lo que me dijo una vez que con las letras se da vida a las causas y a los hombres, y que con ellas se les da muerte, que tuve la inspiración que ya ustedes se habrán imaginado. Fui a la cueva, cargué el cofre que tenía las tipografías, me acerqué de puntitas al borde de la ladera y le aventé el cofre al marino, que le cayó en la cabeza apenas a tiempo, porque todavía alcanzó a salir el tiro de su fusil, pero desviado. Y ésa fue la muerte que les decía que tengo en mi haber y que pagué tan cara porque el cofre se abrió y la mitad de las hojas de mi novela salieron volando y con ellas mis tipografías, incluyendo el alfabeto de plata que me dio mi padre y que se desperdigaron sin remedio por la montaña y por la playa, aparte de las muchas que se rompieron. Varias semanas después, cuando ya había caído Guaymas entera, y de mi General Patoni y los hombres que le quedaban ya no se veía ni el polvo, yo —que al fin y al cabo civil, me quedé en el puerto—, seguía encontrando letras entre las piedras y los breñales, los espinos, y más abajo entre la arena y las conchas de la playa y hubo muchas, claro, que ya nunca encontré y entre ellas, que tanto me dolieron y aún no me resigno, cuatro de las letras del alfabeto de plata de Arizona: la Ge, la Hache y la Zeta. La Eme no es que en realidad no la hubiera encontrado: ya la tenía bien ubicada, ya la había visto brillar en la arena, allí muy cerca de las rocas que salpicó la sangre de Raousset Boulbon, el conde y pirata francés, novelista y romancero que soñó con ser Sultán de Sonora, ya había visto yo, decía, brillar las patitas fúlgidas de la *Eme* de *México* y de *M*aximiliano, cuando no sé de dónde ni cómo se apareció de repente un malhadado pájaro negro, un zanate de esos que sacan de sus nidos a los cangrejos jalándolos con el pico por las tenazas, y que se lleva, el maldito, a la Eme de plata. Lo seguí con la vista y hubiera jurado que la dejó caer en medio del mar. Pero antes de eso, antes de esa larga y como diría mi padre infructuosa búsqueda, y de la consiguiente pena, yo quise ver cómo era la cara del muerto, así que le quité el cofre de encima y le di la vuelta al cuerpo. Allí, entre esa profusión de sangre y de letras de todos los tamaños y formas, de Aes que se le metieron en las orejas, de Eñes y Equis que se le enquistaron en los sesos, de Oes y Dobleúes, vi sus ojos que habían quedado abiertos y que tenían una expresión entre incrédula y beatífica, entre impertérrita y estupefacta, como si se hubiera dado cuenta que lo había sorprendido una de las muertes más inverosímiles y más extravagantes, y hasta diría yo más peripatéticas de entre todas las que suelen suceder. Porque ustedes, señores, estarán de acuerdo conmigo en que no todos los días se puede matar a alguien con el peso de las letras, y, como diría mi padre, no tanto literariamente como literalmente.

3. El Emperador en Miravalle

Desde las terrazas del Castillo de Chapultepec, se miraba entero el Valle de México, y sobre todo en un atardecer como aquél, tan claro, y de aire tan transparente. El Paseo de la Emperatriz llegaba, por el oriente, casi al pie de la colina donde se levantaba el castillo. Por el norte, la Calzada de la Verónica. Hacia el suroeste se veían los volcanes nevados. Al sur el Monte del Ajusco. En un día como ése, tan transparente, alcanzaban a verse algunos pueblos cercanos a la capital. Al norte San Cristóbal Ecatepec, al oeste Los Remedios, Tacubaya. Al sur Mixcoac, y sus coloridos árboles frutales, San Angel y Tlalpan. También los ríos, que parecían trepar por las montañas y las forestas llenas de los pinos de Weymouth que tanto le habían gustado a la Condesa de Kollonitz, y en cuyos troncos, decía en sus Memorias, se enredaban las begonias. Para ella, los cedros americanos que se daban en México eran más hermosos y ornamentales que los propios cedros del Líbano. Otros eran los árboles del Bosque de Chapultepec que, al pie del castillo, desbordaban su oscuro verdor hacia el poniente. Los lagos del valle brillaban: Chalco y Xochimilco, Xaltocan, Texcoco...

«... y así como no es posible, Comodoro, distinguir entre una jirafa y otra, o entre un asno y otro asno, yo no podía, se lo juro, *parole d'honneur,* distinguir entre un negro y otro negro: todos son iguales. Y ahora explíqueme usted... *Alle länder gute Menschen tragen:* cada pueblo tiene sus hombres buenos, sí, ¿pero dónde, Comodoro, dónde están los mexicanos? Debo reconocer, le dije en una carta a Luis Napoleón, que en México los hombres capaces son inexistentes... y también, la otra vez: que aquí sólo hay tres clases de hombres: los viejos, que son testarudos y carcomidos; los jóvenes que no saben nada; los extranjeros, casi todos aventureros mediocres... con honrosísimas excepciones, claro... Allí tiene usted al General Sterling Price, Gobernador del Missouri, que vive en una tienda de campaña bajo los naranjos, a la orilla del ferrocarril de Veracruz, y que jura va a crecer en sus tierras mejor tabaco que el cubano. Y tenemos al General Brigadier Danville Leadbetter, de Maine, que tanta ayuda está dando para construir el *railway...* hombres preparados, Comodoro, graduados de West Point... ah, y para fundar Ciudad Carlota, que un día será más grande que Richmond...»

«Y que *New Orleans,* Sire...»

«Y que la Nueva Orleáns, Comodoro, vino también Fighting Shelby, con su brigada de hierro... ¿O cómo le llaman? Su *Iron Cavalry Brigade...* Le he pedido a Shelby que me escriba en verso sus informes. ¿Sabía usted que así lo usaba con sus reportes al cuartel confederado?»

«Sí, Su Majestad...»

«Y, *of course,* está usted también, tan ilustre oceanógrafo mundial...»

El Emperador le pasó sus prismáticos al oceanógrafo y meteorólogo Matthew Fontaine Maury, y señaló hacia el norte.

«Vea usted. No, no: un poco más a la izquierda. *Just a little...* ¿Lo ve? ¿Ve usted el santuario de *Notre Dame* de Guadalupe? Siempre me ha parecido un poco moscovita... *Do you agree?* Y dígame: ¿qué país del mundo puede preciarse de tener como director de colonización a un hombre tan distinguido como usted, Comodoro Maury?»

«Yo, Su Majestad, soy sólo...»

«... ¿al hombre que nos trajo a México el árbol de la quina, y a quien tanto deberemos algún día los enfermos de tercianas? ¿Ve usted, Comodoro, esa pequeña prominencia al lado del santuario? Y deseo aclimatar también en México la alpaca y la llama... ¿la ve usted?

Yes, Sire...»

«Es el Cerro del Tepeyac, donde la Virgen se apareció al indio Juan Diego... Me contaron, Comodoro, ¡qué de cosas no se les ocurren a los ingleses!, que a los súbditos de sus colonias africanas les están administrando los polvos de la corteza de la quina, disueltos en agua y ginebra... *They are clever, arn't they,* Comodoro? Son listos. Y mire, más abajo: esos reflejos color plata, ¿los ve usted?, son del Lago de Xaltocan...»

«Sí, Su Majestad...»

«Y sigo y me pregunto: ¿y qué nación puede preciarse de tener como *Director of Land Distribution*, como distributor de tierras a un general como John Magruder. Y está Isham Harris, el Gobernador del Tennessee, con sus negros que lo acompañan a México, y en fin, están todos los extranjeros que desean venir a poblar y hacer prosperar este grande territorio: el mundo le tiende una mano a México: mi Patria, Comodoro, y ¿qué hacemos los mexicanos? Nada. Eso es: nada, *la nada mexicana* de la que habla la Emperatriz... Ah, no sabe usted cómo hallo de menos a la Emperatriz. Más deseos tendría yo de estar con ella en Uxmal, Comodoro, que aquí en Chapultepec. Pobre de mi Carla: el sol le da manchas en la piel... ¡tanto calor allá, y tanto frío aquí! No, no, quédese con los prismáticos un momento, *keep them, please...*»

«Entiendo que el *wellcome* que ha tenido la Emperatriz en Yucatán es magnífico...»

«Así es, Comodoro: *magnifique!* La Emperatriz es el ángel protector del Yucatán. El hada madrina. Y le hacía falta una diversión, ahora que se han ido la Condesa Zichy y la Condesa Kollonitz... se van todas: nostalgia de la Austria, de los valses, de los esplendores de Viena... Pero yo no, Comodoro, teniendo aquí la vista de los ahuehuetes milenarios, de los fresnos del Paseo de la Emperatriz, más bello que *Les Champs-Elysées...*

El Emperador tomó del brazo al Comodoro Maury.

«Venga, venga usted: le voy a enseñar la mejor vista del Valle de Anáhuac a estas horas de la tarde. Ni la vista de Sorrento es tan hermosa... Y por si fuera poco, Míster Maury, están esos pobres muchachos belgas, mal entrenados, que mueren como moscas... *like flies.* ¿Un poco de rapé, Comodoro? El Emperador de México es un fumador empedernido... *unrepentant...* ¡y cuando no sopla humo, aspira rapé!»

El Comodoro Matthew Fontaine Maury tomó una pizca de rapé de la cajita de plata incrustada con gemas azules.

«Es rapé de Sevilla, Comodore: fuerte, condimentado... Llegó en el último cargamento de *Saccone and Speed*... ¿Qué haría yo sin *Saccone and Speed*, Comodoro? ¿Qué harían todos los monarcas *In partibus infidelium?* Llegó también un licor de casis delicioso, mermeladas de *blackcurrant* y otras exquisiteces... ah, sí también el magnífico vermouth que le prometí: *Nolly Prat...*»

«*Yes, yes, it's been quite disgraceful, Sire...*»

«¿Cómo? *Pardon?*»

«La muerte de los jóvenes bélgicos, Su Majestad...»

«En las Netherlands se ha dicho... pero eso es *strictement entre nous*, entre nosotros, Comodoro...»

«Entiendo, Sire...»

«... se ha dicho que Bazaine prefiere sacrificar a los belgas, que a sus hombres. Nada me extraña de quien dijo, que si sus enemigos eran mexicanos, él era tanto o más árabe que francés, como si así quisiera justificar su indolencia... Y es notorio que cuando los franceses se retiran de una plaza, dejan allí a la caballería húngara y a los *jägger... c'est à dire* a los cazadores austriacos... Mire allí, al fondo, tiene usted el Lago de Xochimilco, con sus góndolas llenas de adormideras... A la Emperatriz le encanta pasear en góndola...»

«*Beautiful, Your Majesty...*»

«Sí, *beautiful* es la palabra... pero para el Gog y el Magog del valle, para los volcanes con nieves eternas: el Popocatépetl y el Iztaccíhuatl... ¿se fija usted que bien pronunciados? yo usaría otro adjetivo...»

«*Superb?...*»

«*Maestoso*, Comodoro: majestuoso... Nada en el mundo tan majestuoso como este panorama... ¿Y sabe usted qué me ha propuesto el Mariscal Bazaine? La conscripción forzosa. Como yo le dije: hombre, Mariscal, todo se puede hacer con las bayonetas, menos sentarse en ellas...»

«¡Bravo, Sire! *Great!*»

«¿Verdad?» pero... ¿qué le contaba yo al salir de la terraza?»

«Me contaba Su Majestad de sus... *his experiences in Brazil, with the negroes...*»

«Ah, sí, sí. Iguales como un mono a otro mono... Yo pienso que los negros americanos, son *another thing...* otra cosa que los brasileños...»

«El negro americano ha estado en contacto con la civilización más tiempo, Sire...»

«Y hay ejemplos de gran fidelidad y abnegación, Comodoro, como los que cita el Barón de Sauvage en el Dictamen que publicó el *"Diario del Imperio":* los negros del Sur que se quedaron a cuidar las propiedades abandonadas por sus amos...»

El Emperador se pasó la mano por el rubio cabello, que le despeinaba la brisa.

«¿Conoce usted la historia de Juan Diego y la Virgen de Guadalupe, Comodoro? ¡Qué más desearía yo que cubrir de rosas este país! Pero no se puede hacer nada: queríamos poblar la ciudad de México de árboles, ¿y qué pasa? Que la ciudad se inunda todos los años, pero no hay agua suficiente para el riego... Le decía: en Bahía, Míster Maury, no encontré cualquier signo de alto intelecto en los ojos de los negros. Y ¿creerá usted?, sus voces tienen algo de animal, sin modulaciones, sin... *nuances*. Así lo escribí en mis Memorias, que publicaré algún día. No caben dudas, Comodoro, como decía Michel Chevalier... ¿lo conoce usted?»

«¿Michel Chevalier? Chevalier the one who fought with La Fayette in Yorktown?»

«*Yes, as far as I know... the author...* el autor del *"México Antiguo y Moderno"*... dice que la ausencia de negros en México se refleja en un promedio más alto de la inteligencia aborigen... Ah, son tan curiosos los descendientes de Cham en Brasil. Usted les pregunta a los negros: ¿cómo te llamas? Y contestan: Minas. ¿Dónde trabajas? Y contestan: Minas. ¿Dónde naciste? Y contestan: Minas. Todo es Minas, Minas Gerais, la provincia. Y muchos de esos pobres infelices sobrevivieron porque sabían nadar: los echaban por la borda los barcos negreros portugueses a uno o dos kilómetros de la costa... *Ainda que somos negros, gente somos, e alma temos,* dice el proverbio portugués, pero allí sus amos lo ignoran, Comodoro, porque el único cetro que conoce la aristocracia brasileña es el chicote...»

«¿El...?»

«El látigo, Comodoro... ¿pero qué puede esperarse de gente que habla con la nariz y no con la boca? Feo idioma, el portugués, ¿verdad?... Por ello debemos equilibrar el número de negros con indoasiáticos... chinos no, indoasiáticos... Los chinos, Comodoro, son superticiosos y dados al juego y al suicidio... Mire usted, Míster Maury, eso que brilla allí es el Cerro de la Estrella, de importancia religiosa para los aztecas».

«Did they used to sacrifice people there, Your Majesty?»

«¿Sacrificios humanos? Ah, no sé con exactitud, Comodoro. Le preguntaré a la Emperatriz: ella está muy enterada... Lo que sé es que en ese Cerro de la Estrella se celebraba el fin de cada siglo azteca, que duraba cincuenta y dos años, y el comienzo de otro. Por cierto, *à propos* de mi adorada Carla: hay rumores que mi suegro, el Rey Leopoldo, está muy enfermo... ¡Ay, son tantas las cosas que me agobian! Este año, hubo también grandes inundaciones en el departamento de Colima, donde murió tanto ganado y las cosechas se llenaron de arena... Y no hay dinero, Comodoro: el tesoro está exhausto. Los bancos emiten más papel moneda que el efectivo, que el *cash* que tienen. Y todo, todo lo tiene que pagar mi gobierno. Yo quisiera disponer más fondos para la Junta de Colonización, pero mire usted lo que hemos tenido que pagar: los gastos de los mexicanos que fueron a *Miramare* a ofrecernos el trono: ciento cinco mil pesos. Y ciento quince mil por la recepción que nos fue dada en la capital... Tan sólo el año pasado las movilizaciones de las tropas de Bazaine nos costaron siete millones de francos... Ay, y los mexicanos, Comodoro: Hidalgo y Esnaurrízar que pide cien mil pesos de indemnización por no sé qué. Agregue lo que nos cuesta la familia Iturbide. Por cierto, Alice o Alicia, la americana, la madre del principito, está loca: no se conforma con nada, sólo piensa en el niño... Ah, mire usted, Comodoro, qué bellos tintes de color rosa y fucsia toma la nieve de los volcanes con el crepúsculo...»

«Oh, sí, sí, muy bello...»

«¿Verdad, verdad que sí, Comodoro?»

«Es por eso, Sire, que no entiendo la poca cooperación de... de *the Mexican officers*, con perdón de Su Majestad...»

«¿De los funcionarios de mi gobierno, Comodoro? Sí, sí, lo reconozco, así es, por desgracia, *unfortunately*... ¿Y qué me dice de la actitud intransigente de la Iglesia?»

«Ignorancia, *fanaticism*, Sire. Vea usted: se ha enseñado... demostrado, que con cien mil colonos en las tierras que ustedes llaman *les terres chaudes* del Golfo, se producirán quinientos millones de libras de azúcar, y el... el... *the income*...»

«Los ingresos, Comodoro...»

«Los ingresos serán de treinta millones de pesos... Hay también tantos plantadores de algodón que atrae el proyecto...»

«Con los cien mil colonos negros y del sureste asiático que traeremos, Comodoro, habrá dinero para todo... para la Flota Imperial de acorazados que usted comandará: es una promesa... para su nueva Virginia... para todos mis grandes proyectos: la Academia de Ciencias y Artes, el nuevo drenaje de la capital... He comisionado a varios artistas a pintar la historia del Imperio. ¿Conoce usted "El Sitio de Puebla" de Félix Philippoteaux? Ah, pero nadie como Beaucé, Jean-Adolphe Beaucé, con su gran experiencia en Argelia y Siria, que ha pintado un magnífico "Combate de Yerbabuena", entre el escuadrón rojo de la *contraguerrille française* y el primer regimiento de lanceros mexicanos... Ahora le comisionamos un gran óleo que describa la sumisión de los indios de Río Grande al Imperio Mexicano, para el Salón Iturbide del Palacio Imperial... No, no desfallezca usted, Comodoro, se lo ruego...»

«Es difícil, Sire, somos humanitarios: hemos fijado indemnizaciones justas para los propietarios de tierras. Hicimos una ley para obligar a los *masters*...»

«No diga *masters*, Comodoro, diga patrones... Sí, una ley que los obliga a alimentar, vestir y curar los operarios y sus hijos, Comodoro, y ahorrar en su beneficio la cuarta parte de su salario, con interés del cinco por ciento: *five per cent:* todo eso lo hemos repetido hasta cansarnos, ¿y qué pasa? México abre sus puertas a la inmigración mundial, damos la libertad a toda persona de color que pise el territorio mexicano, ¡y nos acusan, Comodoro, de restituir la esclavitud en México! *Ludicrous,* como dirían ustedes, *completely ludicrous...*»

«El Imperio Mexicano tiene aún muchos enemigos, Su Majestad...»

«Mire, mire usted, Comodoro: ¡qué belleza! El Etna, el siempre fumante Estrómboli que es como un cono de azúcar truncado, el Vesubio donde cocíamos huevos en el cráter yo y mis compañeros, y nos resbalábamos hacia abajo, revolcándonos en las cenizas y saltando como cabras salvajes... ¡ah, qué recuerdos de juventud! Conozco muchos volcanes, como usted debe conocer también de sus largos viajes, pero no he visto nunca, *never,* Míster Maury, uno tan hermoso como el Popocatépetl.. Otro de mis *failures:* Como *Miramare* lo llamé así porque mira al mar, y el nombre me lo inspiró un *tusculum* que era refugio de reyes españoles en el Golfo de Vizcaya, pues a este Castillo de Chapultepec lo quise llamar *Miravalle,* porque *mira al valle...* pero nadie lo llama así... Tendría que emitir un Decreto ordenándolo... Sí, sí el Imperio tiene enemigos. Pero pienso que si viviera Lincoln, él habría entendido el carácter humanitario de nuestro proyecto, Comodoro, y nos hubiera dado su apoyo. Pero ya ve usted, el Presidente Johnson...»

El Emperador calló por unos instantes.

«¿Sí, Su Majestad? El Presidente Johnson...»

«Sí, el Presidente Johnson... ¿pero qué puedo decirle que usted no sepa ya? Ha habido tantos americanos que han desistido porque no podrían regresar a Estados Unidos sin el permiso personal del presidente... tantos otros, Comodoro, que saben que las tropas del General Sherman, por órdenes de Ulises Grant, vigilan la frontera día y noche para no dejarlos pasar a México... ¿qué vamos a hacer, Míster Maury?»

«Y el *Quai D'Orsay, Sire? What have they said?*»

«Monsieur Drouyn de Lhuys aconseja que no se haga énfasis en decir que los colonos son confederados, sino *refugiés, des hommes desolés,* y que entreguen sus armas en la frontera. Y sí, necesitamos armas: este año mi gobierno compró seis mil rifles y mil quinientos sables a La Habana y ordené otros quince mil fusiles de Viena... pero en todo caso es mejor que Sherman les recoja sus armas, y no que las vendan a los juaristas, como ya lo han hecho unos. O sea, Comodoro, que la palabra "confederado" queda prohibida...»

«*I don't see...* No veo cómo el Presidente Johnson puede temer la creación en México de una fuerza confederada...»

«Se especificó, Comodoro, que no haríamos *settlements...* colonias que incluyeran a más de doce familias de confederados. Pero no se les da gusto con nada. Y aquí, los propios mexicanos, mis compatriotas, critican que traje a México unos cuantos pianos de ébano con adornos de oro, unas cómodas de Boulle, el servicio de Sèvres... Pero el Imperio necesita dignidad, ¿no es verdad? Y si no decoramos el palacio, si yo no ordeno quitar los cielorrasos, ¡nunca hubiéramos descubierto esas maravillosas vigas de cedro! Y ahora dígame: ¿qué le parece el Ajusco, nevado también? Este ha sido un invierno frío en la capital... Y la semana pasada yo, yo su servidor como dicen los mexicanos, tenía muchas ganas de un baño bien caliente, Comodoro, ¿y qué cree usted que pasó?, ¿qué se imagina?

«No sé, Sire...»

«... que se habían robado unas tuberías del castillo, y nos quedamos sin agua por unos días... así agradece la gente del pueblo a su Emperador todos sus esfuerzos y trabajos...»

Maximiliano volvió a tomar del brazo al Comodoro Matthew Fountain Maury.

«Y han sido tantas cosas, Comodoro, como usted sabe... El Decreto sobre el vestuario y las divisas del Ejército Mexicano. El Decreto sobre Tolerancia de Cultos. El Decreto sobre Revisión de Bienes Nacionalizados. Firmamos un tratado sobre la propiedad artística y literaria entre México y la Baviera. ¿Y de qué hablan todo el tiempo los enemigos del Imperio, Comodoro? Del Decreto del 3 de Octubre que sí, sí, *lamentabilmente* hubo quizás un error doloroso: la ejecución de los generales Arteaga y Salazar... pero era una medida necesaria: ahora se han concedido muchos perdones. Creamos las Ordenes de San Carlos y del Aguila Mexicana: este año nombramos Grandes Cruces con Collar a cuatro emperadores y tres reyes. Y *précisément* el primero de enero, para comenzar, transformamos el *"Periódico Oficial"*, que salía de vez en cuando, en *"Diario del Imperio"*. Mmmm... hermosas nubes. ¿Se acuerda usted del artículo de Monsieur Poey —ese que no concuerda con usted en la cuestión de los alisios— sobre el movimiento acimutal de las nubes? Me estoy aprendiendo los nombres que ustedes dan a las nubes, Comodoro: nubes de convención, nubes de velo cirroso... Mire: ésas, esas de allá. Comodoro...»

El Emperador señaló unas nubes con tintes violetas por el rumbo del Lago de Texcoco.

«Esas son estratocúmulos, ¿verdad? *Et bien...* no le voy a hacer un catálogo de nuestros éxitos. Tampoco de mis penas... Tampoco de las nubes... Como le escribí al Barón De Pont, yo, como Guatimozín, no estoy en un lecho de rosas: *j'ai mal à la gorge: a sore throat...* y sufro tantas gripas, dolores en el hígado... ¿y cómo no, después de las calumnias de ese abate, cómo se llama: Alleau?, ¿y del regreso del Coronel Du Pin que, ya le dije al mariscal, no lo voy a tolerar? ¡Ah, si estuviera aquí la Emperatriz para sostenerme!»

«Su Majestad la Emperatriz Carlota es... una sabia gobernante, Sire...»

«*Bien dit, mon Commodore:* mi querida Carla sabe gobernar: sin ella no se habría aprobado el Decreto sobre las clases menesterosas. Usted vio la reacción de los hacendados, Míster Maury. Y los nuestros han sido sólo modestos intentos de hacer justicia a los peones... A la Emperatriz se le saltaban las lágrimas al leer lo que escribió el Ingeniero Bournof sobre los hombres azotados hasta hacerlos sangrar, las familias que se morían de hambre, los jornaleros cargados de cadenas... México es el primer país del mundo, con la legislación de mi Imperio, que crea una ley protectora del campesino, ¿y qué pasa, Comodoro? Nos acusan de esclavistas... de robarnos tierras: ¡Si nunca había antes en México una oficina de tierras, Comodoro... jamás los terrenos fueron medidos! Y hasta nos impugnan por nombrar a una empresa *particulière*, la *Coutfield*, para organizar la inmigración, cuando que sólo seguimos el ejemplo de Inglaterra y Francia, que le concedieron el privilegio para la introducción en sus colonias de inmigrantes indoasiáticos y negros a la *Hythe Hodger* de Londres y a la *Régis Ainé* de Marseille... ¿Usted entiende, Comodoro Maury? *I don't understand at all...* se lo juro: *at all*».

Por la Calzada de la Verónica se distinguía una polvareda: era un grupo de jinetes.

«Ah, a ver, permítame los prismáticos, Comodoro. Sí, claro... tome, vea, vea usted...»

«Esos... *hussars?*»

«Sí, sí, húsares húngaros... ¡qué bello espectáculo! Los franceses los imitaron desde 1690, y después España creó el Regimiento de Húsares de la Princesa... pero ninguno como los húngaros, los primeros... ¿Sabe usted, Comodoro? Antes yo decía: "¡sólo Austria los posee, porque sólo Austria posee a Hungría!"... pero ahora los tenemos en México también...»

El Comodoro le devolvió los prismáticos al Emperador y éste los guardó en el estuche de piel de Rusia y con el monograma imperial en oro, que le colgaba del cuello pendiente de una cinta de charol.

Las sombras cubrían el Valle de México. La cumbre del Popocatépetl pareció incendiarse.

«*Nous dansons sur un volcan...* Danzamos sobre un volcán: eso le dijeron al Duque de Orleáns en Nápoles, en vísperas de la rebelión de 1830, que mandó al exilio a Carlos X, el último rey francés de la línea directa de los Borbones... Pronto, quizás, Comodoro, estaré danzando en otro Vesubio: en el Popocatépetl, ja, ja... Pero venga conmigo... comienza a hacer frío, y me llega una *fragance* deliciosa... ¿la siente usted? El chocolate debe estar servido... me lo prohíbe el médico, pero un poquito de vez en cuando, yo digo... espumoso... Y usted, Comodoro, anímese. Como le digo a mi querida Emperatriz: *Cheer-up! Let's be optimistic!* Su Nueva Virginia será verdad, y lo mismo mi Ciudad Carlota: *you have my word.* ¡Y nuestra marina nacional! Yo sé de esas cosas. Con

Tegetthoff, como sabe usted, modernicé la flota austriaca. Le compramos a los ingleses la fragata de vapor que llamamos *"Radetzky"* como nuestro vencedor del Piamonte, y construimos el *"Kaiser"* y el *"Don Juan de Austria"* y blindamos la *"Novara"*... Y yo no sé de algodón, pero haremos de México un grande productor de algodón... De ganado también, no faltaba más... ¿Cómo es posible que en Inglaterra, que no siembra algodón, esté más barato que en este país, que sí lo produce? Cinco peniques la yarda de manta en Londres, trece peniques en México... ¡Dígame usted! Y antes, toda la vainilla consumida en Francia venía de México, ahora la suministra en su gran parte la Isla de la Reunión... Pero nada se podrá hacer, Comodoro, si como dice Charles Lemprière en su libro, cada nuevo gabinete repudia los compromisos del anterior, por sagrados que hayan sido. México necesita continuidad de política, y esa continuidad se la dará el Imperio... ¡Sí señor, hombre!»

El Emperador extendió el brazo derecho y giró con lentitud sobre sus talones, como si quisiera abarcar todo el valle y lo que el valle contenía: los riachuelos, los ahuehuetes inmemoriales, los grandes lagos espejeantes, al oriente de la Sierra Nevada con Gog y Magog, el Tecámac y el Monte Tláloc; al occidente las alturas de las Cruces y Monte Alto; al noreste el Lago de Texcoco del cual a veces se levantaban, en espirales, trombas de aguas espumosas y, de sus orillas, remolinos de polvo. Pareció que quería abarcar también el cielo azul y transparente que al oscurecer, en las noches sin luna, dejaba que Sirio, Castor y Pólux, el Corazón de León y Antares y un millón de estrellas más brillaran como en ninguna otra parte del mundo.

«¡Y en este valle, en el glorioso Valle del Anáhuac, crecerá un pasto más azul que el más azul pasto de Kentucky...!»

Después apoyó su mano en el hombro del Comodoro.

«Venga. Vamos a tomar un poco de chocolate... Le decía de mis experiencias en Brasil. Fue allí donde vi a un negro con elefantiasis: les dan enfermedades de la piel espantosas. Pero tuve mis compensaciones: me maravillaron la flora y la fauna del *Matto Virgem:* los besaflores tornasolados, el oscuro color de las aguas del Amazonas, los zarzales de prodigioso ramaje. Llevé algunos especímenes animales de gran rareza a Schönbrunn, entre otras cosas... Allí vi también muchachos *half-caste,* de raza mixta, Comodoro, que me hicieron pensar en el metal corintio: una mezcla de cobre, oro y bronce. Pero fue en San Vicente, en las Islas Windward, donde tuve mi primera impresión de las negras como unos escarabajos. Es realmente *schocking* ver a esos esclavos negros en medio de la jungla, con libreas y casacas de terciopelo rojo bordadas con oro y a las negras con vestidos europeos... Se ponen mantillas de encajes y usan crinolinas y parasoles, se peinan a la bordalesa... ¡y están descalzas, *barefoot!* *A propos* de negros: me contaba el Capitán Blanchot, que cuando Bazaine venía a México a bordo del *"Saint-Louis"*, con el 95 de

347

línea, les dieron a los oficiales un banquete delicioso, en Saint-Pierre, de cocina *créole* y francesa, y como postre sirvieron *une crème à la vanille,* una crema de vainilla que, según les dijeron, estaba hecha *avec du lait de négresse:* con la leche de una negra. Y el capitán me decía, riendo: *et pourtant elle était blanche!,* ¡y sin embargo, la crema era blanca!

XIII
CASTILLO DE BOUCHOUT
1927

SÍ, MAXIMILIANO, fue la mentira, fueron las mentiras, las que nos perdieron. Tengo aquí, Max, en mi recámara de Bouchout, un cofre lleno de mentiras que me trajo el mensajero. Algunas mentiras son tan inocentes, que se parecen a la paloma de Concha Méndez: si levanto la tapa del cofre se escapan y cuando quiero pescarlas por la punta de un ala se vuelven nada, como se me deshizo en las manos, en cenizas, la carta de papá Leopoldo. Hay mentiras saladas y fosforescentes, Maximiliano, como las aguas del mar que llevaron a la Novara hasta las costas de México. Hay mentiras piadosas, como los inditos mexicanos que cada día de San Juan se disfrazaban de hulanos y cada Viernes Santo de Herodes y Pilatos, de Cristo y la Magdalena. Hay, también, mentiras que jamás te perdonaré. ¿O pretendes que me olvide de la noche que pasamos en Puebla, en que te indignaste porque nos tenían preparado un lecho matrimonial, y ordenaste que te pusieran un catre en otra habitación, y te fuiste a ella a pasar la noche bajo un cuadro que ilustraba una cárcel, mientras yo me quedé sola también, bajo la pintura de un hospital? ¿Te acuerdas, Maximiliano? Y eso me lo hizo quien dijo quererme tanto. Otras son mentiras apretadas de mentiras, como esas granadas cardelinas de Teziutlán que eran como racimos de gotas de sangre cristalizadas. Otras, se esconden en las páginas de los libros y se secan, pierden el perfume y los colores con los que un día nos sedujeron, como las hojas de los mirtos y las brionias de las guirnaldas con las que me recibieron en Ragusa, y que guardo aquí, en el cofre, entre las páginas del álbum con once mil firmas que nos dieron los habitantes de Trieste para desearle buena suerte en México a su antiguo Virrey y su antigua Virreina de las provincias lombardovénetas: eso también fue mentira: ¿qué podían, los triestinos, sino desearles el fracaso a quienes representaron a los dominadores austriacos que hicieron que se pudriera quince años en un calabozo el patriota italiano Confalonieri? Pero creímos en ellos, en su amor y su bondad, y por eso nos perdimos.

Otras mentiras son como cintas de colores con las que trenzo mis cabellos, con las que hago moños para las perillas de puertas que se abren a los lugares que menos te imaginas: una da a la Sala del Trono de las grutas de Cacahuamilpa. Otra a la Sala del Gran Trianón donde fue juzgado por traidor a Francia el Mariscal Bazaine. Otra puerta da a las pilastras corintias de Saint Cloud donde se levantaban las esculturas de La Fuerza y La Prudencia: pero todo eso es y fue mentira: la fuerza y la prudencia se hicieron polvo con los cañones de acero del General Moltke, y al miserable de Bazaine, aunque merecía morir así, deshonrado y en el exilio por todo el daño que nos causó en México, se le hizo chivo expiatorio para ocultar la vergüenza de Mac-Mahon el Duque de Magenta, por cuya torpeza Francia, la cuna de mi abuelo, perdió Alsacia. Y ese trono, ah, ese trono de cristales irisados que resplandecía en la oscuridad de la gruta, que destellaba a la luz de las antorchas, estaba tapizado de estalagmitas tan puntiagudas como esas bayonetas con las que al fin y al cabo, Maximiliano, te cortaste las nalgas.

O a veces tomo todas las cintas de colores y las coso por las puntas a mis faldas de china poblana y juego con ellas a volar cometas como lo hacía en el Parque de Windsor con mis primos Aumale y Chartres después de confeccionar mantequilla y crema en Frogmore con la receta de nuestra prima Victoria, o como lo hago, pero eso no se lo digas a nadie, Maximiliano, porque es un secreto, cada vez que voy a México y me pongo a volar papalotes con la Señora Sánchez Navarro en el Valle de Tenancingo.

Anda, Maximiliano, toma un listón por la otra punta y baila conmigo y canta, confiesa todas tus mentiras. Coloca sobre tu pecho el corazón de una golondrina y di que mentiste cuando ya sentenciado a muerte le juraste a Benito Juárez que perderías la vida con placer si tu sacrificio podría contribuir a la paz y la prosperidad de tu nueva patria. Anda, Maximiliano, ponte en la frente la lengua de una calandria y grítale al mundo que mentiste cuando le entregaste tu espada a Escobedo y le dijiste que si te permitía salir de México te comprometerías bajo tu honor a no volver nunca. Anda, humíllate, arrodíllate, anda a gatas, vuelve a ser un niño obediente y yo te llamaré el sol del alcázar, la estrella matutina de Cuernavaca, y te daré caramelos de limón y belladona, te bajaré los pantalones y con un chicote de cintas de colores te pegaré en tus nalgas cortadas para que ya nunca más digas mentiras ni creas las mentiras que te digan los otros. ¿Le dijiste en una carta al Doctor Jilek que en México reinaba una democracia sana, sin fantasías enfermizas al estilo Europa? Toma, toma por mentiroso y lávate los dientes con polvos de oropimente. ¿Le dijiste al Barón De Pont que nunca un mexicano había trabajado con tanto celo por su patria como tú? Toma, toma por metiroso y haz buches de peyote y regaliz. ¿Le escribiste al barón y le juraste que si de nuevo estuvieras en Miramar y de nuevo te ofrecieran el trono de México lo aceptarías sin dudar un instante? Toma y toma y tomen todos los demás. Dame tu látigo, Maximiliano, dame tu verga, dame tu espada, que voy a azotar por mentirosos a los habitantes de Chalco que nos recibieron con alfombras florales que decían Eterna Gratitud a Napoleón Tercero, porque ni esas palabras, ni esas amapolas y azucenas eran de verdad. Préstame tu saliva, Max, que voy a escupir en las aguas amarillas del Río Grande, dame un garrote que le voy a dar de palos a los ángeles que construyeron la Catedral de Puebla porque ellos también mintieron y sus alas de piedra no eran de verdad, y le voy a dar de palos por mentirosa a tu madre Sofía que juró que ella jamás se casaría con el Archiduque Francisco Carlos, al que llamó un imbécil porque eso era, un retardado mental, y sin embargo se hizo su esposa y de él concibió a tu hermano y quizás a ti también, si es que no fuiste hijo del Rey de Roma. Andale, Maximiliano, préstame tus dientes y ponte la máscara de Luis Napoleón, que a ti, Mostachú, con los dientes de muerto del Rey del Universo te voy a arrancar el pellejo y los bigotes engomados, y voy a hacer una cuerda con lonjas de tocino para amarrarla de tus testículos y pasearte bajo el arco de triunfo del Carrusel como al buey gordo del carnaval y así, agarrado de los testículos, te arrastraré por las calles hasta que ya no puedas más y le grites al mundo que mintió el General Forey cuando desembarcó en Veracruz y dijo que no llegaba a hacer la guerra a los hijos de México sino a su gobierno, ¿y esos pobres soldaditos zacapoaxtlas que murieron con los cráneos destrozados por los obuses de Forey junto a los muros del Fuerte de la Misericordia de Puebla: qué otra cosa eran de México sino sus hijos? Y hasta que grites que tú, Mostachú, tú, Arlequín el Grande, también mentiste cuando dijiste que Francia no deseaba imponer en México ningún gobierno que no fuera del agrado de su pueblo, ¿y qué otra cosa eran de México sino su pueblo los soldados del pelotón que fusilaron a Maximiliano en Querétaro? y así, a rastras, te llevaré a la Sala del Consejo de las Tullerías para que allí, de pie en el terciopelo verde que cubre la mesa ovalada en la que firmaste la declaración de guerra al Kaiser Guillermo Primero y a su Primer Ministro Otón Eduardo Leopoldo von Bismarck-Schönhausen, le grites a Francia entera que cuando dijiste que de la prisión de Ham sólo saldrías camino a las Tullerías o camino al cementerio, estabas mintiendo porque de allí te fuiste corriendo a Inglaterra como lo hicieron Victor Hugo y mi propio abuelo y lo hubiera querido hacer Napoleón Primero, y como lo volviste a hacer después para irte a Chislehurst a morir pero no de piedras en la vejiga sino de piedras en la conciencia.

Ayúdame, Max, ayúdame a levantar la tapa del cofre para que de él se escapen todas las mentiras como de la Caja de Pandora huyeron las desgracias que ensombrecieron al mundo, y para ver si allí, en el fondo, encuentro una verdad. Una sola. Quiero saber si es cierto que fue en el Salón Turco del Palacio de Palermo, que tenía columnas de turquesas y candelabros de ópalo, donde conocí a mi tía abuela la Reina de Cerdeña. Si fue cierto que cuando nos casamos, los sirvientes del Castillo d'Eu nos regalaron, entre todos, un servicio de té de porcelana de Sèvres que ilustraba los castillos de la Casa de Orleáns que después se robó Luis Napoleón: cuídate, Maximiliano, y no bebas del té de canela que te dé Eugenia en la taza del Castillo de Compiègne, cuídate y no te mojes los labios con la tisana de manzanilla que te ofrezca Madame Carette en la taza del Castillo de Neully, que te lo advierto Max, las mentiras, porque son eso, mentiras, no lo parecen. Hay mentiras bellas que son como la cara de mi madre o los ojos del Coronel López. Hay mentiras tristes y alegres como la historia de Genoveva de Brabante que me contaba mi hermano Leopoldo. Y hay mentiras como todo eso que vi el otro día: esmaltes de Limousin y mermeladas de pétalos de rosa de Turquía, mieles de Yucatán y camafeos florentinos, cornucopias de cuero de Sudán y tantas cosas de las que apenas si me acuerdo como cucharas de carey de Rumania y frutas de cera de la Isla de Mauricio y la estatua ecuestre, de sal, de Carlos Quinto, cuando visité la Exposición Internacional de París.

Ven Maximiliano, ven, ayúdame a arrancar estas violetas blancas que le enviaste a tu madre desde Córcega, para que las pusiera en el sepulcro de tu padre y que se pegaron al fondo del cofre, ayúdame a espantar las abejas doradas que quieren beberse la miel amarga que rebosa el corazón de El Aguilucho. Hay mentiras como este erizo marino que me trajo el mensajero de las playas de Mocambo y en cuyas espinas quisieran, mis doctores y mis damas de compañía, que estuviera ensartando lentejuelas y chaquiras todo el santo día. Arranca una de las espinas y clávasela en la lengua al Coronel López que mintió cuando dijo que había ido a ver a Escobedo sólo por ganar tiempo para salvarte la vida. Y clávale otra a Eloin por haberte escrito desde Viena que el pueblo austriaco te prefería como Soberano a Francisco José, clávale púas a todos los que dijeron que podrías formar en Miramar un gobierno mexicano en el exilio como lo hizo en Roma mi bisabuelo el Rey de las Dos Sicilias. A Hidalgo por haberle jurado a Eugenia que el pueblo mexicano era de pura raza latina. Al Conde de Beust por haber enviado un telegrama en el que dijo que tu hermano estaba dispuesto a establecer tus derechos de sucesión en Austria Hungría si tú abdicabas al trono de México. Al Barón Magnus porque te juró, en Querétaro, que pondría a tu disposición todo el dinero que necesitaras para sobornar a tus guardias.

Y esto no es todo. Tengo otras cosas que enseñarte: para mí, guardé este alambre de oro con púas de diamantes que le mandé hacer a Monsieur Fabergé: quiero que con él me ates las manos para que nunca más vuelva yo a escribirle a nadie desde México, ni a mi padre Leopoldo, ni a la Condesa d'Hulst ni a mi hermano el Duque de Flandes, ni a mi abuela María Amelia, diciéndoles que soy feliz, que nuestro pueblo mexicano nos adora, que no sé cómo agradecerle al buen Dios todo lo que nos ha dado, que qué bella cosa sería tener una nación donde todos los hombres fueran como Gutiérrez Estrada. Y para ti, Max, tengo otro regalo. ¿Te acuerdas de esa tarde en Miramar en el Salón de las Gaviotas que tenías frente a ti un mapa de México en el que clavabas alfileres de colores? ¿Un alfiler verde para señalar las verdes y espesas selvas de Bonampak, sus guayacanes y sus manglares? ¿Un alfiler de cabeza azul en honor del azul turquesa del Golfo de California y sus delfines saltadores? ¿Un alfiler plateado para celebrar los criaderos de plata de Ganajuato y los artificios labrados que deslumbraron a los conquistadores españoles en el Palacio de Axayácatl? Hoy vino el mensajero disfrazado del Coronel Du Pin y me los trajo y me pidió que te los diera, Max, para que tú mismo te los claves en la lengua, uno por cada una de tus mentiras, de tus mentiras blancas, de tus mentiras color de rosa, de tus mentiras que eran, como tus sueños, doradas: pínchate la lengua por haber dicho en Orizaba que si el pueblo mexicano decidía ser de nuevo una República, tú serías el primero en felicitar al presidente electo; por haber escrito que Austria estaba enferma de un mal interminable, plena de aburrimiento y de tristeza, a sabiendas de que no era así, y de que más que estar allí en el horrible palacio de la ciudad de México, atormentado por los violines desafinados de las bandas de indios descalzos y sus petardos y sus matracas, te hubiera gustado pasear por el Volksgarten del Hofburgo escuchando el estallido, jubiloso y cristalino, en el aire limpio de Viena, de las burbujas de la Polka Champaña de Johann Strauss. Púnzate la lengua, Max, porque a sabiendas que te encontrabas solo y desamparado, murmuraste, tras una cortina del palacio cuando las tropas francesas se retiraron de México, que al fin estabas libre, y porque ya juzgado y condenado dijiste que nunca habías pensado que se te hiciera responsable de una situación que tú no habías creado, cuando que siempre supiste que eras el principal culpable, porque sin ti no hubiera habido Imperio. Y atraviésate la lengua, Max, traspásatela hasta el gaznate con un alfiler del negro de una de tus mentiras más sucias, porque tras burlarte de Napoleón Tercero, tras asombrarte del cinismo del que hizo gala cuando en l'Orangerie te dijo, hablando de la Guerra de Crimea que quizás hubiera sido mejor repartirse a Turquía en lugar de ayudarla, y que así Austria hubiera podido agrandarse con Albania y Herzegovina, y después de que a mi padre le escribiste en una carta que la estrella de Luis Napoleón tendría que desaparecer, como la de toda la gentuza de su clase, dijiste de él, de Mostachú, que era el soberano más grande de su siglo.

Y al indio, Maximiliano, a tu asesino, a Benito Juárez, que cada vez que abría la boca decía una mentira, por haberle dicho a la Princesa Salm Salm que no te perdonaría la vida así se arrodillaran ante él todos los monarcas de Europa, resérvale la estalactita más dura y más filosa, la más relumbrante de tu trono de filigrana de sal y ópalos y de encaje de aguamarinas transparentes, para clavárselo en el pecho. Porque si eso dijo el indio, fue porque ante él estaba arrodillada una amazona de circo, una arribista, una princesa también de mentiras y no mi prima Victoria la Reina de Inglaterra. Y porque la Princesa Salm Salm era una estúpida: ¿por qué no se le ofreció a Juárez como lo hizo con el Coronel Palacios, que del susto casi brinca por la ventana? ¿Tú crees que Juárez hubiera saltado por el balcón de la oficina presidencial si la Princesa Salm Salm se le hubiera desnudado? El, ese indio prieto que aparte de la carne de su mujer Margarita con la que se casó nada más que para poder ser todo lo que fue: gobernador y ministro, presidente y héroe, nunca jamás pudo acariciar con sus oscuras manos la piel dulce de una mujer blanca, como no fuera la de una prostituta, ¿tú crees que él se hubiera resistido a acariciar los pechos de la princesa yanqui y a echársele encima apenas Inés Salm Salm le enseñara sus ligas y el principio de los muslos? Y porque Magnus, y con él el Barón Lago y todos los otros ministros europeos que salieron corriendo de Querétaro, no sólo eran unos cobardes, sino también unos estúpidos: no conocían el precio del indio. Mi prima Victoria debió haberle ofrecido el brillante Koh-y-Nor de la corona inglesa con el que tanto presumió en uno de sus viajes a París cuando la hipócrita le rindió homenaje en Los Inválidos a Napoleón Primero el enemigo más grande que jamás tuvo Inglaterra. Pero no, con menos, con menos de eso hubieran deslumbrado al indio: con la diadema de esmeraldas que le presentó la ciudad de París a Eugenia cuando se casó con Luis Napoleón. Con los zafiros de la Duquesa de Orleáns que le regalaron a mi bisabuela María Antonieta. Con el árbol de la rosa de oro que Pío Séptimo le envió a la Emperatriz Carolina Augusta y que Sisi debió haberle llevado a Juárez, que yo le hubiera llevado si me hubieran dicho, Maximiliano, que te iban a matar, pero no me lo dijo nadie y me tuvieron encerrada en Miramar meses enteros: yo habría arrancado la rosa de oro y me habría desnudado y recostado en el diván de la oficina de Juárez donde se arrellanaba el perro faldero de Inés Salm Salm, y me hubiera colocado la rosa entre las piernas y le hubiera dicho a Juárez que si la besaba con sus labios prietos lo dejaría besar entonces el nido de la rosa y su aureola de césped castaño y entonces hubiera sido él, el indio, el que hubiera caído de rodillas. Pero no me dijeron nada, Maximiliano, y todos te abandonaron. A Sisi no le importaba otra cosa que ponerse mascarillas de barro y de polvo de conchanácar para quitarse las arrugas que ya nunca se le quitaron o lavarse el pelo con coñac y yemas de huevo para devolverle el brillo que jamás volvió a tener. Tu hermano Francisco José, que estaba muy ocupado con su amante Katherine Schratt, no se tomó el trabajo de cruzar el Atlántico para ir a pedirle gracia a Juárez. Carlos Manuel Segundo de Italia no te podía perdonar que hubiera sido un barco que tenía tu nombre el que hundiera al Re d'Italia en la Batalla de Lissa. Isabel Segunda de España estaba muy entretenida abriéndole las piernas a Carlos Marfori. Alejandro Nicolayevich estaba más interesado en recoger el premio que ganó en la Exposición de París por sus crías de caballos y en reponerse del susto que le dio el polaco Beresowski cuando disparó contra él en Longchamp, que en tu destino y el de tu Imperio. Y porque nadie, Maximiliano, ningún monarca de Europa, ni mi hermano Leopoldo, ni Luis Primero de Portugal ni el Kaiser Guillermo Primero de Alemania, ninguno, Maximiliano, fue capaz de ir a México a pedirle a Juárez que no te fusilara, a colmarle el orgullo al indio y henchirle la soberbia y ofuscarlo en su pequeñez y su mezquindad para salvarte la vida: todos te abandonaron. Pero si te sirve de consuelo, Maximiliano, te diré que todos están muertos. Tu hermano y el mío y Victoria y Guillermo se murieron de viejos. Victor Manuel se murió en el Palacio del Quirinal como se lo había predicho una gitana y se le puso la cara negra con la tinta del barbero que tiñó la barba de su cadáver. Isabel de España no sólo se murió de vieja sino de gorda, de puerca, de glotona, de puta, y a Luis de Portugal lo asesinaron en Cascaes y Alejandro, que lo encontraron en la nieve malherido por la bomba de Ryssakov, murió en el Palacio de Invierno de San Petersburgo con las entrañas congeladas. Sólo yo estoy viva.

Y porque lo estoy, y porque te quiero, te voy a perdonar todas tus mentiras si prometes que te vas a portar bien y a decirme la verdad a todo lo que te pregunte. Dime: ¿no me han de ver de nuevo tus ojos? ¿No me han de mirar, Maximiliano, tus ojos claros desde el azul del lago? ¿No te ha de desear mi boca? ¿No te han de abrazar mis brazos, Maximiliano, desde las balaustradas blancas de los balcones de Miramar? Dime, Max: ¿Te acuerdas, cuando te dieron paperas y tu abuela te regaló una fortaleza de cartón con soldaditos de plomo y cañones de fulminantes? ¿No han de disparar tus manos de nuevo el cañón de juguete que derrumbará los muros de la fortaleza roja de San Juan de Ulúa, que caerán desmoronados en las aguas de la rada de Veracruz para el espanto de los tiburones y las mantarrayas? ¿No te han de dar paperas de nuevo, Max, para que tu hermano Francisco José te envíe cartas secretas escritas con su sangre y la punta de su espada? Ay, Maximiliano, Maximiliano el de la cuna de marfil bajo la alondra disecada: sembraste violetas, recogiste cuervos. Sembraste fantasmas, recogiste una racha de balas. Ay Maximiliano, Maximiliano el de la isla solitaria de las jirafas y las paperas y la cabaña alfombrada con pieles de gato salvaje y cortinas de piel de boa y en tu mano una pipa curada con cáscaras de manzana y té de jacinto: sembraste sueños, recogiste un tiro de gracia. Ay, Maximiliano, dime: en el verdor callado de Venecia, ¿no bebió la tristeza máscaras de musgo de tus labios? Bajo las buganvillas de los Jardines Borda, ¿no bebió la alegría mariposas azules de tus ojos? En las playas de Cartagena, ¿no te habló el viento desde sus cenizas? ¿No tuvieron las cenizas un hijo, no tuvo el Alcázar de Toledo un pájaro? ¿Cuándo el pájaro se desangró en tu pecho de marinero? ¿Cuándo su pico se clavó en tu cuello que no me lo dijeron,

Maximiliano, que me lo han ocultado tanto tiempo, veintidós mil noches, Maximiliano, en las que te he esperado aquí en mi cama de lava seca que mandé traer del Pedregal del Ajusco, a oscuras porque estoy casi ciega por las cataratas que no me dejan verte como siempre eras, alto y rubio y con el gran collar del Vellocino de Oro al cuello y con tu barba alada que flotaba sobre las aguas cuando te bañabas en el Lago de Chapultepec? ¿Te acuerdas, Max, de esas mañanas tan claras y como recién lavadas con agua de lirios y yo desde la terraza del castillo te saludaba, te decía adiós con una carta de papá Leopoldo en las manos? ¡Y que bajaba yo entonces para leértela en voz alta desde la orilla del lago? Bajaba yo por las escaleras que conducían a la habitación donde estaba mi madre, acostada, y el techo era una bóveda remendada de estrellas y ella, el Angel de Bélgica, estaba muy pálida y arriba de su cama, y como suspendidos en el aire por hilos invisibles, inmóviles, había tres cisnes negros del Béguinage con las alas abiertas. Bajaba yo, huía con la carta de papá en la mano, y de pronto me di cuenta que ésa no era ni la escalera del castillo, ni la de Laeken; que esos peldaños de piedra por los que se arrastraba una yedra gris y azulosa, vieja y crispada, eran los peldaños de la escalera de caracol de la torre redonda de Chichen-Itzá. Después me encontré en el centro de un laberinto y te llamé a gritos, pero sólo me respondió el eco que repitió tu nombre hasta el infinito, y supe que sólo encontraría la salida si seguía ese hilo rojo, ese hilo de sangre siempre fresca que no fue el que manchó el caballito de madera de mi prima Minette, sino ese otro hilo de sangre caliente que me salió la noche en que cruzamos el Trópico de Cáncer a bordo del yate Fantaisie rumbo a la Isla de Madeira y sobre una cama de tablones barrida por la espuma del mar danzaron los escobilleros y las botellas de vino Sercial, danzaron tus astrolabios y tus compases, danzó el viento y danzó la oscuridad de la noche, y danzamos tú y yo, desnudos, y ese hilo de sangre, Maximiliano, pasa por la Isla de Lacroma con sus banderas mexicanas a media asta y crespones como orquídeas negras, pasa por la carroza imperial que nos regalaron los habitantes de Milán y que se quedó abandonada en El Olvido y en la que han crecido los hongos y la madreselva se ha enredado a sus ruedas, y en su interior anidan faisanes y quetzales de largas colas tornasoladas y por sus ventanas se derraman los helechos, y llega ese hilo, Maximiliano, hasta tu corazón lleno de puntas como el erizo que me trajo el mensajero o como la estrella de sangre cuajada que tengo aquí sobre mi pecho desnudo y ensalivado por tus besos. Ay, Maximiliano, Maximiliano, niño de los mosaicos florentinos del ala leopoldina del Hofburgo, niño del alma perfumada por las miniaturas persas del Cuarto del Millón de Schönbrunn, dime: el polvo de los caminos de Apam, ¿no te hizo comer milagros? Niño Maximiliano, niño que te acostaste en las zarzas de seda del Valle de Anáhuac. Niño de las barbas de estropajo y de los ojos de petróleo esmerilado, Emperador de México, Rey de Xochimilco, Almirante del

Lago de Texcoco, dime: ¿no lloraste lágrimas de arcoíris en los amaneceres de Uruapan? El Río Blanco de las aguas dulces y enamoradas, ¿no te besó los muslos?, ¿no te salpicó en la cara la sonrisa de Concepción Sedano? Ay, niño Fernando, Señorito Maximiliano, ¿te acuerdas que un día hiciste cortar a la moda inglesa las colas de los caballos de tu regimiento, y que tu hermano te castigó por atreverte a violar el reglamento que desde los tiempos de María Teresa ordenaba que las colas fueran largas y trenzadas? Dime, ¿no volverá Francisco José a encerrarte en tu cuarto, arrestado, para que allí, en la soledad y en tu imaginación los sementales blancos de la Escuela de Equitación Española de Viena de los que sabías sus nombres de memoria, respinguen y hagan cabriolas y caracoleen y galopen a la velocidad de la vida? ¿Ya no le has de echar en cara de nuevo a tu hermano, para su vergüenza, que él, el Emperador de Austria, lloró de miedo la primera vez que lo subieron a un pony?

Y seguí bajando la escalera, siempre con la carta de papá en la mano, y me di cuenta que había pasado de la escalera de la torre redonda a la escalera del Castillo de Chichen-Itzá y que esa escultura de piedra de un hombre recostado que sostenía una vasija en el vientre era el chac-mool, y que ese animal de grandes colmillos con el cuerpo incrustado de trozos de jade era el jaguar rojo, y seguí bajando la escalera y cuando llegué al final ya sabía que ese inmenso círculo de aguas azules no era el Lago de Chapultepec sino el cenote sagrado. Pero no te vi. Sólo vi a Blasio, que sostenía una toalla grande y blanca como un sudario, y que me dijo algo que no escuché, y después desapareció, ya no lo vi más porque me envolvió una nube de vapor y entonces la carta se me deshizo en las manos como si fuera de ceniza, porque era la carta de un muerto, porque mi adorado padre Leopoldo Primero de Bélgica la había escrito unos días antes de morir y no me llegó a México sino varias semanas después, cuando regresé, enloquecida y envenenada mi alma con toloache, de allí, de Chichén-Itzá, del cenote sagrado. Y te grité, te dije a gritos y sollozos que a mi pobre padre lo habían tenido que operar más de diez veces, que los pies se le habían hinchado de una manera monstruosa, que en su último viaje a Inglaterra casi no pudo platicar con Victoria porque se pasó los días en cama en el Palacio de Buckingham revolcándose de los espantosos cólicos que le producían las piedras de la vesícula, infeliz de mi padre que a veces del dolor tenía que dormir parado, sostenido por las axilas por dos colchones clavados a unas mesas, también debí haber ido a Bélgica para cuidarlo, para echar a patadas del cuarto a su amante la Eppinghoven que fue a la única persona a quien le permitió estar a su lado en su lecho de muerte y para sacudirlo y despertarlo de su delirio y estar así segura que cuando decía Charlotte, Charlotte, querida Charlotte en su agonía, me llamaba a mí, a su pequeña Charlotte, a su Bijou, a la Princesa de Laeken y no a su primera mujer Charlotte de Inglaterra, la hija del borracho y depravado Jorge Cuarto, de la que mi madre tomó el nombre, y eso no se lo perdonaré nunca, para ponérmelo a mí, para darme el nombre de una muerta que siguió viva para siempre en el corazón de mi padre.

Fue entonces cuando entendí lo que Blasio me había querido decir: que hacía frío y que me cubriera con tu toalla. Pero no, no, qué va: la nube de vapor me abrasaba y me arrojé al cenote para refrescarme y porque sabía que tú estabas en el fondo. Primero me acosté en el agua de espaldas, quieta, sin parpadear siquiera. Arriba el sol, en el cénit, y el cielo azul circunvalado por los altísimos y oscuros muros del cenote, reflejaban, como un espejo, el astro tembloroso que era mi falda anaranjada que flotaba y giraba a mi alrededor, y el mar de turquesas líquidas en el que comencé a hundirme, casi sin sentirlo, como me hundía en el sueño cuando mi madre me leía unas páginas de Fabiola. Descendí así, muy despacio y con los ojos cerrados, como una novia dormida envuelta en llamas, en un largo viaje, hasta el lecho del cenote. Cuando abrí los ojos, te vi tendido a mi lado y vi que tu cara, de tan pálida, parecía de yeso. Pero tu cabello y tu barba estaban vivos: se habían convertido en lombrices blancas. Y tu lengua también estaba viva: era la cola de un pez morado. Y yo me comí a mordiscos las lombrices, me tragué el pez, porque no quería que nadie, Maximiliano, ni el Doctor Licea ni el Barón Lago, ni el Coronel Platón Sánchez, ni Miguel López se llevaran a sus casas los bucles de tu cabello guardados en relicarios, ni los pedazos de tu lengua en frascos de formol como recuerdo de sus infamias y sus traiciones, de su cobardía y sus deslealtades, y porque no sólo tu corazón estaba vivo: en la jaula de tu costillar palpitaba una medusa roja como la púrpura, sino también tu miembro: entre tus piernas se asomaba un anguila luminosa y escurridiza, ardiente, y tu piel también, Maximiliano, la piel de tus huesos, que era como de musgo azul, suave y tembloroso, por eso me desnudé, para hacer el amor contigo, a pesar de que yo sabía que nos estaban viendo, que desde sus órbitas negras como azabache nos contemplaban las vírgenes mayas arrojadas vivas al cenote para conjurar a los dioses de la lluvia.

Pero otros nos vieron también, Maximiliano, y nos ven todavía con un asombro tan grande que no les cabe en las órbitas vacías de sus ojos, porque si cuando estaban vivos y peleaban por lo que creían era su patria aplaudieron tu muerte por considerarte un usurpador extranjero, una vez muertos no pudieron entender cómo fue que sus propios hermanos mexicanos los habían asesinado. Allí, Maximiliano, en el azul profundo del cenote, en un altar alfombrado con las flores amarillas del cempazúchil y las flores rojas del colorín, estaban las calaveras de los que fueron héroes y víctimas, las dos cosas, de una revolución de la que tú jamás oíste hablar. De una revolución que, como Saturno, devoró a sus propios hijos: allí, nadie me lo contó, en ese altar, yo vi una calavera forrada con piel de serpiente y otra forrada con piel de puma y una más forrada con cartuchos de balas, allí vi yo una calavera cubierta con mosaicos de jade, allí vi las calaveras, blancas y pulidas, y con luz propia como si fueran lámparas, de los mexicanos asesinados en la ciudad de México, en Tlaxcalantongo, en Parral, en la Hacienda de Chinameca. Y ellos me vieron a mí.

Pero yo dije qué importa que todo México vea a Mamá Carlota haciendo el amor con Papá Maximiliano, y claro, comencé a sofocarme, me ahogaba, me faltó el aire y aun así aguanté la respiración para seguir amándote, y sólo cuando empecé a sentir lo que fue al mismo tiempo el placer y la angustia más grande de mi vida ya no pude más, expulsé el aire que me abrasaba los pulmones y el alma se me escapó por la boca. Ay, Su Majestad Doña Carlota, pensamos que se nos moría, ¿se le cerró el gaznate?, ¿se le fue el vómito a los pulmones?, ¿era una pesadilla?, me preguntaron mis damas de compañía y yo les dije que sí, que había tenido una pesadilla: estaba yo tan cansada de que nunca me creyeran, que por esa única vez no les dije la verdad, y que era que acababa yo de regresar, esa noche, de mi viaje a Yucatán.

De todos modos, desde entonces cuando menos lo esperan las malditas, aguanto la respiración hasta que siento que me voy a desmayar, que la cara se me pone morada, y mis damas y mis duquesas y mis doctores se asustan, creen que me está dando un ataque al corazón, que tengo enfisema, que se me atragantó la comida y me ruegan que respire, respire Usted Doña Carlota por el amor de Dios, me suplican, me ordenan, me ponen una pluma en los labios para ver si vuela, que traigan un espantasuegras, dijo el Doctor Jilek, para ver si lo desenrolla, un tanque de oxígeno que se nos asfixia la Emperatriz, dijo el Conde del Valle de Orizaba, una pipa con agua jabonosa para ver si hace pompas de jabón, dijo la Condesa d'Hulst, pronto una bomba para inflar llantas, gritó el Doctor Bilimek y no pude más y me reí, solté la carcajada porque me imaginé que me inflaban hasta que me convertía en un globo y salía por la ventana del castillo y les decía adiós, y me iba yo, por las nubes, rumbo a México pero no, no, si alguna vez voy a regresar a México con el vientre casi a punto de estallar, será no porque esté preñada nada más que de viento ni preñada de un hijo tuyo o del Coronel Rodríguez: será de tempestades y borrascas, de torbellinos, para que cuando los mexicanos me den de palos como siempre lo hicieron y reviente, les lluevan, juntas, Maximiliano, las desgracias y las calamidades, todas las que se merecen por haber sido tan ingratos con nosotros. Y como de costumbre, a la risa siguieron las lágrimas, y con los ojos nublados les pregunté por qué querían que respirara, por qué no quieren que me muera, para qué o para quién sigo viviendo así ciega y loca, vieja y sola, si no ha de venir ya nunca más a verme y a tocarme y a besarme el Rey del Universo, y ellas me dicen, pero Doña Carlota, ¿no ha de venir a almorzar Don Maximiliano? ¿No ha de beber de sus manos, Doña Carlota, el agua clara de los cenotes de Yucatán, el veneno blanco de la serpiente de cascabel?

¿No ha de comer sus huevos rancheros el Emperador? Con el Comodoro Maury, en las terrazas de Miravalle, ¿no ha de compartir Don Maximiliano una jarra de chocolate? No volverá el Archiduque a ser joven, a viajar por el Imperio Habsburgo y las muchachas de Estiria, ¿no le ofrecerán de nuevo un sombrero de fieltro verde? ¿No tendrá el sombrero una corona de edelweiss y una pluma de águila? Díganos, Doña Carlota, ¿No será de nuevo Emperador Don Maximiliano? Y el General Oxholm: ¿no volverá a viajar de Dinamarca a México para condecorarlo con la gran cruz de la Orden del Elefante? ¿No lucirá el Emperador sobre su pecho el elefante dorado sobre un campo de esmalte azur? Y si el elefante tiene sed, ¿no alzará la trompa para beberse el cielo? ¿Y cuando el elefante se ponga azul, de felicidad?, ¿no se pondrán verdes de la envidia la Princesa Salm Salm y el Nuncio Papal?

Pero más, mucho más que las mentiras tuyas y mías y de los otros, más que las mentiras de todos los días, Maximiliano, lo que me mata de angustia es la gran mentira de la vida, la mentira del mundo, la que nunca nos cuentan, la que nadie nos dice porque nos engaña a todos. Cuando por ejemplo les dije a mis doctores que sí, en efecto, había tenido yo una pesadilla y soñado que me ahogaba, se pusieron muy contentos. Y así ha sido siempre, a lo largo de todos estos años. Cada vez que he dado a sus preguntas las repuestas que ellos quieren escuchar. Cuando he dicho que sí, que sueño, que sufro de delirios, que me imagino cosas, o cuando a sus preguntas les doy mi nombre, mi edad, la fecha de tu muerte, me miran con alegría, me sonríen, y después, en los pasillos y en los rincones murmuran: la Emperatriz está lúcida, Dios quiera conservarla así hasta el fin de sus días. Lo que me preocupa, lo que pienso que eso sí de verdad me podría volver loca, es tratar de comprender el espejismo, la alucinación que sufren todos ellos. Y me aburre también, me fatiga seguir su juego y dar a todas las cosas el nombre que ellos quieren que les dé. ¿Quién soy yo, Su Majestad?, me preguntó un día el Doctor Jilek. El Doctor Jilek, le contesté. ¿Y eso de allá, Su Majestad, qué es?, dijo, señalando las montañas. Las montañas, le contesté. ¿Y esto, Su Majestad?, me preguntó, y me enseñó un bordado en punto de cruz que hice hace como veinte años del yate Fantaisie, y le contesté: es un bordado a punto de cruz que hice, hace mucho tiempo, del yate Fantaisie. Y es entonces cuando dicen que estoy lúcida y corren, vuelan a contárselo a Leopoldo y a María Enriqueta y a mi sobrino Alberto. A veces casi me dan lástima, mis pobres doctores, mis infelices damas de compañía. Y digo casi, porque el odio que les tengo me impide compadecerme de su ceguera. O quizás ni a odio llega, y es sólo desprecio, porque no entienden nada. ¿Sabe usted, Doctor Jilek, en donde estamos?, le pregunté un día. Y un domingo en la mañana, lo recuerdo muy bien, en que vino Alberto a visitarme, le pregunté: ¿sabes tú quién soy yo? Estamos en el Castillo de

Bouchout, Su Majestad, me contestó Jilek. Tú eres mi tía Charlotte, me contestó Alberto. No, no, les dije, no estamos en Bouchout, estamos en México, y yo no soy tu tía Charlotte: yo soy un milagro. Y es entonces, imagínate, cuando dicen que estoy loca. ¿Pero acaso no me enseñaron ellos, mis hermanos, mis padres, mis maestros, no me obligaron hasta el cansancio a creer en milagros? ¿No me hablaron toda mi infancia de la resurrección de Lázaro y de Nuestro Señor Jesucristo? ¿No me contaba la Condesa de Mérode Westerloo cómo había florecido la vara de nardo de San José? ¿No me prometió Felipe llevarme un día a la Catedral de Colonia para enseñarme una de las copas de las bodas de Caná que contuvieron el vino que Jesucristo hizo nacer del agua en su primer milagro? ¿No me hablaba mi Vicegobernanta Luisa de Montanclos de cómo la propia sangre de Cristo se transformó en vino? ¿No me dijo el Cardenal Deschamps que no se me olvidara que la Virgen Santísima había ascendido de la tierra al cielo en su propia carne inmaculada? ¿No me llevaron a ver, en Santa Gudula, las hostias milagrosas que sangraron durante siglos, tras haber sido laceradas por tres judíos que murieron en la hoguera? ¿Y no me prometió también Felipe enseñarme en el oratorio de San Basilio en Brujas la copa que contenía varias gotas de sangre de Cristo que se licuaban cada Viernes Santo? Y ahora, que tienen frente a ellos un milagro, ahora que por primera vez en su vida contemplan un prodigio, Maximiliano, no lo reconocen, no lo entienden, no lo ven. Por el único que sentí un poco de ternura fue por Alberto, porque cuando tenía cinco años le hice la misma pregunta, dime quién soy yo, y cuando le contesté no, no soy tu tía, soy un milagro supo de qué estaba yo hablando, se le iluminaron los ojos, juró guardar el secreto, pero ahora que ya se cree muy importante porque es rey se le ha olvidado todo y se convirtió en un cretino, ¿sabías, Maximiliano, que después de inundar el Valle de Yser para detener el avance alemán quedó aislado en un pedazo de territorio que no tenía ni veinte millas cuadradas y cuando le dijeron que sería mejor que saliera del país Alberto puso como ejemplo de un gobernante que jamás en circunstancias parecidas abandonó su Patria, a Benito Juárez? Alberto, Alberto mi sobrino dijo eso, para vergüenza mía y de mi estirpe. Alberto Primero de Bélgica. Pero te decía que ahora que todos ellos por primera vez en su vida contemplan un prodigio, no lo entienden, y no es que se hagan los tontos por pura envidia, porque también ellos quisieran vivir como yo, al mismo tiempo, todas las edades de su vida, no: eso está más allá de los límites de su inteligencia. Ayer, por ejemplo, que tuvimos la clase de español en Miramar, dime, ¿cómo explicarle al profesor que delante de él tenía no sólo a una mujer de veintitrés años, sino también a una mujer madura de cuarenta, a una anciana de ochenta y seis? ¿Cómo hacerle entender que bajo esa tez de porcelana, que bajo esa linda cara lavada con agua de Colonia y de milflores de la que tanto se enamoró el Coronel Van Der Smissen y que hubiera envidiado Gabrielle d'Estrées la amante de Enrique de Navarra, había diez, cien máscaras, cada una de ellas menos hermosa, más vieja, menos fresca, más apergaminada, hasta llegar a la que tengo ahora puesta? ¿Y cómo decirle al Príncipe de Ligne que viene mañana a repetirme la misma historia: a decirme que soy muy rica, que seguimos comprando a las tribus congolesas con botellas de ginebra y que Inglaterra y Portugal están de acuerdo en que la bandera de la estrella dorada sobre un cielo azul que inventó Leopoldo ondee a los dos lados del estuario del Río Congo, cómo decirle que no sea tonto, que pierde su tiempo, que habla con un fantasma porque faltan sesenta años para que yo esté allí con él, que debajo de esta máscara de anciana octogenaria se transparenta la cara de cutis como piel de lirio de la Emperatriz de México que está en Chapultepec, estoy aquí en una de mis suarés y platico con Lola Escandón y con Lola de Elguero y Pepita Bazaine y que me espere unos minutos, que no tardo, y que se calle, que ya sé todo lo que tiene que decirme sobre marfiles y caucho, pieles y diamantes y que no quiero oír hablar más de los negros del Congo, que sólo me interesan mis indios mexicanos? ¿Cómo? ¿Cómo explicarle a nuestro maestro de español, que además se murió hace tantos años, cómo decirle que de nada sirve que me hable de conjugaciones y tiempos verbales porque yo no fui la Emperatriz de México, yo no seré Carlota Amelia, yo no sería la Reina de América sino que soy todo todo el tiempo, un presente eterno sin fin y sin principio, la memoria viva de un siglo congelada en un instante?

Por eso, Maximiliano, si te dicen que a veces, por horas y hasta por días enteros estoy lúcida porque me preguntan la hora y se la digo, porque me preguntan qué día es hoy y les doy la fecha, porque no me pongo a romper espejos ni acuso a nadie de que me quiera envenenar, no les hagas caso, no les creas. Es, nada más, como te decía, porque me fatigo y desciendo entonces no la escalera de caracol de la torre redonda de Chichen-Itzá, no las escaleras de madera de Laeken o las escaleras del Castillo de Chapultepec o las escaleras del Cenote Sagrado: desciendo del castillo en el que vivo, que es mi cabeza, desciendo de un palacio tan grande como el universo, con puertas y ventanas que se abren a toda la historia y todos los paisajes, desciendo y salgo por mi boca y mis oídos, me asomo a mis ojos, afloro a mi piel, sólo para darme cuenta que estoy encerrada en un mundo que me ahoga, en una realidad mezquina, pigmea, incomprensible, que me enloquece.

Y si te dicen que de nuevo se apoderó de mí la insania porque loca de sed, de sed de amor y luz le vuelvo a aventar el desayuno en la cara al Doctor Jilek y le digo que en la noche voy a salir de Bouchout para beber en las fuentes del jardín, tampoco se lo creas. Yo no estoy loca. Loca, la mujer de Federico Guillermo Segundo, Luisa, que nunca dormía de noche porque su cuarto se llenaba de espectros fosforecentes. Loco Calígula, que nombró cónsul a su caballo Incitatus. Loca Juana la Loca que viajó con el cadáver de su marido Felipe el Hermoso de la Cartuja de Miraflores a la Catedral de Granada, en espera de encontrarse por el camino un santo o un brujo que lo resucitaran. Loco Jorge Tercero de Inglaterra que confundió un árbol con el embajador de Prusia. Loco Luis de Baviera que en su Castillo de Linderhof cenaba solo con los fantasmas invisibles de María Antonieta y Luis Dieciséis sentados en dos sillas vacías. Pero yo no: si digo que he bebido en todas las fuentes del mundo es porque yo me he montado en los tritones de la Donaubrunnen del Hofburgo para beber de las aguas de los tributarios del Danubio en una copa de plata labrada por Benvenuto Cellini. Porque yo he bebido, en el tarro de porcelana en que le servían leche a mi bisabuela María Antonieta, en Rambouillet, el agua fría de la gruta del dragón que el Rey Sol construyó en Versalles para su amante la Marquesa de Montespan. Porque yo voy cuando quiero a México a beber agua en jícaras de madera a la Fuente de la Tlaxpana y a la de Corpus Christi y a la del Salto del Agua. La otra vez me fui a Bruselas a la fuente de las tres ninfas de cuyos pechos desnudos brota el agua, y bebí de cada uno de sus pezones, y después me fui a la fuente del niño que desde hace dos siglos orina agua transparente noche y día, y pegué los labios a su pequeño miembro y supe que ese líquido que me acariciaba la garganta no era el agua del Mosa, ni del Sambre, ni del Escalda, ni de ninguno de los otros ríos de Bélgica: era el néctar dulcísimo que venía de los ríos de leche y miel del Paraíso. Y entonces comencé a temblar, Maximiliano, pero no de frío.

XIV
UN EMPERADOR SIN IMPERIO
1865-66

1. Crónicas de la corte

*Del «Reglamento para los Servicios de Honor y el
Ceremonial de la Corte», Maximiliano I de México.
Sección Tercera. Jueves Santo:*

*23.
Los manjares estarán listos en el comedor. Tan luego
como los Emperadores se dirijan a la mesa, los
secretarios de las Ceremonias pasarán al comedor y
saldrán de él inmediatamente seguidos cada uno por
doce hombres de la Guardia Palatina, que llevarán
sobre azafates el primer servicio.
El Primer Secretario de las Ceremonias atenderá la
mesa de los ancianos y el Segundo Secretario de las
Ceremonias la de las ancianas.*

PASADOS ya los tristísimos Jueves y Viernes Santo, el luto, la Adoración
de la Cruz y tantas misas y sermones mañana y tarde, pasados el Sábado
de Gloria y el Domingo de Pascua la corte se preguntaba entre otras cosas
si a la Emperatriz Carlota que de perfil se parecía cada vez más a su
abuelo Luis Felipe no le había dado asco lavar los pies de las doce
ancianas, y qué clase de huevo de Pascua le habría regalado Maximiliano
ya que en Francia a un huevo de Pascua del tamaño del de una paloma
podían caberle varias sortijas o hasta diecinueve luises, a uno del tamaño
del de una gallina un collar de dos mil pesos, y si era cierto que como
decía *«El Diario del Imperio»* la patata o papa gallega era más fecunda y
vigorosa pero que la papa de La Mancha era sin lugar a dudas de mayor
calidad, opinión que según se tenía entendido compartía Monsieur Bou-

leret uno de los cocineros de palacio, y qué tanto servía el Secreto de Cupido en esas mismas páginas anunciado para eliminar el vello superfluo como le interesaba saber a Madame L., y se corría la voz de que el General Escobedo se había apoderado de un convoy de doscientos carros que llevaba once millones de francos, y que se había publicado un calendario de duendes y aparecidos y, le decía alarmado al Señor Mangino y Larrea un general de división vestido con una levita de paño azul oscuro con charreteras de canelón grueso, en una misa celebrada en Nueva York treinta mil *yankees* se han declarado juaristas, en tanto que a un huevo de Pascua del tamaño de uno de avestruz podía caberle hasta un millón de pesos en diamantes.

24.
En este momento dará el Emperador su sombrero al Ayudante de Campo de servicio, y la Emperatriz su pañuelo y abanico a la Dama de Honor de servicio.

25.
El Chambelán de servicio tomará los platos de los azafates y los pondrá en manos del Gran Mariscal de la Corte que los pasará al Emperador y a los Príncipes, quienes le ayudarán a servir la mesa; asimismo se hará para quitar los platos.

A la Emperatriz definitivamente no le sentaba el negro de todas esas ceremonias, se veía más adusta que de costumbre, pero pasados ya esos días en que la ciudad estaba muerta y brillaban por su ausencia los landós, las berlinas y desde luego el faetón de los Emperadores, volverían sin duda las fiestas de palacio y los Lunes de la Emperatriz donde se podían escuchar poemas del Rey Netzahualcóyotl, y desde luego volverían las fiestas de Mariquita del Barrio, en la última Concha Aguayo estaba radiante y Rosa Obregón más fea y vieja que nunca, Madame Sánchez Navarro parecía una Virgen de Murillo, había faroles venecianos de colores y otros de luz muy suave iluminados con bujías de esperma, en palacio volveremos a disfrutar de la exquisita sopa de *Quenelles,* se cantarán las nuevas habaneras como «La Bella Elisa» y «La Tardanza» además de «La Paloma» que tanto le gusta a la Emperatriz Carlota, en la fiesta de Mariquita un encargado de negocios *ad interim* de alguna embajada desconocida declaró que en los Estados Unidos el *King Cotton* le había cedido el paso a *le bonhomme petroleum,* todos habían bebido del Sercial seco de Madeira que le encantaba al Emperador aunque era un poco amargo y las malas lenguas decían que la Emperatriz se dormía en el teatro y tenía que pellizcarse para estar despierta, pero de todos modos era muy bella, y cuando el supradicho *chargé d'affaires* agregó que tarde o temprano México tendría que someterse a los Estados Unidos, *America must rule America,* agregó, Don Pedro Elguero y su tocayo Don Pedro de Negrete lo calificaron de *agent provocateur.*

26.
El Gran Chambelán de la Emperatriz y el Chambelán
de servicio, tomarán los platos de los azafates y
se los presentará a la Dama Mayor y la Dama de
Palacio de servicio, quienes a su vez los pondrán
en manos de la Emperatriz y de las princesas que La
ayudarán a servir la mesa; asimismo se hará para
quitar los platos.

27.
El mismo orden se observará con los otros servicios
debiendo siempre los secretarios de las Ceremonias
ir en busca de los manjares. Los servicios serán
tres, constando cada uno de cuatro platos.

28.
Concluida la comida entrarán los lacayos para quitar
las mesas, bajo la dirección del mayordomo.

Bueno, no tanto bella como distinguida, dijo refiriéndose desde luego a la Emperatriz la Arruginaga que ella sí estaba hermosísima como siempre, recibió sin ruborizarse los piropos de Don Luis Robles Pezuela, y además de que el luto no la favorece tampoco los diamantes y sí las piedras que realzan el color de sus ojos que no son garzos como afirman los poetas sino cafés, pero de cualquier manera muy claros, ¿quisiera usted un poco de *Chéri* cordial?, los jabones de lechuga y los polvos de *arrow-root* hacen milagros con la piel delicada, le dijo al oído la Señora R. a su amiga y confidente la Marquesa de K., y eso la Emperatriz lo sabe, es decir lo del color negro, y fue por eso que hizo bien en ordenar la vuelta de los colores cuando acabó el luto de rigor, *de rigueur* decimos ahora, tras la muerte de su padre Leopoldo, aunque se afirma que fue por no entristecer al principito Iturbide a quien el Emperador monta en su barriga cuando se mece en su hamaca de los Jardines Borda, dijo Lupe Cervantes: las últimas novedades, llegadas de París, además de que la Emperatriz Eugenia le va a regalar a Colombia una estatua de Cristóbal Colón para la ciudad de Colón en Panamá, son que Gutiérrez Estrada desmintió que su hijo haya criticado a Maximiliano, y que Napoleón Tercero está, además de viejo y gotoso, muy preocupado por los fusiles de aguja desarrollados por los prusianos, puesto que disparan tres veces más rápido que las escopetas cargadas por la boca; ¿tres veces más rápido?, preguntó Concha Adalid, a su vez con la boca abierta.

29.
*Quitadas las mesas, extenderán dos ujieres un lienzo
por encima de los pies de los doce ancianos; otros
dos ujieres extenderán otro lienzo por
encima de los pies de las doce ancianas, y sus
parientes descalzarán, por debajo del lienzo, el pie
derecho a cada uno de ellos.*

30.
*Durante este acto, el Limosnero Mayor y el Capellán
Maestro de Ceremonias entrarán en el Salón y se
colocarán cerca del Emperador.*

31.
*Dos ujieres tendrán a la disposición del Limosnero
Mayor y del Gran Chambelán de la Emperatriz, las
dos palanganas y el agua para el lavatorio.*

Y no se me olvidará nunca lo gracioso, lo ridículo diría yo que se veía el Ministro Lares la primera vez que bailó una cuadrilla, la Generala Almonte *Die Frau Generalin* como la llamaba la Condesa Kollonitz, no daba pie con nota, tan estúpida y como siempre tan servil, de todos modos darle de comer a doce ancianos y lavarles los pies aunque ya los tengan muy bien lavados desde antes, y enjuagados con agua de Florida el más delicado de todos los perfumes tropicales acotó Don Ignacio de la H., es una tarea que humilla a los soberanos y le hace bien a la Emperatriz tan pagada de sí misma y tan distinta, tan diferente del Emperador que ése sí es tan bello, *qu'il est beau, notre Max!*, ¿y qué sabemos aquí en México de las figuras de la Cuadrilla?, ¿qué sabemos de *Pastourelle, Chassé-Croisé, Visites?*, ah, si viniera a México Don Johann Strauss como *Ballmusik Direktor*, lo malo es que según me han contado, ahora la Emperatriz insiste en incorporar platillos de los que llaman típicos mexicanos en los menús de palacio, y me pregunto si llegará el día en que el mole de guajolote, hágame usted favor, sustituya los estómagos de aves *à la Périgueux* y la capirotada al Budín de Berlín, o el pulque a los vinos Johannisberg, yo no diría que la Emperatriz es arrogante, visitó el otro día el orfelinato y besó a las niñas expósitas, las sentó en sus piernas y le mostraron una casulla toda bordada con oro por ellas mismas, de todos modos los pavos trufados son menos importantes señaló el Doctor Carpena, limosnero mayor interino, que las últimas noticias procedentes de Veracruz, porque en el paquete de Saint Nazaire han llegado unos pliegos para el Mariscal Bazaine, y todo el mundo se pregunta qué dirán los famosos pliegos, pues era un secreto a voces que Napoleón quería ya retirar el ejército francés de México, se decía que Drouyn de Lhuys le había escrito a Montholon para que le dijera al gobierno americano que si los Estados Unidos reconocían o al menos respetaban el Imperio Mexicano los franceses se irían, y por otro lado los juaristas se burlaban de tal ejército y tenían algo de razón: no es tan fácil, como señaló el Comandante Don Rodolfo Günner, conquistar un territorio tan grande: de Sonora a Yucatán hay tres veces y media la distancia entre Marsella y Dunquerque,

32.
Entonces entrará en el Salón el Primer Capellán de la Corte, precedido de otros dos capellanes, todos revestidos de los ornamentos y acompañados de monacillos con velas e incensarios.

33.
El Primer Capellán se dirigirá hacia el Altar erigido al efecto y entonará el Evangelio que corresponde a esta ceremonia.

34.
El Emperador se quitará entonces la espada y la dará al Ayudante de Campo General.

para después de Semana Santa Lola Garmendia había planeado una nueva excursión a las Grutas de Cacahuamilpa que según afirman son más bellas que las de Antíparos y Fingal, a la Emperatriz Carlota le encantaron, e incluso que las Cavernas Mamouth del Kentucky; necesitamos que vengan los extranjeros a enseñarnos las bellezas de nuestra patria, dijo Lola Elguero a quienes todos le reconocían su talento musical, a la Emperatriz se le zafó un zapato en el Pasaje del Chicle, bautizó el perfil del Dante, impresionante el parecido, el dibujante de la corte Herr Hoffmann hizo unos croquis bellísimos de la Sala del Chivo y la Galería de la Fuente y el Monolito Chinesco, y un oficial de Ordenes también de levita azul pero sin adornos en el cuello pareció que iba a decir algo, pero se arrepintió: las mejores vestidas, como siempre, en la fiesta de la Mariquita, la Condesa del Valle, las Mier y Terán y la Lizardi que tan bella se veía con ese bandó de perlas en la frente que le enmarcaba la cara, aunque si las tropas francesas evacuaron China y sólo dejaron allí a la

35.
Al tiempo de pronunciar el Capellán las palabras
«Cumm accepisset linteum praesumpsit se», dos ayudas
de cámara presentarán en azafates de plata dos
delantales a los gran chambelanes, quienes los
entregarán a los Emperadores que se los pondrán
ayudados por el Gran Mariscal de la Corte y la
Dama Mayor.

36.
Después otros ayudas de cámara presentarán a las
mismas personas dos toallas en azafates de plata,
quienes las entregarán a los Emperadores.

37.
Los ayudas de cámara permanecerán con los azafates
cerca de los Emperadores, para recibir las toallas
y los delantales en cuanto concluya el lavatorio
de los pies.

marina, no veo por qué en México no se pueda hacer lo mismo, lo que
sucede es que sí, ahora seguiremos yendo todos al teatro y a la ópera, a
la zarzuela, ¿ya fueron a ver «La Isla de San Balandrán?» o a una corrida
de toros de Atenco en la Plaza del Paseo Nuevo, pero con divertirse no
se arreglará nada en este país de desidiosos y corruptos, lo que es a mí
no me parece tan guapo el Emperador como dicen y menos como me
decían que era, dijo la Señora M., recién casada con un veterinario belga,
nada se hará mientras en la Calle de Alconedo siga habiendo un solo
farol y montones de basura en todas partes, canales abiertos de aguas
negras, aunque se construyan algunas avenidas macadamizadas, es verdad,
no han reparado la arquería de Belén que se dañó con el temblor de hace
dos años y aunque exista el proyecto de circunvalar la ciudad de México
con un foso que evite las inundaciones que padecemos desde el virreinato
eso también es cierto, y es que el Emperador como está calvo tiene que
hacerse la raya en la nuca para echarse el pelo sobre la frente, sí, pero es
muy alto, dijo la Condesa de Courcy que a veces acompañaba a la
Emperatriz al santuario de *Notre Dame de Guadeloupe,* tan alto como
los guardias palatinos tan bien escogidos, ¿y por qué no le dicen a Carlota
que tome agua del manantial cercano al santuario, que tiene tanto hierro,
a muchas mujeres la Virgen les hizo el milagro de que se embarazaran?,
preguntó si mal no recuerdo la Señora Rodríguez de Esparza, en tanto
que en Viena el alumbrado público se inauguró hace más de veinte años
en 1843, ¿pero no será de verdad estéril la Emperatriz?, y nada mientras

los ladrones se roben hasta los zaguanes de las casas como ocurrió con uno de la Calle del Relox o mientras los propios invitados al palacio se roben los cubiertos que Maximiliano encargó a Christofle de París, ¿o no será, mejor dicho, que el Emperador y la Emperatriz ya no duermen juntos desde que llegaron a México?, y sobre todo nada se hará agregó el Señor Raygosa, mientras no nos unamos todos los mexicanos bajo la bandera del Imperio y se acaben los Juárez y sus comparsas y los que como el General Vidaurri ofrecieron su apoyo militar a los confederados para que los dejaran después ser presidentes de lo que quería llamar la República de la Sierra Madre, ¿pero no será que Maximiliano como dicen es impotente?, y nos pongamos a trabajar en vez de traer chinos y polacos al país, o negros de los estados sureños como sugirió Maury el oceanógrafo a quien el Emperador según me dicen le había autorizado a reproducir en México la atmósfera de Virginia, o sigamos importando pianos de madera de jacaranda habiendo aquí tantas jacarandas, nada se logrará tampoco, dijo un académico de la lengua purista *par excellence*, mientras no reafirmemos nuestra nacionalidad con el uso correcto del idioma castellano y rechacemos tantos galicismos como *adieu, cachet, potpourri* y *parvenu* para citar sólo unos cuantos, o donde habiendo tanta pobreza que sí, está bien que es la única mexicana que ha cantado jamás en La Scala de Milán pero no es justo que se gaste tanto dinero en recibir estrambóticamente a la Angela Peralta con arcos de follajes y colgantes frutos forrados con hoja de oro,

38.
Al pronunciar el Primer Capellán las palabras
«Coepit lavare pedes discipulorum», el Emperador,
puesto de rodillas, lavará y enjuagará los pies
de los ancianos.

39.
El Limosnero Mayor echará el agua, y el Capellán
Maestro de Ceremonias sostendrá la palangana.

40.
La Emperatriz se pondrá también de rodillas al mismo
tiempo que el Emperador, Su Gran Chambelán echará
el agua, y un ayudante de cámara le tendrá la
palangana mientras Ella lava y enjuaga los pies de
las ancianas.

y la prueba también de que la Emperatriz no es arrogante es que visitó el Colegio de la Enseñanza y aceptó conmovida unas chinelas de canevá para ella y un gorro griego para el Emperador las dos cosas con bordados hechos por las propias niñas de la escuela, nada se hará en este país mientras el Mariscal Bazaine siga tanto tiempo encerrado en el Palacio de Buenavista como lo hace desde que se casó con la tal Pepita esa mariscala de pacotilla que nada más sueña con su presentación en las Tullerías y que si acaso sale, me refiero al mariscal, es en las mañanas que se le ve solo a caballo sin insignias con un simple dormán y cubrenuca blanca bajo el chacó, rememorando sin duda mejores tiempos en Kabylia, allí tienen otro galicismo que en realidad viene del húngaro *shakó*, ¿por qué no decimos *morrión, adiós, distinción, olla podrida?*, y ningún progreso tampoco, me refiero a un progreso constante y sonante mientras que, pero eso lo digo aquí muy, muy entre nos, ¿por qué no usamos *advenedizo* en vez de *parvenu?*, mientras que, decía, el Embajador se interese más en subsidiar el cultivo de perlas, las más bellas para mi Carla querida, había dicho, o del gusano de seda, para que en los vestidos de seda la Emperatriz luzca las perlas, dijo la esposa de Don M. B., que en administrar el país, y cuando se le ocurre hacerlo o lanza edictos sanguinarios como el del 3 de octubre, muy necesario por otra parte, o edictos sobre la creación de viveros de sanguijuelas que es perder el tiempo, y el otro día, ¿supieron?, un hombre se tragó varias sanguijuelas y tuvo unas hemorragias pavorosas, aunque le diré que los franceses tienen unos españolicismos que dan escalofríos, por ejemplo de la palabra novio han formado el verbo *novioter* y después el Emperador se va a Cuernavaca a cazar mariposas, si bien yo tengo entendido que se trata de una sola mariposa ¿pero entonces el Emperador no es impotente?, con la que va a *novioter*, o sea a echar novio, y que es una linda mariposa de ojos negros, ¿cómo?, ¿vamos a tener en México una Pompadour? ¿Una Diana de Poitiers?, dijo una bella joven a quien, y a juzgar por el enorme escote que enseñaba casi en toda su turgencia el esplendor de sus pechos blancos, y a pesar de los dientes amarillos y huecos que no ella, sino el Emperador mostraba siempre porque siempre tenía los labios entreabiertos defecto por lo demás que denunciaba su azul sangre habsburga, le hubiera gustado, quizás, transformarse en otra Du Barry.

41.
Concluido el lavatorio, los Emperadores Se quitarán los delantales en la misma forma en que Se los pusieron, y devolverán las toallas y los delantales a las personas que Se las dieron, las cuales a su vez las entregarán a los respectivos ayudas de cámara.

42.

El Emperador Se levará las manos al pie del estrado, el Chambelán de servicio Le echará el agua, un Ayuda de Cámara tendrá la palangana, y el Gran Mariscal de la Corte Le presentará la toalla, que otro Ayuda de Cámara Le llevará en un azafate de plata.

43.

La Emperatriz Se lavará también las manos al pie del estrado; Su Chambelán de servicio Le echará el agua, un Ayuda de Cámara tendrá la palangana, y la Dama Mayor Le presentará la toalla, que Le llevará otro Ayuda de Cámara en un azafate de plata.

De las virtudes del jarabe pectoral de anacahuite, del escándalo del Abate Alleau que conmovió a la alta sociedad mexicana al afirmar que el Emperador había contraído una enfermedad venérea en un *Brazilian bagnio,* para decirlo con las palabras de un flamante diplomático inglés, quien no se sintió aludido cuando alguien señaló que le disgustaban más los anglicismos como *meeting, lunch* y *toast* que los galicismos como *home du monde* o *rastaquouerisme;* de los moldes y patrones de *La Mode Elégante* con los que se podía confeccionar desde cobartas de felpa con encaje de guipur negro hasta chalecos con ballenas flexibles y cintas elásticas para señoritas de veinte años: del Gran Baile del Casino Español en honor de Santa Isabel y del *Te Deum* por el santo de Eugenia de Montijo; de la nueva gramática francesa de Chastreau; del increíble insulto que nos hizo el Emperador Pedro de Brasil que no recibió a nuestro embajador el Señor Escandón sino hasta un mes después de llegado; de la también increíble relación que hizo *Monsieur* Doménech sobre el anatomista mexicano coleccionista de cráneos que cuando vio en Yucatán a un indio con una cabeza extraordinariamente grande lo mandó matar para agregarla a su colección; del vapor «Atalanta» que había llegado a Veracruz procedente del Havre con once enfermos de cólera a bordo; de la Academia de Esgrima de Don Joaquín de la Cantolla y Rico; de que estaba muy mal que los periodiqueros de la capital vocearan noticias falsas para vender más, y que las vendedoras de turrones cantaran versitos obscenos; de que el Emperador, consciente de los problemas económicos del país, había desaprobado la cantidad excesiva destinada a la banda de música de la policía municipal y ordenado cortes en el presupuesto de palacio, la propia Carlota redujo su número de damas de veinte a catorce, cosa que era nada si se pensaba que la Reina de España tenía sesenta, y el Emperador se había olvidado del proyecto de importar caballos finos, uno después de todo podía adquirir una buena bestia en la venta de caballos sobrantes del regimiento de húsares que se haría en la Plaza Principal aunque siempre hay que verles el colmillo hay algunos con esparavanes en los labios y cascos muy crecidos, y a los precios de hoy: una carreta Victoria cuesta mil cien pesos y ochocientos un tronco de caballos tordillos, un caballo retinto para niño cincuenta y un pasaje de Veracruz a Nueva York hasta ciento cincuenta pesos oro, y de que a propósito en Nueva York se rematuron quince mil cueros de chivo mexicanos a noventa y noventa y cinco céntimos la pieza, y es más ridículo aún, acotó el académico, lo que hacen algunas personas que rodean a los Emperadores, y que para no apenarlos repiten los mismos errores que ellos cometen en español, y así, por ejemplo, desde una vez que Maximiliano dijo *valso* en lugar de *vals,* todo el mundo dice *valso,* desde que dijo *dolce* todo el mundo dice *dolce,* dicen: ¿ha escuchado usted «El Beso» que es un nuevo *valso* para piano y canto?, ¿ha probado usted el *dolce* de leche que tanto le gusta a la Emperatriz Carlota?, y de que desde luego, nadie, con tanto relleno y postizo para el pelo como hay ahora en México, castañas simples y dobles, trenzas y rizos y abultados para peinados a la amazona, nadie tenía pretexto para estar mal peinada los Lunes de la Emperatriz, aunque Carlota hablaba mejor el español que Maximiliano, pues desde muy niña tenía *Sprachgefühl* o en otras palabras intuición lingüística y además, y eso era otra prueba de su bondad de alma, Carlota sufría con la vista de esos pobres presidiarios encadenados uno a otro con grilletes en los pies que todos los días en la madrugada barrían y regaban las calles de la ciudad de México, San Francisco, Capuchinas, La Perpetua, el Paseo de la Emperatriz, y por si fuera poco algunos franceses eran tan ignorantes que decían y escribían *pulgue* en lugar de *pulque, cancrejos* en vez de *cangrejos, tchintches* en lugar de *chinches* para no pronunciarlas *shinshes,* o usaban las dobles consonantes que en español nunca hay como en *Coffre* de Perote, Barranca *Secca* o *Passo* del Norte, y lo que es peor, también *Carlotta* cuando que la Emperatriz había castellanizado su nombre, Carlota, así, con una sola *te* desde antes de salir de Miramar, pero qué bien de todos modos que se le compensaran al Emperador sus malos ratos con alegrías como la que le dieron el otro día cuando le presentaron el proyecto para la fuente de la Plaza de Armas cuyos hilos de agua, entrecruzados, formarán la figura de la corona imperial, o cuando le obsequiaron una memoria sobre el maguey mexicano y le dijeron que habían clasificado el más fino de todos los magueyes con el nombre de *Agave maximilanea,*

44.
Los Emperadores, después de haberse secado las manos, devolverán las toallas a las personas que Se las dieron, las cuales a su vez las entregarán a los respectivos ayudas de cámara.

45.
*El Ayudante de Campo General volverá a ceñir la
espada al Emperador.*

46.
*Mientras que los Emperadores Se lavan las manos, los
ancianos serán calzados por sus parientes y después
los ujieres quitarán el lienzo.*

de todo eso hablaron, murmuraron, criticaron, aludieron y despotricaron,
y ya en ausencia del *chargé d'affaires* a quien se había calificado de agente
provocador alguien dijo que daba igual que Lincoln estuviera vivo o
muerto, ¿podría suceder en México algo semejante, se atrevería alguien
a dispararle a Maximiliano por la espalda en el Teatro Nacional, a la
mitad de La Traviata?, si se ausentaran los franceses y se terminara la
dinastía imperial, nos invadirían los *yankees:* tienen a sus Butler para
Veracruz, a sus Sheridan para el Valle de México, a sus Milroys para las
ciudades del interior, y mientras tanto se gastan ciento un mil pesos en
la decoración del Palacio Imperial, en las bodegas hay dos mil botellas
de vinos finos desde Roederer hasta Príncipe Metternich, habría que
seguir el ejemplo de la corte de Viena, a los bailes las muchachas asisten
con vestidos de percal floreado y tarlatana, nunca se hacen la raya a la
mitad del pelo, dijo Lola Garmendia, sus madres conservan en alcanfor
de un año a otro sus ropajes de brocado, no descansarán los Estados
Unidos hasta que el suelo mexicano no produzca nueces de Connecticut,
el General Leonardo Márquez hospedado en Alejandría en el Palacio de
Cast-El-Woska se había retratado junto al árbol que cobijó a la Sagrada
Familia en su huida a Egipto, ya que he vivido tantos años en Viena le
diré, mi querida marquesa, que si nosotros somos perezosos nadie tan
desidioso como los vieneses por culpa del *Föhn* que es un vientecillo
cálido que baja de los Alpes, y se contradice con lo que afirma y se queja
Bazaine de que los guerrilleros mexicanos son como avispas porque
acuden, pican, se alejan al menor gesto y vuelven otra vez, y se habló
asimismo de los pararrayos de Alberto Adler pararrayista, de los nuevos
papeles albuminizados para fotógrafos, de que los mexicanos ricos como
Barrón el presidente del Banco Forbes y Béistegui y Escandón también
debían hacer economías y de que sus mujeres no debían ir a Europa a
comprarse sus joyas y vestidos, y ahora menos que ya había llegado la
moda de los Campos Elíseos a México y no había razón alguna por la
cual las costureras mexicanas no pudieran reproducir las crinolinas estilo
Eugenia y los grandes escotes y brazos desnudos que al principio habían
causado escándalo en la capital azteca, y tampoco razón, le dijo a *sotto
voce* un industrial francés al ayudante de campo del Emperador, *Aid-de-
Camp* Bruno Aguilar, para que no se reproduzca en México la *haute*

bicherie de la corte de las Tullerías, ¿la qué?, preguntó Luisita Vértiz y el industrial no se atrevió a traducir así fuera casi literalmente la *alta putería*, todo esto a cuenta de que, si bien la recién línea de telégrafo de la capital a Cuernavaca que se inauguraría en unos meses más no podría, desde luego, compararse a la línea de Siberia que llegaría hasta Nicolaiewski, al menos le serviría al Emperador para enviarle telegramas de amor a su Luisa de Lavallière de la Quinta Borda, ¿y la Emperatriz qué?, ah, criticar a la Emperatriz Carlota era más delicado y hablar de sus posibles *affaires* con el apuesto Coronel Feliciano Rodríguez o con el comandante de los voluntarios belgas el Coronel Van Der Smissen, dijo Antonio Suárez Peredo, gran chambelán de palacio con cuatro mil quinientos pesos de sueldo, era no sólo delicado sino quizás calumnioso pues a nadie le constaba nada ¿y qué me dice usted de los *apache raids* de Sonora? ¿y qué de que Delanó afirma que esas tierras son inaccesibles y que no hay agua y que toda la plata es pura fábula, a pesar de que los americanos tienen invertidos en el territorio sonorense millones de dólares? y de que también no todos los franceses desde luego eran paradigma de finura, allí tiene usted al borracho de Saligny, y al Vizconde de Gabriac que en los terrenos de la legación francesa en México sembraba cebollas y nabos pero no nada más para consumo de la embajada sino también para venderlos en el mercado, y Bazaine, bueno, el mariscal, y como él mismo lo había dicho como alusión, sin duda, a su indolencia tan conocida, tenía tanto de francés como de árabe, sacó a su primera mujer de una zahurda de Argelia, dijo, creo, Madame Magnan, quien junto con otras de las francesas como Madame de Rancy y Madame Blanchot y la *yankee* Sara York, esas sí, todas hacían gala de gran finura, y para colmo se afirmaba que el Mariscal Bazaine, qué corrupción, recibía comisiones de «Los Precios de Francia» la tienda de más postín, más *chic*, de *tout Mexique*.

47.
En seguida el Emperador colgará del cuello de los ancianos los bolsillos de dinero que Le entregará el Gran Mariscal de la Corte, a quien se los presentará el Tesorero en un plato de plata.

48.
Al mismo tiempo el Secretario de la Intendencia presentará a la Dama Mayor un azafate de plata también con bolsas de dinero, cuyos cordones arreglará a fin de que presentándoselas de una en una a la Emperatriz, las ponga en el cuello a las ancianas.

49.

*El Ayuda de Campo de servicio entregará al Emperador
su sombrero y la Dama de Honor de servicio a la
Emperatriz el abanico y el pañuelo.*

Y por último alguien afirmó, y varios estuvieron de acuerdo, que aun cuando se hablara en México de la justicia «a la francesa» lo que equivalía a un poco de injusticia con represión, Francia era la única esperanza de civilizar al país con o sin la ayuda de la Iglesia, el Vaticano debería hacer un esfuerzo para entender mejor la realidad mexicana, y los Emperadores son muy piadosos y prueba de ello entre otras muchas cosas fue la ceremonia del lavado de pies del pasado Jueves Santo, dijo en la fiesta de Mariquita del Barrio la guapa Lola Osio, algo entrada en carnes pero todavía guapa, decíamos, y muy elegante en su traje de gró blanco y enaguas de gasa Chamberí del mismo color y botines microscópicos, de manera que lo único que ahora hace falta es, insisto, la unidad nacional y que Maximiliano se aboque de lleno a su tarea, agarre al toro por los cuernos, dijo el Oficial de Ordenes Ciro Uraga a quien le gustaba usar metáforas taurinas, a fin de acallar a esos calumniadores que comparan su reino con el de José Bonaparte en España, diciendo no sólo que ahora como entonces se trata de dar a un pueblo, enemigo de todo yugo extranjero, un rey de otra nacionalidad que no puede apoyarse sino en las bayonetas francesas, esa comparación es infame, porque nuestro Emperador ha adoptado a México como su nueva Patria y fue llamado por el pueblo mexicano y por él será sostenido, aunque es verdad que José Bonaparte no siguió los consejos de Napoleón, quien le advirtió que debería gobernar con mano de hierro, y por desgracia de suavidad sí peca nuestro Emperador, porque la ley del 3 de octubre por draconiana que parezca sólo sirvió para fusilar a dos de los generales chinacos, después de eso se ha perdonado la vida a demasiados rojillos, y bueno, el Emperador, Dios guarde, no es otro Pepe Botella, pero haría bien en beber menos, porque en mi humilde opinión abusa un poco del pulque y del oporto y del vino del Rhin sobre todo cuando está en Cuernavaca y por cierto: no, no vamos a tener aquí otra Pompadour, porque según dicen se trata de la hija ¿o esposa?, sí, la esposa de un jardinero de los Borda, ¿un jardinero?, dijo asombrada y con su bella voz de *mezzo-contralto* la joven de los redondos y blancos pechos que lucía una soguilla de brillantes en el cuello.

50.

*Concluidas estas ceremonias los Emperadores bajarán
del estrado, y acompañados del Gran Séquito regresarán
a sus habitaciones, observándose en esta
circunstancia el mismo ceremonial.*

«Eran unos caballos franceses que comenzaron a sufrir fatigas y miserias en cuanto llegaron a las alturas, Su Majestad. Medimos la frecuencia de su respiración según el número de palpitaciones en los flancos, y el pulso por medio de la arteria glosofacial, en el contorno del maxilar. Saque la lengua, Su Majestad. Sáquela más. Así. Sin duda para un médico como yo que sólo había trabajado en Argelia y en Indochina, es una gran oportunidad la de estudiar los efectos de las alturas de Anáhuac en los organismos humanos y animal. Diga: ¡ah!, Su Majestad. ¿Ya no tiene Su Majestad la campanilla entumecida? ¿No? Otra vez: ¡ah! Inspire, Su Majestad. Expire, Su Majestad. Así. Ya puede Su Majestad meter la lengua, pero sírvase mantener la boca abierta. Hay todavía ciertas arborizaciones en la faringe y la bóveda del paladar está un poco irritada. Por eso las bestias originarias de las mesetas altas son tan resistentes. Ya puede Su Majestad cerrar la boca. Malo, muy malo el polvo de Anáhuac para la faringe. ¿Ha observado Su Majestad el Emperador esas columnas rotatorias de polvo amarillo, verdaderas trombas diría yo, que se levantan en el camino de Chalco a Texcoco? Un colega veterinario me asegura que si hay mulos mejores que los franceses son los árabes, y si los hay mejores que los árabes son los mexicanos. Vamos ahora a examinar el pecho de Su Majestad. No, eso que Su Majestad llama pasta blanca no tiene nada que ver con el polvo: se trata del estado saburral de la lengua. Sírvase Su Majestad descubrirse. Entre otras cosas, las papilas gustatorias no están bien lubricadas. Pero sí le recomendaría que, cuando cabalgue, evite Su Majestad los llanos de tierra seca, de tequesquite. ¿Cuántas veces me dijo Su Majestad que ha evacuado el día de hoy? ¿Seis? No está segura Su Majestad. ¿Ocho tal vez? Pongamos siete. A ver: inspire Su Majestad. Expire Su Majestad. Ajá. Además, la reverberación de las inflorescencias salinas del Lago de Texcoco fatiga la vista, inspire Su Majestad, expire. Pero la misma naturaleza provee el remedio. ¿Le receté alguna vez jugo de hojas de mezquite para las oftalmías? ¿Sí? Inspire. Expire. Los bronquios están un poco congestionados. Los enfermos de los bronquios sufren más en las alturas porque oxidan menos de lo que comen: de allí una probable desnutrición. Vamos a ver ahora el corazón de Su Majestad. Profundo. Para las flemas le voy a recetar ipecacuana, pero sólo en dosis fraccionarias, a fin de facilitar la expectoración. Inspire. Expire. Y una vez expectoradas, le recomendaré a Su Majestad inspirar y expirar con fuerza repetidas veces para eliminar la náusea. Sírvase Su Majestad cubrirse el pecho y descubrirse la espalda. De cualquier manera, todo estado organopático que obstaculice el ejercicio regular de las funciones vitales adquiere mayor gravedad en la ciudad de México que al nivel del mar. Inspire Su Majestad. Expire Su Majestad. En todo caso, si Su Majestad se ve precisada a devolver el estómago, no debe preocuparse. Inspire. Expire. La ipecacuana, que estimula el centro bulbar del vómito, ha rendido buenos servicios en casos de diarreas crónicas empleada como emético. Inspire Su Majestad. Expire Su Majestad. Otro ejemplo es que en las alturas como la de Anáhuac, Su Majestad, son frecuentes los decesos debidos a pulmonías y pleuresías. Ajá, muy bien. Pero Su Majestad parece gozar de magníficos pulmones. Sírvase Su Majestad cubrirse la espalda y sentarse a la orilla de la mesa: quiero contar las inspiraciones de Su Majestad. ¿Fiebre? ¿No ha sufrido nuevos accesos de fiebre Su Majestad el Emperador? ¿No? En Africa observé numerosas variedades de fiebres larvadas de diagnóstico más difícil que las que se presentan en el Valle de México. Cada región tiene sus peculiaridades. Descanse un momento Su Majestad, y dígame: ¿moco? ¿Ha observado Su Majestad algo de moco en sus disenterías anteriores? ¿En Cuernavaca? No. ¿Y en Orizaba? Tampoco. Por lo pronto creo que debemos descartar la diarrea lientérica: no encontré alimentos sin digerir en la última deposición de Su Majestad. Respire con calma, normalmente. Todo es distinto en las alturas: digamos, si tenemos en cuenta que la superficie promedio del cuerpo de un adulto es de diecisiete mil coma quinientos centímetros cuadrados, resulta que en la meseta de Anáhuac, a dos mil doscientos cuarenta metros de altitud, la presión exterior será de unos trece coma quinientos ochenta kilogramos. Retenga Su Majestad unos instantes la respiración y comience de nuevo cuando le indique. Y en París de diecisiete coma novecientos kilogramos. Ahora: inspire Su Majestad. Expire Su Majestad. Una. Algunos médicos ingleses pretenden que la diarrea de las montañas, inspire Su Majestad, o *hill's diarrhoea* como la llaman, expire Su Majestad, dos, es una transformación de la malaria. Inspire Su Majestad. Expire. Tres. Lo más curioso es que los indios reaccionan mejor a la quinina, inspire Su Majestad, que los blancos, y en todo caso la corteza del chicozapote, expire Su Majestad, cuatro, según Jacquin, puede sustituir en todo a la quinina, expire. Al nivel del mar es de esperar dieciséis inspiraciones por minuto. Inspire Su Majestad. Expire Su Majestad. Cinco. A la altura de Anáhuac, veinte. Inspire Su Majestad. Expire Su Majestad, seis. Y es que en las alturas el aire no penetra en las vesículas pulmonares en la cantidad suficiente, siete, como para cumplir con los requerimientos de la hematosis, ocho, o sea la transformación de sangre venosa en arterial. Inspire Su Majestad. Expire. Nueve. De aquí que la sangre en las alturas es un poco serosa, menos plástica, diez. Inspire Su Majestad. Por eso también el enfisema es frecuente en Anáhuac, expire, once, debido a la ruptura del equilibrio entre las fuerzas inspiratrices, inspire Su Majestad, y las fuerzas expiratrices, expire Su Majestad, doce. A cambio de eso son raras las hemorragias, trece, pulmonares, lo que no sucede con las embolias pulmonares, catorce. Increíble la capacidad de esos indios mexicanos, Su Majestad, quince, que varias veces al día, dieciséis, suben al Iztaccíhuatl y al Popocatépetl, y bajan cargados de nieve y azufre, diecisiete, a esas alturas, como nos cuentan Sonneschmidt y los hermanos Glennie, dieciocho, se presentan dolores agudos en las rodillas, inspire Su Majestad, los párpados se hinchan, expire Su Majestad, diecinueve, una vez más: inspire... expire, veinte. Perfecto: el promedio en el Valle de Anáhuac, como le dije. Sírvase Su Majestad recostarse. Los labios se azulean y palidece el rostro, vamos ahora a examinar la región gástrica de Su Majestad, aparece espuma en la boca, sírvase Su Majestad descubrirse el vientre, y la piel se seca y se hace pulverulenta. A un capitán del 95 de línea le dio una hemiplejia al llegar al Pico del Fraile. ¿Sangre, Su Majestad? ¿Ha encontrado usted sangre en ataques de disentería anteriores? ¿En Guanajuato? ¿No? Me perdonará Su Majestad si mis manos están frías. ¿Sangre fresca? Respire naturalmente, Su Majestad. ¿Sangre digerida? También podemos descartar las diarreas de estación que se producen en épocas de mucho calor, y que se caracterizan por flujos biliosos y son coloreadas y abundantes. Inspire Su Majestad. Expire Su Majestad. Pero debe Su Majestad evitar la deshidratación ingiriendo grandes cantidades de agua. Inspire Su Majestad. Expire. No durante las comidas, porque se diluye el jugo gástrico. Inspire. ¿Duele aquí? ¿No? Expire. De todos modos, mejor que el agua de Santa Fe, que es gorda, ¿y aquí?, le recomiendo la de Chapultepec que es delgada, ¿aquí sí?, ¿un poco?, inspire, y que tiene menos sulfato de cal, expire, y casi la mitad de sílice. También quería decirle que cuando cabalgue no se acerque a las aguas del Lago de Texcoco, donde van a parar todas las aguas negras del Canal de la Viga. Ajá. Texcoco me recuerda las Pontinas de la campiña romana. Inspire Su Majestad. Las antiguas *Paludes pontinas*. Expire Su Majestad. Es verdad que en Anáhuac no se da el paludismo, ¿escucha Su Majestad la percusión?, pero lo traen a veces los arrieros que vienen de las tierras calientes, ¿escucha Su Majestad? Es lo que llamamos timpanismo: el vientre está distendido y doloroso por exceso de gases. Nada de frijoles, Su Majestad. Inspire. Expire. ¿Expulsión de aire por la boca? ¿Eructa Su Majestad con frecuencia? ¿Sí? Del pulque hablaremos después, pero deberá tomarlo sin champaña. Voy a permitirme doblar la pierna derecha de Su Majestad. ¿Duele allí? ¿No? A veces en las alturas las diarreas se vuelven hemorrágicas y en ese caso se aconsejan las sales de plomo. Tosa Su Majestad. Un poco más. Relájese ahora. ¿Cólico? ¿Dijo Su Majestad cólico? En efecto, puedo escuchar el camino del cólico hipogástrico que padece Su Majestad en estos momentos y que sube a lo largo del colon acompañado por borborigmos y mereorismo. ¿Gases, Su Majestad?, ¿Gases por la vía rectal? ¿Muy abundantes? ¿Sí? Y nada de agua de tamarindo o de sandía, so pena de nuevas diarreas, Su Majestad, o alimentos irritantes como el mole. ¿Algún trastorno urogenital, Su Majestad?, del que decía la Marquesa Calderón de la Barca que para comerlo había que tener la garganta blindada con hojalata. En caso de dificultad para orinar, los baños fríos en el perineo. Las alturas deben tener otros efectos extraños: nunca he encontrado, como en Anáhuac, ¿duele aquí?, tantos casos de leucorrea, dismenorrea y amenorrea, ¿y aquí?, entre las mujeres. ¿Algunas molestias en las ingles, Su Majestad? En las alturas, el orgasmo violento de las mujeres puede congestionar el cuello del útero, ahora Su Majestad deberá darme la espalda, y provocar un hábito, así acostado como está, fluxionario. Y nada de *cacahuátl*, Su Majestad. Ahora me permitiré levantar el camisón de Su Majestad hasta la cintura. Por eso también, sírvase Su Majestad doblar las rodillas hasta que toquen su pecho, los desperdicios espermáticos en Anáhuac producen más debilidad que al nivel del mar. ¿Me decía Su Majestad que en Taxco le recetaron subnitrato de bismuto para la diarrea? A veces da resultado. Ahora me permitiré examinar el pasaje rectal de Su Majestad. Inspire. Inspire profundo Su Majestad, y así el examen será más tolerable. Lo que sucede es que en Anáhuac las damas son perezosas. Inspire Su Majestad. Así. Expire Su Majestad. Esclavas, diría yo, del *dolce far niente*. Inspire más aire. Más. Como las mujeres del Levante. La ventaja de las diarreas en las alturas es que surten menos efecto sobre el hígado, inspire, expire, ¿duele aquí, Su Majestad?, que las diarreas de tierras templadas o calientes, ¿y aquí?, ¿no? Aquí sí. Inspire profundamente Su Majestad, y junte más las rodillas al pecho. En cuanto al pulque, le decía, tomado en cantidades moderadas, ¿aquí?, puede considerarse como tónico. El recto de Su Majestad no presenta ninguna tumoración. Inspire Su Majestad. Expire. Tampoco encuentro indicios de hemorroides internas. Sólo tiene siete litros de alcohol por hectólitro. Inspire. Expire. La próstata de Su Majestad parece estar bien. Aunque algunos pulques curados, como el de fresa, son particularmente embriagantes. Inspire. Expire. ¿Duele aquí? La utilidad del pulque consiste en que congestiona los intestinos y aumenta sus secreciones. Voy a retirar el dedo del recto de Su Majestad. Inspire profundamente. Así. Aaaasí. Ahora vamos a aplicar una pomada para asear la región. Tiene, además, un contenido interesante de glucosa: casi veintiocho gramos por litro, y también goma y albúmina. Ya puede Su Majestad estirar las piernas y bajarse el camisón. Cuando estuve en San Luis Potosí, tenía que organizar caminatas matinales con las jóvenes cloróticas de la ciudad, para combatir la pereza. Me voy a lavar las manos y mientras tanto Su Majestad me hará favor de sentarse a la orilla de la cama. Decía de San Luis porque allí hay un buen pulque, pero el mejor sin duda es el del llamado maguey manso fino de los llanos de Apam. No, no es necesario que Su Majestad se descubra. Ah, y de los reumatismos articulares no se preocupe Su Majestad: son causados por los grandes aguaceros, y casi siempre se trata de dolencias temporales. Su Majestad recordará este aparato, ¿verdad? Es el neumatómetro. Hace diez meses, me permití medir con él la capacidad pulmonar de Su Majestad. Pero como le decía, algunas ventajas tienen las mesetas altas. Su Majestad me permitirá ajustarle a la boca el extremo del neumatómetro y se servirá retener unos instantes la respiración. Y una de esas ventajas son los cielos tan claros y limpios, tan brillantes como son los de Anáhuac, cuyo azul alcanza con frecuencia el grado veinticuatro del cianómetro de De Saussure. Ahora Su Majestad inspirará por la nariz: inspire. Y expirará por la boca: expire. Así, así. Por la nariz. Por la boca. Y nada demuestra que en las grandes altitudes disminuya la cantidad de oxígeno combinado con los glóbulos de la sangre. Por la nariz. Por la boca. ¿Quién puede decir, por ejemplo, que los habitantes del Himalaya, de La Paz, del Tíbet, sean naciones de anémicos? Inspire Su Majestad por la nariz. Expire por la boca. Pero cuando un europeo no está adaptado a las alturas como las del Tíbet, por la nariz, por la boca, se pueden presentar fenómenos muy particulares. La autopsia de un cazador a pie del primer batallón de mi división reveló pulmones crepitantes, serosidad en el pericardio, inspire Su Majestad, expire Su Majestad, intestino grueso de color rojo oscuro, por la nariz, y bazo color lila, por la boca. Medio minuto: casi tres litros, muy bien. Pero los enfermos de tisis pulmonar, que en México llaman mal gálico y en Francia mal americano, mejoran notablemente, incluso sanan en las alturas. Inspire Su Majestad, y otra curiosidad observada en las mesetas altas, expire, es que las lágrimas se evaporan con mayor rapidez, y lo mismo el aroma de las flores, que aquí parecen estar menos perfumadas. Pero además de esas ventajas que señalé, Anáhuac y con él todo México, proporcionan una maravillosa variedad de plantas curativas. La pingüica como diurético, Su Majestad, y el tejocote para la desobstrucción en las hidropesías, son muy recomendables. Inspire. Expire. Incluso animales, como el ajolote o salamandra mexicana, del que tenemos ya ejemplares en el jardín de aclimatación del Bosque de Boulogne, y que se recomienda en algunas inflamaciones del hígado. Por la nariz. Por la boca. Conversé el otro día con el Doctor Bilimek, por la nariz, cómo sabe ese hombre de plantas mexicanas, por la boca, me dijo que las brácteas de la buganvilla en infusión sirven para la tos, respire así, naturalmente, Su Majestad, sin agitarse, ya llevamos cuatro litros coma nueve, y que el cocimiento de las hojas del girasol mexicano facilita las contracciones uterinas, por la nariz, durante el parto, por la boca. Inspire, expire. Bien, le retiraré a Su Majestad el neumatómetro. Cinco litros coma noventa y cuatro, comparados a cinco coma sesenta y siete de hace diez meses, para una persona que como Su Majestad llevaba varios años viviendo en Trieste, o sea al nivel del mar, la adaptación ha sido notable y es que siempre lo he dicho: la equitación amplía el tórax y propicia una hematosis completa, y no, no le voy a pedir a Su Majestad que suspenda sus inmersiones diarias en el Lago de Chapultepec: los baños fríos sólo perjudican a los enfermos del pecho, y que sólo deberá interrumpir Su Majestad cuando sufra de laringitis, y a los que padecen del corazón y a los viejos, y la natación también es muy sana. Como bien he observado yo en México y en Africa, y M. Dutrouleau en Guadalupe, Guayana y Senegal, la mortalidad disminuye con el desarrollo y la prosperidad de las reglas de higiene, y entre ellas, la mejor de todas es un ejercicio regular. En cuanto al baile, parecería mentira, Su Majestad, pero he llegado a la conclusión que las habaneras, a pesar de su ritmo lento, resultan enervantes cuando menos para las damas.

¿Está seguro Su Majestad el Emperador? Si Su Majestad considera que no ha terminado, volveré a retirarme y se servirá llamarme cuando así lo desee. ¿No? Bien. Examinaremos entonces la deposición de Su Majestad. Ajá. Creo que podríamos descartar también una diarrea catarral, que trataríamos con dosis de sulfato de magnesio. ¿Lombrices? ¿Ha tenido alguna vez lombrices Su Majestad? No, si llegáramos a encontrar ascárides lumbricoides, no necesito acudir al Japón, es decir a las flores del kuso, teniendo en México como remedio semillas de papaya pulverizadas. Y ahora sírvase Su Majestad acostarse, dándome la espalda. Si estas lavativas han surtido buenos resultados tras cada evacuación, no hay razón para suspenderlas. Sí, Su Majestad, como siempre: algunas yemas de huevo disueltas en leche no muy caliente, para que no se cuezan. Sírvase Su Majestad levantarse el camisón y doblar las piernas, un poco de almidón, y unas gotas de láudano. Claro que habría que corroborar todos esos supuestos resultados terapéuticos, sí, así, Su Majestad, que se le atribuyen a las plantas mexicanas. No hace falta ahora doblar tanto las piernas. Voy a introducir la cánula. Inspire Su Majestad. Profundo. Así, aaaasí. Saber si es verdad por ejemplo que la flor del corazón que llaman yoloxóchitl es un remedio contra la esterilidad, ahora va a comenzar a pasar el líquido, inspire Su Majestad, o si el conocimiento de las flores del manto de la Virgen, expire, aplicado como cataplasma, es útil en la erisipela. ¿Ha seguido Su Majestad tomando vino de canela, como le aconsejé? Chocolate de ninguna manera: Hernán Cortés le escribía al ilustre antecesor de Su Majestad, Carlos V, que una sola taza tomada en la mañana mantenía las fuerzas de un soldado todo el día, inspire profundamente Su Majestad: es sólo un litro y llevamos ya la tercera parte, pero no por eso deja de ser un alimento muy pesado para el estómago. Tranquilícese Su Majestad. Inspire profundamente. Más, más aún. No cabe duda que cada país tiene sus peculiaridades. En México, por ejemplo, no hay pelagra, a pesar de que algunos autores la han atribuido al maíz. Quizás se deba a la tortilla. Muy bien, muy bien, controle sus intestinos Su Majestad: es natural el deseo imperativo de evacuar. Inspire. Expire. Y me aprovecho ahora para recomendarle a Su Majestad los lavados de boca con tintura de mirra para fortalecer las encías, y las fumigaciones para combatir, inspire, expire, ya estamos acabando, la resequedad de garganta provocada por los polvos de Anáhuac. Y, vuelvo a insistir, tomar mucha agua. Ya, ya casi. Si pueden traerle a Su Majestad aguas de Río Prieto que provienen de las nieves del Iztaccíhuatl, inspire Su Majestad, y que tienen pocas sales, mejor. Y ahora, Su Majestad, voy a retirar la cánula: inspire Su Majestad, así, aaasí. Y ahora le voy a pedir a Su Majestad que contraiga los músculos glúteos y domine el deseo de evacuar para dar tiempo a que el intestino absorba las yemas de huevo y el láudano surta efecto. Y si en sus viajes, Su Majestad, se ve usted precisado a beber aguas con un alto contenido de carbonato de calcio, y que se reconocen entre otras cosas porque no cuecen bien las verduras ni disuelven bien el jabón, le recomiendo agregarles un poco de tierra de soda. ¿Se siente bien Su Majestad? Y otro efecto de la altura que hemos tenido oportunidad de observar, es que afecta la estatura de los individuos. ¿Sabía Su Majestad que los araucanos son más altos que los peruanos? A cambio de ello, en los puntos más elevados del Perú, las propiedades secativas del aire conservan y momifican a los cadáveres...»

2. Seducciones: (I) «¿Ni con mil avemarías?»

«Por mi culpa fue, por mi culpa, Señor Obispo, por mi gravísima culpa. Pero por mí no quedó. Le pregunté: ¿conoces tú la historia de la Virgen de Zitácuaro?, y ella me respondió: ¿la que se hacía cada vez más grandota?, y yo le dije exacto, cuando la iban a cambiar de templo la bajaron del altar y la acostaron en una mesa y el carpintero le tomó las medidas para hacer la caja donde la iban a empacar, y cuando la caja estaba lista pues nada: el carpintero creyó que se había equivocado porque la Virgen no cabía, y dale a tomar las medidas de nuevo para hacer otra caja y que vuelve a pasar lo mismo: la Virgen no cabía, y así una y otra vez, hasta que se dieron cuenta que la Virgen crecía entre caja y caja y que con eso lo que les quería decir era que no deseaba que la cambiaran de templo, de modo que la pusieron de nuevo en su altar y allí está desde entonces y yo pienso hija, y entonces ella me dijo: pero a mí no se me hace que sea una Virgen tan larga, Padre, y yo le dije ah, es que cuando la colocaron de nuevo en el altar recuperó su tamaño natural, de otra manera no hubiera cabido tampoco en su nicho, pero no me interrumpas, hija, yo pienso, te decía, así le dije, que a Nuestro Señor y sus oscuros designios hay que tomarlos como se presentan y no tratar de comprenderlos porque si tratas de abarcar a Dios en tu cerebro, de encajonarlo en él, pues no cabe, ¿me explico?, y por más que agrandes tu cerebro para que quepa Dios en él, pues resulta que Dios siempre va a estar un poco más largo, ¿me entiendes?, a Dios y sus designios hay que tenerlos siempre en un altar, y contemplarlos de lejos, aceptarlos como son, y si Dios quiere una monarquía para México, dejemos que Dios decida, ¿no te parece?, le dije y ella me replicó que de eso no estaba muy segura que digamos, y que no se imaginaba cómo Morelia la gloriosa, así me dijo, o Zitácuaro la heroica, podrían jamás llegar a ser monárquicas, y yo le dije a ver dime por qué Morelia es gloriosa, porque en ella nació el Cura Morelos, Padre, me replicó, Morelos fue un renegado le contesté, ¿cómo puede usted decir eso, Padre, si Morelos fue un cura?, me preguntó y yo le dije a Morelos lo juzgó el Tribunal de la Santa Inquisición, por si no lo sabías, y murió degradado, y a ver, dime por qué Zitácuaro es heroica, porque la incendió Calleja, me respondió, porque la redujeron a pavesas los santanistas, agregó y yo le dije qué va, hija, qué va, Zitácuaro es un nido de heresiarcas y algo muy grave he de haber hecho en mi vida, ay, Señor Obispo, algo más grave aún he cometido y me pregunto ahora si usted me dará la absolución, pero como le iba contando le dije a ella, mucho he de haber pecado, mucho, para que Dios me haya mandado a Michoacán porque es un castigo, sí, un castigo tener que oír estas blasfemias, que la Virgen es republicana como dices, me entra por un oído, por el oído que oye tus pecados, pero no me sale por el otro: por la boca me sale, hija, por la boca, en una llamarada, ay hija, te vas a condenar, ay Señor Obispo, me voy a condenar, y ella me arguyó pero Padre, ¿no es mejor una Virgen chicana que una Virgen traidora a la patria?, y yo le dije hija, hija, no blasfemes más: la Patria de la Virgen es el Cielo, y allí la Virgen es reina, *Regina Coeli*, y porque esta tierra es nido de herejes por eso desde que llegué aquí hace veinte años mi vida ha sido un viacrucis que comenzó en Chucándiro y siguió en todos los pueblos de todos los curatos por los que he pasado: en Tzintzuntzán, en Yurécuaro, en Pátzcuaro, y gracias a Dios que soy vasco, que si no, le dije y ella me interrumpió de nuevo, pero Padre, me dijo, no exagere, se puede ser republicano y católico al mismo tiempo como yo, eso nunca, le contesté: es una contradicción y te decía que si no, que si no fuera yo vasco ni siquiera hubiera podido pronunciar los nombres de mis curatos, ¿cómo dice, Padre?, me preguntó y yo le dije me refiero a todos esos nombres tan difíciles que ustedes tienen como Tangacícuaro, Copándaro, Terímbaro, Pajacuarán, Parangaricutiri... Parangaricutiri...»

«Mícuaro... Parangaricutirimícuaro».

«Mícuaro, sí, Señor Obispo, Mícuaro, sí, hija, le dije, y pues te decía, gracias a que soy vasco, a que nací en Guipúzcoa y a que me apellido Belausteguigoitia, Belausteguiqué, me preguntó, Goitia, le completé, pero no te me desvíes de la confesión, hija, y vamos a lo que me estabas contando porque mis oídos no lo acaban de creer, me decías, le dije, ¿que el Coronel Dumaurier te orina?, ¿cómo es eso?, y ella, Señor Obispo, me dijo sí, se orina entre mis piernas, entre tus piernas, hija, ¿y luego?, luego a veces más arriba, ¿más arriba dónde?, en los pechos, Padre, se orina en mis pechos, ¿y luego?, luego nada, Padre, porque al Coronel Dumaurier no se le, no se le, y si yo le cuento todo esto, Señor Obispo, es porque yo quisiera que comprendiera mi situación, para que pueda usted absolverme por eso le doy todos los detalles como me los dio ella a mí, y fue para poder dárselos sin violar el secreto de confesión que me vine a mula a campo traviesa y por pésimos caminos reales desde mi diócesis de Michoacán a ciento y pico de leguas de aquí a fin de que usted no reconozca a la pecadora aunque al más grande de todos los pecadores sí, que soy yo y no otro para mi condenación, Señor Obispo, y por eso también los nombres que le cite yo tendrá usted que tomar en cuenta que son nombres seudónimos todos ellos principiando por el Coronel Dumaurier que como me dijo ella no se le ponía duro, sí, así, Señor Obispo, me lo dijo con todas sus letras, lo único que le gusta es que estemos los dos parados en una tina, sin ropa, y orinarme, y cuando me orina se pone rojo y resopla y se queja, y cuando acaba de orinar me ordena que me vista y que me vaya, ¿cómo, Señor Obispo? sí, sí, lo mismo que usted me dice le dije yo a ella: ay, hija, no tienes salvación, pero Padre, me dijo, si Nuestro Señor Jesucristo perdonó a la Magdalena que había pecado tanto, sí, sí, mucho pecó María Magdalena, le dije, pero pecó con la carne, yo también, me arguyó, y yo también, Señor Obispo, yo también pequé con la carne, pero tú hija, le dije, con la carne y el espíritu, pero yo no, Señor Obispo, yo no pequé con el espíritu, porque si a la carne te hubieras limitado, le dije, te absolvería, como le pido yo ahora, Señor Obispo, que me absuelva usted, Padre, me dijo, mándeme usted la penitencia que quiera, mándeme rezar diez credos, veinte padre-nuestros, de nada serviría, le dije, de nada, hija, cincuenta avemarías, me pidió, ni con cincuenta avemarías, le dije, ¿por qué, Padre, por qué?, ¿por lo que hago con el Coronel Dumaurier?, me preguntó, por lo que haces con el Coronel Dumaurier, le dije, y con el Capitán Desnois y con ese otro Teniente Galliqué? Gallifet, Padre, me dijo y entonces yo le pregunté cómo era que sabía pronunciar el francés tan bien y ella me dijo porque me educaron en el Liceo, Padre, y porque estoy casada con un gabacho, con un gabacho, ah, eso no me lo habías dicho, le dije, y por qué si tanto odias a los franceses te casaste con uno de ellos, le pregunté y ella me dijo porque me obligó la familia, Padre, usted sabe cómo son esas cosas, ¿se acuerda usted, Padre, me preguntó, se acuerda usted, Señor Obispo, de esos versos que dicen: *Ya vino el güerito, me alegro infinito, ¡ay hija! te pido por yerno un francés?*, pues mi papá me los cantaba y me los cantaba y no me dejó en paz hasta salirse con la suya, hasta que le di por yerno a un francés, y comprenderá usted mi indignación y mi asombro, Señor Obispo, le dije entonces además eres una adúltera, y ella me respondió pero Jesucristo dijo que aviente la primera piedra... y yo le dije calla, no blasfemes más, ay, Señor Obispo, yo qué iba a saber entonces, y volvamos, le dije a lo que haces con el Teniente Gallifet, que también ése no es su verdadero nombre, Señor Obispo, lo que hacía, Padre, me dijo, porque el teniente se murió hace como seis meses en el lomerío de Copándaro, otra víctima de las balas impías recuerdo que le dije, no, me replicó, se murió en un accidente, descubrieron una gruta donde dicen que iba a meditar Don Melchor Ocampo o el Cura Morelos, no lo sé, y entraron en ella con unos hachones de ocote y resultó que la gruta estaba llena de cajas de fulminantes, el Teniente Gallifet acercó el hachón a una de ellas y le estalló en la cara, sí, sí, Señor Obispo, pobre teniente como usted dice y como ella misma dijo pobre teniente era el único francés al que nunca le tuve tirria, me aseguró, porque era belga y estaba muy niño y yo creo que por eso le gustaba chupar mis pechos y entonces yo le pregunté ¿el único francés?, ¿entonces a tu marido no lo quieres?, y me dijo no, Padre, huele muy feo, hágame usted el favor, Señor Obispo, yo que soy tan limpia me baño todos los días, me dijo y yo le dije te preocupas por la limpieza de tu cuerpo, ¿y qué de la limpieza de tu alma?, ay, Señor Obispo, me siento tan sucio, pero si las dos cosas no se oponen, me arguyó, y yo lo que hago lo hago con la conciencia limpia, debes estar loca, le dije, estoy en mis cabales me replicó y me ofenden los malos olores, es que los franceses jieden tanto casi como los españoles, ay, perdón, Padre, me dijo, se me olvidaba que usted es español, y yo le dije ¿yo?, yo no soy español, y entonces por qué habla usted como gachupín, pues para entenderme con ustedes, le dije, pero mi verdadera lengua es el *éuzkaro,* el vascuence, porque como ya te conté soy vasco por los cuatro costados, que son por parte de mi padre Belausteguigoitia-Amorrortu y de mi madre Lamateguigoerría-Azpilicueta y Lazarraguebara, le dije, Guebara, hija, Guebara: Lazarraguebara, Señor Obispo, y ella me dijo ¿vasco, Padre?, ¿como Tata Vasco?, y yo le contesté ay, hija, pensar que Michoacán tuvo a uno de los mejores obispos que mandó mi país al Nuevo Mundo y que todas las semillas de fe y devoción que sembró en este suelo el ilustre Vasco de Quiroga se volvieron ceniza a flor de tierra, porque no sólo Zitácuaro sino todo Michoacán es un criadero de herejes, y que me perdonen las excepciones que confirman la regla como los señores arzobispos Munguía y Labastida que yo sé que también son michoacanos, ¿verdad, Señor Obispo?, y le dije, ¿sabes una cosa?, ¿sabes por qué en Michoacán hay tantos volcanes?, ¿por qué hay tantas fumarolas?, no, Padre, me dijo, ¿no lo sabe usted, Señor Obispo?, pues porque está más cerca de las llamas eternas, ¿o estoy equivocado, Señor Obispo?, pues porque todos esos agujeros olorosos a sulfuro son caminos directos al infierno, si no es cierto, Señor Obispo, podría serlo, uy qué miedo, me dijo y yo le dije, pero volvamos, hija, al capitancito o teniente ése, te sacaba los pechos, me decías, sólo uno, Padre, y él se sentaba en mi regazo y lo chupaba y al mismo tiempo se acariciaba su cosa por encima de la ropa hasta que acababa empapado y luego se iba y usted se podrá dar cuenta, Señor Obispo, lo inquieto que me ponían todas esas cosas que si yo las quería saber, no era por morbo, ¿cómo?, le dije, ¿y luego se iba el tenientito?, sí, con los pantalones mojados, ay, hija, no tienes salvación, ¿la tendré yo, Señor Obispo?, absuélvame, Padre, me suplicó, absuélvame usted, Señor Obispo, se lo ruego por el amor de Dios, inútil, hija, le dije, inútil, mándeme usted una gran penitencia, Padre, me dijo, mándeme usted también a mí, Señor Obispo, lo que usted quiera, ir de rodillas desde mi casa a la catedral, o que rece yo treinta padrenuestros y cien avemarías, me dijo, o doscientas si quiere, Señor Obispo, y yo le dije ni con cien avemarías ni con doscientas te salvas, y cuando ella me dijo que estar con el Teniente Gallifet era como jugar a las muñecas, como darle el pecho a un nenito, le contesté tú hija no quieres entender, ya te lo he dicho hasta el cansancio que no es por los pecados de la carne, ah la carne es débil, Señor Obispo, sino por los pecados del espíritu: porque eres una hereje, una aliada de las fuerzas del mal, una espía de los juaristas, de los rojos, ay Padre, me dijo, no diga eso que me da miedo y se me pone la carne de gallina, para entonces yo también tenía la carne de gallina, Señor Obispo, miedo debía darte, temor de Dios y de su ira vender tu carne, la amonesté, pero tienes suerte hija porque la ira de Dios es lenta, como su misericordia, pero yo no vendo mi carne, me dijo, Padre, porque no les pido dinero ni regalos, algo más caro te dan a cambio de tus favores, le contesté, algo que no tiene precio: el honor, Padre: ellos son el enemigo, hija, el verdadero enemigo es Benito Juárez, le dije, ¿no está usted de acuerdo, Señor Obispo? Juárez es el anticristo, pero dicen, me arguyó, que el Presidente Juárez es católico, ay hija, de católicos así líbrenos el cielo, como también hay sacerdotes que son republicanos, me dijo, es que no les has alzado la sotana, le contesté, ¿cómo dice, Padre?, me preguntó, porque si se las alzaras, verías que abajo está la cola del diablo, ¿verdad, Señor Obispo?, y le pregunté entonces ¿dónde hacías eso con el Teniente Gallifet, dónde haces todas tus cosas?, y me dijo a veces en la cantina del cuartel cuando no nos ven, a veces en un hotel, ¿conoce usted el Portal de Matamoros?, allí también, una vez, de madrugada en la plaza de toros, Padre, ¿conoce usted el Paseo de las Jacarandas?, en la garita de Chicácuaro, una vez en la barranca de Cahuaro, y yo le dije hija, *cahuaro* quiere decir *barranca* en tarasco, no se dice así porque es como si dijeras la barranca de barranca, o como el mal llamado llano de Tepacua, que si dices así es decir el llano del llano porque eso quiere decir *tepacua* en tarasco, *llano* y nada más, y en qué otra parte, le pregunté, ¿en la iglesia también?, en un templo jamás, Dios me libre, dijo y yo le dije menos mal, hija, menos mal, ay, Señor Obispo, entonces qué iba yo a saber, y ¿en dónde más?, le pregunté, pero en mi casa sí, me contestó, en mi casa también, y yo asombrado le dije cómo es eso, mi marido, me dijo, viaja mucho, y profanas tu cama, tu lecho conyugal donde lo haces con tu marido, y ella me dijo no, Padre, con mi marido nunca lo hago a él no le interesa y tiene sus amantes, y sí, profano mi cama y he profanado el sofá y la mesa de billar, pero al Capitán Dubois le gustaba hacerlo en el campo y de día, me llevaba al monte y bajo una ziranda, así que también has fornicado a pleno sol, le dije, no siempre ha habido sol, me contestó, una vez que lo hicimos entre las milpas cayó un aguacero de padre y señor mío y llegué a la casa hecha una sopa, dime, le dije, ¿qué hacías con ese Capitán Dubois?, que es también nombre seudónimo, Señor Obispo, y me contestó primero fue el Capitán Desnois que le gusta hacer una cosa que a mí no me gusta hacer, ¿qué cosa?, le insistí, ay, Padre, me da mucha vergüenza decírselo, a mí también me da mucha vergüenza contárselo, Señor Obispo, me parece que se llama sodomía, ¿te parece?, le dije, no sabes ni siquiera cómo se llama lo que haces, sí, es sodomía, era sodomía, Señor Obispo, y yo le pregunté que por qué tenía que hacerlo así el Capitán Desnois siendo que la naturaleza ha proveído el canal apropiado y ella me dijo yo no sé, Padre, el capitán me dijo que pasó mucho tiempo entre los árabes y que se acostumbró a hacerlo, pero no con mujeres, sino con hombres y hasta con machos cabríos y avestruces y que se le quedó la costumbre, ay hija, no tienes salvación, le dije, ¿cómo dice, Señor Obispo?, ah, sí, después me dijo lo que hacía con el Capitán Dubois, pero primero le dije yo: si dices que eso no te gusta quiere decir, me imagino, que lo demás sí, o así lo entiendo, y ella me contestó Padre, qué quiere usted, cuando el Teniente Gallifet me chupaba el pecho a veces sentía yo cosquillas entre las piernas y se me humedecían los muslos, ¿y cuando la orinaba el Coronel Dumaurier?, Señor Obispo, también yo le pregunté, cuando te orina qué, pues no es que me guste, Padre, me dijo, pero ya se imaginará usted el frío que me da allí parada desnuda en la tina así que cuando empiezo a sentir el chorro caliente me sirve de consuelo, y cuando me lo apunta a la entrepierna, muy de cerca, pues no es que sienta yo bonito, pero no siento feo, ay hija, le dije, ni con trescientas avemarías, al menos está caliente como le digo, Padre, y no frío como la sidra, ¿que qué tiene que ver aquí la sidra, Señor Obispo?, pues eso mismo le pregunté yo que qué tenía que ver, a ver dime, y ella me dijo que a otro coronel que se había ido para el norte, un tal Dugason que es también un nombre inventado, le gustaba echarle sidra entre las piernas, y a mí me daba mucho frío, me contó, y que para qué le echaba sidra entre las piernas, Señor Obispo, pues para sorberla luego, ay, Señor Obispo, Señor Obispo, mándeme usted la penitencia que quiera, ordéneme rezar cien credos o quinientas avemarías, Señor Obispo, para sorberla, dices, para sorberla, esos franceses son el diablo, le dije, ¿ya lo ve?, ahora usted mismo lo dice, me rezongó, pero yo le aseguré que de todos modos son nuestra única esperanza, ¿no lo piensa usted así, Señor Obispo?, ¿y de los zuavos qué me dice usted?, me preguntó, y yo, Señor Obispo, que más de una vez me he embarrado la falda de la sotana con la suciedad de un zuavo, qué podía decirle, pues sí señor, que son muy borrachos y cochinos, nos acusan de querer envenenarlos, me dijo, Padre, cuando la verdad es que no saben comer, se atiborran de chirimoyas y chicharrones y guayabas al mismo tiempo, y luego, claro, andan a las carrerillas ensuciándose aquí y allá, en todas partes, pero es que es muy difícil, le dije, hija, acostumbrarse a esta comida, yo casi entrego el alma al Señor, hace veinte años cuando llegué al curato de Tzitzipan... de Tzitzipan...»

«Dacuri, Tzitzipandacuri...»

«Dacuri, sí, Señor Obispo, Dacuri, sí hija, le dije, Tzitzipandacuri, casi me muero, te decía, del atracón que me di de tacos de carne de puerco y la verdad es que me dio mucho trabajo que me gustaran todos estos chiles y especias, sentía yo tanta morriña, hija, tanta, por las angulas a la donostiarra y el bacalao al pil-pil, y te gustaba, le pregunté, que el coronel ése te sorbiera la sidra, ay, Padre, me hace usted ponerme colorada, me contestó, y yo también me puse colorado, Señor Obispo, como ahora puede usted verlo, pues la verdad, Padre, es que a veces sí y a veces no, cómo es eso, le pregunté, pues verá usted, Padre, me contestó, cuando tenía yo los ojos abiertos y lo veía hacerlo me daba mucho coraje y mucho asco, pero si cerraba yo los ojos y me imaginaba que era mi novio el que lo estaba haciendo, pues entonces sí, Padre, entonces sí que me gustaba, ¿su novio?, su novio, Señor Obispo, como le pregunté yo: ¿tu novio?, ¿además de marido tienes novio?, ¿qué novio?, ¿quieres decir ese chinaco al que le pasas todos los secretos que te cuentan los franceses, ese bandido?, sí, Padre, ése mismo, me dijo, pero bandido no es, ah, si lo viera usted, Padre, en su caballo retinto con su sombrero alemán de toquilla de plata, su calzonera negra con botonadura de conchanácar, sus botas de cuero de venado y, basta, basta, le dije, no me interesa saber cómo se viste tu novio, y entonces se me ocurrió preguntarle: oye, ¿no serás tú una Barragana?, y ella me contestó yo una Barragana, Padre, si ni montar a caballo sé y nunca he tenido una pistola en las manos, y Barragana sólo ha habido una, Doña Ignacia Reichy, y yo le dije doña, doña, de doña no tuvo nada, era un demonio y tan lo fue que ya lo ves, ya lo ve usted, Señor Obispo, desperdició la única oportunidad de que el Señor la perdonara, disparándose una bala en el corazón, Dios no le abre el cielo a quien toma su vida con sus propias manos, y ella me dijo yo no soy una Barragana ni en la sierra ni en la cama, y yo le pregunté ¿qué quieres decir con eso?, que la Barragana, me dijo, aunque era mujer era tan hombre que se acostaba con mujeres y eso a mí no me gusta, me dijo, una sola vez lo hice con la esposa de un general, sí, Señor Obispo, imagínese usted, que quería le dispensara yo mis favores y quedé muy decepcionada, me dijo, porque me prometió contarme muchos secretos y al final de cuentas no me contó nada y desde entonces aprendí que en las mujeres no se puede confiar, y luego, Señor Obispo, le pregunté quién eres tú, ya le dije Padre, me dijo, que estoy casada con un francés, ¿un militar?, no, Padre, un comerciante que se dedica a importar vinos y exportar cueros, yo soy señora de sociedad, cuando vino Carlota, la Emperatriz, le dije, la Emperatriz Carlota, perdóneme Padre, pero yo no la puedo llamar Emperatriz pues sí, le decía, cuando vino a Morelia con Maximiliano me pidió que fuera yo dama de palacio y le dije que no, ¿lo desaprovechaste, tonta?, le contesté, pero no me recuerdes la visita de los Emperadores, le dije, pensar que preparamos tantos vítores y serenatas, y que colgamos tantas mascaradas, gallardetes y fajas tricolores de los balcones y que alfombramos las calles con girasoles y el Emperador Maximiliano que se presenta de corbata roja, de corbata chinaca, ¿se acuerda usted, Señor Obispo, qué escándalo?, y entonces ella me dijo y eso no es nada, dicen que Maximiliano es más chinaco que su traje, y yo le contesté a veces no lo dudo, hija, mira que desairarnos un *Te Deum*, ¿se acuerda usted, Señor Obispo?, y que pedirle a la banda de los portales que tocara Los Cangrejos, fue una mofa, hija, una mofa sí, Padre, una burla de la mochitanga, y yo le dije hija te prohíbo que llames así a los verdaderos católicos, pero si yo lo soy, Padre, me dijo, soy una católica verdadera y me arrepiento de mis pecados, pero ya te dije, le contesté, que estás condenada, y que no te vas a salvar así te dejara yo una penitencia de seiscientas avemarías, ay, Señor Obispo, déjemelas usted a mí, ordéneme usted rezar seiscientas avemarías, seiscientas o más, las que usted quiera, setecientas, y ella me arguyó: y también el Archiduque Maximiliano es católico y ya lo ve, ahora usted se queja de él, y yo le dije lo que pasa, hija, es que tú no entiendes nada, de los males el menos, ¿no cree usted, Señor Obispo?, entre Juárez y sus sicarios y el Emperador y los franceses, me quedo con el Emperador, me quedo con los gabachos como les dicen ustedes, ¿verdad, Señor Obispo?, primero, le dije, porque a Maximiliano lo va a suceder un día Agustín de Iturbide, el niño que adoptaron, y entonces tendremos un emperador mexicano, segundo porque los franceses se van a ir un día de éstos, tercero porque Juárez no va a cambiar nunca y Maximiliano sí, ¿no lo cree usted, Señor Obispo? Maximiliano sí va a cambiar cuando se vayan los franceses, lo vas a ver porque entonces no le quedará más remedio que volver a los brazos de la Iglesia, ¿no crees?, ¿no lo cree usted, Señor Obispo?, y entonces ella me dijo no sé, Padre, pero dígame: si yo le dijera que mi verdadero pecado es el de la carne, si yo le dijera que en realidad no hago todo esto para que me cuenten secretos, sino porque me gusta, y que ése es sólo el pretexto, ¿me absolvería usted?, ah no, en esa trampa, le dije, sí que no me haces caer, hija, no señor, y no te puedo absolver, además, ¿cómo dice, Señor Obispo?, ¿lo que hizo con la esposa del general?, pues se me olvidó preguntarle, y como le decía a usted, como le dije a ella, no te puedo absolver porque sobre tu conciencia cargas muchas muertes, cómo es eso, me preguntó, si gracias a que el Capitán Clinchant me contó de los planes de los imperialistas para atacar Tacámbaro fue que los pudimos derrotar, que si no, imagínese usted cuántos chinacos nos hubieran fusilado, y qué de esos pobres muchachos belgas, hija, le dije, que fusilaron allí mismo en Tacámbaro qué, ¿ésos no eran seres humanos?, y entonces ella me dijo pues sí, pobrecitos, pero ellos vinieron aquí a pelear a México, nosotros no fuimos a su país a provocarlos, no me arguyas, hija, le contesté, tú no acabas de entender que al fin y al cabo su misión es sagrada: la de restaurar la religión, ¿no es verdad, Señor Obispo?, y los fueros eclesiásticos, ¿no es cierto?, pero si el Capitán Estelle no me dice de las órdenes que dio el General Bertier de batir el Quinceo, me dijo, hubieran pescado viva a la Barragana, y si el Teniente Marechal no me cuenta que el Capitán de La Hayrie y sus zéfiros africanos iban a sorprender a Nicolás Romero en Zirándaro, no, no fue en Zirándaro, sino en Angangueo, ya no me acuerdo, allí lo matan, me dijo, y si el Capitán Dubois no me dice de la emboscada que le tenían preparada al General Arteaga camino a Tingüindín, cuando lo llevaban al pobre en una camilla después de un ataque de epilepsia, lo matan, lo matan al general sin remedio, y yo le dije, Señor Obispo: pues ya ves de qué sirvió, porque de todos modos todos están ya muertos, la Barragana por sus propias manos, y Romero, Salazar, Arteaga, todos fusilados, ay, pobre General Arteaga, me dijo, tan bonita carta que le escribió a su mamá poquito antes de morirse, y se imagina usted, Padre, me dijo, la pena de su santa madre, y yo le dije mira, su madre será una santa, pero ese Arteaga era un hijo de... y no me hagas decir malas palabras, no, Señor Obispo, no la dije, no dije la palabra que tenía en la punta de la lengua, Arteaga era un diablo, hija, sólo eso, y un diablo menos en la tierra es sólo un diablo más en el infierno, ¿el Capitán Marechal?, ¿el Teniente Estelle?, ¿que qué hacía con ellos, Señor Obispo?, yo también le pregunté pero estaba confundido, como usted: Estelle era el capitán y Marechal el teniente, me dijo, como yo le estoy diciendo a usted, Señor Obispo, pero de todos modos no eran sus verdaderos nombres y da la casualidad, Padre, me dijo, que a ellos dos siempre los veía juntos, y yo le pregunté cómo juntos, sí, al mismo tiempo, Padre, así les gustaba a ellos, imagínese usted, Señor Obispo, y yo claro le dije supongo que ellos sí que no te contaban secretos militares porque me imagino que cada uno tendría miedo de que lo acusara el otro, ¿no es cierto?, y me dijo no, ellos no me contaban nada, yo era la que les daba información falsa, qué barbaridad, hija, le dije, eres muy lista, pero también Luzbel era muy inteligente, la inteligencia no es una virtud, ¿no es verdad, Señor Obispo?, y bueno, dime, ¿se metían los tres juntos a la cama?, sí, Padre, ¿y que qué hacían, Señor Obispo?, eso mismo le pregunté y ella me contestó ay, de veras quiere usted que le cuente los detalles, y yo le dije sí, si no me los cuentas completos, ¿cómo te los voy a perdonar?, y ella me dijo, entonces sí me va a perdonar, y yo le contesté no hija, qué va, ni con toda la penitencia del mundo, ni con todas las avemarías del mundo, ¿con ochocientas?, me dijo, ni con novecientas, le contesté, entonces ya me voy, si no me va usted a perdonar no sé qué hago aquí contándole todo esto, me voy, me dijo, no, no se fue, Señor Obispo, ojalá se hubiera ido, ojalá, no estaría yo aquí con usted, contándole todo esto, arrepentido, no, no se fue, le dije vamos a ver primero qué es lo que hacías con el teniente y el capitán, me da mucha vergüenza contárselo, me dijo, me da más vergüenza a mí decírselo a usted, Señor Obispo, el capitán se acuesta bocarriba y yo le beso su cosa, y el teniente se pone atrás de mí, ¿cómo el Capitán Desnois?, le pregunté, y ella me dijo no, no todos son como el Capitán Desnois, el teniente lo hace como dijo usted por el canal apropiado que proveyó natura, y cuando los dos acaban no más cambian de posición y yo me quedo en medio como salero, qué barbaridad, hija, dime, y se me ocurrió preguntarle ¿no era acaso tu novio Nicolás Romero?, y me dijo no, Padre, si mi novio está vivo, pero me hubiera gustado mucho haber sido la novia de Romero, cómo no, era tan apuesto, yo lo veía pasar por la calle con sus cien lanceros de Zaragoza cuando la gente le gritaba Viva el León del Desierto, y él se daba una machincuepa sobre el caballo al galope, y la verdad, Padre, que yo me derretía, ahí tiene usted otro patriota, me dijo, asesinado por el extranjero, asesinado no, le dije, hija, ejecutado, aquí a nadie se asesina, se le ejecuta tras haber sido juzgado, y entonces ella me dijo, Señor Obispo, que de todos era sabido que apenas se comenzaba a juzgar a un chinaco en las cortes marciales de Morelia, Zamora o Zitácuaro, empiezan al mismo tiempo a cavar su fosa, y yo le dije hija, basta, el que toma las armas ya sabe a qué se arriesga, y por cada Arteaga, Salazar o Romero que han ejecutado los franceses, los juaristas han asesinado a diez, o viente, y ella insistió, Señor Obispo, ella me dijo ay, no, Padre, nomás acuérdese usted de todos los liberales que fusilaron en el Mesón de las Animas y los enterraron en las caballerizas, y de cuando el General Pueblita fue derrotado en Zitácuaro, la cantidad de oficiales chinacos y hasta soldados rasos que fueron pasados por las armas en El Calvario, y sin ir más lejos allá en la Plaza de Mixcalco de México, donde fusilaron a Nicolás Romero, Padre, me dijo, matan a diario a dos o tres republicanos, y no sabía usted, Padre, por cierto, me contó, ¿no sabía usted, Señor Obispo, que Nicolás Romero necesitó un tiro de gracia y que ni aun así se murió porque cuando lo llevaban al panteón en la caja creyéndole muerto de repente rompió la tapa de un golpe y entonces sí, del esfuerzo, se murió?, ¿no, no lo sabía usted, Señor obispo?, no, no lo sabía yo, hija, le dije, pero de todos modos se murió y lo enterraron, ¿no es cierto?, y me dijo sí, yo le dije: porque el diablo, hija, ése sí que cabe en una caja, le aseguré, sin pensar, Señor Obispo, que para entonces ya se me había metido a mí el diablo en el cuerpo, porque el diablo sí que también cabe en cualquier cuerpo humano, ¿no es verdad, Señor Obispo?, de hombre o de mujer, y entonces ella me dijo: Padre, usted me conoce, ¿yo?, le dije, sí, yo soy la hija de Don Aniceto Huitziméngari, ¿de Don Aniceto Huitziméngari, hija?, aunque ése es también nombre seudónimo, Señor Obispo, ah, le dije, entonces tú debes ser la Güera Huitziméngari, la que está casada con Don Antonio Dupont, el francés, claro, claro, sí que te conozco, te recuerdo, y entonces ella me dijo, Señor Obispo, Padre: ¿verdad que soy muy bonita?, y el diablo entonces habló por mi boca: yo no, Señor Obispo, fue el diablo el que dijo: eres bonita, sí, como un ángel, y entonces ella me dijo, Padre, hay algo que puedo hacer por usted si usted me absuelve, y yo, Señor

Obispo, le dije no me tientes, cómo lo voy a tentar, Padre, me dijo, si estoy al otro lado del confesionario, y yo le dije tentar de tentación, no me tientes Satanás, entonces ella me dijo Padre, yo le puedo dispensar mis favores, sé hacer muchas cosas como a usted le consta, y yo le dije a mí no me consta nada, no me tientes, no me tientes, ahora sí me consta, Señor Obispo, no me tientes, le dije, a ti te absuelvo yo, pero a mí quién me absuelve, el Señor Obispo, Padre, me dijo ella, el Señor Obispo lo absuelve y yo le dije ay, no hija, no me absolvería jamás, nunca, ¿ni con mil avemarías?, me preguntó, y yo me quedé callado un rato y ella volvió a preguntar: ¿ni con mil avemarías, Padre?, y entonces yo, Señor Obispo, ¿usted recuerda la campana que consagró con sus propias manos Don Vasco de Quiroga y que tiene fama que cuando se tañe se calman las tempestades?, yo quise oír esa campana dentro de mí porque la tempestad que sufría también la tenía dentro de mi cuerpo, pero no pude oírla, no me dejaron los gritos del diablo y el tantán de mi corazón que se me saltaba del pecho, y es por eso, Señor Obispo, que estoy aquí, humildemente de rodillas ante usted, y de rodillas le pido que me absuelva, aunque me deje una penitencia muy grande, la que usted desee, la que usted me indique, las avemarías que me ordene, el número que se le ocurra, Señor Obispo: mil si quiere».

3. De la correspondencia —incompleta— entre dos hermanos

México, a 25 de abril de 1866.

Muy querido Alphonse, hermano mío:

Tu última carta me llegó con un retraso increíble. Varias comisiones con las que fui distinguido me obligaron a viajar a diversas partes de México y, según me enteré después, la carta me estuvo siguiendo las huellas pero nunca me alcanzó hasta que regresé a la capital, donde bien pudo haber esperado todos esos meses. Dejaron de enviarme al frente: la fractura del tobillo no soldó bien, y me han asignado la función de mensajero de lujo. Creo estar destinado a cojear un poco el resto de mi vida, pero eso me permitirá pedir la baja del ejército y dedicarme a la administración de los invernaderos de mi suegro.

Nunca te he contado de él y de María del Carmen, ¿verdad? Bueno, pues a reserva de enviarte pronto una fotografía de mi mujer, déjame decirte que tiene diecinueve años y es una belleza criolla típica o quizás más bien mestiza, de ojos y pelo negros y piel del color que aquí llaman «apiñonado», o sea de color ananás. Pertenece, no lo vas a creer, a una familia liberal por tradición. No ha habido, sin embargo, ninguna tragedia entre montescos y capuletos: mi suegro es un hombre anciano, moderado y por demás estimable —viudo— dedicado al cultivo de orquídeas, que por una parte no quiere a Juárez, y por otra, admira mucho a Francia. Esa tragedia la comparten qué sé yo cuántos liberales: la de haber sido invadidos por las tropas de una nación cuya cultura e ideas consideran como suyas. Como les debe haber pasado a los argentinos durante esas ocupaciones de principios de siglo si es que desde entonces los argentinos eran ya tan anglófilos como dicen que lo son ahora.

Me asombran y hasta me entusiasman la enjundia y la erudición de tus cartas, y a veces casi me convences de que esta intervención en México es injusta. Pero no: mientras más reflexiono, más se fortalece mi opinión —la misma de nuestro Emperador Luis Napoleón— en el sentido de que sólo con un príncipe europeo a la cabeza de una monarquía se podrá salvar a este país no sólo del caos, sino de la nefasta influencia americana que ahora, triunfante el Norte, ha vuelto a tender sus garras. Lo que sucede es que nos ha faltado método, paciencia, y sobre todo, los hombres adecuados. Principiando, ay, con el propio Emperador, Maximiliano, y la gente de la que se rodea.

Entre estos últimos, Eloin y el lacayo Schertzenlechner son, quizás, los que más daño hicieron, pues aparte de odiarse entre sí, nos odiaban a nosotros, los franceses, y mucho influyeron al respecto en la actitud del Emperador. Con decirte que Eloin logró que Maximiliano nunca visitara un cuartel o un hospital de nuestras tropas. Ha habido, sí, un desfile de hombres muy capacitados, como Bonnefond, Corta y otros tantos, que en vano han intentado poner un poco de orden en las finanzas del Imperio Mexicano. Pero ha sido inútil: nadie les ha hecho caso, incluyendo el propio Maximiliano, y además, de todos modos, no hay dinero que alcance para sufragar por una parte la conquista de este vastísimo territorio, y por la otra, los despilfarros de la corte. Y ahora, corrido ya Schertzenlechner a cajas destempladas, ha aparecido en escena otro personaje siniestro: un tal Agustín Fischer, pastor protestante alemán convertido al catolicismo, aventurero, buscador de oro en California, padre de varios hijos bastardos, que ejerce una influencia nefasta en Maximiliano. Le ha prometido que logrará un concordato con el Vaticano, y se dice que fue uno de los que lo convencieron a «adoptar» —yo diría secuestrar— al nieto de Agustín de Iturbide. Si a esto le agregas la animosidad cada vez mayor entre Maximiliano y el Mariscal Bazaine —dedicado desde hace meses a las delicias de una luna de miel interminable—, te darás una idea de la difícil situación del Emperador.

No, no creo que Maximiliano pueda lograr una tregua ni con la Iglesia, ni con los conservadores. Dudo incluso que pueda ponerse en paz consigo mismo, pues a estas horas ya debe haberse dado cuenta que no vino aquí por voluntad de la nación mexicana, que fue una de las condiciones que estipuló. Aparte de los innumerables pueblos pequeños habitados por indios analfabetos, la población de las ciudades grandes está formada por una mayoría de indios también, y de mendigos urbanos, los «léperos», o versión local de los *lazzaroni* italianos, que no saben cuál es la diferencia entre una República y un Imperio, ni les importa saberlo. Otra parte está formada por una clase que podríamos llamar acomodada, que con tal que no la molesten, recibe hoy con besos y arcos triunfales a los franceses y los Emperadores y mañana a los juaristas. Por último están los ricos, que son casi todos unos infatuados y, aunque en otro sentido, también unos ignorantes. La Condesa de Kollonitz me decía que algunas de las señoras que rodean a Carlota pensaban que Maximiliano era francés y no entendían por qué su idioma era el alemán, y le preguntaban dónde estaba Viena: si en Prusia o en Austria. Y es que para ellas sólo existen tres capitales europeas: Madrid —por ser sus antecesores españoles al menos en teoría—, París, de donde se hacen traer la ropa cinco mil millas por mar y doscientas cincuenta a lomo de burro, y por último Roma, porque es allí donde vive el Papa. Claro que hay excepciones, pero son pocas. Una de ellas es el Señor Escandón, por ejemplo, con quien viajé un largo trayecto desde Veracruz hasta su hacienda. Pero sucede algo por demás irónico: mientras más distinguido y culto es un mexicano, *menos* mexicano es, y menos también, parece importarle el futuro de su país. Lo que les interesa es vivir como europeos y que sus hijos se eduquen como tales. Así, por ejemplo, la familia Escandón, que regresaba de unas vacaciones en Europa, viajaba con institutriz y *valet* ingleses, secretario de finanzas español y tutor francés. Por cierto, los señores Escandón me invitaron a pasar dos días en su hacienda que, como muchas de las haciendas mexicanas, son una especie de feudos o pequeñas ciudades a las que nada falta, incluyendo iglesia y capilla, y hasta una banda de música para los domingos. Te doy enseguida unas cifras que no dudo serán de tu interés: a un «peón de raya» —o peón permanente, poco menos que un esclavo— se le dan al año doscientos ochenta y cinco litros de maíz y treinta piastras. A los que se alquilan, un real y medio diario, y a los niños un real por jornada. Saca las cuentas: un real es la octava parte de una piastra, y la piastra o peso de plata vale treinta y cinco céntimos más que nuestros cinco francos. Otra cosa muy impresionante de la hacienda de los Escandón, es que todos los alimentos y bebidas con que me agasajaron durante mi estancia, eran productos de la propia hacienda, incluyendo el café, el ron y el azúcar.

Uno se pregunta, por lo tanto, cuáles eran, cuáles son esos mexicanos que se manifestaron en «gran mayoría», como nos hicieron creer, en favor del Imperio. Y llega a la conclusión que con sólo unas cuantas familias adineradas y ultraconservadoras que sueñan sólo con vivir en Europa —o que viven en ella—, coaligadas con lo que quizás es el clero más corrupto del mundo. Por cierto, durante una de mis estancias en el Puerto de Veracruz tuve la oportunidad de conocer al Nuncio Papal, Monseñor Meglia. Un hombre muy desagradable, inflexible, que trajo a México un mensaje también inflexible de Pío IX, y que desembarcó haciendo gala de todo el esplendor de sus ropajes violetas y verdes, y rodeado de negros —esbeltos nubios de talares vestiduras blancas y largos rifles, de los que prestó el Imperio Otomano: homenaje de la luna creciente a la cruz—. Confieso que tuve cierta compasión del Nuncio, quien según me dijo sufrió de mareos durante el viaje, agravados no sólo por el hedor que, como creo que te conté en mi primera carta, despiden unas enormes cucarachas cuando las aplastas, sino además porque viajaban en el mismo barco unos cubanos que escupían por todas partes a pesar de que había un letrero, en cuatro idiomas, que pedía no hacerlo. Pero el Nuncio parecía encontrar fácilmente consuelo en un vino clarete, ligero pero excelente, del que me regaló unas botellas.

En cuanto a Maximiliano, te decía, es una pena reconocer que no es un hombre destinado a gobernar un país, y sobre todo un país como éste, casi ingobernable. Entendámonos: el Archiduque es un buen hombre. Es asimismo una persona cultivada, amante de las letras y las artes, de la ciencia, pero a tal grado que, ignorando los gravísimos problemas económicos de su administración, ocupa gran parte de su tiempo en proyectos grandiosos o inútiles. Así fue desde el principio: la inauguración del Teatro de la Corte con un crédito de cuatrocientos mil francos; una ceremonia en exceso suntuosa para desvelar un monumento de sesenta mil francos de costo al Cura Morelos —uno de los héroes de la Independencia de México—, y en fin: un proyecto para crear una Academia de Letras y Ciencias tan importante como la de París, otro para una pinacoteca en la que se incluiría los retratos de todos los gobernantes de México —de los que existen algunos excepcionales, es decir, de virreyes, pintados por Miguel Cabrera, un indio zapoteca como Juárez cuyo estilo recuerda al de Luca Giordano—, la institución de cátedras de lenguas clásicas, ciencias naturales y filosofía, y la redacción de innumerables cambios y adiciones al *Ceremonial de la Corte:* en esto ocupa el tiempo el Emperador de México, a quien le dan accesos alternados de pasión por la botánica, la arqueología o la literatura. También por la entomología: cuando se cansa de lo poco que gobierna, se retira a una quinta que tiene en Cuernavaca, a cazar mariposas y lagartijas. Mientras tanto la Emperatriz Carlota se queda al frente del Imperio, lo cual no es una desventaja, porque ella sí sabe gobernar y tomar decisiones. A estas fechas, ya se ha desempeñado dos veces como Regente. Mira: bastaría que tuvieras oportunidad de hojear el «*Diario Oficial del Imperio*». Las páginas de esta publicación suelen reflejar la pérdida del sentido de la proporción característica del gobierno de Maximiliano. Con frecuencia, las noticias sobre los triunfos de las tropas imperiales son tan breves y escuetas, que pasan desapercibidas. A cambio de ello, te encuentras páginas y páginas dedicadas a los ceremoniales que se deben observar en el cumpleaños del Emperador y el de la Emperatriz, a la descripción de bailes en el Gran

Salón del Teatro Imperial —«había cien espejos y la alfombra, blanca, estaba salpicada de lentejuelas y escarcha de plata»—, y otras vaciedades como la relación de los proveedores de Su Majestad —Saccone & Speed desde luego—, pero además Eduardo Guilló de La Habana, Perrin y Cía de París o Francisco Toscano de la Calle de Plateros de la ciudad de México para habanos, armas y géneros y objetos de moda respectivamente—, un reglamento para los bailes de máscaras, la crónica del viaje de Marsella a Córcega del yate «*Jerónimo*» llevando las estatuas de cuatro de los Bonaparte: José, Luciano, Luis y Jerónimo para el monumento de la familia en Ajaccio, y tratados interminables sobre la cochinilla, el añil, o la velocidad y la rotación acimutal de las nubes. Lo que es el colmo: el «*Diario Oficial*» acaba de publicar un código naval que establece todas las jerarquías, desde el capitán de navío a grumete, regulaciones, etc. Me permito citar la cláusula sexta de la sección tercera, titulada «*De los Viajes de Mar*», y que dice así: «En el caso de que las dimensiones del buque en que deba navegar el Emperador no fueren suficientes para colocar todo el séquito, se determinará la colocación de éste a bordo de otros buques, según las órdenes que el Ayudante de Campo General comunique...» Por supuesto que el séquito del Archiduque no sólo *no* cabría en un buque, mi querido Alphonse, sino que tampoco en *toda* la marina mexicana, porque ésta no existe: si hay tres embarcaciones es decir mucho. Y para que no creas que estoy prejuiciado en contra del Emperador de México, te lo definiré con las palabras empleadas por Madame de Courcy y M. E. Masseras. Monsieur Masseras está fuera de toda sospecha, por ser el director del diario «*L'Ere Nouvelle*» que aparece en México en francés, y ha sido siempre un ferviente partidario del Imperio y la intervención. Lo cito de memoria, porque por supuesto esto *no* lo ha publicado, pero lo ha dicho en diversas ocasiones, en voz no muy baja, en los corredores de palacio: Maximiliano es «ligero hasta la frivolidad, errátil hasta el capricho, incapaz de constancia, irresoluto, obstinado...» Y en cuanto a Madame de Courcy, creo que ella ha puesto el dedo en la llaga: «La tragedia de Maximiliano —dijo— es que es fácil adorarlo, pero imposible temerlo, y en México uno sólo puede inspirar respeto con el miedo...»

Por si esto fuera poco, al exceso de gastos en ceremonias fastuosas, se agregan otros dispendios aún más difíciles de justificar. Se sabe por ejemplo que Maximiliano le ha enviado dinero a Hidalgo para pagar algunas de sus deudas personales, después de que éste le escribió a Eloin diciéndole que las pérdidas de sus haciendas devastadas durante la Guerra de Reforma ascendían a cien mil piastras. Por su parte la hija de Gutiérrez Estrada, Loreto, le escribió a la Emperatriz Carlota pidiéndole indemnizaciones por diversas causas. Todo esto ha sido interpretado como una extorsión, y qué otra cosa puede ser. Sabido es, también, que el gobierno le prometió a la esposa del Mariscal Bazaine cien mil piastras en caso de que tuviera que abandonar un día el Palacio de Buenavista —como si la cesión, o regalo o usufructo o lo que fuera del espléndido palacio, no hubiera causado ya el suficiente escándalo—. Por último, lo que no es del dominio público, pero que ha trascendido, es que los Emperadores celebraron un pacto secreto con la familia Iturbide —al adoptar al pequeño Agustín— que incluyó una compensación de ciento cincuenta mil piastras. ¿Te das cuenta, Alphonse, de lo que son estas cantidades si pensamos en el sueldo de un soldado, treinta piastras al mes, o como te decía en el de un «peón de raya», que es treinta piastras *al año?*, ¡cuatrocientos cincuenta años el salario de un soldado, cinco mil años el de un peón!

Vuelvo a repetirte, no es que te dé la razón —aunque por momentos siento que eres tú el que me está dictando esta carta— porque no comparto tus utopías «socialistas». Creo en los designios de Dios, y respeto su voluntad de que en el mundo haya ricos y haya pobres. Pero a veces me pregunto si es también *Su* voluntad que los ricos sean *tan* ricos, y los pobres *tan* pobres. ¿Reflejo, también, de este país, que toda la vida ha sido inmensamente rico, inmensamente pobre? No lo sé. Fue sin duda el conocimiento de esta situación, y del trato inhumano que muchos hacendados dan a sus peones, denunciada por el Ingeniero Bournouf, lo que indujo a Carlota a decretar algunas reformas. Gracias a ella, se ha prohibido el castigo corporal y las jornadas excesivas, y reglamentado la educación de los peones y sus hijos. Pero al mismo tiempo estas medidas tan loables —que por otra parte han provocado la ira de los hacendados— se han visto opacadas por algunas de las disposiciones relativas a ese gran programa de inmigración que han planeado el Emperador y los confederados a instancias de ese inefable oceanógrafo, el Comodoro Maury, inventor nada menos que del torpedo eléctrico. Entre otras cosas, se establece que los peones tendrán la obligación de servir a su patrón cinco años como mínimo sin permiso a cambiar de trabajo: y al que huya se le arrestará y devolverá al mismo amo. Luego se asombran Carlota y Maximiliano de que se les acuse de restaurar la esclavitud en México. Y otra cosa que ha causado profunda irritación, aparte de la inmigración de los esclavos —los cien mil negros e indoasiáticos que se proyecta importar y ahora se dice que podrían llegar a seiscientos mil— es la también planeada y en parte comenzada inmigración de los amos: los confederados, que para los mexicanos no dejarán de ser los *yankees* (aunque sean del Sur) que les robaron la mitad de su país. Imposible que un mexicano no se resienta ante el hecho de que a esos colonos *yankees* se les exima del servicio militar durante cinco años, lo mismo que de impuestos de importación de maquinaria agrícola, y para el colmo se les den esclavos y tierras... ¡tierras, en este país privilegiado donde crece todo, desde el caucho al henequén, el coco y el tabaco, el algodón y el lino, la caoba y la vainilla, los árboles de materias tintóreas!... en fin, que al pobre de Max todo le sale mal.

La ciudad de México, te diré, me ha decepcionado profundamente. No entiendo por qué razones Humboldt la llamó «la ciudad de los palacios», comenzando porque el que se supone que es el principal, el Palacio Imperial, tiene aspecto de cuartel. Dicen que Maximiliano, que ha ordenado a un arquitecto redecorar las terrazas del Castillo de Chapultepec al estilo toscano, desea que se renueve la fachada del palacio de modo que se parezca a las Tullerías. Pero dudo que encuentre fondos para eso. Abundan, claro, algunos templos muy bellos, de la época colonial, pero en otros la influencia de los hermanos Churriguera ha sido fatal: el rococó fue llevado a la exageración. Hay, también, una que otra construcción impresionante, como el Palacio de Minería, obra de un genial arquitecto español, Tolsá, quien también esculpió una magnífica estatua ecuestre de Carlos IV de España. Por lo demás, las construcciones son monótonas, las calles de la ciudad están llenas de inmundicias —y otras inundadas a perpetuidad— el alumbrado de gas es desconocido: sólo se usa aceite, petróleo y velas de muy mala calidad que despiden vapores nocivos; los perros callejeros abundan tanto como en Constantinopla —o como los gatos en Roma— y los «léperos» forman verdaderas turbas: en el Paseo Nuevo, en el Paseo de la Emperatriz, en el Portal de las Flores, en todas partes hacen gala de sus llagas y muñones, piden limosna, gimen con una especie de falsete, las madres despiojan a sus hijos. Bueno, no se ven en *todas* partes porque se les excluye de las grandes ceremonias en los templos, lo que hace pensar que, para la Iglesia mexicana, no todos los hijos de Dios son iguales. De nada, pues, le sirve a los léperos ir cargados de rosarios y escapularios. Cosa que, sin embargo, a la Iglesia sí le ha servido: habrás de saber que el Arzobispo Labastida ha organizado más de una ruidosa manifestación echando mano de esos mendigos. Manifestaciones, claro, en contra de la forma en que Maximiliano ha manejado la cuestión de los bienes de la Iglesia y la libertad de cultos. Así, que no es raro ser testigo, en un mismo día, de espectáculos tan distintos como la revista de las tropas francesas hecha por la Emperatriz Carlota, elegantísima, «tocada con perlas y diamantes y un vestido tornasolado color fucsia o lilac, con vueltas de encaje de Inglaterra» —cito el *Diario del Imperio*— a caballo y acompañada por el Mariscal Bazaine y los oficiales de su Estado Mayor, «con albornoces blancos y tocas flotantes», mientras la banda toca una marcha mexicana típica, y unas horas después verse sorprendido por una multitud de léperos, la corte de los milagros en pleno, inacabable procesión, que con sus escapularios, medallas y cacerolas de lata, van por las calles haciendo un ruido infernal.

Lo que sucede es que en eso se ha convertido este Imperio: en una sucesión de espectáculos. Tuve el privilegio de asistir, en el Bosque de

Chapultepec, a un banquete que los Emperadores ofrecieron a un grupo de indios *kikapús* que vinieron desde la Luisiana para ponerse a las órdenes del Imperio y solicitar el derecho a vivir en México. Hubieras visto a Maximiliano departir, bajo los ahuehuetes cargados de heno, con esos indios de monteras erizadas con plumas de colores y trajes de piel de búfalo bordados con perlas, y a Carlota contemporizar con sus mujeres, chiquitas y feas —nada que recordara por supuesto a la «Flor de Té» de Fenimore Cooper—. El gran jefe *kikapú*, por cierto, tenía colgada al cuello una gran medalla de plata con la efigie de Luis XIV, regalo de este monarca a sus antepasados en la época en que la Luisiana nos pertenecía. Lo más cómico de todo es que unas semanas más tarde, en un baile de disfraces en el Palacio de Buenavista, unos oficiales franceses se vistieron de indios *kikapús,* y al llegar el gran jefe se postró a los pies de Bazaine y lo declaró Virrey de Sonora. El mariscal se puso furibundo.

Los léperos contribuyen también a hacernos la vida más difícil: maldicen a nuestros soldados, les lanzan anatemas en español y escupen a su paso. Su insolencia ha llegado al límite. Pero también es lógico. Es verdad que Du Pin salió de México a pedido de Maximiliano —¡y de todos modos ya lo tenemos de regreso!—, pero con su salida no se acabaron las atrocidades y abusos de algunos jefes franceses —sí, tenías razón, cuando dijiste, en una de tus cartas, que la crueldad no es monopolio de ninguna nación o raza—. Algunos cuerpos del ejército también han hecho gala de su dureza. Sin ir más lejos, los admirados zuavos, que no sólo para hechos heroicos, sino también para las tropelías, les sobra energía. Una energía casi animal que yo supongo obtienen de esa pasta con la que se alimentan, hecha de café en polvo mezclado con galleta molida. O quizás del alcohol, porque algunos parecen estar siempre un poco ebrios, a pesar de que a nuestras tropas sólo se les da tres raciones de vino por semana y una diaria de aguardiente, con el café del desayuno. Pero no me extrañaría que los zuavos, que por el color de su piel podrían pasar muchos de ellos como mexicanos, hayan aprendido ya de éstos su diabólica habilidad para el contrabando y la falsificación. En una ocasión descubrimos que el aguardiente era introducido en un campamento por unos vendedores de dulces que lo llevaban en unas tripas largas —el intestino delgado de algún animal, supongo—, entretejidas con sus trenzas. Pero qué puede esperarse de un país donde cada mes se descubre y se destruyen dos o tres máquinas para la falsifición de moneda, y donde tal arte era ya practicado desde los tiempos de los aztecas. Es decir, se falsificaba ya aquí la moneda cuando ésta no existía. Me explico: lo que entonces hacía las veces de moneda en muchas transacciones comerciales, era el cacao —que hasta ahora me enteré es originario de México—. Es decir se usaba la semilla de su fruto, que es grande. Pues bien, no lo vas a creer, pero había indios que se las arreglaban para abrir un agujero en la semilla, sacar el contenido con el que por supuesto se hace el chocolate, para luego llenar el hueco con barro y disimular el orificio. Lo que es el colmo, me cuentan que a Maximiliano cuando visitó las pirámides —hubieras visto el espectáculo: el Emperador decidió, para ir a Teotihuacán, atravesar el Lago de Texcoco, que es un lago inmundo, de apenas medio metro de profundidad y aguas oleaginosas y llenas de larvas de mosquitos, en una especie de góndola o lanchón imperial con asientos de terciopelo y con remeros de rojas libreas bordadas de plata—, al propio Maximiliano, decía, lo embaucaron, junto con su acompañante y guía el Señor Chimalpopoca, con unos ídolos «prehispánicos» que desde luego eran falsos y que le costaron un ojo de la cara. A propósito, parece que Maximiliano está muy triste porque Francisco José, si bien accedió a devolver a México algunas joyas prehispánicas, se negó a entregar el penacho de Moctezuma, aduciendo que no estaba en condiciones de soportar un largo viaje y podría llegar deshecho, aunque pronto llegará el escudo del mismo emperador azteca y una carta de Hernán Cortés a Carlos V. A Maximiliano, estas cosas le preocupan más que una derrota de las fuerzas imperiales a manos de los juaristas. Hubieras visto el escándalo que armó cuando salió el Ceremonial con dos erratas en el título: en lugar de decir Reglamento Provisional *para* el Servicio y Ceremonial *de la* Corte», decía *«por* el Servicio y Ceremonial *del* Corte». Me dicen que también le aflije sobremanera no sólo el que no exista una verdadera aristocracia en México, sino que, como el poder en este desdichado país se lo han estado disputando los liberales y los conservadores desde hace medio siglo, cualquier título que se le ocurriera crear a Maximiliano hurgando en la historia del México independiente, resultaría intolerable para unos o para otros. Y más todavía si tratara de glorificar, con un marquesado o un ducado, algún hecho bélico reciente. Imposible que nombrara a Miramón Príncipe de Ahualulco o al General Márquez Conde de Tacubaya, ¿no es cierto? A cambio de esto, sus alegrías son también un tanto pueriles: pocas cosas, al parecer le han alegrado tanto a Maximiliano como el reconocimiento de los ingleses y la consecuente llegada a México de Sir Peter Scarlet.

Te decía yo de la capital... hay sí, algunos oasis para los extranjeros. Nosotros los franceses los tenemos en abundancia desde luego. Los alemanes pueden ir a un club, *«Das Deutsche Haus»* a beber cerveza Leber-Würst y hablar en la lengua del *Vaterland*, y por su parte los ingleses se pasan los fines de semana en el *«Mexico Cricket Club»* cerca de Tacubaya, y al que a su vez la firma Blackmore surte con esa horrible cerveza tibia y amarga que tanto disfrutan los súbditos de Albión. Tacubaya es un lugar precioso, al que llaman «el Saint Cloud» de México, ah, porque has de saber que esta clase de comparaciones se ha puesto muy en boga, y tenemos así que Xochimilco es la Venecia de América, San Angel el Compiègne azteca, Cuernavaca el Fontainebleau mexicano, la ciudad de León el Manchester del Nuevo Mundo —la bautizó así el propio Maximiliano—, el Castillo de Chapultepec el Schönbrunn de Anáhuac, y etc., etc. Aparte de que al país no se le ha dejado de comparar con Jauja, la Tierra de Cucaña, las Hespérides y el Edén: todo junto. «Si se fija usted bien, México», me decía la otra vez un distinguido geógrafo, «tiene la forma de un cuerno de la abundancia». Me limité a asentir, con un leve arqueo de cejas. No quise decirle al buen hombre, primero, que esa forma la adquirió el territorio mexicano desde que los americanos le robaron la mitad del mismo; segundo, que la boca del cuerno de la abundancia está hacia arriba, es decir, hacia los Estados Unidos, como una premonición, quizás, del futuro destino de las riquezas de este país. En cuanto a la corte mexicana, la podría quizás definir con unas cuantas palabras: es una especie de Malmaison combinado con las Indias Galantes, el trópico acomodado a la vienesa. Además, como algunos oficiales franceses han traído a sus familias, se ha implantado ya la moda de las enormes faldas, los brazos desnudos y los grandes, tentadores escotes. En principio, causó escándalo, pero acabó por imponerse y las jóvenes mexicanas, sobre todo las que tienen senos que lucir, están encantadas de usar cada vez más tela de la cintura para abajo, a medida que usan cada vez menos de la cintura para arriba.

Por último, me permitiré contarte, en breve, la situación militar, que es hoy más confusa que nunca, y que se ha visto agravada por esa eterna rivalidad entre Bazaine y Douay que tan bien saben alimentar Maximiliano y Carlota, y por la pereza y el desorden que caracterizan al mariscal —y que esto, por favor, no trascienda—. La verdad, es que los triunfos de Bazaine han sido más brillantes que durables. Dicen, además, que la toma de Oaxaca, el año pasado, hubiera costado muchas menos vidas y muchísimo menos dinero de haberse iniciado antes la campaña, cosa que no se hizo por desidia del mariscal. Por otra parte, aunque se insiste en la seguridad de la ciudad de México, la verdad es que vivimos siempre en el quienvive: se sabe, por ejemplo, que Nicolás Romero, un famoso bandido juarista ejecutado hace poco, llegó a efectuar varias incursiones a unas cuantas leguas de la capital. Varios combates del Coronel Potin en Michoacán fueron presentados como grandes victorias, sin serlo. A Castagny, quien comenzó por enviar informes muy pesimistas sobre Durango, poco le faltó para caer prisionero en Culiacán de no haber sido por la velocidad de su yegua de pura sangre, que lo llevó sano y salvo hasta los muros de Mazatlán. Y bueno, se sabrá ya en Francia que Bazaine ha ordenado que se inicie la concentración de las tropas, con lo cual muchas plazas han sido abandonadas a los republicanos. A nadie se le oculta que éste es el primer paso para la retirada de nuestro ejército. Nadie, por otra parte, podía esperar otra cosa desde que Lee evacuó Richmond y Courthouse capituló en Appomattox: la presión de los Estados Unidos para que nos vayamos de aquí es cada vez mayor y confieso, no sin el orgullo herido, que en mi opinión Luis Napoleón habrá de ceder. Aquí los monarquistas se hicieron ilusiones cuando Lincoln subió a la presidencia: creían que él acabaría por aceptar a Maximiliano. Pero no hubiera sido así, Lincoln era un acérrimo partidario de la Doctrina Monroe, y por otra parte su mano derecha, Seward, no sólo sobrevivió a las puñaladas de su casi asesino: también sobrevivió al gobierno de Lincoln y allí lo tenemos de nuevo, como secretario de Estado, ahora del Presidente Johnson. Es posible, de todos modos, que para el pueblo mexicano sea un alivio el retiro de las tropas francesas —para Maximiliano también, pero ¿qué va a hacer sin nosotros?, es hora en que aún no ha sido organizado un ejército mexicano—. De todos modos, y como te decía al principio de esta carta, espero lograr mi baja y quedarme a vivir aquí.

En resumidas cuentas, me temo que toda esta empresa se esté yendo a pique. Una extraña costumbre de la que me enteré hace poco, me hizo pensar en Maximiliano. Hay, según me cuentan, algunos indios que bajan a la ciudad con canastos cargados de frutas y que al término del día, cuando las han vendido todas, cargan los canastos con piedras hasta alcanzar el peso equivalente al que tenían las frutas y, no lo vas a creer, se regresan con las piedras al monte. «Para no perder la costumbre», dicen ellos. A Maximiliano, en cierto modo, le pasa lo mismo: ya no tiene nada que ofrecer, y lo único que le queda ahora por cargar es un canasto con piedras. Sí, no cabe duda: si antes de que llegara Maximiliano México era un Imperio sin Emperador, ahora Maximiliano es un Emperador sin Imperio.

Así están las cosas, y yo no creo que ni siquiera Carlota pueda sacar al buey de la barranca, primero, porque ella no gobierna todo el tiempo, sino nada más *a veces...* y segundo, porque la muerte de su padre Leopoldo, y la más reciente de su abuela María Amelia, la han afectado mucho. Pobre Emperatriz: regresó muy contenta de su viaje a la Península de Yucatán que al parecer tuvo un gran éxito, y se encontró con la noticia de la desaparición de su amado padre y, para colmo, con la del Barón d'Huart. D'Huart fue el enviado de Leopoldo II, recordarás, que traía la noticia oficial del fallecimiento del rey belga, y que fue asaltado y asesinado por unos bandidos en Río Frío.

Y bueno, tendría mucho que decir todavía, pero creo que basta por hoy. Mis saludos más cariñosos para Claude, y dile que María del Carmen espera un niño. Un mexicanito que, con suerte, heredará los ojos azules de la familia. Para ti, mi querido Alphonse, un abrazo y toda mi devoción.

Tu hermano
Jean Pierre

P.S.: Dile a Claude que María del Carmen quiere que, si es una niña, la llamemos Claudia. Por favor, no se te olvide llevarle flores a mamá al

Père Lachaise. Ah, una cosa más: lo único que ha aliviado un tanto la situación del Tesoro ha sido la muerte de Morny, pues con ella las reclamaciones de Jecker parecen haber perdido toda la fuerza. Estuvo por aquí un sobrino de Jecker que exigía una serie de pagos, pero no le hicieron ningún caso. Por supuesto, el primero que se opuso a que se pagaran los bonos Jecker, fue Langlais... pero la mala suerte de Maximiliano no termina nunca. Langlais, uno más de esa larga lista —Corta, Bonneford y ahora Maintenant— de los financieros franceses enviados por nuestro Emperador, parecía el único que pudo haber salvado del caos las finanzas imperiales mexicanas y el único consciente de todo el daño que le han hecho a México los banqueros de París y Londres. Pero ya lo ves, Langlais murió también. Corrió aquí el rumor de que lo habían envenenado, pero la autopsia lo desmintió. Y de nuevo, querido hermano, ¡hasta muy pronto!

XV

CASTILLO DE BOUCHOUT
1927

¿LOCA YO? ¿Baronesa de la Nada, Princesa de la Espuma, Reina del Olvido? Mentira. Y si me tienen encerrada, si me acusan de loca, es por eso y nada más: por la mentira. Porque yo soy, Maximiliano, la Emperatriz de la Mentira. Pero de la gran mentira, de la verdadera mentira, de la mentira que se enciende sólo al contacto de las rosas coaguladas: las rosas de la Condesa Von Bülow. De la mentira que se enreda, como una víbora de púas, en el más sagrado pan de los hornos, y que cambia de piel cuando acaricia el mar: el mar es el Adriático, y mía su piel azul donde se retrata, con sus gallardetes al aire, la fragata Novara. Yo soy la Emperatriz de la mentira que se levanta del césped y asciende en el aire para reventar como una burbuja de aire: el césped es el Jardín de Laeken, y la burbuja son todas las ilusiones que me hice de ti y de México. Dime, Maximiliano, dime: ¿has visto a la mentira, a la maldita mentira disfrazarse con una cáscara de sueños, o desnuda, horizontal y mansa, seguir los filos de la piel del tigre y destrenzar su canto? La mentira es Concepción Sedano y tu amor por ella. Mírala, Maximiliano: es una mentira perfumada y lisa, indivisible, como un libro con las páginas en blanco. Es una mentira alada y negra como una mariposa de la noche. Anda, vete a Cuernavaca y con tu red de mariposas, trata, Maximiliano, de apresarla, de clavar a la mentira con un alfiler a tu almohada y cortarle las alas, esas alas que sin sentirlo se llevaron para siempre los mejores años de tu vida. La reconocerás también por sus mejillas ventiladas y sus ovarios endomingados, escondida tras un enjambre de máscaras de vidrio: yo me puse una de esas máscaras, Maximiliano, la noche en que bailé contigo en Laeken, coronada con una diadema de muérdago de flores amarillas y bayas rosadas y translúcidas de las que escurría un líquido viscoso, ¿te acuerdas, Maximiliano? Yo usé una de esas máscaras el día en que, antes de irme contigo a Viena, caí dos veces de rodillas ante el sepulcro de mi madre. Andale, atrévete a tragarte la mentira, la mentira soberana del mundo rodeada de su séquito de pigmeos que le sacan brillo, a lengüetadas, a sus muñones de ébano, la mentira bajo su palanquín de peladuras de naranja sentada en retrete donde se cuecen, juntas, violetas y tarántulas. Las violetas crecen en las Tullerías y en Fontainebleau: las violetas anidan, también, en el corazón podrido del Rey de Roma. Anda, haz tuya la mentira, si te atreves. Es una mentira de carbón y túnicas como un fantasma de verdad. Péscala, si puedes, por sus excrecencias de nieve y con esa nieve lávate la cara, lávate tus mentiras, lávate tu soberbia para que tú también, como yo, vuelvas a ser niño y encuentres a la mentira en el corazón de las manzanas. Las manzanas te las llevó a tu cuarto, en una canasta, tu madre Sofía cuando estabas enfermo de sarampión. La mentira, Maximiliano, cambia de ojos cuando toca a las estrellas: las estrellas las viste tú una noche, desde la cumbre de la Pirámide del Sol. Las estrellas te vieron a ti en el acueducto de Zempoala y te bañaron con su luz de mentiras, te lloraron, las estrellas, cuando dejaste para siempre a Miramar. Pero tampoco, Maximiliano, podrás pescar las estrellas con tu red de mariposas porque con todas ellas se hace una sola gran mentira que está llena de viento negro, que se zarandea como una media luna colgada de la oreja de la luna, pero que no se deja morder la punta de las venas ni acariciar la plata de sus arcos.

El mensajero me dijo que yo me volví vieja de la noche a la mañana. Con los ojos abiertos vi, al nacer, los muslos ensangrentados de mi madre. Con los ojos cerrados, vi a mi muerte que cabalgaba camino a Damasco. Así fue, en un abrir y cerrar de ojos: mi peluca se cayó en un costal de harina y se volvió blanca, y mis arrugas vinieron por la noche y se prendieron a los espejos. Pero yo tengo un espejo secreto que no me cuenta mentiras, y es el espejo en donde me veo de cuerpo entero. El espejo es una puerta de aire invisible: pasé a través de ella y supe que estaba en el corredor de Nueschwenstein que conduce a la recámara del rey loco de Baviera, tu primo Luis. Lo supe porque las estalactitas eran de mentiras, de mentiras los muros que imitaban las paredes de una gruta. Al fondo había una puerta. La abrí. Me encontré en la Torre del Ratón, a la orilla del Rhin: lo supe porque vi el cuerpo del Obispo Hatto devorado por las ratas. Me hice chiquita y entré por el agujero por donde salieron las ratas: me vi de pronto en medio de la sala de fiestas más hermosa del mundo, la Galería Enrique Segundo del Palacio de Compiègne. Me volví entonces pájaro y salí por la ventana y volé por encima del bosque sagrado de Bomarzo y entré por una chimenea del Palacio Orsini y me consumí en las llamas para renacer de mis cenizas. Me remonté entonces a las nubes, bajé, y sobrevolé el Castillo de Chinón y supe que era él porque en sus patios vi los cuerpos de ciento cuarenta templarios asesinados y porque allí estaba prisionera Eleanora de Aquitania, y volé sobre el Bosque de Helenenthal por donde paseaba, sordo al canto de los pájaros, Ludwig Van Beethoven, y volé sobre el Pabellón

Real de Brighton donde el príncipe regente se revolcaba en la cama china con su esposa morganática María Fitzherbert, y volé a Bruselas y me vi a mí misma, en Bouchout y en Terveuren, en Laeken, que iba yo por un camino lleno de polvo, con los ojos tatuados, los pies empapados en leche y llorando unas lágrimas de mercurio, redondas, metálicas, huidizas. Caminaba tras las huellas de mi muerte, y contaba las piedras del camino. Contaba yo los granos del granizo, desplumaba yo a los pájaros que desnucó el granizo. Y me dio tanta tristeza verme a mí misma, sola, encerrada durante sesenta años en un cuarto, sin otra cosa que hacer que ensartar lentejuelas en las espinas de las rosas, forrar manzanas con terciopelo rojo, decolorarme los pelos del pubis con agua oxigenada y pintar tus ojos en cascarones de huevo vacíos, me dio tanta tristeza, Maximiliano, acordarme de mi padre y de mi madre, de mis abuelos, de mis hermanos, que me transformé de nuevo en pájaro y con las alas abiertas me dejé caer a plomo sobre la flecha de la Iglesia de Santa Gertrudis de Lovaina.

Tengo un puñal clavado en el pecho. Tengo, en el pecho, clavado, un sueño. El sueño es una mentira. La mentira, con tal de parecerse a todo, se vuelve un río, y es tan anchurosa la mentira que se derrama en los ámbitos más lozanos del viento y en la promesa ociosa del musgo. Tan grande es, que no cabe en su jaula de gritos. El río es el Amazonas, y de sus aguas bebí en la Fuente de los Cuatro Ríos cuando fuimos a Roma. La jaula es de vidrio, y adentro de ella está tu calavera forrada con las plumas de los ruiseñores de Estiria que te llevaste a México. Tan perezosa es la mentira, que duerme en los posos amarillos del ajenjo y sólo despierta en tus labios, cuando hablas de tu Imperio. La mentira manotea en el fondo de los sueños más fastuosos, pero es tan mentirosa la mentira que se escapa de sus propias órbitas y se filtra, como saliva del cielo, por las escamas de las nubes, y es entonces cuando los armadillos se ruedan de risa por las cumbres de Acultzingo y las piraguas se deslizan, de pura tristeza, por las aguas del Río Usumacinta: la risa le da a los armadillos porque te fusilaron el diecinueve de junio. Las piraguas, con su carga de vainilla, quisieran, y no pueden, perfumar el ámbito de la bóveda de los Capuchinos. Escúchame: si quieres saber lo que es la mentira, te lo digo y te lo repito: la reconocerás por sus hélices de piel de salamandra y por el relámpago infatigable de su paladar de cobre, por el asombro esponjoso de sus ojos postizos. A tu paladar se prendió un sabor hediondo, cuando supiste que Juárez no te otorgaría la gracia. Los ojos no son los tuyos. Son los ojos de Santa Ursula. Si quieres, Maximiliano, conocer la mentira, contémplate en el espejo de mis sueños, y la verás de cuerpo entero. Pero en ese espejo no te verás tú, me verás a mí, que regreso de muy lejos, que paso a través del viento y de los años, de las aguas del espejo, para echarte los brazos al cuello. No te aflijas si me ves vestida de negro, ni te envanezcas pensando que por ti me vestí de luto. Soy una viuda, sí, pero la viuda de un sueño, la viuda de un siglo que se murió de viejo, la viuda de un Imperio que se quedó huérfano. No te asustes, tampoco, si me ves vestida de blanco. Yo soy la Dama Blanca de los Habsburgo. La mujer vestida de blanco que se sentó, en Yuste, a la cabecera de la cama de Carlos Quinto para anunciarle su muerte. La que vio el Archiduque Ladislas antes de caer muerto en una cacería. La misma que vio tu padre el Rey de Roma, en su agonía, sentada al pie de su lecho, y de la que dijo que no sólo su vestimenta, sino su piel, eran más blancas que la blanca cascada de los Jardines de Schönbrunn. Pero a ti, Maximiliano, te me voy a aparecer, pero no para anunciarte tu muerte, sino tu vida: para decirte a ti, para decirle al mundo, que tu muerte fue una mentira, y que si no te han visto últimamente en la Pirámide de Xochicalco o en la terraza de las araucarias del Castillo de Chapultepec, que si no te vieron ayer en la Torre de la Giralda, si el domingo pasado no te saludó en Nápoles el Barón de Rothschild desde el faetón dorado que él mismo conducía, les voy a decir que con tal de que si ellos, a su vez, para consolarme de tu muerte me dicen que en Querétaro te afeitaste la barba y te escapaste disfrazado de capitán del ejército republicano, que en el barco Susquehannah te llevaron a Nueva Orleáns y que allí vives como un gran caballero incógnito y que en las tardes sentado en una mecedora de mimbre pintada de blanco y a la sombra de una palmera de tronco de marfil y hojas de cobre escuchas las bandas de negros que tocan jazz y danzan por las calles, y que no fue a ti al que fusilaron en Querétaro, sino a un pobre diablo con barbas postizas. Si me dicen que te tienen en México encerrado en un calabozo desde hace sesenta años, y que Juárez te visita todos los días vestido con su levita negra y su sombrero de copa y te lee la Constitución de los Estados Unidos Mexicanos y se suena la nariz con pedazos de la bandera francesa. Si me cuentan que no, que de verdad te escapaste y desapareciste en las hondonadas de Chihuahua sin que te alcanzaran las balas de los soldados de Porfirio Díaz ni las flechas envenenadas de los apaches y que muchos años después te apareciste en Arizona y dijiste que eras Búfalo Bill. O si me cuenta que Juárez con tal de que no volvieras nunca a México te dio un millón de pesos y el permiso para llevarte a Concepción Sedano y a la Princesa Salm Salm y a tus cuatro perros habaneros y te puso en un barco rumbo al Brasil, y que allí has envejecido entre los mangles cubiertos de cangrejos y los cafetos aromáticos, con tus pantuflas de piel de llama y una corona de lianas entrelazadas con brillantes, rodeado de tus esclavos negros, y que la Princesa Salm Salm baila para ti desnuda en el lomo de un caballo mientras Concepción Sedano te espanta los moscos con un abanico de plumas de ñandú: si me lo dicen, Maximiliano, lo voy a creer.

A eso es a lo que le tienen miedo y por eso dicen que estoy loca: porque no me entienden. Porque nadie soporta que a sus oscuras vidas las ilumine una mentira que es tan grande como el sol. Nadie quiere entender, Maximiliano, que cuando hablo de tu vida hablo también de mi vida y de la de ellos. Nadie lo ha querido entender en todos estos años, en que me han tenido encerrada en este cuarto, tejiendo capuchas para los halcones del Hofburgo, calcetines para los perros que acompañan a mi sobrino Alberto a escalar los picos de Ardenas, bozales para las ratas de Schönbrunn. En que me han querido tener sentada siempre, callada, sin decir esta boca es mía y sin hacer nada, aburrida, inmensamente aburrida como cuando era yo una niña y me enseñaron a aburrirme sin parecerlo, como a todo príncipe, como a toda princesa de los destinados a ser, algún día, soberanos. Y me aburría yo en las misas cantadas y largas que a mi madre le gustaba tanto que se oficiaran en la Capilla de Laeken: pero con una sonrisa en los labios como me enseñó que debía hacerlo la Condesa d'Hulst. Y me aburría yo como una ostra con los conciertos de Mademoiselle Sforlanconi que organizaba cada quince días María Enriqueta, pero me aburría con los ojos brillantes, como me insistía mi hermano Felipe que debía hacerlo. Y con una cara de enorme interés, y con la misma sonrisa hipócrita, los mismos ojos resplandecientes, me fastidiaba yo cada año con los consejos de mi prima Victoria, que repetía hasta el cansancio los mismos sermones interminables que le había hecho mi padre Leopoldo, el Caballero de la Tierra Azul, su admirado Duque de Kendal, su mentor de tantos años, para la misma cosa, para que aprendiera a ser princesa, para que lo recordara todo cuando fuera reina. Pero Victoria era ya la Reina de Inglaterra y yo no era Reina de nada ni de nadie cuando de tanta tristeza y de tanto aburrimiento, tras de tocar y cantar toda la tarde canciones de Schumann, o de pintar al óleo la Iglesia de San Jorge de Venecia o el yate Fantaisie en el que fuimos a la Isla de Madeira, a Istria y Dalmacia, a Málaga, le volvía yo a escribir a papá desde Miramar y le contaba que las mismas clemátides que tapizaban los muros de Lacroma crecían ahora alrededor de la Capilla de Miramar que como tú sabes, papá, le decía, con madera de cedro hicimos su altar y su púlpito, su confesionario, sus bancas y sus vigas, con la madera de los cedros rojos del Líbano que mi adorado Max ordenó que trajeran a Miramar, que tanto, estoy segura, te va a encantar, porque Miramar se parece a Windsor, y porque sus torres son como las torrecillas del Palacio de Sintra y porque sus ventanas, ¿cuándo vas a venir a visitarnos, papá?, sus ventanas como los ajimeces de la Alhambra. Y me aburría yo, me moría del fastidio, cuando me ponían a hacer rompecabezas que reproducían las batallas famosas: la Batalla de Jemappes y la captura de Bruselas. La derrota del Duque de Orleáns en la Batalla de Azincourt. La victoria de Guillermo el Conquistador en Hastings. Rompecabezas que reproducían cuadros célebres de la historia de las dinastías europeas: el homenaje de las doce provincias del sur de Italia a Francisco Primero, pintado por De Laurentiis. La coronación en Reims de Carlos Décimo de Francia pintado por Gerard. Mi abuelo Luis Felipe con Victoria y Alberto cuando visitaron Francia, de Winterhalter. La presentación que hicieron los ángeles a Enrique Cuarto de Francia del retrato de María de Médicis, de Rubens. Rompecabezas de todos los cuadros donde el Tiziano y Velázquez reprodujeron las taras de los Habsburgo. Así me quisieron ahora también, Maximiliano, aburrida como una ostra, que me pasara los días haciendo rompecabezas, o construyendo un barco de vela dentro de una botella, y porque así me quisieran, no me perdonan, no me perdonarán nunca que me les haya escapado cuando menos lo imaginaban, para meterme en la botella y subirme al barco y acompañado por todos los reyes y príncipes locos, por María Primera de Portugal, por Saúl el rey melancólico al timón, por Eric de Dinamarca, por el Emperador Suetonio amarrado al mástil mayor, por Don Carlos de Austria encerrado en las sentinas, por Jorge Tercero de Inglaterra, por Carlos Sexto de Francia sentado en el Castillo de Popa en un trono forrado de excremento, por Juana la Loca y el ataúd abierto de Felipe el Hermoso, que en ese barco, te digo, navegue yo para siempre, que en ese barco dentro de esa botella como una botella arrojada al mar, escoltada por delfines y peces espada y por bandadas de gaviotas y alcaravanes blancos, haya yo partido para conquistar el mundo.

Te voy a decir mi secreto, Maximiliano, si me prometes que no se lo cuentas a nadie: una vez, de niña, descubrí en las Tullerías una colección de pisapapeles que reproducían, cada uno, un castillo en miniatura. El Castillo de Ambrás. La Torre de Londres. El Alcázar de Segovia. El Castillo de Amboise. Descubrí, también, que si me sentaba con uno de esos pisapapeles en las manos, y ponía las manos en el regazo y lo miraba fijamente en silencio, el castillo se llenaba de vida, de habitantes muy pequeños, más mucho más pequeños que los que vivían en mi casa de muñecas, y que salían y entraban por sus puertas, comían y bailaban en sus salones, subían por las escaleras, cazaban jabalíes en sus bosques, montaban a caballo por los caminos que llevaban al castillo. Era como tener todo un mundo en mis manos. Encerrado cada castillo en una esfera de cristal, por la esfera transcurría la noche y sus habitantes dormían o se amaban, encendían y apagaban sus ventanas. O pasaba el día, como una ráfaga azul, y yo veía cómo el sol, un sol del tamaño de una lenteja luminosa, viajaba ante mis ojos, de un lado a otro del hemisferio celeste que tenía yo en el regazo, y la noche regresaba, con sus constelaciones y estrellas que eran como un polvo plateado que navegaba, ondulante, a ras del cristal. Nevaba a veces también, o la esfera se nublaba y tenía yo que soplar para desvanecer las nubes o para transformarlas en lluvia. Llovía una tarde en la Torre de Londres, cuando vi pasar, por la puerta de los traidores, a la Reina Ana Bolena. Era una tarde de otoño en Amboise cuando vi cómo echaban a las aguas del Loira los cuerpos de los mil hugonotes decapitados por órdenes de Catalina de Médicis. Caía la nieve en el Alcázar de Segovia cuando Cristóbal Colón se arrodilló frente a Isabel la Católica. Era una mañana de flores amarillas cuando Fernando Segundo me invitó a visitar, en su Castillo de Ambrás, su colección de armaduras gigantes y pájaros disecados. Aprendí muy pronto que bastaba que me sentara yo sola, con las manos vacías, para que de pronto, y sostenida por ellas, se apareciera en mi regazo una esfera de cristal, y dentro de la esfera una ciudad completa, con todas sus iglesias y sus casas, sus chimeneas humeantes, sus postes de alumbrado. Gante y la colina donde adoraban al dios Wodan. Brujas con sus puentes y sus canales verdes. Bruselas con su Plaza de los Mártires y el Palacio de la Nación y sus fuentes y sus calles empedradas, en una mañana húmeda que nubló mi aliento. Por esas calles rodaban los carromatos, caminaban sus habitantes, corrían los perros y pasaba, también, la historia. En el Palacio Municipal de Bruselas vi ondear la bandera con los tres colores de Brabante el día en que nació Bélgica. En las iglesias de Lieja vi a los calvinistas prenderle fuego a las imágenes de los santos. Por las calles de Lovaina vi pasar, en el año de la peste, a los flagelantes desnudos marcados con una cruz roja, que se desgarraban la piel a latigazos.

Y ahora que estoy vieja y sola, y que me paso los días enteros sentada en mi habitación, con la cabeza inclinada y las manos en el regazo con las palmas hacia arriba. Ahora, y todos estos años en que mis carceleros han creído que no sólo mis manos están vacías sino también mi mente, si ellos pudieran nada más que ver con mis ojos, se asombrarían, Maximiliano, de lo pequeñas, de lo insignificantes que son sus vidas, y de lo infinitamente grandes que son los pensamientos con los que le doy forma y sentido a un mundo y lo ilumino con auroras boreales, con relámpagos, con noches blancas. O con arcoíris que puedo sostener entre las manos y levantarlos y ofrecértelos de rodillas, para coronarte con ellos. Si nada más alguno de mis carceleros, o tú Maximiliano, si tú solo pudieras escuchar con mis oídos las voces con las que lleno el universo, el canto de sus estrellas, los rumores de sus barrancas, el estruendo de sus mares. Si supieras que en el cuenco de mis manos cabe el más azul y espumoso de todos esos mares, el Adriático, y que si llevo mis manos a la altura de los labios, puedo hacer, con un soplo, que ese azul profundo y puro te lleve, hasta donde te encuentres, la frescura que enjuagará tus ojos para darles brillo y claridad de nuevo, y que esa espuma que dibujaba arabescos blancos en tu uniforme de marinero, bese con su sal tus heridas para restañarlas.

No me perdonarán, porque no entienden cómo es que puedo yo tener un mundo en las manos y, con sólo abrirlas, dejar que se caiga y se haga polvo. Cómo es que puedo, cuando quiero, penetrar en esos mundos y cambiar la historia. ¿Te dijeron alguna vez que a Enrique Tercero de Francia lo asesinó un monje llamado Jacques Clément? Mentira: anoche yo hice el amor con el rey y le clavé un puñal en el pecho:

el mío lo bañó su sangre. ¿Te contaron un día que fue Aníbal el que derrotó a Escipión en la Batalla del Tesino? Mentira: todavía tengo, en mis espuelas, nieve de los Alpes y de los Pirineos. ¿Te dijeron que fue Luis Tercero el que mandó matar a Concini? Mentira: yo lo mandé matar y le voy a llevar su cabeza, de regalo, al Papa. Eso es lo que jamás me perdonarán: que pueda yo, de un solo golpe, hacer volar las piezas de todos los rompecabezas que hice y deshice en mi vida, para formarlos de nuevo, a mi gusto, y hacer héroes a los villanos, traidores a los héroes, vencidos a los victoriosos, triunfadores a los que fueron humillados con la derrota. Hace mucho tiempo que mi vida, también, se hizo pedazos, y que todo voló por los aires. Dicen que estoy loca porque ando a gatas por el castillo y me tienen que cargar para llevarme a mi cama y amarrarme: pero sólo yo sé lo que estoy buscando. Dicen que estoy loca porque rompí mi espejo a puñetazos: mira, Maximiliano, las cicatrices que me quedaron en las manos. Porque en las noches me arrastro por los corredores del castillo y hurgo en los rincones en busca de los pedazos del espejo. En uno de ellos te vi, vestido con el uniforme del regimiento de los ulanos y quise devorarlo para llenarme con tu recuerdo: mira las cicatrices que me quedaron en los labios. En otro te vi en el jardín tirolés de Schönbrunn, y en otro más me vi yo misma en el Jardín de las Tullerías, en un día de primavera, y leía yo un libro bajo un árbol de limas en flor, y después estábamos tú y yo en el templo de la Pirámide de Cholula, y después visitamos Los Inválidos y vimos los pabellones mexicanos capturados en el sitio de Puebla y luego caminamos por el centro de la ciudad de México, y la Calle de Plateros estaba alfombrada de flores blancas porque era el día de Corpus Christi, y con todos esos pedazos, Maximiliano, debí cortarme las venas, debí quitarme la vida, pero no lo hice. Mira las cicatrices que no me quedaron en las muñecas. Mira, en cambio, Maximiliano, las cicatrices que sí tengo en el corazón: los lagartos inmundos de Uxmal echados al sol, el pájaro bobo que se posó en la popa de la Novara y que nos acompañó hasta La Martinica, los muchachos belgas heridos a los que condecoré en el Hospital de San Jerónimo, el barco Tabasco en el que me fui a Sisal tripulado por italianos y moros y acompañada por el General Uraga que me contaba la leyenda de Chilam Balam y del Rey de Itzá que regresaría un día de la muerte para echar a los extranjeros al mar: todos esos recuerdos, Maximiliano, también los tengo clavados en el corazón. En una vereda de Bouchout me encontré tus manos y las llevé a mi seno. Navegábamos, como siempre, por el Rhin, y tú me acariciaste los pechos. Debí habérmelos cortado, Maximiliano, debí haberme mutilado mis pechos para que de ellos bebieras como de dos copas, y supieras a qué sabe la leche destinada al hijo de otro hombre. Dicen que estoy loca sólo por eso: porque quiero recoger todos los pedazos de mi vida y con ellos, como con un rompecabezas, hacer un espejo donde pueda ver mi vida entera en un instante. ¿Que no se dan cuenta que se me está acabando el tiempo y que necesitaría vivir ochenta y seis años más de los ochenta y seis que he vivido para poder recordarla segundo a segundo? ¿Que no se dan cuenta, Maximiliano, que ya no me acuerdo de la cara de mi gobernanta Madame de Bovais? Una mañana, en un cajón de una cómoda, alcé unas medias que me puse un día en Milán, y allí me encontré un pedazo de espejo desde el cual me sonreía María Auersperg, a la que tanto quise. Pero no pude encontrar la cara de María Augusta de Bovais. ¿Por qué no quieren, dime, que escuche de nuevo la voz de mi primo el Conde d'Eu y vuelva a jugar con él a la cuerda y la oca y que con él vaya a ver El Enfermo Imaginario? ¿Por qué no quisieran, dime, que él me hable al oído cuando paseo a caballo por la Calzada de la Verónica? ¿Por qué no quieren que me hubiera casado contigo, como me casé, en el templo de la Pirámide de Cholula, que por dentro era un invernadero donde florecían los árboles de las limas y el altar era un altar vivo labrado en el tronco del árbol más ancho del mundo, el de Santa María del Tule, y en sus nichos en vez de santos había quetzales coronados con aureolas y garzas vestidas de Virgen María y un cisne negro crucificado, con el pico y el cuello doblados sobre el pecho, por qué no que de sus ramas cuelguen las alas de un ángel y los gallardetes mexicanos que ondeaban con el soplo de los caimanes? ¿Por qué no quieren que sea un pájaro bobo el que recoja la cola de mi vestido de novia, por qué no nos dejan que la Fuente del Hofburgo que tiene las estatuas del Danubio y Vindovona descansando sobre los hombros de los tritones, por qué no quieren que sea nuestro lecho de bodas? ¿Por qué no quieren que me case con el Príncipe que en España, cuando vio la pelea de un gallo ciego, se acordó de la muerte, en la Batalla de Crécy, de Juan de Bohemia? No encuentro el retrato del Burgomaestre Charles de Brouckère y también se me está olvidando su cara. Quiero que nos case de nuevo por el civil. Quiero que nos case en Ayotla. Quiero llevarme a México al gran maestre de mi corte de Milán, el Conde Andrea Bartholomeo, para que me siga leyendo al Tasso en voz alta en el Lago de Xochimilco: no encuentro su voz. ¿Por qué no quieren, dime, que vuelva a la vida Maximiliano el soñador de Caserta, por qué no quieren que sea con el Príncipe que en la Isla de Madeira admiró la cala de Etiopía de botones como trombones de marfil y paladeó el vino oscuro de la dulce uva malvasía, por qué no sea con él con quien me acueste a hacer el amor bajo un baldaquino hecho con la piel de un camello ciego, por qué no quieren, dime, que cuando te corte yo la lengua de una mordida se me transforme la boca en una cresta de gallo, por qué no que la vomite transformada en vino malvasía, transubstanciada en tu sangre derramada en el Cerro de las Campanas? Por pura envidia. Porque de pura envidia se revuelcan en sus tumbas las malditas, como sus corazones se revolcaban también de pura envidia, en sus pechos, cuando creían que estaban vivas. El otro día vino el Arzobispo de Malinas

y me quiso confesar, me dijo, hija, arrodíllate y confiesa tus pecados, y
yo me reí, me reí a carcajadas en sus narices porque él tampoco entiende
que lo que yo tengo que confesar lo confieso todos los días a gritos al
mundo entero: que más que masturbarme todas las noches pensando en
un hombre, me masturbo pensando en México, en sus bosques, en los
figones de La Merced donde paseaban los frailes blancos y los mendigos
bailaban al compás de las malagueñas y las valonas tapatías, y me masturbo pensando en los Dragones de la Emperatriz, en la Laguna de
Chapala, en tu sombrero jarano con toquilla de oro; que si algo me he
robado alguna vez en mi vida, fue la luz del sol de México para iluminar
mis palabras, el aroma de sus peras de San Juan para perfumar mi vida;
que si con alguien te he engañado alguna vez, no fue ni con el Coronel
Van Der Smissen ni con el pomo de tu espada, sino contigo mismo, pero
contigo muerto, arrodíllate, Charlotte, me decía mi madre, arrodíllate
ante Dios Nuestro Señor, arrodíllese la Niña Emperatriz, y eso es lo que
todos quisieran: verme arrodillada ante la Virgen de Guadalupe para
pedirle que me haga fértil con las aguas del Peñón, y ante el Papa para
pedirle que no me envenene José Luis Blasio disfrazado de organillero:
lo reconocí por la cara llena de barros, y ante Benito Juárez para pedirle
que no te mate, arrodillada para siempre, pidiendo perdón por lo que no
hice, de rodillas ante Eugenia y la imagen de San Carlos Borromeo, de
hinojos ante Huitzilopochtli y Napoleón Tercero, arrodillada ante los
Cuatro Jinetes del Apocalipsis, con las manos estigmatizadas y los pies
perforados, así me quisieran ver, mártir entre los mártires, enterrada viva
en la arena como Santa Daría, asesinada por su propio padre como Santa
Bárbara, decapitada como Santa Flora, asada viva como Santa Pelagia de
Tarso, pero yo no soy ni seré mártir de nadie ni lo seré jamás. Y también
el Arzobispo de Malinas se moría de la rabia porque como ellas, mis
damas de compañía y ellos, mis doctores y tú mismo, Maximiliano, estaba
ciego, estaban ciegos todos y nunca se atrevieron a asomarse al milagro.
Por eso nadie me vio, desde una ventana de Fontainebleau, decirle adiós
a Napoleón Primero que se iba a la Isla de Elba. Ni en el Castillo de
Laxenberg, enjugar las lágrimas de la Princesa Isabella de Croy, que huyó
para siempre de tu sobrino Jorge de Baviera a la mitad de su noche de
bodas. Ni transformada en águila anunciarle a José Primero, en los patios
del Hofburgo, la victoria de los austriacos sobre los franceses en la Guerra
de la Sucesión española. No me vieron tampoco, montada en el globo de
la luna que corona el ala Amelia del Hofburgo, con tu catalejo de
Almirante contemplar la Batalla de Celaya donde perdió la mano el
General Obregón. No me vieron abrir la puerta de mi cuarto de Bouchout y entrar al Castillo de Fenelón: supe que era él, porque desde una
torre derramaban unos calderos de mermelada hirviendo sobre los soldados enemigos. Y abrí otra puerta y estaba yo en las grutas de Cacahuamilpa: lo supe porque vi el perfil del Dante. Y descendí por una

escalera de cristales irisados y abrí otra puerta más y me encontré en el closet chino que tenía en Saint Cloud Monsieur el hermano de Luis Catorce: lo supe porque se estaba besuqueando con un guardia palatino. Y salí por una chimenea y volé por encima del Castillo de Rocamadour, y supe que estaba en él porque vi, en una caja de cristal, el cuerpo apergaminado y lleno de telarañas de San Amadour, y entré al castillo por una ventana, bajé una escalera buscando, siempre, pedazos de mi vida y de mis recuerdos, tus ojos en el cuarto de las miniaturas del Hofburgo, pedazos de tu corazón en el Cuarto de las Rosas, tus manos en el reloj mecánico dorado que reproducía las bodas de María Teresa y Francisco de Lorena, bucles de tus cabellos en el tabernáculo de la capilla donde estaba el milagroso crucifijo de marfil que salvó a Fernando Segundo del sitio de los protestantes, y abrí otra puerta y me di cuenta que estaba en las Tullerías porque unas mujeres empapaban los pisos y las columnas con petróleo para prenderles fuego, todo estaba en llamas, ardían las cartas y los autógrafos de hombres célebres de la colección de Eugenia, ardían los grabados de Les Halles y la sinfonía de los quesos de Zolá, corrí como loca por la galería de Diana y por el salón de estuco donde almorzaban, carbonizados, los oficiales de la Casa del Emperador, y descendí por la Escalera de la Emperatriz y llegué a Miramar y supe que estaba allí porque vi a mi sobrina Estefanía, porque te vi a ti, Maximiliano, y porque contemplé la corona de espinas con la que el Doctor Jilek coronó tu escudo imperial.

Pero nadie me vio. Nadie me vio, tampoco, bajar como loca la escalera de Miramar y al abrir la puerta encontrarme en los jardines del Palacio de Cortés de Cuernavaca, nadie me vio cortar un ramo de begonias y de dalias, de claveles y margaritas para tejer con ellas un cinturón de castidad porque quiero, Maximiliano, que te cueste trabajo quererme, pero no mucho trabajo, quiero que con esos dedos blancos y largos con los que tocabas el arpa en esas tardes interminables que pasamos en Miramar, que con esos dedos sí me deshojes, no me deshojes con esas manos que me tocaron los pechos, no me desflores, sí me desflores y que me digas, mientras con tus labios, que sí me quieres, mientras con tus dientes, que me quieres mucho porque sabes que a veces, para no olvidarte, para recordarte los sesenta segundos de los sesenta minutos de las veinticuatro horas del día, me quedo de pie y con los ojos abiertos, mientras deshojas las margaritas, o que sólo me quieres poco, porque me derrumbo de sueño después de estar despierta tres días con sus noches, mientras deshojas las begonias, y entonces ya no sólo sueño contigo, sino también con mi abuelo Luis Felipe que en su taller de carpintería le hizo una mecedora minúscula a mi tío el Príncipe de Chartres, o que no me quieres nada, mientras con tus dientes arrancas los últimos pétalos de las últimas dalias, nada me quieres porque a veces te olvido durante años enteros y es como si nunca hubieras existido, como si jamás hubieras contemplado en la Galería del Palacio Pitti a la desgraciada pareja de Inglaterra, como si nunca jamás nos fueran a recibir de nuevo doscientos carruajes en los llanos de Aragón, como si nunca, Maximiliano hubieras sido Rey de México, para penetrarme entonces con tu lengua y preñarme con ella y tus palabras, para hacer de mí, Maximiliano, la madre del Divino Verbo y que reciba yo la visita del arcángel entonces sí de rodillas, pero no ante mis verdugos y mis enemigos, no ante ningún dios ni ninguna virgen, sino ante la creación entera, ante mi creación, y no en el oratorio de la Capilla de Miramar ni ante la tumba de mi madre en Laeken, ni ante el sepulcro de mi padre Leopoldo que jamás visité, que Dios me perdone, ni en la Colegiata de Guadalupe, ni en la Capilla de los Capuchinos de Viena ante tu sarcófago: no, yo sola, sola y mi vida, sola y mis recuerdos hechos carne, hechos el agua que bebo, el aire que respiro, la noche de terciopelo negro, la corona imperial de pájaros tibios que revolotean en círculo sobre mi cabeza, transformada yo en una sola memoria viva y palpitante, sin fin y sin principio, y de rodillas, Maximiliano, en el ombligo azul del Paraíso.

Pero ya estoy muy, muy cansada. Cansada hasta de ser eso, un milagro. Quiero acostarme a dormir. Con papá, con mamá, con abuelito y abuelita. Olvidar que viví en el futuro. ¿Sabes otra cosa, Max? Pocas cosas me gustaban tanto, de niña, como dormir con mamá. Me gustaba también imaginarme que estaba yo en una gran sala redonda donde dormíamos todos, cada quien en su cama: mamá y papá Leopich, mis abuelos Luis Felipe y María Amelia, mis tíos Nemours y Joinville, Aumale. Las cabeceras de las camas estaban pegadas al muro, a lo largo de todo el círculo, de modo que todos nos podíamos ver unos a otros. Todos, también, nos metíamos entre las sábanas al mismo tiempo. Era una noche un poco fría, pero en medio teníamos una fogata, y nos cubríamos con gruesos edredones de plumas de pato salvaje. Después de rezar nuestras oraciones nocturnas, mi tío Aumale nos contaba cómo había cazado esos patos, una mañana gris y húmeda, en el Bosque de Enghien. Mi tía la Duquesa de Montpensier, me contaba cómo había desplumado los patos, y que prefería hacer eso, desplumar patos, que estar bordando flores todas las noches, después de cenar, en las Tullerías o en Claremont, mientras criticaban las malas maneras que tenía en la mesa Isabel de España y lo mucho que apestaba. Mi abuela María Amelia nos contaba cómo había rellenado, con las plumas, los edredones, y cómo es que les había jurado a sus padres que si no la dejaban casarse con mi abuelo Luis Felipe se metería de monja capuchina. Mi abuela se había puesto un gorro de dormir con encajes de Alenzón. El gorro de mi abuelo tenía un fleco dorado. Mi tía la Duquesa de Orleáns nos contaba cómo había trenzado los hilos de oro para hacer el fleco. Mi abuelo leía el Morning Chronicle y nos contaba de su exilio en Filadelfia, cuando paseaba por el bosque del brazo del Príncipe de Talleyrand, y nos recordaba que Luis Dieciséis y María Antonieta lo habían llevado a la pila del bautismo, y después de un bostezo hablaba de los días que estuvo preso, junto con sus hermanos, en La Habana, y luego, con una lágrima y los primeros gorgoritos de sus ronquidos, recordaba a su hijo, mi tío el Príncipe Beaujolais, que se murió de borracho a los veintiocho años. Mi tío Joinville, desde su cama, nos decía que él jamás había escrito sus Memorias: las había dibujado. Nos enseñaba entonces los dibujos de cuando jugaba con sus amigos en el Liceo Enrique Cuarto, y de cuando había ido, a los cinco años, a las Tullerías, a visitar a Carlos Décimo, y en una de las escalinatas se había encontrado a unos lacayos que llevaban la comida del rey en unas cajas que parecían sarcófagos de niños. Mi tío tenía sobre las piernas un almohadón, y sobre el almohadón un cuaderno, y en él comenzaba a dibujarnos, a cada quien en su cama: a mamá que se quejaba de dolor de espalda y estaba casi cubierta por su edredón: sólo se le veía su afilada nariz. A mi tía Clementina que no había acabado de tejer el encaje de las sábanas de su cama, y murmuraba que no se iba a dormir hasta terminarlas y le prometía a mamá que al día siguiente le aplicaría unas ventosas. A mi hermano Leopoldo que juraba que él sabía dónde estaban escondidas todas las espuelas de oro que habían quedado desparramadas en la Batalla de Courtrai, tras la victoria de las milicias flamencas sobre los caballeros franceses. Entonces a mí no me importaba que me hablaran de guerra y de muerte, que me contaran cómo las aguas del Mosa se habían enrojecido con la sangre de los inocentes que habían matado Carlos el Temerario y Luis Dieciséis: para mí los muertos no existían, porque todos los seres que yo amaba estaban vivos. Y así estarían siempre, y para eso los quería yo allí todas las noches. O quizás una sola, única noche que no terminara nunca. Cada quien en su cama acojinada y tibia, con sus gorros de dormir y sus mitones, sus camisones, sus medias de lana y sus botellas de agua caliente. Yo estaba allí para protegerlos, yo, que me iba a quedar despierta para estar segura de que todos estaban ya dormidos, y caminaría de puntitas para besar la frente de mi madre y estar segura que estuviera bien tapada. Para persignar a mi padre, para quitarle a mi abuelo los anteojos y a mi tía Clementina el gancho de tejer que se le quedó en las manos al dormirse. Para acariciar la cabeza de mi hermano el gordo Felipe. Para arrullar a mi primito el guapo Gastón. Para ponerle en las manos su sonaja a la duquesita de Chartres y bendecir al pequeño Duque de Guisa, que siempre fue tan cariñoso, y ponerle su chupón en la boca al petulante principito de Condé. Para recoger el lápiz que había rodado al suelo cuando mi tío Joinville cerró los ojos y comenzó a soñar que dibujaba un sueño. Regresaría yo después a mi cama, sofocándome por aguantar la risa que me provocaba toda esa sinfonía de borborigmos y murmullos y silbidos. Le pediría yo entonces a Dios, le pediría que así conservara siempre a los seres que yo amaba:

dormidos, quietos, y que si soñaban, soñaran cosas bonitas y tuvieran sueños tranquilos. Se llenaría entonces el ámbito de estrellas, las paredes de la habitación se transformarían en árboles, y allí estaría yo, en el claro circular y blanco de un bosque encantado, dándole gracias al Señor, de cara al cielo y con los ojos abiertos.

Estamos todos aquí. Tú también. Hay, además, otras personas a las que nunca invité, que no sé a qué horas llegaron y se metieron a sus camas y se quedaron dormidas. La sala es mucho más grande de lo que imaginé, y todos duermen en absoluto silencio. No se oye ningún silbido. Nadie se queja en sueños. Todos están inmóviles, bocarriba, con los ojos cerrados y los brazos cruzados sobre el pecho. Deben haber pasado muchos, muchos años, Maximiliano, porque todos están cubiertos de un polvo gris que se ha endurecido y parecería que todos se convirtieron en piedra. En piedra se transformaron también las flores que te llevó a la Capilla de los Capuchinos la Condesa Von Bülow, el ramo de jazmines que Sisi envió a Linderhof para que lo pusieran en las manos de Ludwig de Baviera. La corona de laurel marchito que mi sobrina Vicky colocó en el pecho de Federico Guillermo de Prusia: la misma que ella le había regalado tras el triunfo de la guerra contra Francia. En piedra, también, se transformaron las dos rosas blancas que Katherine Schratt dejó en el pecho de tu hermano Francisco José. Estamos todos aquí, y yo los cuido, porque yo soy la única, Maximiliano, que no duermo.

Despierta, bocarriba, desnuda, sin sábanas que me cubran, con los ojos abiertos que miran a lo que no sé si es la cúpula de un templo o es el cielo, a mí no me ha cubierto el polvo. Desnuda y con frío, con un frío que me llega a los huesos y que no se me ha quitado en sesenta años, estoy cansada de esperar que vengas tú y me cubras con tus lágrimas de la tristeza que te va a dar verme tan vieja, de pensar que si antes me llevabas diez años de edad, ahora yo te llevo medio siglo. Estoy cansada de esperar que vengas a cubrirme con tus besos, sediento de mi carne, y asombrado de ver que soy de nuevo una niña, la niña del Palacio de Laeken que en las noches abría las ventanas para que el verano hiciera el amor con ella. Una noche me quedé dormida sin quererlo y me desperté hasta ahora, imagínate, con un cosquilleo en toda la piel: había convocado a las moscas, y las moscas habían acudido a mi llamado. Era yo un hervidero de moscas de caparazón azul y violáceo, tornasolado, pero no podía espantarlas porque estaba paralizada. Ni siquiera podía cerrar los párpados a pesar de que las moscas caminaban por los bordes de los ojos y por los orificios de la nariz y se paseaban, las inmundas, por la piel de mis labios y la miel de mi sexo. ¿Te acuerdas, Maximiliano, de los escorpiones y los ciempiés, las lombrices y las polillas que cubrían las esculturas de una mujer en el Palacio de Palagonia camino a Mesina? Así estoy yo cubierta, ahora, de gusanos: antes de irse las moscas llenaron mi piel con sus huevecillos, y de los huevecillos, entre mis piernas y en la boca, en mi vientre, en el ombligo, en mi frente y entre los dedos de los pies, en mis axilas y en las palmas de mis manos, en mis ojos, nacieron los gusanos. Alguna vez soñé que si así, despierta o dormida, daba lo mismo, pero bocarriba y desnuda y con las piernas abiertas estuviera yo tendida de noche en los Jardines Borda y me penetrara una nube de luciérnagas, me iba yo a preñar de luz y en mi vientre, como en la bóveda celeste, las luciérnagas dibujarían las constelaciones. Soñé que si así, bocarriba y desnuda y con las piernas abiertas flotara yo río abajo por las aguas de ese río que era, como dijo el poeta, te acuerdas, Maximiliano, tortuoso como el Sena, límpido y verde como el Somme, misterioso como el Nilo, histórico como el Tíber, majestuoso como el Danubio, el río en cuyas aguas sombreadas por las siete montañas contemplé mi rostro y vi que al fin era un rostro de mujer, de mujer por primera vez acariciada y penetrada, besada, de piel ardida por la saliva de un hombre, por su sudor, por tus besos, Maximiliano, soñé, te decía, que dormida o despierta, daba lo mismo, o muerta, como Ofelia, enredadas en mis dedos las flores de azahar de mi diadema de bodas, y en mis cabellos entreverados los rayos de la luna, soñé que si así me penetrara un salmón incendiado de púrpura para dejar sus huevecillos en mi vientre, me iba yo a preñar de miles de hijos que cuando llegara yo al mar iban a salir de entre mis piernas, como un manantial de cuchillos plateados que iban a ahogar su sed en los torbellinos de la sal. Pero los sueños sólo son eso, sueños. Hoy no estoy vestida con un manto de estrellas, y ni siquiera con el polvo de los llanos de Tlaxcala o la arena blanca de las dunas de Antón Lizardo. No estoy vestida, Maximiliano, con el polen de las rosas de la Isla de Lacroma, ni con la nieve del pecho del Iztaccíhuatl. No me han cubierto, tampoco, las hojas secas y doradas del Bosque de Soignies, ni con sus alas las golondrinas de la Hacienda de la Teja. Son los gusanos los que me cubren y me visten y con su telaraña de hilos de seda los que han tejido mi velo nupcial, los gusanos los que se meten en mi boca y en la nariz, en mis oídos y en los ojos. Los gusanos, que como orugas untadas con babas tibias en su camino a mi vientre devoran la pulpa dulcísima de mi vulva, y se duermen después en sus capullos para soñar, como yo soñé algún día, que tienen alas. Dentro de unos meses o dentro de unos años, o quizás mañana, hoy, Maximiliano, voy a dar a luz a un enjambre de mariposas negras.

XVI
«ADIOS MAMA CARLOTA»
1866

1. Camino del paraíso y del olvido

«HUMILLARSE, sí, lavando los pies de doce ancianos y doce ancianas, es bueno para un Emperador y para una Emperatriz, pero otra cosa es humillar al pueblo como lo hacían el Príncipe Starhemberg y sus cortesanos que se disfrazaban de mendigos y llevaban a su palacio docenas de campesinos para ridiculizarlos. Los vestían con los trajes de la corte, les ponían pelucas blanqueadas con polvos de haba y los hacían usar espadas con las que se tropezaban a cada paso. Y a uno de los príncipes Estérhazy en una ceremonia pública le dio por arrancarse las perlas de los bordados de su casaca para arrojarlas a la multitud. En fin, que habría que perdonarles, creo yo, Blasio, esas extravagancias en recuerdo a los servicios que prestaron a la Corona Austriaca. Por ejemplo Starhemberg se distinguió por su brillante actuación militar contra los turcos, ¿lo sabías? Pero de todos modos yo digo: la dignidad ante todo. Por eso no me ofendí cuando en Huatusco el alcalce rechazó los mil pesos que quería yo regalarle al pueblo diciéndome que allí no había pobres. No, no me ofendí porque me gusta que el pueblo tenga dignidad».

Así le decía yo a Blasio cuando íbamos camino a Cuernavaca en el coche de seis mulas blancas como la nieve con jaeces azules que me construyó el Coronel Feliciano Rodríguez con una mesa y cajoncillos para el material de escribir, yo con una cobija escocesa en las piernas que Blasio casi nunca quería compartir porque es mucho menos friolento que yo, y él, mi buen Blasio, pendiente siempre de mis labios y con su lápiz-tinta en la mano.

«Apunta, apunta Blasio», le decía yo: «vamos a pedirle a *Saccone and Speed* que nos envíe cinco o seis gruesas de lápices ingleses que son los mejores del mundo (aunque como le dije una vez a Lord Codrington, no hay que olvidar que el grafito fue descubierto en Baviera) para que con ellos escribas cuando vamos camino a Cuernavaca y dejes de pintarrajearte de morado los labios, Blasio».

Así le decía pero él siempre aferrado a su lápiz-tinta que chupaba y chupaba para apuntar todo lo que yo le dictaba:

«Apunta, Blasio», le decía, «que nos envíen también cuantos garrafones o sifones puedan de agua de Vichy o de Plombières-les-Bains porque a la Emperatriz Carlota no le sientan bien las aguas de Tehuacán, apunta, Blasio».

Y Blasio apuntaba: en una hoja el pedido para *Saccone*. En otra, la carta para la Baronesa Binzer donde le contaba yo que me había opuesto a que quitaran de mi ventana de Cuernavaca los nidos que los colibríes habían hecho bajo el alféizar. En otra:

«Ah, en otra hoja, Blasio, quiero que apuntes todas las palabras que rimen con Cuernavaca».

«¿Como resaca, Su Majestad, como alharaca, como matraca?», me preguntaba Blasio y yo me reía de muy buena gana y le decía:

«No, Blasio, no, no seas tonto: yo que estuve en Sevilla conozco el dicho Quien no ha visto Sevilla no ha visto Maravilla; y yo que estuve en Lisboa sé que se dice Quien no ha visto Lisboa no ha visto cosa Boa, y yo que he estado en Madeira inventé el dicho Quien no ha visto Madeira otra cosa no Quiera, y ahora se me ocurre inventar un dicho que diga Quien no ha visto Cuernavaca... pero ¿cómo vamos a rimarla con palabras tan feas como matraca?», le decía yo riendo, a Blasio, y él apuntaba:

«¿Hamaca, Su Majestad?»

Y yo le decía:

«¿Hamaca, hamaca?, ¡vamos!», y me alegraba pensando que esa misma noche estaría yo al fin estirado en mi hamaca blanca de Cuernavaca y podría olvidarme por unas horas de todas mis preocupaciones. Entre ellas:

«Escribir al Emperador Napoleón, apunta, Blasio, para decirle que el Barón Saillard miente cuando se queja de que lo tratamos mal en México. ¿Cómo es que tuvo Saillard el mal gusto de interrumpir mi descanso en Cuernavaca para entregarme la carta en la que Luis Napoleón me anunció el retiro de las tropas francesas, Blasio, cómo es que tuvo esa falta de tacto? Apunta: a Doménech, que se atrevió a decir que en México no ha llegado la hora de un José II, y que lo que hace falta aquí es un Cromwell, un Richelieu o un Comité de Seguridad o Salud Pública, como se diga, rebatirlo, con firmeza, en el *"Diario del Imperio"*. Apunta, Blasio: en una carta a mi amigo el Conde Hadik, decirle así: lucho con dificultades, con obstáculos, pero la lucha es mi elemento, y contarle que se me sigue cayendo el pelo y que tengo ya casi una calva *hadikiana*, ¿eh?, ¿qué te parece?», le decía yo a Blasio camino a Cuernavaca cuando ya a nuestros pies se extendía todo el valle de México, al fondo los volcanes nevados.

«Y apunta también: en una carta a Degollado decirle que me parece imposible que el monarca más sabio del siglo y la nación más poderosa del mundo, porque todavía Francia lo es, Blasio, cedan ante los *yankees* de un modo tan poco digno, sí, así con todas sus letras: de un modo tan poco digno, y apunta también: en una carta al Mariscal Bazaine... no, escrita *no* en francés sino en español como siempre, Blasio, decirle que cómo es posible, que qué pensarán de nosotros cuando se sepa que todo un estado, Michoacán, situado a sólo cincuenta leguas de la capital, no ha podido ser sometido y apunta, Blasio, en otra carta para Luis Napoleón: (por lo pronto ésta es la idea, después pensaremos bien cada palabra) decirle que no crea que Francia podrá controlar por tiempo indefinido todas las aduanas mexicanas para llevarse la mitad de los ingresos como es su propósito y que además, sí, porque tendríamos también que decírselo, ¿no es cierto, Blasio?, que las aduanas de Tampico, Mazatlán y Matamoros no nos rinden ningún beneficio pues la comunicación con esos puertos está interrumpida por los juaristas. Y mientras tanto, ¿qué hace Bazaine? Dime: ¿Tú crees que su inercia tiene que ver con el hecho de que Pepita su mujer tiene muchos parientes que son juaristas?»

Y Blasio chupaba la punta de su lápiz y escribía con tinta morada:

«Pedirle al administrador del castillo de Miramar que nos envíe el busto de mármol de la Reina Luisa de Orleáns que está...»

Y a las quince o veinte palabras se acababa la tinta del lápiz y Blasio tenía que chupar de nuevo la punta para continuar:

«... que está en *Il Salotto dei Principi, Salotto* con dos *tes*, Blasio, no tienes remedio», le decía yo a Blasio y él sonreía, enseñaba sus dientes morados y acaba la frase:

«... para darle una sorpresa a la Emperatriz Carlota».

Porque así le dije a Blasio que apuntara cuando íbamos camino a Cuernavaca, y ya habíamos dejado muy atrás el Convento de Churubusco y atrás la encantada ciudad de Tlalpan y el bello Xochimilco eterna eclosión de flores de todos los matices y fragancias, y el camino ondulado ascendía como una víbora, rodeado de enormes pinos hasta ese alto llano tan monótono y triste y helado que se llama Las Raíces, y entonces sí que Blasio aceptó mi ofrecimiento de compartir la manta escocesa.

Lo que no le dije a Blasio: que mi *cara, carissima* Carla necesitaba ánimos. Que era una tristeza que después de su viaje a Yucatán donde le había ido tan bien, se encontrara con la noticia de la muerte de su adorado padre el Rey Leopoldo de quien hacía apenas unas semanas antes había recibido yo una carta en la que me escribió:

«"En América hace falta el éxito, todo lo demás es pura poesía"... ¿pero qué es la vida sin poesía?», dije de pronto en voz alta.

«¿Qué es, Blasio?», le pregunté y le dije:

«Apunta, Blasio, apunta que tengo que escribirle una carta a Friedrich Rückert para agradecerle el poema que me hizo cuando le concedí una Orden y que comienza diciendo ¿sabías?

Der edle Max von Mexiko

"el noble Max de México" y termina:

Und der gesetzt hat Deinen Thron
Lässt fest ihn stehn und nicht im Sturme wanken.

"y el que ha fundado tu trono que lo mantenga firme para que no vacile en la tempestad", apunta Blasio, y a aquel que fundó mi trono, Luis Napoleón, recuérdame que le recuerde que prometió dejar en México todos los hombres de la Legión Extranjera por unos años más cuando se retire el resto de las tropas francesas. No se te olvide, Blasio».

Lo que tampoco le dije a Blasio: que fue una tragedia y una vergüenza que al Barón d'Huart, amigo íntimo de Leopoldo II lo asesinaran unos bandidos en Río Frío cuando venía a anunciar la ascensión al trono del hermano de la Emperatriz Carlota, y a propósito de Leopoldo II, Blasio, le dije:

«Apunta que tengo que reclamarle que se negara a recibir a Eloin cuando estaba en Claremont; y a propósito de Eloin, apunta, Blasio, pedirle que me explique cómo es que en París ya no se quiere saber nada del planeado banco mexicano, y preguntarle si él piensa que su misión ha fracasado y a propósito de misión, apunta Blasio, que le escriba yo al Conde Rességuier para decirle que me cuente qué es lo que hace Santa Anna en Nueva York y para qué se compró allí una casa y que si es verdad que planea una conjuración y sobre todo para que me explique cómo es que dice (me refiero a Rességuier) que se ha reducido la oposición a mi trono en los Estados Unidos siendo que el Padre Fischer cuando pasó por allí me escribió diciéndome que apenas se podría evitar una guerra entre México y la Unión y a propósito, Blasio, apunta», le decía yo a Blasio y Blasio chupaba el lápiz-tinta, se manchaba más todavía los labios de morado y apuntaba con una letra clara y bella:

«Agradecerle a Fischer no sólo todas sus gestiones confidenciales en el Vaticano para conseguir el concordato entre mi gobierno y la Santa Sede, sino sobre todo sus largas y amenísimas cartas donde me cuenta tantos chismes tan divertidos...»

Lo que tampoco le dije a Blasio: algunos de esos chismes, como por ejemplo que el Cardenal Alfieri, me contaba Fischer en sus cartas, vendería cuerpo y alma a quien le asegurara la tiara pontificia, y que el Cardenal Antonelli, quién lo iba a pensar, tenía una amante, pero que no era necesario que nadie lo pensara porque todo el mundo lo sabía. ¿Y qué era ese *peccadillo* del cardenal comparado con el serrallo, más de quince mujeres, que según el Coronel Du Barail tiene a su servicio un cura de Cholula? Lo que sí le dije cuando íbamos camino a Cuernavaca y habíamos ya dejado atrás el Valle de Anáhuac:

«Claro que le agradezco sus cartas a Fischer, porque si Francisco I de Francia dijo tras la derrota de Pavía "todo se ha perdido menos el honor", yo digo, apunta Blasio: "todo se ha perdido menos el humor". Pero no, no lo tomes en serio, Blasio, es sólo una broma: el honor jamás lo perderemos, jamás, jamás. Tacha esa frase, Blasio, táchala: no es digna de un Habsburgo, no es digna de quien dijo "con bayonetas no se extrae la plata de la tierra", ¿te gusta esa frase?, ¿sí?, ¿y esta otra?: "el miedo y la ambición son los motores de la rueda del mundo"... pero no las apuntes, Blasio, no hace falta: me las sé todas de memoria, las escribí hace cuatro o cinco años, imagínate qué ironía, ahora muchas de ellas han adquirido aún más sentido aquí en México: "Las naciones viejas —escribí entonces— padecen la enfermedad de los recuerdos", y "fuerza y poder, al cabo de cierto tiempo se convierten en derecho": todas son frases mías, como los veintisiete preceptos de conducta que llevo siempre conmigo, ¿te los he leído, verdad, Blasio?, pero también me los sé de memoria».

Así le decía yo a Blasio camino a Cuernavaca cuando ya habíamos dejado atrás ese llano árido y frío que se llama El Guarda con unas cuantas casuchas miserables que hacen todavía más desolador el paisaje y llegamos al Monte de Huichilaque oloroso a los acotes que levantan sus picos verdes entre las nubes que esa vez estaban tan bajas que no veíamos a tres metros y temía yo, le dije a Blasio, que nos asaltaran unos bandidos como el Barón d'Huart que en paz descanse, y le recité una vez más mis preceptos de conducta:

«No mentir nunca, no quejarse nunca porque es un signo de debilidad; *take it coolly;* oír a todos, confiar en pocos; no blasfemar ni decir obscenidades; dos horas de ejercicio diario; no bromear nunca con los subordinados aunque este precepto», le dije a Blasio, «no lo tomes muy al pie de la letra porque tú, mi buen, mi paciente Blasio, eres algo más que mi subordinado: eres mi amigo mexicano...»

Y mi amigo mexicano sonrió con sus labios y sus dientes morados y lo que no le dije entonces era que parecía un cadáver sonriente, me lo dije nada más a mí mismo cuando atravesábamos Huichilaque, pueblo de cazadores y ladrones, atrás todos los llanos sombríos alfombrados de pedruscos negros, a lo lejos cenicientos peñascos escarpados, atrás La Cruz del Marqués y adelante, ¡ah!, adelante y muy pronto, el paisaje iba a transformarse en una gloria terrenal apenas mi coche de seis mulas blancas enjaezadas de azul y provisto con mesa y cajoncillos para el material de escribir, qué gran idea del Coronel Rodríguez, me dije a mí mismo y me limité a reír para mis adentros de la lúgubre facha del pobre

Blasio, apenas, sí, mi coche comenzara a bajar hacia el Valle de Cuernavaca.

«O sea, Blasio», le dije, «que contigo me permito bromas como, ¿te acuerdas?, la tarde ésa en Cuernavaca en que te dije que el que perdiera el juego de billar tenía que gatear bajo la mesa, ¡y resulta que pierdo yo! Pero por fortuna estaba allí tu hermano El Capuchino en el que pude, a tiempo, delegar el castigo. Y me perdonarás, Blasio, la vez que le dije a Venisch que te pidiera que te retiraras de la mesa porque éramos trece y eso, como tú sabes, es de mala suerte», le decía yo a Blasio, «aunque por supuesto en el fondo yo no soy supersticioso, es nada más que casi por tradición que le huyo al número trece, y recuérdame, recuérdame, apunta, Blasio, que en la próxima carta a Gutiérrez Estrada tengo que decirle que por culpa del clero, en México sí que la gente pobre es supersticiosa, recuérdame, apunta, que le diga a Estrada que aquí los sacerdotes le venden a la gente del pueblo estampas religiosas con las que dizque las almas salen del purgatorio», le decía yo a Blasio y que apuntara que le iba yo a decir también a Estrada que no porque a la Emperatriz Carlota y a mí no nos gustara rezar las novenas y el rosario o rechazáramos las disciplinas nocturnas, no por eso, le diré, somos menos católicos y por cierto, Señor Gutiérrez Estrada: sabrá usted que el Emperador de México tiene el proyecto de comprar una pequeña iglesia en Roma, sí, sí, en Roma, para consagrarla a la Virgen de Guadalupe, ni más ni menos.

Y ya en plena bajada hacia el valle, atrás la neblina de los llanos altos y adelante todos los colores del paraíso, leía yo en los apuntes de Blasio: «hamaca, petaca», y le decía:

«Sí, claro, todas riman con Cuernavaca pero ninguna sirve, dime, Blasio: ¿por qué las ciudades de México que más me gustan no tienen rimas bonitas? ¿Con qué vamos a rimar Morelia? ¿Con Ofelia? ¿Con Cordelia? ¿Con qué Guanajuato? ¿Con gato, con garabato? ¿Y con qué Cuernavaca? ¿Con una vaca flaca?», le decía yo a Blasio y los dos reíamos, reíamos de buena, buenísima gana.

Lo que también le dije:

«Apunta, Blasio, apunta todo lo que a mi regreso, en cartas o de palabra, tengo que reclamar, que aclarar, que exigir. A Bazaine, que cómo es posible que no le envíe refuerzos al General Mejía que está acosado en Matamoros por el General Escobedo. Que qué me dice de que según me afirman hay todavía más de dieciséis mil guerrilleros esparcidos en todo el país. A Bazaine, también, que ya no es posible tolerar más el hecho de que ningún policía o soldado mexicano pueda arrestar a un soldado francés. A Luis Napoleón, que no le perdono que haya autorizado el regreso a México del Coronel Du Pin. A mi amiga la Baronesa Binzer, que los elogios que me hizo el Príncipe Grillparzer cuando le concedí el Aguila Azteca, son un acicate para el porvenir. A mi amigo y maestro el historiador César Cantú, que sigo como siempre leyéndolo con deleite y gran interés. A mi hermano el Archiduque Luis Víctor que una de las cosas que me hacen más feliz es verme rodeado de gente buena como tú, Blasio, no seas modesto, o como Schaffer el Gobernador de Chapultepec que se casó con una linda mexicanita de dieciséis años, recuérdame que le cuente a mi hermano todo de todos ustedes, de Günner el león de la capital, o del viejo Kuhács gordo como una bola en su fogoso corcel, qué espectáculo, Blasio, y claro de Ursula, no faltaba más, de la gran Ursula, la antigua *mandriera!* Y a Eloin para decirle que la dirección personal del ejército estará ya muy pronto a mi cargo, y a mi hermano el Emperador Francisco José para demostrarle que un marino como yo también puede organizar un ejército en tierra. También a mi hermano, para decirle cómo es posible que su embajador en Washington, Wydenbruck, no se haya retirado de la reunión en la que el viceministro de Marina *yankee*, ¿su nombre es Bancroft, no es verdad?, me llamó "el aventurero austriaco". A Barandiarán nuestro representante en Viena, que nada podemos esperar de un gobierno tan poco leal como el de Austria. A Barandiarán también para que hable con Herzfeld y le diga que si bien debe tomar muy en serio su misión secreta en lo que se refiere al Pacto de Familia, se cuide mucho de las intrigas. Al propio Herzfeld, apunta, Blasio».

Y Blasio chupaba la punta del lápiz-tinta y apuntaba:

«A Herzfeld que haga una campaña de prensa en Viena para desmentir: uno, que el Emperador de México se ha vuelto masón, ¡masón yo, Blasio, qué ridiculez!, y dos: desmentir que estaría dispuesto a aceptar que México se transforme de nuevo en República, con tal que yo sea presidente, ¡presidente yo, Blasio, qué desperdicio!»

Lo que en parte le dije y en parte no le dije a Blasio cuando descendíamos hacia el Valle de Cuernavaca inundado de mariposas blancas y amarillas: que un Emperador tiene que saber, y saber hacer, muchas cosas más que un presidente. Que a un Príncipe de una dinastía europea como la Casa de Austria además de geografía, historia, matemáticas, filosofía, botánica y tantas otras cosas más se le enseñan muchos idiomas y que por eso yo además de mi idioma materno el alemán, hablo el francés y el inglés, el italiano para dirigirme al Papa y un poco de húngaro y otro tanto de polaco, y ahora por supuesto el español, Blasio, imagínate nada más que todos los billetes de nuestro papel moneda tienen escrita su denominación en diez lenguas distintas: las que se hablan a lo largo y lo ancho del Imperio. Y todavía me falta para aprender, Blasio, para el día en que nuestro reino se extienda del Río Grande a la Tierra del Fuego, todavía me falta por aprender náhuatl y maya, quéchua, guaraní... ah, me acuerdo bien de los nombres de todos mis maestros, Blasio: Esterházy me enseñaba húngaro, el Conde Von Schneider matemáticas, el Barón de Binzer ciencias políticas, de todos me acuerdo, le dije y también que un presidente no necesita saber esgrima y conocer términos como correr la mano, zambullida o floretazo y que un presidente no necesita saber (y además ningún presidente sabe nada) de la Escuela de Equitación Española de Viena que tú me tienes que prometer, Blasio, cuando te envíe con una misión especial a Europa, que dos cosas no vas a dejar de hacer cuando llegues a la ciudad donde nació tu Emperador: una, escuchar el Coro de los Niños Cantores y dos, asistir a la Escuela de Equitación y como tarea te vas a aprender los nombres de todos los pasos y movimientos de los caballos y de la música con la que mejor se llevan: ah, para un *Pluto Capriola,* nada mejor que el Minué de Boccherini, para un *Siglavy Flora* un vals de Strauss, y que también, claro, un presidente no lo necesita pero un Emperador sí: saber bailar valses, galopas, mazurcas, de todo, y cazar: yo, le dije a Blasio, he cazado venados y conejos en Compiègne, becafigos en Argelia, jabalíes en Gödöllö, osos en Albania, tigrillos en el Mato Grosso. ¿Y sabes por qué? ¿Sabes por qué un Emperador, un Príncipe, tiene que aprender de todo eso y un presidente no? Porque además de vigilar el orden, la paz, la justicia y la democracia al igual que un presidente, un Príncipe tiene que velar por la belleza y la tradición, por la elegancia. ¡Sí, por la elegancia, Blasio!», así le decía yo a Blasio cuando íbamos camino a Cuernavaca, y como el descenso al valle, en zigzag, es rápido, y de pronto comenzó a cambiar el clima, prescindí de la cobija escocesa, la hice a un lado y me quité la bufanda, porque soy friolento, sí, pero no tanto, a la izquierda contemplábamos la chata masa de granito del Cerro de La Herradura, y allá al fondo las casas y las iglesias de Cuernavaca asomaban entre los árboles frutales, y decidimos hacer un alto en el camino para tomar un refrigerio. Mientras tanto, le dije a Blasio:

«Apunta, Blasio, apunta: volviendo a lo de Herzfeld, decirle que organice bien la campaña de prensa. ¿Sabías tú, Blasio que ya en 1858 ó 59 no recuerdo bien, ese periodista alemán Julius Reuter logró que en Inglaterra se conociera un discurso entero de Luis Napoleón apenas una hora después de pronunciado? Ah, cuando a México lleguen los cables interoceánicos y el discurso de su Emperador sea conocido al otro lado del mar en una hora también, la vieja y podrida Europa nos habrá de respetar más... Así que, apunta, Blasio, en otra hoja, y por favor te vas a lavar la boca y las manos antes de comer, apunta: crear un Gabinete Mexicano de Prensa para Europa, sí, un gabinete. ¿Y sabes qué, Blasio? Vamos a trabajar con dos resortes: el dinero y las condecoraciones», le dije, y le pedí que me alcanzara el maletín que siempre llevo conmigo a los viajes, y así lo hizo mi buen Blasio.

Camino a Cuernavaca.

Camino al calor y las mariposas que revoloteaban ya alrededor nuestro.

Camino a los flamboyanes anaranjados y hacia la sombra de las bungavillas de los Jardines Borda.

Camino al descanso y al olvido.

«Sí, *el olvido*... por eso decidí llamar así la villa que tanto le gusta a la Emperatriz», le dije a Blasio:«"El Olvido"... Primero quise darle el nombre de la famosa quinta de descanso de Federico el Grande en Potsdam: *Sans-Souci*... Pero desde que Christophe el rey negro de Haití construyó un palacio al que llamó igual, Blasio, ese nombre perdió su encanto...», le dije y abrí el maletín donde llevaba yo algunas veces Ordenes de Guadalupe y del Aguila Azteca, pero sobre todo una buena dotación de relojes de oro con tapas esmaltadas de azul y en ellas el monograma y la corona imperiales dibujados con chispas de brillantes para repartirlos a oficiales, alcaldes, jueces provinciales y otros funcionarios menores, y le dije a Blasio:

«Si tuviéramos una fábrica de títulos nobiliarios, Blasio, nos haríamos ricos... Y si me dijeran: ésa sería una nobleza falsa, yo respondería: total, los duques, condes y marqueses creados por Bonaparte, casi todos ellos son tan plebeyos como el burgués más humilde...»

Y esto sí que *no* debí decírselo a Blasio, porque un Príncipe necesita también de la discreción y saber a quién le puede decir una cosa y a quién no. Así que me quedé callado y de memoria repasé mis veintisiete preceptos: «A cada paso pensar en las consecuencias». «A todo le llega su tiempo». «Teniendo la razón usar la energía férrea», etc. etc., y dije me falta uno, el veintiocho: «Con los subordinados discreción, discreción ante todo». Y decidí incorporarlo a la lista, pero no le dije a Blasio que lo apuntara.

A Blasio, por ejemplo, que por listo y buen muchacho que sea no deja de ser tan sólo un secretario, le puedo decir como en efecto le dije:

«Un Soberano, además, Blasio, debe conocer al dedillo la vida de los grandes monarcas y emperadores que ha habido, para seguir su ejemplo. La vida, a propósito, de Federico el Grande. La de Carlos III de España. Las de todos aquellos ilustres Braganza que han reinado como Pedro V que fue muy amado de su pueblo, o Juan V el magnánimo, patrón de las artes, y por supuesto su antecesor Juan IV, que fue un gran músico, gran compositor como el Príncipe Alberto y que decretó que los monarcas *no* usarían la corona, sino que ésta debería descansar a su lado, en un cojín... Y entre los Habsburgo no sólo María Teresa sino, claro, también su hijo José II...»

Lo que a Blasio no le puedo decir y no le dije: que si yo tuviera que usar la corona de Cuernavaca, también la dejaría a un lado para no sudar como azogado y para que no se me cayera aún más el pelo...

Porque ésta es la clase de bromas que *no* se deben hacer con un subordinado. O: que la verdad, la triste verdad, es que a mi ilustre antecesor José II de nada le sirvió el *éclaircissement,* o *Aufklärung* del que hablaban los filósofos franceses, porque murió sin ser amado por su pueblo, y fracasó en todo... y como era inteligente y lo sabía, él mismo redactó su propio epitafio: «Aquí yace un príncipe cuyas intenciones

431

fueron honestas pero que tuvo la desgracia de ver malogrados todos sus proyectos...»

Porque, como dice el dicho mexicano que tanto me gusta: «la ropa sucia se lava en casa».

Blasio también tenía la ropa sucia. Siempre que íbamos a Cuernavaca y por culpa del lápiz-tinta, como no sólo se pintaba de morado la boca sino también los dedos, con los dedos se manchaba la camisa, la casaca, los pantalones, el pañuelo... los que por fortuna estaban impecables, eran los manteles. Venisch se hizo esperar un rato porque sus mulas andaban más despacio que mis mulas blancas y al fin llegó y comenzamos a colocar en los manteles las maravillas que traía: queso fresco, pavo trufado, croquetas de papa, jamón ahumado, mangos y tunas, dulce de acitrón, y cuando me ofrecieron pan les dije no, gracias, prefiero tortillas, y a Blasio le comenté, recuerdo, que también un Emperador debe aprender a comer de todo lo que comen sus súbditos:

«Fíjate que yo fui aquel que en Bahía de Todos los Santos cuando comí chile de tanto que me dolió la boca juré que nunca más comería yo platillos picantes, y ya lo ves, Blasio, ahora yo como más chile que tú y que muchos mexicanos y aprendí a comer el mole así como en Argelia aprendí a disfrutar el platillo nacional de los beduinos, el alcuzcuz, que se debe comer con las manos como sabrás, y aunque no me tocaron las suntuosas fiestas que hacía Aumale cuando era Virrey de Argelia, disfruté mucho mi viaje: nada, en esos calores tórridos, Blasio, como refugiarse en las oscuras y frescas tiendas hechas con crín de camello y beber la dulce agua que los beduinos transportan en botas de piel de chivo y que Yusuf me servía en copas de plata, aunque lo malo es que siempre me pareció ver, nadando en el agua, algunos pelos del difunto chivo...»

Y compartimos nuestro almuerzo con la escolta, al igual que los vinos, y le dije a Blasio mientras yo mismo llenaba su copa:

«Es increíble la cantidad de cosas de las que un Emperador tiene que ocuparse. ¿Sabías que un día, Blasio, me encontré en la lista de vinos de un banquete en Chapultepec un vino que se llama "Montebello"? Tuvimos que reimprimir los menús a toda velocidad porque, imagínate: ¿Cómo le voy a ofrecer a mis invitados un vino que tiene el nombre de dos batallas en las que los franceses derrotaron a los austriacos, ¿cómo, Blasio?»

Lo que no le dije, porque para qué: que en la primera Batalla de Montebello catorce mil franceses hicieron correr a dieciocho mil austriacos hasta Alessandria. Eso fue una vergüenza. Pero lo que sí le dije:

«Te prometo, Blasio, que te voy a dejar comer en paz y que no te voy a dictar nada en absoluto hasta que pasen los postres, pero esto es importante, apunta, Blasio, apunta en el pedido para *Saccone* pero por favor, mientras comemos no te metas el lápiz en la boca, mójalo en agua. A ver por favor, un vaso de agua para el joven Blasio»...

Y Blasio muy obediente humedeció la punta del lápiz en un vaso de agua y escribió:

«Doce frascos del *tandoori curry* que le prometí al Comodoro Maury. Sales inglesas para la Emperatriz. ¡Ah, también para la Emperatriz, pastillas de heliotropo. Y páprika, Blasio, páprika para la cocina y el *goulasch* de mi fiel Tüdös!»...

Para esto el agua del vaso se había pintado color lila, y recuerdo que cogí el vaso y lo levanté en alto y dije:

«*Crème d'amour*, Blasio, éste es el color exacto de la *Crème d'amour:* que nos envíen varias cajas. Y también de vino Malvasía de Madeira, *El Vinho das Senhoras!*».

Y estuve a punto de decir: *El Vinho das Senhoras par excellence* pero no lo hice porque si bien a un Emperador le sienta bien entreverar en su conversación algunas expresiones en otros idiomas, me propuse no hacerlo tan seguido, aunque, ironías de la vida, mientras más me esmero en hablar español, más se empeñan los funcionarios de mi corte en decir frases en francés, *tan pis* me dije burlándome de mí mismo, o en italiano, pero como le digo a Carla: paciencia, Carla querida, paciencia, *dà tempo al tempo*.

Y como le había yo prometido a Blasio no dictarle nada mientras comíamos, le seguí contando de mis viajes a Argelia entre bocado y bocado y sorbo y sorbo pero lo que no le dije fue que allí descubrí una secreta afinidad con mi ilustre antecesor Rodolfo II, al darme cuenta que me deleitaba verme rodeado por enanos negros, jorobados y otra clase de monstruos, si bien cuando me decida a publicar mis Memorias todo el mundo se va a enterar. Pero lo que sí le dije:

«Don Julián Hourcade ya está proyectando la primera fábrica de hielo. Don Luis Mayer ha propuesto hacer instalaciones de gas inflamable. Hemos establecido el sistema métrico decimal. En la Sierra de Huauchinango estamos efectuando exploraciones arqueológicas... ah, recuérdame, Blasio, que revise con *Monsieur* Médehin el plan de la maqueta del Templo de Xochicalco que enviaremos a la exposición de París... Me dicen que el Virrey de Egipto enviará una reproducción a escala del Gran Templo de Edfu: nuestra maqueta de Xochicalco tiene que ser más grande, ¿no crees? Y te decía: Don Genaro Vergara inventó un motor de viento. Creamos el Ministerio de Instrucción Pública y Cultos y establecimos la educación primaria obligatoria y gratuita. Mientras tanto consolidamos más aún el Imperio con la adhesión de Baja California. Vamos a construir una refinería de petróleo... ¿Y qué quiere decir todo esto? Que tu Emperador, Blasio, se tiene que ocupar de muchas cosas serias y no sólo, y como dicen las malas lenguas, de la poesía y las mariposas...»

Pero lo que no le dije a Blasio cuando ya estábamos en las goteras de la ciudad y me puse mi sombrero Panamá blanco con cordón de oro:

que esas mismas malas lenguas me achacan como queridas a Lola Hermosillo, a Emilia Blanco, a una tal Señora Armida, a otra que llaman la India Bonita, qué se yo, pero que nadie, nadie sabría jamás si yo tenía o tengo una querida o no, Blasio, si pudiera hablar te diría: «yo, tu Emperador, soy también, a veces, un hombre débil. Desde que en el mercado de esclavos de Esmirna descubrí la perturbadora belleza del cuerpo de la mujer... ah, Blasio, desde entonces... Mira: yo adoro a la Emperatriz, pero me gusta imaginar que llego a Cuernavaca, Blasio, a Cuaunáhuac, a la ciudad donde se construyó un palacio el Marqués del Valle de Oaxaca, Hernán Cortés, y que allí, como al conquistador lo esperaba La Malinche, a mí, que soy el Rey de Tula, me espera Xóchitl la reina de las flores con una jícara de aguamiel destilada de sus labios... y destilada entre sus muslos... En esto soy débil, sí, pero no en la política. Mi flaqueza no es de aquella a la que se refería Turgot cuando le dijo a Luis XVI que la debilidad política de Carlos I de Inglaterra fue la responsable de que a ese pobre monarca sus súbditos le cortaran la cabeza... ¡ah, no!»

Y como nos faltaba muy poco para entrar en la ciudad y de seguro me estarían esperando allí mis muchachos del «Club del Gallo» que como le contaba yo al Conde Hadik en una carta son un grupo de voluntarios que forman mi Guardia de Honor en Cuernavaca y su uniforme es pantalones negros, blusa azul, sombrero de fieltro gris con una pluma blanca y en el pecho un gallo dorado, y querrían escoltarme hasta mi Quinta de la Borda, y allí tendría yo que ofrecerles un vino, y cuando se fueran y me acostara en mi hamaca blanca ya no tendría deseos de dictarle nada a Blasio por horas, días enteros quizás, me apresuré a decirle:

«Apunta, Blasio, apunta aprisa: que al Emperador Napoleón le diga que voy a enviarle varios volúmenes de leyes, de todas las que he promulgado en México. Que a Bazaine le reclame de viva voz que cómo es posible que Tamaulipas esté inundada de bandas de juaristas, y por escrito que le diga que pienso nombrarlo duque o conde de algo. ¿Cónde de Oaxaca, Blasio? No: mejor Duque de Puebla. Que a mi hermano Luis Víctor le cuente yo que el Emperador Moctezuma comía todos los días pescado fresco traído desde Veracruz por medio de estafetas, y que voy a reimplantar ese sistema. Que al Padre Fischer le escriba para que diga en el Vaticano, a propósito de Richelieu y del Edicto de Nantes que cuando lo restableció tenía una enmienda que despojaba a los protestantes de todo derecho político o militar, que yo no puedo hacer lo mismo en México. ¡Y menos si vamos a colonizar México con confederados! A Pierron, recuérdame que le pida que deje de comparar mi situación con la de José Bonaparte: que no tengo un hermano Napoleón que me aconseje ejecutar a mis súbditos y emplear como medios disuasivos la pólvora, la horca y las galeras. Al mismo Pierron decirle que recuerde las palabras de Juliano el Apóstata, el que dijo que un príncipe es una ley viva que debe templar con su bondad el excesivo rigor de las leyes muertas. Al Alcalde de Cuernavaca, que coloquemos una placa conmemorativa en la pila donde fue bautizado el primer senador tlaxcalteca que abrazó el cristianismo. A *Saccone and Speed*, Blasio, que nos mande unos cuantos frascos de azafrán, ya que ves que a Tüdös le gusta colorear con azafrán la sopa de almejas... A Almonte, que me envíe informes de su misión en las Tullerías. A quienes se oponen al regreso de Miramón y de Márquez a México, que les recuerde yo que Miramón participó en la heroica defensa del Colegio Militar de Chapultepec contra los *yankees*, y que a Márquez, por la valentía mostrada en numerosas acciones militares algunas de ellas contra invasores extranjeros, se le concedió la Cruz de Tejas, la Cruz de Fierro del Valle de México, la Cruz de la Angostura, la Cruz de Ahualulco. Y a Don Benito Juárez, Blasio, que te acuerdas me dijo en una carta cuando llegué a México: *"la Historia nos juzgará"*, decirle sí, así es, Señor Juárez, pero si ahora mismo hacemos las paces y usted acepta ser mi primer ministro, la Historia nos juzgará a los dos de forma mucho más benévola, apunta, Blasio», y Blasio chupaba, apuntaba, chupaba, escribía, chupaba el pobre su lápiz-tinta y apuntaba otras rimas posibles para «Cuernavaca», qué digo posibles, imposibles como «petaca, alpaca, carraca».

«Basta ya», le dije, «No hay una que sirva, Blasio, e incluso hay otras peores como una que se me ocurre ahorita mismo, Blasio, pero que no te la voy a decir, Dios me libre, aunque te la puedes imaginar si te digo, Blasio —y me llevé la mano a la nariz y me la tapé— si te digo que... *It stinks!* ¡Apesta!».

Y Blasio lloraba de la risa. Yo sé que no es correcto permitirle a un subordinado que se ría de esa manera delante de su Emperador, que es una falta de respeto, pero esa vez lo dejé, pobre Blasio: había trabajado tanto camino a Cuernavaca y las lágrimas de risa le escurrían junto con las gotas de sudor y al llegar a los labios —a esas horas ya no sólo tenía los labios manchados, también los dientes y el paladar, la lengua— arrastraban la tinta y le escurrían por la barbilla como hilillos de sangre morada.

«Nunca más —le dije— te voy a dejar que escribas con lápiz-tinta. Y ahora, por último, apunta, Blasio: escribirle a Benito Juárez diciéndole que se le ha otorgado una pensión a la viuda del General Zaragoza. Y a la Baronesa Binzer para decirle que aquellos que afirman que los científicos e intelectuales mexicanos están contra el Imperio, mienten: de nuestro lado están Río de la Loza, Roa Bárcena, García Icazbalceta y muchos otros. A mi hermano Francisco José para agradecerle que haya autorizado la formación del cuerpo de voluntarios austriacos... vendrán miles de ellos, vas a ver: no abandonarán al hermano de su Emperador, lo sé muy bien, y por último apunta, Blasio, y con esto damos fin a esta jornada dictatorial, apunta una gran idea que he venido rumiando —rumiando es la palabra más indicada—, durante varias semanas, para celebrar *comme il faut,* como se debe, el próximo 15 de septiembre, y que no podía ser, no podrá ser más mexicana, apunta, Blasio, que se trata de un banquete en el Palacio Imperial y todo el menú, fíjate bien, todo el menú va a estar compuesto, desde los *hors d'œuvre* hasta el postre y los digestivos, de platillos y bebidas que tendrán... ¿a qué no adivinas qué, Blasio?, pues nada menos que los tres colores: verde, blanco y rojo de la bandera mexicana, apunta Blasio, que me sé todo el menú de memoria: primero una copa de frutas: en cama de uvas verdes, trozos de pera blanca, y en el centro unas fresas; seguirá una *mousse* de aguacate con trozos de queso blanco y pimiento rojo; luego una sopa de espinacas, en el centro un poco de crema y encima betabel picado del más rojo que encontremos; de guisados tendremos, sobre una cama de mole verde, un cono truncado de arroz blanco coronado con rábanos enteros y, sobre una cama de espárragos verdes, pescado blanco de Pátzcuaro, del más blanco que encontremos, y encima unos granos de granada roja; como ensaladas, apunta, Blasio una de nopales con cebolla de la más blanca y jitomate del más rojo, y otra de lechuga con nabos y col roja, apunta, no se te pase ningún detalle, y después como postre melón verde relleno de crema y sobre la crema unas cerezas, y gelatina de manzana verde con coco rallado y trozos de ciruela roja, y por supuesto como helado qué otra cosa podría ser sino una *cassata,* Blasio, de pistache, guanábana y grosella, para todo el mundo una rebanada de sandía que tiene los tres colores en un orden nada menos que providencial: verde, blanco y rojo, y beberemos limonada, horchata y agua de flores de Jamaica y de digestivos crema de menta verde, *eau-de-vie* de pera y licor de zarzamora y, ¿sabes qué, Blasio?, los manteles serán verdes y blancas las servilletas, y en el centro de la mesa pondremos una gran charola llena de hielo picado, su orilla toda festoneada de rosas rojas, y en el centro de la charola, a que no adivinas, Blasio, ¡una enorme águila imperial mexicana... de puro caviar!»

Todo esto le decía yo a Blasio, le pedía yo que apuntara cuando íbamos a Cuernavaca, camino del paraíso y del olvido.

Flor de todas las flores era ella, señor juez. Flor de todas las mieles. Miel de tronadora sus palabras. De jarabe de rosa oscura su boca. Yo, señor, soy humilde. Vengo de lejos, de una montaña muy empinada donde si usted mira para arriba, verá a los tucanes que beben agua en los cálices de las orquídeas retrepadas en las copas de los árboles más altos. Yo, antes que nada, quiero que conste de hoy en adelante lo mucho que quería yo a Concepción, y lo mucho, también, que puedo quererla todavía. Y cómo no va a ser así, cómo no iba a ser, señor juez, si como le digo Concepción era flor de todas las flores. Flor en sus pisadas, jazmín cuando dormía, violeta cimarrona de hojas viscosas en las que se pegaban, como mosquitos, todos esos galanes que querían hacerla suya, cuando que era mía. Mía y de mi voluntad, de mis brazos, niña de mis ojos, amapolita morada. Cómo no iba yo a querer a Concepción, que cuando la conocí era casi una niña, y digo casi porque la mujer que fue después ya la tenía a flor de piel. ¿Usted sabe, señor, de esas florecitas rosadas y púrpuras que se llaman cunde-amor y que se desparraman por el paisaje por aquí y por allá y se columpian, como distraídas, de las rocas vivas? Pues así cundió mi amor por ella, así desde sus pies de lirio hasta su pelo lavado con jabón de palosanto. Sus pies eran pequeños. Su cabello, negro y brilloso. Y entre su pelo y sus pies, y aparte de sus ojos y su boca, Concepción tenía otras cosas, que ni yo estoy para contarlas ni usted, con todas mis consideraciones, señor juez, está para escucharlas. Yo, señor, no soy muy instruido. Yo no sólo no sé de muchas cosas que hay en el mundo, sino que además no sé nada de muchísimas cosas más que ni siquiera sé que hay. Pero lo que se dice un ignorante, tampoco lo he sido. Pregúnteme usted de flores. Pregúnteme usted cuáles son las flores que le dan su sombra al cacao, y le diré que son las del cacahuananche, que son chiquitas y rosadas, y que figuran mariposas. Y si a usted le interesa averiguar con qué se quitan las manchas de la cara, yo le diría que para eso no hay nada mejor que una pomada que se hace amasando los bulbos de la flor que se llama lirio céfiro. Si por último alguien que quiera sembrar floripondios en su jardín me pregunta, Sedano, oye tú Sedano, ven acá y dime si sabes cuándo florecen las trompetas blancas del floripondio, yo le diré que todo el año, como mi Concepción, que una vez que floreció quedó florecida para siempre. Con esto quiero decirle que conozco mi oficio y a mucha honra. Soy jardinero, señor, de nacimiento. Nací en una casa pobre, pero llena de flores, y mi abuelo, que en otros tiempos fue jardinero de una casa grande de San Cristóbal Ecatepec, me enseñó los nombres de todas las flores y me enseñó a hablar con ellas, a no tocar la mimosa ni con la punta de los dedos para no abochornarla nomás porque sí, y a perdonarle sus malos olores a la aristoloquia por si acaso, un día, tuviéramos que pedirle prestadas algunas de sus hojas para curarnos de la mordedura de una víbora. Después aprendí otras muchas cosas de las flores y de las plantas, y por no sé qué vericuetos del destino, vine a parar al Valle de Cuernavaca. Empecé a trabajar de ayudante de jardinero en una casa grande, y luego en otra más grande, y luego sin darme cuenta fui ya jefe de jardineros de una casa más grande todavía que llaman la Quinta Borda y a donde llegaba a vivir muchas veces al año el Señor que llaman Don Maximiliano y que dicen, o eso me dijeron a mí, que es el Rey de México. Para entonces ya vivíamos juntos yo y Concepción Sedano, que comenzó a apellidarse así desde que nos habíamos casado. Yo, con mis propias manos, le tejí su diadema de capullos de naranjo y le cosí a su velo de novia más de cien margaritas del campo y también con mis propias manos y con lirios y alcatraces y azucenas iluminé el templo, y esa noche, señor juez, dicho sea con toda modestia, esa noche con algo más que mis manos desfloré a Concepción Sedano. Yo, de un viaje que me hicieron hacer después y que le contaré en segundas, me enteré de un chupamirto que le sorbe la miel a la flor roja del xoconostle, y que si no se encaja en sus espinas que son muy largas, es porque se sostiene moviendo sus alas invisibles, quieto en el aire, mientras la chupa. Yo, que no tengo alas, señor juez, me quedé prendido para siempre a Concepción, con una espina clavada en el pecho. Y ahora dígame usted qué se puede hacer si se tiene trabajo y religión y la comida no falta, ni una hamaca para las tardes del domingo, qué se puede hacer sino ser feliz casi a la fuerza. Y si lo fuimos, si fuimos felices algún día, comenzamos a dejar de serlo, primero muy poco a poco cuando el Señor Don Maximiliano llegó a la Residencia Borda, y después muy repentinamente, el día en que yo me di cuenta que Don Maximiliano miraba a Concepción, y Concepción miraba a Don Maximiliano con una clase de mirada que yo nunca había visto, con una clase de mirada que parecían haber inventado entre los dos. Yo no quiero hacer ningún desacato a la autoridad, señor juez. Yo, como le dije, soy humilde, pero también como le dije tantas veces a Concepción, ay Concepción, mira que esto y mira que lo otro. Mírate en el espejo para que te asombres de lo bonita que eres, pero mírate la piel también, que está más asombrada todavía. ¿Usted conoce, señor juez, esos alacranes de varitas de vainilla que se hacen en Corpus Christi? Pues así de oscura y perfumada y estupefaciente era la piel de Concepción. Otra cosa era el color de su alma, que, como nunca le dije pero debí decírselo, pudo haber sido blanca cuando era inmaculada. Cuando era mi Concepción inmaculada de día y de noche. Con esto quiero decir, refiriéndome a lo primero, que así como esas flores pequeñitas que se llaman linda-tarde o guayabillo son más bien para crecer en campo abierto, y cualquiera las puede ver bajando por las faldas de las montañas en el otoño, como si de pronto a la nieve le comenzara a salir sangre, así también, digo yo, la rosa que llaman Reina Isabel es para los salones, y la prueba es que más de una vez me ordenaron hacer un ramo de esas rosas para ponerlo en las habitaciones de Don Maximiliano cuando la Reina Carlota iba a llegar a la Borda. Y para qué decir lo que es más que sabido: que si lo encumbrado no le quita a la rosa las espinas, a las flores del guayabillo, señor juez, lo silvestre no les prohíbe lo bonito. Volviendo a lo segundo, Concepción, quién la viera, se levantaba todas las mañanas para hacerme mi chocolate aderezado con hojas de la flor del corazón, como yo le había enseñado, y cuando me iba a trabajar al jardín grande, ella se quedaba muy hacendosa todo el día nomás dedicada a su casa, a despolvorear el piso con una escoba de ramas de yerbas de olor, a lavar y planchar mis camisas y mis calzones de manta blanca, que al administrador le gustaba siempre que estuvieran albeantes, aunque usted sabe, uno se mancha a veces con la tierra mojada, o con el verde del pasto, o con el jugo de la rastrera escarlata. Y cuando yo regresaba ya me tenía listas mis quesadillas de flores de calabaza, mis frijoles y mis tortillas, quién la viera. Quien la viera así. Quien la vio así, bien la quiso, como yo, más que nadie en el mundo. Pero por las noches, ay, Concepción, mi Concepción, si yo hubiera sabido cuál era el alacrán que te había picado, hubiera encontrado yo la flor del mirasol que te habría curado. Señor: cuando revientan las flores del cojón de oro, viera usted cómo los árboles parece que se cubrieran de globos de algodón. Y bien me decía mi abuelo que las magnolias, antes que comiencen a dar flores, necesitan estar creciendo por diez y hasta por veinte años como las mujeres. Y así como los geranios respiran mejor el aire un poco frío, así también las hortensias se vuelven azules o rosas según el sabor de la tierra. Y por último el lirio nació, señor juez, de las lágrimas que derramó nuestra madre Eva cuando salió del Paraíso. Yo sé todo eso. Yo sé de cosas para matar gusanos y malasyerbas, y de abonos y estiércoles para darle más responsabilidad a la tierra. Pero de otras cosas no sé, y nunca supe, nunca entendí por qué Concepción se volvió de pronto como esas gatas que se largan desde que Dios anochece y que no regresan sino hasta la madrugada, ensalivadas y temblorosas, para acertar sólo a derramar en el suelo el plato de leche que las estaba esperando. Lo que sí, es que me acuerdo cuándo más o menos comenzó todo, y fue una tarde en la que estaba yo en el jardín grande con Concepción, plantando unos bulbos que ella tenía en el regazo de su enagua, que la alzaba un poco con las manos para que no se rodaran los bulbos, y pasó por allí el Señor Don Maximiliano acompañado por un señor que también era foráneo, y que andaba siempre con un paraguas amarillo cortando plantas sin pedirle permiso a nadie, y agarrando escarabajos y largartijas por la cola para meterlos en unos frascos que le colgaban, con hilos, del cuello y los hombros. Y el señor ése le iba diciendo a Don Maximiliano los nombres de las flores. Pero no le decía ésta se llama jaral amarillo y aquélla clavel jaspeado, menos todavía aquélla cacomite y acocotli ésta, porque ese señor imagino que si no sabía español, menos sabía masticar el indio. No, le iba dando a Don Maximiliano los nombres de las flores en científico, en latín, señor juez, como los cantados de las iglesias. Luego llegaron ante una flor que el señor no se acordó cómo se llamaba, y Don Maximiliano me preguntó a mí. Yo, que ya me había quitado el sombrero, le dije éstas son las copas de oro, Señor, y el agua de sus cálices que hay que sacar antes de que se abran las flores se usa en gotas para los ojos hinchados, y también por la forma de capuchón que tienen las llaman gorros de Napoleón, Señor, y por la otra forma que también tienen se llaman tetonas. Y Don Maximiliano se rió mucho, pero no el otro señor porque él como que me agarró un poco de tirria, porque no se sabía de cada flor sino el nombre en latín, uno solo y nada más, y yo en cambio me sé muy bien los tres, o los cuatro, y a veces los diez nombres que tienen todas las flores según se siembren en Cuernavaca o crezcan en Tomatlán o se deshojen, ya marchitas, en las aguas del Tamesí. Y cuando nadie se sabe el nombre de una flor ni hay forma de averiguarlo yo tomo un poco de agua en mis manos y la bautizo, dejo que escurra el agua entre mis dedos y le digo: flor, porque eres blanca y pequeña y creces desparramada entre otras flores azules, y te abres cuando amanece, yo te bautizo, flor, con el nombre de espumita del alba. Y Don Maximiliano que se hacía como que no había visto a Concepción me siguió preguntando los nombres de muchas otras flores, que yo le fui dando hasta que de repente se volteó a verla, y Concepción que hasta entonces había tenido los ojos bajos, también como si no hubiera visto a Don Maximiliano, los alzó para verlo. Don Maximiliano le preguntó entonces: y tú, tú cómo te llamas, y antes de que ella contestara, yo me puse de pie y le dije: Concepción. Concepción Sedano, Señor, es mi mujer, y hasta estuve tentado de ponerme el sombrero como para decirle que de esa flor que era Concepción, flor de todas las flores, yo era el señor. Le hice una seña a ella para que se levantara y Concepción, por no derramar en la tierra los bulbos, se puso de pie con la falda alzada, medio enseñando las piernas un poco más arriba de las rodillas y sin dejar de ver a Don Maximiliano y yo me dije, aunque la verdad me lo dije muchos días después, cuando caí en la cuenta, que no importaba que nunca antes se hubieran conocido, porque desde ese momento fue como si se hubieran conocido desde siempre. Yo, lo que se llama verlos, nunca los vi. Nunca le seguí los pasos a Concepción cuando se levantaba en las noches y salía del cuarto sin hacer ruido. Bueno, eso es lo que ella creía, señor, porque yo tengo un oído muy hecho a los silencios. Yo, de ver a Concepción y Don Maximiliano, que Dios me perdone, nunca los vi, como le dije. Es decir, nunca con los ojos abiertos, señor juez, porque los veía con los ojos cerrados y todavía ahora, si usted me permite cerrarlos un momentito, los puedo ver. Don Maximiliano tenía en su cuarto una cama grande, de esas con mosquiteros de tules y barrotes dorados. Don Maximiliano tenía también, en el corredor, bajo un macetón con helechos que colgaba del techo y cerca de una jaula con pájaros, una hamaca muy ancha, de seda blanca. Yo los vi allí muchas veces, nomás cerrando los ojos, nomás tratando de imaginar lo que todo el mundo decía, pero que todo el mundo callaba. Hay una tapia en la Quinta Borda, señor, cerca de las habitaciones de Don Maximiliano, que tiene una puerta disimulada por una enredadera de campanillas. Y si yo nunca vi con mis propios ojos que Concepción entrara o saliera por esa puerta, lo que sí puedo decirle es que Concepción, cuando regresaba en las madrugadas, tenía hojitas lilas y blancas todavía enredadas en el pelo. Yo conozco como a la palma de mi mano todos los Jardines Borda, sus veredas, sus escondrijos, sus fuentes y sus estatuas. Conozco también el estanque que yo llamaba de las bugamvilias, porque a veces amanecía casi cubierto con sus hojas. Yo, aunque también alguna vez le quité a Concepción algunas hojas mojadas de bugamvilia que se le habían pegado en la espalda, nunca vi a los dos meterse al estanque desnudos, Dios me libre, y desnudos allí abrazarse entre las hojas y los lirios y los pescaditos rojos y dorados. Y cuando digo los dos, no quiero decir Concepción y Don Maximiliano, señor juez, sino Concepción y el otro, el otro hombre, señor juez, quien haya sido, el Don que usted quiera. Pero por si acaso, nada más que por si acaso haya sido Don Maximiliano, le aseguro que yo no diré como el Santo Job: Dios me la dio, Dios me la quitó, bendito sea el nombre del Señor. Porque la verdad es que, si Dios me dio a la Concepción, fue un hombre, y no Dios, el que me la quitó. Y pienso yo: si un Rey tiene un jardín y una casa tan grandes como esos, y además otros palacios y castillos y jardines más grandes todavía, por qué no le deja a uno, que no tiene nada, lo único que tiene. Porque si he hablado de mi casa, señor juez, de nuestra casa mía y de Concepción, eso sólo era un decir, como cuando hablo de mi jardín, que era el que rodeaba a nuestra casa, porque las dos cosas eran prestadas, nada más mientras trabajara yo en al Quinta Borda, como se ha comprobado ahora que no tengo nada. Aunque eso sí le diré, si me permite usted la discreción, me gustaba pensar, aunque no eran míos, que si la casa de Don Maximiliano era muy chica para un jardín tan grande, mi casa, en cambio, era muy grande para un jardín tan chico. Al día siguiente, señor, a la otra mañana de imaginármelos en el estanque de las bugamvilias, me llevé un montón de florecitas de yerba anís que también llaman flores de tierradentro, y que se usan para perfumar el baño de los niños, y las derramé en el agua. Esa madrugada, cuando regresó Concepción, un gran olor de anís, señor juez, el más grande olor de anís que yo haya conocido me sofocó el alma. Yo, con toda la rabia y el dolor que tenía, nunca le hice nada a Concepción, nunca la toqué como no fuera como el varón toca a la mujer. Yo nomás lloré un poquito, me levanté, me fui al estanque y les eché unos polvos de semillas de patol a los pescados, pero sin intención de que se murieran sino nada más que para atontarlos un poco, para que se durmieran un rato, a ver si se olvidaban de lo que habían visto. Hasta que un día me llamó el administrador y me dijo Sedano, prepara tus cosas, porque te vas a ir a trabajar a otra parte, el Señor Don Maximiliano quiere que aprendas a conocer otras plantas nuevas. Yo no sé por qué, pero cuando el administrador me dijo eso, yo estaba seguro de dos cosas. La primerísima, que Concepción no iba a ir conmigo y que se quedaría en la Borda, y ni siquiera porque así se lo ordenaran, sino por su propia voluntad. La segunda, que a lo mejor al Señor Don Maximiliano ni le interesaba siquiera que yo me fuera, y que esto lo hacía el administrador por purita lambisconería, y que después le iban a decir a lo mejor que yo me había largado, dejando abandonada a mi mujer. Yo le dije al administrador que quería ver a Don Maximiliano y me contestó que no estaba en la Quinta Borda, que estaba en México, reinando. Le dije que yo podía ir a México para verlo y me contestó que no, que Don Maximiliano estaba siempre muy ocupado. Yo le pedí entonces... pero no, no fue así, señor juez, ya no le pedí nada, porque a las gentes no me gusta pedirles muchas cosas, sino sólo a Dios. Y a Dios le pedí, como le pido ahora, que velara por mi Concepción y que mientras estaba yo de viaje la curara del alacrán que la había picado, para que cuando yo volviera a la Borda me la encontrara como era antes. Me llevaron muy lejos, señor juez, en una diligencia y luego en otra y en otra más, y luego en burro por la sierra, hasta llegar a una hacienda donde había un señor que tenía unos invernaderos y allí me pusieron a trabajar y aprendí muchas otras cosas, señor, que puedo aprovechar ahora que me regresé a mi tierra, y me pagaron bien y hasta llegué a ahorrar unos centavos. Pero me cansé de estar allí, tan lejos, esperando a que nunca me alcanzara Concepción, así que una noche, sin avisarle a mi patrón y no por ingratitud sino por miedo a que no me dejaran ir, me salí de la hacienda sin que nadie me viera y tomé el rumbo del Valle de Cuernavaca. Para que no me avistara nadie por los caminos me volví por otros rodeos que yo conozco aunque sea la primera vez que ando por ellos, y que son los senderos empedrados no con piedras sino con no-meolvides, los caminos esos de siemprevivas que son como puentes amarillos entre las lluvias y el invierno, las veredas que entran en los túneles azules que inventa el manto de la Virgen cuando se tiende a secar de un árbol a otro, los caminos, señor, donde para quien lo sepa apreciar y sepa lo que las flores dicen, cada rosa es una rosa de los vientos. Y así caminé, muchos días y muchas noches, y en el día me señalaban el camino las banderas rosas de la clavellina, y por la noche me alumbraban las flores nocturnas de la pitahaya. Así pasé sierras y praderas, barrancos, llevando siempre a Concepción clavada en la frente, y así como me encontré gente mala de la que me tuve que esconder, también me topé con gente buena como en todas partes, que me invitaban un mezcal, señor juez, y un plato de frijoles calientes que comíamos mientras mirábamos, callados, el incendio de los bosques. De todos modos, comida nunca me faltó, porque yo sé muy bien cuándo están maduras las corolas de la flor de templo y nadie tiene que decirme cuándo los racimos rojos de la madre cacao están invitando a que se los coman ya. Tampoco pasé penurias por agua, porque lo mismo estoy familiarizado con las orquídeas de bulbos llenos de agua, que me acuerdo de cómo hay que chupar los estambres de la flor del peinecillo para sorber el néctar que le guardan a los viajeros. Y por el camino fui bautizando varias flores nuevas que me encontré. A una florecita que se da en muchos colores y que crece como nubes en las faldas de los cerros, la llamé nube del arcoíris. A otra flor blanca que sólo crece alrededor de los árboles y que tiene unas manchas rojas y como escurridas, la llamé sangre de San Sebastián. Y a una orquídea de hojas largas y acuchilladas y muy negras, con venas púrpuras, la llamé lenguas de Satanás. Estas son las lenguas, señor, las malas lenguas, las que me hicieron tanto daño, primero cuando yo todavía vivía en la Quinta Borda, y después cuando regresé a Cuernavaca y me contaron lo otro, lo que le voy a contar a usted, pero antes déjeme decirle una cosa. Yo soy un hombre, señor juez, me gustan las mujeres y sé cómo subirme a ellas, sin que esto sea una falta de respeto al tribunal. Me gustan, de las mujeres, las dos rosas que tienen a la altura de sus pechos, y me gusta lo que tienen más abajo, y que como se sabe es una flor secreta de la que siempre está prendida una mariposa negra con las alas abiertas. Con esto quiero decirle que a la Concepción no le escaseaba mis amores como hombre. ¿Conoce usted, su señoría, esa enredadera de flores naranjas que llaman llamarada y que se trepa por los muros de Tasco y Cuernavaca? Pues así yo también, lleno de llamitas, señor juez, me colgaba de su cuerpo y por allí trepaba yo agarrado con los dientes de su boca, con mis manos agarrado de sus pechos, para dejar en ella mis mieles de varón, para perfumarle el vientre con un hijo. Pero si Concepción tuvo un hijo, como me dijeron, no fue mío. Si a la Concepción una vez vinieron por ella y se la llevaron a la Borda cuando estaba, según me dijeron, con la barriga como timba ya casi para dar a luz, yo no podría decir exactamente, ni Dios lo permita, que ese hijo era del Señor Don Maximiliano, pero sí puedo jurar, ante la Virgen y nada más que haciendo cuenta de todos los meses que estuve fuera, sí puedo jurar, como le decía, que no era mío. Ay Concepción, me dije y me repetí mil veces, como si ella pudiera oírme, ay Concepción que en tu nombre llevas tu pecado, pensar que un día eras, que un día fuiste mi Concepción inmaculada. Yo no quise creerles que Concepción ya no estaba en la Quinta Borda, y me fui derechito a buscarla, y llamé a la puerta y cuando alguien a quien nunca había yo visto me preguntó quién era, le dije soy Sedano, soy el Señor Sedano. Porque sabrá usted, señor juez, que si yo no soy señor todo el tiempo, como su señoría o como el Señor Don Maximiliano, lo soy cuando menos a ratos, como cuando era jefe de jardineros de casas grandes, y tenía a Pompilio, o a Guadalupe, o a Pantaleón para que me ayudaran, y ellos me llamaban Señor Sedano. Pero ninguno trabajaba ya allí, según me dijeron, o es que no quisieron llamarlos para que me reconocieran, y entonces fue cuando yo empecé a gritar Concepción, Concepción hasta que se me enronqueció la voz, y fue cuando llegó la policía, señor juez, y me trajo aquí.

Señor juez: yo soy un hombre de bien. Como le dije a comienzos, cuando le hablé de los tucanes que beben en las flores, yo vengo de una tierra que está muy lejos, pero donde también hay pajaritos como el dedo meñique que son de color esmeralda y que si usted los pone en el platito de una balanza y en el otro dos gramos de cualquier cosa, el pajarito le gana en livianeza a los dos gramos, así sean de cabellos de ángel. Yo, su señoría, le prometo regresar a mi tierra y no volver nunca a aparecerme en el Valle de Cuernavaca. Yo le prometo llevarme conmigo a Concepción y si ella quiere, hasta estoy dispuesto a cargar con su hijo. Yo no le prometo, ni a usted ni a nadie, que lo voy a ver como a mi hijo propio, pero sí que lo voy a cuidar, a enseñarle las cosas que yo sé, y que nunca le faltará el pan. Aunque con el tiempo, uno qué sabe: tampoco Concepción era de mi propia sangre y ya ve usted cómo la llegué a querer. Pero para eso, para hacer todo eso y prometérselo y lo que es más importante, señor juez, para cumplírselo, necesito que me devuelvan a mi Concepción. Y si me la devuelven, ay, señor juez, si la convencen a que vuelva conmigo de una vez por todas, yo le prometo por lo más sagrado, le prometo por ella que me voy a olvidar de todo y a volver a ser feliz como en aquellos tiempos en que era ella mi Concepción inmaculada de día y de noche: girasol por las mañanas, alta y espigada y con la cara al cielo; flamboyán por las tardes cuando el sol poniente le pintaba la piel de anaranjado; huele-de-noche en las noches sembradas de estrellas y de luna en flor. Cuando yo le decía: ay Concepción, Concepción, con las flores de mayo más altas tejeré dos guirnaldas: una para la Virgen y otra para tu cama. Ay Concepción, Concepción, con cielitos de los campos y con clarines violetas y con pensamientos de tres colores voy a hacer una alfombra para alfombrar tu casa. Ay Concepción, Concepción, cuando comience a caer de las jacarandas su lluvia morada, te invito, desnuda, a recordar que me amas, y te prometo un vestido de petalitos mojados con tu sudor y el mío.

2. El Manatí de la Florida

«¡Pero esa mujer está loca de atar...! ¡El Manatí de la Florida! ¡El Reno de Laponia!...»

«No, Mamá, no: la lotería se canta más despacio... Pues si por eso fue que la sacaron del convento en camisa de fuerza».

«¡Qué horror, qué vergüenza! ¡El Manatí de la Florida! ¡En camisa de fuerza...! ¡y bebiendo del agua sucia de las fuentes!»

«Tú lo tienes, Luis».

Luis Napoleón tomó un lunar plateado y lo puso sobre el manatí de aletas como manitas de niño.

«¡El Reno de Laponia! ¿Pero cómo pudieron ustedes aguantarla?»

Eugenia colocó un pequeño brillante sobre el reno de Laponia y suspiró:

«¿Y qué podíamos hacer, Mamá? No entraba en razón. Desde que llegó a Saint Nazaire le dijimos que Luis estaba enfermo, que acababa de regresar de Vichy...»

«¿Y le hicieron bien, Sire, los baños termales? *¡El Gorila de Guinea!* ¡Uy, qué animal tan feo!»

Luis Napoleón cogió un ópalo tornasolado y respondió:

«Nada, Señora Condesa: no me hicieron nada...»

Y colocó el ópalo en el gorila de Guinea.

«Ay no sabes, Mamá, lo mal que estaba Luis. El Doctor Guillón le dijo que tenía la próstata inflamada, y el día anterior a la llegada de Carlota tuvieron que aplicarle sanguijuelas, imagínate nada más, Mamá».

«Uy, qué horror, *¡La Cobra del Punjab!*... ¿y todo eso se lo contaron a Carlota?»

«Por supuesto que no, Mamá. Pero le insistimos en que no viniera».

«Y no nos hizo caso. Le sugerimos que fuera primero a Bélgica y ya ve usted, Mamá La Condesa: tomó el primer tren para París...»

«Uy qué grosería. *¡La Llama del Perú!*»

«¡Ay, si yo tuve tanta paciencia, Mamá, tanta paciencia!»

«Es que tú eres un ángel, hija. *¡La Llama del Perú!* ¡Ay, si viviera todavía tu hermana Paca!»

A Luis Napoleón le encantaban los juegos de salón. Jugaba a veces con el principito imperial al *Giocco dell'Oca* que Felipe II había puesto de moda en España. Jugaba también, con Eugenia, a las damas chinas o al parkasé.

«¿Se da usted cuenta, Mamá La Condesa, lo que fue tener aquí a esa mujer...»

«No fue aquí, Luis, fue en Saint Cloud...»

«Para el caso es lo mismo, mujer. Decía: tener aquí a esa demente gritándonos delante de nuestros ministros...?»

«¡Uy qué horror! *¡El Búfalo de Malasia!*»

«¿Atreviéndose a decir que venía a hablar de un asunto que era tan nuestro como suyo?»

«¡Pero qué cosa! *¡El Cocodrilo del Nilo!*»

Eugenia puso una cuenta de azabache en el cocodrilo y dijo:

«Nos reclamó que no la hubiéramos hospedado en las Tullerías. Se quejó de que nadie le avisó de su llegada al Alcalde de Saint Nazaire. De que el alcalde hubiera sacado una bandera del Perú...»

«Qué barbaridad. *¡El Bisonte del Canadá!* ¿y por qué del Perú?»

«Porque todo salió mal, Mamá: cuando llegó a París se bajó en una estación, y nuestros delegados la estaban esperando en otra!»

«Qué fatalidad... ¡Pobre mujer!»

A veces, también, jugaban los tres: él, Eugenia y Lulú, a *Le Jeu des Bons Enfants*, al juego de los jardines-laberintos, o al juego de la *Excursión en la China Excéntrica* y, siempre que era posible, hacían trampa para que Lulú ganara: se ponía tan contento. Sobre el parkasé Luis Napoleón les había contado a su mujer y a su hijo que al Emperador Akbar Iellaladin, el más grande de todos los monarcas del Indostán, le gustaba tanto el parkasé, que ordenó embaldosar un patio con el diseño del tablero y él y sus visires y cortesanos jugaban desde los balcones usando, en lugar de fichas, a dieciséis odaliscas del harén, vestidas cuatro de amarillo, cuatro de verde, cuatro de rojo, cuatro de azul. Lulú no lo podía creer.

«Pobre mujer, no, Mamá: nos acusó de asesinos, ¿te das cuenta? ¡Dijo que queríamos envenenarla!»

«Ay, sí, con el vaso de naranjada, ¿verdad? *¡El Camello!*»

«Sí, con el vaso de naranjada...»

«*¡El Camello del Turquestán!* Cuando me lo contaron en España, yo no lo podía creer... Usted lo tiene, Sire...»

«Ay, este Luis siempre tan distraído: que tú tienes el camello del Turquestán... dime, Luis, ¿te duele algo?»

«No, no, no... estaba pensando...»

«Pero es natural, Sire, muy natural: ¿quién no se distrae con tantos problemas?»

Luis Napoleón escogió un lunar verde nacarado para el camello del Turquestán.

«Dígamelo usted a mí, Mamá La Condesa. Usted sabe lo que los prusianos han movilizado cerca de un millón de soldados...»

«¡Uy qué peligroso! *¡El Tigre de Bengala!*»

«Y como le dije a Carlota: no quiero tener una guerra con Estados Unidos. Ya no aguanto al embajador americano».

Una vez, solo una, había jugado el juego inventado por Míster John Wallis de la «Historia y la Cronología Universales». Lulú se había divertido cantidad, pero a Luis Napoleón no le gustó porque se trataba de la historia considerada desde el punto de vista inglés: comenzando por Adán y Eva, sí, pero terminando con la Reina Victoria y el Príncipe Alberto en el centro del tablero y coronados de ángeles y laureles.

«Seguro, hija, que estaba fingiendo. *¡El Tucán de Pernambuco!*»

«¿Fingiendo, Mamá?»

«Fingiendo».

«¿Y también fingía estar loca cuando metió los dedos en el chocolate de Su Santidad?»

«Ay qué cómico... *¡El Mono...!*»

«¿Y cuando metió el brazo en el puchero hirviendo en el convento?»

«Uy qué espantoso... *¡El Mono Araña de Guatemala!*»

«¿Y cuando se quedó a dormir en la biblioteca del Vaticano?»

«¡Uy qué sacrilegio!»

«Fingiendo no, Mamá: Carlota está demente».

«Uy, sí, sí: loca de atar».

No, él iba a ordenar que se hiciera un juego que comenzara, sí, con Adán y Eva que eran propiedad universal, pero que terminara con él, Luis Napoleón y Eugenia, y el principito imperial coronados de gloria.

Y debería incluir todas las fechas importantes de la historia de Francia y en particular las de su dinastía: el 18 de Brumario, Austerlitz...

«*¡El Mapache del Darién!*»

Wagram, Marengo.

«*¡El Oso Hormiguero!...*»

Magenta y Solferino.

«*... de Las Rocallosas*»

Sebastopol, la Toma de Puebla y de Oaxaca, Kabylia: ésa sí que era una gran idea, que hubiera aprobado Napoleón I, quien entre otras cosas, y para educar al Rey de Roma, había mandado hacer una vajilla con el código napoleónico.

«¿Y por qué no la hospedaron en las Tullerías?»

«Ay, Mamá, porque estábamos en Saint Cloud... por cierto, llegó acompañada de dos de sus damas mexicanas, la Señora del Barrio y la otra no me acuerdo cómo se llamaba. Decirte que eran muy peculiares, es poco: las dos bajitas y de color muy oscuro. Próspero Merimée dijo de ellas... ¿qué fue lo que dijo, Luis?»

«Que parecían macacos...»

«Ay, sí: macacos con crinolinas... Pero te voy a decir, Mamá: a Carlota se le hicieron todos los honores imperiales... Cuando llegó a Saint Cloud, la esperaba Lulú con el Aguila Mexicana al cuello...»

«¡Ay, sí, cómo me hubiera gustado verlo! *¡El Hipopótamo del Níger!*: ¡Uy qué animal tan gordo!»

«Pero no tuvo la menor compasión: Luis apenas si podía andar ese día, por la cistitis...»

«¿Por la qué...?»

«Por la cistitis...»

«Dificultad para orinar, Señora Condesa, y mucho ardor... yo creo que tengo piedras en los riñones...»

«¡Ay, pobre del emperador! ¿Y qué más me dijeron que tenía?»

«La próstata inflamada, Mamá...»

«Y por si fuera poco, la gota, que no me deja en paz, Mamá La Condesa».

«¡Ay, dicen que la gota es de lo más doloroso que hay!»

«¡Y me llamó también el Mefistófeles de Europa!»

«¿Quién, Carlota?»

«¡Pues quién otra podría ser, Mamá: dijo de Luis que era el principio del mal en Europa!»

«¡Ay, no lo puedo creer!»

«¡Y de la corte dijo que era el infierno!»

«¡Ay, no me lo diga usted, Sire!»

«¡Se lo digo, Mamá La Condesa!»

«Y nos habló del Apocalipsis».

«De los cuatro jinetes, Mamá, y de la Bestia Encarnada».

«¡Uy, qué horror!»

«Y de pronto, Mamá La Condesa, comenzó a hablar de Argelia».

«¿Y qué tiene que ver Argelia con México?»

«Eso mismo dije yo, pero no: ella nos quiso echar en cara que fue su abuelo Luis Felipe el conquistador de Argelia para la gloria de Francia...»

«¡Cuando que le dejaron a Luis todo el peso del sometimiento de Kabylia!»

«¡Y habló de su tío Aumale como el gran héroe de la guerra!»

«Y como yo le dije, Mamá La Condesa: y qué de Lamoricière, Cavaignac, Mac-Mahon... y sobre todo de Bugeaud y de Saint-Arnaud...»

«Hasta de Bazaine, Luis...»

«Claro. Si fue a Bazaine, y no a Aumale a quien se entregó Abd-el-Kader. Después reactuaron la rendición, para que Aumale se llevara la gloria...»

«¿Te cansaste de cantar la lotería Mamá?»

«Nononó, de ninguna manera: ¡La Jirafa de El Cabo, el Ocelote...!»

«Más despacio, Mamá...»

«Sí, sí, es verdad, perdón: es que estoy nerviosa... ¡La Jirafa de El Cabo!...»

La jirafa de El Cabo, el rinoceronte de Uganda, el cangrejo gigante del Japón: Lulú estaba feliz también con esa lotería educativa que había sido idea de Eugenia, y que por fin decidieron mandar hacer antes del juego de la historia de Francia. Unos cuantos días después, el principito podía ya identificar a todos los animales, y tenía locos a sus profesores porque quería saberlo todo de todos: en qué parte del globo terrestre estaba la región de donde provenía cada uno, y qué comían, y si mordían o picaban, y si ponían huevos, y si cantaban o mugían, y que cómo eran sus plumas y sus garras, o su piel y su pico, y qué tan grandes sus cuernos o sus colmillos.

«¡El Ocelote del Paraguay!»

«¿Cómo iba yo a tener ánimos de hablar de México? ¿No cree usted, Mamá La Condesa?»

«Y sobre todo, Mamá, que en esos días decían que Prusia había hecho varios pactos secretos contra Francia, con Württemberg, Baden y Baviera...»

«Prusia quiere la guerra, Señora Condesa... La está buscando».

«Y la va a encontrar, Mamá».

«Dios mío, no, por favor».

«Me temo que es una obsesión de Bismarck...»

«¡Ay, ese hombre sí que es el diablo!»

«Sí, Señora Condesa: el diablo con cañones Krupp».

«¡Ay, pobre hombre!»

«¿Pobre, Bismarck?»

«¡No, no, no: Maximiliano. Pobre hombre con esa mujer!»

«Bueno, sí, pobre: pero la verdad es que se ha puesto tan grosero y exigente...»

«*El Quetzal de Yucatán*».

«Es tuyo, Eugenia...»

«¡Ah, cómo me gustaría tener un abanico de plumas de quetzal!», dijo Eugenia y puso una turmalina en la cola del quetzal de Yucatán.

«Lamento, lamento ahora mucho haber aceptado la participación de oficiales prusianos como observadores en la campaña de México...», dijo el emperador.

«Oh, sí», corroboró Eugenia, «¡eso fue un error!»

«Y dígame: ¿todo eso lo dijo Carlota delante del Señor Fould y del Mariscal Randon?»

«Eso y peor, Mamá: delante de ellos sacó la carta que Luis le envió a Maximiliano a Miramar...»

«No, no, no, Eugenia: eso fue cuando estábamos solos con ella...»

«Como tú dices, Luis, da casi lo mismo. Te decía, Mamá, de la carta en que Luis le preguntaba a Maximiliano qué pensaría si el emperador de los franceses faltara a su palabra...»

«Pero Su Majestad nunca faltó a su palabra...»

«Por supuesto que no, Mamá, fueron las fuerzas de las circunstancias...»

«*El Orni... El Ornitorrinco*, ¡Uy, qué nombre tan difícil! *¡El Ornitorrinco de Tasmania!*»

«Y nos quiso leer muchas otras cartas: imagínate, traía toda una maleta llena de cartas, de Luis y mías, de Gutiérrez Estrada, de Hidalgo, de Francisco José... ¡de todo el mundo! ¡Pero lo más terrible fue que nos acusara de faltar a nuestra palabra de honor!»

«¡Qué horror!»

«Y sí, Luis», dijo Eugenia y esta vez ella escogió un lunar rojo metálico y con forma de media luna, para el ornitorrinco de Tasmania.

«¿Sí qué?»

«Sí lo dijo delante de Randon...»

«Que no, mujer, que no, eso fue la última vez que fue a Saint Cloud».

«Pero entonces, Sire, ¿la vieron varias veces?»

«¡Ay, sí, Mamá, varias, sin que la invitáramos, sin avisarnos, irrumpió en nuestras habitaciones sin anunciarse, nos gritó, tenía la cara roja y lloraba, fue horrible, Mamá, horrible, nunca lo podré olvidar...!»

«¡Qué barbaridad! ¡Qué barbaridad!»

Y como a Eugenia le encantaba coleccionar cajitas, y en las cajitas guardar piedras preciosas y semipreciosas y otras cucherías, la «Lotería Instructiva de los Animales Exóticos» tuvo un gran éxito. Una era una cajita de rapé, de conchanácar, que había pertenecido a Josefina. Eugenia guardaba allí pedacitos de coral: el coral le encantaba a la primera esposa de Napoleón el Grande. En otra cajita, alemana, que en la tapa tenía un camafeo que ilustraba a Leda y el Cisne, Eugenia guardaba cuentas de marfil y turmalinas. Tanto éxito, que muchas veces jugaban sin el principito, como aquella tarde en que Lulú había ido a su clase de equitación, y la madre de Eugenia, la Condesa de Montijo, estaba de visita en París, y cantaba la lotería.

«¡El Tapir de Sumatra!... ¿Y cómo es que se atrevió a verlos sin anunciarse?»

De una cajita de oro que tenía un esmalte con el retrato de Madame de Maintenon, Eugenia tomó una espinela y la puso en el tapir de Sumatra.

«¡Pero si hasta con el Papa lo hizo, Mamá!»

«¿Cómo, también?»

«Sí, el día en que metió la mano en el chocolate, irrumpió en el Vaticano, Mamá, le gritó a los guardias suizos, armó todo un escándalo y claro, el Papa no tuvo más remedio que recibirla».

«¡Ay, pobre de Su Santidad!» «¡El Orangután de Borneo!», cantó Mamá La Condesa. Luis Napoleón sonrió.

«¿De qué te ríes, Luis?»

«Nada, nada: de pronto me imaginé a un orangután vestido de Papa...»

«Ay, el emperador siempre tan ocurrente... ¿Pero no le explicaron que ya no podían ayudarla?»

«¡Ay, Mamá, hasta el cansancio! Primero fui yo a verla al Grand Hotel... por cierto: ¿sabías que cuando estuvo en Roma tenía en la suite imperial del Albergo di Roma unas gallinas?»

«¿Cómo? ¿Unas gallinas vivas?»

«Sí, vivas: porque sólo comía los huevos que ella misma veía poner, además de las castañas asadas que compraba en la calle...»

«¡Pero no lo puedo creer! ¡El León de la Arabia Pétrea!...»

«Ah, cómo me gustan esos nombres», dijo una vez más Luis Napoleón: «Arabia Pétrea, la Arabia Feliz...», abrió un huevo de Fabergé de filigrana de oro, y cogió una amatista para el león de la Arabia Pétrea.

Cualquier piedra podía salir de las cajitas que coleccionaba Eugenia: brillantes color rosa-canela como los célebres diamantes de las joyas reales de Rusia, rubíes de Birmania, crisoberilos, topacios cambiantes y, de una vinagrette, que era una de esas cajitas donde las damas cargaban una esponja empapada en perfume para llevarla a la nariz al paso de ciertas calles, unas chispitas de brillantes que —le habían jurado a Eugenia—, provenían del gran brillante conocido como el Nizam de Hyderabad, del Rey de Golkonda, que había sido partido en pedazos durante el Motín de la India.

«Como te digo, yo fui a verla al Grand Hotel, y también Drouyn de Lhuys, Fould y Randon... ellos le llevaron cifras, le enseñaron presupuestos. También en Saint Cloud tratamos sobre las finanzas de Francia y del Imperio Mexicano: no quería escuchar razón alguna. Antes de lo del vaso de naranjada, además, parecía tan lúcida, que deslumbró al tonto de Fould hablándole de las riquezas de México... Pero sigue cantando la lotería, Mamá...»

«Sí, si, es que no lo puedo creer... ¡*La Cacatúa de Malaya!*»

«Y el pobre Luis tan enfermo...»

«Ay, sí, Señora Condesa... tú tienes la cacatúa, Eugenia... Hubiera visto usted qué escenas: me interrumpía, me hablaba de la grandeza de Francia y de que cómo era posible que un país tan poderoso los abandonara. Nos acusó de avaros. Nos decía que Maximiliano estaba dispuesto a abandonar a los liberales mexicanos y a afrancesar, así dijo, su gobierno. Le dije que yo no podía tomar ninguna decisión hasta que no se reuniera el Consejo Ministerial, y después que el Consejo se reunió y de acuerdo con él, le dije a Carlota de una vez por todas, que Francia ya no podía dar a México ni un hombre, ni un centavo...»

«Lógico, muy lógico, Su Majestad...»

«Me irritó tanto, que tuve además que decirle que las finanzas del Imperio Mexicano eran un desastre... Imagínese, Mamá La Condesa... Le diré sólo algunas cifras, en números redondos, entre las tantas que el Señor Fould le presentó a Carlota: las aduanas de los puertos mexicanos rinden, las del Golfo, unos cuarenta y tres millones de francos al año. Las del Pacífico, quince. O sea un total de cincuenta y ocho millones. Pero de allí hay que deducir quién sabe cuantas cosas: los derechos municipales, la subvención para el ferrocarril, los intereses de la deuda inglesa y la española, total, que quedan unos treinta y cuatro millones... y sostener un ejército de veinte mil hombres en México, nos cuesta sesenta y cuatro. O sea, que tenemos un déficit anual de casi treinta millones de francos... y además, eso de decir que las aduanas rinden tanto y tanto es relativo, porque los puertos de Matamoros y Tabasco han caído en manos de los juaristas... Y todavía Carlota se atrevió a recordarme que yo había dicho que la Legión Extranjera se quedaría en México ocho años después del retiro de las otras tropas francesas. Quizás Langlais hubiera podido poner un poco de orden en ese caos... pero ya ve usted: el pobre se nos murió en México...»

«Ay, sí, pobre Señor Langlais...»

«¿Y entonces sabes qué dijo, Mamá? ¡Que a Langlais lo habían envenenado! Y que a Palmerston también! ¡Y a su padre Leopoldo, y al Príncipe Alberto!»

«Ay, pero no es posible... ay pero es inconcebible... *¡El Pingüino de Las Malvinas!*»

Luis Napoleón se quedó viendo, absorto, el pingüino de Las Malvinas. Para el pingüino, una perla negra.

«Inconcebible, sí, Mamá, pero así fue. ¿Sabes? A veces tengo pesadillas: sueño con Carlota. La veo otra vez con ese traje negro, esa mantilla negra que estrujaba y mordía todo el tiempo, muy pálida y con ese enorme sombrero blanco que parecía como un pájaro sobre su cabeza, como una gaviota, no sé... es espantoso. Sueño que es ella la que nos quiere envenenar... y es que así fue, Mamá, ¿no te das cuenta? Ella fue la que envenenó todo, la que echó todo a perder. Ella y su terrible ambición...»

Luis Napoleón seguía con la vista fija en el pingüino de Las Malvinas. Eugenia se llevó un pañuelo a los ojos. Mamá La Condesa de Montijo siguió cantando la lotería, en voz muy baja.

«*La Vicuña de Bolivia...*»

«*La Onza de Baluchistán...*»

«*La Ballena de Groenlandia...*»

«Lo que más me dolió, Mamá, es que Lulú estaba tan contento... le dio tanta emoción ponerse al cuello el Aguila Mexicana, y cuando ella llegó hubieras visto con qué desenvoltura bajó las escalinatas de Saint Cloud para recibir a Carlota. Y le besó la mano y le ofreció el brazo... ella no lo merecía... la gente la aclamó en las calles de París... Pero ella estaba sorda, ciega. ¡Loca, Mamá, loca: ésa es la palabra!»

«Si ustedes quieren... si le place a Su Majestad, podríamos caminar un poco por el jardín, para que se olviden...»

«Hay cosas, Señora Condesa, de las que *no* hay que olvidarse, por duras que sean...»

«Y además, Mamá, ya te dije: mi pobre Luis camina con mucha dificultad, por las piedras...»

«Pero no caminaríamos por las piedras...»

«Ay, Mamá, Mamá, por las piedras que dice Luis que tiene en la vejiga...»

«En los riñones...»

«¡Ay, perdón! ¿Pero que en serio Su Majestad tiene piedras?»

«La verdad de las cosas, Mamá, es que los médicos no han encontrado nada...»

«Ah, nadie me cree, pero ya lo verán. Yo estoy seguro que tengo tantas piedras, que podría llenar con ellas una cajita como ésta», dijo Luis Napoleón, señaló una cajita china de laca negra con incrustaciones de jade, y agregó: «Cuando salgan todas, podremos jugar a la lotería con ellas...»

«Ay Luis, por Dios, eres tan... tan... no sé qué decirte: tan inconsiderado... Pero vamos a seguir jugando...»

«*La Alpaca* de... ah, a tu papá, Eugenia, le encantaban los trajes de alpaca... ¡*La Alpaca de Arequipa!*... Dime, Eugenia, ¿cómo fue lo del vaso de naranjada, que nunca he acabado de entender?»

«Ay, Mamá, pues que era un día muy caluroso, y entonces Madame Carette tuvo la buena idea de traernos unos vasos de naranjada helada, y cuando los vio Carlota dijo que no, que no iba a tomar naranjada porque estaba envenenada, imagínate...»

«¡Pero qué cosa!... ¡*El Rinoceronte de Uganda!*»

«Y siguió así: le dio por acusar a todos de que la querían envenenar... a sus propias acompañantes como la Señora del Barrio, el Doctor Bohuslavek, el Conde del Valle de Orizaba... me cuentan que hasta la comunión ha rechazado porque dice que las hostias están envenenadas...»

«¡Ay, se va a condenar! Desdichada Carlota: tendrías que perdonarla, hija, su mente está extraviada!»

«¿Yo? ¿Perdonarla, Mamá? Jamás, si dijo cosas tan terribles... ¡Hasta de ti las dijo! ¿Cómo la voy a perdonar?»

«¿De mí? ¿De mí? ¡No lo puedo creer! *¡La Piraña del Orinoco!*»

«¡Sí, Mamá, de ti!»

«¿Qué dijo? ¿Qué dijo?»

«Ay, Mamá, no sé para qué te lo mencioné... no, no puedo contarte, es una calumnia tan horrible...»

«¡Sí, sí, cuéntame!»

«No, Mamá, no puedo, no delante de Luis...»

«Pero si lo dijo delante del emperador...»

«Ay Mamá: ¿sabes qué dijo?, ¿sabes qué se atrevió a decir?»

«¿Qué? ¿Qué?»

«¡Qué tú habías tenido amores con Hidalgo, imagínate!»

«¿Yo? ¿Yo con Hidalgo? ¿Con ese mequetrefe? ¿Con ese pobre diablo? ¡Jamás, jamás! ¿Te acuerdas, Eugenia, que se ponía en cuatro patas y nosotros lo montábamos? ¡Sólo para eso era bueno! ¡Dios mío, de lo que son capaces las malas lenguas! *¡La Tortuga de Las Galápagos!*»

«Sí, sí me acuerdo, Mamá. Paca también se montaba en él...»

«Ay, Paca, Paca, por qué te fuiste... *¡El Avestruz del Sahara!*... tú lo tienes hija...

De una cajita de filigrana de plata Eugenia cogió un pequeño zafiro oriental y lo colocó en el avestruz del Sahara.

«¿Y lo que dijo de mi madre? ¿Lo que dijo de mi madre la Reina Hortensia que en paz descanse?»

«¡Qué horror! ¿Hasta de la señora madre de Su Majestad se atrevió a hablar?»

«Sí, sí, Mamá La Condesa. Cuéntale Eugenia».

«Ay, no, me da mucha vergüenza...»

«Cuéntale, cuéntale a tu mamá, Eugenia...»

«Pues verás, Mamá... ay, es que no puedo».

«Sí, sí puedes, Eugenia».

«Pues verás... ay, qué trabajo me cuesta, Dios Mío: llamó bastardo a Luis...»

«¡Ahhhh...!»

«Dijo que los Bonaparte eran todos unos advenedizos, que no sabía cómo ella, una princesa que llevaba en las venas sangre de los Borbones y los Orleáns, había podido humillarse ante un Bonaparte...»

«¡Ohhhh!»

«Y luego dijo que Leopoldo, su padre... pero lo que dijo es una infamia que no puedo repetir...»

«¿Qué dijo? ¿Qué dijo? A veces es bueno desahogarse contándole a los demás, hija... Y yo soy la persona más discreta del mundo, como bien lo sabe Su Majestad el emperador...»

«Sigue cantando las cartas, Mamá...»

«Como tú quieras... *¡El Panda del Himalaya!* ¡Ay, que animal tan gracioso!»

«Dijo que su padre Leopoldo había tenido amores con mi madre la Reina Hortensia...»

«Ah, ¡cómo es posible!»

«Sí, Mamá: eso dijo la loca, que cuando Leopoldo llegó a Francia con el ejército ruso, como teniente de los coraceros de María Feodorovna, la Reina Hortensia lo había seducido...»

«¡No puede ser!»

«Insinuando que Leopoldo podría ser mi padre, imagínese. Pero si yo tenía ya cinco años cuando Leopoldo llegó con los rusos, y cuando estuvo antes en París, yo todavía no había nacido. Y en esa época lo único que hizo fue importunar a mi tío Napoleón para que agrandara el Ducado de Coburgo...»

«¡Qué horror! Y luego se pasó con los enemigos del emperador!»

«Sigue, Mamá, sigue, por favor...»

«Sí, sí: *El Aye... El Aye* qué?»

«*El Aye Aye de Madagascar*, Mamá...»

«Es... como un mono, ¿no es cierto?»

«Tú lo tienes, Luis... Y claro, hubo un momento en que yo me desvanecí, Mamá...»

«Ay, claro, claro, era lo menos que te podía pasar, pobre hija mía... *¡La Gacela de Persia!*... Ah, eso es lo que me gustaría ser si reencarno en un animal: una gacela, son tan hermosas, tan ágiles... ¿y a ti, Eugenia?»

«¿A mí? Nunca he pensado en eso...»

«Pues a mí, Mamá La Condesa», dijo Luis Napoleón, «me gustaría ser una foca... pero una foca de zoológico...»

«¡Uy, qué graciosa es Su Majestad!»

«Ay, por Dios, Luis: no hablas en serio...»

«Muy en serio: no conozco animal más feliz que las focas de zoológico. Nadan y comen todo el día, aplauden, ladran...»

«Su Majestad nunca pierde el buen humor... ¿Y no hay una foca en la lotería?»

«Sí, yo la tengo, Mamá La Condesa: la foca de Nueva Escocia».

«Ay, pues ojalá que salga pronto... *¡La Cebra de Abisinia!*»

«De todos modos la cebra es mía», dijo Luis Napoleón, cogió un lunar plateado con la forma de una lágrima y lo colocó en la cebra de Abisinia.

«¿Y Su Majestad sabe qué fue lo que pudo provocar la locura de esa mujer?»

«Bueno, unos dicen, Mamá, que en México le dieron toloache...»

«¿Le dieron qué...?»

«Toloache, una yerba que enloquece...»

«Uy qué barbaridad, ¡qué gente tan diabólica!»

«Otros dicen, Mamá, que Carlota se volvió loca porque iba a tener un hijo...»

«Pero nadie se vuelve loco por eso...»

«Un hijo bastardo, Mamá...»

«¡No me digas!, ¿un hijo bastardo? ¿De quién?»

«Pues o de un mexicano que dicen es muy apuesto, el Coronel Feliciano Rodríguez, o del Coronel Van Der Smissen, el comandante de los voluntarios belgas...»

«¿De verdad? ¿Cómo pudo ser? Pero tampoco eso es para enloquecer a nadie... ella podría decir que es un hijo de Maximiliano...»

«No, Mamá, no podría...»

«¿Cómo es eso? ¿Maximiliano es impotente? ¿O infecundo? ¿No necesitará una operación, como Luis XVI?»

«No se sabe, Mamá, pero el caso es que Carlota y Maximiliano no tienen relaciones maritales: eso es un secreto a voces... ¿Te imaginas el terror de Carlota ante el escándalo si sale con un hijo natural?, ¿la vergüenza para los Coburgo y los Habsburgo?, ¿te imaginas?»

«Ah, ¿así que no se acuestan juntos?... ¿pero qué? ¿No se querían tanto?»

«Bueno, unos dicen que sí, que se quieren, pero que Maximiliano es impotente...»

«Y otras personas dicen, Mamá La Condesa, que lo que pasa es que Maximiliano contrajo una enfermedad secreta en su viaje al Brasil...»

«¡Uf, qué asco...! ¡La Anaconda de Itaparica!... ay, qué coincidencia, ¿verdad?»

«La anaconda la tengo yo, y sólo me faltan tres para ganar, Luis; y a ti cinco...», dijo Eugenia, y muy contenta tomó de una cajita de carey una perla rosada de Las Bermudas, la colocó en la gigantesca anaconda de Itaparica, y continuó:

«También hay quien dice que Carlota, por su educación tan católica, le tiene aversión a las relaciones físicas...»

«Pero entonces no tendría amantes: se contradice».

«Así es, Mamá, y por último otros dicen que lo que sucede es que Maximiliano, que es muy limpio... tú sabes: se baña todos los días en el Lago de Chapultepec...»

«¿Todos los días? ¡Qué exageración! Debe estar enfermo de la piel...»

«Que Maximiliano, te decía, repudió a Carlota porque Carlota es muy sucia...»

«Ah, tenía que ser: mente sucia en cuerpo sucio... *El Tepez...* no: *El Tepeizcunte del Tas...* ¡oh, yo no puedo pronunciar esto!»

«*El Tepeizcuinte de Tlaxcala,* Mamá...»

«Para un animal mexicano, una piedra mexicana», dijo Luis Napoleón, y colocó un ónix de Puebla en el Tepeizcuinte de Tlaxcala. «Me quedan sólo cuatro».

«¿Pero cómo es que te sabes todos estos nombres tan difíciles, hija?»

«Porque la hemos jugado varias veces... Lulú se los sabe de memoria...»

«Ah, mañana le voy a pedir que me los recite... Y dime: ¿se le notaba el embarazo cuando vino a Saint Cloud?»

«No, Mamá, no. Pero tú sabes: la han tenido encerrada varios meses en Miramar, sin dejar que nadie la vea...»

«¡Ah, entonces seguro que va a tener un hijo... la hipócrita ramera, con perdón de la expresión: y ella es la que me acusa a mí y a la señora madre del emperador de relaciones ilícitas! ¡Por Dios, qué mundo este!»

«Como tú comprenderás, Mamá, cuando a uno le dicen esas cosas, uno pierde el control: ¡yo también le dije varias verdades!»

«¿Ah sí? ¿Ah sí? ¿Cómo qué? ¿Cómo qué? *¡La Foca de Nueva Escocia!* ¡Ah, lo felicito, Su Majestad!... ¡ya nada más le quedan tres...!»

«¡Oh, estamos empatados! Pues te contaba, Mamá: cuando dijo que los Bonaparte eran unos advenedizos y que nosotros descendíamos de un traficante de vinos...»

«Pero si mi padre era de la nobleza escocesa: ¡eso todo el mundo lo sabe!...»

«Claro que sí, Mamá... pero yo le dije que qué se creía ella; que los Orleáns también eran unos advenedizos y que su padre Leopoldo se había pasado toda su juventud mendigando tronos, y que no había sido otra cosa que el casamentero de Europa, y un viejo avaro...»

«Qué barbaridad, ¿todo eso le dijiste?» *¡La Pantera Negra de Java!*»

«Ay, tú la tienes, Luis, ¡me vas a ganar!»

Luis Napoleón buscó otro lunar: uno grande y redondo, color de rosa y salpicado con polvo de oro, para la pantera negra de Java.

«Todo eso y más, Mamá: le dije que su padre venía a París a buscar prostitutas, que se pintaba las cejas y se ponía colorete para verse más joven... qué digo más joven: menos viejo... ay, no sé cómo me atreví... y ella siguió con sus calumnias, acusó a Luis de serme infiel...»

«Pero cómo es posible, ¡Dios Santo! *¡El Canguro de Nueva Guinea!*...¡es tuyo, Eugenia!»

«Me quedan dos, Luis, ¡me quedan dos!»

«Pero de ti no dijo nada...»

«No se atrevió... pero de todos modos me ofendió tanto, Mamá... me dijo que yo me dedicaba a vestirme porque nunca he encontrado placer en desvestirme...»

«Ay, ay, me voy a desmayar...»

«Por favor, Mamá La Condesa... Cálmese usted. Eso ya pasó».

«Sí, sí, Su Majestad, sí... ya me calmo, ya me calmo...»

«Y todavía dijo más, Mamá, ¿Sabes qué?...»

«¿Cómo, más todavía? *¡El Cóndor de Los Andes!* ¡Es suyo, Sire!»

«Oh, oh, otra vez empatados... ¡ay qué emoción! Sí, nos dijo, imagínate, que Maximiliano era el verdadero Napoleón III, porque era hijo del Rey de Roma, y que por eso Luis había tenido tanta prisa en deshacerse de él. Pero que Maximiliano regresaría un día a reclamar el trono de Francia para el Imperio Mexicano...»

«Oh, oh, qué ridículo: pero esa mujer perdió todo sentido de la proporción... Y además después de denigrar a los Bonaparte ¿dice ahora que Maximiliano tiene sangre Bonaparte? Eso no tiene pies ni cabeza...»

«Así es, Mamá La Condesa, así es...»

«A ver, Mamá, déjame soplarle a las cartas para que me den buena suerte...»

«Aunque yo no dudo que Sofía haya engañado a su marido, que era un imbécil, como ahora engaña Isabel a Francisco José... hay tanta corrupción en Viena...»

«Sí, Mamá, pero por favor: no podemos tomar en serio un chisme así...»

«Supongo que no... *¡El Ñandú de Patagonia!*... ¡Usted lo tiene, Su Majestad!»

«Ay, Luis tú vas a ganar... sigue, sigue, Mamá...»

«El Armadillo de Chiapas... qué animal tan...»

«¡Yo lo tengo! ¡Yo lo tengo: otra vez empatados, ay qué emoción!... A ver, Mamá, voltéalas muy despacito, muy despacito...»

«El Oso Blanco...»

«¡... de Alaska! ¡De Alaska! ¡De Alaska! Yo gané, yo gané», dijo Eugenia, se levantó y le echó los brazos al cuello al emperador. «¡Ay, mi pobre Luis... siempre le gano. Pero toma, toma un beso como premio!»

Le dio un beso tronado en la mejilla, regresó a su lugar, abrió una cajita de cristal de Murano y sacó de ella una esmeralda.

«Para el oso blanco de Alaska, mi piedra favorita», dijo, «y les propongo que cambiemos de tema y nos olvidemos de Carlota, ¿por qué no le cuentas a Mamá, Luis, de la Exposición Universal?», agregó Eugenia y comenzó a guardar piedras, lunares, gemas y perlas, cada una, cada uno, en su cajita de siempre.

«¡Ay, sí, sí, cuénteme Su Majestad!»

La esmeralda de vuelta a la cajita de Murano. Las ágatas color sangre aquí.

«Ah, me podría pasar días enteros hablando de la Exposición Internacional, Mamá La Condesa», dijo el emperador y se retorció los bigotes, «lo que le puedo decir, es que nadie, ni los ingleses, han hecho jamás una exposición tan importante...»

Los botones de Mandarín de coral allá, los brillantes de la Du Barry aquí.

«... y que el mundo se asombrará de las maravillas de la industria, la ciencia y las artes de Francia...»

Los piropos en la cajita de plata, los lapislázulis en la bombonerita esmaltada.

«Y también de las colonias francesas, Luis...»

Las turquesas de Kishapur allí.

«Bueno, sí, de las colonias traeremos materias primas, Mamá La Condesa. De Martinica nos va a llegar un millón de galones de ron...»

«¡Uy, qué borrachera!»

«Y vamos a traer arroz de la Cochinchina, índigo de Madagascar, sándalo de la Nueva Caledonia, azúcar de Senegal, qué sé yo...»

«Y la carroza del Pachá de Egipto...»

«Pero algo que va a gustar a todo el mundo son las dos maquetas que mandé hacer, Mamá La Condesa, ¿no es verdad, Eugenia?, una del túnel del Monte Cenis, y otra del Canal de Suez».

«¡Uy, qué maravilla!»

Y el zafiro que nos regaló el Rey de Siam acá.

3. Un pericolo di vita

Lo que no sabía Maximiliano, cuando iba camino del paraíso y del olvido:

Que el cuerpo de cuatro mil voluntarios austriacos que le había prometido su hermano Francisco José, jamás iba a llegar a México porque, ya formado dicho destacamento, el secretario de Estado americano, Seward, daría instrucciones a su embajador en Viena, Míster Motley, para que solicitara su pasaporte apenas partiera rumbo a México el primer barco con voluntarios a bordo, y declarara que a partir de ese momento los Estados Unidos se considerarían en guerra con Austria. De nada servirían las protestas del representante de Maximiliano en Viena, Barandiarán: Austria daría marcha atrás porque no deseaba una guerra con los americanos. Bastante tenía con la amenaza de Prusia: Bismarck quería decidir por medio de las armas quién debía ejercer el predominio en Alemania y unos meses después provocaría el estallido del conflicto sobre el condominio austroprusiano de Schleswig-Holstein que, tras la Batalla de Sadowa, conocida también como la de Königgrätz, habría de inclinar la balanza del lado de los prusianos durante muchos años por venir. Dos semanas y días más tarde Austria, en guerra también con Italia, obtendría una efímera victoria cerca de la Isla de Lissa, en el Golfo de Venecia: el barco insignia *«Re d'Italia»*, en lo que pasaría a la historia como el primer encuentro de dos escuadras acorazadas, sería hundido por el barco almirante austriaco *«Erzherzog Ferdinand Max»* y el Emperador de México, feliz, evocaría a sus «queridos marineros dálmatas e istrios», antaño bajo su mando, y diría que tan sólo lamentaba no haber sido él quien llevara a su bautizo de sangre la bandera de la corbeta que tenía su nombre. Pero antes de acabar ese año de 66 —entonces Maximiliano tampoco lo sabía—, Austria iba a perder para siempre a Venecia.

Lo que también ignoraba Maximiliano: que tras el triunfo de los prusianos sobre los austriacos, que se debería quizás en mayor medida al talento del General Von Moltke que a la eficacia de los nuevos fusiles de aguja, el ministro de Guerra francés Randon habría de exclamar: «¡Fuimos nosotros los derrotados en Sadowa!». Y, le placiera o no a Luis Napoleón esa alegoría, el caso es que por una parte el partido de Thiers y con él la oposición crecerían cada vez más en el parlamento francés y por la otra Prusia haría más de un despliegue de arrogancia: cuando el embajador de Napoleón en Berlín, Benedetti, presentara a Bismarck la solicitud de Francia para que, como premio por su consentimiento a la expansión de Prusia se le cedieran entre otros los territorios de Saarbrücken, Saarlouis, el Palatinado Bávaro y Maguncia, Bismarck se limitaría a no contestarle a Benedetti. Esos desplantes, y el acercamiento de Prusia a los rusos en busca de una alianza, acabarían por convencer a Luis Napoleón de la necesidad de retirar a sus tropas de México. E incluso el emperador pensaría en retirar también el contingente francés que estaba en Roma, a pesar del temor que tenía Pío Nono de que entonces la naciente Italia se anexara la Ciudad Eterna —como de todos modos sucedería.

Lo que Max sí sabía pero prefería, en lo posible, olvidar: que la guerra intestina le costaba aún al Imperio Mexicano sesenta millones de francos al año y que sin la ayuda de Francia no habría dinero que alcanzara (poco antes de su muerte, Langlais había recibido de Fould, el ministro de Finanzas de Luis Napoleón, la orden terminante de suspender los pagos al ejército mexicano).

Que la misión de Almonte en París, encargado de negociar un nuevo tratado secreto que sustituyera al de Miramar, había fracasado. Y que también habían fracasado las gestiones que por debajo del agua hacía el Padre Fischer en el Vaticano para obtener un concordato, y aquellas que más o menos por encima del agua hacían los tres representantes oficiales de México ante el Vaticano. Pío Nono había exclamado: «¡Ah, el triunvirato mexicano: uno es un niño, otro es un tonto y el otro un intrigante!».

Por si fuera poco: que Alicia Iturbide no paraba de hacer escándalos en Estados Unidos para que le devolvieran al pequeño Agustín y que de seguir así se saldría con la suya.

También que, si había otro francés aparte de Langlais en cuya buena fe Maximiliano hubiera podido confiar, ése era su buen amigo y fiel Subsecretario de Marina Monsieur Léonce Détroyat y que por ello, porque era honesto con el Emperador y no se podía ser honesto con Maximiliano sin traicionar los intereses de Francia, el Mariscal Bazaine solicitó a Luis Napoleón que reincorporaran a Détroyat al servicio activo de la marina francesa.

Y lo que ignoraba pero que muy pronto iba a saber: que Luis Napoleón, en su discurso inaugural de las nuevas sesiones del parlamento francés eliminaría él mismo cualquier posibilidad de cambiar de decisión, al anunciar de manera oficial el retiro de las tropas francesas de México.

Monsieur Détroyat le aconsejaría a Maximiliano que abdicara.

Lo mismo su amigo Herzfeld.

Y el propio Maximiliano pensó también renunciar a la empresa más de una vez.

Pero lo que no sabía Max es que su adorada, *carissima* Carla no compartiría jamás esa opinión, y que una mañana o quizás una mañana y una tarde, todo un día quizás con su noche Carlota Amelia se sentaría a escribir con su puño y letra una larga, prolija «Memoria» dirigida a su imperial esposo, y en la cual le dijo que abdicar era condenarse y extenderse a sí mismo un certificado de incapacidad. Carlota puso el ejemplo de Carlos X de Francia y de su propio hermano Luis Felipe quienes se hundieron, le decía a Max, porque abdicaron. En la «Memoria» Carlota citó también una frase de Luis el Grande: «En las derrotas los reyes no deben entregarse prisioneros». Agregó que si no se abandona un puesto ante el enemigo, ¿por qué entonces abandonar un trono?, y afirmó que, mientras hubiera en México un Emperador, habría un Imperio, aun cuando sólo le pertenecieran seis pies de tierra...

Algo más hizo Carlota: decidió viajar a Europa y visitar, primero a Luis Napoleón y luego a Pío Nono. La Emperatriz de México, la hija de las nobles casas de Sajonia y de Borbón, sabría exponer su caso al emperador de los franceses y al Pontífice, y lograría convencerlos de que era indispensable, no sólo para el bien de México sino de Francia y de la Iglesia Católica, salvar el tambaleante Imperio de su esposo.

Castillo el ministro del Exterior, el Conde de Bombelles, el Señor Velázquez de León, el Conde del Valle, la Señora del Barrio y la fiel camarera Matilde Doblinger, formaban parte de la comitiva de la Emperatriz. Dos días antes de partir, el 7 de julio, Carlota se ciñó por última vez en México la diadema imperial al asistir a un *Te Deum* cantado en la catedral en ocasión del onomástico de Maximiliano. Después de la ceremonia, la Señora Pacheco pidió permiso para abrazarla, y lo mismo hicieron otras de sus damas, con lágrimas en los ojos.

Como parte del dinero para el viaje, según dice Emile Ollivier, Carlota dispuso de sesenta mil piastras del fondo destinado a proteger a la ciudad de México contra las inundaciones.

El 9 de julio de 1866, muy de mañana, partió la Emperatriz. Llovía, y algunos caminos estaban intransitables. Maximiliano la acompañó hasta Ayotla, una pequeña población situada en el camino a Puebla en una de las estribaciones de la Sierra Nevada, y conocida entonces por la dulzura de sus naranjas. Allí, y quizás a la sombra de los naranjos, Maximiliano besó por última vez a Carlota: nunca más volverían a verse.

Y eso, Maximiliano tampoco lo sabía.

Sobre las causas de la locura de Carlota, abundan las teorías y las leyendas. Algunos autores, como Adrien Marx —«*Révélations sur la Vie Intime de Maximilien*»—, no saben de lo que hablan: Marx dice que Carlota fue una víctima del «*vaudoux*», con lo cual, claro, se refiere al culto del *vudú*, que proliferó en Haití y otras regiones del continente americano de población negra, y que nunca llegó a México. Otros aseguran que a Carlota le dieron en México una yerba que la enloqueció. No es desde luego improbable que alguien haya deseado o intentado envenenar a Carlota o a Maximiliano. Según parece, se pensó en un momento dado que la disentería casi crónica y otros malestares que sufría el Emperador, eran resultado de una bebida emponzoñada con la cual se había querido quitarle la vida. Se habló de la posible venganza del padre, o esposo, de la *belle jardinière* de la Quinta Borda. Incluso el Coronel Blanchot afirma que Maximiliano dejó de ir a la Villa Imperial de Cuernavaca, el *Petit Trianon* mexicano, porque no quería correr el riesgo de que lo agasajaran con otro *mauvais café*: con otro café emponzoñado. Pero las razones por las cuales el Emperador no volvió a frecuentar su quinta pudieron haber sido otras: por ejemplo, el embarazo de Concepción Sedano quien, según todo el mundo murmuraba, estaba encinta de Maximiliano. Después el Emperador dejó de ir porque estaba lejos, en Orizaba, y por último recibió la triste noticia de que las tropas republicanas habían entrado en Cuernavaca y saqueado la Quinta Borda. Había cosas más importantes entonces que reconquistar la Villa Imperial.

En lo que a Carlota se refiere, se dice que el veneno debió serle administrado poco antes de que se embarcara rumbo a Europa, ya que fue en el camino de México a Veracruz donde se presentaron los primeros indicios de locura. Carlota pernoctó en la ciudad de Puebla y de pronto despertó a sus acompañantes a la mitad de la noche, se vistió y exigió que se la llevara a casa del antiguo prefecto de la ciudad, el Señor Esteva. Aunque Esteva no vivía ya en Puebla, de todos modos hubo que abrirle las puertas a la Emperatriz, la cual recorrió en silencio y muy agitada las habitaciones vacías, al llegar al comedor comentó que allí se le había ofrecido alguna vez un banquete, y sin decir más regresó a su alojamiento.

La yerba de la que más se ha hablado, en relación con la supuesta intoxicación de la Emperatriz de México, ha sido el *toloache*, que no es otra cosa que el estramonio —corresponde a la especie *Datura stramonium*— y es una yerba hedionda, de aplicación medicinal en el tratamiento del asma y que al parecer produce una locura transitoria: sólo si se la ingiere en forma habitual, la insania se perpetúa. Es difícil, por lo tanto, culpar al *toloache* de la locura de Carlota.

El episodio del vapor-correo «*Impératrice Eugènie*» es considerado como otra prueba de que algo funcionaba mal en la mente de Carlota antes de abandonar las costas mexicanas. Pero hay que tomar en cuenta también el estado de exaltación de Carlota tras un viaje largo e incómodo en el que había ocurrido un incidente que con toda seguridad le trajo recuerdos poco agradables: a causa del mal estado del camino, se rompieron las ruedas de su carruaje. Lo mismo les había pasado en su jornada de Veracruz a Puebla recién llegados a México. La primera vez, ella y Maximiliano habían continuado el recorrido a bordo de una diligencia de la República. La segunda, Carlota estaba decidida a no perder un minuto y siguió a caballo.

Camino a Veracruz, además —y según dicen— la Emperatriz había escuchado cerca de Paso del Macho, y cantada a lo lejos por unos guerrilleros juaristas la letra de una canción atribuida a un distinguido republicano, Vicente Riva Palacio, y que corría de boca en boca por todo México desde que se supo que la Emperatriz se marchaba a Europa:

Adiós Mamá Carlota

(decía la canción)

Adiós mi tierno amor...
Se marchan los franceses...
Se va el Emperador.

Egon Erwin Kisch enumera, en un artículo, una serie de yerbas que pudieron haber sido las responsables de la enajenación de la Emperatriz, pero él mismo elimina algunas, como la mariguana. Otras se quedan en duda. Este es el caso del *ololiuque* o yerba de «los ojos desorbitados» que según el Padre Sahagún producía en quienes la ingerían como bebedizo «visiones y cosas espantables».

Lo que al llegar a Veracruz vio Carlota, sin embargo, no fue una visión espantable, sino la bandera francesa que ondeaba, según algunos autores, en el mástil del vapor-correo «*Impératrice Eugènie*», que era el barco que debía conducirla a Europa. Carlota, indignada, se negó a abordar hasta que no fuera izado en su lugar un pabellón mexicano. Corti pasa por alto este episodio y lo mismo hace la Condesa Reinach Foussemagne. Otros historiadores dicen que Cloué, el comandante de la división naval francesa de Veracruz, accedió al fin y se hizo el cambio de bandera. Castelot deja la cuestión sin aclarar y otros autores —Blanchot entre los antiguos, Gene Smith entre los modernos— dicen que fue la bandera francesa que ondeaba no en el «*Impératrice Eugènie*» sino en la lancha o barcaza que debía conducirla al vapor, la que Carlota quiso que se arriara y que después no dijo nada ya del otro pabellón francés que también entonces, y durante toda la travesía ondeaba y ondeó en el mástil del «*Impératrice Eugènie*».

En lo que siguió, coinciden de hecho todos los biógrafos e historiadores: que Carlota se indignó de nuevo, y que una vez más fue necesario calmarla, porque el vapor hizo sonar su sirena, como si estuviera apurando a la Emperatriz y a su comitiva a embarcarse. Una vez a bordo, Carlota se quejó del ruido de los motores y hubo que colocar unos colchones en el piso del camarote y otros, clavados, en las paredes. De todos modos, a partir de ese momento Carlota no se enteró cuál era la bandera que ondeaba en el mástil del *Impératrice Eugènie* ya que permaneció encerrada todo el tiempo —se negó incluso a desembarcar en La Habana, donde el vapor hizo una escala de dos días—, sufriendo de mareo y de terribles jaquecas. Cabe pensar que, si los colchones amortiguaron un tanto el ruido de las máquinas, quizás no lograron que Carlota dejara de escuchar la vulgar letra de «Mamá Carlota»:

> Alegre el marinero
> con voz pausada canta
> y el ancla ya levanta
> con extraño rumor.
> La nave va en los mares
> botando cual pelota:
> ¡Adiós Mamá Carlota
> adiós, mi tierno amor!

Pero loca o no antes de salir de México o durante su largo encierro en el camarote, en el que Carlota sentía morirse no sólo de las jaquecas sino del calor inclemente, también el azar, la mala suerte que persiguió a los Emperadores de México, así como otras situaciones ajenas a su control, contribuyeron sin duda a la irascibilidad mostrada por Carlota en Francia y muy probablemente a precipitar su enajenación. Fue mala suerte, por ejemplo, y no otra cosa, que al llegar a Saint Nazaire —donde el único personaje importante que la esperaba era Almonte— el alcalde fuera un hombre despistado que ignoraba la existencia de Carlota y recurriera al despliegue de una bandera peruana para recibir la inesperada visita de una Emperatriz que venía del otro lado del Atlántico: para un funcionario provinciano era tal vez muy difícil hacer distingos entre uno y otro de los exóticos países americanos.

Mala suerte fue también que en París los delegados y los carruajes imperiales esperaran a Carlota en la Gare D'Orleáns y que ella llegara a la Gare de Montparnasse, aunque esto pudo haberlo interpretado la Emperatriz como un detalle calculado para humillarla.

Pero lo que no era mala suerte, sino insolencia premeditada, fue la negativa de Luis Napoleón a recibirla y que, si no era explícita, se transparentaba en el telegrama que en Nantes le entregó el prefecto del Bajo Loira a Carlota, y en el cual el emperador de los franceses había tenido el descaro de sugerirle a Carlota que viajara antes a Bélgica a saludar a sus hermanos. Otra cosa muy distinta también fue que, en lugar de ofrecerle hospedaje en el Palacio de las Tullerías, la alojaran en un hotel. Y tampoco estas vejaciones se vieron compensadas por el hecho de que al fin y al cabo Luis Napoleón recibiera a Carlota en Saint Cloud con todos los honores de rigor y que el principito imperial, con la condecoración del Aguila Azteca colgada del cuello, la esperara al pie de las escalinatas para conducirla, gentilmente, de la mano: si el emperador la recibió, fue porque Carlota le había dicho a Eugenia, con toda claridad que, si Luis Napoleón se negaba a verla, ella entraría a la fuerza en Saint Cloud: *Je ferai irruption.*

Entre los que piensan que las manifestaciones de amor de Maximiliano hacia Carlota eran hipócritas y superficiales, y que Carlota lo sabía, hay algunos que imaginan que la Emperatriz pudo haber recurrido a una yerba que la curara de su supuesta esterilidad para tener un hijo que afianzara la devoción de su esposo. Esto se contradice con el hecho, del cual casi existe la certeza, de la ausencia de relaciones maritales entre ellos. Pero no deja de ser una posibilidad, y se dice también —quizás es una leyenda más— que Carlota acudió, la cara cubierta por un espeso velo, a la tienda de una herbolaria, quien la reconoció y, como era una partidaria de Juárez, la engañó y le proporcionó una seta llamada *teoxihuitl* o «carne de los dioses», la cual, y según dice Fernando Ocaranza en su «*Historia de la Medicina en México*», produce una enajenación mental definitiva sin causar la muerte.

Al parecer, los intoxicados con la «carne de los dioses» son muy agresivos y esto podría explicar, dice Erwin Kish, el comportamiento de Carlota en Saint Cloud. Qué agresiva fue la Emperatriz de México durante sus varias reuniones con Luis Napoleón, Eugenia y sus ministros, es difícil saberlo. Se ha puesto en duda, por ejemplo, que haya llegado al extremo de gritarle a Luis Napoleón que ella, una Princesa por cuyas venas corría la noble sangre de las casas de Borbón y de Sajonia nunca se humillaría ante un aventurero advenedizo como él —*un parvenu*—.

Pero, una vez más, hay que aceptar eso como una posibilidad. En primer lugar, todos los historiadores están de acuerdo en que las conversaciones de Carlota con Luis Napoleón y Eugenia fueron violentas en su mayor parte, incoherentes en ocasiones y sobre todo, humillantes para el emperador y la emperatriz de los franceses. Que Luis Napoleón lloró más de una vez frente a Carlota, y que Eugenia se desvaneció y hubo que darle a oler sales inglesas y descalzarla para frotarle los pies y los tobillos con agua de colonia, no sólo es posible, sino muy probable: Luis Napoleón estaba, sí, muy enfermo, y sobre los hombros de Eugenia comenzaba ya a pesar una gran parte de la responsabilidad del fracaso de la aventura.

A cambio de ello, ciertas frases están bien documentadas, como la famosa *Je ferai irruption* —entraré a la fuerza—, al igual que otras que la mayor parte de los historiadores ponen en los labios de Carlota. Por ejemplo: «Sire, he venido a salvar una empresa que es la vuestra», parece haber sido una de las primeras cosas que dijo Carlota a Luis Napoleón el primer día que lo vio en Saint Cloud, que fue el 11 de agosto de ese año del 66. Dos días después, tuvo lugar otra famosa escena: Carlota, entre las numerosas cartas que se llevó consigo a Europa —además del larguísimo Memorial que redactaron entre ella y Maximiliano y que contenía lo que Luis Napoleón sólo podía considerar como una serie de impertinencias—, Carlota, decíamos, sacó a relucir nada menos que la carta original que Luis Napoleón le había enviado a Maximiliano a Miramar, en marzo de 1864, cuando el Archiduque anunció que ya no aceptaría el trono de México. En la carta, Napoleón le decía a Maximiliano: «¿Qué pensaría usted realmente de mí si cuando Vuestra Alteza Imperial se encuentre en México yo le dijese de pronto que no podía cumplir las condiciones que ha firmado?». Esto era ya demasiado para Luis Napoleón. Tres días después, el 14, fue convocado bajo sus órdenes un Consejo de Ministros que decidió abandonar la empresa. El Ministro de la Guerra, Mariscal Randon, fue el encargado de comunicárselo a Carlota. El 18 de agosto, el propio Luis Napoleón visitó a la Emperatriz de México en el Grand Hotel. Corti cuenta que, tras una larga conversación, Luis Napoleón le dijo a Carlota que no tenía nada que esperar y que no debía hacerse ilusiones de ninguna clase. Carlota, fuera de sí, le respondió que la empresa concernía a Luis Napoleón más que a nadie, y que él tampoco debía hacerse ilusiones. Al parecer, el emperador se levantó en silencio, hizo una leve inclinación de cabeza y abandonó la *suite*.

Carlota se dio cuenta que en París ya no había nada qué hacer. Algunos historiadores han pensado que Carlota enloqueció, simplemente, porque su Imperio, y con él su mundo, comenzaron a desmoronarse a sus pies. Pero cuando salió de Francia y a pesar de la negativa de Luis Napoleón a seguir sosteniendo a Maximiliano, no todo parecía perdido. Luis Napoleón no había aún tomado la decisión de retirar también de

México a la Legión Extranjera, e incluso durante los primeros días de su estancia en París, Carlota había tenido razones para alimentar sus esperanzas. Tras la primera visita que Eugenia le hizo en el hotel, acompañada por la Princesa de Essling, la Señora Carette y algunos funcionarios de la corte, entre ellos el Chambelán Conde de Cossé-Brissac, y durante la cual Eugenia procuró, sin mucho éxito, conducir la conversación hacia temas banales —las *soirées* en Chapultepec, los viajes a Cuernavaca, los jardines flotantes de Xochimilco— Carlota recibió la visita de algunos ministros de Luis Napoleón que parecían entenderla y apoyarla. El Embajador de Austria en París, Richard Metternich, fue el único que le advirtió que nada había ya que esperar de Francia, pero los funcionarios de Luis Napoleón, quizás por temor de provocar en Carlota un acceso de furia, actuaron con hipocresía. Mucho habló Carlota con ellos: de finanzas, de las aduanas, de la Iglesia mexicana, de la organización del ejército mexicano, del retiro de las tropas francesas, del Mariscal Bazaine —a quien al parecer atacó sin misericordia—. Randon, el ministro de la Guerra, parecía convencido de todo lo que Carlota argüía, pero pensaba lo contrario. Fould, el ministro de Finanzas, la escuchaba con una gran atención, e incluso cuando Carlota se refirió a las grandes riquezas de México le brillaron los ojos y dijo que, si él estuviera joven, también hubiera ido a México. Pero Fould estaba decidido a recomendar —y así lo hizo—, que a Carlota se le negara todo, ya que sólo así, pensaba él, se podría lograr la abdicación de Maximiliano. Por último Lhuys, el ministro del Exterior, mostró también un gran interés en todos los argumentos de Carlota, al grado que ésta pensó que estaba de su lado y así se lo escribió a Maximiliano. Pero lo que no sabía la Emperatriz de México era que Lhuys llevaba ya su renuncia en el bolsillo, la misma que sería aceptada a principios de septiembre por Luis Napoleón. Para colmar el vaso, Carlota recibió también, en la *suite* del Grand Hotel de París, un visitante inesperado y poco grato: Alicia Iturbide. El Conde Corti no hace mención de este episodio, pero quienes sí lo hacen afirman que Carlota puso como condición para devolverle a su hijo que sus familiares reembolsaran al Imperio Mexicano todo el dinero que se les había dado. De todos modos, para esas fechas Maximiliano ya se había resignado a perder al pequeño Iturbide.

Si la primera manifestación de la insania de Carlota hubiera ocurrido no en Saint Cloud, sino en el Vaticano, una vez que Pío Nono le dijera que la Iglesia tampoco podía hacer nada, una vez que la célebre declaración *non possumus* —no podemos— la proverbial fórmula empleada por los Papas para rechazar las demandas contrarias a la tradición o los intereses de la Iglesia le fuera expresada a Carlota con todas sus letras, habría entonces, quizás, un poco más de razón para pensar que, en efecto, Carlota enloqueció al darse cuenta que Francia, el Vaticano, Europa entera, abandonaban al Imperio Mexicano.

Pero no fue así, ya que el episodio del vaso de naranjada ocurrió al principio de su visita a París. Desde luego, es también imposible saber con certeza si de verdad Carlota exclamó: «¡Sire, me quieren envenenar!» cuando en una de las varias reuniones que tuvo con Luis Napoleón y Eugenia en Saint Cloud, Madame Carette entró con la jarra de naranjada y ofreció un vaso a la Emperatriz de México. Un autor, André Chastelot, dramatiza la escena hasta el punto de poner en boca de Carlota palabras mucho más agresivas: «*Assassins! Laissez-moi!... Remportez votre boisson empoisonnée!*» «Asesinos, dejadme... llevaos vuestra bebida emponzoñada»: ésta sería una traducción más o menos literal de una frase que implicaría una acusación abierta y directa de Carlota contra el emperador y la emperatriz de los franceses. Pudo haber sido así, o quizás, y como otros historiadores afirman, Carlota se limitó a rechazar la bebida y fue más tarde, durante su viaje de Francia a Italia, en el tren imperial que Luis Napoleón puso a su disposición, cuando dijo que en el Palacio de Saint Cloud habían intentado darle muerte con un vaso de naranjada envenenada. No existen motivos, por otra parte, para pensar que no se lo dijo al Papa y, con un poco de inventiva, se la puede imaginar, como se la imaginó Berta Harding, diciéndole al asombrado e incrédulo Pío Nono: «*Santissimo Padre, ho paura! Questo Luigi Napoleone e la sua Eugenia mi hanno invenenato!*» —¡Santísimo Padre, tengo miedo: Luis Napoleón y Eugenia me han envenenado!

Eso sucedió durante la primera audiencia; o sea, el día anterior al episodio de la taza de chocolate. Por otra parte, el historiador Egon de Corti, cuando se refiere a esa segunda y forzada audiencia que el Pontífice le otorgó a Carlota tras de que la Emperatriz irrumpió en el Vaticano temprano en la mañana y vestida de negro de pies a cabeza, no dice que Carlota haya metido la mano en la taza de chocolate del Papa. El Conde sólo cuenta que la Emperatriz rechazó una primera taza que le fue ofrecida y que, cuando le sirvieron una segunda taza, bebió de la primera. En cambio, otros historiadores llegan al extremo de afirmar que fueron tres los dedos —¿el índice, el cordial y el anular?— los que Carlota metió en el chocolate para sorberlos después. Pero quienes así lo cuentan, no dicen si Carlota se quemó o no los dedos con el chocolate. En lo que coinciden muchos autores es en que la Emperatriz de México *sí* se quemó el brazo al día siguiente, cuando en la cocina del Orfanatorio de San Vicente de Paul lo metió de pronto en una gran olla de puchero hirviente, y que del dolor tan grande la desdichada Carlota se desmayó. Fue entonces, al parecer, cuando aprovecharon para llevarla de regreso a la *suite* imperial de su hotel, en una camisa de fuerza.

Algunos investigadores modernos niegan que Carlota haya sido envenenada con una yerba que la enloqueció, ya que los síntomas que presentaba —o lo que se sabe de ellos— no corresponden a los producidos por ninguna de las yerbas conocidas. Sobre la causa de su locura, existe otra teoría: Carlota estaba embarazada y, desde luego, no de Maximiliano. Se habló del coronel mexicano Feliciano Rodríguez, como posible padre de la criatura, pero otros acontecimientos posteriores hicieron pensar que, si en efecto estaba encinta, el padre podría ser el comandante de la legión belga, el Coronel Van Der Smissen. El temor al escándalo mayúsculo que Carlota sabía muy bien se iba a producir —si la teoría es correcta— cuando se supiera que en el vientre llevaba a un hijo bastardo, pudo ser suficiente como para precipitar su enajenación. La teoría del embarazo se fortaleció por el hecho de que la Emperatriz, llevada de Roma a Trieste por su hermano el Conde de Flandes —quien viajó a Italia con ese objetivo—, pasó varios meses encerrada en el *Gartenhaus* de Miramar, sin que nadie pudiera verla, a excepción de los médicos y algunas damas de servicio. Incluso hay quienes dicen que Carlota dio a luz a un niño antes de llegar a Miramar, y que la criatura nació durante la noche que pasó en el Vaticano. Sin embargo, es de suponerse que se hubiera notado su embarazo a su llegada a París o Roma, y no hay indicios de que así fuera. Por otra parte, los vestidos que usó en Francia e Italia no parecerían los adecuados como para ocultar una preñez tan avanzada.

Carlota sí, en efecto, pasó una noche en el Vaticano, pero existe también cierta confusión sobre cómo ocurrió el episodio y en qué parte del palacio durmió. Unos historiadores dicen que, tras el desayuno, la Emperatriz fue conducida por el Papa a la biblioteca y allí el Pontífice aprovechó un descuido de Carlota para esfumarse. La Emperatriz, agregan, se negó entonces a abandonar el recinto, y hubo que llevar unas horas más tarde una cama para que allí pasara la noche. Al día siguiente, con el señuelo de la visita al orfanatorio, lograron que saliera de la Santa Sede. Así, y según cuenta Corti en «*Maximilian und Charlotte von Mexiko*», después del desayuno el Papa pidió al coronel de la gendarmería pontificia, Bossi, que acompañara a la Emperatriz a la biblioteca. Más tarde, Carlota pidió que se la llevara a los Jardines del Vaticano y allí bebió de una fuente, y después accedió a almorzar con el Cardenal Antonelli, pero puso una condición: que la Señora Del Barrio y ella comerían al mismo tiempo y del mismo plato. Llegada la noche, se trató de convencerla para que regresara al hotel, pero la Emperatriz dijo que allí estaría rodeada de asesinos, y se negó a abandonar el Vaticano. Jamás, dice Corti, una mujer había sido recibida en la noche en la Santa Sede, pero fueron tales los gritos desgarradores de Carlota, que el Papa dio su consentimiento para que durmiera en la biblioteca.

Corti publicó «*Maximilian und Charlotte von Mexiko*» en 1924. Nueve años más tarde, en Leipzig, apareció una edición abreviada y revisada, con el título «*Die Tragödie eines Kaiser*». Este último libro, no por abreviado deja de ser voluminoso y una valiosa fuente de información. Pero al abreviar, fueron suprimidos algunos episodios o escenas que constituyen un material precioso tanto para la historia como para la literatura. Así, por ejemplo, en «*Die Tragödie eines Kaiser*», Corti no incluye la escena del orfanatorio, que en la primera versión de su libro aparece con detalles adicionales: antes de meter el brazo en la olla de puchero hirviendo, dice Corti, la Emperatriz, al ofrecérsele una cuchara para probar el guiso y notar que estaba sucia, gritó «¡Esta cuchara está envenenada!». Fue entonces cuando introdujo el brazo en la olla del puchero, y del dolor se desvaneció. Al llegar al hotel, Carlota, ya consciente, se negó a bajar del coche, y hubo que arrastrarla a la *suite*. Pero no sólo se suprime este episodio en la versión abreviada del libro de Corti, sino que además, la historia cambia: se dice que al día siguiente de la noche que Carlota pasó en el Vaticano, la Emperatriz se tranquilizó después de dictar varias cartas, y consintió en que se la llevara al hotel. Por otra parte, en «*Die Tragödie eines Kaiser*», no se dice, como en la primera versión, que Carlota se quedó en el Vaticano tras el desayuno con el Papa y que no salió de allí hasta el día siguiente, sino que se cuenta que el Coronel Bossi, hacia las ocho de la noche, la convenció a que regresara al hotel, y que la Emperatriz dejó de nuevo el hotel a las diez de la noche, para ir al Vaticano y allí pedir asilo a gritos. Fue entonces, leemos, cuando Monsignore Pacca, que la había recibido, ordenó que se preparara una de sus habitaciones para que allí durmiera la Emperatriz de México. En otras palabras, la Biblioteca del Vaticano como dormitorio provisional de Carlota desaparece en la versión abreviada, y con ella otros pormenores: los candeleros y los magníficos muebles —incluyendo dos camas, una para Carlota y otra para la Señora del Barrio—, que según Corti, en «*Maximilian und Charlotte von Mexiko*», ordenó el Papa que fueran llevados a la biblioteca, y a los que se podría agregar —aunque esto no lo dice ni Corti ni ningún otro historiador, pero es de suponerse que el Pontífice no descuidaría un detalle semejante—, dos bacinillas o tazas de noche: una para Carlota y otra para la Señora del Barrio.

Cualquiera que haya sido el criterio aplicado en la segunda versión para abreviar, suprimir o hacer cambios —algunos de éstos, quizás, debidos a dudas posteriores o al hallazgo de nuevos documentos o testimonios—, el caso es que, al parecer, casi todos los biógrafos e historiadores posteriores a Corti leyeron una u otra versión, pero muy pocos las dos. Sin embargo, todo indica que la primera versión ha sido la más frecuentada, de manera que algunas de esas grotescas imágenes: Carlota con el brazo metido hasta el codo en una olla de puchero hirviendo, Carlota arrastrada por las escalinatas del *Albergo di Roma*, Carlota a la luz de unas velas acostada en una cama y rodeada de los libros y manuscritos de la biblioteca del Vaticano, sobrevivieron a la revisión de la obra de Corti y pasaron, de todos modos, a la historia.

Pero otras cosas aparecen en ambos libros, como las cartas, el vaso y el gato. Las cartas las escribió Carlota en la Santa Sede, tras haber pernoctado en ella. La destinada a Maximiliano, a su «tesoro entrañablemente amado», era de hecho una carta de despedida: Carlota le decía que iba a morir muy pronto, envenenada, que legaba a Maximiliano toda su fortuna y sus joyas, que no deseaba que se le hiciera una autopsia y que quería se le diera sepultura en la Basílica de San Pedro, lo más cerca posible de la tumba del Apóstol.

El vaso que Carlota se llevó del Vaticano, para beber en él de las fuentes de Roma, aparece, decíamos, en las dos versiones y es mencionado en un mensaje que Pío Nono le escribió a la Emperatriz antes de que ésta partiera de Roma y en el cual, además de decirle que rezaba a Dios para que su alma recuperara la tranquilidad, el Pontífice la invitaba a quedarse con el vaso. Por último el gato fue llevado a la *suite* del hotel por órdenes expresas de Carlota, para que se le dieran a probar todos sus alimentos. La gallina que, dicen otros autores, fue también llevada a la *suite* para que Carlota pudiera comer los huevos que ella misma viera poner, no es mencionada por Corti en ninguna de las dos versiones de su obra. Pero sí que desde su llegada a Roma, la Emperatriz casi se limitó a comer naranjas y nueces que ella misma compraba a los vendedores callejeros, y cuyas cáscaras examinaba cuidadosamente, para asegurarse de que no les hubieran inyectado alguna sustancia. Después Carlota llegó incluso a negarse a que la peinaran, porque también creía que las púas del peine podían estar envenenadas. Esta obsesión, la de creer que todos los objetos a su alrededor podían contener ponzoña, se exacerbó en el curso de los días y así, cuando su hermano el Conde Flandes llegó por ella a Roma para llevársela a Miramar, Carlota veía por todas partes cucharas y tenedores envenenados. Incluso en la plumilla con la que se disponía a escribir un mensaje, la tinta seca se transformó, para la Emperatriz, en estricnina.

Por supuesto, esta plumilla pudo haber sido inventada por un historiador. Y quizás tampoco nunca existió el gato. Lo importante es que, detalles más, detalles menos, hubiera bastado que Carlota, por ejemplo, bebiera de una sola fuente, para saber que se había vuelto loca. Carlota, nos dicen, utilizó el vaso del Vaticano para beber de las fuentes de Roma: Roma es una ciudad donde abundan las fuentes y, si tal como afirman varios autores la Emperatriz de México acudió cada día a una distinta, cabe suponer que una mañana bebió de la Fuente de los Ríos de Bernini y otra de la Fuente del Moro, y que una tarde acudió a la Fuente de Neptuno y otra a la Fuente de las Tortugas o a la Fuente de la Barcaza: da lo mismo. Da lo mismo porque bastó con que bebiera de una sola de ellas, bastó con que acudiera a la primera fuente, la de Trevi, la mañana en que, camino del Vaticano y acompañada de la Señora Del Barrio ordenó al conductor que se dirigiera a la Plaza de Trevi y allí, y esa vez no de un vaso, sino del cuenco de sus manos y frente al Palacio de los Duques de Polo, frente al majestuoso dios Océano que surge del mar en un carruaje arrastrado por dos caballos marinos y blancos conducidos por Tritón bebió, muerta de sed, la dulce agua clara y fría que brota de las eternas y pulidas, blancas rocas de mármol, bastó verla una sola vez de rodillas y vestida de negro junto a la fuente más hermosa del mundo, para que se supiera que la Emperatriz de México, Carlota Amelia de Bélgica, había enloquecido en Europa.

Maximiliano se enteró de la locura de Carlota unas semanas más tarde. Carlota despertó entre los incunables del Vaticano el 2 de octubre de 1866. Ese mismo día, en México, en el «Diario del Imperio», se publicó una noticia, por demás escueta, en la que se decía que la Emperatriz había cumplido ya su misión en Europa. El 18 del mismo mes, Maximiliano recibió dos telegramas, uno de Roma y otro de Miramar en los cuales se le comunicaba que Carlota estaba enferma y que se había llamado al Doctor Riedel para que acudiera a Trieste. Maximiliano se encontraba con el Doctor Samuel Basch, médico militar de cámara que había llegado a México ese año del 66, y le preguntó si había oído hablar del Doctor Riedel. Basch, sin saber la causa de la curiosidad de Maximiliano, le dijo que Riedel era el director del manicomio de Viena.

Esta revelación, por supuesto, fue una bomba y a partir de ese momento, uno más de los muchos agobios que debía soportar Maximiliano. Tomó entonces el Emperador la decisión de marchar a la ciudad de Orizaba. Su viaje se prestó a toda clase de rumores que, si por una parte se dijo que Carlota iba ya a regresar de Europa y que la razón de la ida de Maximiliano a Orizaba era la de darle encuentro a medio camino entre la ciudad de México y el Puerto de Veracruz, por la otra se supo que Maximiliano había ordenado que se empacaran todos sus objetos y archivos personales para enviarlos al mismo Veracruz y embarcarlos a bordo de la corbeta austriaca «Dandolo», allí fondeada. El Coronel Blanchot, sin embargo, afirma en sus Memorias que desde hacía varios meses antes, Maximiliano había comenzado a enviar a Europa muebles y objetos de arte, entre estos últimos muchos de los que adquirió en México. Blanchot dice que Maximiliano se las arregló, además, para «extraer» de algunos museos de provincia una buena cantidad de pinturas de maestros antiguos que «tomaron el camino de Miramar». Según un informe del coronel, muebles procedentes tanto del Castillo de Chapultepec como de la Quinta Borda —antes de que fuera saqueada— se concentraron en el Palacio Imperial y de allí, empacados en sesenta grandes cajas junto con el resto de los objetos, salieron una mañana escoltados por un destacamento austriaco. Al mismo tiempo, Maximiliano pidió a Herzfeld que le escribiera a Résseguier a los Estados Unidos para que éste fletara un velero que fuera a Veracruz a llevarse a Europa al Emperador y a un séquito de unas quince o veinte personas, en el caso de que el capitán del «Dandolo» se negara a trasladarlo. Así lo hizo Résseguier, y unos cuantos días más tarde un barco llamado «María» estaba listo para hacerse a la vela rumbo a Veracruz. Por último, el Coronel Kodolitsch recibió instrucciones de vender los cañones austriacos que eran de la propiedad privada de Maximiliano.

El viaje de Maximiliano a Orizaba coincidió con la llegada a México de un enviado de Luis Napoleón: el General Castelnau, con el cual se cruzó en la misma población, Ayotla, donde se había despedido de la Emperatriz. Maximiliano se negó a dar audiencia a Castelnau, y siguió camino a Orizaba. Las relaciones entre el Emperador y los franceses empeoraban, así, día con día. A Bazaine, cuando el mariscal marchó a San Luis para acelerar la concentración de las tropas, también le había negado audiencia, bajo el pretexto de estar indispuesto. El hecho de que el mariscal y Maximiliano fueran «compadres» —Max y Carlota habían llevado a la pila bautismal al primogénito de Bazaine y Pepita Peña—, no sirvió, al parecer, para mejorar sus relaciones. Los franceses estaban también ofendidos porque Maximiliano siempre se refería al ejército francés como un ejército «auxiliar», y porque en la última celebración de la Independencia de México, el 16 de septiembre del 65, Maximiliano no se había dignado hacer una sola mención de las tropas francesas. El Emperador nunca visitaba los hospitales del ejército francés y, habiéndose presentado al entierro del Barón d'Huart —el amigo de Leopoldo II de Bélgica que había sido aseinado en Río Frío por unos guerrilleros juaristas, que no por unos bandidos—, no asistió, en cambio, al de Langlais.

Las relaciones entre los franceses y las legiones austriaca y belga también se habían deteriorado, al punto que Thun, el comandante austriaco, se negó a obedecer una orden de Bazaine de dirigirse a Tulancingo, y permaneció con sus hombres en Puebla. En Puebla estaban también los muchachos belgas que formaban la Guardia de la Emperatriz. Blanchot comenta que era natural que Maximiliano quisiera tener a sus tropas más fieles en el camino a Veracruz.

La misión de Castelnau, quien tenía la autoridad suficiente como para tomar el mando de todas las tropas por encima de Bazaine si lo considerara necesario, tenía un doble objetivo: el de precipitar el retiro del ejército francés, y el de convencer a Maximiliano a abdicar. Para entonces, era evidente que Luis Napoleón ya no quería saber nada de México, y en una carta dirigida a Maximiliano había sido más que explícito: Francia, le dijo, no podía ya disponer de un solo centavo o un hombre más *(ni un écu ni un homme de plus)* y como la actitud de Estados Unidos era cada vez más amenazadora, se inició la evacuación sistemática de las plazas. Monterrey fue abandonado una vez más, la cuarta, y también los estados de Sonora y Sinaloa, lo que significó la pérdida de los importantes puertos de Guaymas y Mazatlán. Por su parte el General Douay se vio obligado contra su voluntad a salir de Tampico donde lo primero que hicieron los juaristas, al recuperar la ciudad, fue alzar una horca en la plaza principal y colgar en ella al gobernador imperial.

Cualquiera habría pensado que Castelnau no tendría que convencer a Maximiliano, porque la decisión de irse de México, al embarcar los objetos y archivos y salir de la capital, parecía evidente. Sin embargo, en esto, como en todo lo que hacía, Maximiliano demostró una vez más su debilidad de carácter.

Una proclama que explicaba al pueblo mexicano sus motivos, nunca fue dada a la imprenta. Además, se decía que Francisco José no lo dejaría entrar a Austria o sus dominios. Según Pierron, el nuevo embajador austriaco le había dicho que Francisco José no permitiría que Maximiliano se instalara ni siquiera en Miramar o en la Isla de Lacroma. Esto no sonaba tan ilógico si se tiene en cuenta lo que Eloin le había dicho a Maximiliano en una carta escrita desde Viena en julio de ese mismo año. En ella Eloin no sólo afirmaba que los archiduqueses austriacos tenían la intención de poner sus palacios bajo la protección de la bandera mexicana para salvarlos de los prusianos, sino que además le contaba que en una ocasión en que Francisco José, poco después de la derrota de Sadowa se trasladaba a Schönbrunn, la multitud había guardado a su paso un silencio hosco interrumpido por un solo grito: «¡Viva Maximiliano!»

Al parecer, Max se arrepintió del desaire que le hizo a Bazaine y trató una vez más de congraciarse con los franceses. Pensó en ofrecerle a Francia la concesión para construir un ferrocarril y un canal en el Istmo de Tehuantepec, e incorporó a dos franceses en su gabinete: al General Osmont lo nombró ministro de Guerra, y al Intendente General Friant, ministro de Hacienda. Ambos eran de la absoluta confianza de Maximiliano: «Con ellos —decía el Emperador—, haré en tres semanas lo que Bazaine no ha querido o podido hacer en tres años». Pero Luis Napoleón se dio cuenta que con esta maniobra Maximiliano quería implicar a Francia de manera más directa en la responsabilidad de las finanzas y las operaciones militares futuras, y Osmont y Friant sólo duraron dos meses en sus cargos, ya que se les dio a escoger: entre renunciar a sus ministerios o renunciar al ejército francés.

Maximiliano se deshizo también de un buen amigo, Herzfeld, que era uno de los que más insistía en la abdicación, y a quien envió a Europa con la misión de anunciar su regreso. Asimismo, se deshizo del jefe de la Secretaría, Pierron, al que dejó en la ciudad de México cuando partió hacia Orizaba. Pronto no hubo ya franceses alrededor de Maximiliano, como lo aconsejaba Carlota en una de sus cartas, pero desde luego el Emperador no se apoyó, entre otras cosas porque no podía, en el «elemento indígena» —otra recomendación de su mujer— y a cambio de ello, y como dice Corti, en nombre de Dios capituló una vez más al echarse en brazos de los ultraconservadores y renunciar así a sus convicciones políticas. Teodosio Lares, el hombre que había presidido la famosa Asamblea de Notables que «eligió» a Maximiliano, fue nombrado jefe de un nuevo gabinete y el Padre Fischer, de regreso ya de Roma sin el prometido concordato en el bolsillo, comenzaba a ejercer una influencia cada vez más grande sobre Max. El «Mazarino apasionado y ridículo», como llama Blanchot a Fischer, llegó al extremo de instalarse en los departamentos de Carlota cuando ésta partió a Europa, para estar así en contacto constante con Maximiliano.

Con Lares, Fischer, el Doctor Basch, el sabio Bilimek y varios borradores de proyectos de abdicación escritos y reescritos en el bolsillo, el Emperador salió de la ciudad de México el 31 de octubre de 1866 a las cuatro de la mañana, escoltado por más de trescientos húsares bajo el mando del Coronel Kodolitsch. En su libro *«Recuerdos de México»*, el Doctor Samuel Basch cita a Maximiliano diciendo: «Ya no vacilo. Mi mujer está loca. Estas gentes me están matando a fuego lento. Me voy». Por esos días se dijo haber descubierto una conspiración para asesinar a Maximiliano. El general mexicano Tomás O'Horan se lo comunicó así al Emperador y dijo que ya había colgado al cabecilla y once conjurados. El Doctor Basch opina que todo era un invento de O'Horan. De todos modos, se le entregó a Maximiliano lo que Basch llama un *memento mori*: el fusil con el cual, según el general mexicano, iba a disparar el asesino. Camino a Orizaba, en la Hacienda de Zoquiapan, Maximiliano estuvo a punto de abdicar, pero consideró que se trataba de un lugar poco importante para un acto tan grave, y además Fischer y sus amigos —a los que Max llamaba «pelucones y mandarines»— lo disuadieron una vez más. Dice Basch que Maximiliano le preguntaba a Fischer: «¿Debo abdicar? ¿O debo irme sin hacerlo?» y que el antiguo buscador de pepitas de oro le propuso que renunciara a favor de Napoleón III, cosa que a Maximiliano le pareció una idea «maquiavélica». Por lo demás y a pesar de que en Orizaba se le organizó al Emperador una entusiasta bienvenida, el viaje, lento, fue incómodo y abundaron los sinsabores. Maximiliano sufría de insomnio, diarrea y fiebres intermitentes; en más de una ocasión se vio obligado a dormir en habitaciones glaciales, y en un lugar llamado Molino del Puente pasó la noche casi en blanco por los ruidos que hacían los caballos, vacas y ovejas de unos establos cercanos. Pero fue en Acultzingo donde ocurrió el incidente más ominoso, porque allí le robaron al Emperador las seis mulas blancas de su carruaje.

Una vez en Orizaba, Maximiliano se tranquilizó un tanto, como le pasaba siempre que estaba en el campo, lejos de la capital, y entre otras cosas se dedicó a herborizar y a cazar, entre las yucas y los cafetos, y en la compañía de Bilimek, mariposas, escarabajos tornasolados y otros insectos, y a elaborar nuevos proyectos como aumentar los fondos destinados a la instrucción pública mediante la creación de una lotería nacional con doce «extracciones» anuales y billetes de cinco y diez pesos. En Orizaba, también, y como ya le había dicho antes al Mariscal Bazaine, decidió anular el decreto negro del 3 de octubre. Contradictorio como siempre, escribió una serie de cartas de despedida a funcionarios y amigos mexicanos, que comenzaban todas con las mismas palabras: «en los momentos de separarme de mi querida Patria...» y que fueron a dar, todas también, a un cajón.

El historiador mexicano Justo Sierra dice que Maximiliano, quien a veces recordaba la leyenda de la noche en que Hernán Cortés, tras una derrota, se sentó bajo un árbol de Tacuba a llorar y se preguntaba —Maximiliano— si a él también le llegaría el momento de buscar otro árbol de la Noche Triste para desahogar sus amarguras y fracasos, era en Orizaba un Príncipe cautivo, sí, pero cautivo de sí mismo. Algo hay de cierto, quizás mucho, en esa afirmación. Pero de cualquier manera tanto al aislamiento como a la indecisión de Maximiliano contribuían todos aquellos que no deseaban su abdicación. Y no sólo el Padre Fischer: el ministro de la Casa Imperial, Arroyo, comenzó a presionar a Maximiliano para que regresara a la ciudad de México. Don Teodosio Lares le hacía ver el peligro que correrían sus partidarios en México si los abandonaba, y se permitió recordarle el juramento que, sobre los Evangelios, había hecho en Miramar. El Doctor Basch nos dice que por su parte el nuevo ministro de Finanzas, Lacunza, le habló a Maximiliano sobre el honor de los Habsburgo. Además, el retiro inminente de los franceses podía considerarse desde dos puntos de vista casi opuestos: por un lado, representaba un riesgo; pero por el otro, un alivio y quizás con ello se obtendría el reconocimiento del Imperio por parte de Estados Unidos, pues como le había escrito Montholon a Maximiliano, la Doctrina Monroe se oponía a la presencia de una fuerza de ocupación en México, pero no tenía por qué oponerse a una monarquía sostenida por un ejército nacional. Lo mismo opinaba Carlota. Aunque desde luego, no era posible confiar ni en los franceses ni en los americanos. ¿No le habían contado que Montholon y su señora habían asistido en Washington a una fiesta que Seward ofreció en honor de Margarita Juárez y a la cual se presentó el propio Presidente Johnson? ¿Y no era un secreto a voces que Seward, durante una gira por el Caribe había llegado a la Isla de Saint Thomas para hablar con Santa Anna? Por fin, ¿a quién apoyaba Estados Unidos? ¿A Juárez o a Santa Anna? El viejo general no se daba por vencido: le había contado todos sus planes y sus ambiciones a un teniente francés de nombre Béarn que también había pasado por Saint Thomas y que le tomó el pelo al general diciéndole que era alemán. En cuanto a la ayuda que podía esperar el Imperio de otros países, de Inglaterra, por ejemplo, había razones para estar optimistas. Es verdad que la muerte del Rey Leopoldo quien por ser tío de la Reina Victoria había siempre tenido influencia en la corte de Saint James, y la muerte también de Palmerston considerado por algunos como una especie de «campeón de los monarcas liberales» podía significar que el apoyo de Inglaterra a Maximiliano disminuyera... pero la verdad era también que el nuevo cónsul británico se portaba muy afable con él. Lo que es más, Sir Peter Campbell, a su paso por Orizaba camino a Veracruz, dijo compartir la opinión del Emperador en el sentido de que no debía abandonar el país hasta que una Asamblea Nacional decidiera por él. Maximiliano no sólo aceptó la idea de obedecer el dictado de una Asamblea Nacional nombrada al efecto, sino que, al parecer, dijo que si la Asamblea se decidía por una República, él sería el primero en felicitar al nuevo presidente.

Por ese entonces, un escándalo más había agravado la posición de Maximiliano en Viena. Eloin, en otra de sus cartas, se refería de nuevo a la popularidad de Maximiliano en su país de origen. En Austria, decía el belga, las simpatías hacia Max se propagaban en tanto el pueblo exigía la abdicación de Francisco José. En Venecia, todo un partido había aclamado a su antiguo Gobernador. La carta, que contenía también penosos detalles sobre los achaques que sufría Napoleón III, fue enviada por Eloin desde Bruselas en un sobre doble, a *le Consul du Mexique à New York*. Eloin olvidaba que el único cónsul en esa ciudad reconocido oficialmente por los Estados Unidos era el que representaba al gobierno de Juárez, y fue quien recibió la carta. El cónsul la abrió, la leyó y, antes de remitirla al llamado cónsul imperial, la hizo copiar y entregó las copias a la prensa americana.

En esa carta, de cuyo contenido se enteró todo el mundo, Maximiliano podía encontrar razones para volver a Viena, en el supuesto caso que su hermano hubiera permitido su entrada a Austria o sus dominios. ¿No tenía acaso sangre habsburga en las venas? ¿No le había sido otorgado el derecho a figurar como el segundo en la línea de sucesión de la Corona Austrohúngara? Y en última instancia: ¿no le habían dicho que Luis Napoleón le propondría a Francisco José que nombraran a Maximiliano Gobernador de Venecia para así hacerle a Austria menos dolorosa la pérdida de la provincia? Cambiar a México por Venecia salvaguardaría el honor, y por supuesto, ni Eloin ni nadie tenía que decirlo en sus cartas: Max y Carlota, que entonces ya no representarían el yugo austriaco, serían, al fin, respetados y amados por los venecianos.

Sin embargo, y aparte de una carta más todavía de Gutiérrez Estrada en la que también el mexicano hablaba del honor de los Habsburgo y que, dice Corti, estaba «adaptada de un modo diabólico a la mentalidad del Emperador» y por ello le produjo un profundo efecto, existió al parecer una carta más que nunca apareció. Corti dice que Emile Ollivier, en «*L'Expédition du Mexique*» atribuye la decisión definitiva de Maximiliano a una carta de su madre la Archiduquesa Sofía, pero que Ollivier nunca la vio, y que se apoya sólo en un testimonio del Barón Lago, quien le contó al embajador francés en México, Alphonse Dano, haberse enterado del contenido. Ollivier, en efecto, da por un hecho la existencia de la carta y señala que fue Kératry el único de los historiadores de la época que se dio cuenta de la importancia de la supuesta misiva. Se supone que en ella la archiduquesa decía que en Austria Maximiliano se encontraría en una situación ridícula y humillante —esto en el caso poco probable de que Francisco José lo dejara entrar— y que por lo mismo Maximiliano debía quedarse en México y afrontar todos los peligros. Corti duda que esa carta haya sido escrita jamás, y remite al lector a otra carta de la misma Archiduquesa Sofía escrita unas semanas después, en ocasión de las fiestas de Navidad, y en la cual Sofía dice aprobar *enteramente* —el subrayado es de Corti— la resolución de Max de quedarse en México, y más adelante expresa su deseo de que permanezca en su país adoptivo, «todo el tiempo posible y que puedas hacerlo con honor», pero, y como señala el mismo Corti, en esa carta, conservada en el Archivo Estatal de Viena, la archiduquesa estaba lejos de decirle a su hijo que no sería bien recibido, y que se pondría en ridículo si regresaba a Austria.

Había, sin embargo, una razón más poderosa para que Maximiliano se quedara en México: la locura de Carlota. Es posible que cuando el Doctor Basch le explicó quién era el Doctor Riedel de Viena, Maximiliano sospechara ya que algo no funcionaba bien en la mente de su mujer. Egon de Corti, entre las numerosas cartas que encontró en el Archivo Estatal de Viena y en posesión del Conde Rudolph Résseguier, publicó varias que Carlota dirigió a Maximiliano —unas escritas en alemán, otras en francés— desde París primero, y luego desde diversas partes del recorrido que efectuó de París a Miramar y luego de Miramar a Roma. Es verdad que algunos fragmentos largos de esas cartas de Carlota no sólo eran lúcidos, sino que era difícil imaginar que una persona que no estuviera en sus cabales escribiera cosas tan bellas, delicadas y amorosas. A esto contribuía, sin duda, el cálido recibimiento que se le había dado en Italia. Por ejemplo, en Villa d'Este, a orillas del Lago Como, «el lago que tú —le dice— amabas tanto», Carlota encontró en su habitación un retrato de Maximiliano con la leyenda *Governatore Generale del Regno Lombardo Veneto*. En Desenzano, la esperaban las tropas garibaldinas con sus camisas rojas, la bandera mexicana que ondeaba junto a la italiana había sido bordada por las señoras de Bari, y el General Hany presentó sus respetos a la Emperatriz en nombre del héroe del *Risorgimento* —Garibaldi estaba indispuesto— y le aseguró que el Emperador Maximiliano arrastraría toda Europa en su apoyo —*Oh, oui l'Empereur Maximilien entraînerait toute l'Europe avec lui*—. Y una de las cosas más notables fue que el Rey de Italia viajó de Rovigo a Padua para saludar en persona a la Emperatriz de México, a pesar de que unas cuantas semanas antes y como hemos mencionado, el barco así llamado: *«Re d'Italia»* —Rey de Italia— había sido hundido, en Lissa, por la nave que llevaba el nombre —*«Erzherzog Ferdinand Max»*— del esposo de la mujer a quien ahora el monarca de la renaciente Italia rendía homenaje.

Eran la Batalla de Lissa y el Castillo de Miramar —le escribía Carlota a Max— las dos obras «del Príncipe ausente» que asombraban a todo el mundo. De Miramar le contaba Carlota que el cenador de yedra se había transformado en una maravilla, que los cedros del jardín estaban altísimos, y que en el comedor del castillo habían agregado las armas mexicanas a la corona imperial, aunque el antiguo médico de cámara, Jilek, tuvo la idea de rodear de espinas la corona. También le decía que en Miramar había celebrado el día de la Independencia de México —el 16 de septiembre del 66—, y en cuanto a Lissa, Carlota le contaba a su «entrañable adorado Max» que la escuadra victoriosa iba a desfilar frente al castillo en el mismo orden de batalla con Tegetthoff —el almirante triunfador y amigo de Maximiliano— a la cabeza de la flota en el *«Ferdinand Max»*. *«Moriture te salutant»*, decía Carlota, y al final de su carta: *«Plus Ultra»* era el lema de tus antepasados. Carlos V mostró el camino. Tú lo has seguido. No lo lamentes. Dios está contigo».

Todo eso estaba muy bien. Muy bien que en Verona y en Peschiera la vieja y la joven Europa, como contaba Carlota, hubieran rivalizado en prodigarle sus atenciones a la Emperatriz de México, y que en Reggio salieran a recibirla todos los dignatarios de la ciudad en sus uniformes de gala y que en Mantua la saludaran con ciento un cañonazos y que, en fin, Carlota dejara traslucir en sus cartas que la adoraban, adoraban a los dos, en toda Italia. Todo eso, sí, debió ser alentador para Maximiliano. Pero no el descubrir, intercaladas aquí y allá, esas extrañas frases como «La República es una madrastra como el protestantismo»; «tú tienes el Imperio más hermoso del mundo»; «El monarca es el Buen Pastor, el presidente es el mercenario»; «Austria perderá todos sus dominios... México heredará el poderío... Y ninguna de esas naciones, Alemania y Constantinopla, ni Italia ni España serán lo que México llegará a ser si *tú* solo trabajas por tu Imperio»: Sólo una persona que no estuviera en sus cabales podía haber escrito esas frases sin sentido, y de esto debió haberse dado cuenta Maximiliano desde las primeras cartas que en el mes de agosto le envió Carlota desde París y en las cuales, además de afirmar que la atmósfera en Europa era repugnante y deprimente, Carlota le decía a Max que Luis Napoleón era *el principio del mal en el mundo y el diablo en persona,* que contaba a Bismarck y Prim entre sus agentes y que esa Babilonia que era el continente europeo le recordaba a los Cuatro Jinetes del Apocalipsis. Corti nos dice que el Rey Leopoldo poseía una copia del célebre grabado de Durero en el que se ve cómo, después de que el Cordero desprende los primeros cuatro sellos del libro de las revelaciones, los Cuatro Jinetes —el Hambre, la Peste, la Muerte y la Guerra— se lanzan sobre el mundo para acabar con la raza humana y que, al parecer, ese grabado había impresionado de manera profunda a Carlota desde que era una niña.

Darse cuenta de la enajenación de Carlota a través de sus cartas no era difícil y, como decíamos, quizás esa fue la razón por la cual Maximiliano se quedó en México. Pero pudo no haber sido así. Aunque Blasio, enviado por Max, viajó a Miramar, a donde también se había dirigido

Eloin, es probable que ninguno de los dos —y nadie más—, le haya escrito o hablado a Maximiliano sobre algunos de los detalles más grotescos de las escenas provocadas por el súbito delirio de persecución de Carlota. De modo que, si el Emperador no se enteró de los episodios del vaso de naranjada, de la taza de chocolate y del puchero hirviendo, si no le contaron lo del gato y la gallina, si nadie le dijo nunca haber visto a Carlota bebiendo de rodillas en la Fuente de Trevi, si ninguno le contó que en Bolzano Carlota dijo haber visto al Coronel Paulino de la Madrid disfrazado de organillero que había viajado a Europa para envenenarla, y que en Villa d'Este señaló a un campesino y dijo que era el General Almonte que quería matarla de un tiro, y que en Roma el Conde del Valle, la Señora Kuhacsévich y el Doctor Bohuslavek tuvieron que esconderse porque Carlota ordenó que los arrestaran acusándolos de querer envenenarla y que, por último, la Emperatriz creía que todos los que la rodeaban querían envenenarla incluyendo a Radonetz el intendente de Miramar y a José Luis Blasio, y que incluso llegó a pensar que su propio esposo, su tesoro, su entrañablemente adorado Max también quería deshacerse de ella: si de nada de esto se enteró Maximiliano, y existen motivos para pensar que quisieron ahorrarle ese dolor, se entiende que no perdiera todas las esperanzas. Y en ese caso puede suponerse que se quedó en México para salvar el honor de los Habsburgo.

El 7 de octubre llegó a Roma el Conde de Flandes. Al día siguiente, Carlota dio órdenes de comprar un corazón de oro, e hizo grabar en él: *A Maria Santissima in riconoscenza di esser stata liberata de un pericolo di vita il 28-7-1866. Carlotta Imperatrice del Messico* —A María Santísima, en agradecimiento por haberle salvado la vida, el 28-7-1866. Carlota Emperatriz de México—. Después ordenó que se llevara el exvoto a la Iglesia de San Carlos. El 9 de octubre, partió con su hermano rumbo al Castillo de Miramar.

XVII

CASTILLO DE BOUCHOUT
1927

INVENTARON la bicicleta, Maximiliano, y el otro día vino el mensajero disfrazado de Príncipe de Zichy con su hábito de magiar, y me regaló una bicicleta de plata esterlina. Mis doncellas entretejieron en los radios de las ruedas unas cintas de papel crepé tricolor y forraron el asiento con púrpura imperial y los manubrios con armiño y le pusieron un parasol de seda blanca con flecos de oro. En mi bicicleta, Max, y con las faldas arremangadas, recorro las galerías del castillo para asustar, con la bocina, a los reyes y reinas prógnatas que me ven desde sus retratos. También en mi bicicleta, me fui el otro día a París con la Señora Del Barrio y la Princesa Metternich. Paulina nos llevó a Montsouris para comer en El Jardín de la Pereza. Yo las invité después a tomar café con leche en el Pre Catalán del Bosque de Boulogne. Desde nuestras bicicletas les arrojamos migas a los patos que nadaban en los estanques, y caramelos a los niños vestidos de terciopelo negro y sombreros con madroños, que jugaban con sus aros amarillos. En Montparnasse nos encontramos a Barbey D'Aurevilly, que quiso regalarme la langosta viva que todas las tardes saca a pasear con un listón azul. Cómo me gustaría, Maximiliano, que en nuestras bicicletas paseáramos por París. Nos tomarías una fotografía en el estudio de Monsieur Nadar que nos pondría, como fondo, una pintura del Castillo de Chapultepec. Les arrojaríamos monedas a los niños encadenados a los vagones de carbón que remolcan por la Isla de San Luis, y a las viejas que venden, en canastas, tierra excavada del Canal de Suez. Le arrojaríamos confeti a los mendigos y los traperos que corren, en la nieve que cubre las calles de París, tras el trineo en forma de dragón del Duque de Morny. Iríamos a les Bouffes Parisiens a ver el Bataclán. Iríamos a Viena, a pasearnos por el Prater. Iríamos a Londres, a pasearnos por Hyde Park y a saludar al Big Ben. Iríamos, en nuestras dos bicicletas, la mía de plata y con las ruedas adornadas con los tres colores de la bandera mexicana, la tuya de oro y con las armas del Imperio, iríamos a

México: a la Calzada de Tlalpan, a Cuernavaca, a la Capilla de Tepozotlán. Iríamos, Maximiliano, a escuchar misa a la Catedral Metropolitana, seguidos por nuestros generales con sus bicicletas empenachadas.

Inventaron la bicicleta, Maximiliano, y en mi bicicleta me fui de nuevo a París, a visitar la Exposición Universal. Pero esta vez fui sola, para buscarte a ti. Por supuesto que de nuevo me encontré ahí a todo el mundo, y como estoy acostumbrada a estar tan sola, me abrumaron las luces y los ruidos. Cerré entonces los ojos. Como lo hacía, de niña, cuando mi hermano Leopoldo me hablaba de la matanza de los Inocentes de Breughel y me decía que esos inocentes no eran otros que los miles de súbditos flamencos masacrados por el Tribunal de la Sangre del Duque de Alba. Como cuando vino el mensajero a contarme los diez días de Yser en los que más de sesenta mil soldados belgas perdieron la vida a manos del cuarto ejército alemán. Como debí hacerlo, pero no lo hice, cada vez que en el Palacio de Laeken me topaba de nuevo con los grabados de Durero de los Cuatro Jinetes del Apocalipsis. Como debí hacerlo, pero no lo hice, cuando las malas lenguas me susurraban que habías tenido un hijo con Concepción Sedano. Cerré bien los ojos, los apreté hasta ver relámpagos de colores. Hasta verte a ti montado en tu caballo Orispelo, entre los relámpagos, y me cubrí las orejas con las manos, las apreté hasta que comencé a oír de nuevo La Paloma de Concha Méndez, hasta que de nuevo escuché tu voz y les dije, les grité a todos que tú estabas allí, en la Exposición Internacional de París, y que estabas vivo. Después volví a abrir los ojos y me destapé los oídos, respiré y sentí que me ahogaba la fragancia de la melaza de la Isla de Guadalupe, el aroma de la verbena de Valencia con la que la Princesa Radziwill se perfumaba las sienes, el olor del vinagre de katchou. Se lo dije entonces a Madame de Beauvais mi antigua institutriz. Se lo dije a Giuseppe Garibaldi que estaba escondido detrás de su busto de alabastro y que tenía puesta una de las camisas rojas que compró en el rastro de Buenos Aires, y sentí que también el ruido me volvía loca. Las voces de las Mädchen de ojos azules que servían salchichas vienesas con sauerkraut. El tintineo de los cuatro sables que tenía colgados de la cintura el Príncipe Tou-Kougavva, hermano del Tycoon del Japón. Los carillones de los relojes de Leroy and Son que daban la hora de dos países al mismo tiempo. El estruendo de la Sala Pleyel donde cien músicos tocaban al mismo tiempo cien pianos. Y le dije a Luis Napoleón Tercero, que en uno de esos pianos tocaba para Franz Liszt el himno de la Reina Hortensia, le dije que estabas vivo, y le grité que mi abuelo Luis Felipe no sólo había conquistado Argelia para Francia, sino también Costa de Marfil y Costa de Oro y Gabón y las Islas Marquesas, y que no se le olvidara, y le dije a mi cuñada María Enriqueta que me contó que estaba muy sola en el Hotel du Midi de Spa, sola y con sus hijas Estefanía y Clementina, sola con sus dos loros Caro y Mucho, su caballo Cocotte y una llama que les escupe en la cara a sus invitados, sola y bailando con el maître d'hôtel, y le dije a mi sobrino Alberto el Rey Caballero, a Cavour que me veía desde dos fondos de botella, a Don Martín del Castillo, a la esposa peruana de Barandarián. Hacía tanto calor que el Príncipe Leopoldo de Hohenzolern-Sigmaringen se abanicaba con el telegrama de Ems. Y Venustiano Carranza con el telegrama Zimmermann. Pero el telegrama que yo quería destruir antes de que lo conociera el mundo fue el que recibió esa mañana el Quai d'Orsay, y que fue entregado a Luis Napoleón y Eugenia cuando estaba ya por comenzar la repartición de los premios, las novecientas medallas de oro, las cuatro mil de plata y el número infinito de medallas de cobre: pero se me escapó de las manos transformado en la paloma de Concha Méndez y voló de pabellón en pabellón, del pabellón de Prusia al pabellón de España, se escondió entre los alfanjes de Damasco, voló del pabellón de Noruega al pabellón de Egipto, se metió en las botellas del vino preservado de Monsieur Louis Pasteur, voló al pabellón de los principados del Danubio. El telegrama había llegado de Washington, me gritó el Zar Alejandro Segundo que se limpiaba la sangre de caballo que lo había hermanado con Luis Napoleón esa mañana, cuando un patriota polaco les disparó al regreso de Longchamp, y se escondió en las cornucopias de cuero del Sudán y en él, me gritó el Conde de Gontaut-Biron, el Capitán Groeller del S. S. Elizabeth que estaba anclado en Veracruz, decía, pero yo no quise escucharlo les dije que eran mentiras y que tú estabas allí, vivo, vivo y en la cumbre de la Pirámide de Xochicalco, sentado en un trono de cobre de Río Tinto, en una mano un frasco con orquídeas de la Sierra de Guerrero conservadas en glicerina, en tus rodillas una muñeca mecánica de Théroud que decía Mamá, Mamá Carlota, vivo y con tus botas de canguro de Australia, en la cabeza una corona de nidos de golondrina de la Isla de la Reunión, le dije a mi hermano Leopoldo que había metido el miembro en el cortador centrífugo de betabeles de Champonnois, le dije a tu sobrino el Zar de Bulgaria que sacó la cabeza por una de las bacinicas que empiezan a tocar música cuando uno se sienta en ellas, te voy a comprar, Maximiliano, una bacinica de lata que te toque La Paloma de Concha Méndez cuando te enfermes de amor y quieras verme, una bacinica de acero que te toque la Marcha Radetzky para cuando te dé diarrea en tu tienda de campaña, una bacinica de porcelana y oro ilustrada con rosas y violetas que te toque el Vals del Recuerdo si te da otro ataque de disentería y nostalgia en Cuernavaca, le dije a Francisco de Asís, Paquita, que se había puesto un vestido de puro encaje y que salió volando entre las burbujas de la máquina de fabricar aguas aireadas seguido de todos los perros que tenían los nombres de los amantes de su mujer Isabel Segunda de España, y me siguieron a mí también, ladrando, el General Serrano y Arana, el Marqués de Bedmar y Marfori con los hocicos llenos de burbujas como perros rabiosos, el dentista McKeon y

Puig Moltejo y el Coronel Gándara, me siguieron todos los animales de la exposición, las cabras de Egipto, los galgos de Siberia, las vacas de Inglaterra, me monté en una gacela de Túnez, amarré unos hilos a las patas de los pájaros de la China y a las alas de las mariposas Bómbix, le dije al General Victoriano Huerta que estaba borracho como una cuba, le dije a la Condesa Lustow la suegra de Gutiérrez Estrada, le dije a Plon Plón el primo de Napoleón Tercero y a su pobre mujer Chichina, le dije a Nerón el perro favorito de Luis Napoleón, para subir con los pájaros y las mariposas hasta el velarium del Palacio de la Industria tachonado de estrellas, le dije al General Fierro que se hundió, cargado de oro, en los pantanos de la Laguna de Guzmán, pero el telegrama se me escapó, revoloteó entre las banderas ondeantes de todas las naciones, cayó al suelo, lo recogieron, les grité que no lo leyeran, bajé para arrebatárselos, y hacía tanto calor, había tanta gente, Dios mío, me abrí paso entre todos a codazos, el telegrama revoloteó entre los diplomáticos que recibían los premios y los trofeos a las Bellas Artes y a las Artes Liberales, la Maquinaria, el Moblaje y el Vestuario, rozó la casaca color escarlata del embajador británico, manchó el inmaculado uniforme blanco del ministro austriaco que salió corriendo de la exposición para telegrafiar a tu hermano, rozó las coderas azules de los prusianos, las coderas verdes de los oficiales rusos, y cuando vi a Eugenia y vi que sus manos temblaban, cuando supe que aunque el telegrama no llegara a sus manos nada, ni las fuentes ni los jardines interiores del palacio de la exposición, ni las jaulas con guacamayas y quetzales, ni los acuarios con peces tropicales, ni el periódico de caucho que te compré para que lo leas cuando te des un baño de agua de azahar en tu tina de alabastro, nada podía restañar las lágrimas que esa mañana había derramado Eugenia en la carroza dorada que tomaron prestada del Museo de Trianón y en la cual había recorrido desde las Tullerías hasta el Campo de Marte, vestida de blanco y con una diadema de brillantes las anchas avenidas del Barón de Haussman que salió de una cloaca de París bañado de piltrafas sanguinolentas, y me gritó que era cierto y que tú no estabas allí en la exposición, vivo, vivo y en tu trono de cuerno de búfalo, en la mano derecha unas frutas de cera de la Isla de Mauricio, sobre tu cabeza una lluvia de listones de Coventry, en tus labios una estampilla postal con tu cara y tu nombre y el nombre de México, vivo, le grité a la cabeza de mi bisabuelo Felipe Igualdad que flotaba en un vivero de ostras, nada podía restañar esas lágrimas que Eugenia derramó cuando el pueblo de París les repartía vítores y bendiciones mientras la carroza imperial rodaba por esas mismas avenidas que Haussman había ordenado que se construyeran no sólo para embellecer y modernizar París y para que por ellas se pasearan los dandies y las cocottes, Viollet-le-Duc y Garnier y el Duque de Morny con sus guantes amarillos limón o cortesanas como la Païva que me invitó a conocer la escalinata de puro ónix de su palacio, sino también para que por ellas los cazadores de Africa a todo galope y con sus sables desenvainados cargaran contra los mendigos y los miserables de la Ciudad Luz, los mutilados y los ciegos de la Corte de los Milagros, le grité a Luis Napoleón, le grité al Mariscal Randón, les grité a los cien guardias con sus túnicas azul cielo, a las cortesanas que con la punta de un diamante escribían mensajes de amor en los espejos y en las corazas de los guardias, le grité a Niní de Castiglione que se murió de vieja y de tristeza encerrada en su departamento de la Plaza Vendôme, le grité al Barón Puck y al General Boum que disparaba su pistola en el aire para refrescarse con el olor de la pólvora, al Emperador Solouque y al Duque de Limonada, a Octave Fueillet y a Honorato Daumier: porque esas lágrimas que el himno El Cisne de Pesaro compuesto por Rossini en homenaje a Luis Napoleón y su valiente pueblo y que el propio Rossini dirigió en la sala de conciertos de la exposición no pudo restañar, esas lágrimas que los paisajes de corcho de Gerona, las alfombras turcas y las joyas de Fontenay y Boucheron, los fusiles chasse-pot y los cuadros de caballos de Rosa Bonheur no pudieron detener, habían corrido ya por las mejillas de Eugenia esa mañana muy temprano, cuando acompañada por una dama de la corte, vestida de negro y con un espeso velo sobre la cara llegó en secreto a la Iglesia de Saint Roche y arrodillada frente al altar se quedó allí más de una hora, a solas con Dios y su conciencia, una conciencia que esas lágrimas no alcanzaron a lavar, porque no las derramó por ti, Maximiliano, sino por la humillación que le hizo a Francia el indio, y a codazos me seguí abriendo paso entre la multitud y el telegrama se me escapaba siempre de las manos, no lo alcanzaba nunca, aterrizó en el bonete de mi prima Victoria de Inglaterra que se quejaba de los palos que le dieron en la cabeza cuando paseaba por Hyde Park, se acurrucó en la axila del brazo paralizado del Kaiser de Prusia que exhortaba a las tropas italianas a masacrar al enemigo como lo habían hecho los hunos de Atila, se metió en el escote de Alicia Keppel que se besaba con Eduardo Séptimo el hijo de Victoria mientras la Reina Alejandra los aplaudía, pero no escuchaba sus propios aplausos ni me escuchó a mí cuando le grité porque estaba cada vez más sorda, le dije a la Bella Otero que bailaba una polonesa con Menelik el Emperador de Etiopía que acababa de derrotar a las tropas italianas en Adua, le dije al Rey de Italia Victor Emmanuel que paseaba seguido de sus seiscientos hijos bastardos, le dije a Elena Vacaresco que me contó que mi sobrino el Príncipe Balduino era Lohengrin resucitado y vuelto a morir, les dije que si no te habían visto era porque ibas a llegar muy pronto por el cielo de París en una nave aérea que tendría el tamaño y la forma de una de esas ballenas que festejaban con chorros de agua el paso de tu barco Fantaisie por el trópico de Cáncer y que la piel de la nave era de cristal y su costillar de tubos de iridio de los que colgarían relojes de arena llenos con el polvo de los siete colores del arcoíris, le dije al Archiduque Francisco Fernando que dormía una siesta en el rosedal de su Castillo de Konopitsch, al Conde Mensdorff-Pouilly que se había puesto mi vestido de novia, le dije a mi cuñada Sisi que se quejaba que Sofía no la deja comer sin guantes, le dije al Vizconde de Conway y al Barón de Saillard, le dije al Coronel Van Der Smissen que se había caído en las aguas de Saint Nazaire y le dije a Eloin que lo perseguía con una pistola. Y al Mariscal Bazaine que se paseaba muy orondo del brazo de Weygand mi hijo, y lucía en el pecho el gran cordón de la Orden Militar de Saboya que le dio el Rey del Piamonte, lo jalé de una oreja para que viera cómo el Duque de Malakoff hacía el amor con su primera mujer Soledad Bazaine bajo el piano que le enviaron de Estambul al Mar de Mármara, y le dije que la cola de tu nave sería de cobre incrustado con ojos de venado llenos de agua y que tendría la forma, le dije al Duque de Peñaranda, de una jeringa hipodérmica y en la punta una hélice que imita una orquídea, le conté a mi sobrina la Kronprinzessin Victoria, y del vientre de la nave cuelgan seis pares de escobas que le sirven de patas cuando aterriza en la nieve del Popocatépetl y que durante el vuelo se encargan de barrer los ríos de granizo azul que surcan las alturas y tiene además un número infinito de alas: alas forradas con espejos que reflejan las constelaciones boreales y tu rostro despedazado y fragmentos del Palacio de Schönbrunn y del Castillo de Miramar le dije al Barón de Beust, y trozos de tu retrato de marinero y del cuadro pintado por Manet de tu fusilamiento, y otras alas son como las hojas de helechos gigantes y de ellas se desprende, cuando ondulan como serpientes, una lluvia de rocío que enfría los motores de la nave, les dije, otras alas son como las velas de la Santa María y la Niña, y otras son alas de ángeles de diversos tamaños y edades, y mis damas de compañia se encargan de espulgarles los caballitos del diablo que anidan entre sus plumas, y en el lomo y como una inmensa aleta tiene un ala de caña de bambú llena de nidos de pájaros hambrientos de todos los colores que vuelan desesperados y se azotan contra el costillar de la nave y se devoran unos a otros y su sangre es recogida por un embudo y con esa sangre, y no con la tuya, no con la sangre que bajaba por los escalones de la Pirámide de Xochicalco, les dije, les grité, con esa sangre se mueve la nave del Rey del Mundo, con la sangre de todos los pájaros de México, con la sangre de los zopilotes que nos recibieron en Veracruz y del águila que devora a la serpiente, les dije cuando vi las serpientes de piedra por las que escurrían los hilos de tu sangre, Maximiliano no está muerto, les dije, y me abrí paso entre la multitud que visitaba ese día la Exposición Internacional de París, me tropecé con mi hermano Felipe que acababa de rechazar los tronos de Grecia y de Rumania, me abrí paso a codazos entre los lanceros franceses y los granaderos de grandes shakós de piel de oso, los coraceros, los zuavos de turbantes y pantalones abombados, los cazadores de Africa con plumas verdes y los rifleros de túnicas amarillas y el telegrama se me volvió a escapar de las manos, se escondió en un barril de aceite de hígado de bacalao, en un tonel de vino de piña de Natal, en un cáliz de cristal de Bohemia, en las alfombras de la mezquita del pabellón del Imperio Otomano, le dije al Conde de Palikao y al Conde Von Moltke, le dije al Conde de Thun y al Duque de Isly que si a alguien iban a sacrificar ese día en la cumbre de la pirámide era a mí, a mí la Emperatriz Carlota a la que iban a abrirle el vientre con un cuchillo de obsidiana para que diera a luz al César del Nuevo Mundo, y que Eugenia podía ahorrarse sus lágrimas de cocodrilo y lo mismo el hipócrita y malvado de su marido, y le dije también a la estatua de sal de Carlos Quinto a la que se le habían comenzado a aguar los ojos de tanto calor que hacía, le dije al caballo de sal en el que estaba montado y que lloraba también unas inmensas lágrimas de agua de mar, pero comencé a cansarme, me abrí paso entre las conservas de carne humana del Doctor Brunetti de Padua que contenían brazos y piernas humanas, corazones y pulmones, hígados que yo hubiera querido fueran los de Salm Salm y Juárez, los de Eugenia y los del Coronel López y subí después en el ascensor inventado por Monsieur Edoux que era un globo aerostático que subía y bajaba por una jaula estrecha y alta cubierta de madreselva, y al fin caí de rodillas a los pies de la Pirámide de Xochicalco y cuando quise mojarme los labios con tu sangre, y me di cuenta, Maximiliano, que esos hilos rojos que bajaban por los escalones de piedra no estaban formados por tu sangre, sino que eran ríos de chinches henchidas con ella, que eran las chinches que te habían devorado en México y en Querétaro y que te dejaban ahora, desangrado y muerto, inmensamente pálido en la cumbre de la pirámide, solo y con el corazón hueco y vacío, comencé a devorarlas vivas y te acuerdas, Maximiliano, te acuerdas de los jumiles, de esos inmundos escarabajos que los indios de Cuernavaca se comían vivos y se les escapaban de la boca y les caminaban por la cara, así cuando salí de la exposición con el telegrama en las manos, el telegrama que decía Maximiliano ha muerto, así se me salían las chinches de la boca y se paseaban por mis mejillas y por el cuello, así se me salían las chinches por la nariz y me paseaban por los bordes de los ojos, creí entonces, tuve la ilusión de que por estar allí todo el mundo en la exposición, y porque corrí del pabellón de Austria al pabellón de las Bahamas, al pabellón de Bélgica y de los Estados Unidos, al pabellón de Holanda, creí o quise creer que el planeta entero te iba a llorar, pero cuando llegué a la calle y me encontré a una florista que vendía junto al Café Tortoni ramos de violetas blancas como las que tanto le gustaban a tu padre el Rey de Roma y le dije con el telegrama en la mano Maximiliano, mi adorado Maximiliano el Rey del Universo ha muerto y me preguntó con ojos asombrados Maximiliano, ¿quién es Maximiliano?, me di cuenta que si yo no le decía al mundo quién eres tú, Maximiliano, el mundo jamás sabrá quién fuiste.

Para hacerlo, Maximiliano, tendré que escaparme de los sueños. Porque vivir, morir así, prisionera, con la boca amordazada, ha sido el precio que tuve que pagar, el castigo, pero no por haber ido a México sino por salirme de México, por haber escapado a la realidad para vivir en un sueño. Porque si hay una diferencia entre tú y yo, Maximiliano, y entre todos los demás y yo, María Carlota de Bélgica, es que yo elegí soñar y quedarme en mi sueño. Y por soñar, ah, por soñar, como te decía, he pagado un precio muy alto, que es el de estar siempre viva y muerta al mismo tiempo. ¿Sabes por qué? Porque ni el día ni la noche se inventaron para los sueños. Ni las luces del amanecer pueden contarnos cómo nacen los sueños de sus cenizas, ni la penumbra del ocaso cómo los sueños se consumen en llamas. Porque por los sueños no pasa el tiempo: no se inventaron para ellos ni el sol ni las estrellas, y ni los granos de oro de los relojes de arena pueden contarnos cómo se desmoronan los sueños para hacerse sueños de nuevo, ni las lágrimas lentas de las clepsidras pueden decirnos cómo se ahogan los sueños en su propio llanto, en su propia risa, en su locura y su lucidez, en sus propios sueños, como en las sombras y el resplandor de una noche y un mediodía sin fin y sin principio que danzan y se aman y se confunden para celebrar las bodas eternas de la luz y las tinieblas. A veces, todavía lo logro. El otro día que me escapé, estaba recostada en el lecho del foso de Bouchout. Era invierno y yo contemplaba, a través de la capa de hielo que cubría la superficie, a los patinadores. Algunos pescadores hacían agujeros en el hielo, y por ellos bajaban los hilos de sus cañas de pescar que en lugar de anzuelos tenían rosas azules y cristalizadas para su Emperatriz. Llegó la primavera y se derritió el hielo, y yo contemplaba el fondo de las lanchas, y de las lanchas descendían unas anclas de plata cubiertas de mariposas. Veía los cuerpos de los nadadores, sus piernas lampiñas, sus torsos brillantes, veía el vientre de los patos y de los cisnes que hundían su cuello en el agua para contemplarme. Veía yo a mis lavanderas que lavaban mi vestido de primera comunión a la orilla del foso. Sus venas se desangraban y se transformaban en hilos de coral. Y llegó el otoño y los servidores del Castillo, con hilos, amarraron unos guijarros a las hojas secas de los árboles, para que bajaran hasta el fondo. Y las hojas bajaron, poco a poco, como una lluvia de alas de canarios por las aguas del foso de Bouchout, entre los racimos de uvas atados a los pisapapeles de las Tullerías, y entre una nube de hipocampos que descendían, también, colgados de sus paracaídas diminutos. Pero la ilusión, una vez más, sólo duró un instante. Estaba yo de nuevo en mi cuarto, de Bouchout, sentada y sola, como lo he estado durante sesenta años.

Para hacerlo, Maximiliano, para contarle al mundo quién fuiste, quisiera que fueran de cristal mis venas y mis huesos. Que fuera, mi alma, de pura agua. Que el alma se me escapara, poco a poco, por la boca. Que el mundo, Maximiliano, quisiera beber mi alma. Que tuviera sed, el mundo, de mis palabras. Que mis palabras fueran un río. Que en su camino el río fuera nombrando las cosas al tocarlas. Que llamara piedra a la piedra, arena a la arena, canto al canto de la piedra, espuma a la risa del mar. Que fueran lluvia mis palabras. Lluvia menuda y gentil, y que al caer nombraran lo que de la nube a la tierra, del lomo del arcoíris a los cristales ocultos de la sal, lo que de la hoja más alta de la luna a la brizna de yerba, al escarabajo húmedo, fueran tocando.

Dime, Maximiliano: ¿no escuchas llover mi alma? ¿No la escuchas tocar con sus mil dedos de agua a la puerta de tu pecho y darle nombre a tus deseos? ¿No la escuchas tamborilear en tu piel para filtrarse por tus poros? Hecha de palabras, mi alma se desgarra su vestido de agua y vuelta tiras de serpentina de agua se enreda en tus dedos y en el cuello de las garzas y con sus látigos de agua azota tus párpados y azota el regazo de las montañas. Escucha, Maximiliano: ¿nadie te ha dicho que podría, mi alma, lloverte sobre la cara transformada en tus propias lágrimas? ¿Serás capaz de beberla? ¿Te atreverás, dime, a ponerte de cara al cielo para que hasta ella desciendan mis palabras, para que con ellas dé nombre a tus ojos, y pronuncie su brillo? ¿Serás capaz, contéstame, de abrir la boca para que mi alma te entre hasta el alma y la bañe de palabras, te empape el corazón, lo ciña de frescura?

Yo hice, del agua, mi signo. Yo que pude ver al mundo en una sola gota de agua que contenía a todas las aguas del mundo. Yo que si fui al Castillo de Schwetzingen, no fue para beber de los chorros de la Fuente de Nicolás de Pigage. Yo, que si fui a Versalles, no fue para calmar mi sed en la Fuente del Dragón. Yo, que si recorrí como una loca las calles de Roma, no fue, te lo juro, para beber en las fuentes de la Piazza de la Pilotta. Yo, que si descendí al cenote sagrado, no fue para abrevar, echada de bruces, del alma hecha agua de las princesas mayas. De agua hice yo mis sueños y los transformé en los pájaros de la Fuente de Schwetzingen. Cuando vayas a ella, Maximiliano, verás cómo, de los picos de los pájaros, brota en surtidores mi alma. Cuando vayas a Versalles, verás mi alma manar a borbollones y brillar al sol para darle nombre al sol, desperdigarse con el viento para darle nombre al viento. Cuando vayas a Yucatán, Maximiliano, y visites el cenote sagrado, podrás, si quieres, contemplar tu rostro en mi alma de agua remansada y honda, pero eso sí: te advierto que no verás, de mi ternura, sino un espejo de agua, y si lo rompes, sólo escucharás el eco silencioso de tu voz transformada en agua encantada.

Yo haré, de agua y con mis palabras, mis recuerdos: la Princesa Charlotte quiere llevarse su tina a las Tullerías para que la bañe la Reina María Amelia. Yo inventaré un agua enamorada de sí misma: la Princesa Charlotte quiere lavarse el cabello en la cascada de Acteón perseguido por los perros de Diana. Un agua circular que, como una serpiente de vidrio, se alimente con su propia transparencia: la Princesa Charlotte, con la cara cubierta por un velo, quiere ir a tocar el agua del bautisterio de Santa María Maggiore. Un agua que me encierre en un mundo de reflejos: la Princesa Charlotte vive, quieta, en un castillo de agua redonda, rodeada de damas blancas, de damas azules, de damas violetas, de diez Maximilianos vestidos con sus uniformes de marineros de agua dulce. Yo haré ese castillo. Yo, de sólo desearlo, haré que mis amores y mis recuerdos, transformados en manantiales, se levanten como columnas de cristal en equilibrio y labren, con sus arabescos, y en la espuma del aire, su propia arquitectura: sus arcos y claustros, sus ojivas: la Princesa Charlotte quiere escribir sus tareas en el cuaderno que le regaló su tío el Príncipe Joinville, con la tinta invisible que le regalaron los Reyes Magos. La Princesa Charlotte quiere escribir con agua la historia de las guerras contra los moros que le va a contar su hermano el Príncipe Leopoldo. La Princesa Charlotte quiere escribir con agua las tardes en el Castillo de Claremont donde el domingo la espera, con un racimo de grosellas en las manos, y un racimo de besos en la boca, abuelito Luis Felipe. La Princesa Charlotte quiere escribir su vida con agua, la quiere escribir con aire, con nada. La Princesa Charlotte quiere inventar la nada, la nada más clara, la nada más pura, la más diáfana, la más transparente de todas las nadas, para beber de ella.

Pero si quieres aprender a escribir, me decían, tienes que escribir diez veces la palabra mamá. Escribí cien veces la palabra agua. Tienes que escribir, me ordenaban, veinte veces la palabra papá. Escribí mil veces la palabra agua. Mamá y papá eran de agua. También la tinta era de agua, y el agua era de un azul cada vez más claro, a medida que escribía yo sin detenerme, sin mojar de nuevo la pluma en el tintero, y con ella mi pensamiento se volvía también cada vez más claro: pasaba del azul marino al azul celeste, del azul celeste al azul invisible. Escribir así, de un hilo, juntando todas las palabras, era hacer nacer un río que ondulaba en las emes, giraba sobre sí mismo en las oes, zigzagueaba en las zetas. Escribirlo todo, en una sola línea sin pausas y sin espacios, era vivir, al mismo tiempo, lo que escribía. Hay que separar las palabras, me decían: como si fuera posible separar cada instante de mi vida, cada gota de agua de esa infancia que entre las caricias de mi madre y las lilas de Laeken, la Vida de San Luis Rey, el puré de castañas, los dibujos de mi tío Joinville, se navegaba a sí misma, anchurosa y tranquila, como un río sin orillas rumbo a un mar inmenso que con cada ola depositaba sobre la playa un alud de promesas, y que con cada ola en retirada, se llevaba, acurrucados y sin despertarlos, los sueños dibujados en la arena. Como si fuera posible separar cada hilo de agua de esa catarata, de esa cascada luminosa en la que se transformó, de pronto, mi infancia, cuando llegaste tú a Bruselas y mi alma se volcó en el vacío y en tus ojos, se volcó en la locura de un amor sin fondo. Como si fuera posible, hoy, separar esas apretadas gotas de agua endurecida que cubren y hielan mi corazón.

Lo que te quiero decir con esto, Maximiliano, es lo que siempre he querido decirte y no he podido. Yo inventé la tinta invisible que me regalaron los Reyes Magos. Yo, en un frasco que para todos estaba vacío, menos para mí, remojaba con aire, remojaba con nada mi pluma, y escribía en mis cuadernos, que para todos estaban en blanco menos para mí, lo que nadie, sino yo, podía leer. Escribía, en esas páginas blancas, la historia de mi vida. Mi vida, aunque entonces yo tenía sólo ocho, o nueve, o diez años, era tan larga o tan corta, tan hermosa o tan triste, tan aburrida, o divertida como yo quería. Mi vida cambiaba tanto, que cada vez que yo releía esas páginas, mi vida era distinta. Quien me hubiera visto, absorta ante esas páginas en blanco, habría pensado que estaba loca. Pero nadie me vio. Es decir, me veían todos, sí, me hablaban, pero desde esas mismas páginas que yo llené de música y de color. Mi imaginación era el río que recorría esas páginas y nombraba a las cosas: almohada, árboles, estrellas, y bautizaba con sus nombres: Luisa María, Leopoldo, Felipe, a mis seres queridos. Era mi imaginación la que le daba su suavidad a la almohada, a los árboles sus hojas, la luz a las estrellas. La que le daba a mi padre la sombra de su cabello, su sonrisa a mi hermano, a mi madre el azul de sus ojos. Yo vivía dentro de mi imaginación y sólo así podía respirar. Fuera, sentía que me ahogaba. Yo vivía, con ella, la doble vida del agua que nace para ser pura: a veces quieta, agitada a veces, pero siempre transparente. Quieta, mi imaginación podía ser un palacio congelado. El palacio era Laeken. En Laeken vivía una Princesa. La Princesa era la Bella Durmiente. La Bella Durmiente soñaba con el Príncipe, vestido de azul, que vendría a despertarla. Agitada, podía estrellarse con los escollos imaginarios que ella misma inventaba, romperse y volar por los aires, herida, en mil fragmentos, en mil ilusiones despedazadas, pero siempre volvía a ser ella misma, entera, la de siempre, sin que le faltara una sola gota. Porque el agua no se rompe. Porque el agua, de verdad, nunca se lastima.

No sé en qué momento se me olvidó lo que tenía escrito en mis cuadernos. En docenas de ellos. No sé en qué momento perdí la facultad para leer lo que tanto trabajo y tanto amor me costó escribir. Sólo sé que desde hace mucho tiempo para mí, también, como para los demás, sus páginas están en blanco. Me dio tanta rabia descubrirlo, me sentí tan desdichada, que las arranqué una por una. Mi cuarto quedó cubierto de hojas y recordé entonces a José Luis Blasio, a tu fiel Blasio, que en tu despacho del Castillo de Chapultepec extendía en el parquet y los tapetes tus cartas y tus edictos para que se secara la tinta. Pude haberlas retorcido y amarrado para hacer con ellas una cuerda y descolgarme por un balcón de Bouchout: pero no quise que algún día dijeran que huí aferrada a mi propia nada. Pude también coser todas las hojas con mis canas y hacerte con ellas una mortaja: pero no quise que algún día dijeran que yo te había enterrado con mi silencio. Las volví a juntar, de rodillas, una por una, hice una pila y me juré que aunque tuviera que vivir, sufrir y morir otra vida entera, tenía que decir, en esas páginas, lo que siempre he querido decirte. Recordé también a tu hijo, Sedano y Seguizano, que se denunció él mismo porque las cartas que les escribía a los alemanes con tinta invisible estaban en blanco: no se le ocurrió nunca, al bobo, redactar sus mensajes secretos entre los renglones de una carta cualquiera. A mí no me va a pasar lo mismo: he comenzado ya a escribir, con tinta de verdad, con la tinta morada de la amapa rosa que me trajo Blasio de México, la historia trivial de mi locura y mi soledad, las memorias vacías de sesenta años de olvido, el oscuro diario de veintidós mil días que se transformaron en veintidós mil noches. Esa es la historia que a nadie le interesa. Por más que en ella me haya esforzado por contar lo más hermoso de mi infancia y de nuestro amor. Por más que me haya esmerado en no dejar de contar, también, lo más trágico de nuestra aventura y tu muerte en México. O quizás porque lo he contado demasiadas veces. Pero entre los renglones, Maximiliano, entre esos renglones en los que no sé hablar de otra cosa que no sea de las limas en flor de las Tullerías o de la bala que te quitó la vida en el Cerro de las Campanas, entre esos renglones, y con el agua bendita que me trajo el otro día el mensajero disfrazado de San Miguel Arcángel, voy a escribir sin detenerme jamás aunque parezca, a veces, que el día en que jugué con mis hermanos a estarme quieta en los Jardines de Laeken me quedé así, paralizada, inmóvil para la eternidad, escribiré, sí, sin detenerme, de un hilo, como un río que nunca llega al horizonte, como un torrente que se precipita en el infinito, y al mismo tiempo quieta, inmensamente quieta aunque pareciera que a partir de esa noche en que soñé que mi madre estaba muerta y me desperté y me levanté de un brinco y corrí a su habitación, abrí la puerta, y vi que estaba yo en una inmensa galería corrí hasta el fin y encontré una escalera, la bajé, encontré otra puerta, aunque pareciera, te digo, que desde entonces no hago sino correr por el mundo y abrir puertas, bajar escaleras en busca no de mi madre muerta ni de mi madre viva, sino en busca de mí misma: y serán entonces mis palabras como el agua profunda de un estanque, serán mis palabras un pozo de agua quieta, y cuando llamen lirio al lirio, se sumergirá, el lirio, en el remanso de mis palabras y se volverá dos veces lirio. Y cuando llame ave al ave, nacerá el ave de mis palabras, levantará el vuelo con las alas mojadas y se volverá, en el cielo, mil veces ave. Sólo entonces comenzaré a decirte, al fin, lo que jamás pensé que podría decirte, y que ya te estoy diciendo.

Tendrás entonces, Maximiliano, tendrán todos los que quieran entenderme, que aprender a leer de nuevo. Tendrás que descubrir por ti mismo lo que te quiero decir entre renglones. Tendrás tú, tendrán los mexicanos que entender que cuando hablo de mi rencor por ti y por ellos, puedo estar hablando, en realidad, de mi ternura. Que cuando escribo sobre mi odio, puedo estar escribiendo, en realidad, sobre mi amor por ti, mi amor por México, por lo que fuiste tú, por lo que será mi Imperio. Mi Imperio, Maximiliano, sólo se levantará sobre el olvido: necesitamos olvidar lo que nos hicieron. Necesitan olvidar ellos, los mexicanos, lo que les hicimos. El otro día vino a verme Napoleón Tercero y me ofreció un vaso de jugo de naranja para que escribiera con él mis Memorias. Podría haberme jurado que era el néctar de los mismos frutos de los naranjos de la Alhambra bajo los cuales meditaste en las glorias pasadas de la Casa de Austria. Podría haber sido el jugo dulcísimo de los frutos de los naranjos de Ayotla a cuya sombra, pero no tengo que decírtelo de nuevo, no tengo por qué repetírselo al mundo mil veces, ¿verdad?, a cuya sombra nos despedimos para siempre. Y yo supe que no, que no era con perfume o con ámbar, con licores dorados, con lo que debía yo escribirte lo que te escribiré aún si me hubieran jurado que era el jugo de los frutos de los mismos naranjos que le dieron, a mi diadema de bodas, sus flores de azahar. Vino también, el mensajero, disfrazado de Pío Nono, y me trajo un tazón de chocolate, y me di cuenta que tampoco era con la fragancia oscura, con la espuma ardiente de esa pócima suntuosa que bebí una tarde en Hecelchakán y que volví a beber en Ticul y Hunucmá, en Calkiní y Halachó, con las cuales he escrito lo que ya te escribí. Además, Maximiliano, vieras qué asco me dio cuando me imaginé que el jugo de naranja era mi orina y el chocolate, mi mierda. Vieras qué asco me dio recordar al Doctor Jilek junto a la vetana de mi cuarto, sosteniendo en lo alto, para contemplarlo al trasluz, un frasco de mi orina. ¿Para averiguar qué, Maximiliano? ¿Para saber si además de loca estoy diabética? ¿O para descubrir que es tanta, tanta la dulzura que he acumulado en todos estos años, tanta la dulzura de mi amor por ti y por México y que no tengo a quién dársela porque nadie quiere escucharme, que me ahoga, que siento que me va a hacer estallar el corazón, y se me derrama en la sangre, me brota por los poros, se me sale por la saliva y la orina? Vieras qué ganas me dieron de volver el estómago cuando recordé al Doctor Bohuslavek examinando, en un tazón, una muestra de mi excremento. ¿Para saber qué, Maximiliano? ¿Para hallar en él el pétalo mal digerido de una rosa de los Jardines de Bouchout o un pedazo de tu uniforme de almirante? ¿O para descubrir que estoy llena de lombrices y que son ellas, y no el hijo del Coronel Van Der Smissen las que han inflado mi vientre como si fuera un globo? Vieras también, Maximiliano, cómo me duele que todos esos líquidos inmundos me recuerden que estoy viva, sí, viva pero muy vieja. De niña, y porque siempre fui muy orgullosa y muy limpia, aprendí muy pronto a hacer mis necesidades en la bacinica de porcelana que me regaló abuelita María Amelia. Pero hasta eso, también, lo olvidé. Casi todas las noches me orino en la cama. A veces, también, sueño que me pudro en vida, y me despierto batida en mi propia y hedionda suciedad, y me pongo a llorar.

Ay, Maximiliano, Maximiliano: ¿Te dijeron que me vieron beber, en el cuenco de mis manos de la Fuente de Villa Médicis? ¿Te contaron que una noche salí corriendo descalza de Miramar para beber de la fuente del niño que estrangula a la grulla? ¿Te aseguran que han visto a la Emperatriz Carlota beber de un jarro de barro en la Fuente de Tlaxpana, bañarse vestida en las Cataratas del Niágara, desnuda en la Fuente de Trafalgar? ¿Te dijeron que me han visto hacer abluciones con el agua de la gruta azul de Linderhog y gárgaras con el agua del Río Churubusco? ¿Te contaron, Maximiliano, que me vieron de rodillas frente a la Fuente de Trevi beber de sus aguas con el vaso de murano que me regaló el Papa? Pobre de ti, Maximiliano, si vas a creer todo lo que te dicen. Escucha: no es por entre las piernas, por la vagina, por donde quiero y he querido siempre, embarazarme. De todos modos, nadie, ni tú, podrías hoy penetrarme, porque las arañas viudas que me trajo el mensajero bajaron de mi peluca para hacer su nido en mi pubis y tejieron sobre mi sexo una telaraña tornasolada de hilos de acero. Y porque además no es cierto que con rosas me hice un cinturón de castidad: fue con las espinas de las rosas. Es por la boca, te digo, y no con tu miembro. Y no es, Maximiliano, con tu esperma, sino con agua, con la que quiero empreñarme. Con el agua que siempre he querido beber desde que comencé a morirme de sed. Pero yo, Maximiliano, yo María Carlota de Bélgica, la loca de la casa, la Emperatriz de México y de América, no he de beber jamás de las fuentes de las que beben los mendigos y en donde chapotean los niños y se lavan las llagas los leprosos. Mi sed es de otra estirpe. Soy niña y lo seré siempre, pero no por no haber crecido: mi pureza y mi inocencia tienen la altura de una catedral gótica. Soy y seré una pordiosera pero lo que mendigo son las huellas del alba, lo que busco, en los basureros, es la piel de la luna. Y estoy enferma, también, pero enferma de rosas deshojadas, de arcoíris que se me clavan en el pecho, de astros y auroras boreales que se me meten por los ojos para iluminar mi delirio. Y he de beber, sí, pero de las mismas fuentes de las que bebieron Heine y Rilke. De las que bebió Mozart. De ellas he de beber, si Dios me lo permite un día. Si Dios, si la imaginación, me bañan con su gracia, para recuperar mi transparencia.

XVIII
QUERETARO
1866-67

1. En la ratonera

DURANTE 1866, una serie de agitaciones, revoluciones y guerras, mantuvieron muy ocupados a los países europeos. El periódico «La Patrie» de París aseguraba que la insurrección en Palermo, las rebeliones de Candía, los trastornos habidos en el Imperio Otomano, la inquietud que prevalecía en Grecia y los triunfos obtenidos por los juaristas en México eran, todos, acontecimientos que formaban parte de una vasta conspiración internacional fraguada ante la inminencia de una guerra con Alemania y una conflagración general en Europa. Francia, ante la amenaza prusiana y la presión americana tenía, pues, bastante de qué preocuparse, y Maximiliano ya no podía esperar nada de Luis Napoleón: Carlota, desde Europa, ya lo había dicho con tres palabras: *todo es inútil*. Menos, por supuesto, estarían dispuestas a interesarse de nuevo en México y en su Emperador las otras dos naciones que originalmente habían tomado parte en la conferencia y la invasión tripartitas: Inglaterra y España. En el curso del 66, los ingleses habían tenido que enfrentarse, por una parte, a la rebelión de la población negra de Jamaica, y por la otra, a un fenómeno mucho más cercano a su territorio y su conciencia: terminada la Guerra de Secesión en Estados Unidos, todos los *fenianos* que habían participado en ella habían regresado a Irlanda para luchar, en la clandestinidad y acudiendo con frecuencia al terrorismo, por la independencia de su patria del Reino Unido. Y España, que durante más de cuarenta años se había negado a reconocer la independencia del Perú, estaba en guerra con la nación sudamericana: en 1864 el Almirante Pinzón había ocupado las Islas Chincha, o Islas del Guano, y en el curso del 66 la armada española bombardeó el Puerto de Callao y, por estar aliado Chile con Perú en contra de España, el puerto chileno de Valparaíso.

En lo que se refiere a los triunfos juaristas de los que hablaba «La

Patrie», los hubo, en efecto y muy frecuentes durante 1866, un año que se había iniciado con malos augurios para el precario Imperio Mexicano: el 5 de enero, cerca de mil soldados americanos negros a las órdenes del Coronel Reed y el General Crawford invadieron y saquearon sin misericordia el puerto fronterizo de Bagdad, en Tamaulipas, y entonces bajo el control de las fuerzas imperialistas. Poco después, trescientos hombres de la Legión Extranjera sufrieron en la Hacienda de Santa Isabel, cerca de la ciudad de Parras, una derrota escandalosa que recordó el desastre de Camarón. Cuando días más tarde el General Douay quiso castigar a los vencedores, éstos se esfumaron en el desierto de Mapimí.

Otra *débâcle* sufrida por las tropas francomexicanas, fue la de Santa Gertrudis, en marzo, y que fue el preludio de la caída de Matamoros en manos de los juaristas. En sus Memorias, el Coronel Blanchot recuerda la célebre frase de un Rey de Francia quien, cuando se le dijo que el populacho de París no tenía pan que comer, exclamó: «¡Pues si no tienen pan, que coman pastel!», y, un poco en serio y otro poco en broma, Blanchot se pregunta por qué el General Olvera no la tuvo en cuenta y, en vista de que sus hombres no tenían agua que beber, pues que bebieran vino. La columna, cuyos soldados en efecto llevaban cuarenta y ocho horas sin tomar agua, fue destruida por la fuerza del general juarista Mariano Escobedo. El convoy al cual escoltaba la columna transportaba nada menos que cuarenta mil botellas de vino de Burdeos. Si el General Olvera hubiera tenido un poco de imaginación... Una botella de *Château Margaux* por cabeza, dice Blanchot, hubiera asegurado el triunfo.

Pero con vino o sin vino la victoria fue de los juaristas y a Santa Gertrudis y Santa Isabel se agregaron en el transcurso de los meses otras victorias republicanas que, sumadas a la desocupación de las plazas al retirarse los franceses, hacían más apremiante una decisión de Maximiliano: o abdicar y embarcarse rumbo a Europa, o reafirmarse en el trono y regresar cuanto antes a la ciudad capital del Imperio. Se rumoreaba que Porfirio Díaz se acercaba a Orizaba. Y, si había motivos para dudar de ello, sí era cierto, en cambio, que las fuerzas del general mexicano habían destruido en la Carbonera una columna de la legión austriaca comandada por Karl Krickl, el oficial que en una carta dirigida a Viena a su hermano Julio había comentado que Maximiliano se encontraba en Orizaba «rodeado sólo de aventureros y charlatanes». Algo semejante le había pasado al comandante de la legión belga, Van Der Smissen, quien no hacía mucho le había propuesto a Maximiliano que organizara una división y se pusiera al frente de ella y sugerido también entre otras cosas la creación de una brigada austrobelga que él, Van Der Smissen, comandaría, y otra al mando del Coronel Miguel López —otro de los «compadres» de Maximiliano—. Se le daría al General Mejía el cargo de jefe de Estado Mayor.

No había transcurrido un mes, cuando Van Der Smissen fue derrotado en Ixmiquilpan engañado, según él —y así lo dice en sus «*Souvenirs du Mexique»*— sobre el número de liberales a los que tenía que enfrentarse. Indica Corti que los soldados mexicanos de la legión austriaca desertaron a la vista del enemigo. Lo mismo le volvió a suceder a Van Der Smissen a fines del mismo año, y también lo narra en sus Memorias, cuando al salir de Tulancingo el sexto de caballería se pasó al galope al enemigo. Pero no sólo los mexicanos abandonaban las filas imperiales. También franceses, belgas, austriacos y los nubios del batallón egipcio desertaban, pero sobre todo los hombres de la Legión Extranjera, y el propio Blanchot cuenta que una ocasión, estando cerca de la frontera, ochenta y nueve legionarios se pasaron de pronto, todos juntos, al lado americano.

Desertaban, lo mismo, antiguos partidarios, y se sabía que algunas familias distinguidas preparaban ya sus bártulos para marchar, al amparo de la columna francesa, rumbo a Veracruz y Europa. También abandonaban al Emperador los viejos amigos, como fue el caso de Hidalgo y Esnaurrízar. Maximiliano lo había llamado a México para darle un puesto como Consejero de Estado tras sustituirlo, como embajador en París, por el General Juan Nepomuceno Almonte. Hidalgo llegó a México, sí, pero lleno de pánico y lleno de pánico aprovechó la primera oportunidad para largarse a escondidas de regreso a Europa.

Es verdad que si unos se iban, otros llegaban a México para agregarse a la causa del Imperio, como los generales Miramón y Márquez. Su inesperado retorno enfureció al ministro de Guerra, General Tavera, ya que ambos habían abandonado sin autorización sus respectivas comisiones. Tavera, sin embargo, no se atrevió a arrestarlos —y de hecho nunca lo hizo— sin consultar antes al Emperador. Pero Maximiliano estaba casi secuestrado por el Padre Agustín Fischer en la Hacienda de Xalapilla, cerca de Orizaba. El Coronel Blanchot, quien se desempeñó temporalmente como viceministro de Guerra, dice en el tercer tomo de sus Memorias, que el Congreso que debía decidir entre la abdicación o la permanencia de Maximiliano se inauguró en Orizaba el 26 de noviembre con la presencia de sólo dieciocho personajes, de los cuales cuatro eran ministros del gabinete imperial. Las ausencias se debieron a que muchos de los otros funcionarios no estaban dispuestos a afrontar los peligros de un viaje de sesenta leguas a través de regiones que eran visitadas cada vez con mayor frecuencia por los guerrilleros juaristas. Según Blanchot, el voto de los cuatro ministros formó parte de una mayoría de diez votos en favor de la continuación del Imperio. Otros autores, entre ellos Corti, no hablan de un «congreso» sino de un Consejo de Ministros que debió incluir a Bazaine, pero el mariscal se excusó. Dice Corti que once ministros se declararon a favor de la abdicación, «otra parte era contraria, y el resto deseaba que se aplazara toda decisión hasta que fueran asegurados los intereses de los partidarios del Imperio». Por su parte Scarlet, el ministro británico, informó a Londres que el Consejo había emitido diecinueve votos a favor de la prolongación del Imperio, con dos votos en contra. Sea como fuere, el caso es que en la mañana del 28 de noviembre Maximiliano parecía decidido a irse y redactó varias cartas de despedida dirigidas a los embajadores europeos en México. Pero en la tarde del mismo 28 de noviembre cambió de opinión y anunció que no iba a abdicar.

Ese mismo día llegaba a Veracruz el vapor de paletas «Susquehanna», procedente de Nueva York y La Habana. Viajaban a bordo el célebre General William Sherman, y el nuevo ministro americano acreditado ante el gobierno de Juárez, Míster Lewis Campbell. Se reveló más tarde que el General Sherman sustituía al General Ulyses Grant, quien se había negado a acompañar a Campbell a México, pero lo que nunca se supo a ciencia cierta fue qué hacía el flamante embajador en Veracruz, cuando que Juárez estaba en Chihuahua a dos mil kilómetros de distancia. Según parece, los dos *yankees* tenían la intención de desembarcar apenas Maximiliano diera a conocer su abdicación. Como éste no fue el caso, el «Susquehanna» partió camino de Nueva Orleáns y los emisarios que envió Maximiliano al puerto al enterarse de la presencia de los americanos, no pudieron entrar en contacto con ellos.

Maximiliano, en una carta al Presidente del Consejo de Ministros Teodosio Lares, se manifestó profundamente conmovido por las manifestaciones de «lealtad y amor» por parte de los miembros de su gabinete y se declaró dispuesto «a todos los sacrificios». Puso, como condiciones para quedarse en México y entre otras cosas, que se promulgaran leyes de reclutamiento, se cortaran todos los vínculos con los franceses, se continuara buscando un acuerdo con los Estados Unidos, se anulara el Decreto del 3 de Octubre y por último que los Consejos de Guerra se destinaran sólo a los crímenes comunes. El 10 de diciembre fue la fecha elegida para dar a conocer a la nación mexicana la decisión de Maximiliano de no dejar las riendas de su Imperio.

Maximiliano salió de Orizaba el 12 de diciembre de 1866, día de la Virgen de Guadalupe, patrona de México y de América. La noche anterior, sus ministros habían celebrado la partida con champaña en abundancia y el Padre Fischer había tenido tanta que no pudo acompañar al Emperador en la primera jornada. La comitiva pasó Ojo de Agua, y se detuvo en la residencia campestre del Arzobispo de Puebla, la Hacienda de Xonaca donde, según cuenta Montgomery Hyde en su libro «Mexican Empire», Maximiliano continuó con sus expediciones botánicas y entomológicas. Por su parte el Doctor Basch nos dice que el Emperador se entretenía también en dibujar de memoria el Castillo de Miramar y la Abadía de Lacroma, y que después del almuerzo practicaba con pistolas el tiro al blanco, pero que Bilimek se retiraba entonces porque no soportaba el ruido. Fue en la Hacienda de Xonaca donde al fin el Emperador accedió a darle audiencia al General Castelnau, quien llegó acompañado del ministro francés en México, Alphonse Danó.

El General Castelnau no le ocultó a Luis Napoleón la opinión que tenía de Maximiliano. En su libro, Hyde cita el número de agosto de 1927 de la «*Revue de Paris*», en el que aparecen fragmentos de una carta del general al emperador francés. Lo que se necesitaba en México, decía Castelnau, «es un hombre con sentido común y energía». Y Maximiliano, agregaba, no tenía ninguna de las dos cosas. Para Castelnau, Maximiliano era si acaso «un diletante» y a sus defectos «había agregado esa malicia muy mexicana que le permitía ocultar sus designios». A esas alturas, ya era conocido de todos el telegrama que el emperador francés, lleno de cólera, le había enviado a su ayuda de campo al conocer la decisión de Maximiliano de quedarse en México, y en el cual Luis Napoleón le ordenaba a Castelnau que procediera a la repatriación inmediata de todos los franceses que desearan regresar a su país. Consecuencia de ese telegrama fue también la disolución de los cuerpos de voluntarios austriaco y belga.

La misión de Danó y Castelnau era la de lograr a toda costa que Maximiliano abdicara, y para ello le pintaron la situación con los colores más sombríos. Pero por una parte Maximiliano estaba rodeado de personas que trataban de convencerlo de lo contrario y cuyos argumentos, al fin y al cabo, fueron los decisivos. Y por la otra, era ya entonces evidente que la actitud de Bazaine era muy ambigua: cuando Danó y Castelnau le dijeron a Maximiliano que la única salida era la abdicación, y que así opinaba el propio emperador de los franceses, Maximiliano les tendió un telegrama que había sobre su mesa. Estaba fechado en la víspera, y en él el mariscal apremiaba a Maximiliano a conservar la corona y prometía hacer los esfuerzos necesarios para sostener al Imperio. Nada parecía contradecir más las últimas instruciones de Luis Napoleón.

En opinión de Blanchot, ese telegrama o despacho había sido falsificado por el Padre Fischer. Pero de todos modos, la conducta de Bazaine despertaba muchas suspicacias. Algunos historiadores piensan que el mariscal deseaba quedarse en México porque Pepita Peña así lo prefería. También se ha dicho que Bazaine aspiró en algún momento a transformarse en el Bernadotte de México y a fundar en ese país, ido el Archiduque, una dinastía tan brillante y perdurable como la de Carlos XIV de Suecia. Emile Ollivier cuenta que Maximiliano, tras gozar de la sorpresa de Danó y Castelnau, les dijo que conocía muy bien el doble juego del mariscal, y que no ignoraba que el mismo día en que había hecho toda clase de promesas a Miramón y Márquez, Aquiles Bazaine había invitado a almorzar a Porfirio Díaz. El General Díaz contaría más tarde que Bazaine, por medio de un intermediario, le había ofrecido en venta seis mil fusiles y cuatro millones de cápsulas así como cañones y pólvora, en el entendido de que la venta se realizaría si Díaz se transformaba en el líder político y militar de México. Sin embargo, Ollivier señala que ningún jefe militar podría haber hecho tal clase de ofrecimiento sin la aprobación previa de su ministro, so pena de ser llevado ante un tribunal de guerra.

De todos modos, Danó y Castelnau no necesitaba que nadie alimentara su encono contra Bazaine. A esas alturas todos los jefes franceses se atacaban unos a otros en forma abierta o solapada, y Bazaine era el blanco principal de las críticas y en particular de las maniobras del General Douay, quien en la correspondencia que dirigía a su mujer en París ponía al mariscal por los suelos. Douay sabía muy bien que esas cartas irían a parar a manos de Luis Napoleón, ya que su mujer era la hija del General Lebretón, comandante militar del Palacio de las Tullerías. Por su parte Bazaine —nos dice Corti— se las agenció para obtener un borrador de un informe de Castelnau al emperador francés, e indignado por las acusaciones que en el informe se hacían contra él, escribió a París y pidió que se le pusiera a disponibilidad. El nuevo ministro de Guerra de Luis Napoleón, el Mariscal Niel, trató de tranquilizarlo.

De regreso en la ciudad de México, Maximiliano no se alojó en un principio en el Palacio Imperial o en el Castillo de Chapultepec. Es de suponerse que ambos estaban semivacíos y no sólo porque el Emperador hubiera enviado camino a Veracruz numerosos de sus objetos personales: durante su ausencia cualquier cosa pudo haber ocurrido y no sólo un saqueo, sino toda clase de ventas o remates imaginables. Castelot cuenta que al abandonar el Castillo de Chapultepec, por ejemplo, Maximiliano y su comitiva dejaron las rejas abiertas y que el Emperador se olvidó de pagarle el sueldo al cocinero del castillo, quien por consiguiente se vio obligado a vender la batería de cocina y las provisiones de la bodega. Maximiliano se instaló en la Hacienda de la Teja, a sólo unos kilómetros de la capital, a donde acudieron a despedirse de él sus antiguos ministros liberales: Ramírez, Robles y Escudero. Miramón y Márquez se habían ya reunido con el Emperador en la hacienda y lo mismo el General Mejía. En opinión de estos oficiales la situación era difícil, sí, pero no desesperada. Los partidarios de los tres militares se agregaron a ellos, el Coronel Khevenhüller se encargó de formar un regimiento de húsares mexicanos, el Teniente Coronel Barón Hammerstein un regimiento de infantería y el Conde Wickenburg organizó la gendarmería. En esos días, el Señor Murphy presentó un proyecto de organización del ejército según el cual los tres cuerpos contarían con mil novecientos trece oficiales, veintinueve mil seiscientos sesenta y tres hombres, seis mil seiscientos noventa y un caballos y diez baterías y media. Tal como lo indica Corti, ese informe tenía como objeto hacerle pensar a Maximiliano que una fuerza militar considerable estaría muy pronto a su disposición y que, si según el propio Murphy los disidentes se calculaban en unos treinta y cuatro mil, existiría entonces un relativo equilibrio de fuerzas. Pero esto no era, ni sería nunca verdad.

Maximiliano recibió en esos días una comunicación de Viena en la que se le decía que la Emperatriz Carlota se había restablecido del todo, tanto física como mentalmente. Eso tampoco era cierto, y otro telegrama se encargó, casi de inmediato, de desmentir al primero. De cualquier modo la suerte estaba ya echada, y nada parecía que pudiese disuadir a Maximiliano, quien decidió llevar a cabo otra votación. En esa oportunidad sí asistió el Mariscal Bazaine a la junta convocada, si bien al parecer se arrepintió después, y la calificó como una comedia, ya que la decisión de Maximiliano estaba tomada: se quedaría en México.

Que Maximiliano estaba decidido a ello lo demuestra primero que, convencido de la imposibilidad de convocar a una Asamblea Nacional, estuviese de acuerdo en que una «junta» compuesta por los miembros de su gabinete y algunos prominentes conservadores mexicanos decidiese el destino del Imperio. Segundo, que hubiera aceptado sin chistar el resultado de la votación, a pesar de que la mayoría a favor del Imperio fue de sólo un voto. Parece haber cierta confusión respecto a las cifras, ya que Hanna y Hanna, en su libro «*Napoleón III y México*», se refieren a treinta y cinco participantes de los cuales, dicen los historiadores norteamericanos, veinticuatro votaron a favor del Imperio, seis en contra y cinco se abstuvieron —y los que se abstuvieron, afirman Hanna y Hanna, eran miembros del clero que adujeron que la política *no* era de su incumbencia... Pero otros historiadores, que proporcionan cifras distintas, señalan que a Fischer se le dio derecho a voto, y que fue el suyo, positivo, el que determinó el resultado. Si así fue, puede afirmarse que el destino del Imperio Mexicano, y el de Fernando Maximiliano de Habsburgo, fueron decididos, ese día, por el antiguo pastor protestante alemán.

Sea como fuere, el caso es que Maximiliano aceptó la decisión de la junta, y se quedó en México.

Los franceses, en cambio, se fueron:

> «*Ya los franceses marchan*
> *para San Juan de Ulúa,*
> *a recoger jujurifirifiró*
> *y a beber vino Jerez*
> *pitos y tamboforoforés,*
> *vasos de cristal oroporé...*

decía la canción que les inventaron, y que junto con «Adiós Mamá Carlota» se agregó al folklore mexicano de la intervención francesa.

Pero antes de irse, habría de ocurrir un rompimiento total entre Maximiliano y Bazaine a raíz de la aparición, en el periódico «*La Patria*», de un artículo que insultaba a los franceses —o al menos ellos así lo consideraban—. Bazaine ordenó la clausura del periódico y la detención del autor del artículo. En esos mismos días, Márquez ordenó el arresto de un mexicano, Pedro Garay, quien según Corti estaba al servicio de Bazaine. El comandante francés Maussion pidió que se liberara a Garay, y al no hacerse así, ordenó la detención del General Ugarte, jefe de la policía mexicana. Esto fue considerado por Maximiliano como una intromisión inaceptable. Por último, Bazaine recibió una carta de Teodosio Lares, en la cual y entre otras cosas se le reclamaba que las tropas imperiales mexicanas no habían contado con ningún apoyo de las tropas francesas durante el ataque contra la población de Texcoco. El mariscal respondió diciendo que, en vista del tono de la carta, se negaba a tener contacto alguno con el gobierno de Lares. Así se lo comunicó también a Maximiliano en otra carta que le fue devuelta el mismo día acompañada por un mensaje firmado por Fischer. En él se le decía que Su Majestad, a menos que Bazaine retirase lo dicho, también deseaba en el futuro tener relaciones directas con él.

Ese fue el fin. Maximiliano nunca volvió a ver a Bazaine, ya que le negó la audiencia solicitada por el mariscal para despedirse. El 5 de febrero de 1867 Maximiliano, desde una ventana del Palacio Imperial y tras una cortina entreabierta, contempló la salida del ejército francés. La columna pasó por la Alameda a las nueve de la mañana, siguió por las calles de San Francisco y Plateros, llegó a la Plaza Mayor y desfiló frente a Palacio.

Una escolta de *spahis* o turcos a caballo precedía al Mariscal Bazaine. Seguían: el General Castelnau; el Estado Mayor; una escolta y un escuadrón de los cazadores de Francia; los cazadores de Vincennes; el General Castagny; el 70. y el 950. de línea; la artillería; un batallón del 30. de zuavos; las bestias de carga y una escuadra del 30. de zuavos que cerraba la marcha. La columna enfiló rumbo a la Garita de San Antonio.

Dicen que Maximiliano murmuró entonces:

«Ahora, al fin, estoy libre».

Una frase que recordó aquella otra exclamada por Eugenia cuando las fuerzas españolas y británicas se retiraron de Veracruz: «¡Gracias a Dios, nos hemos quedado sin aliados!»

Antes de salir de México, los franceses destruyeron todas las armas y municiones que no podían llevarse consigo. Léonce Détroyat cita una publicación, «Nord», que se preguntaba escandalizada cómo había sido posible que a la hora de la evacuación Bazaine hubiera ordenado que se echaran al agua catorce millones de cartuchos en vez de dejárselos a Maximiliano. Sin embargo Bazaine, a pesar de todos los malentendidos que hubo entre él y Maximiliano, a últimas fechas había comenzado a sentir cierta lástima por el Archiduque. Así, desde Acultzingo telegrafió al ministro francés Danó, pidiéndole que le comunicara al Emperador que aún podía ayudarlo a salir de México y partir rumbo a Europa. Max, desde luego, no se interesó en la oferta. Después, en Orizaba, el mariscal prolongó su estadía con la esperanza vana de que el Emperador cambiara de opinión.

En su retirada de México, y por un acuerdo tácito, las columnas francesas no fueron hostilizadas por las tropas juaristas, las cuales las seguían a distancia y ocupaban plaza por plaza a medida que los franceses las dejaban atrás.

El Mariscal Bazaine fue el último francés que abandonó el territorio mexicano.

Era el 12 de marzo de 1867. El Coronel Blanchot cuenta una anécdota muy significativa: habiendo ya levantado anclas el *«Souverain»* que era el barco en el que viajaba el mariscal, se vio que llegaba el paquebote *«France»* procedente de Saint Nazaire con el correo. Todo el mundo pensó que Bazaine daría órdenes para que se detuviera el paquebote y, en una lancha, enviara al barco insignia la correspondencia destinada a jefes y oficiales: podía haber en ella importantes despachos de las Tullerías, mensajes del *Quai D'Orsay,* cartas de amigos y esposas... Pero Bazaine no mostró ningún interés. Quizás en esos momentos resonaban, en su cabeza, las palabras que en el Consejo de Ministros le había gritado el Señor Araujo y Escandón, y que habían sido las mismas que a un Papa le pareció que merecía el Duque de Guisa: «Idos, nada importa. Habéis hecho muy poco por vuestro soberano, menos aún por la Iglesia, y nada, absolutamente nada por vuestra honra». El paquebote siguió de frente hasta quedar oculto tras la mole de San Juan de Ulúa, y el *«Souverain»* y los otros barcos desaparecieron en el horizonte, rumbo a Tolón, vía el Canal de La Florida y Gibraltar.

Bazaine fue recibido en Francia sin los honores debidos a un mariscal: hacía falta un chivo expiatorio del fracaso en México. Cinco años antes, De La Gravière había afirmado que con seis mil hombres era ya el amo de México. Cuarenta mil no fueron suficientes, y ya en los últimos tiempos Eugenia sabía que sólo con trescientos mil, quizás, habrían conquistado ese enorme territorio: Luis Felipe, el abuelo de Carlota, había necesitado cien mil para someter a Argelia, un país diez o quince veces más pequeño que México.

Durante unos días, Maximiliano tuvo motivos para estar optimista, gracias a un triunfo espectacular de Miramón. Benito Juárez, a medida que se retiraban las tropas francesas, se acercaba al centro del país. A su paso por Durango, el entusiasmo manifestado, al recibirlo, por una población que tanto había admirado a Maximiliano, le hizo exclamar: «Virrey que te vas, Virrey que te vienes»: algo así como «Muerto el rey, viva el rey». Juárez conoció ese día un poco más a su pueblo, que era como todos los pueblos del mundo. De Durango bajó a Zacatecas y allí y como cuenta el historiador mexicano Valadez, el presidente se sintió un poco hombre de guerra, al decidirse a inspeccionar las líneas de defensa de la ciudad. Miramón atacó de sorpresa, y Juárez montó a caballo y salió al galope. Dicen que Miramón pensó que Juárez huía en su carruaje, al que hizo perseguir de balde y de esa manera se le escapó de las manos. Juárez se refugió en Jerez, pero todo su equipaje se quedó en poder de Miramón, salvo, gracias a Dios, su hermoso y caro bastón valuado en dos mil pesos. Los imperialistas recordaron la ocasión en que también habían hecho correr a caballo al Presidente Juárez —noviembre del 65, cuando Bazaine atacó Chihuahua— y en broma afirmaban que lo que no había aprendido el indio zapoteca en medio siglo de vida: ser un buen jinete, lo iba a aprender en unos días si tan seguido tenía que salir de estampida con los maximilianistas pisándole las puntas de la levita. El Emperador, feliz, le escribió a Miramón diciéndole que si Juárez y sus ministros llegaban a caer en su poder, los hiciera juzgar de inmediato, pero que no ejecutara la sentencia sin su aprobación. Estas instrucciones fueron a dar a manos de los juaristas, y unos cuantos días después el general republicano Mariano Escobedo, cuyas fuerzas habían flanqueado a Miramón en su marcha a Zacatecas, atacó a este último en la Hacienda de San Jacinto y lo derrotó. Miramón perdió la caja imperial y veintidós cañones, y mil quinientos de sus hombres cayeron prisioneros. De éstos, cerca de cien europeos, en su mayoría franceses, fueron pasados por las armas: Benito Juárez opinaba que, ya retirado el ejército de Luis Napoleón, cualquier francés que quedaba en México y fuera sorprendido con las armas en las manos en las filas del usurpador, debía ser considerado como un filibustero. También el hermano de Miramón cayó preso y fue ejecutado: se supo que se le llevó en una silla hasta el paredón ya que tenía los pies casi destrozados, y que se le había fusilado a la luz de unas velas.

Fue por estas fechas cuando Maximiliano debió recibir la carta de su padre citada por Corti y que existe en el Archivo Estatal de Viena, y en la cual, además de aprobar la decisión de Maximiliano de quedarse en México, la Archiduquesa le contaba cómo habían celebrado la Navidad *en famille* el 26 de diciembre tras los festejos oficiales de la víspera, cómo sus nietos Gisela y Rodolfo habían estado encantados jugando con sus primitos, cómo el Emperador Francisco José había mecido en un trineo al gordito Otto y cómo, en fin, el domingo siguiente, cuando estaban todos reunidos a la hora del desayuno, había sonado el reloj de Olmütz de Max, y entonces a la Archiduquesa Sofía se le llenaron de lágrimas los ojos: «los ojos se me llenaron de lágrimas —le decía— y me pareció como si tú, desde tan lejos, nos enviases tus saludos...». También le contaba Mamá Sofía a Max que Gustavo Sachsen-Weimar, en un almuerzo, dijo haber apostado una gran suma de dinero a que en el mes de mayo el Emperador aún se iba a encontrar en México.

En mayo de 1867 Maximiliano, en efecto, se encontraba aún en

México, pero no en la capital, sino en la ciudad de Querétaro, sitiado por treinta mil soldados republicanos.

Muchos historiadores opinan que Maximiliano se metió, solo, en una ratonera porque eso, y no otra cosa, era la ciudad de Querétaro. Pero otros opinan que la decisión de salir de la ciudad de México para ir al encuentro de las fuerzas republicanas no carecía de lógica. Los generales juaristas Escobedo, Corona y Riva Palacio, con un total entonces calculado en veintisiete mil hombres, se aproximaban a la capital desde diversas zonas de la República, y Querétaro, en el punto de intersección de varios caminos del norte y el poniente, ofrecía una excelente situación. Además, Teodosio Lares era partidario de ahorrarle a toda costa a la capital lo que llamaba «las calamidades y los horrores» de un sitio y un asalto.

Hasta los valles de Querétaro y San Juan del Río llegaban también las estribaciones de la Sierra Gorda, donde el general imperialista Tomás Mejía contaba —según decían—, con gran número de partidarios, y lo mismo el General Olvera que podía arrastrar, se calculaba, a dos o tres mil «indios montañeses»: dos razones más para ir a Querétaro. El historiador mexicano Justo Sierra dice que, militarmente, no había falta de juicio en el plan de Lares ya que los imperialistas, a los ocho días de haber llegado a Querétaro, podían haber derrotado a las fuerzas del General Corona, pero que la total inactividad, producto de la indecisión, perdió a los hombres de Maximiliano: cuando las tropas de Escobedo se agregaron a las de Corona, el triunfo ya no era posible. Es decir, esto *no* lo dice Justo Sierra, sino Carlos Pereyra, el historiador mexicano que le escribió a Sierra los dos últimos capítulos —titulados *«Querétaro»* y *«Richmond»*— de su libro sobre Juárez. A Sierra, muy ocupado como ministro de Instrucción Pública cuando salió el libro, se le olvidó darle el crédito necesario a Pereyra. Juárez, por su parte, tuvo un presentimiento y se dio cuenta que, encerrado el Archiduque en Querétaro, bastaría sólo el transcurso del tiempo para derrotarlo, y así se lo dijo, en una carta, a su yerno Santacilia. Vale la pena, sin embargo, señalar que algunos autores no le echan la culpa de todo a la indecisión del Emperador, sino también al pueblo de Querétaro: al parecer, cuando el ejército imperial quiso tomar la iniciativa e ir al encuentro de los republicanos, los queretanos le pidieron a Maximiliano que no dejara la plaza sin protección, y el Emperador accedió.

«¡Qué hermoso y lleno de majestad era aquel noble descendiente de los Césares y los germanos!», dice, o más bien exclama Alberto Hans en su libro *«Querétaro: Memorias de un Oficial del Emperador Maximiliano»*. Y posiblemente, Hans tenía razón y Maximiliano, quien se hizo cargo del comando supremo del ejército y se vistió de general mexicano, debió haberse visto, con su larga barba rubia partida en dos, su gran sombrero de fieltro blanco, al cuello el gran cordón del Aguila Mexicana, y caballero en su fogoso caballo Orispelo, como otro conquistador del

Vellocino de Oro. O como el Quijote del Nuevo Mundo. Y de paso, y para hacer de su secretario Blasio un Sancho Panza, camino a Querétaro le pidió que se bajara del caballo: «Los secretarios son hombres de pluma y no de espada», le dijo, y le ordenó que montara en una mula tranquila ya que así, además, mientras fueran al pasitrote, podría dictarle unas notas, cosa que hizo en efecto y Blasio tuvo que tomarlas echando mano —probablemente— de su lápiz-tinta.

Maximiliano salió de la ciudad de México a las cinco de la madrugada del 13 de febrero de 1867, con mil quinientos hombres y cincuenta mil pesos. No se sabe cómo es que el Emperador, siendo como decían —y decía el mismo— supersticioso, escogió un día 13 para salir de México. Pero también Carlota había iniciado en día 13 su viaje a Europa. El secretario del Gabinete, Agustín Fischer, y el sabio Bilimek, no acompañaron al Emperador en su viaje a Querétaro. Pero iban con él entre otros y además de Blasio, su Secretario de Ordenes Pradillo, su valet austriaco Antonio Grill y su cocinero húngaro Josef Tüdös. Lo acompañaban también los generales mexicanos Vidaurri y Del Castillo y el Príncipe Félix Salm Salm, que pertenecía a una de las grandes familias principescas de Alemania. Un Salm Salm, por cierto, había sido candidato al trono de Bélgica poco antes de que lo fuera Leopoldo. Salm Salm, endeudado hasta la coronilla en su país nativo, era un aventurero que había participado en la Guerra de Holstein— por su actuación el Rey de Prusia lo premió con una «espada de honor»— y después en la Guerra de Secesión americana habiendo llegado a ser Gobernador Civil y Militar de Georgia del Norte. Al parecer, en un principio no le simpatizó a Maximiliano, pero con el tiempo se ganó toda la confianza del Emperador. A Salm Salm, militar de carrera, Querétaro le pareció el peor lugar del mundo para ser defendido, ya que casi todas las casas, señaló, podían ser alcanzadas por balas de fusil desde las colinas que rodeaban lo que entonces era una población de treinta mil habitantes a la que llamaban la «Ciudad Levítica» por la abundancia de templos y conventos, algunos de estos últimos verdaderas fortalezas.

«Majestät sind nicht allein» —«Su Majestad no está sola»—, dice Harding que le dijo Salm Salm a Maximiliano. Y sí, en efecto, Maximiliano no estaba totalmente abandonado. Con él, también marchaban los generales Márquez, Miramón, Mejía y Méndez. Fue esta coincidencia de apellidos que comenzaban todos con la misma letra, la que hizo nacer la leyenda de la fatalidad que representó para el Emperador la letra «eme», ya que a la «eme» de estos cuatro generales, se agregó la de su propio nombre, Maximiliano, más las «emes» de Miramar y de México, y en última instancia la «eme» de muerte. Pero también, por supuesto, la «eme» del nombre de pila del compadre que lo iba a traicionar en Querétaro: el Coronel Miguel López; el rubio, ojiazul, esbelto y distinguido jefe del regimiento de la Emperatriz, que cabalgaba a su lado elegantísimo con su chaqueta roja de húsar ribeteada de alamares negros y la cruz de oficial de la Legión de Honor.

En el camino a Querétaro, tropezó Orispelo, el caballo del Emperador. Por si fuera poco este mal augurio, en Lechería la columna fue atacada por una banda de liberales, y un corneta cayó herido a los pies de Maximiliano. Después, en Calpulalpan, se encontraron a un soldado imperialista que colgaba de un árbol, de cabeza, con el cuerpo destazado a machetazos. Aunque había allí tal cantidad de mariposas esa mañana, que eran mariposas blancas y amarillas, amarillas y negras, anaranjadas, y no moscas verdes las que revoloteaban alrededor del cadáver y casi lo ocultaban a la vista. Allí también en Calpulalpan, Tüdös el cocinero húngaro fue alcanzado por una bala que le pegó en la boca y le hizo escupir varios dientes.

Pero Querétaro era una ciudad tan hermosa... Tan importante su acueducto de cantera roja y altísimos arcos construidos hacía ciento treinta años y que derramaba en la ciudad la bendición constante de un caudal de agua clara y fresca venida desde La Cañada. Tan ancho y bucólico y fértil era el valle que rodeaba la ciudad. Tan señoriales sus templos y sus conventos entre los que abundaban maravillosos ejemplos del arte virreinal y rococó y churrigueresco, como la Iglesia de Santa Rosa y Santa Clara: Santa Rosa de Viterbo con su torre y angulados botareles, sus máscaras y ondulaciones de inspiración casi oriental; Santa Clara con su majestuoso pórtico y la monumental filigrana dorada de su púlpito. Y tan claras y luminosas eran las soleadas calles de Querétaro, tan azules sus cielos, tan deslumbrantes las fachadas y los interiores de algunas de sus casas más célebres como la residencia de la Marquesa del Villar con sus sombreados patios de arcos lobulados, o la Casa de Ecala con su asombrosa labor de herrería, y tan elegante la fuente de Neptuno construida por Tres Guerras el genial arquitecto guanajuatense, autor también del templo y convento de Teresitas... que Querétaro por todo eso y otras inumerables bellezas valía no sólo una misa sino una batalla o mil, un sitio heroico y en todo caso un triunfo o una derrota definitivos. Querétaro, el lugar de la Peña Grande —porque eso quería decir su nombre que venía de *Querétaro,* que venía de *Querenda:* en tarasco «el sitio de la gran piedra»— era una ciudad para conquistar la gloria: vivo o muerto.

Así lo entendió o así lo decidió el Emperador de México, a quien una gran parte de la población de Querétaro recibió en la llamada Cuesta China. Pero durante los primeros días Maximiliano no se alojó en la ciudad, sino que acampó en una colina de las goteras, llamada el Cerro de las Campanas porque, según decían, había allí unas piedras o peñas que cuando las golpeaban, tañían: esto es, sonaban como campanas. Allí, en ese cerro, en cuya cima existían las ruinas de una fortificación virreinal, y desde la cual se contemplaba todo el valle, los inmensos llanos moteados por pequeñas pero espesas arboledas y los caminos de San Luis, de Celaya y México, Maximiliano pasó varias noches a veces en una tienda, otras a la intemperie envuelto en sarapes y mantas escocesas. Pero cuando el cerco comenzó a estrecharse, Maximiliano cambió su cuartel al Convento de La Cruz. La fecha elegida fue otro día 13: el 13 de marzo de 1867. Dos días antes, las tropas republicanas habían destruido parte del acueducto para impedir que el agua llegara a Querétaro. Pero la ciudad contaba con aguajes y jagüeyes que podrían proveer agua para los habitantes, el ejército y la caballería, quizás por unas semanas. Había también un río que atravesaba parte de la ciudad, aunque pronto la carroña de los cuerpos emponzoñaría sus aguas.

Castelot, quien se refiere al Convento de La Cruz como «un conjunto un poco heteróclito de patios, claustros, pasajes abovedados, capillas y rincones conectados por escaleras e innumerables corredores», dice que el convento se llamó así porque los indios, al rendir las armas a los conquistadores, vieron cómo una cruz se dibujaba en el cielo. El convento, por lo visto, era un lugar de rendición, porque había servido de último baluarte en Querétaro a las tropas españolas que capitularon el 28 de junio de 1821 —el año en que se consumó la independencia de México— ante las tropas insurgentes.

El mismo día, 13 de marzo, en que Maximiliano se alojó en La Cruz, la artillería republicana abrió fuego contra el convento. El Emperador, en una pequeña celda amueblada con un catre de campaña, una mesa de patas de hierro con un aguamanil de plata y sus útiles para el aseo personal, un sillón y en la pared dos cuadros: uno que ilustraba a Fernando VII y otro la ciudad de Santiago de Compostela, asumía ya en pleno sus responsabilidades como Comandante Supremo del Ejército Imperial Mexicano. Tenía bajo sus órdenes, concentrados en Querétaro, a nueve mil hombres —veinte mil menos de los calculados por Murphy— y contaba con cuarenta bocas de fuego. Leonardo Márquez estaba a la cabeza de su Estado Mayor. Miramón comandaba la infantería. Mejía la caballería. El General Méndez, la reserva. Reyes era el general de ingenieros y Salm Salm estaba a cargo del batallón de zapadores.

Aunque algunos autores pasan un poco por encima del sitio de Querétaro —parecería que tuvieran prisa por llegar al trágico, grotesco desenlace—, los historiadores tienen a su alcance un material abundante en todo caso si desean extenderse, y pueden basarse en un gran número de diarios y memorias, crónicas, partes y cronologías elaboradas por quienes vivieron el sitio y lo sobrevivieron y entre ellos —por parte de los republicanos— los generales Sóstenes Rocha y Mariano Escobedo, Juan de Dios Arias y otros, y —por parte de los imperialistas— el Oficial Alberto Hans, el Príncipe Salm Salm, el Doctor Samuel Basch y el Secretario José Luis Blasio también entre otros. A esto se agregan los artículos del representante en Querétaro del «New York Herald», quien también se dio cuenta que el Archiduque estaba perdido y que la guerra continuaría, dijo, hasta que el «águila austriaca» perdiera todas sus plumas de modo que no le quedara ninguna «para firmar su testamento». Como no cabría aquí una descripción detallada de lo sucedido desde que se inició el sitio el 10 de marzo de 1867 hasta que terminó, sesenta y un días más tarde, en la madrugada del 15 de mayo, vale la pena señalar los principales acontecimientos, así como algunas conclusiones y comentarios, con una anotación al margen: durante la mayor parte del tiempo que duró el sitio de Querétaro, a Maximiliano se le acentuaron sus achaques, y en particular la disentería y las fiebres terciarias. Por su parte, el General Mejía sufrió varios ataques agudos de reumatismo que lo postraron en la cama en más de una ocasión.

Un triunfo de Maximiliano en Querétaro no hubiera significado, necesariamente, el triunfo del Imperio. Pero la verdad es, o parece haber sido, que sus tropas desperdiciaron nuevas oportunidades para atacar con ventaja al enemigo. La inacción fue causada por una serie de contraórdenes resultado a su vez de la rivalidad y las inquinas que existían entre los generales más allegados a Maximiliano. Así, el 17 de marzo, cuando Miramón se aprestaba a salir con sus hombres con el propósito de tomar los cerros de San Pablo y San Gregorio, Márquez ordenó que se suspendiera el plan. Miramón se puso furioso, y tras arrojar su sombrero al suelo, con los ojos llenos de lágrimas «y pálido de la ira» —o al menos así lo describe un testigo ocular— le pidió a Vidaurri que le dijera a Maximiliano que de allí en adelante se limitaría a obedecer órdenes y que nunca más asistiría a ningún consejo de guerra.

Era evidente que Márquez tenía envidia de los triunfos de Miramón, pero las razones que dio eran que no se podía dejar sin guarnición adecuada al Convento de La Cruz. Unos días antes, el 14, el enemigo había atacado La Cruz y obligado al propio Márquez a desalojar la iglesia, el cementerio y el jardín del convento. Salm Salm, que tampoco podía ver a Márquez, culpa en su diario de ese fracaso a lo que llama «su estúpida o traicionera negligencia» —la de Márquez—. Ese mismo día, el 14 de marzo, Salm Salm se cubrió de gloria al apoderarse él solo de un cañón rayado colocado frente al Puente de San Sebastián, y que les había estado causando a los sitiados serios perjuicios.

El 20 de marzo, Miramón encontró la oportunidad de desquitarse de Márquez al oponerse, nada más que por contrariar al jefe de Estado Mayor, al plan de una «salida en masa» de los imperialistas. La ciudad estaba copada ya por tres lados.

Márquez, sin embargo, desaparecería muy pronto de la escena: con el flamante título de lugarteniente del Imperio en su faltriquera, saldría de Querétaro la noche del 22 al 23 de marzo acompañado por mil doscientos soldados de caballería, con la misión de regresar en unos veinte días con refuerzos y atacar a Escobedo por la retaguardia. La salida fue un éxito, pero Márquez nunca regresó. El general republicano Porfirio Díaz, que había derrotado a los imperialistas en Tehuitzingo, Tlaxiaco, Lo de Soto, Huajuapan, Nochixtlán, Miahuatlán, La Carbonera y Oaxaca, agregaría muy poco otro nombre: el de la ciudad de Puebla, a su larga lista de triunfos.

Porfirio Díaz tomó Puebla el 2 de abril. Márquez, quien por medio de una leva forzada que al parecer incluyó a numerosos convictos había aumentado sus efectivos a seis mil hombres, se dirigió entonces a Puebla, y Díaz lo derrotó en San Lorenzo. Algunos autores —como Gene Smith— afirman que las tropas de Márquez, en su retirada, tuvieron que derramar a mitad del camino el contenido de un vagón cargado de oro para que los republicanos se entretuvieran recogiéndolo y no les dieran alcance. Márquez se replegó a la ciudad de México y ya no salió de ella hasta la caída del Imperio, cuando la abandonó a escondidas disfrazado de arriero.

El Tigre de Tacubaya había salido apenas a tiempo de Querétaro: al día siguiente de su partida, el General Vicente Riva Palacio llegaba a la Cuesta China con cuatro mil hombres, y con estas fuerzas el cerco quedó completo. Era el 23 de marzo. El 24, ocurrió la Batalla de Casa Blanca en la que se distinguió de manera particular el coronel imperialista Ramírez de Arellano —premiado ese mismo día con el generalato— al rechazar a las tropas del General Corona. Ese día, en el que el campo quedó sembrado con los cadáveres de dos mil republicanos, Maximiliano estuvo a punto de perder la vida al estallar cerca de él una granada.

El día 26, un fontanero de Querétaro logró hacer una horadación en el dique de un caño, y parte de la ciudad volvió a tener agua corriente. Pero otras cosas, además del agua, habían ya comenzado a escasear, como el plomo y el zinc para las balas de cañón, por lo que el General Severo del Castillo, quien sustituyó a Márquez como jefe de Estado Mayor, ordenó que se quitaran todas las láminas metálicas del techo del Teatro Iturbide. Castelot dice que este hecho proporcionó en un principio hasta ochocientos kilos diarios de plomo. Más adelante, se fundieron las tinas de baño e incluso los caracteres de imprenta.

Fue necesario, también, implantar préstamos forzosos e impuestos de guerra, y se cometieron numerosos abusos. El propio Castelot cuenta el caso del cónsul español en Querétaro, a quien además de quitarle ocho mil fanegas de maíz le decomisaron las vigas de su casa para apuntalar los parapetos de las nuevas fortificaciones ordenadas por el Emperador. Castelot agrega que Maximiliano estableció también un impuesto por puertas y ventanas: una piastra por semana, y una piastra cada vez que se abrían. Y el General del Castillo emitió un bando en el que decía que aquellos que no denunciaran existencias ocultas de maíz y otros granos, serían ejecutados dentro de las veinticuatro horas siguientes.

El día 30 de marzo, Maximiliano organizó una fiesta en La Cruz y para sorpresa en esa ocasión fue él, el Jefe Supremo del Ejército, quien recibió una condecoración de sus tropas.

Al día siguiente, el General Miramón trató, en vano, de retomar la colina de San Gregorio. Otras intentonas suyas tendrían el mismo resultado, como la del 11 de abril, cuando no pudo recuperar la Garita México. Hacia esas fechas, era un secreto a voces la enemistad entre Méndez y Miramón, por un lado, y por el otro la envidia que sentía el Coronel Miguel López del Príncipe Salm Salm, al cual Maximiliano nombró su edecán y quien llevaba en su cuenta más de seis cañones tomados al enemigo.

El 22 de abril, Maximiliano se enteró de la derrota de Márquez, pero se la ocultó al pueblo y al ejército. Severo del Castillo comenzó a emitir partes fraguados con noticias falsas, y se anunciaban triunfos nunca habidos, con salvas y dianas, a pesar de que casi nunca parecían llegar correos de Querétaro a México o de México a Querétaro, ya que con frecuencia los mensajeros imperiales amanecían en las goteras de la ciudad colgados de pértigas o estacas con un letrero que decía «Correo del Emperador». Márquez mientras tanto empleaba la misma táctica en la ciudad de México para tranquilizar a la población. En otras palabras, en Querétaro decían que todo iba de maravilla en la capital, y en la capital, que todo iba de maravilla en Querétaro. La verdad era que, en las dos partes, la capital y Querétaro, el Imperio se desmoronaba sin remedio.

El mismo 22 de abril, un parlamentario de los republicanos entró a Querétaro —Corti no dice quién era, Castelot afirma que se trataba del Coronel Rincón Gallardo—, y ofreció que si se rendía la ciudad «se dejaría salir al Emperador con los honores de la guerra». Castelot dice que el parlamentario agregó que la condición principal era que el Archiduque se embarcara en Veracruz. Maximiliano rehusó la oferta.

Por esos días, un carruaje amarillo tirado por cuatro mulas fue visto en la Cuesta China, rumbo al campamento de Escobedo. Corrió el rumor, en Querétaro, de que había llegado Juárez. Se sabría después que no era el presidente sino una mujer: la Princesa de Salm Salm.

Ya para entonces Maximiliano se exponía en las trincheras en medio del fuego nutrido, en busca de «una bala piadosa» que pusiera fin a su vida, y con ella fin al sitio. Hasta ese momento, no sólo había rechazado la oferta del parlamentario, sino también varias sugerencias de los propios imperialistas para que intentara una salida acompañado por una escolta: su honor, afirmaba, le impedía alejarse de sus leales. Pero, y tal como lo cuenta E. Masseras en «Un Essai d'Empire au Mexique» al fin se dejó convencer, y pidió a sus generales que redactaran un documento que lo exculpara ante el juicio de la historia. La fecha elegida fue el 27 de abril, día en el cual el Emperador intentaría, a las 5 de la madrugada, salir de Querétaro con su equipaje y una escolta al amparo de un ataque que, contra el Cerro del Cimatario, emprendería Miguel Miramón.

La Batalla del Cimatario fue otro de los hechos de guerra del sitio de Querétaro que pasaron a la historia, y que para Maximiliano y sus tropas representó un triunfo y un fracaso, ambas cosas.

Un triunfo porque la arremetida brillante de Miramón puso en fuga a diez mil solados republicanos «poseídos por el pánico», y los imperialistas pudieron apoderarse de veintiún piezas de artillería y miles de fusiles, además de víveres y vacas, mulas y cabras por docenas, equipajes y más de seiscientos prisioneros.

Un fracaso porque los imperialistas —y en esto también concuerdan varios hitoriadores— perdieron algunas horas preciosas en congratularse y festejar la victoria, y como consecuencia los republicanos tuvieron tiempo de reorganizarse y volver a ocupar el Cimatario. Alberto Hans cuenta en sus Memorias de Querétaro su decepción al comprobar que una buena parte del ejército imperialista estaba compuesto por «la chinaca verde», un término peyorativo que se empleaba para designar a las tropas inexpertas e indisciplinadas, en comparación con la «chinaca roja», que era el nombre que se daba a todo el ejército republicano, medido con un solo rasero. Pero el mismo Hans tuvo oportunidad de comprobar que no todos los liberales eran «chinaca roja», y que los cazadores de Galeana, que fueron los que a final de cuentas rechazaron la segunda ofensiva de Miramón, formaban un cuerpo que sabía combatir en serio. Y a esto agregaban dos cosas: sus fusiles americanos de a dieciséis y un odio —dice Hans— «que era mayor que el nuestro». Y en efecto, cuando el clarín tocó a degüello con la contraseña de Galeana, fueron los imperialistas quienes pusieron pies en polvorosa.

Después del Cimatario, ya nadie, en Querétaro, creyó en el triunfo del Imperio. La puntilla fue, quizás, el llamado combate de Calleja, del 10 de mayo. Los republicanos ocuparon la hacienda del mismo nombre, y los imperialistas recibieron órdenes de desalojarlos. Al frente de un destacamento, se le asignó esa tarea al Coronel Joaquín Rodríguez, uno de los oficiales favoritos de Maximiliano —rubio y de ojos azules, como López— quien esa mañana le dijo al Emperador: «Hoy, Su Majestad me hará general... si no es así, es que estaré muerto». Una bala en el corazón dejó tendido al Coronel Rodríguez, quien nunca llegó a general, en los llanos de Querétaro.

El 5 de mayo, los republicanos festejaron con música, salvas y juegos pirotécnicos el aniversario de la Batalla de Puebla.

Dentro de Querétaro, humeaban las fogatas donde se incineraba a los cuerpos, muchos de los cuales tenían que ser pescados con ganchos de las aguas del río ya en estado avanzado de descomposición.

El General Ramírez de Arellano, quien se había encargado de instalar una fábrica de salitre y otra de pólvora —para lo que hubo que confiscar todo el azufre y toda la salpiedra de cuanta farmacia había en Querétaro—, cuenta en su libro «Ultimas horas del Imperio», cómo las fuerzas de Maximiliano en Querétaro se habían reducido casi a la mitad: primero, porque Márquez se había llevado consigo a más de mil hombres, y después por toda la gente que había muerto en el campo de batalla, los que habían caído prisioneros del enemigo, y el gran número de deserciones, que aumentaba día con día.

Pero también el calor, las precarias condiciones higiénicas y la falta de alimentos, mataban cada vez más pronto a los heridos de los hospitales improvisados. La gangrena proliferaba, y el tifo hacía estragos. Heridas y muñones se agusanaban.

Como sucedía en todos esos sitios prolongados, se acabó la paja de los colchones porque hubo que dársela a los caballos y a las mulas, y luego los caballos y las mulas se comenzaron a comer las cortezas de los árboles, antes de que los soldados decidieran, por fin, comerse a los caballos y las mulas.

El Príncipe Salm Salm se preguntaba, en sus Memorias, qué había sucedido con todos esos ladreríos de perros que hacían tan ruidosas las noches mexicanas.

No se necesitaba desde luego tener mucha imaginación para suponer una de dos: o los perros estaban muy entretenidos comiéndose a los muertos, o los vivos estaban muy ocupados comiéndose a los perros.

En la noche del 13 al 14 de mayo, Maximiliano tuvo su último consejo de guerra. Se había decidido que el Emperador intentaría otra salida, acompañado de una escolta, en la madrugada del 14. Castelot nos dice que, sin embargo, en el fondo de su corazón Maximiliano rechazaba la idea de huir. Quizás por eso fue pospuesta por veinticuatro horas la salida, aunque también Mejía solicitó la postergación.

En la noche del 14 al 15 de mayo de 1867, tuvo lugar la traición de López. El coronel se presentó con bandera blanca en el campamento del General Escobedo y negoció los términos para la entrega del Convento de La Cruz y de la persona imperial de su compadre. Después guió a un destacamento republicano hasta las puertas mismas del convento, guardadas por su cómplice, el Teniente Coronel Jablonsky.

Maximiliano no había podido conciliar el sueño sino hasta la una y media de la mañana. Pero muy poco después lo despertó un violento cólico. El Doctor Basch acudió en su ayuda, lo acompañó durante más de una hora, y se retiró de nuevo a su habitación. El Emperador dormía.

A las cuatro y media de la mañana, el Coronel López entró al cuarto que ocupaba en La Cruz el Príncipe Salm Salm y lo despertó a gritos: «Pronto, salvad la vida del Emperador, el enemigo está en La Cruz».

El coronel salió del cuarto de Salm Salm. Mientras tanto Blasio despertó a su vez, alertado por Jablonsky, y corrió al cuarto de Maximiliano para avisarle. Llegó también a la habitación el Príncipe Salm Salm, y urgió al Emperador a abandonar La Cruz.

Maximiliano se vistió con ropas de civil y en compañía de cuatro de sus allegados salió del convento. Unos soldados juaristas le cerraron el camino, pero el jefe liberal que los comandaba, el Coronel Rincón Gallardo, dijo: «Déjenlos pasar... son paisanos».

El Emperador se dirigió a pie hacia el Cerro de las Campanas, y de allí, al darse cuenta que no había escapatoria posible, envió un emisario a Escobedo para comunicarle su rendición.

El general Echegaray acudió al cerro, desmontó, se acercó a Maximiliano y le dijo: «Su Majestad es mi prisionero».

Al parecer para entonces y según dice Blasio, Maximiliano estaba ya montado en Anteburro, y un palafrenero conducía a Orispelo, pero un guerrillero le arrebató la brida y lo dejó suelto.

Cuenta el Conde Egon de Corti que Maximiliano le manifestó a Echegaray que él ya no era Emperador, y que su carta de abdicación estaba en manos del Consejo de Estado. Se le condujo entonces ante el General Escobedo, al cual entregó su espada.

El general mexicano se la dio a su vez a uno de sus oficiales y le dijo: «Esta espada pertenece a la Nación».

2. Cimex domesticus Queretari

Unas tijeras, y dos espejos —uno de mesa, ovalado, y otro de mano, redondo y con mango de carey: ése era el mejor regalo que, por ahora, podían haberle dado. El General Mejía opinaba que si no tenían permiso de usar tenedores, menos les darían de usar tijeras. ¿Pero qué se habían creído? ¿Que se iban a suicidar con tenedores? ¿O que con tenedores atacarían a sus guardias y se abrirían paso hasta la Sierra Gorda?

Bueno, lo importante era que los tenedores habían vuelto, que no habían dicho nada de las tijeras y que con el peine y el cepillo que le había llevado el Doctor Basch quedaba así completo el equipo para arreglarse la barba.

Esto, sin duda, se debía a su talento personal —el de él, Maximiliano— para convencer a los que lo rodeaban a hacer cualquier cosa. Por ejemplo, la Princesa Salm Salm aseguraba que sólo el Emperador había sido capaz de amansar a ese feroz Coronel Palacios, bizco y analfabeto de cuya voluntad, ahora, dependía el futuro del Imperio. Por lo demás, muchísimas personas se portaban de maravilla con él. El Señor Rubio enviaba todos los días suculentos platillos cocinados en su hacienda para la mesa del Emperador. Las señoras de Querétaro lo habían surtido de ropa blanca, que tanto necesitaba, y obsequiado dulces hechos en casa —peras cristalizadas, higos en almíbar— y naranjas. Naranjas, le dijeron, que eran hijas de las de Montemorelos, que son las naranjas más dulces del mundo, y entonces él les había respondido con una sonrisa:

«Ay, señoras mías: si yo les contara. Si yo les contara mis penas y mis alegrías, les diría que las naranjas más dulces que he comido en mi vida, y que quizás vuelva a comer algún día, son las de Ayotla, de donde son también las naranjas más amargas del mundo».

No les aclaró el misterio de la contradicción. Pero con toda seguridad muchas de esas amables señoras queretanas sabían que había sido Ayotla donde vio por última vez a su pobre mujer, a su pobre *cara, carissima Carla*, ahora enajenada y sola, tan lejos, al otro lado del mar...

Se contempló en el espejo, colocado junto al aguamanil, aunque no era ya el mismo aguamanil de plata que tenía en el cuarto del Convento de La Cruz: se lo habían robado junto con sus prismáticos y otros objetos y documentos. No habían respetado nada. Incluso habían desgarrado el colchón. ¿Se imaginarían que el Emperador guardaba sus ahorros en un colchón? ¡Por Dios!

Este era un aguamanil modesto, de porcelana blanca y corriente, con unas florecitas pintadas a mano. Otro regalo más de las señoras de Querétaro.

Se vio en el espejo y con las manos se cubrió su larga barba rubia. ¿Cómo se vería sin barba?

«¿Yo, Señores míos, sin barba?», les había dicho a sus generales una noche, cercana al fin del sitio: «¿yo afeitarme la barba y el bigote y salir de Querétaro a escondidas, disfrazado como un delincuente? ¡Por Dios, Señores!»

Separó las manos de la barba, cogió el cepillo y comenzó a deslizarlo, con lentitud, por las largas y finas hebras de oro...

«¿Yo, afeitarme mi rubia y larga barba, para salir de noche y a hurtadillas de La Cruz disfrazado de qué, Señores? ¿De escribano? ¿De sacerdote? ¿De hacendado arruinado? ¿O vestido de carpintero, con un delantal azul y una peluca negra y al hombro un tablón como lo hizo Napoleón Tercero cuando se escapó del Castillo de Ham? ¡Por Dios, Señores!»

Con el peine trazó la raya y separó la barba en dos mitades. Cogió de nuevo el cepillo.

«¡Por Dios, General Miramón! ¡Por Dios y por su hermano Don Joaquín que fue fusilado a la luz de unas velas mientras una banda militar tocaba una polka: para que su sacrificio no haya sido en vano!»

Dejó el cepillo en la mesa y ahora, con las dos manos, se alisó la barba. Estiró una mitad hacia la derecha, la otra hacia la izquierda...

«Por Dios», les había dicho. «Por Dios, por su hermano Joaquín Miramón y por todos aquellos que han muerto por la causa como el Coronel Rodríguez, ¡tan valiente! ¿O ya olvidaron ustedes su heroísmo?», les había preguntado.

«¿Ya olvidaron ustedes cómo se lanzó al ataque gritando en su buen francés —impecable francés diría yo— *En avant, mes chasseurs!*, adelante mis cazadores, y cómo cayó fulminado por una bala republicana que le reventó el corazón?»

Se alisó después el bigote: estaba un poco largo, y la prueba era que se le mojaba más de la cuenta con el chocolate y la sopa. ¡Ah, la sopas que se esmeraba en prepararle, todavía, el pobre Tüdös!

«Por el Coronel Rodríguez, Señores, a cuyo cuerpo no hubiéramos podido darle cristiana sepultura en la Iglesia de la Congregación si no lo arrastra el intrépido Capitán Domet, con riesgo de su propia vida... ¡Por el Capitán Domet, Señores!»...

Y por Tüdös también, por supuesto. Por todos los vivos y fieles, que seguían a su lado. Por los que nunca lo habían abandonado. Por los que no lo habían traicionado, como lo traicionaron Leonardo Márquez y el Coronel López.

En la mesa estaba una jarra con agua azucarada. El Doctor Basch le había recetado varios vasos diarios para que no se deshidratara con la diarrea. Quitó la servilleta que protegía el agua de las moscas, se sirvió un vaso y lo levantó frente al espejo como si brindara consigo mismo, como si dijera: «salud»...

«Y por Blasio, por Méndez. Por Del Castillo...»

Y bebió del agua azucarada como si bebiera vino. Se acordó de los brindis que había hecho en otra ocasión, una noche también muy cercana al fin del sitio, cuando ya todo el mundo comía perros y ratas, pero habían encontrado de pronto una bodega con vinos finos en la casa de un comerciante de Querétaro...

«Por usted, Félix...»

Le había dicho a Salm Salm.

«Y por usted también, Miguel».

Le había dicho a Miramón, llamándolo por su nombre de pila por la primera y última vez. Pero Miramón rechazaba el honor hasta que no se brindara, primero, por el Emperador. Maximiliano sin embargo no aceptó y al fin brindó primero por el general mexicano, aunque la insistencia de éste le recordó (y ahora *recordaba* haber *recordado*) aquel día glorioso de marzo en que la Plaza de La Cruz estaba toda engalanada, y habían reunido allí a varios generales y soldados a los que el Emperador iba a otorgar medallas en premio a su valor, cuando de pronto de las filas se destacó Miramón y condecoró a Maximiliano con la misma insignia de bronce, «Al Mérito», porque, dijo, Maximiliano la merecía más que ningún otro de los presentes... Y ese mismo día le dieron un pliego con un escrito que comenzaba diciendo: «Ningún monarca ha jamás descendido de la altura de su trono en circunstancias similares para soportar con sus soldados, como lo hemos visto aquí, los peligros más grandes y las privaciones y necesidades... etc., etc.»

Y eso era cierto. Se colocó un paño blanco alrededor del cuello. El nunca había huido de los riesgos de la batalla. Se peinó hacia abajo el lado izquierdo del bigote. Incluso había hecho bromas —como de tantas otras cosas—, del peligro mismo. Y recortó el bigote unos milímetros.

«Pongo de testigo», les había dicho, «o mejor, pongo de testigos a todos ustedes: la bala entró por la ventana...»

La bala entró por la ventana del campanario de La Cruz...

«Una bala de doce libras, y chocó con la pared de enfrente...»

Una bala en efecto de doce libras que, fue verdad, chocó con la pared de enfrente, donde hizo un hoyo, levantó una nube de polvo...

«¡Y todos quedamos bañados de tierra de pies a cabeza!»

Incluyendo el General Miramón que parecía un molinero...

«¡... recién salido de su molino!»

El Emperador ni siquiera había pestañeado, y todos había reído después de que él dio el ejemplo. Ninguna guerra era cómica, pero en todas sucedían cosas notables. Peinó hacia abajo el lado derecho del bigote. Por ejemplo, los republicanos les habían enviado un buey en los puros huesos con un letrero que decía: «para que coman un poco». Acercó las tijeras, y recortó el bigote. Y ellos les habían enviado a cambio un caballo también en los puros huesos con un letrero que decía: «para que traten de alcanzarnos cuando rompamos el sitio».

Un lado había quedado ligeramente más corto... el izquierdo. Acercó, pues, las tijeras al lado derecho del bigote... ¿y quién podría negar lo humorístico de algunas escaramuzas? Cuando los republicanos conquistaron el Cementerio de La Cruz, muchos de ellos perdieron sus rifles gracias a la pericia del Capitán Echegaray: apenas asomaba el cañón del rifle por uno de los agujeros del muro, el capitán lo arrebataba de un tirón. Y cortó el bigote. Echegaray juntó, así, más de veinte rifles.

Ahora sí estaban los dos lados parejos. En cuando a esa bala de doce libras que hizo un hoyo en la pared y cayó luego al suelo sin explotar, Maximiliano ordenó que se inscribieran en ella los nombres de todos los presentes para enviarla a Miramar...

«Sí, Señores, al Museo de Guerra de Miramar, donde estarán algún día todos los trofeos, y entre ellos y por supuesto el cañón del Puente de San Sebastián...»

Se fijó que no había tapado la jarra del agua azucarada y que si seguía recortándose el bigote y barba iban a caer algunos pelos en ella. La tapó. Se quitó el paño y lo puso, sin doblar, sobre la mesa.

Y se miró a los ojos en el espejo: ¿y las balas, las balas con las que me ejecuten, a qué museo irán a parar? ¿Pediré, en mi testamento, que las envíen también a Miramar?, ¿o a Viena?, ¿a dónde, Carla?, ¿a dónde, Dios mío?

Y por una fracción de segundo, al decir —o pensar—: «Dios mío», dirigió la mirada al crucifijo de plata colgado en la pared.

Luego tomó el espejo de mano para observar, de perfil, cómo habían quedado los bigotes, sus rubios y largos bigotes. Primero el lado derecho.

Bien. Luego el izquierdo. No está mal. Para hacerlo yo mismo, no está tan mal. Puso el espejo en la mesa.

Y volvió a sonreír: la frente se le despejó de nuevo y los ojos le volvieron a brillar.

«¡Hombre! ¡Hombre! ¡Si las cosas van a salir mejor de lo que piensas, hombre!», murmuró, y se acordó con simpatía, casi con ternura, de aquel maestro español que en el Salón de las Gaviotas de Miramar le enseñó cómo usar la palabra *hombre* como una exclamación de alegría, de asombro, de enfado, casi de lo que fuera:

«¡Hombre, claro que van a salir bien! ¡Hombre, *Herr* Profesor: los mexicanos no se van a atrever a fusilar a su Emperador!, ¿no es cierto? Sería un crimen, ¡hombre!»

Así le diría si volviera a encontrárselo. Si el profesor se apareciera allí, de milagro, en Querétaro...

Se sentó en la cama y pensó en Agnes Salm Salm. Esa noche, si todo salía bien, el Coronel Palacios le entregaría a él, Max, el anillo del sello imperial, el anillo que el Emperador le había dado a la princesa. Y si así sucedía, eso querría decir... querría decir que Palacios y Villanueva habían aceptado los pagarés de cien mil pesos que la Casa de Austria se encargaría de liquidar si la escapatoria resultaba un éxito...

Puso los codos en las rodillas y apoyó la frente en las manos. Cerró los ojos. ¿Y para eso se había negado tantas veces a escapar? ¿Para eso, muy indignado, les había dicho a sus generales mientras caminaba a grandes zancadas por el Jardín de La Cruz, una tarde dorada y sofocante: «¿Yo, Señores? ¿Yo salir a escondidas de Querétaro? ¿Yo escaparme como un delincuente común, como un convicto? ¿Yo, salir del país, huir, embarcarme en Tampico, o en Tuxpan, qué sé yo, en una corbeta americana que los *yankees* me presten de pura lástima, y dejar el país, como lo hizo Iturbide, como tantas veces lo han hecho Juárez y Santa Anna? ¡Por Dios, Señores! ¡Por Dios y por México!»

Abrió los ojos y recordó la bella cara de Agnes Salm Salm. Pero una cosa —le había dicho la Princesa Salm Salm que no sólo era muy bella sino muy convincente—, una cosa, Su Majestad, es huir de la justicia, y otra muy distinta es huir de la injusticia: Su Majestad tiene el deber de vivir, de sobrevivir, para su pueblo, para México.

El había sonreído. Se acarició la barba, ahora que estaba en su celda de las Teresitas, como lo había hecho cuando iba con la princesa en el espléndido coche del Señor Rubio rumbo a la Hacienda de Hércules y el viento jugaba con ella, con su larga y dorada barba y la despeinaba. Como un eco, escuchó sus propias palabras: «Y una cosa, mi Señora Princesa, sería afeitarme las barbas para salir disfrazado, y otra cosa es salir con toda la barba, ¿no es verdad? Con la barba en alto, ¿no es cierto?»

Y no sólo había disfrutado el juego de palabras, sino que además se hizo ese propósito: si Agnes Salm Salm, o el Barón Lago, o Miramón, o Basch, o Félix Salm Salm, si cualquiera de ellos —o todos juntos, era lo más probable— le convencían que escapar de las Teresitas y de Querétaro era algo que tenía que hacer por el bien de los mexicanos y de su patria adoptiva, lo haría, sí, haría ese sacrificio, pero:

«Jamás me afeitaré mi hermosa barba», le dijo al príncipe, quien le aseguró que no sería necesario afeitarla, sino únicamente ocultarla, esconderla un poco. Y para ello le había mandado a su celda un poco de cera y unos hilos... qué ridículo...

«Sí, qué ridículo», dijo, se levantó, y se vio de nuevo frente al espejo, de barba entera. «Jamás la esconderé tampoco: yo, el Emperador de México, Fernando Maximiliano, no tengo nada que esconder, mi querida Señora», le dijo a la Princesa Salm Salm al bajar del coche, le ofreció el brazo y caminó con ella por el bello jardín de la hacienda, donde los esperaba el General Escobedo junto a un estanque.

Y caminó también por la celda de las Teresitas, tras ofrecerle el brazo a una Princesa Salm Salm invisible, como si la celda tuviera cien metros de lado, como si fuera una enorme plaza o un llano...

Pero como apenas medía unos cuantos pies de largo por otros cuantos de ancho, se encontró con la pared, tropezó con la mesa, se encontró con otro muro, tropezó con el camastro y se encontró, de nuevo, frente al espejo.

Se contempló. Se guiñó un ojo, se encogió de hombros y dijo: «¡Hombre!»

«¡Hombre, qué le vamos a hacer!»

Si algo le había dolido mucho, si algo había resentido, era que se le hubiera confinado a un espacio tan reducido y que no se le dejara salir a pasear por Querétaro...

«Algunas de las ciudades que he conocido», escribió en sus Memorias cuando era joven, cuando era libre, «me han hecho pensar en un color en especial. Roma, por ejemplo, es violeta y azul»... «¿Y Venecia, Max?», le había preguntado Carla. «¿Venecia? Venecia me recordó el mármol rojo oscuro... Cartagena es amarilla... Granada, verde... Constantinopla tiene el color del oro reluciente...»

«¿Y Querétaro, Su Majestad», le preguntó Blasio una mañana en que caminaban los dos por la plaza principal.

«¿Querétaro?», dijo Maximiliano, saludó a unas señoras queretanas que pasaron, agradecidas y admiradas a su lado, y agregó: «Querétaro, mi querido Blasio, me ha hecho pensar en el color blanco, pero no en ese blanco cisne que tiene Cádiz, sino en el blanco cegador de la nieve cuando la hiere el sol. Y no es nada más por la abundancia de casas y de iglesias blancas: el color de una ciudad no tiene que ver tanto con sus construcciones, como con su espíritu...»

Pero no sólo él conocía Querétaro, sino que la ciudad, toda entera, conocía a su Emperador. Por la plaza solía pasear, sí, con Blasio, y llevaba un habano puro a los labios y le pedía fuego a un sorprendido paseante, y le dictaba a Blasio algunas modificaciones para el «Ceremonial de la Corte», le deseaba las buenas tardes a los oficiales que se encaminaban al Hotel del Aguila Roja a jugar al monte, o les sonreía a los que en compañía de una dama y sin chaperón entraban al Teatro Iturbide para ver un *vaudeville* picaresco, o se detenía y acariciaba a su lebrel «*Bebello*», aquel perro fiel que le regalaron en Querétaro y que se salvó de milagro de transformarse en cabrito asado, o del brazo del General Severo del Castillo visitaba el hospital improvisado en el Casino, hablaba con los heridos...

«¡Por Dios!», había exclamado, «¡Por Dios y por el pobre Capitán Lubic que no sólo perdió una pierna, sino también la vida, en Querétaro!»

Y al igual que Lubic el Coronel Loaiza, a quien se le amputaron los dos pies y murió también, en Querétaro:

«¡Por Dios, Señores, y por el Coronel Loaiza, y por el Coronel Farquet que murió de una herida en la rodilla, Señores, y le heredó sus dos hijitos al General Miramón porque era viudo: por los hijos del coronel, Señores!»

Y casi tenía que gritarle al oído al General Del Castillo:

«Recuérdeme, general, pedirle a las señoras de Querétaro más sábanas para hacer vendas...»

«¿Para hacer qué, Su Majestad? ¿Más tiendas?», preguntó el viejo y sordo general.

«Tiendas no, mi querido general: vendas, ¡ven-das!»

Vendas para los heridos imperialistas. Pero vendas también para los heridos republicanos, porque así como ya prisionero Maximiliano mandó comprar sarapes para los guardias juaristas que dormían a la puerta de su celda, echados en el suelo como perros, así también esa generosidad se había manifestado durante el sitio con los heridos republicanos que habían recogido del campo de batalla: con todos hablaba y para todos tenía palabras de afecto, a pesar de esos olores tan fuertes que en medio de ese calor abrumador se desprendían de las salas y los pabellones como gases deletéreos, aunque mucho les había agradecido a sus hombres que cuando quemaban a los muertos propios y ajenos, elegían siempre una hora en la que el viento impidiera que el humo, y con él ese olor espantoso de carne carbonizada, tomara la dirección del Convento de La Cruz. Y también muchas veces, se le había visto en el frente y en los parapetos acompañado con frecuencia por el Coronel López, y les preguntaba a los soldados si estaban bien comidos y contentos... Tanto, tanto había paseado por Querétaro, que hubo que prohibirle a los habitantes y a la tropa que a su paso gritaran: «¡Viva el Emperador!», porque al grito seguía casi siempre y de inmediato una lluvia de balas que enviaba el enemigo, guiado por las voces.

Esa sería, sí: una bala perdida, la única que podría quitarle la vida, y no esa gente del pueblo que se acercaba a hablarle, los mendigos para quienes siempre había tenido algunas monedas, las monjas que le llevaban pan amasado con la harina de las hostias, los músicos que una noche, en los portales de la plaza, y para acallar a los republicanos que a lo lejos cantaban «Adiós Mamá Carlota» tocaron en su marimba «La Paloma» en honor de su querida Emperatriz ausente...

Se puso de pie y se vio en el espejo.

«Ninguno», pensó, «ninguno de ellos levantará la mano contra su Emperador, nadie sacará de pronto una daga oculta en un ramo de claveles o en una canastilla de fresas para hundírmela en el pecho...»

Se llevó una mano al cuello.

«Mi hermano Francisco José tuvo mucha suerte que un botón de su uniforme desviara el cuchillo de Livenyi...»

Y de nuevo se acarició la barba. Sonrió:

«A mí me salvaría la barba... ¡la tengo tan larga!»

Cogió el espejo de mano y se vio de perfil. Tan larga tenía la barba Maximiliano, que el encargado, en México, de dibujar su perfil para que figurara en las monedas, se quejó de que era «muy poco numismática». Con lo que quería decir que la barba no cabía toda o que, si se la hacía caber, había entonces necesidad de reducir demasiado la cabeza del Emperador que quedaba, así, muy pequeña.

Se volteó y contempló el otro perfil. Bien: las dos mitades estaban del mismo largo. Si existía una diferencia, no se notaba a simple vista.

Pensó que algo se había movido en uno de los muros de la celda... una sombra diminuta... ¿sería una araña?, ¿una cucaracha? Sintió un escalofrío y se acordó de las chinches. «He descubierto aquí en Querétaro, mi querido Bilimek —le escribió Maximiliano al sabio entomólogo— una chinche junto a la cual las chinches del Palacio Imperial de la ciudad de México se quedan pálidas... Una chinche, mi querido amigo, de terribles mandíbulas, y dotada de un formidable aparato perforante y respirante... En cuanto tenga oportunidad, le enviaré unos ejemplares disecados. Por lo pronto, quiero comunicarle que ya la he bautizado. Se llama: *Cimex domesticus Queretari,* y es un animalito que disfruta muy en particular la sangre azul. Se lo puedo asegurar a usted, porque lo he experimentado en carne propia...»

«*Cimex domesticus Queretari...* ¿qué le parece a usted, General Mejía?», le preguntó al «negrito».

En Querétaro, Maximiliano no sólo le puso nombre a una chinche, sino apodos a sus generales, aunque ninguno lo sabía: era un secreto entre el Emperador y Salm Salm. A Mejía, pues, le tocó llamarse «el negrito», y «el negrito» respondió:

«¿*Cimex* qué, Su Majestad, con su perdón?»

«¿*Cimex* es la especie, como la *Cimex lectularius* que es la chinche común, mi querido general, de la familia de los *cimícidos*, ¿correcto, Doctor Basch? *Domesticus* pues porque habita en las casas, con los seres humanos... bueno, y en los conventos, desde luego. Por último *Queretari*, claro, porque es originaria de Querétaro...»

«Ah, Su Majestad es muy ingenioso», dijo el General Mejía, pero Maximiliano se dio cuenta que el militar mexicano no entendía su humor. En fin, el negrito estaba bien para lo que estaba: era un buen soldado, un buen creyente, un buen monárquico. Y él sería quien habría de guiarlo de Querétaro hacia la Sierra Gorda, y de allí a la costa. Pasaremos el invierno en Nápoles o en Brasil, general, le decía Maximiliano a Mejía para distraerlo de su reumatismo y de sus preocupaciones, y le describía cómo era la vida en Miramar y Lacroma, pero era igual: el general no parecía interesarse por los seis mil volúmenes de la Biblioteca de Miramar o por el azul del Adriático. «Soy un hombre sencillo —le decía a Max—, si Usted me lleva a Miramar, me pondré a pescar»...

Tuvo de nuevo la impresión de que algo se había movido en una pared, pero esa parte de la celda estaba oscura: imposible distinguir una alimaña, si de eso se trataba. Llegó a la conclusión de que chinches no podían ser: porque las chinches no caminan por las paredes —según tenía entendido— porque son animales nocturnos y porque había logrado que lavaran el catre y el tambor con agua hirviendo: las chinches no debían ya existir en esa parte del convento. Al menos *no* en su celda.

Se le ocurrió entonces una idea muy sencilla: con el espejo en la mano caminó hacia el rayo del sol que entraba por la ventana, y usó el cardillo para iluminar el tramo del muro donde creyó percibir el movimiento de esa minúscula sombra: no había nada.

Iluminó también los otros muros, los rincones, el piso: nada. Después, de pie y aún bajo el rayo del sol, puso el espejito a la altura de su pecho y vio, desde arriba, cómo se veía su barba desde abajo. Así, la barba lucía más dorada y espesa que nunca: era como una portentosa nube de oro. Suspiró hondo, y con el suspiro se movió su pecho, y con su pecho se movió el espejo y el reflejo del sol se disparó en sus ojos y lo cegó por unos instantes.

Unos instantes en los que tuvo un presentimiento espantoso: había sonado ya la descarga del pelotón de fusilamiento y él había caído, pero estaba vivo aún y con los ojos abiertos y de cara al cielo, y el sol derramaba en sus ojos todo su filo y todo su esplendor, y se preguntó entonces qué estaría haciendo su madre Sofía en el Palacio de Schönbrunn.

Caminó hacia la mesa y dejó en ella el espejo. Se sentó en la cama. Se quitó las botas y se recostó. Había órdenes de que no lo molestaran por unas horas. Con suerte, podría dormir una siesta.

Vio de nuevo la cara de la Princesa Salm Salm. Increíble mujer: Había logrado que todo el mundo la recibiera: Porfirio Díaz, el General Escobedo, el propio Presidente Juárez. A todos veía, con todos hablaba. A cualquier parte era capaz de ir: a San Luis, a la capital, a Querétaro, de nuevo a San Luis, a Tacubaya, a Puebla, y en cualquier parte y en los momentos más inesperados podía aparecerse en su coche amarillo pálido, a su lado sentada su inseparable sirvienta Margarita, en su regazo «*Jimmy*» su perro faldero, y en el seno, en el estuche tibio formado por sus dos redondos y blancos pechos, su también inseparable revólver de seis tiros. «Ah, mi querida princesa —le había dicho el Emperador una tarde en que paseaban por el patio de las Teresitas—: si algún día salgo libre de aquí, la nombraré mi ministro de Negocios Extranjeros... es decir, mi ministra». Y todo era capaz de hacer, y haría, en su lucha por salvarle la vida a su marido y al Emperador.

Por supuesto, la princesa no nada más viajaba en aquel viejo simón amarillo: no en balde había sido caballista de circo —la llamaban «la centauro hembra»— y cuando era necesario montaba en una fogosa bestia y se acercaba al galope a los puestos militares, o saltando las trincheras, con un pañuelo blanco atado a la punta de su látigo.

Con las mujeres, su experiencia se lo decía, era más fácil gobernar. Por supuesto, con mujeres cultas y de fina sensibilidad, como Carlota, como su madre Sofía, como Agnes Salm Salm. Porque con las mujeres se podía hablar lo mismo de estrategia militar que de cocina. A veces, ni siquiera de los diseños de los uniformes podía hablar con sus generales: no parecían interesados. Hay quien señala, le decía al General Méndez, que las blusas rojas de los soldados del Batallón del Emperador se parecen demasiado a las que usa la chinaca roja juarista, pero usted tendría que tomar en cuenta, general, que también las tropas de Garibaldi usan blusas encarnadas y que el uniforme de caballería regular de Abd-el-Kader era rojo de la cabeza a los pies... ¿y cuál chinaca roja, a fin de cuentas?, le preguntaba al mismo General Méndez una tarde en que desde la azotea del convento, con los binoculares, veían cómo los soldados del enemigo paseaban desnudos al pie del cerro pero sin dejar sus fusiles, mientras se secaban, tendidos en unas grandes piedras, sus uniformes blancos: sí, blancos de pies a cabeza, y no rojos. Y no sólo blancos sino impecables, albeantes incluso por lo seguido que los lavaban, cosa que no sólo sorprendió al Emperador sino que, además, le dolió: una de las cosas que más extrañaba era su chapuzón matinal en el Lago de Chapultepec. En Querétaro no había agua casi ni para beber, y en cambio a los republicanos les sobraba: roto el acueducto, varias pequeñas cascadas límpidas caían desde lo alto de sus arcos. Ordenó que en esas circunstancias no se disparara a los soldados juaristas porque no le parecía bien que se matara a un hombre despojado de aquello que, más que un arma, le otorgaba la condición de enemigo y que era el uniforme. Y le otorgaba dignidad también, ¿no es verdad, General Méndez? Pero el General Méndez no parecía entender la diferencia entre un enemigo vestido y un enemigo desnudo.

Supo entonces que iba a dormir, que le sería posible, al fin, conciliar el sueño, así fuera por unos minutos. La noche anterior los guardias del convento —no era la primera vez— se habían desgañitado gritando a intervalos regulares: «¡Sentinela alerta! ¡Sentinela alerta!» y claro, el Emperador no había podido pegar los ojos. Para colmo, le había dado un nuevo ataque de disentería y unos dolores que las píldoras de opio del *doctorcito* Basch no alcanzaron a paliar...

«Doctorcito», así le decían a Basch en Querétaro.

Supo también que había dormido profundamente porque antes de abrir los ojos, pero ya despierto, se dio cuenta que se le escurría la saliva sobre la almohada. Era saliva, sin duda, porque estaba fría. La sangre no es fría: es tibia, y ese hilo que le escurría de la boca no estaba tibio, pero se transformó en sangre porque se hundió en el sueño por unos segundos más, y tuvo la sensación de hundirse en la muerte. Blasio, dime: ¿me hirieron en la cara?, le preguntaba a su secretario mexicano. Blasio volteó y de su boca escurría un hilo espeso de sangre morada. ¿Me oyes Blasio? Pero Blasio no escuchaba. Maximiliano sintió entonces que un escalofrío le recorría toda la piel, desde los pies a la frente, como un río de hormigas rojas... ¿pero eran hormigas? ¿o eran chinches?

Se levantó de un salto, revolvió las sábanas del catre. *Cimex domesticus*... casi se vomita del asco, *Cimex domesticus Queretari*... del asco de imaginarse las hileras de chinches pálidas, las hileras de chinches rojas que reventaban de sangre... pero por fortuna no había una sola. Ni una sola.

Se sentó en la cama y con el dorso de la mano se limpió los restos de saliva que tenía en la barba. Se levantó y se vio en el espejo «de barba entera», Señora Princesa, «con la barba en alto», mi querida Agnes Salm Salm. Pero de nuevo, claro —cuento de nunca acabar— la barba se le había despeinado durante el sueño.

Cogió el cepillo. Se dio cuenta que era de noche ya, y que alguien —Grill, con toda seguridad— había entrado para encender las luces del candelero que le habían regalado, también, las señoras de Querétaro... Ah, las señoras de Querétaro que tan valientes se habían portado durante el sitio, que tan afables lo saludaban cuando salía del Casino tras jugar una partida de boliche con sus coroneles, y que tanto habían sufrido...

«Por las señoras de Querétaro», dijo, y se cepilló a todo lo largo el lado izquierdo de su larga barba.

El Príncipe Salm Salm, que jugaba al *whist* con el Mayor Malburg, había estado de acuerdo: «Por las señoras de Querétaro».

«¡Por las señoras, señores, y por los cazadores húngaros que murieron en el Cimatario!», exclamó Maximiliano y se cepilló a todo lo largo el lado derecho de su larga barba.

A Tüdös le había conmovido esa referencia suya a sus compatriotas húngaros muertos en Querétaro. Y naturalmente:

«¡Por mi fiel Tüdös, a quien una bala le hizo escupir tres dientes en Calpulalpan!»

Y Miramón había estado de acuerdo, no sólo porque a él, unas semanas después y ya caído Querétaro le iban a dar un balazo muy parecido en la boca:

«Y por el General Miramón, Señores, herido en el heroico sitio de Querétaro...»

... sino por la perseverancia de Tüdös, por su inventiva, por su genio para cocinar *ragoût* de caballo, paté de perro, salchichas de gato...

Y ya alisada la barba, se colocó el paño alrededor del cuello, tomó las tijeras...

«Y por los voluntarios argelinos que murieron en San Pablo, Señores, y por los soldados del Batallón de Celaya que dieron la vida por su Emperador en el Llano de Carretas, y por los hombres de la tercera de ingenieros diezmados en el Cementerio de La Cruz, y por las soldaderas muertas al pie de los arcos del acueducto, y por los hombres del Batallón Iturbide que perecieron en el combate de Casa Blanca, Señores, y por el Coronel Santa Cruz que en la mañana del 15 de mayo murió, el pobre, acribillado a balazos...»

«Y por supuesto...»

Por supuesto que recordó entonces al General Méndez. Ramón Méndez, el culpable de la muerte de los generales republicanos Arteaga y Salazar. En Querétaro, Maximiliano le había puesto el apodo de «el chaparrito intrépido» —o algo por el estilo—. Y recordaba, como si lo tuviera frente a él, su semblante moreno y lustroso, sus bigotes largos y ásperos, sus ojos luminosos y su cabello lacio y negro como el azabache. Méndez le decía siempre que, si salía de Querétaro, se fuera con él a la Sierra de Zitácuaro, que conocía como a la palma de su mano... Al caer La Cruz, Méndez se había escondido en una casa de Querétaro. Cuando lo encontraron, lo llevaron a la Alameda y allí se le fusiló, por la espalda, por traidor a la patria.

«Y por supuesto, por el General Méndez, Señores, que murió fusilado por la espalda...»

Aunque decían que Méndez, al grito de ¡fuego! alcanzó a voltearse y presentar el pecho a las balas...

El Emperador se sacudió la barba, la limpió con el paño, sacudió el paño para que los pelos cayeran en el suelo, cogió el cepillo y murmuró: «Sea como fuere, por la espalda o por enfrente, no fue un traidor. Repito, Señores: por el General Méndez».

Luego comenzó a cepillarse la barba despacio, y pensó: el barbero suizo que se trajo Salm Salm a Querétaro no lo hubiera hecho mejor.

Sí, por todos ellos, por todos los muertos, él tenía que conservar su hermosa barba y, en caso de escapar de las Teresitas y de Querétaro, hacerlo no sólo sin afeitarse, sino incluso sin ocultar esa larga barba rubia que, decía el General Miramón, era posible identificar a dos leguas de distancia, a la luz del sol... ¿y a la luz de la luna?, le preguntó Maximiliano, quien jamás había perdido el humor ni durante el sitio ni durante su prisión, y prueba de ello era lo mucho que había festejado las palabras de Mejía, del fiel negrito, cuando le suplicó que no se expusiera tanto al peligro. «¿Se imagina Usted? Si Su Majestad, Dios no lo permita, se nos muere, todos nos pelearíamos entre nosotros mismos por la presidencia». Y Maximiliano se imaginó una batalla campal en la que todos peleaban contra todos: Mejía contra Miramón, contra López contra Méndez contra Santa Anna contra Vidaurri contra Del Castillo contra Teodosio Lares contra Márquez... No-no-no: ni pensarlo... definitivamente, no se podía dejar sólo a México.

Y, si por los muertos era preciso conservar la dignidad y perder el honor, por otra parte era preciso también, por los vivos:

«Por todos los mexicanos, Señor... los mexicanos de hoy y los del futuro, Señor...»

... no perder la vida. Y muy pronto, esa misma noche, en unas horas o en unos minutos, se sabría ya si el plan de la Princesa Salm Salm se pondría o no en ejecución.

En realidad, Maximiliano lo sabría en unos segundos.

Unos golpes en la puerta lo sacaron de sus sueños. El guardian anunciaba que el Doctor Samuel Basch deseaba ver al Archiduque de Austria.

El doctor no tenía un buen semblante. Se veía triste. Trató de sonreír, hizo una venia y sacó de uno de los bolsillos de su levita el anillo-sello de Maximiliano. La Princesa Salm Salm le había pedido que le entregara el anillo y le dijera a Su Majestad que había sido necesario suspender los planes, que el Coronel Palacios no había aceptado los pagarés, y que era muy posible que a esas horas Escobedo estuviera enterado de la conspiración. Sí, no sólo era posible sino probable: la guardia de los cazadores de Galeana había sido relevada esa misma tarde. Todos los guardias eran nuevos, y además, su número había sido doblado...

«¿Doblado?», dijo Maximiliano, tomó el anillo y se lo puso en el dedo. «Ah, mi querido Doctor Basch: tienen miedo de que se les escape la presa... tiemblan, porque el león se agita en su jaula...»

«Así es, Su Majestad...», contestó el doctor.

Maximiliano caminó hacia el espejo y se contempló en él. A la luz de las velas, como a la luz del sol o de la luna o a la luz de las estrellas o de la imaginación, su barba era y sería siempre inconfundiblemente larga y dorada... Muchos años después, un poeta describiría así a Maximiliano:

... Rubio, ojiazul, de frente
lisa —página en blanco que no enturbia un dolor—.
Luenga y en dos partida la barba, fluvialmente
desborda sobre el pecho su dorado esplendor...

Recordó entonces una caminata que había hecho con el General Del Castillo, una tarde soleada y polvorienta, hacia principios de mayo. Maximiliano le había preguntado cómo había muerto el Padre de la Independencia de México, el Cura Miguel Hidalgo. Fusilado, fusilado por los españoles, le contestó el general, pero además —agregó— costó mucho trabajo matarlo por la mala puntería de los soldados. El cura estaba en un banco —Del Castillo no sabía por qué se le fusiló sentado—, y con la primera descarga sólo le rompieron un brazo; con la segunda un hombro y los intestinos se le salieron; una tercera descarga sólo abanicó el aire, y la venda del cura se deslizó y los soldados se turbaron mucho al ver sus ojos llenos de lágrimas y se dice también que con el impacto de una descarga más el cura cayó del banco en un charco de su propia sangre, pero que aún estaba vivo, y que sólo cuando se le dieron varios tiros a quemarropa fue posible al fin acabar con la vida del prócer. Después, Su Majestad, figúrese Usted, le cortaron la cabeza, que fue llevada a la alhóndiga de Granaditas en Guanajuato con las cabezas de tres de sus capitanes. Allí pusieron una cabeza en cada esquina, colgadas en jaulas de hierro, para escarmiento de los insurgentes...

Maximiliano sabía que Juárez no haría tal cosa, que su cabeza no acabaría en una jaula de hierro, ni tampoco las cabezas de Márquez, de Miramón o de Mejía...

¿Pero cómo garantizar la puntería del pelotón? Tendría que exigirlo... escribirle a Escobedo...

«¿Cómo dice, Su Majestad?», preguntó el General Del Castillo.

«Dije que escribirle a Escobedo o al propio Juárez si fuera necesario, para que todos los soldados sean excelentes tiradores, para que me maten de una sola descarga».

Seguía frente al espejo. Basch, en un rincón, contemplaba al Emperador en silencio.

«Y para que no me destrocen la cara, les pediré que apunten al corazón. Yo mismo se lo señalaré...»

Se apartó la espesa, larga, fluvial barba en dos alas doradas, y se señaló el corazón:

«Aquí, Señores».

3. Seducciones: (II) «Espérate, Esperanza...»

Espérate, Esperanza. Quítame esa mano de la axila, que me estás haciendo cosquillas. ¿Qué? ¿Hasta ahora te enteras que soy cosquilludo?

No me digas que tú no tienes cosquillas. A ver... te estás aguantando la risa. ¿Sabes una cosa? Me encanta que mis manos huelan a tu sudor. Sí, ya sé que estás limpia. Pero una mujer también tiene que oler y saber a eso, a mujer, y no nada más a jabón y a pachulí. Pero déjame, que ya te dije varias veces que por esta noche no vine a eso, sino a concentrarme en el proceso del Archiduque que es mañana, en el Teatro Iturbide. No, no sé si dejarán entrar mujeres. Lo que sé es que él no va a estar allí y que lo vamos a juzgar en ausencia. Dicen que está muy enfermo, que tiene disentería y se pasa los días en la bacinilla. Yo creo que más bien es de puro miedo. Pero me alegra, Esperanza... déjame en paz el pelo. No, hoy no me puse tanta grasa. Me alegra que no haya podido escaparse, por más que mandó a la princesa ésa, la Salm Salm, a entregarse al Coronel Palacios. Ni de la cárcel ni de la justicia. Y me alegra también que haya sido aquí, en Querétaro, donde cayó prisionero, porque de otra manera, Esperanza, quizás no nos hubiéramos vuelto a ver en mucho tiempo. Que me sueltes, te digo. Deja en paz los botones de la casaca. No, no tengo calor. No pudo escaparse, por más, también, que tantas veces como se le preguntó el motivo de su venida a México, y que fueron tres según la costumbre, tres veces contestó, ¿de dónde sacaste ese anillo?, ¿que te lo di yo? No, no me acuerdo. Tres veces, te decía, contestó que era una cuestión política. Es decir, que desconoció la autoridad de un Consejo de Guerra. Imagínate nomás qué descaro del austriaco ése. ¿Y cómo quieres que pueda yo escribir si no me sueltas la mano? Tengo que hacer muchas notas. Como si no fuera sabido de todo el mundo que cuando iba camino a Querétaro se puso al frente de su llamado Ejército Imperial, disfrazado la mitad de charro mexicano y la mitad de general austriaco. Sí, mujer, sí, ya sabes que siempre me han gustado tus manos. Y esos vellos largos que tienes en los brazos. Y me gustan tus pechos. Y toda tú me gustas. Pero ahora, o te acaricio o escribo. Y mejor escribo. Tengo que estar en el Teatro Iturbide muy temprano, bien descansado. Hasta eso que mal, lo que se dice mal, no me cae el Archiduque. A veces hasta me da lástima. Pero a Miramón lo odio con toda mi alma. Presidente de la República, héroe de Chapultepec y Padierna. ¿De qué le sirvió todo eso si después fue traidor a la patria? ¿De qué, si fue él quien autorizó la orden para asesinar a los mártires de Tacubaya? Comienza a hacer un poco de calor. Sí, está bien, desabróchame la casaca. Y el cinismo del austriaco fue mucho más lejos. No lo vas a creer: dijo también que por ignorar la legislación... ¿un poco más gordo? Bueno, algo de barriga, sí. Será, pienso, de tanta inacción y tanto pulque que hemos tomado para celebrar la caída del Imperio. Y ya me lo dijiste ayer. La legislación por la que se le juzga, necesitaba, por ignorarla, tener a la vista las leyes que sobre el particular haya dictado el Presidente Juárez. No, no me voy a quitar la casaca. Lo que tampoco sabe, espérate, Esperanza, no me juntes tanto las piernas y hazte para allá, que vas a hacer que me equivoque.

Lo que tampoco sabe, precisamente por no conocer las leyes del país, y para conocerlas tendría que hablar mejor el español... Esperanza, amor mío, déjame tranquilo. Es que esas leyes, te decía, consideran confeso en el contenido de los cargos no contestados a quienes rehúsan defenderse y guardan un silencio inútil. Y eso, Esperanza, es contumacia. ¿Esta uña? Se me rompió ayer. No, no me la muerdas, tráete unas tijeras. Espérate. Qué bonitos dientes tienes, Esperanza. Sí, me lastimaste, pero sólo un poquito. Y por eso es en el último de los trece cargos... trece tenían que ser, fíjate, siendo el pobre Archiduque tan supersticioso como dicen que es. No, no me chupes el dedo que me pongo nervioso. En el último, te decía, lo acusamos de rebeldía y contumacia. Con-tu-ma-cia, mi amor. ¿Cómo te lo explicaré? Pues es algo así como obstinación. Como terquedad. Como lo que eres tú a veces, Esperanza, terca, como hoy. Ya sé que van a decir que la confesión tácita o presunta que implica la rebeldía a contestar está muy distante de tener la fuerza probatoria de la confesión expresa. Y que citarán, seguro, a Escriche. Escriche, el español, el del *«Diccionario Razonado de Legislación y Jurisprudencia»*. ¿Y por qué voy a tener comezón en la espalda cuando a ti se te ocurra? Deja de rascarme. Ya te dije que vine aquí para estar tranquilo y concentrarme en el proceso del Emperador. Quiero decir, del Archiduque. Ya ves cómo hiciste que me equivocara. Abajo del omóplato. Del omóplato, mujer, ese hueso medio salido. Así, así... Imagínate qué ridículo: yo, llamando «Emperador» al acusado. Pero no tan fuerte, que me lastimas: ayer me dejaste la espalda llena de arañazos. Si uno de los principales cargos, o yo diría que el principal, es el de usurpador, ¿no es cierto? El de que vino a México a usurpar el poder constitucional legítimo, y el de haberse prestado a ser el principal instrumento de la intervención francesa que tuvo como objeto... Sí, por supuesto, de este vestido sí que me acuerdo. Te lo di la segunda vez que vine a Querétaro. Cómo no me voy a acordar, si no sólo me gustó porque es de seda de la China y por el color verde bandera sino además por atrevido. Y te dije que no quería que nadie te lo viera puesto, sino sólo yo. Con objeto de alterar la paz. La paz de México, claro. Por medio de... ¿y para qué te subes las faldas? Te digo que quiero que ahora me dejes tranquilo. Ah, sí, las ligas. También me acuerdo de ellas. Pero escúchame. Escúchame, Esperanza: si me vas a enseñar todo lo que yo te he regalado, tendrías que desnudarte. Dime, ¿te pusiste el corpiño ése de ballenas que compré en México, en la Calle de San Francisco, te acuerdas, y que traje un día, disfrazado de arriero, bajo el jorongo de un burro? ¿Te acuerdas? Para alterar la paz, la paz de México, por medio de... espérate. Espérate, amor. No te bajes las medias. Sí, sí, ya sé que ese lunar del muslo no te lo di yo. Por medio, decía, de una guerra injusta, ilegal en su forma, desleal y bárbara en su ejecución... Voy a apuntar esta frase, que me quedó muy bien. ¿Te fijaste ya, Esperanza? Te salió un pelo largo y güero en el lunar. Injusta, ilegal en su forma,

¿qué más dije? Ah, sí: desleal y bárbara en su ejecución. Tienes unas piernas tan bonitas, mujer. Si yo te contara. Pero tan bonitas de verdad. Si yo te contara, decía, la de atrocidades que han cometido todos ellos, franceses y austriacos por igual. Ellos trajeron aquí el suplicio de la cuerda. Nada más hay que recordar los crímenes de Cavaignac en París. Por no mencionar a ese desgraciado del Coronel Du Pin. ¿Sabías que durante el sitio de Querétaro un austriaco, el Mayor Pitner creo que se llamaba, le voló la tapa de los sesos a uno de sus propios soldados, nomás porque se le indisciplinó un poco? Y luego nos hablan de justicia, de fuero civil, de incompetencia del Consejo de Guerra. ¿Cómo es que dices que no te gustan tus rodillas? A mí me gustan. Lo que pasa es que siempre están un poco frías. O será que mis manos, como me has dicho, siempre están calientes. Bueno, ya basta. Esperanza, mujer, súbete esas medias y cúbrete las piernas, que me haces perder la concentración. Tráeme un vaso de agua, ¿quieres? Y tras haber usurpado el poder y formado un ejército con extranjeros, es decir con filibusteros y súbditos de potencias que no estaban en guerra con México... esta frase también me salió muy bien, ¿verdad?, ahora el Archiduque sale diciendo que se necesita que formalmente se declare si es considerado como ex emperador, porque de no ser así, no puede ser tratado de otra manera que como un archiduque austriaco, ¿eh?, ¿qué te parece? y que entonces sólo podría ser entregado como prisionero, por favor, Esperanza, a un buque de guerra de su país. Y tráeme el agua que te pedí. Pobre diablo. Te digo que no me cae tan mal, el Archiduque. Pero lo vamos a mandar al patíbulo. Bueno, a todos, a los tres. Sí, sí, mujer, ya sé que si tus rodillas siempre están frías, tus muslos, en cambio, siempre están que arden. Dímelo a mí. Pero no necesito tocarlos para saberlo. Lo que quiere, claro, es salvar el pellejo a como dé lugar y largarse a sus Miramares sin importarle lo que pueda sucederles a sus turiferarios y estafermos. Los que llevan el incienso en las iglesias. Espérate. No, los turiferarios. Ruliferarios no, turi... espérate, mujer, déjame escribir, suéltame. Te volviste a rasurar las piernas, ¿verdad? Ya sabes que no me gusta. Te quedan rasposas por varios días. Y te cuento que ha tenido el cinismo de enviarle cartas y mensajes a Don Benito, diciéndole que desconoce el idioma legal español, y donde lo llama Señor Presidente. Ahora sí lo reconoces, ¿verdad? Ahora que está hundido para siempre, en su celda de las Teresitas, sentado en la bacinilla y con un crucifijo de plata como único compañero. Espérate. Déjame escribir. ¿Cómo se te ocurren preguntas tan tontas? ¿Por qué me va a gustar uno de tus muslos más que el otro? Perdido, sí, desde el momento en que dictaminó que la causa estaba ya en estado de defensa y podía elevarse a plenario. No, no es cierto: perdido estaba desde que se bajó de la «Novara» y puso un pie en las arenas de Veracruz. Mira, no te voy a decir lo que significa cada palabra. Otro día... si te voy a comenzar a explicar lo que es ocurso legal, plenario, interlocutoria o evacuación de la defensa, no acabamos nunca. Pero no te amuines, Esperanza. Sí, siéntate aquí de nuevo, pero no muy cerca. Gracias por el agua, está muy fresca. No, siéntate de este otro lado. ¿Cuántas veces te he de decir que soy zurdo? Sí, escribo con la derecha porque así me educaron... Más adelante, ordenó que sus propios agentes o consintió que agentes del extranjero, asesinaran a muchos millares de mexicanos. Ya perdí toda la hilación. ¿Hilación es con hache? ¿Entonces? ¿Entonces qué, Esperanza? Ah, pues que aunque ahora no pienso hacerlo, me gusta más tenerte a mi lado derecho, para tocarte con la mano izquierda, que es con la que acaricio mejor. Pero hazte para allá y estáte quieta. Dime, ¿te parece bien esta frase?: Los restos más espurios de las clases vencidas, me refiero a los derrotados en la Guerra de Reforma, apelaron al extranjero, esperando con su ayuda saciar su codicia y su motivo. Lo que más me preocupa es lo de traidor a la patria. Lo querían acusar de eso, pero la pena de muerte sólo puede imponerse al traidor a la patria en guerra extranjera. A Miramón, a Mejía, a Márquez, por ejemplo, y a tantos otros. Sí, sí, puedo sentir los latidos en mi mano. Pero no al Archiduque. Suéltame la mano. Pues como dicen sus defensores, no siendo él defensor... Es decir, no siendo él natural de México, sino de Austria, ¿cómo vamos a imputarle...?, ¿sabes? Tienes unos pechos tan redondos y tan duros... Imputarle el delito de traidor a la patria? En todo caso. Traidor sería. No, no es eso. Es que tengo un poco de comenzón en la ingle. A Austria. Necesito estirar un poco las piernas. Sí, traidor a su país, que es Austria. ¿Cuál mancha? Me debe haber caído una gota de agua. En cambio a esos infelices de Miramón y Mejía. Miramón, ¿sabías?, ha tenido el descaro de decir que el militar que sirviendo a la República se pronuncia contra ella, la traiciona por falta a la fe prometida. Pero que el hombre que nunca la ha reconocido ni servido, será un enemigo, pero nunca un traidor. Y lo dice él, imagínate, que fue presidente de la República. El, el mismo bandido que siendo presidente mandó violar los sellos de la legación inglesa para extraer los fondos destinados por el gobierno constitucional al pago de la Convención... Está bien, sí, sí, me voy a sentar, pero sólo un rato. Tengo que irme pronto. En fin, creo que no me haría mal dejar de pensar por unos minutos en el Archiduque y el juicio para decirte una vez más lo hermosa que eres. Arrímate un poquito. ¿Sabes? Te voy a confesar que de todas esas cosas que trajeron el austriaco y los franceses que tanto me chocan, como las suarés de la Emperatriz y los orvúas, y los bailes esos raros, y el paté de fuagrá por aquí y la champán por allá, de todas esas cosas, decía, lo que sí me gustó fueron los vestidos como éste que te regalé, que tienen un escote que nomás le falta enseñar los pezones. Se te puso la carne de gallina, Esperanza. ¿Y ahora qué te pasa? ¿En qué quedamos, Esperanza? Primero eres tú la que me provoca, y ahora no quieres que te toque. Quién te entiende, mujer. Por suerte me tengo muy bien aprendido el Derecho Internacional de Wheaton y el

Derecho de la Guerra de Grocio. De seguro que los van a citar los defensores. ¿Sabes que el licenciado *yankee*, el tal Hall, llegó con su Wheaton bajo el brazo? Y citarán, claro, a Vattel... ¿Es Vattel con V, o con W? Vattel, mujer, el del Derecho de Gentes... Déjame que te los toque. Nada más un momento, por favor. Te digo que siempre los tienes tan suaves y tan firmes al mismo tiempo. No, por favor, no te los descubras. Por amor de Dios. ¿Yo, creer en Dios? Por supuesto que no, es sólo un decir. ¿Sabes que ahora alegan que el gobierno del Archiduque fue un gobierno de facto? De facto: de hecho. ¿Y que el verdadero usurpador fue Napoleón III? Ya, ya basta, Esperanza. Por amor de Dios o de quien quieras, pero cúbrete, que te vas a resfriar. El hombre es sólo hijo de las circunstancias que lo rodean: éste es otro argumento que usarán los defensores. ¿Y cómo vamos a traer a Napoleón a México, para juzgarlo? Y Mejía, el cínico, que dijo que la Regencia y el llamado Imperio no fueron para él la obra de la intervención francesa, sino de los mexicanos que expresaron su consenso por medio de los votos y llamaron al Archiduque. ¿Acomodar? No, ya te dije que sólo es un poco de comenzón en la ingle. Vattel, que dice que siempre que un partido poderoso se siente con derecho a resistir al soberano... te pusiste hoy también el perfume que te di, ¿verdad? Y que si ese partido está en condiciones de tomar las armas contra el partido en el poder, es necesario... es necesario... cúbrete. ¿Por qué crees que te dije que hoy no me esperaras en la cama, desnuda, sino que te quería vestida, de pies a cabeza, Esperanza? Es necesario considerar entonces a esos dos partidos, en lo sucesivo, o al menos por un tiempo, como dos cuerpos separados. Cuerpos, sí, pero cuerpos en el sentido de naciones, de pueblos, no seas tonta, ¿concibes tú que pueda haber dos pueblos mexicanos? Espérate, Esperanza, que se me arruga el uniforme y es el único que tengo. Mañana debo estar muy limpio y bien presentado para que no digan que al Archiduque lo juzgaron un montón de léperos harapientos. ¿Y a qué hora lo vas a planchar, mujer, si te digo que tengo que irme pronto al cuartel para dormir siquiera unas horas y amanecer despabilado? Y van a citar a Hallan y a Macaulay. ¿Que quiénes son Hallan y Macaulay, mi amor? ¿Y para qué quieres saberlo? Unos señores aburridos que están contra la pena de muerte. Cuidado, que puedes mancharme el cuello de la casaca. Está bien, está bien, me la voy a quitar, pero sólo por un rato. Tengo que irme. Y no faltará, seguro, quien hable mañana de Alejandro Magno y de cómo perdonó a algunos milesios por su valor. O de la ejecución del rival de Carlos I, que tanto condenó Pedro de Aragón. No, no la dejes nomás así, cuélgaba bien, por favor. Pero dime tú si merece gracia un cobarde como el pobre Archiduque a quien también vamos a acusar de haber abdicado al falso título de Emperador para que esta abdicación tuviese efecto no de inmediato, sino para cuando fuese vencido... Déjame, déjame, Esperanza. O sea, te decía, para un momento, la abdicación, en que ya no por su voluntad... No, si no estoy tratando de besarte... Sino por la fuerza. Y desde luego, Esperanza; puedo, si quiero, cambiar de parecer. O sea para el momento en que ya no por su voluntad, sino por la fuerza, con o sin la abdicación, habría de quedar despojado del título, usurpado, de soberano de México. Claro que tengo varias canas en el pecho, ¿no lo habías notado? Deja allí, ¿qué haces? Suelta el cinturón, por favor. Aunque Mejía no deja de alardear que una vez le perdonó la vida a los generales Escobedo y Treviño. No me los vayas a jalar. ¿Qué? ¿Que los pelos se rizan con un poco de saliva? ¿Y qué fue lo que hicieron ellos? Por favor, deja de tocarme la tetilla, que se me pone dura por horas y luego me arde con el roce del uniforme. Sí, ¿qué hicieron ellos con Arteaga y Salazar? ¿Qué hicieron, me pregunto, con tantos juaristas que torturaron y mataron, y con todas las poblaciones que arrasaron y redujeron a cenizas, y sobre todo... Tienes una pestaña cerca del lagrimal. Ay, Esperanza, qué linda cara tienes, y qué suave. Espérate, no, no me pongas la pierna encima. Se me arrugan los pantalones. Sobre todo, decía, en Michoacán, Sinaloa, Chihuahua, Coahuila. Deja de desabrocharme los pantalones, ¿quieres? Nuevo León y Tamaulipas. ¿Que por qué no vine de civil? ¿Pues no me has dicho mil veces que te gusto más de militar? Y además les voy a recalcar que Vattel sólo escribió para los soberanos de Europa, y que de hecho desconoció el derecho constitucional de repúblicas tan modernas como la nuestra. Mira: si me quito los pantalones, me tengo que meter en la cama. No pensarás que me voy a quedar aquí sentado, en calzoncillos. Y si me meto en la cama, no me voy a quedar allí solo como un imbécil. Y si tú te metes en la cama conmigo, Esperanza, ¿qué te has creído: que soy de palo?

Esperanza... Esperanza... ¿estás dormida? No te puedes haber dormido tan rápido. Te estás haciendo la dormida, ¿verdad? Te dije que si me metía a la cama contigo era con la condición de que te estuvieras quieta y tranquila para que me dejaras pensar en el proceso del Archiduque. Pero no te dije que te durmieras. Me gusta tu compañía. Me gusta que me escuches. ¿Me oyes, Esperanza? Bueno, peor para ti. Me voy a vestir y me largo. ¿Cómo? Perdóname. Es que creía que dormías. No, si no te estoy mordiendo el cuello. Es nada más un beso. ¿Por qué no te volteas de mi lado? Claro que me gusta tu espalda. Me gustas toda. No, no te duermas, por favor. Te prometo ya no hablar del Archiduque. Estoy harto de él, y de Mejía y de Miramón. Harto de la Constitución y de Escriche y de Vattel y de Reynoso. Ah, por supuesto, citarán a Reynoso y la situación de los pueblos indefensos... bueno, pues si no quieres así, voltéate. De someterse al conquistador según el derecho natural. Así, así. Ahora abrázame. Y político. Y dirán que la Ley del 3 de octubre... me gusta más acariciar tus nalgas cuando te tengo de frente a mí. Qué nalgas más hermosas tienes, Esperanza. Espérate. No me toques. Y dirán, te decía, que esa ley perseguía metas semejantes a la del Decreto del 25 de enero y que sólo se dio *ad terrorem*. Que no me toques. ¿Sabes? Me gusta mucho que se me encajen en los ijares los huesos de tus caderas, mujer. Y éstos, Esperanza, son tus omóplatos. Abre un poco las piernas, sólo un poquito. Por favor. Andale, Esperanza, no te hagas la rejega. Estás empapada. Sí, sí, me lavé las manos, ¿no te acuerdas? Estás temblando otra vez. Espérate. No, no te voltees. Así ya no vas a tener frío. ¿Te peso mucho, amor? Y además yo diría que la Ley del 25 de enero. No, no las abras tanto, nada más un poquito. Ayúdame un poco. Espérate, espérate, que me lastimas con el anillo. Así, así. Ahora sí, ya, ya... ay, Esperanza, amor mío, no sabes cómo me gustas, cómo te quiero, cómo... La Ley, decía, del 25 de enero. Juárez... Pero no te pongas así. ¡Por Dios, Esperanza: cómo me van a importar el Archiduque y el proceso más que tú! Así, así, amor mío. Pero ya sabes que necesito pensar o hablar de otras cosas para no acabar tan pronto. Espérate, que me estás arañando otra vez con las uñas. No tan fuerte. Ay, Esperanza, Esperanza, qué bonito sabes mover el cuerpo. Así, así, más, amor mío. No, no tanto. No abras tanto las piernas que ya no puedo aguantarme, Mejía, Miramón. Espérate, quédate quieta unos momentos. No, así como estamos. Pero no te muevas, déjame pensar en otras cosas. Las atrocidades que cometieron. No te muevas. Los mataban a bayonetazos. Michoacán, Coahuila, Sinaloa. ¿Me escuchas, Esperanza? Tamaulipas, Nuevo León. Déjame comenzar a moverme, así, muy poco a poco. Pero tú no, como si estuvieras dormida, ¿me escuchas? Nuevo León, Tamaulipas. Vamos a matar al Archiduque. Así, mi amor, así nada más un poquito. No, no las abras más. A Miramón. A Miramón. Y con él a Mejía, Márquez, Coahuila. Por haber venido... por haber... ¿te estoy lastimando? A matarlo. Por contumacia, por rebeldía... Ahora otro poco. No, no tanto... Bueno, sí, así, así, Esperanza, muy despacio. Muy despacio y después, pero hasta que te diga, y entonces más rápido. Ay, no sabes cómo me gustas, Esperanza. Coahuila, Juárez, Tamaulipas. Me estás matando, Esperanza. No, no me quejo, nada más... abre más las piernas, ahora sí, Esperanza, todo lo que puedas. Muévete, amor, muévete, Esperanza. No, espérate. Espérate, por el amor de Dios. Coahuila, Miramón, Mejía, Esperanza, Dios mío, Márquez, Esperanza, por favor, Tamaulipas, Nuevo León, por favor, ya no puedo más, Coahuila, Mejía, Miramón, Miramón, ¡Miramón! ¡Miramón! ¡Mira... mmmm... ooohhh...!

Esperanza... Esperanza... ¿Me escuchas? Me quedé dormido. Apenas si tengo tiempo de presentarme en el juicio. No, no te preocupes, que no voy a llegar tarde. A ver qué te parece esto: concluyo por la Nación pidiendo que sean pasados por las armas los expresados reos. El primero conforme a los artículos 13 y 24. Mira nada más cómo quedaron mis pantalones de arrugados, Esperanza. Y la mancha no se les quitó. Y los otros dos, te decía, conforme a los artículos primero, fracción cuarta, trece y primera parte del veintiuno, de la Ley del 25 de enero de 1862. ¿No viste dónde dejé la gorra? Y por fin ni planchaste la casaca ni le remachaste el botón. No, mujer, si no estoy enojado. Mira, tienes aquí, en el pecho, una de mis canas. ¿Sabes una cosa? Te voy a comprar otro anillo. Un anillo del que me acuerde siempre. No, ya no, Esperanza, tengo que irme. Duérmete. Descansa. En cuanto acabe el juicio me vengo volando. Ponte otra vez el vestido verde, ¿quieres? No, mejor espérame desnuda. ¿Me escuchas? Me vas a esperar, desnuda, en la cama... ¿Verdad, Esperanza?

XIX

CASTILLO DE BOUCHOUT
1927

PERO PARA que yo le diga al mundo quién fuiste tú, Maximiliano, me tengo que aliviar de lo que me contagiaste.

¿O por qué crees que mi prima Victoria murió llena de tristeza porque nunca le perdonó al Príncipe Alberto que se hubiera ido cuarenta años antes que ella, cuarenta años durante los cuales el fantasma del príncipe alemán disfrazado de escocés y con la orden de la jarretera en la pierna y seguido de todos sus caballos y perros favoritos la acompañó en los Salones de Sandringham, en los Jardines de Osborne, en los corredores del Palacio de Buckingham y en sus habitaciones de Balmoral donde ni John Brown ni Abdul Karim, ni las estatuillas de jade robadas del palacio de verano de Pekín ni la vajilla de oro de Carlos Segundo le hicieron olvidar un solo minuto la muerte de su adorado Alberto porque su fantasma le susurraba al oído que había sido su hijo, mi sobrino Eduardo Séptimo, y no la fiebre tifoidea lo que lo había matado de un disgusto por haberse hecho amante de Nelly Clidfen, y ni el jubileo de oro de Victoria, ni la guirnalda de plumas de colores que en esa ocasión le regaló la Reina de Hawai, ni la presencia de su nuera favorita la Princesa Alejandra que estaba coronada de rosas, ni la presencia, el día en que de rodillas en la Abadía de Westminster le dio gracias a Dios por haberla dejado reinar medio siglo y por haberle dado tantos hijos, de todas las dinastías de Europa: los Borbones y los Habsburgo, los Romanov y los Hohenzollern, los Coburgo y los Saboya, los Wittelsbach, los Hesse, los Braganza y los Bernadotte, le impidieron escuchar al fantasma de Alberto presente allí también en el Te Deum y el himno de los que él había sido autor, y en las palabras que le susurraba a Victoria para recordarle que Eduardo el Príncipe de Gales, el mismo que esa mañana había desfilado bajo el Arco del Almirantazgo vestido con su uniforme rojo de mariscal de campo era un sibarita irresponsable, un mujeriego impenitente, un vicioso que jugaba bacarat en los casinos clandestinos de Londres, un frívolo que bailaba el can-can con la Duquesa de Manchester y un príncipe, en fin, con el que se habían reavivado una vez más el rencor y los malentendidos que existieron siempre, desde el reinado de Jorge Primero de Inglaterra, entre los monarcas y los príncipes herederos de la corrupta dinastía de los Hánnover, y porque mientras Victoria le daba gracias a Dios por haberle regalado la mitad del Canal de Suez y haberla hecho emperatriz de un vasto dominio donde jamás puso un pie, la India, el fantasma del Príncipe Alberto le recordaba al oído que uno de sus nietos, el Duque de Clarence, el mismo que vestido de azul había desfilado esa mañana junto a su padre el Príncipe de Gales, era un pervertido que frecuentaba los burdeles de pederastas que tanto le gustaban a Lord Somerset, y un perdido que a los dieciséis años había tenido por amante a un marinero que le contagió las sífilis y quizás hasta un asesino porque de él se dijo a su muerte a los veintiocho años que él, el Duque de Clarence, nieto de la Reina Victoria de Inglaterra había sido el mismo hombre que se dedicaba en las noches a destazar a puñaladas a las prostitutas de Londres y a quien se le conocía como Jack el Destripador? ¿Sabes por qué, Maximiliano, sabes por qué mi prima Victoria murió agobiada no sólo por la ciática y las cataratas y los años, sino también por la tristeza: inmensamente triste por morir en los brazos de un hombre que aborrecía, su nieto el Káiser Guillermo Segundo de Alemania, irremediablemente triste porque al otro lado del canal su adorada hija Vicky, la madre del káiser, agonizaba carcomida por el cáncer y en unos cuantos meses más moriría ella también en el momento justo en que una mariposa entrara por la ventana de su habitación para llevársela al cielo pero sólo en alma porque su cuerpo desnudo y envuelto en la bandera del Reino Unido regresaría a una Inglaterra donde no estaría ya su madre eterna para llorarla? ¿Y sabes por qué algo más doloroso, infinitamente más doloroso que el cáncer prolongó durante años la agonía de Vicky y que fue no sólo el desprecio que siempre sintieron por ella sus súbditos prusianos que la llamaban die Engländerin, sino más que nada la amargura de haber reinado apenas por unos meses, porque quien pudo haber sido otro Federico el Grande de Alemania, su marido, el príncipe más apuesto de toda Europa, sólo se sentó en el trono de los káiseres durante noventa y nueve días en los que no dijo una sola palabra y no por negarse a abrir la boca como tu primo el rey mudo Otto de Baviera, que si lo hizo fue porque estaba tan loco como su hermano Ludwig, sino porque Federico tenía la garganta podrida, según unos por el cáncer, según otros por la sífilis que dieciocho años antes le había contagiado una bailarina española y le habían extirpado ya las cuerdas vocales? ¿Sabes por qué, Maximiliano, cuando en su viaje de bodas Federico y Vicky llegaron al Old Schloss para pasar allí su primera noche también, como nos pasó a nosotros en el Palacio Nacional de México lo encontraron habitado por las chinches y los murciélagos, sabes, dime, por qué se le murieron a Vicky los hijos que más quería y el que estaba destinado a ser el futuro Emperador Guillermo Segundo de Alemania, le nació con el brazo izquierdo atrofiado y la odió siempre, la echó a la muerte de su padre del Friedrichskron el palacio donde vivía con él y ya que no podía arrebatarle a Vicky el recuerdo de Federico le arrebató el nombre al palacio? ¿Sabes por qué ese mismo káiser cuyo brazo sano sostuvo la almohada donde murió mi prima Victoria, y que quiso ser otro Napoleón sin pelear sus batallas, el mismo al que tanto torturaron cuando era niño mi sobrina Vicky y su maestro de equitación con tal de que aprendiera a montar a caballo sin caerse como se cayó, el infeliz, tantas veces, fue un pobre diablo arrogante amigo de pederastas como el Conde von Eulenberg, que quiso ser poeta y militar y arquitecto y pintor y escritor y no fue nada, y que poco antes de que se derrumbara el Segundo Reich y tuviera que huir a Holanda con la cola entre las piernas se dedicó a serruchar madera y a tomar té mientras sus generales decidían la guerra? ¿Sabes por qué, Maximiliano, mi sobrino Guillermo nunca llegó a ser el nuevo César destructor de las Galias a pesar de que así se lo juró a Bismarck frente a un busto del gran emperador romano, sabes por qué nunca se transformó en el nuevo Carlomagno de la historia, a pesar de que se lo juró a sí mismo cuando colocó una ofrenda floral sobre el sepulcro de Saladino?

Por lo mismo, Maximiliano, que tu caballo Orispelo se tropezó en el camino a Querétaro.

¿Sabes por qué, Maximiliano, Victoria murió infinitamente triste porque al mismo tiempo que le daba gracias a Dios por haberle dado como marido a Alberto al mismo tiempo no le perdonaba su muerte temprana, como tampoco podía perdonarle que tres años antes de ese su jubileo de oro se hubiera muerto su hijo Leopoldo el Duque de Albany, el primero de sus descendientes a los que ella misma había transmitido la enfermedad real, la hemofilia? ¿Sabes por qué, Maximiliano, la soberana de lo que llegó a ser el Imperio más grande del mundo fue portadora de una enfermedad que condenó a dieciséis de sus hijos y sus nietos varones a la más precaria y quebradiza de todas las vidas y los hizo tan vulnerables que cualquier anarquista o loco que hubiera querido asesinar al Duque de Albany o a los biznietos de Victoria el Príncipe de Asturias y a su hermano Don Gonzalo no hubiera necesitado acudir como Orsini o Beresowski, como Ravaillac o Princip a una bomba o una daga, una pistola, porque para matarlos le hubiera bastado la espina de una rosa?

Por lo mismo, Maximiliano, que te traicionaron Leonardo Márquez y nuestro compadre López.

¿Y sabes por qué, Maximiliano, Alfonso Trece además de tener esos dos hijos hemofílicos tuvo otro hijo sordomudo, Don Jaime? ¿Sabes por qué de nada le sirvió ser presentado al mundo en una bandeja de oro, de nada ser monarca desde el momento en que salió del vientre de su madre y lanzó su primer chillido? Me ha dicho el mensajero que asesinaron a tres de sus ministros, que las mujeres de Cataluña arrojaron al mar los fusiles de los soldados que envió a Marruecos, y los hombres le prendieron fuego a cuarenta templos de Barcelona. Me dijo, también, que España perdió sus últimas posesiones en América y las islas que en su nombre eternizaban el de Felipe Segundo, y que Alfonso es un rey fantoche porque es el General Primo de Rivera el que hace y deshace en España. ¿Y sabes por qué? ¿Sabes por qué a Alfonso de nada le sirvió casarse con la que fue después de Sisi la reina más hermosa de Europa, mi sobrina Ena, nieta de mi prima Victoria y ahijada de Eugenia, porque nunca fueron felices y eso debió saberlo él, Alfonso, debió imaginarlo cuando desde un balcón de la Calle Mayor de Madrid cayó el día de su boda como una advertencia venida del cielo, como un signo ominoso, un ramo de flores que estalló frente a su carruaje, destripó a los caballos, mató a dieciséis personas, desgarró el uniforme y las condecoraciones de Alfonso y manchó de sangre, sangre humana y sangre de caballo las zapatillas plateadas, el vestido blanco inmaculado de la pobre de Ena? ¿Sabes por qué al puerco y libertino de Alfonso Trece que tantas veces le puso los cuernos a mi sobrina Ena, de nada le sirvió haber sido bautizado con las aguas del Río Jordán? ¿Sabes por qué, Maximiliano, en el reino de España cada noche se pone el sol?

Por lo mismo, Maximiliano, que a ti y a mí nos corrieron del Lombardovéneto.

¿Y sabes por qué, Maximiliano, la nieta favorita de Victoria, Alix, se casó con el Zar Nicolás Segundo no sólo para transformarse en la zarina de todas las Rusias, sino también para volverse loca, para hundirse en la oscuridad y el fanatismo, para rodearse, en sus habitaciones atiborradas de tapices, muebles y alfombras mientras su pueblo era masacrado en los patios del Palacio de Invierno de San Petersburgo y se amotinaba la tripulación del acorazado Potemkin y la flota rusa era vencida en Tsushima por los hijos del Sol Naciente? ¿Sabes por qué, mientras su Imperio se derrumbaba, y con él los sueños de Nicolás de anexarse a la Manchuria, someter al Tíbet y conquistar Corea, a Alejandra se le incendiaba el alma con los oráculos y hechizos de Gregory Yefimovich Rasputín, un monje loco y asesino, ladrón de caballos y ladrón de almas que le juró que mientras él estuviera a su lado no moriría desangrado su hijo pero que no le dijo que dos años después de ser asesinado él mismo por tres nobles rusos, ese hijo hemofílico, y con él sus hermanos y la propia Alejandra y Nicolás Segundo morirían todos juntos, fusilados por los guardias rojos en Ekaterimburgo?

¿Sabes, dime, por qué tu sobrino el Emperador Carlos Primero de Habsburgo y Lorena se exilió en Madeira para dejar de hacer el ridículo: dos veces intentó entrar a Hungría y dos veces lo echaron, se disfrazó de jardinero y se vendó el rostro para que no lo reconocieran, firmó con lápiz la renuncia a un Imperio Austro-Húngaro que ya no existía, a él y a Zita los echaron a patadas, les robaron sus joyas, los sacaron de Europa a bordo de un paquebote inglés por el Danubio, y Carlos murió de consunción y de tristeza mientras Austria le pedía limosna al mundo y los chambelanes del reino tenían que trabajar de bomberos, los barones de pianistas, los coroneles de jardineros y los caballos lipizzaner de la Escuela de Equitación Española de Viena arrastraban por las calles carromatos de carbón? No volví nunca a acostarme contigo, y por eso no me contagiaste los chancros que trajiste del Brasil. Pero me contagiaste algo peor, Maximiliano. ¿Por qué crees tú que a Sisi la asesinó un albañil? ¿Por qué piensas que tu cuñada el Arcángel Negro, una tarde transparente en la que resplandecía de sol la cumbre del Monte Blanco, y en la que caminaba del brazo de la Condesa Sztaray a orillas del Lago Leman después de escuchar en una caja de música la obertura de Tannhäuser murió como tenía que morir: con un estilete clavado en el pecho y con el corazón que le rebosaba de amargura porque tuvo una hija bastarda a la que no volvió a ver jamás y porque sabía que no era ella, la Emperatriz de Austria, sino Katherina Schratt, la amante que ella misma echó en brazos de Francisco José para que le amarrara el corazón con salchichas y chorizos en su Quinta Felicitas la que iba a llorar a ese hombre a quien tanto quiso querer y nunca pudo? ¿Por qué crees que Lucheni nunca encontró al Duque de Orleáns, que era al que quería asesinar, pero sí encontró en su camino a la orilla del lago a la Emperatriz de la Soledad, a la Sibila de Corfú que arrastraba de balneario en balneario, de isla en isla, de Madeira a Baden Baden, de Lainz a Ischl, a Malta, a Palermo, al Convento de Paleocastrizza, el recuerdo vivo de tu sobrino, su hijo Rodolfo, muerto en el pabellón de caza de Mayerling por su propia mano? ¿Por qué crees que durante los últimos diez años de su existencia Sisi se vistió de negro y huyó de tu hermano, huyó de Viena la ciudad maldita, huyó de la vida y ni montar a caballo o caminar por los bosques hasta caer de fatiga, ni comer carne cruda y beber sangre de toro, ni entregarse a las manos de masajistas y peluqueros, de profesores de esgrima y cazadores de zorras le hicieron olvidar jamás la cara de su hijo Rodolfo en cuya frente y al calor de los cirios cuando lo estaban velando empezó a escurrirse, derretida, la cera color de rosa en la que le taparon el agujero de la bala que le levantó la tapa de los sesos, como tampoco podía olvidar que la cara que en las mañanas contemplaba en el espejo no era ya la imagen de la emperatriz más bella de Europa, sino el retrato de una vieja donde la muerte labraba cada día surcos nuevos para sembrar en ellos las flores de su carroña y que en vano trató de ocultar a los demás y a sí misma con sus espesos velos negros y la sombra violeta de sus sombrillas?

Cómo te hubiera gustado, sí, Maximiliano, que yo te abriera las piernas una y muchas veces más para satisfacer tus deseos inmundos. No lo hice, y no me envenenaste la sangre, pero bastó que te conociera, bastó que te amara alguna vez, para que envenenaras mi vida. ¿Por qué crees que murió Rodolfo en Mayerling? ¿Tú crees que se murió de amor porque siendo el heredero de una monarquía católica no podía divorciarse de mi sobrina Estefanía? ¿Tú crees que porque no podía casarse con María Vetsera, por eso la mató con su rifle y la cubrió de rosas y lloró su muerte toda la noche y al amanecer se pegó un tiro y cayó abrazado al cadáver de esa putilla de diecisiete años que le había enseñado a fumar hachís para volverlo loco? Y si de verdad Rodolfo estaba loco, y fue eso lo que la Corte de Austria le tuvo que decir al Papa, que se había quitado la vida en un momento de insania, para que la Iglesia permitiera que lo sepultaran en tierra sacra, ¿por qué crees, Maximiliano, que enloqueció?, ¿por el hachís que le traían a la baronesa desde El Cairo? ¿O por la morfina que él mismo se inyectaba todos los días para vivir, en sus habitaciones de muebles y muros tapizados de rojo borgoña lo que él llamaba sus horas blancas? ¿O porque estaba ya loco desde siempre, porque habrás de saber que cuando era niño se robaba los pájaros de los nidos de los Jardines de Laxenberg y les apretaba el cuello con las manos hasta matarlos y hacer estallar sus venas, en venganza por las ausencias de Sisi que lo abandonaba para ir a cantar baladas de Schubert y recitar poemas de Heine en la soledad de las Islas Borromeas a la sombra de las araucarias y los alcanfores en flor? ¿O fue porque estaba enamorado de ella, de su madre Sisi? ¿O fue, como dicen, porque descubrió que la baronesa era una hija natural de Francisco José y prefirió la muerte que perpetuar el incesto? ¿O fue porque había conspirado con tu primo el Archiduque Juan Salvador y su cáfila de amigos revolucionarios para asesinar a Francisco José y acabar con la monarquía para crear una república socialista en Austria y el solo pensamiento de ser cómplice de la muerte de su padre lo enloqueció? Y si fue verdad que Rodolfo no se suicidó sino que lo mataron. Si fue verdad que Bismarck ordenó que lo asesinaran. Si fue cierto que lo mandó matar Clemenceau. O si sus propios amigos le quitaron la vida porque creyeron que iba a denunciar la conspiración a Francisco José. O, si como dicen otros, fue su propio padre el que lo mandó matar, Maximiliano, por qué lo hizo? ¿Porque no podía tolerar que el heredero del trono de la Casa de Austria fuera un loco que llevaba colgado del cuello un relicario de oro lleno de veneno, un maniático que le proponía pactos suicidas a las cantantes y las coristas? ¿Porque no podía entender que el niño sobre cuya cuna había llorado de emoción al ponerle el Vellocino de Oro sobre su pecho de recién nacido que comenzaba apenas a aprender a respirar el aire húmedo de Schönbrunn y el aliento a lavanda de la Emperatriz Elisabeth se hubiera transformado en un anarquista que publicaba con seudónimo artículos antimonárquicos en el Wiener Zeitung y conspiraba para independizar a Hungría del Imperio Habsburgo y proclamarse su soberano? Ah, y que no te vengan a contar, ahora, Maximiliano, que Rodolfo no murió, que huyó con la

Vetsera, los dos disfrazados, y que la Casa de Austria, para no tener que sufrir la vergüenza de confesárselo al mundo, alquiló dos cadáveres y los vistió de Rodolfo y María y como tales los enterró, mientras ellos se enterraban vivos en el anonimato y entre los ríos y las montañas de una jungla sudamericana. No, tu sobrino Rodolfo y la Baronesa María Vetsera murieron en Mayerling porque así estaba escrito, y ellos lo sabían, o debieron imaginarlo, y no porque unas cuantas horas después de nacido Rodolfo se hubiera derrumbado y hecho trizas en el piso del Salón de Ceremonias de Schönbrunn un gigantesco candelabro de cristal, y no, tampoco, porque Rodolfo mató una vez, como dicen que lo hizo, a un ciervo blanco en los bosques de Helenenthal. Pero él sí debió saberlo, desde el momento en que le dio a María Vetsera el anillo que decía unidos en el amor hasta la muerte, y cuando le dijo adiós a Mitzi Kaspar la cantante que no quiso largarse con él al otro mundo y que lo denunció a la policía secreta de Viena, y cuando se despidió por carta de Sisi y de sus amigos, del Archiduque Juan Salvador, de Michel de Braganza, y cuando acarició por la vez última a Probus su cuervo amaestrado y se subió en su coche y le dijo a Bratfisch que lo condujera a Mayerling, y cuando camino a Mayerling en esa noche oscura y sin estrellas en que caía la nieve mientras Bratfisch silbaba y tarareaba canciones tirolesas, él Rodolfo, debió saber que los dos tenían que morir allí como murieron: en el pabellón de caza cubierto de nieve por fuera, por dentro cubiertos sus muros con las cabezas de ojos de vidrio de todos los ciervos y las gacelas, los jabalíes y las gamuzas, los alces que Rodolfo había cazado en su vida, y cubierto de rosas el lecho de sus bodas de sangre: la sangre de ella y la sangre de Rodolfo que salpicó el rostro de porcelana de su novia muerta, y salpicó sus chinelas acojinadas con las plumas del cuello de un cisne, cubiertas las rosas de lágrimas, salpicados sus pétalos con los sesos del heredero del trono de Austria que se embarraron en la capa de piel de foca de María, con los encajes de las sábanas, en los muebles de palisandro, y al cadáver de María Vetsera lo escondieron primero en un cesto de la ropa sucia y cuando llegaron después sus tíos Stokau y Baltazzi para bajarla por las escaleras de pie, sostenida por las axilas, para que los sirvientes de Mayerling creyeran que estaba viva, tuvieron que amarrarle un palo a la espalda y el cuello al palo porque la bala que le descerrajó Rodolfo le rompió la espina y la cabeza le quedó como si fuera de trapo, y tuvieron, también, Maximiliano, que volver a encajarle en la órbita un ojo que se le saltó y le quedó colgando del nervio óptico. El ojo que Rodolfo colocó en una rosa sobre la mejilla de su idolatrada María Vetsera que estaba esperando a un hijo al que enterraron vivo en su doble sepulcro, de noche y en secreto, en el Cementerio de Heilingenkreutz.

Así murieron, y así tenían que morir. ¿Y sabes por qué, Maximiliano? Por lo mismo que a tu cocinero Tüdös una bala le tiró los dientes camino a Querétaro.

¿Y sabes por qué a tu hermano no le fue ahorrado ningún dolor en la vida, como dijo él mismo cuando se enteró de la muerte de Sisi, sabes por qué Francisco José murió tan solo, sin tener siquiera a su lado a Katherina Schratt porque tu sobrino el Príncipe de Montenuovo le cerró la puerta secreta que conducía a su habitación y ella no pudo consolar en su lecho de muerte a un hombre al que abrumaban los remordimientos por haber cometido tantos pecados, por haber violado a una tejedora de canastas que era casi una niña en los jardines de su Quinta de Hietzeg y de la cual tuvo también una hija bastarda, y por haber repudiado a su hijo único heredero del trono de la Casa de Habsburgo, y porque Austria, humillada por Luis Napoleón en Solferino y por Bismarck en Könniggrätz y humillada también por México en tu persona y tu martirio, humillada por la pérdida de la Lombardía y Venecia, y perdido su poder en el mundo alemán se había convertido en un satélite de Prusia y el Imperio al que Napoleón Primero había dado ya un primer golpe mortal al crear la Confederación del Rhin, el vasto reinado que llegó a proteger con las alas de su águila bicéfala a tantas naciones del mundo, el Imperio fundado por los descendientes de Guntram el Rico y Maximiliano Primero, de los Landgraves de Alsacia y los condes de Zurich, de César, de Eneas y los troyanos, de Cham, de Osiris y Noé, se le estaba desmoronando bajo los pies, se le desangraba en Bosnia y en Serbia, en las campiñas de Rava Russkaya y en las aguas del Drina y del Kolubara, por culpa de una guerra que la propia Austria había comenzado cuando el heredero al trono del Archiduque Francisco Fernando y su mujer Sofía Chotek cayeron bajo las balas de Gavrilo Princip en las calles de Sarajevo? ¿Sabes por qué?

Por lo mismo, Maximiliano, que a ti te comieron las chinches en Querétaro.

Tu hermano debió saberlo desde el momento en que el Congreso de Berlín le ofreció a Austria un regalo emponzoñado: el protectorado de Bosnia-Herzegovina. Debió imaginarlo cuando la Reina Draga de Serbia fue asesinada junto con su marido y sus hermanos, o cuando unos años más tarde decidió que Austria se apoderara de las dos regiones por la fuerza. Y ellos, el Archiduque Francisco Fernando y la Archiduquesa Sofía Chotek, Princesa de Hohenberg, ese déspota cultivador de rosas exóticas que odiaba a demócratas, socialistas, magiares y judíos por igual, y esa plebeya advenediza a los que tanto detestaba Francisco José que impidió que sus amigos y sus parientes más cercanos asistieran a sus funerales y ordenó que sobre el ataúd de ella para humillarla más en la muerte de lo que había humillado en vida se colocaron el abanico negro y los guantes blancos símbolo de las damas de compañía, ellos, quizás, también lo sabían. Debió saberlo la Chotek cuando dispuso que la visita a Bosnia Herzegovina incluyera la ciudad de Sarajevo. No fue una coincidencia. No lo fue tampoco que unos días antes, en la frontera de Serbia con Austria tres jóvenes patriotas serbios que no llegaban a los veinte años de edad se reunieran en una habitación donde todo era negro: negros los muros, negras las máscaras que ocultaban los rostros de los jefes de la organización y negra la túnica que cubría la mesa donde había dos velas encendidas y un crucifijo y una calavera ante los cuales Princip, Grabez y Cabrinovic juraron ser fieles a La Mano Negra y asesinar al heredero de los tronos de Austria y Hungría y que, provistos de bombas y granadas, pistolas y píldoras de cianuro con las que ellos mismos se quitarían la vida para no caer vivos en manos de la policía austriaca, cruzaron la frontera para encaminarse a la capital de Bosnia Herzegovina, donde además de ellos Popovic y otros asesinos en potencia pululaban por las calles el día en que el archiduque y la archiduquesa se dirigieron en su automóvil al museo de la ciudad. Y de nada les sirvió que la granada de Cabrinovic rebotara en la capota del automóvil imperial para estallar a varios metros de distancia. De nada les sirvió salir indemnes de ese primer atentado ni que Grabez se quedara paralizado de terror, ni que Popovic huyera y escondiera su bomba, como de nada le sirvió a Cabrinovic tragarse la píldora de un cianuro que no surtió efecto, ni arrojarse a las aguas del río, porque de allí lo sacó, vivo y coleando, la policía. Y Sofía Chotek debió saberlo cuando a última hora cambiaron la ruta sin avisarle al General Potiorek que le gritó al chófer que siguiera por el muelle de Appel y el automóvil echó marcha atrás y se detuvo justo donde estaba Gavrilo Princip que creía haber perdido ya una única oportunidad, parado allí frente a las tiendas Schiller, en la acera donde reproducirían en concreto las huellas de sus pies para que el mundo nunca olvidara que desde allí había disparado el patriota Gavrilo Princip la pistola que les quitó la vida a Francisco Fernando y Sofía Chotek que si murieron así, y allí, el veintiocho de junio de mil novecientos catorce, y un mes y cuatro días después toda Europa estaba en guerra, fue porque así, y allí, tenían que morir, él con una bala en la garganta y ella con una bala en el vientre, como tenían que morir medio millón de hombres a las orillas del Marne y un millón en Verdún y cuatrocientos mil en el fango de Passchendaele.

Tú sabes de qué te estoy hablando, Maximiliano, tú sabes que aquellas veces en que yo te alcanzaba en Cuernavaca, no era el cansancio el que me retenía en mi habitación, lo que te impedía entrar a ella para sorprenderme dormida, porque yo no descansaba, estaba despierta y con los ojos muy abiertos, aunque sabía que no ibas a llegar, que no iban a ser tus manos las que se empaparan con el sudor que me afloraba en toda la piel en esas noches llenas de estrellas y olor a flor del corazón que eran las noches de Cuernavaca. Lo sabes, como supiste siempre que yo no comencé a volverme loca cuando en el viaje de regreso a Europa recorrí hablando en voz alta conmigo misma las salas desiertas del Palacio Municipal de Puebla, ni cuando hice que arriaran la bandera francesa del paquebote que en Veracruz me condujo al Impératrice Eugènie para que izaran el pabellón mexicano, ni cuando ordené que clavaran colchones en todas las paredes del camarote porque sentía que la cabeza me iba a estallar con el ruido infernal de las máquinas, ni cuando me negué a desembarcar en La Habana, no, yo no comencé a enloquecer cuando estaba sola en mi habitación y el sudor brotaba de mis poros en gotas diminutas que en esas noches claras y tibias de Cuernavaca repetían, con su brillo, y sobre la piel de mis senos y de mis muslos y de mi vientre, el camino de las constelaciones que tú, si así lo hubiera querido yo, Maximiliano, podrías haber apagado con tu cuerpo.

Si no te permití hacerlo no fue porque de verdad creyera que una negra brasileña te había contagiado sus chancros. Me daba casi lo mismo. De todos modos, no habrías podido contagiarme ninguna enfermedad venérea porque ya había decidido, para castigarte tus abandonos y tus infidelidades, nunca más entregarme a ti. Me juré a mí misma, que así como pasé tantas noches en Miramar y Madeira y Cuernavaca y Chapultepec y Puebla, en que te imaginaba, te veía, así fuera con los ojos abiertos o cerrados veía cómo te quitabas tu uniforme de los dragones de Neumark para acostarte con una corista vienesa, cómo te despojabas de tu traje de charro de lana azul para hacer el amor con la primera de mis damas de compañía que se te ofreciera, cómo te quitabas tu traje de lino blanco para revolcarte con Concepción Sedano en el pasto de los Jardines Borda, así también me juré que aunque tuvieran que pasar muchos años y por más que yo te hubiera querido, y querido vivo y junto a mí y por más que el aliento de mi propia vida era la tuya, me juré que llegaría la noche, por muy lejana que estuviera, en que yo vería cómo te ibas quitando la piel para quedarte en los huesos, y cómo después te ibas quitando los huesos hasta quedarte en el polvo para acostarte, Maximiliano, con tu propia muerte.

Entonces, pobre de mí, pobre de ti, no sabía que te ibas a morir tan pronto. Entonces no me di cuenta que de algo mucho más grave estabas enfermo y que ya me habías contagiado. ¿Sabes por qué, Maximiliano, nos recibieron los zopilotes en México? ¿Sabes por qué se rompió la rueda de nuestro carruaje camino a Córdoba? ¿Sabes por qué te traicionó el Coronel Miguel López? Por lo mismo, Maximiliano, que Hartmann, el hijo de tu antecesor Rodolfo Primero de Habsburgo, murió ahogado en el Rhin. ¿Sabes por qué, Maximiliano, te traicionó Napoleón Tercero? ¿Por qué se acabó el carbón de la Novara cuando íbamos camino a La Martinica? ¿Sabes por qué tu féretro te quedaba corto? Por lo mismo, Maximiliano, que el otro hijo de Rodolfo, Alberto Primero, fue asesinado a puñaladas por su sobrino Juan el Parricida. ¿Sabes, dime, sabes por qué todos te abandonaron, por qué hasta los esclavos nubios que nos mandó el Virrey de Egipto desertaron de tu ejército, por qué los soldados de la Legión Extranjera se pasaban, cuando podían, a los Estados Unidos, sabes por qué te robaron la batería de cocina del Castillo de Chapultepec cuando te fuiste a Orizaba, sabes por qué, Maximiliano, necesitaste un tiro de gracia? Por lo mismo que los hijos de Alberto Primero se dedicaron a exterminar a los descendientes de Juan el Parricida. Por lo mismo, también, que el General Prim murió de las balas que un asesino le disparó en las calles de Madrid y nuestro compadre López de la mordida de un perro rabioso, y Napoleón Primero olvidado por Francia en la Isla de Santa Elena.

Por lo mismo, también, que Lulú el príncipe imperial nunca llegó a ser Napoleón Cuarto. ¿Por qué crees que el trébol de cuatro hojas que le envió Eugenia a Saarbrücken donde recibió su bautizo de fuego cuando una bala cayó a los pies de su caballo Kaled no le sirvió para cambiar su mala suerte, para que algún día no muy lejano, y como lo soñaba su padre, consolidara en Francia la dinastía Bonaparte, como ocho siglos antes lo hicieron los Capeto? Y si te dicen que el cuerpo que llevó a Inglaterra su fiel sirviente Ulhman no era el de él, el de Lulú, porque estaba irreconocible de tan destrozado, si te dicen que al verdadero príncipe imperial lo transformaron en otro hombre de la máscara de hierro, diles que no es cierto: que Lulú tenía que morir así, como murió, traicionado por el Teniente Carey, abandonado por sus compañeros a la rabia de los zulúes, atravesado por diecisiete lanzas, el mismo día en que una violeta cayó del libro de oraciones de la Infanta Pilar de España para deshojarse en su regazo, y por lo mismo también que ella muriera unas semanas después, de tristeza, quizás porque quería tanto a Lulú o de rabia, tal vez, porque ya no llegaría a ser nunca emperatriz de los franceses.

¿Y sabes por qué, Maximiliano? Por lo mismo que a ti te fusilaron en Querétaro.

Mi hermano Leopoldo me lo contó un día. Me contó de la joven que hace mil años fue violada en el Bosque del Havichsburg, el Castillo de los Halcones, y que murió después al dar a luz a un niño muerto y que allí mismo están enterrados, juntos, y que fue así, me dijo, que nació la leyenda. Que por eso, también, Juana de Castilla se volvió loca y se enamoró de un fantasma y Don Juan de Austria se volvió loco y le arrancaba a mordidas las cabezas a las tortugas, y que por eso su padre Felipe Segundo lo encerró en un calabozo hasta que se murió de hambre, y que por eso ni todo el oro de América ni el imperio más grande del mundo, pudieron hacer feliz a Felipe Segundo, el rey que murió en vida, y a quien le gustaba colocar su corona en una calavera, me contaba Leopoldo, para verse en el espejo de su muerte. Y allí están todos, unos en el pudridero de El Escorial, otros en la cripta de los Capuchinos de Viena, los monarcas más desdichados de la historia. Entonces, claro, aunque yo lo escuchaba muy asombrada, el mismo Leopoldo no tomaba muy en serio lo que contaba. No sabía que él y yo y una de sus hijas, nos íbamos a casar con tres Habsburgo. El con María Enriqueta, tu prima, hija del Palatinado de Hungría, yo contigo, y Estefanía con tu sobrino Rodolfo. Y estaban muy lejanos los días en que mi hermano iba a llorar, como un niño, la muerte de su hijo el Duque de Brabante y a repudiar y encerrar en un manicomio a su otra hija, Luisa. Muy lejos el día en que él mismo iba a morirse en el invernadero al que hizo llevar su recámara para embriagarse con el olor de los trópicos y olvidar así la podredumbre de su alma que le rezumaba por todos los poros. Para ver si esa fragancia densa y dulce le hacía olvidar las atrocidades que mis compatriotas belgas cometieron en el Congo a nombre de la civilización y del caucho. Y eso no me lo contó Leopoldo, ni nadie. Yo lo vi, lo supe desde siempre. Vi las poblaciones enteras reducidas a cenizas por orden de mi hermano Leopoldo. Los niños encadenados como rehenes. Vi cómo a los negros que no trabajaban con la premura que deseaban sus capataces, les cortaban una mano. Y así como una tarde en que mi abuelo Luis Felipe me hablaba de las aventuras de tío Aumale en Argelia vi los camellos de Abd-el-Kader cargados con bolsas llenas de las cabezas de sus enemigos, para escarmiento de los infieles, un día, también, en que el Príncipe de Ligne volvió hablarme una vez más de todo el dinero que tengo, cerré los ojos y vi a los capataces de mi hermano que iban por el Congo de pueblo en pueblo con unas canastas llenas de manos cortadas, para convencer a los perezosos.

Tuvo, sí, que morir así mi hermano Leopoldo, hecho una piltrafa humana. Tuvo que arruinarse su hija Luisa, después de escaparse del manicomio de Purkersdorf, en brazos de su Conde de Matacic. Tuvo que morir el Duque de Brabante. Tuvo que morir Eugenia llena de tristeza porque la ciudad de París le pidió prestada la cuna del principito imperial y nunca se la devolvió. Tuvo que morir en La Habana, a los noventa y tres años y en la pobreza, el General Leonardo Márquez. Tuvo que morir en París, olvidado de todos, José Manuel Hidalgo y Esnaurrízar. Y tuvo que morir un millón de hombres en la revolución mexicana, tuvieron que cruzar los rusos el Danubio, tuvieron que masacrar los turcos a los búlgaros. Tuvo que morir mi sobrina María de las Mercedes, la primera mujer de Alfonso Doce, envenenada por la Infanta Isabel. Tuvo que morir del fuego de una enfermedad secreta y con el rostro desfigurado tu sobrino el Archiduque Otto que tanto humilló a tu hermano porque saltaba a caballo los ataúdes de los muertos que iban camino al cementerio, y se paseaba desnudo por el Prater. Tuvo que morir tu otro sobrino, el Archiduque Juan Salvador, despojado de todos sus títulos y de su ciudadanía austriaca, y tragado por el mar o por Buenos Aires porque nunca más volvió a saberse de él. Tuvieron que irse muriendo todos, tuve que irme quedando cada vez más y más sola, para darme cuenta de lo que quería decir Leopoldo cuando me hablaba de los halcones que habitaban el Havichsburg y todos los palacios y los castillos de los Habsburgo a los que limpiaban de ratas: Laxenberg, Schönbrunn, el Hofburgo, Ischl, Gödöllö. Sólo entonces comencé a entender, comencé a recordar que mi hermano Leopoldo me había contado que según la leyenda, cuando los halcones abandonaran las propiedades de los Habsburgo, cuando el último de los halcones levantara el vuelo del último de los castillos, se llevaría en sus alas la maldición de los Habsburgo. Entendí también que ese día iba yo a recuperar mi inocencia y mi pureza de alma. Iba yo, de nuevo, a ser niña.

No, no fue una enfermedad venérea la que me contagiaste. No fue la sífilis la que le impidió a Maximiliano Primero llegar a ser Papa, como quería. No fue la epilepsia la que hizo fracasar en todo lo que se propuso a José Segundo de Austria. No, todos ellos, y tú, todos tus parientes imbéciles y locos y tiranos y degenerados, estaban enfermos de lo que sí me contagiaste aquella noche que bailamos juntos por primera vez, y cuando a bordo del Reine Hortense me enseñaste los instrumentos de navegación y tomaste mi mano entre las tuyas, ¿te acuerdas?, y yo te miré a los ojos y en ellos, en ese doble cielo, me vi más bella que nunca porque estaba enamorada y era tu amor lo que me daba esa hermosura, y porque sabía que tú también te habías metido en mis ojos todo entero y para siempre: lo que me contagiaste, Max, lo que le contagiaste a todos, fue tu mala suerte. Tu malísima, pésima, perra mala suerte.

¿O por qué crees, Maximiliano, que tu antecesor Rodolfo Segundo estaba loco y se encerró en el Hadreshin de Praga rodeado de enanos y monstruos y astrónomos de nariz de plata? ¿O por qué que tu padre fue un pobre débil mental y su hermano, tu tío el Emperador Ferdinand un imbécil, un idiota al que lo único que le gustaba era caminar rodeado por sus monos o pararse ante una ventana del palacio y contar los fiacres que pasaban durante todo el día camino a Schönbrunn, o cazar moscas vivas para alimentar con ellas a sus ranas? ¿Y si Francisco no fue tu padre, si lo fue el Rey de Roma, sabes por qué El Aguilucho reinó sólo por diez días y jamás desfiló por el colosal arco del triunfo que su padre ordenó construir, y que quedó inacabado para siempre, sin una gran estrella, sin un águila gigantesca, sin el elefante de La Bastilla, sin la estatua del emperador de pie en el globo terrestre que lo coronaran para eternizar la gloria de su dinastía y la de Francia? ¿Por qué crees, dime Maximiliano, que el Rey de Roma murió de nostalgia y tuberculosis a los veinticinco años sin haber jamás correspondido al amor de la bella Condesa Camerata que en un corredor de Schönbrunn le besó la mano disfrazada de hombre, dejando viuda de amor y casada con la soledad a tu madre Sofía, sin haber heredado de su padre no ya un Imperio, sino ni siquiera su casa de Ajaccio y la renta de cincuenta mil liras que le dejó en su testamento, sino sólo su recuerdo y el sable curvo que Napoleón llevó a las pirámides? ¿Por qué crees que a El Aguilucho le quitaron sus juguetes, le escondieron la Legión de Honor, le negaron el Vellocino de Oro y fueron el amarillo y el negro, los colores de los enemigos de su padre, y no los de la bandera que triunfó en Austerlitz y en Wagram los colores de su sudario? ¿Por qué dime, crees tú que los comuneros fusilaron a Jecker el banquero y se suicidó el Coronel Van Der Smissen, y el Príncipe Salm Salm y el General Douay sólo te sobrevivieron para morir en la guerra más desastrosa a la que Napoleón y Eugenia arrastraron a Francia? ¿Por qué crees que Luis Napoleón se transformó en el cobarde de Sedán y los muros de París se cubrieron con carteles en los que lo pintaban a los pies de Bismarck lamiéndole las botas? ¿Por qué crees que Bazaine se convirtió en traidor a Francia por haberse rendido en Metz con los ciento setenta mil hombres del ejército del Rhin? ¿Por qué crees tú, Maximiliano, que bajo ese mismo arco triunfal a cuya sombra nunca caminó tu padre desfiló el ejército prusiano para vergüenza de Ollivier que dijo que aceptaba la responsabilidad de la guerra con un corazón alegre, para vergüenza de Favre que juró que los franceses no cederían ni una pulgada de terreno ni una sola piedra de sus fortalezas, para ignominia de Francia entera, y después París decidió infligirse a sí misma como castigo por su estupidez y su soberbia una derrota más humillante aún y más cruel que la que le hizo sufrir el Canciller de Hierro? ¿Por qué crees que el pueblo de París destruyó la columna Vendôme y la estatua con hábito romano del gran emperador se hizo polvo? ¿Por qué crees que el monumento a Estrasburgo de la Plaza de la Concordia acabó cubierto por un manto negro y la plebe arrancó las placas que le daban nombre a la Avenida de la Emperatriz y a la Avenida de la Reina Hortensia y a la Calle del Duque de Morny, y echó abajo a pedradas las águilas de las Tullerías y al propio palacio le prendió fuego y con el fuego se hicieron cenizas las crinolinas de encaje de Eugenia, sus parasoles de seda con plumas avestruz y todas las joyas que no pudo llevarse consigo al exilio, por qué crees, Maximiliano, que bajo las balas de los versalleses asesinos de Thiers y Mac-Mahon murieron miles de mendigos y mujeres y niños, miles de comuneros cuyos cuerpos fueron arrojados al Sena y a las cloacas y cañerías del Barón Haussmann para ser pasto de las ratas?

Por lo mismo, Maximiliano, que tu sangre fue vertida en Querétaro, y lo que es más, por lo mismo que nada quedó de ella. ¿Te acuerdas, Maximiliano, que en el discurso que pronunciaste ante el pelotón de fusilamiento pediste que fuera la tuya la última sangre que se derramara en México? Bastante, sí bastante sangre mexicana se había derramado ya por nuestra culpa, pero mucha sangre más habría de derramarse en México. La derramó Sóstenes Rocha en La Ciudadela. La derramó Pancho Villa en Celaya y Trinidad. La derramó Porfirio Díaz cuando ordenó que mataran en caliente a los hombres de los cañoneros Independencia y Libertad. Pero de todos esos mexicanos muertos sus huesos volvieron al polvo del que habían salido y su sangre tiñó la tierra que alimentó su carne, para fecundar una historia bárbara de traiciones y mentiras, una historia bella de triunfos y heroísmos, una historia triste de humillaciones y fracasos pero al fin y al cabo su historia, la de un pueblo que jamás fue el tuyo ni el mío por más que lo quisiste y que lo quise yo. Por más que me quedé condenada a caminar todas las noches de mi vida por la Plaza de Mixcalco, descalza y con el cabello suelto, con un camisón de loca y como una loca a gritos llamando a mis hijos, mis hijos mexicanos que allí caían bajo las balas de los pelotones del Imperio cada madrugada de cada día y cada mes y año de todos los que estuvimos en México: pero eso me pasa nada más que por haberte sobrevivido tantos años y cargar en mi conciencia con esas muertes. Ay, Maximiliano, ¿te acuerdas que en tus memorias cuando eras aún un joven Príncipe con los ojos y el corazón abiertos al mundo, en las páginas que le dedicaste a La Alhambra, a sus fuentes encantadas y sus rosas de Damasco, al Tocador de la Lindaraja y a la galería de verjas de hierro donde salía a respirar el aire fresco Zoraya, la más hermosa de las sultanas, que tuvo como carcelera a Juana la Loca, te acuerdas que en ellas hablas de la sangre del gran guerrero Wallenstein que manchó para siempre el piso del Palacio Municipal de Egra donde fue asesinado y lo escribiste así el día en que en los azulejos del fondo de la Fuente de los Leones en La Alhambra contemplaste las manchas de la sangre de los Abencerrajes que fueron allí decapitados por órdenes del Rey Abu-Abdallah, y que toda el agua de Granada no había podido lavar en cuatro siglos? Ay, Maximiliano, si pudieras venir a Querétaro verías que de esa tu sangre, la que tú querrías que fuera la última que se derramara en tu nueva patria, no quedó huella, nada quedó en el polvo o en las piedras, nada fecundó tu sangre, a la sombra eterna de Benito Juárez, en la ladera del Cerro de las Campanas: se la llevó el viento, la barrió la historia, la olvidó México.

XX

EL CERRO DE LAS CAMPANAS
1867

1. El compadre traidor y la princesa arrodillada

MAXIMILIANO tenía un cuaderno, conocido después como «El libro Secreto de Maximiliano», en el cual había una lista de personajes de su corte, casi todos mexicanos, con breves descripciones sobre sus antecedentes y su carácter proporcionadas por diversos informantes, casi todos extranjeros. Por ejemplo, de Almonte se decía en el libro que era «frío, avaro y vengativo». De Miramón, que era inteligente «pero apasionado por el juego» —y mal perdedor: en Toluca, señalaba el cuaderno, Miramón había atacado a sablazos a quien le ganó una fuerte suma, haciéndole devolver hasta el último centavo—. Del Arzobispo Labastida que, siendo también inteligente y además erudito, era un fanático exaltado. Y así por el estilo. Los informantes eran, entre otros: Jeanningros, Aymard, Castagny, Kodolisch, Eloin... ¡y hasta el propio Coronel Du Pin!

El párrafo dedicado al Coronel López decía:

«López, Miguel: sirvió en las contraguerrillas organizadas en 1847 por los americanos. Después de haber sido protegido por Santa Anna, lo puso fuera de la ley por traidor a su país. Tiene mucho valor, pero se ataca su probidad».

Es difícil explicar cómo, conociendo estos antecedentes, Maximiliano accedió a llevar a la pila del bautismo a un hijo de Miguel López.

Aunque por otra parte, es fácil explicarse la traición del coronel: traidor una vez, traidor siempre.

Pero... ¿de verdad López fue un traidor?

Hay *traiciones,* en la historia, que siempre han aparecido bastante claras, por así decirlo. Pero de otros sucesos no se sabrá nunca si fueron eso, *traiciones,* o no lo fueron. Por ejemplo, a nadie, en Querétaro, le quedaba duda de que Márquez había traicionado a Maximiliano porque no regresó a esa ciudad como había prometido. Sin embargo, algunos historiadores dicen que Leonardo Márquez, a quien lo maldito no le quitó nunca lo buen militar, calculó que si Porifirio Díaz tomaba Puebla, el general republicano quedaría en libertad de avanzar sobre la capital y evitar así que Querétaro recibiera auxilios. La decisión de Márquez de atacar a las tropas de Díaz, dicen esos historiadores, fue la correcta. La derrota que en San Lorenzo le infligió el general oaxaqueño al Tigre de Tacubaya le impidió a éste marchar más tarde a Querétaro: no hubo, pues, traición alguna.

¿Y en cuanto a López? Bueno, si López *sí* traicionó a Maximiliano, como quieren muchos, tenía entonces razón —entre otras personas— su mujer, es decir la mujer del propio López la cual, según el Barón Magnus cuando el coronel regresó a su casa de Puebla le gritó: «*¡Ay, Miguel!, ¿qué le hiciste a nuestro compadre? ¡Si no lo traes aquí a salvo, no te volveré a hablar nunca!*». Si fue así, si de verdad Miguel López entregó el Convento de La Cruz y con él a Maximiliano por una suma determinada de dinero en la madrugada del 15 de mayo de 1867, entonces también tenía razón «*Bebello*», el perro del Emperador, que solía moverle la cola a todos sus generales y oficiales menos a Miguel López: a éste le gruñía y, si era posible, le lanzaba una tarascada al tobillo. Los autores que subrayan la animadversión que tenía el perro contra el jefe de los Dragones de la Emperatriz, nos están diciendo que López era tan infame que olía a traidor y que esto, claro, lo intuía «*Bebello*», ya que el perro no podía saber que el historial de López en el ejército mexicano no era, ni mucho menos, inmaculado.

Los que sí estaban al tanto del vergonzoso episodio de Tehuacán, solicitaron una audiencia con Maximiliano al enterarse que López era candidato a general de brigada, y le explicaron al Emperador por qué consideraban a su compadre indigno del cargo. Durante esa reunión, pudieron haber sucedido dos cosas: o Maximiliano les dijo a sus generales que estaba al tanto del historial de López y que en efecto, ellos tenían razón, o Maximiliano actuó como si no conociera la traición previa de López y fingió sorprenderse cuando se la «revelaron». Haya sucedido una cosa o la otra, el caso es que el Emperador cambió de opinión y no le concedió la banda verde de general a su compadre y fue por esta razón que López, dicen, carcomido por la ira, el resentimiento y la envidia, lo traicionó.

Según los relatos, entre otros, de Alberto Hans, el Príncipe Salm Salm y el Doctor Basch, a las dos de la madrugada del 15 de mayo, el Coronel López se presentó ante el oficial a cargo de una de las varias plataformas que se elevaban en el Convento de La Cruz guarnecidas de artillería, y ordenó retirar un cañón de su tronera y «oblicuarlo a la izquierda». La noche anterior el mismo López había sustituido al pelotón de la guardia municipal apostado en esa plataforma por una tropa irregular de exploradores al mando de un tal Teniente Yablouski —o Jablonsky— quien, se supone, era su cómplice y no presentaría resistencia a sus órdenes. De inmediato, el pelotón de infantería comandado por López se formó tras la pieza. Hans notó en ese momento que su espada había desaparecido —otros soldados se quejaron de que les habían robado sus mosquetones— y, cuando reconoció por su uniforme de paño gris con galones amarillos y shakós negros a los soldados republicanos del Batallón de Supremos Poderes, se dio cuenta que La Cruz estaba en manos del enemigo. Agrega el teniente de artillería que le preguntó al oficial de la tropa de Supremos Poderes si era el Coronel López quien los había dejado entrar en el convento, y que la respuesta del oficial fue afirmativa.

Corti nos dice que desde la noche del 13 de mayo, López se había puesto ya en contacto con los juaristas, cuyo campamento —el del General Escobedo— visitó en más de una ocasión para entrar en negociaciones. Corti se refiere también a una declaración que Maximiliano le hizo al Barón Lago, según la cual López había «ofrecido su traición» desde cuatro días antes de la caída de Querétaro por la suma de dos mil onzas de oro, aunque al parecer después sólo recibió siete mil pesos: «incluso calculaba el Emperador que López lo había vendido a él y sus tropas por unos once reales por cabeza». Pero el mismo Corti señalaba que el 14 de mayo, hacia las once de la noche, López sostuvo una conversación secreta con Maximiliano el cual lo condecoró durante la entrevista con la medalla al valor y le pidió —el Doctor Basch dice que esto se lo contó después el propio Maximiliano— que lo matara de un balazo en caso que lo hirieran durante la salida que habrían de intentar y no pudiera, así, impedir que lo apresaran los juaristas. Algunos historiadores opinan que esa condecoración, tan repentina y a una hora tan insólita, fue un premio que Maximiliano le dio a López en recompensa por su sacrificio. Carlos Pereyra, el historiador mexicano, poco antes de narrar la caída de Querétaro y al referirse a Maximiliano y a la insistencia de éste en acusar a Márquez de traición, habla de lo que llama la «espontánea perversidad» del Archiduque, y afirma que Maximiliano quería tener un responsable, un traidor: «sólo por traiciones a su sacrosanta persona explicaba los acontecimientos desgraciados», afirma Pereyra, y a continuación narra los acontecimientos de la noche del 14 al 15 de mayo. Pereyra, sin decirlo, nos dice que Maximiliano decidió que además de Márquez necesitaba otro traidor, y que el elegido fue su compadre Miguel López. El sacrificio que se le pidió a éste, y por el cual se le compensaba, era el de aparecer como eso, como un traidor, ante la historia.

Los que insisten en la traición de López, acuden una y otra vez a los relatos de los sobrevivientes del sitio, quienes refieren cómo, y durante el resto de la noche hasta que amaneció, y en el transcurso del día siguiente, vieron al Coronel López a caballo y con un vistoso uniforme bordado con plata, que guiaba a tropas republicanas y que iba de un lado a otro de la ciudad sin ser molestado. El Teniente Hans agrega otro detalle que contradice a varios de los testigos oculares, como Salm Salm. El príncipe afirma que fue el Coronel Rincón Gallardo el que dijo a sus hombres «son paisanos, déjenlos pasar», al encontrarse a Maximiliano, Pradillo, Del Castillo, Blasio y el propio Salm, que se dirigían al Cerro de las Campanas, y agrega que López se encontraba al lado del oficial republicano. Pero, según Hans, quien no menciona a Rincón Gallardo, fue López el que lo dijo. Salm Salm dice que él, Félix, vestía uniforme, de manera que no se entiende cómo es que los soldados juaristas lo pasaron como civil. Y, aunque algunos autores dan a entender que el paletó de Maximiliano ocultaba su uniforme de general, no se dice cómo iba vestido Del Castillo y si como era de esperarse Del Castillo usaba uniforme —y así lo describe Joan Haslip— tampoco se explicaba cómo Rincón Gallardo podía decir de él que era un paisano. La cosa se vuelve aún más compleja cuando nos enteramos que no todos están de acuerdo en que el paletó ocultaba el uniforme de Maximiliano, y hay autores que describen su indumentaria exterior —aparte del «sombrero blanco de alas anchas con toquilla delgada de oro, pantalón de montar de punto de malla y bota fuerte»— como una *levita militar* azul de solapas sueltas. Aparte, también, de la espada que, «ceñida al cinto», llevaba bajo los faldones de la levita.

Inexactitudes y contradicciones como éstas abundan en los relatos del sitio, aunque muchas de ellas resultan intrascendentes. Así por ejemplo, el perro de Maximiliano, para algunos llamado «*Bebello*», cambia de nombre y de sexo y se transforma en «*Baby*» y en perra en la narración de Salm Salm, quien nos cuenta que «*Baby*» siguió a su amo al Cerro de las Campanas, para luego extraviarse y ser hallada después en poder de un tal Coronel Cervantes que le había dado el nombre de «Emperatriz» y que se rehusó a venderla al Príncipe Salm Salm, quien quería llevarse al animalito a Viena para ofrecerlo como un presente a la Archiduquesa Sofía. Cabe preguntarse, de todos modos, si «*Bebello*» y «*Baby*» eran el mismo perro o dos perros distintos —además de un tercero, «*Patschuka*», que también aparece en las Memorias del príncipe—: los historiadores nos dejan con la duda.

Ahora que, si estas inexactitudes resultan intrascendentes cuando se trata de un perro, no por ello resultan lo contrario, es decir, trascendentes, cuando se trata del Coronel Miguel López por muchos considerado poco menos que como un perro también. En otras palabras: poco importa que haya sido él, o no, el que dijo «déjenlos pasar, son paisanos», y poco importa también que haya estado libre o preso el 15 de mayo y los días siguientes, porque ni una cosa ni otra lo culpan o lo absuelven de su supuesta traición.

Hans, Basch, Salm Salm y otros testigos de la época, escribieron y publicaron sus memorias y crónicas muy poco tiempo después de los acontecimientos de Querétaro, y para ellos López fue un traidor sin lugar a dudas, como por lo visto lo fue también para su mujer, la cual cumplió su promesa, dejó de hablarle al coronel y luego lo dejó para siempre. Pero veintiún años después, López volvió a protestar su inocencia —lo había hecho ya en julio de 1867, en una declaración a los ciudadanos de México y del mundo— y publicó en el periódico «*El Globo*» una carta en la cual le pedía al General Escobedo que revelara «la verdad histórica». Y Escobedo accedió a la súplica de López y en un informe dirigido al presidente de la República, el General Porfirio Díaz, fechado el 8 de julio de 1888, declaró que «el coronel imperialista Miguel López», a quien describe como el «Comisionado en Jefe del Archiduque», había sido sólo un intermediario entre él y Maximiliano, quien ya no podía ni quería continuar la defensa de la plaza. «*López* —dice Escobedo—, *aunque indiferente para con la Patria, no traicionó al Archiduque Maximiliano de Austria ni vendió por dinero su puesto de combate*». López le comunicó a Escobedo que Maximiliano estaba dispuesto a rendir Querétaro si se le dejaba salir del país, y prometía no volver a pisar el territorio mexicano. Escobedo le contestó que las órdenes que tenía dél Supremo Gobierno eran las de no aceptar otro arreglo que no fuera la rendición de la plaza sin condiciones. Algunos autores dicen que probablemente Escobedo le prometió en secreto a López que se le permitiría a Maximiliano escapar. Según esos historiadores, Escobedo podía ser de la opinión que tener al Archiduque como prisionero de guerra le podría causar a Juárez más dolores de cabeza que satisfacciones, y que fue por ello que el Coronel Rincón Gallardo —siguiendo instrucciones de Escobedo—, dejó pasar a Maximiliano a la salida de éste del Convento de La Cruz. Por cierto, Egon de Corti, ante la duda sobre quién dijo la famosa frase: «déjenlos pasar, son paisanos», si López o Rincón Gallardo, opta por ponerla en labios de los dos al mismo tiempo. Sin embargo, Gustave Niox —«*Expédition du Mexique. Récit politique et militaire*»— hace suponer al lector que la actitud de Rincón Gallardo no se debía a ninguna orden específica, sino a otras razones: el padre del coronel —que era el Marqués de Guadalupe— nos dice Niox, había aceptado un cargo en la corte de Maximiliano. ¿El padre, o las hermanas de Rincón Gallardo?: Harding, en la lista de las «damas de palacio» de Carlota, menciona a dos del mismo nombre: Ana Rosa de Rincón Gallardo y Luisa Quijano de Rincón Gallardo. El «*New York Herald*», por cierto, se refiere a otro episodio en relación con López y Rincón Gallardo, citado por numerosos historiadores: se cuenta que el supuesto traidor le pidió a Pepe Rincón Gallardo que lo recomendara para «una posición» dentro del ejército liberal, y que Don Pepe le contestó: «si lo recomendara a usted para una posición, Coronel López, sería una posición en un árbol, con una cuerda alrededor del cuello».

Ahora bien, en su informe, el General Escobedo dice que López, en lugar de retirarse al ser rechazada su oferta —la de entregar la plaza a cambio de un salvoconducto para el Archiduque— insistió en que Maximiliano no deseaba prolongar más los horrores de la guerra, y que sus órdenes eran las de concertar a toda costa un acuerdo para la entrega —incondicional en última instancia— de la ciudad y del convento. *«López —agrega Escobedo— se retiró a la plaza, llevando la noticia al Archiduque de que a las tres de la mañana se ocuparía La Cruz, hubiera o no resistencia».* Más adelante, el general mexicano dice que el Coronel López, ya caída la ciudad de Querétaro, se presentó de nuevo con él y le mostró una carta *«cuyo contenido textual —dice Escobedo— es el siguiente: Mi querido coronel López: Os recomendamos guardar profundo sigilo sobre la comisión que para el General Escobedo os encargamos, pues si se divulga quedará mancillado nuestro honor. Vuestro afectísimo. Maximiliano».*

López le preguntó a Escobedo si no tenía inconveniente en guardar el secreto. Escobedo le contestó que se reservaría la divulgación del mismo para cuando lo considerara necesario. A continuación, el general narra en su informe una conversación en privado que tuvo poco después con el Archiduque Maximiliano en la celda del Convento de Capuchinas. Durante ella, el propio Maximiliano le pidió a Escobedo —así lo afirma el general— que no hiciera ninguna revelación. Escobedo le dijo entonces que en su opinión, el Archiduque debería más bien hablar con Miguel López, «que era la persona que quedaba moralmente lastimada en estos acontecimientos». Maximiliano contestó que López no hablaría mientras Escobedo no lo hiciera, y que sólo le pedía que guardara el secreto por un plazo *cortísimo:* «hasta que dejara de existir la Princesa Carlota, cuya vida se apagaría al conocer la ejecución de su esposo».

En esos días, Maximiliano tenía motivos para suponer que Carlota podría morir pronto y de hecho corrieron varias veces rumores del fallecimiento de la Archiduquesa. Como sabemos, Carlota sobrevivió muchos años y con toda probabilidad Escobedo pensó que su revelación no dañaría a Carlota no sólo porque habían transcurrido ya veinte, sino sobre todo porque la Emperatriz no había recobrado la razón desde entonces, ni había indicios de que la recobrara jamás. Diez años más tarde, o sea treinta después de la caída de Querétaro, Gustav Gostkowsky, autor de *«Los últimos momentos de la vida de Maximiliano»,* tuvo la oportunidad de viajar varias horas en compañía del General Escobedo —o al menos así lo dice en su libro— y a la pregunta de si López había sido el Judas que se pretende hacer de él, el viejo general contestó de manera enfática que no, que la situación de los sitiados en Querétaro era desesperada, que el hambre y el tifo los diezmaban, y que Maximiliano se decidió entonces a despachar en secreto a López para ofrecer la rendición de la ciudad. Cualquiera podría suponer que lo que Escobedo le dijo a Gostkowsky confirmaría, en todos sus detalles, lo declarado diez años atrás por el mismo general, y en particular si estamos dispuestos a creer, como nos asegura el autor, que Escobedo tenía «una memoria prodigiosa». Pero no es así, porque en el informe al Presidente Díaz, Escobedo dice que la primera —y única— vez que habló con López fue en la noche del 14 de mayo, y en lo que le cuenta a Gostkowsky, habla de *tres* visitas hechas por López al campamento republicano. La primera para proponerle la rendición de la plaza condicionada a la salida del Archiduque del territorio mexicano. La segunda, «provisto de un documento que lo acreditaba, sin lugar a dudas, como enviado de Maximiliano», para conocer la respuesta: Escobedo le comunicó entonces que el gobierno no aceptaba ninguna condición. La tercera, para decirle a Escobedo que de todos modos Maximiliano renunciaba a la lucha. O la memoria de Escobedo no era tan prodigiosa como decía Gostkowsky, o la de éste era muy débil o propensa a las fantasías. Sin embargo, todo indica que Corti le dio más crédito a este autor y al Barón Lago —entre otros— que a la declaración oficial del propio Escobedo. Por otra parte, ese documento al que se refiere Escobedo tanto en su informe como en su supuesta conversación con Gostkowsky, o sea la carta dirigida por Maximiliano a López, apareció también veinte años después, en posesión del supuesto traidor. Su autenticidad, como era de esperarse, fue puesta en tela de juicio por muchos y desde un principio, y es así como Emile Ollivier señala que el Doctor Kaska «amigo de Maximiliano», la declaró falsa, habiéndose apoyado en el dictamen de cuatro pintores. Ollivier se refiere al libro de José María Iglesias, «*Rectificaciones históricas*», en donde el historiador y político mexicano señala que no se puede tomar en serio el dictamen. Por otra parte, Setién y Llata nos recuerda que Iglesias era de la opinión que una falsificación pésima servía de manera admirable a los intereses de Maximiliano, al dar a su cómplice, «en lugar de un verdadero resguardo, un documento irrisorio que fuera fácilmente tachado de falso». En otras palabras, Maximiliano pudo haberse esmerado en que el documento *pareciera* falso. Ollivier agrega que Iglesias, gracias tanto a su sagacidad como a la lucidez de sus argumentos, «destruyó definitivamente la leyenda de la traición de López».

Pero Ollivier estaba equivocado. De entonces a la fecha, han abundado los ensayos, artículos e incluso libros enteros —por ejemplo A. Monroy, «*López no fue traidor*», y Alfonso Junco, «*La Traición de Querétaro: ¿Maximiliano o López?*»— a favor o en contra del coronel mexicano, en los cuales se analizan hasta los detalles más mínimos —y también triviales—, en un intento, o mejor dicho en varios intentos, de probar una u otra teoría. Vemos así que el 14 de mayo de 1867, nos dicen, el sol se puso en la ciudad de México a las seis horas veintisiete minutos de la tarde —la fuente es el Calendario Galván— y por lo tanto, en Querétaro se puso unos instantes más tarde. Pero el crepúsculo vespertino, o en otras palabras: la luz, dura media hora más tras la puesta del sol. Por lo tanto al afirmar el Coronel López, como lo hizo en su manifiesto, que «en la *noche* del 14 de mayo ese Príncipe desgraciado (Maximiliano)» le había pedido que se pusiera en contacto con Escobedo, López miente. Miente porque el general mexicano informa, por su parte, que fue a las siete de la noche del 14 de mayo cuando le avisó un ayudante que López se hallaba en la tienda de campaña del Coronel Cervantes y que deseaba verlo a nombre de Maximiliano. O sea que, para estar a las siete de la noche en el campamento republicano, López *tuvo* que salir de La Cruz y de Querétaro con la luz del día y esto no podía hacerlo sin ser notado.

Pero... y si López no mentía, ¿mintió, entonces Escobedo? ¿O sólo se equivocó en la hora? A los nuevos y viejos y futuros argumentos se han sumado estas y otras muchas preguntas que parecen no tener contestación. Por ejemplo: Basch nos cuenta que Maximiliano, ya preso, había dicho varias veces a los oficiales enemigos: «Si pusiesen en mis manos a López y Márquez, dejaría yo ir a López, traidor por maldad, y haría colgar a Márquez, traidor de sangre fría y por cálculo». Esta extraña actitud, ¿era acaso provocada por un remordimiento? También parece ser cierto que López vivió el resto de sus días casi en la pobreza. ¿Qué se hizo, entonces, del dinero de la traición? ¿O será cierto —Ollivier cita los rumores al respecto que López perdió doscientos mil francos en el juego? ¿Y por qué Maximiliano le pidió a Escobedo que guardara el secreto *no* cuando le entregó su espada, el 15 de mayo, sino dos semanas después, cuando ya el «secreto» podía haber sido divulgado a los cuatro vientos? ¿Y por qué a los que acusan a López de falsificar —y de manera burda— la carta que supuestamente le dirigió el Archiduque, no se les ocurre pensar que López tuvo veinte años para perfeccionar la imitación de la letra y la firma de Maximiliano? Pero la carta, en sí, ¿no es absurda? ¿Por qué tenía que pedirle Maximiliano a López por escrito lo que ya le había pedido de palabra? Y, al escribir una carta en la que se le pedía guardar un secreto, ¿no se corría un peligro mayor de que se conociera puesto que se comenzaba así por revelar su existencia? Y, absurda o no la carta, auténtica o falsa, ¿por qué Miguel López se esperó veintiún años de vida miserable para sacarla a relucir en lugar de enseñarla apenas muerto Maximiliano en el Cerro de las Campanas? ¿Y por qué también Escobedo esperó tanto tiempo? El día de la caída de Querétaro, Juárez, que desconocía los detalles del *affaire* López, desbordante de entusiasmo le escribía al General Berriozábal: «¡Viva la Patria! Esta mañana, a las ocho, fue tomado Querétaro a viva fuerza». Se dijo entonces que la traición de López menoscababa el mérito del triunfo republicano, porque la ciudad había sido entregada, y de ninguna manera tomada *a viva fuerza*. Pero si Maximiliano no tenía escapatoria, ¿por qué se iba a demeritar la victoria de los juaristas? Y en todo caso, tras veintiún años de ser una gloria mexicana viva, ¿se dio cuenta de eso el General Escobedo? ¿Pensó que una revelación así ni le quitaba lo heroico a los que resistieron el sitio más largo de la historia de México, ni le quitaba lo triunfante a la República y sus generales?

Y por último: ¿exculpar a López significaría culpar a Maximiliano? Ollivier, con todo el apoyo que manifestó por la causa de Juárez, opina que al destruir la leyenda de la traición de López no hace falta sustituirla acusando a Maximiliano de traicionar a sus generales, porque el Archiduque lo único que en ese caso deseaba era evitar «un espantoso holocausto inútil». Si suponemos que así fue, desde luego que con su silencio Maximiliano *no* traicionó a López. Pero, daño sí que le hizo, y mucho. Tanto, que en ese caso debió haber sido Carlota la que le reclamara a su marido: «*¡Ay, Maximiliano! ¿qué le hiciste a nuestro compadre?*». En lo que a los generales y oficiales se refiere, a la tropa, a los voluntarios, a los muertos y a los heridos: ¿no los traicionaba al impedir una rendición honrosa y provocar una entrega humillante?, ¿no traicionaba su fe, su valor, su lealtad, sus sacrificios? Tal vez tampoco para estas preguntas existen respuestas tan definitivas y concretas como un *sí* o un *no*. El caso es que, si Escobedo dice la verdad y Maximiliano le pidió que no denunciara el secreto sino cuando muriera Carlota, el Archiduque debió abandonar este mundo con una conciencia un poco más tranquila —aunque con el corazón más atormentado— porque el 15 de junio, o sea cuatro días antes de la ejecución, Mejía le comunicó que, según noticias llegadas de Europa, la Emperatriz había fallecido.

Ante la imposibilidad de llegar a una conclusión, podría esperarse que los autores que se ocuparon del melodrama de Querétaro muchos años después: treinta o cincuenta, o hasta un siglo más tarde, informaran al lector sobre todas las dudas y las polémicas. Pero lo curioso es que no siempre sucede así. Corti lo insinúa, pero a pesar de calificar de «magistral» la obra de Emile Ollivier, no está de acuerdo en lo que dice sobre López y, si bien en su bibliografía incluye los libros de Iglesias, no se refiere a ellos en el cuerpo del texto. Lo que es más, en «*Die Tragödie eines Kaiser*», o sea en la versión abreviada y revisada de «*Maximilian und Charlotte von Mexiko*», es donde Corti agrega la referencia relativa a «los once reales por cabeza» que sería el precio en el que López habría vendido a Maximiliano y a sus hombres. Parecería, pues, que Corti prefiere no dudar de la traición de López, como también parece ser ésta la posición de los autores que simpatizan con Maximiliano y para quienes, probablemente, es más cómodo y quizás incluso más romántico tener un traidor. Y si el traidor fue mexicano, mejor aún —cómodo lo fue, desde entonces, para el propio Luis Napoleón, quien en su carta de pésame a Francisco José, fechada el 2 de agosto de 1867, se mostraba «inconsolable» por aquél que había luchado, solo, contra *un partido que ha vencido únicamente por la traición*», afirmaba el emperador de los franceses.

Y si decimos «si el traidor fue *mexicano*, mejor aún» es porque casi todos los autores que han decidido que sus lectores se queden con la impresión de Miguel López como un traidor, *no* son mexicanos, sino europeos. En un extremo está Corti, cuya honestidad le impidió ignorar los alegatos de Iglesias y de Ollivier, pero que no cree en ellos, y así lo subraya. En medio, se ubican autores como Gene Smith, Castelot o Haslip, que no se toman la molestia de entrar en detalles sobre las dudas que existen. Al otro extremo, los autores energúmenos que manifiestan un odio visceral contra todos los mexicanos —lo mismo López que Juárez, Santa Anna que Almonte— e insisten en que fueron ellos, los mexicanos, los que perdieron al Archiduque y no éste el que se perdió a sí mismo, y esos otros autores que, con tal de dramatizar la supuesta traición, cuentan cosas que nunca sucedieron: algunos quizás por haber confundido alguna información, otros simplemente porque se dedicaron a inventar. Así, vemos como el Doctor J. P. Des Vaulx, en su libro *«Maximilien —Empereur du Mexique ou Le Martyr de Queretaro»*, cuenta que en el Cerro de las Campanas Maximiliano exclamó: «Decid a López que le perdono su traición. Decid a México entero que le perdono su crimen». Y a continuación, agrega Des Vaulx, «Su Majestad apretó la mano del Abate Fischer». Ni Maximiliano dijo eso antes de morir, ni Fischer, desde luego, estuvo presente en la ejecución. Quien consoló en sus últimos momentos al Emperador, o mejor dicho a quien tuvo que consolar el Emperador fue, como se sabe, al Padre Soria.

A propósito de Soria, y para cerrar este capítulo sobre el compadre traidor, vale la pena hacer hincapié en una declaración del sacerdote citada por Ollivier, e ignorada por la inmensa mayoría de los autores. *«López»*, dijo Soria, *«no hizo sino lo que se le ordenó»*. Les guste o no a los simpatizantes de Maximiliano, la interpretación más lógica de esas palabras sería: atado por el secreto de confesión, Soria no podía revelar de manera abierta lo que Maximiliano le hubiera podido o querido contar sobre lo sucedido la noche del 14 al 15 de mayo, pero lo que sí estaba en su poder era insinuar, con una declaración semejante, que él conocía la verdad. ¿Y por qué tomarse esa molestia? Quizás porque su conciencia le indicaba que, si no podía ya hacer nada por salvar el alma del compadre muerto, Maximiliano, algo podía hacer, en cambio, por salvar el honor del compadre vivo, Miguel López.

Dudas y contradicciones existen también sobre otros episodios como por ejemplo la escena que se dice tuvo lugar entre la Princesa Salm Salm y el Coronel Palacios en las habitaciones privadas de aquélla. La princesa la omite en la parte dedicada a Querétaro de su libro *«Ten Years of my Life»* —«Diez años de mi vida»—, pero su olvido es más que comprensible si en efecto, y tal como aseguran, viendo ya todo perdido, a la princesa no se le ocurrió otra forma de convencer al coronel mexicano para que dejara huir a Maximiliano y a su esposo que llamar al militar al hotel donde estaba alojada, cerrar la puerta con llave y comenzar a desabrocharse el corpiño. Parece que Palacios, aterrorizado, amenazó con saltar por la ventana y la princesa no tuvo más remedio que abrir la puerta, por la cual salió corriendo el azorado coronel.

Pero si la princesa no fue quien contó el episodio, y no hubo un solo testigo de la escena, ¿quién fue entonces? ¿Palacios? Un coronel del ejército mexicano, que podemos suponer presumía de muy hombre y muy valiente, ¿le iba a contar a sus compadres y a sus compinches, a sus subordinados, que había estado a punto de brincar por un balcón cuando una bella princesa extranjera, la bellísima *yankee* de todos conocida le había ofrecido su espléndido cuerpo? Fuentes Mares soluciona el problema acudiendo a varios testigos y a un ofrecimiento múltiple, y nos dice que, la noche en la cual Escobedo ordenó la expulsión de Querétaro de la princesa y de todos los representantes europeos, Agnes Salm Salm «en un rapto propio de su temperamento, principió a desnudarse ante los oficiales que fueron a aprehenderla y se ofreció a quien la ayudara a salvar al Emperador, pero no halló candidato».

Corpiños y balcones aparte, de lo que no hay la menor duda es que la princesa hizo algo más para salvar la vida de Fernando Maximiliano, y que fue arrodillarse ante Benito Juárez para pedirle gracia. Tal episodio tuvo lugar en el Palacio Gubernamental de San Luis Potosí, donde se había establecido el gobierno republicano, y en el prólogo a la edición española de *«Las Memorias de la Princesa Salm Salm»*, Daniel Moreno nos recuerda que ese momento quedó inmortalizado en un cuadro debido al pincel de un conocido artista mexicano y que la escena se completa «con la figura del Licenciado Don Sebastián Lerdo de Tejada, quien en actitud mefistofélica se halla tras el presidente, denegando el perdón».

En las Memorias de la princesa, que antes de llegar a México y Querétaro se inician con los varios recorridos que hizo por la Unión Americana, y donde habla entre otras cosas de la fiebre espiritualista que les dio a los *yankees* por esa época, de los embalsamadores profesionales que seguían a los ejércitos americanos durante la Guerra de Secesión y de los hospitales flotantes que navegaban, blancos y silenciosos aguas abajo por el Mississippi, aparece ya su perro faldero *«Jimmy»* el cual, aparte de haber desarrollado en Querétaro una fobia contra el ruido de balas y tambores, se encariñó con el sofá que en su oficina de San Luis Potosí tenía Don Benito Juárez, y allí solía arrellanarse cada vez que la princesa iba a pedirle algo al presidente. Si otro perro viene a cuento —el número cuatro en este capítulo— es porque en làs Memorias de Agnes —o Inés, llamémosla Inés— leemos que en una ocasión en que la princesa viajaba en tren de Nashville a Bridgeport, *«Jimmy»* saltó del tren durante una parada en medio del campo, el tren volvió a caminar, la princesa tiró del cordón de alarma, el tren se detuvo en medio del pánico de pasajeros y tripulación, *«Jimmy»*, que corría como loco tras el cabús volvió a subirse al vagón y treparse al regazo de su ama, su ama lo regañó, llegó el conductor para a su vez regañar a la princesa, pero ésta le gritó, le puso los puntos sobre las íes, lo acusó de inhumano y de inconsecuente y el conductor acabó por pedir perdón, avergonzado: la mujer que era capaz de hacer eso y de seguir a su marido hasta México para salvar a un Imperio, y saltar trincheras al galope y bajo su parasol amarillo, las balas silbando alrededor de su negra y suelta cabellera y de enfrentarse a Leonardo Márquez en México y a Porfirio Díaz en Puebla y que cuando el general oaxaqueño le ordenó que dejara el país le contestó que tendría que cargarla de cadenas o fusilarla pero que jamás se iría sin ver a Escobedo, al que también se enfrentó, al fin, en su tienda de campaña en las afueras de Querétaro, una mujer así desde luego que era capaz también de desnudársele a un coronel o de arrodillársele a un presidente, además de planear, como lo hizo, la escapatoria de Maximiliano y su salida de México hasta el último detalle.

Los detalles, en realidad, no fueron muchos ni muy complejos. A instancias de Inés Salm Salm, Maximiliano accedió a que se llamara a Querétaro al representante de Prusia, el Barón Magnus. De todos modos era de esperarse que, aunque no fuera sino para hacer acto de presencia, se agregaran a Magnus los otros diplomáticos europeos que habían representado a sus respectivos países ante el Imperio. Así fue, y pronto llegaron Lago el austriaco, Hoorickx el belga y Curtopassi el italiano. Poco después los alcanzó Forest, el enviado especial del ministerio de Francia. La princesa quería contar con la complicidad de todos o de algunos de ellos, ya fuera para ejercer una presión concertada sobre el gobierno de Juárez, o para organizar la fuga. Una de las ideas de Inés era que las potencias extranjeras se comprometieran a pagar un rescate por Maximiliano, o bien a garantizar el pago de la deuda mexicana de la guerra si se le perdonaba la vida al Archiduque. La princesa estaba segura de contar con el apoyo de los países del otro lado del Atlántico, puesto que Maximiliano era considerado algo así como «el primo de Europa» en esos momentos. La idea no prosperó porque no había posibilidad alguna de que el gobierno republicano aceptase una proposición de esa naturaleza. La fuga, entonces, era la única solución que le quedaba a Maximiliano, tal como le aseguró a Inés el Coronel Villanueva.

El Barón Magnus consideró que la escapatoria era una locura, y así se lo expresó a la princesa, la cual muy pronto se dio cuenta que la conducta de los representantes extranjeros en Querétaro sólo ayudaba a precipitar la catástrofe. Como americana, nos dice Inés, y por lo tanto «extraña a las ideas europeas» comprendía mucho mejor a los mexicanos que a los señores ministros. Inés subraya además que éstos, en su calidad de europeos, no creían que el gobierno de Benito Juárez se atrevería a tomar la vida de Maximiliano, porque sería un acto «que se encargarían de vengar todas las potencias europeas». Pero la princesa sabía muy bien que a Juárez y a su gabinete les tenía sin cuidado Europa, y que si el Archiduque era condenado a la pena capital —y así sería—, la sentencia habría de cumplirse. Inés Salm Salm habría confirmado su opinión si hubiera conocido las declaraciones hechas por el representante de Juárez en Washington: «Nadie en Europa nos daría crédito por nuestra magnanimidad», dijo Matías Romero, «porque no se supone que las naciones débiles sean magnánimas...»

El primer intento de fuga fue fijado para la noche del 3 de junio pero el día anterior llegó a Querétaro un telegrama que anunciaba la llegada, precisamente, del Barón Magnus y de los dos defensores de Maximiliano, De la Torre y Riva Palacios. Por esta razón, que a los príncipes Salm Salm no les pareció suficiente, Maximiliano pidió que se suspendiera el plan. Nunca tampoco se sabrá hasta qué punto Maximiliano quiso, en verdad, escapar. Se nos dice que, ya preso en las Teresitas, hablaba con sus allegados en voz alta de las diversas posibilidades de fuga, y que incluso en los últimos días se imaginaba, a veces, a bordo de la corbeta austriaca *Elisabetta* que por esos días estaba anclada en Veracruz, al mando del Capitán Groller. Así, trazaba con Blasio su secretario planes para el futuro. Pensaba viajar primero a Londres y después a Miramar para escribir la historia de su reinado. Proyectaba también viajes a Grecia, Nápoles y Turquía. Pero unos minutos después ponía los pies en la tierra y comenzaba a hablar del embalsamamiento de su cuerpo o de su testamento. Era entonces cuando aceptaba que era otro el que tendría que escribir esa historia: «Es usted el único que tiene posibilidad de regresar a Europa», le dijo un día al Doctor Basch, «así que ocúpese de escribirla y de hacerme justicia. Le propongo que la titule: *"Los Cien Días del Imperio Mexicano"*».

De todos modos, Inés Salm Salm sí sabía lo que quería y no estaba dispuesta a que nada la derrotara, y mucho menos la ineptitud o el miedo de los ministros europeos: ellos avalarían, también, los pagarés. A la idea de los pagarés se llegó por falta de dinero. Si ya durante el sitio Maximiliano se quejó de la falta de efectivo y había dicho que en adelante «se quedaría con un solo criado y que vendería su caballo y andaría a pie para economizar», ahora que estaba derrotado y preso, por supuesto que no tenía un solo tlaco, y que le sería imposible depositar en el banco del Señor Rubio cien mil pesos, como sugería en un principio Inés. Pero lo que sí podía hacerse era elaborar unas letras de cambio o pagarés firmados por Maximiliano y avalados por los ministros extranjeros. Maximiliano estuvo de acuerdo, pero los ministros no. A fin de cuentas, el Emperador firmó dos pagarés, cada uno por cien mil pesos, que serían liquidados por la casa de Austria sólo si la fuga tenía éxito. En los primeros días de la prisión de Maximiliano, algunos oficiales republicanos habían pedido dinero para dejar escapar al Archiduque, pero ninguno de ellos tenía la capacidad de organizar una huida y fueron ellos mismos los que se esfumaron con la plata en el bolsillo. Pero habían sido cantidades pequeñas: quinientos pesos por aquí, dos mil por allá. Ahora se trataba de sobornar, y bien, a los dos hombres en cuyo poder *sí* estaban los medios para permitirle al Archiduque la escapatoria: el Coronel Palacios, quien tenía «el mando supremo de la prisión», y el Coronel Villanueva «a cuyas órdenes estaban todas las guardias de la ciudad». A cada uno le tocarían, pues, cien mil pesos que, para esos pobres diablos —Inés Salm Salm nos dice que Palacios, por ejemplo, era un indio que apenas si sabía leer y escribir— debió ser una inmensa fortuna.

El representante austriaco, el Barón Lago, fue el único que estampó su firma en los pagarés, pero la firma desapareció muy pronto: reunidos los representantes extranjeros, lo convencieron de borrarla, y uno de ellos cogió unas tijeras y la cortó. De todos modos, al Coronel Palacios no lo iban a seducir unos pedazos de papel con garabatos, y no por la ignorancia que le atribuye Inés Salm Salm: dadas las circunstancias, y para emplear las palabras textuales de la propia Inés, «un bolsillo con oro habría hablado un lenguaje más persuasivo» no sólo a un indio semi-analfabeto —si es que Palacios lo era—, sino a cualquier oficial ilustrado que estuviera dispuesto a arriesgar el honor y el pellejo para salvar la vida de un invasor extranjero ya caído en desgracia y abandonado por todos. Palacios le devolvió la libranza a Inés, quien le dio entonces el anillo-sello del Emperador y le rogó que se lo entregara a Max en su celda: ésta era la señal convenida para el caso de que los planes de escapatoria fracasaran. Pero tampoco Palacios estaba dispuesto a hacerle ese servicio a la princesa y, tras probarse el anillo, se lo devolvió. Inés se lo entregó entonces al Doctor Basch para que se lo diera al Emperador. Era el 13 de junio de 1867. Esa noche huyeron de Querétaro el Barón Lago y Monsieur Hoorickx, dejando atrás sus equipajes, y adelantándose así, sin saberlo, a los deseos de Escobedo, quien decidió ordenar la expulsión de Querétaro de todos los representantes extranjeros implicados en la intentona de fuga. Escobedo mandó llamar también a la princesa para comunicarle que en unas horas saldría de Querétaro. Y así fue: con su recamarera Margarita, su falderillo *«Jimmy»* y su revólver de seis tiros, esa misma noche Inés Salm Salm partió, en una diligencia, rumbo a San Luis Potosí.

El día anterior se había iniciado en el Teatro Iturbide de Querétaro el juicio de Fernando Maximiliano y sus dos generales, Miguel Miramón y Tomás Mejía. El historiador mexicano José Fuentes Mares, quien hacia el final de su libro *«Juárez y el Imperio»* se vuelve un poco novelista y elabora e imagina situaciones y diálogos, nos pinta una escena entre el Emperador y el francés Forest en el curso de la cual Maximiliano se niega, de manera categórica, a asistir al juicio: «Mañana se me juzgará, ¿no es así?», le dice al enviado francés. «Pues bien, no voy a comparecer ante ese tribunal. ¡Jamás, oiga usted, Forest! Antes arrostraré cualquier riesgo. No me sentaré en el banquillo de los criminales. ¡Jamás, óigalo bien!» Y, aunque Forest se encargó de recordarle a Su Majestad que el banquillo de los acusados había sido un «pedestal» para Luis XVI y María Antonieta, Maximiliano se salió con la suya y se le juzgó en ausencia: el médico en jefe del ejército republicano, el Doctor Rivadeneira, certificó que su salud no le permitiría asistir. Y después de todo, eso no era un invento: Maximiliano estaba muy enfermo.

Aquellos que, a como dé lugar, quieren asesinar a Maximiliano en Querétaro, encuentran en muchos de los detalles pintorescos o de mal gusto que rodearon al juicio pruebas que, según ellos, refuerzan sus argumentos. Les escandaliza, primero, que el juicio se haya efectuado en un teatro. Pero Querétaro era una ciudad pequeña, nunca antes se había realizado en ella un juicio de tan enorme importancia —nunca, incluso, en toda la historia de México— y es probable que el recinto más apropiado, por su amplitud, haya sido el teatro. Que la sala tuviera el nombre del primer emperador de México, y que éste hubiera muerto fusilado por sus compatriotas, fue sólo una ironía más de las tantas que persiguieron a Maximiliano toda su vida. Pero del nombre del teatro los juaristas no tenían la culpa.

Sin embargo, teatro al fin, «la sala» —le escribió Forest a Alphonse Dano— «estaba iluminada como para una representación». Muchos quisieron ver en el juicio sólo eso: la representación de un drama aprendido de memoria, de una farsa sangrienta de la cual lo mismo los defensores que el fiscal, el juez y el público, los miembros del tribunal y el propio acusado, fueron cómplices y actores: todos sabían cuál era el final, trágico o inevitable.

El final, en efecto, estaba previsto, y no porque el drama se desarrollara en México y México fuera un país de salvajes, sino porque en cualquier otro país de Europa y del mundo de esa época y de ésta, hubiera tenido el mismo desenlace: Maximiliano era el usurpador extranjero del poder establecido —y constitucional por añadidura— y había sido el principal instrumento de una invasión extranjera que lo afianzó en un gobierno ilegal. Por supuesto, Europa no estaría dispuesta a considerar como civilizado este desenlace. De hecho, la mayoría de los europeos que participaron en la aventura, no tenía la intención de reconocer nada, en México, o en la actitud de Juárez y su gobierno, que mereciera ese adjetivo. Por ejemplo, el Príncipe Salm Salm, en sus Memorias, se extraña que Escobedo *no* hubiera cumplido sus «siniestras promesas» en contra de él, Félix, tras de que éste participara en un segundo intento para que Maximiliano huyera y agrega que eso —el no llevar a cabo las amenazas de un castigo— no hubiera ocurrido en cualquier país más civilizado. Esta actitud le daba la razón a Matías Romero.

Lo asombroso es que, a pesar de todo, Maximiliano estuvo a punto de salir vivo de la aventura porque —ya declarado culpable—, aunque tres de los miembros del tribunal votaron por la pena de muerte, otros tres votaron por el destierro perpetuo. Este empate, que se resolvió con el voto del Coronel Platón Sánchez, presidente del tribunal, demuestra que sus miembros no estaban tan prejuiciados como hubiera podido suponerse y que el gobierno de Juárez no necesitaba untarles la mano —como dice el Doctor Des Vaulx que lo hizo— para que condenaran a Maximiliano a la pena capital.

En su «*Diario*», en la página correspondiente al 13 de junio, el Doctor Basch cita a Maximiliano diciendo: «Dios me perdone, pero se me figura que han elegido a los que tenían mejor uniforme para que al menos la exterioridad apareciese decente». Imposible averiguar, a estas alturas, los antecedentes de todos los miembros del tribunal. Pero de su presidente y del fiscal, sí existe cierta información. Este último, Manuel Aspiros, se había distinguido como abogado y político en su estado natal, Puebla, y después de 1867 y hasta su muerte, ocurrida en Washington cuando era Embajador de México, se desempeñó en varios cargos diplomáticos. Nada indica que no haya estado capacitado como fiscal.

El Coronel Platón Sánchez, descrito por algunos autores como «un hombre en elegante uniforme, con guantes de cabritilla», murió pocos meses después del juicio en un lugar llamado Rancho de Lobos, asesinado por unos soldados del Regimiento de la Emperatriz —los que comandaba Miguel López— que se habían agregado a las filas republicanas. No le quedó tiempo, pues, de hacerse conocer más tras haber conquistado, por el solo hecho de ser el presidente del tribunal, un lugar en la historia de México. Pero existen ciertos antecedentes del Coronel Sánchez que figuran en el «*Diario*» que el General Francisco P. Troncoso escribió del sitio de Puebla de 1863. En sus páginas, Troncoso, quien no podía entonces sospechar la clase de inmortalidad que le estaba reservada a Platón Sánchez, además de destacar «el valor indomable» del entonces capitán, se refiere a él como un hombre de una generosidad extraordinaria.

Por otra parte, la defensa de Maximiliano corrió a cargo de dos de los abogados de mayor prestigio del México de esa época: el Licenciado Mariano Riva Palacio —padre por cierto del general republicano autor de los versos de «Adiós Mamá Carlota»—, y a quien Maximiliano había ofrecido, en alguna ocasión, la cartera del Interior. El otro fue el Licenciado Rafael Martínez de la Torre quien rehusó cobrar los honorarios por su defensa, por lo cual el Emperador Francisco José le envió a México, de regalo, una vajilla de plata. Ambos encargaron a los licenciados Eulalio Ortega y Jesús María Vázquez que se ocuparan en Querétaro «de los trabajos de la defensa jurídica» y marcharon hacia San Luis Potosí para ver al Presidente Juárez. Sus propósitos eran: uno, pedir más tiempo para preparar la defensa. Dos, solicitar del presidente el indulto de Maximiliano.

Riva Palacio y Martínez de la Torre se quejaron amargamente de los pocos días que les quedaban para preparar la defensa, y perdieron, en busca de más tiempo, un tiempo precioso: ellos querían un mes más, y Juárez sólo concedió tres días de prórroga. El juicio se inició, sin embargo, un mes después de la caída de Querétaro y desde el primer día se supo que Maximiliano sería juzgado. Nadie ignoraba tampoco de qué se le acusaría y cuál sería el fallo casi seguro del tribunal, ya que Maximiliano había firmado su propia sentencia de muerte al emitir el Decreto del 3 de octubre. Por cierto, los defensores, en una larga y conmovedora carta dirigida al Presidente Juárez en vísperas de la iniciación del juicio, atacaron lo que describieron como la terrible y monstruosa Ley del 25 de enero, pero el Licenciado Juárez se encargó de recordarles que la Ley había sido expedida antes de que el Archiduque viajara a México, y que además un enviado del gobierno republicano, Don Jesús Terán, había visitado al Archiduque en su Castillo de Miramar, para advertirle sobre los peligros y riesgos de la empresa.

En lo que al indulto se refiere, los defensores de Maximiliano cometieron un error: lo pidieron antes del fallo y, como contestó el gobierno, no era posible condenar una sentencia antes de que ésta fuera pronunciada. Cuando, pasado el juicio, los abogados insistieron en el perdón presidencial, Juárez respondió que «la ley y la sentencia» eran en esos momentos «inexorables», porque así lo exigía «la salud pública». La misma salud pública, agregó el presidente, «también puede aconsejarnos la economía de sangre, y éste será el mayor placer de mi vida». Cabe aquí recordar que, tras la caída de Querétaro y del Imperio, se ejecutó a muy contadas personas: Maximiliano, Mejía, Miramón, Méndez, O'Horan y Vidaurri entre ellas.

La lectura cuidadosa de la llamada *«Causa de Fernando Maximiliano de Habsburgo que se ha titulado Emperador de México y de sus llamados generales Miguel Miramón y Tomás Mejía sus cómplices en delitos contra la Independencia y la Seguridad de la Nación, el Orden y la Paz Pública, el Derecho de Gentes y las Garantías Individuales»*, y contenida en un libro de más de seiscientas apretadas páginas, puede ayudar a disipar las dudas sobre la capacidad legal y moral del fiscal y de los abogados de Maximiliano. El manuscrito estuvo perdido durante once años. En 1878, un general de nombre Tolentino, advertido que se trataba de introducir a Guadalajara un contrabando de cacao y canela entre los bultos de un equipaje del ejército, ordenó que se efectuara el registro correspondiente y allí, tembloroso y amarillento y —si el contrabando era cierto— perfumado por la canela y el cacao, apareció el manuscrito. «¡A esto no le debe dar ni el aire!», exclamó, alborozado, el General Tolentino. Gracias a este increíble hallazgo, y a que no le dio el aire al manuscrito, se conservó un documento de enorme valor histórico, en el que puede apreciarse todos los esfuerzos no sólo de los defensores por salvar al Archiduque, sino también los del fiscal por dignificar el juicio. También las argucias a las que acudieron el Emperador y sus abogados, como por ejemplo: uno, el desconocimiento de la competencia del tribunal por ser «de carácter político» los cargos que se le hacían a Maximiliano, según alegaban; dos, el énfasis en la *abdicación retroactiva* que habría tenido efecto al momento de ser vencido y arrestado; tres, la insistencia en las intenciones puras y la buena fe de Maximiliano. El fallo del tribunal fue unánime, y al Emperador y sus dos generales se les halló culpables. Fueron trece los cargos que se le hicieron a Maximiliano —otra vez el número de la mala suerte— y, como se ha señalado, en su caso la pena capital fue decidida por el voto del presidente del tribunal.

El Teatro Iturbide de Querétaro, réplica en dimensiones reducidas del Gran Teatro Nacional de la ciudad de México, y en cuyo techo, y entre nubes y auras de gloria aparecían ilustrados siete dramaturgos mexicanos y dos españoles —uno de estos últimos el amigo de Maximiliano, José Zorrilla— tenía cabida para dos mil espectadores y sí es probable que, como señalaba Foster, la sala haya estado «iluminada como por una representación», ya que no había razones para efectuar un juicio a media luz. Es posible, por otra parte, que se haya vendido boletos al público como dicen algunos autores, pero en todo caso la operación debió realizarla algún vivo por cuenta propia y no por cuenta del gobierno, y también es desde luego posible que alguna gente comiera durante el juicio, aunque ésa no sería una característica exclusiva del público mexicano: en Francia, en la época del terror, había mujeres que tejían y comían mientras a unos cuantos metros de ellas rodaban en el patíbulo las cabezas de los condenados por la revolución. Entrar en detalles: Harding dice que los asistentes al juicio de Maximiliano estaban comiendo chirimoyas y piñones, resulta superfluo: lo mismo daba si eran naranjas o castañas asadas lo que comían las mujeres francesas al pie de la puerta al otro mundo que, según algunos, fue inventada por el Doctor Louis Guillotin, según otros, por el Doctor Antonin Louise.

El 15 de junio, como hemos mencionado, el General Mejía entró en la celda de Maximiliano y dijo tener noticias del fallecimiento de Carlota en Europa. Al parecer, esta era una mentira urdida por Mejía y Miramón, para facilitarle a Maximiliano su tránsito al otro mundo: Basch nos dice que, si bien este fue un golpe terrible para el Emperador, al mismo tiempo le hacía «menos doloroso el abandonar la vida». Estando ya la Emperatriz «entre los ángeles», Maximiliano tenía un vínculo menos en este mundo, y así lo expresó. En sus Memorias, Basch nos cuenta que a las doce del día del 16 de junio se presentó en las Teresitas el «nuevo Fiscal González» quien, de pie en el umbral de la puerta de la celda de Maximiliano, leyó la sentencia. Dice el Doctor Basch que Maximiliano escuchó la lectura «pálido, pero sonriendo» y que después se volvió a su médico y amigo y le dijo: «La hora fijada es a las tres; tiene usted más de tres horas para hacer las cosas sin atarearse». A continuación, le dictó una carta a Blasio, dirigida a Don Carlos Rubio, y en la cual le solicitaba un préstamo para el embalsamamiento y el transporte de su cuerpo. Se dijo misa después en la celda de Miramón, y los tres condenados recibieron el Santo Viático. Poco antes de las tres, Maximiliano se quitó su anillo nupcial y se lo entregó a Basch. «Dígale usted a mi madre», le suplicó el Emperador, «que he cumplido con mi deber de soldado y que muero como cristiano». A Blasio le entregó su fistol y sus mancuernillas y al Príncipe Salm Salm sus cepillos del pelo y otros objetos de uso personal. Pero «dieron las tres», nos dice Basch, «y nadie se presentó para llevarse al Emperador y los generales». Nadie en realidad iba a llevárselos ese día, y el anillo nupcial volvió al dedo de Maximiliano, porque en San Luis Potosí el representante de Prusia, el Barón Magnus, había obtenido de Juárez que la ejecución de la sentencia se suspendiera hasta el día 19 de junio a las siete de la mañana.

Y es aquí donde vuelve a aparecer la Princesa Salm Salm con su recamarera Margarita, y su faldero *Jimmy*, para eternizarse, en la historia de México, como la bella extranjera que se postró de hinojos ante el Presidente Benito Juárez para rogarle que le salvara la vida a Maximiliano.

Otros extranjeros, como era de esperarse, intervinieron con el mismo objeto. Garibaldi le envió a Juárez un mensaje, en el que le solicitaba clemencia. Lo mismo hizo Víctor Hugo, aunque se dice que su carta llegó después de la ejecución. De cualquier manera, no es de suponerse que hubiera influido en la decisión de Juárez. Por su parte, lo primero que hizo Inés de Salm Salm, fue exhortar al presidente americano Johnson para que pidiera, al menos, un nueva suspensión de la sentencia. Juárez, sin embargo, estaba arrepentido de haberla pospuesto: los periodistas extranjeros habían dicho que el «indio sanguinario» «sediento de sangre», lo único que deseaba era «prolongar el suplicio del Archiduque». Y el presidente americano tampoco podía hacer más: Wydenbruck, el ministro austriaco en Washington, le había solicitado al Secretario de Estado Seward la intervención de su gobierno, y Johnson le había telegrafiado a Campbell, el nuevo representante americano ante el gobierno de Juárez, para ordenarle que se trasladara de inmediato de Nueva Orleáns —donde se había refugiado— a San Luis Potosí para interceder por la vida del Archiduque. Pero Campbell, como el Barón Lago, se moría del miedo, y prefirió renunciar a su cargo que viajar a México.

En la víspera de la ejecución, a las ocho de la noche, Inés Salm Salm solicitó una audiencia con Benito Juárez, quien la recibió de inmediato. El presidente, nos dice la princesa en sus Memorias, estaba «muy pálido y parecía sufrir intensamente». Inés cayó de rodillas ante Juárez y le pidió que perdonara a Maximiliano. El presidente trató de alzarla, pero la princesa se abrazó a sus piernas y Juárez, nos cuenta Inés, con los ojos húmedos le dijo:

«Me causa verdadero dolor, señora, el verla así de rodillas; mas aunque todos los reyes y todas las reinas estuvieran en vuestro lugar, no podría perdonarle la vida. No soy yo quien se la quita: es el pueblo y la ley que piden su muerte; si yo no hiciese la voluntad del pueblo, entonces éste le quitaría la vida a él, y aun pediría la mía también».

Aunque Juárez, que parecía siempre convencido de lo que decía de sí mismo, expresó una vez «no es mi fuerte la venganza», algunos historiadores europeos no lo creyeron y han querido ver en su inflexibilidad —«jamás un atentado contra el Principio de las Nacionalidades había sido tan pronta ni tan terriblemente castigado», dijo Emile Ollivier— un acto de venganza a nivel tanto individual y consciente, como colectivo y subconsciente: Moctezuma, al fin, se desquitaba de Cortés. El mexicano Fuentes Mares, sin embargo, afirma que se trataba de una vez por todas de resolver esa viejísima querella: la eterna lucha entre liberales y conservadores. Casi medio siglo de guerra civil, dice Fuentes Mares, reclamaba esa sangre. La muerte del Archiduque era, pues, según el mexicano, una necesidad política interna del gobierno de Benito Juárez.

Al salir, Inés encontró en la antesala de la oficina presidencial «a más de doscientas señoras de Querétaro» que iban, también, a implorar clemencia. Poco después, Juárez recibió a la mujer de Miramón que llegó con sus hijos, y la cual se desmayó cuando el presidente le dijo que no había nada que hacer. Así lo entendió por su parte el Barón Magnus, quien se dirigió a Querétaro con el Doctor Szänger el cual, según deseos del ministro prusiano, podría intervenir en el embalsamamiento del cuerpo del Emperador.

Fernando Maximiliano, además de escribir sendos mensajes dirigidos a sus abogados para agradecerles su «enérgica y valiente defensa», le envió también una carta a Benito Juárez. José Fuentes Mares nos dice que, aunque la carta fue escrita el día 18 de junio, Maximiliano le puso 19, para que llevara la fecha del día de su muerte. En ella, el Archiduque afirmaba: «afronto con gusto la pérdida de la vida, si este sacrificio mío puede contribuir a la paz y a la prosperidad de mi nueva Patria», y pedía clemencia por Miramón, por Mejía, por todos los demás: «... os conjuro de la manera más solemne, y con la sinceridad propia del momento en que me halló, a que mi sangre sea la última que se derrame...».

A las cinco de la tarde del día 18, cuenta el Doctor Basch, llegó a Querétaro la respuesta a la solicitud de Maximiliano: no había gracia para sus generales. A las ocho, el Emperador se metió en la cama y el Doctor Basch se quedó a su lado. El médico del Emperador narra que, hacia las once y media de la noche, se presentaron el Doctor Rivadeneira y el General Escobedo. Basch los dejó solos, y cuando Escobedo se retiró, con un retrato autografiado del Emperador, Maximiliano le dijo a su médico: «Lo que Escobedo quería era despedirse de mí. De mejor gana hubiera yo seguido durmiendo».

Y así fue: Maximiliano volvió a dormirse, pero sólo por unas cuantas horas: despertó a las tres y media de la mañana. Era el 19 de junio. A las cuatro llegó el Padre Soria. A las cinco, nos dice Basch, Maximiliano oyó misa con sus dos generales, y a las seis y cuarto almorzó: carne, café, media botella de vino tinto y pan.

Maximiliano volvió a entregarle a Basch su anillo nupcial y también un escapulario que sacó del bolsillo del chaleco pidiéndole que se lo llevara a su madre. En otras crónicas, sin embargo, se dice que el escapulario que llevó Basch a Viena estaba atravesado por una de las balas disparadas en el Cerro de las Campanas y, si fue así, Maximiliano por supuesto nunca se lo dio a Basch y fue éste, en todo caso, el que lo recogió del cadáver. Sea como fuere, el caso es que el Doctor Basch llevó a Miramar y Austria una serie de objetos que le encomendó el Emperador, y según se afirma entre ellos estaba, con o sin agujeros de bala, el escapulario destinado a su madre, y el anillo. Al Emperador de Austria, Basch le entregó la cruz de caballero de la Orden del Águila, y una medalla de oro con la imagen de la Virgen María. A la Emperatriz Isabel, su cuñada, le tocó un abanico. Sofía, al parecer, recibió también un retrato de Maximiliano bordado por las señoras de Querétaro. Al Archiduque Carlos Luis le tocó el anillo-sello, y a su hermano Luis Víctor una medalla de plata con otra efigie de la Virgen. Victoria la Reina de Inglaterra se quedó con un medallón que contenía un bucle de cabellos de la Emperatriz Carlota. La Reina Carolina Augusta recibió un rosario. El Doctor Zelley, médico en jefe de la Casa Imperial, la *Historia de Italia* de César Cantú. Leopoldo II de Bélgica la Orden de Guadalupe que llevaba Maximiliano al cuello al entrar en Querétaro y su hermano, el Conde de Flandes, el reloj y la cadena. El capitán de navío Radouch, un espejito de mano que usaba el Emperador. La Princesa María Auersperg, antigua dama de honor de Carlota, un abanico de hojas de palma. El Conde Hadik de Futak, quien había sido gran chambelán de Maximiliano en sus tiempos de Archiduque, un par de botones de camisa, y el Marqués Corio unas espuelas de oro. Basch entregó también al gran chambelán el sombrero que usó Maximiliano durante su cautiverio en Querétaro y que fue el que le dio a Tüdös al llegar al Cerro de las Campanas: Maximiliano había pedido que se llevara al Museo de Miramar.

A las seis de la mañana, cuatro mil hombres, a las órdenes del General Jesús Díaz de León, formaron cuadro al pie del cerro, en espera del Archiduque y de sus generales. A las seis y media, se presentó ante Maximiliano el Coronel Palacios con la escolta. Afuera del convento, había tres coches de alquiler, con los números diez, trece y dieciséis. Esta vez, no le tocó el número de la mala suerte a Maximiliano, quien subió al primero en compañía del Padre Soria. En el segundo iba Mejía con el Padre Ochoa, y en el tercero Miramón con el Padre Ladrón de Guevara.

Los hombres encargados de escoltarlos hasta el Cerro de las Campanas pertenecían al Batallón de Supremos Poderes y a los cazadores de

Galeana. Según descripciones de la época, abrió la marcha un escuadrón de lanceros. Un batallón de infantería en dos filas de cuatro en fondo marchaba a los flancos de los condenados. Un grupo de franciscanos seguía los carruajes, con cirios encendidos y agua bendita. A la retaguardia iban unos hombres que cargaban tres ataúdes negros y tres cruces, negras también.

Las calles de Querétaro estaban vacías, y todas las ventanas y las puertas, los balcones de la ciudad, permanecieron cerrados.

2. Corrido del tiro de gracia

Año del sesenta y siete,
presente lo tengo yo:
en la ciudad de Querétaro
nuestro Emperador murió.

Un diecinueve de junio
que el mundo nunca olvidó,
se ejecutó la sentencia
que el presidente ordenó.

Carlota estaba muy lejos
y no vio la ejecución.
Además estaba loca:
no supo lo que pasó.

Año del 67, cómo lo voy a olvidar. Si parece que nada más para eso nací, para llegar a ese año y a ese día del 19 de junio, con un fusil en la mano y una bala en el fusil. Si parece que nada más para eso me hice hereje y después soldado y aprendí a apuntar las armas y apretar el gatillo y volarle a tiros las cabezas a los santos de las iglesias. Me pregunto ahora por qué la revelación no la tuve antes, por qué el Señor no me lo dijo cuando me fui con la chinaca roja a robarle a los sanjoseses sus trapos de brocado y no sólo por obedecer las órdenes del general y para que él se diera el gusto de calentar las ancas de su caballo con gualdrapas sacrosantas y de adornar sus zapatillas de terciopelo con las perlas que yo mismo, con mis propias manos, arranqué de las tres potencias de un Jesús Nazareno, sino también porque me gustaba hacerlo, porque nada me gustaba más que desvestir vírgenes y arrancarle a los sanmiguelarcángeles sus túnicas de seda. Año del sesenta y siete, cómo lo voy a olvidar, cómo voy nunca a olvidar la ciudad de Querétaro con sus casas y sus iglesias blancas que vi por primera vez desde la punta del Cerro del

Cimatario cuando llegué con las tropas del General Escobedo para iniciar el sitio. El fusil me quemaba las manos, y sentía como cosquillas en el dedo índice de tantas ganas que tenía de dispararlo para matar como moscas a esos mochos traidores a la patria, como les decía yo, para matar al Usurpador, como lo llamaba yo entonces. Y lo disparé una vez más, la última, en el Cerro de las Campanas.

> *Muy temprano en la mañana*
> *despertó el Emperador,*
> *y al padre de sus confianzas*
> *sus pecados confesó.*

> *Luego al salir del convento*
> *de todos se despidió,*
> *y dijo qué bien que muero*
> *en un día lleno de sol.*

> *Al Cerro de las Campanas*
> *el cortejo se marchó.*
> *Cuando llegó estaban listos*
> *los hombres del pelotón.*

Y si pudiera olvidar. Si me fuera posible olvidar ese año y ese día. Si por algún milagro mi memoria se pusiera en blanco, estoy seguro que mi mala conciencia me haría inventarlo todo de nuevo como se inventa una historia o un cuento, con todos los detalles exactos, y que yo mismo acabaría por creer que fue verdad, que así sucedió. Inventaría yo una mañana limpia y asoleada del mes de junio. Inventaría yo que a la hora en que me estaba levantando, al toque de Diana, el Emperador se confesaba con el Padre Soria. Que a la hora en que yo me iba tras unos magueyes a descargar el cuerpo, el Emperador, vestido con su levita negra, escuchaba misa con Miramón y Mejía en la capilla del Convento de las Teresitas. Que a la hora en que yo estaba desayunando una taza de café con un cigarro, sentado en la cureña de un cañón, el Emperador salía del convento donde había estado preso desde que lo habían juzgado como traidor a la patria y a la Constitución, y miraba al cielo, que no tenía ni una sola nube y que prometía mucho calor, y decía siempre había querido yo, Maximiliano, morir en una mañana así. Y pasaban, por arriba, unos patos verdes que graznaban. Y me convencería de que todo eso fue verdad. Los tres carros negros enviados por la Presidencia de la República que lo esperaban a él, junto con Miramón y Mejía. El cortejo que desfiló por las calles de Querétaro en silencio, a la hora en que me entregaban el arma, escoltado por un batallón de infantería y un escuadrón de caballería. El cortejo que llegaba a las goteras de la ciudad a la hora en que yo terminaba de sacarle brillo al cañón del fusil. La mujer del General Mejía que corrió, llorando, tras los carros negros, con un niño de pecho en los brazos. Inventaría yo que, a eso de las diez para las siete de esa mañana tan limpia y tan azul, el cortejo llegó a las faldas del Cerro de las Campanas y que allí estaban ya esperando los hombres que del Batallón de Nuevo León habían escogido para que los fusilaran. Inventaría que yo era uno de ellos. Inventaría yo, después, muchos años de arrastrar por el mundo un sufrimiento muy hondo.

> *Al coche negro en que iba*
> *la puerta se le atoró,*
> *y él salió por la ventana*
> *por su propia decisión.*

> *Como Cristo en el Calvario*
> *parecía el Emperador.*
> *Juárez fue el Poncio Pilatos,*
> *y López lo traicionó.*

> *A un lado estaba Mejía*
> *y en el otro Miramón,*
> *como si tuviera al lado*
> *al bueno y al mal ladrón.*

> *No me apunten a la cara,*
> *les suplicó al pelotón*
> *y a cada uno de los hombres*
> *una moneda les dio.*

Pero si entonces me dicen: ¿Y usted, señor, por qué inventa tanto? ¿A qué vienen tantas mentiras y patrañas? ¿Quién piensa usted que le va a creer que fue usted uno de los elegidos para formar el pelotón que fusiló nada menos que a Fernando Maximiliano de Habsburgo? La puerta del fiacre no se pudo abrir y Maximiliano tuvo que salir por la ventana. ¿Y a qué vienen esos cuentos de que esa moneda de onza de oro se la dio hace muchos años el mismísimo Emperador Maximiliano para que usted apuntara bien y no le hiriera la cara? Los colocaron de espaldas a un muro de adobes que había servido de trinchera republicana. ¿Y a qué vienen esos infundios? ¿De dónde saca tantas fábulas? Al Padre Soria le entregó Maximiliano su reloj de oro donde guardaba el retrato de Carlota, para que se lo llevara a la Emperatriz, que estaba loca en Miramar. ¿Y a qué horas, de qué día, de qué año vio usted a tres condenados que se arrodillaban frente a tres sacerdotes para que les dieran la absolución? A su cocinero húngaro le entregó su pañuelo. ¿Y quién cree usted que se

va a tragar esas mentiras de que usted, que por tantos años fue un hereje
y que tanto le gustaba arrancarle a los santos sus halos de alambre para
jugar a ensartarlos en los cuellos de las botellas de aguardiente, de pronto
en esa mañana del 19 de junio del 67, se encontró rezando? A su hermano
el Archiduque Carlos le mandó su rosario. ¿Rezando por qué, después
de tantos años de no hacerlo, desde que dice usted que era niño, antes
de dejar de ser santo como su madre para comenzar a ser hereje como
su padre y hacerse soldado para ir a pelear contra la religión y el clero?
A su madre le mandó su escapulario. ¿A qué santos se encomendaba, a
cuáles vírgenes, si dice usted que cuando dejó de estar agarrado de las
faldas de su madre se fue tras las faldas de los curas, porque nada le
gustaba más que alzarles las sotanas para hacerlos marchar a punta de
cintarazos al compás de las tropas de la chinaca roja? Y a mí me dio esta
moneda de oro, con la moneda hice una medalla, con la medalla un exvoto
en forma de corazón. ¿A qué apóstoles le rezaba, a cuáles Cristos, si dice
usted que desde que dejó de estar agarrado de las faldas de su madre se
fue tras las faldas de las vírgenes, porque nada le gustaba más bien, y no
sólo por órdenes del general, que levantarle las enaguas a las santas efigies
para enseñar que si eran vírgenes era porque nunca habían tenido por
dónde dejar de serlo? Y cuando me dio la moneda me dijo: no me apuntes
a la cara. ¿Quién le va a creer todos esos cuentos? Si me dicen así, si me
tornan así y asado. Si ponen en duda todo lo que les digo, desde el cielo
azul de esa mañana hasta el fusil de percusión americano, desde el fiacre
negro en que viajaba el Emperador hasta el exvoto en forma de corazón
que después mandé fundir para bañar de oro esta bala que tengo en mi
pistola, pues les diré que sí, que está bien, que no los voy a contradecir,
que les llevaré la corriente y les diré que es verdad. Es decir, que es verdad
que todo fue mentira.

> *Luego se volvió a la fila*
> *y al General Miramón*
> *por haber sido valiente*
> *le cedió el lugar de honor.*

> *Después descubrió su pecho*
> *partiendo su barba en dos,*
> *y al pueblo allí congregado*
> *un discurso pronunció.*

> *Que lo perdonaran, dijo*
> *como los perdono yo.*
> *Vine por el bien de México*
> *y no por necia ambición.*

Vine porque me llamaron
para hacerme Emperador.
Ustedes me coronaron:
yo no soy usurpador.

Sí, todo es mentira: yo, señores, no soy yo, se lo juro. Cuando nací, no nací. Mi madre no fue mi madre, se lo juro por ella. Cuando yo era un santo, no era un santo. A cambio de eso, cuando dejé de serlo, no dejé de serlo. Cuando violaba yo los templos y los altares, no los violaba. Cuando vi que Maximiliano en el Cerro de las Campanas era otro Cristo crucificado, no lo vi. Cuando comprendí que no sólo El había elegido la hora, el día y el lugar de su sacrificio, sino que también me había elegido a mí para que lo consumara, no lo comprendí. Tuvieron que pasar muchos años. Y cuando estaba yo rezando, frente a El, pidiéndole como ustedes dicen no sé a quién, si a ese Dios que yo había negado tantas veces o si a esas vírgenes a quienes tanto había yo ultrajado, o quizás a El mismo, que estaba frente a mí a sólo unos pasos con la frente en alto, haciendo más azul esa mañana con sus ojos azules y partida en dos su larga barba rubia para descubrir el pecho, suplicándoles, sí, a todos los santos y los ángeles del paraíso, de rodillas en mi corazón porque mi deber de soldado era estar de pie y muy firme con el fusil americano en las manos, suplicándole a El, Maximiliano, el nuevo Cristo que llegó a México para redimir nuestros pecados, suplicándole en nombre de todas esas imágenes que partí a machetazos para que sus pies y sus manos sirvieran de leña a las fogatas de los vivaques, rogándole que esa bala de salva que siempre le ponen a uno de los fusiles del pelotón para que cada soldado pueda creer, si así lo desea, que no fue él el que mató al fusilado, pidiéndole que en mi fusil estuviera esa bala de salva para que con ella pudiera yo salvar mi alma, para que no cargara el resto de mis días con la culpa de haber dado muerte al Hijo de Dios, Maximiliano. Entonces, en esos momentos, decía, yo no estaba rezando. Porque yo no era yo.

Dijo el capitán preparen
y el Emperador sonrió:
no se derrame más sangre,
se lo suplico por Dios.

El capitán dijo apunten
y el Emperador pidió:
que yo quiero ser el último
que por la Patria murió.

Así dijo y con voz ronca
Viva México, gritó.
El capitán dijo fuego
y el pelotón disparó.

¿Quién, entonces, estaba rezando? ¿Quién decía Padre Nuestro que estás en los cielos? Mexicanos, exclamó el Emperador. ¿Santificado sea tu nombre? Quiero que todos sepan. ¿Venga a nos tu reino? Que los hombres que tienen el derecho divino a gobernar. ¿Padre Nuestro que estás en México? Nacieron para hacer el bien de los pueblos. ¿Hágase Señor tu voluntad? O para convertirse en mártires. ¿Así en la Tierra como en el Cielo? Y que yo quiero ser el último. ¿La bala, Señor, me darás la bala? Cuya sangre se vierta. ¿Santificado sea tu nombre? Así en la Patria. ¿Me darás, Señor, la bala de salva para salvar mi alma? Como en el Cerro. ¿Me escuchas, Señor? Y quiero que todos sepan. ¿El pan nuestro de cada día? La bala de salva, Señor. ¿Que les doy mi perdón? Dánoslo, Señor. ¿Y que por ello les pido? Y perdona nuestros pecados. ¿Preparen, dijo el capitán? A los mexicanos les pido. ¿En nombre de Dios Padre? Que todos me perdonen. ¿En nombre del Hijo? Así como nosotros perdonamos a nuestros enemigos. ¿Acaso escuché yo al capitán? ¿Acaso escuché la primera campanada de las siete de la mañana? Que si yo vine a México, dijo el Emperador. ¿En nombre del Espíritu Santo? Fue por el bien del país. ¿Acaso escuché yo la segunda campanada, acaso la voz del capitán que decía apunten? Y pongo a Dios por testigo. ¿La tercera? Que no vine, señores. ¿Y no nos dejes caer en tentación? Por ambiciones personales. ¿Mas líbranos, Señor? Mas líbrame, Señor, de darte muerte. ¿Quién estaba rezando así? Dame la bala de salva. ¿Quién dijo entonces Mexicanos Viva México? ¿Quién escuchó la voz del capitán que decía Fuego? Mas líbranos de qué: ¿de todo mal, Amén? ¿Quién escuchó al mismo tiempo la descarga y la séptima campanada de las siete de la mañana que se fueron rebotando de montaña en montaña, del Cerro de las Campanas a la punta del Cimatario, a las faldas del Cerro de la Cañada, a la cumbre del Cerro de San Gregorio? ¿Y quién, sobre todo, se quedó tan tranquilo, como si nada, a pesar de haber sostenido firme su fusil americano, de haber apuntado bien y con calma, de haber disparado al grito de fuego tan tranquilo como cuando comulgaba, en sus tiempos de santo, agarrado de las faldas de su madre, tan en paz consigo mismo como cuando en sus tiempos de hereje lazaba a las vírgenes de los templos para arrastrarlas y colgarlas y hacerles así el milagro de dejarlas flotando en cuerpo y alma entre la tierra y el cielo, colgadas de un árbol? Pues yo, señores, ¿quién otro iba a ser? ¿A quién otro si no a mí, pecador arrepentido de todos sus pecados a quien el Señor privilegió con una gran revelación esa mañana del 19 de junio del año 67 que tan presente tengo yo, cuando le plugo mostrar, a mis ojos y sólo a mis ojos, que Cristo Crucificado y

Maximiliano eran dos personas en una? ¿A quién otro le hubiera dado la bala de salva para que salvara su alma? A mí, señores. Al menos, eso creía yo entonces en esos momentos, cuando el Emperador, y junto con él los generales Mejía y Miramón, se desplomaba a tierra en el Cerro de las Campanas.

> Cuando sonó la descarga
> el Emperador cayó,
> pero estando ya en el suelo
> una mano le tembló.

> Que aún estaba medio vivo
> el capitán discernió.
> Con la punta de su espada
> le señaló el corazón.

> Un soldado con su rifle
> un tiro le disparó,
> y como fue a quemarropa
> la levita se incendió.

Sí me tocó la bala de salva, *no* me tocó la bala de salva: pueden ustedes creer lo que quieran, que al cabo me da lo mismo. Que Maximiliano nunca vino a México y se quedó en su Castillo de Miramar, él haciendo versos y Carlota tocando el arpa. Que Maximiliano sí vino, a bordo de la «Novara». Pueden creer ustedes unas cosas y otras no. Que Maximiliano nunca reinó en México. Que Maximiliano, desde el Castillo de Chapultepec, dictaba decretos y mandaba construir museos. O pueden ustedes creer, si quieren, que la mitad de las cosas que cuento fueron mentira, y la otra mitad fueron verdad. Pero cuáles fueron una cosa y cuáles la otra, eso averígüenlo ustedes. La ciudad de Querétaro nunca fue sitiada. Cuando cayó Querétaro, el Emperador fue arrestado. A Maximiliano nunca se le juzgó. A Maximiliano los jueces lo condenaron a muerte. A Maximiliano nunca lo fusilaron en el Cerro de las Campanas. Cuando Maximiliano llegó al Cerro de las Campanas, los hombres del pelotón estaban esperándolo. Maximiliano llegó solo. Miramón y Mejía acompañaban al Emperador. Maximiliano no me dio nunca una moneda de oro para que no le apuntara a la cara. La moneda me quemó las manos, y cuando con ella me hice una medalla y me la colgué del cuello, me quemó el pecho. El capitán no dijo preparen. Yo preparé mi fusil americano. El capitán no dijo apunten. Yo apunté. El capitán no dijo fuego. Yo disparé. Maximiliano no se derrumbó. Maximiliano cayó a tierra. Maximiliano no era Cristo. Maximiliano era el Hijo del Señor. El capitán no me dio, con un gesto, la orden de avanzar. Yo me adelanté unos pasos.

El capitán no me señaló el corazón del Emperador con la punta de su espada. Yo coloqué mi fusil casi tocando el pecho de Maximiliano, que estaba allí, tirado y bañado en sangre y una mano le temblaba y tenía en la cara una como risa de dolor y rabia, y los ojos medio abiertos. El capitán no me dio la orden de disparar. Yo apreté el gatillo. El tiro no salió y a Maximiliano no se le incendió la levita. El tiro sí salió y la levita del Emperador ardió en llamas. El tiro no lo mató porque Maximiliano estaba muerto. El tiro sí lo mató, porque Maximiliano estaba vivo.

Ya luego lo recogieron
para llevarlo al panteón
en una caja de pino
que el presidente compró.

Y como era muy esbelto
y nadie lo calculó
los dos pies se le salían
por la punta del cajón.

Pero antes de amortajarlo
de regreso a su nación
lo conservó el presidente
en una tina de alcohol.

Cuando le abrieron el pecho
partieron el corazón,
y los pedazos sangrando
vendieron al por menor.

Y siendo azules sus ojos
y no habiendo ese color,
los ojos negros de un santo
se los colocó el doctor.

Inventaría yo que luego que su cocinero húngaro apagó la ropa, y luego que los médicos certificaron que estaba muerto, lo envolvieron en una sábana que parecía hecha de tela de costal y lo metieron en una caja de madera de pino corriente, que costó unos veinte reales. Y que como el Emperador era muy alto y al carpintero no le habían dado las medidas, los pies del Emperador se salían de la caja. Inventaría yo que la caja se la llevaron a la capilla del Convento de los Capuchinos y después al Doctor Rivadeneira, para que lo embalsamara, y que el Doctor Licea primero le hizo una máscara mortuoria con yeso de París, y luego le cortó la barba y el pelo, para venderlos. Que el Coronel Palacios coronó al Emperador con sus propios intestinos y dijo: ¿Te gustaba tener coronas, verdad?, pues ésta es tu corona. Que otro oficial exclamó ¿A qué tanto argüende? ¿Qué importa un perro más o un perro menos? Que al Emperador lo embalsamaron como embalsamaban a las momias de Egipto. Que la bala del tiro de gracia, aunque lo había matado y se quedó encajada en la espina, no había tocado el corazón, y que los doctores habían partido el corazón en pedacitos para ponerlos en frascos de alcohol y venderlos. Que el Doctor Licea le envió uno de esos trozos al Príncipe de Salm Salm. Que el hígado y los intestinos los pusieron en una cubeta y luego los tiraron a una alcantarilla. Que como en Querétaro no encontraron ojos de vidrio azules, le arrancaron los ojos negros a una Santa Ursula del hospital y se los pusieron al Emperador. Que luego lo colocaron en un ataúd triple, de madera de palo de rosa, de zinc y de cedro labrado y se lo llevaron para la capital, y que allí se les empezó a descomponer el cuerpo del Emperador porque estaba mal embalsamado y se le oscureció la piel y se le cayó el poco pelo que le había quedado. Que entonces lo desnudaron y lo colgaron de los pies para que se le escurrieran todos los humores turbios, y que ya inyectado de nuevo y acostado en una mesa vestido de negro sobre cojines de terciopelo negro lo visitó el Presidente Juárez que tras un rato de silencio sólo dijo que el Emperador era muy alto. Inventaría yo todo eso, si tuviera bastante imaginación, si me atreviera. Lo inventaría para volverlo mentira, para que no me crean, para que me digan pero cómo se le ocurren tantas exageraciones, de dónde saca tantas truculencias, esas cosas sólo pasan, cuando pasan, en las novelas y los cuentos.

Ahora que ya está en el cielo
a la diestra del Creador,
se curaron sus heridas
y es de nuevo Emperador.

Carlota está en su castillo
loca y llena de rencor.
Unos bandidos mataron
al juez que lo condenó.

López se murió de rabia
y de bilis Napoleón.
Juárez se murió de viejo
junto a la Constitución.

Márquez murió de pobreza
y Bazaine como traidor,
y yo me quedé, señores,
comiéndome mi dolor,

pues ese tiro de gracia
que mató al Emperador,
yo fui, para mi desgracia,
el que se lo disparó.

Y ya con ésta me despido. Allí les dejo, señores, la verdad y la mentira. Allí les dejo también, para que ustedes hagan lo que quieran con ellas, las piltrafas del Emperador, y la corona de espinas que llevó en vida. Allí les dejo el fiacre negro al que se le atoró la puerta. Mi fusil de percusión americano. El reloj con el retrato de Carlota. La tapia de adobes. Las campanadas que dieron las siete de la mañana. El destacamento de caballería y el batallón de infantería que acompañaron al cortejo. Allí les dejo la ciudad de Querétaro con sus casas y sus iglesias blancas. Los ojos de vidrio negro de Santa Úrsula. El Cristo de plata que el Emperador tenía en su celda. El cigarro que me fumé esa mañana. El discurso del Emperador. Las hostias que yo me robaba para que nos sirvieran de fichas para jugar a los naipes. El toque de Diana. El rosario que el Emperador le envió a su hermano el Archiduque Carlos. Les dejo la bala de salva que no me salvó el alma, el paraíso que vislumbré cuando tuve la revelación, el infierno en que he vivido desde entonces, cuando supe que Él me había elegido para consumar el sacrificio, en castigo a mis tantos pecados, a mis herejías y sacrilegios. Les dejo una mañana azul y asoleada. El vaso de vino y la pierna de pollo que desayunó el Emperador esa mañana. Les dejo, loca, a Carlota. A los asesinos del Coronel Platón Sánchez que fue el juez que condenó a Maximiliano. Al perro rabioso que mordió a Miguel López, el traidor. Les dejo el bastón de mariscal de Bazaine. Les dejo a Benito Juárez y a su Constitución. Les dejo la cicatriz de Márquez. Todo se lo dejo, para que ustedes hagan lo que quieran: una historia, un cuento, la crónica de un 19 de junio del 67, una novela, da lo mismo: una canción, un corrido. Se lo dejo para que ustedes escojan a su gusto qué fue cierto y qué no fue, para que lo ordenen como se les dé la gana, para que cuenten, si quieren, que el Emperador tuvo que brincar pero no del coche sino de su caja de cedro labrada. Que Maximiliano le envió a Carlota su reloj pero no con el retrato de la Emperatriz, sino con un pedazo de su corazón. Que a la orden de fuego el pelotón levantó los fusiles y disparó sobre la bandada de patos verdes que cruzaban, graznando, el cielo de esa mañana limpia y asoleada. Todo me da lo mismo, porque me basta y me sobra con saber, yo solo, la verdad. Lo único que no les dejo es la bala que bañé con el oro de exvoto en forma de corazón que hice con la medalla que hice con la moneda que me dio, no me dio, sí me dio Maximiliano esa mañana de junio en el Cerro de las Campanas, para que no le apuntara a la cara.

Ya con ésta me despido,
por las hojas de un limón,
con otro tiro de gracia:
ése lo merezco yo.
Ya con ésta me despido,
por la boca de un cañón:
ai les dejo este corrido
del sufrido Emperador,
y del hondo sufrimiento
del hombre que lo mató.

FIN.

3. *Los ojos negros de Santa Ursula*

Los ojos negros de Santa Ursula, o en otras palabras los ojos de pasta o vidrio que fueron arrancados a una imagen de tamaño natural de una Santa Ursula del Hospital de Querétaro para colocarlos en las órbitas vacías del cadáver recién embalsamado de Fernando Maximiliano, forman parte de ese cúmulo de anécdotas y sucedidos, grotescos algunos, increíbles otros y muchos de ellos truculentos, que le otorgaron una magnitud aún más melodramática a la tragedia de Querétaro.

Sobre la veracidad de algunos de estos sucedidos no parece haber duda: era normal, cuando se embalsamaba un cadáver, sustituir sus ojos por unos ojos artificiales del mismo color. Era muy posible, por otra parte, que en una ciudad pequeña como Querétaro, no hubiera ya no digamos ojos azules —lo que era mucho esperar— sino ni siquiera ojos, pues, de pasta o vidrio para sustituir los ojos del Archiduque, así que la idea de arrancarlos de una imagen suena también plausible. Las fotografías del cadáver ya preparado de Maximiliano, lo muestran con los ojos abiertos, enormes y negros: los ojos de Santa Ursula.

Parece estar también fuera de duda que al carpintero que hizo las tres cajas que fueron transportadas al Cerro de las Campanas —cajas de madera de pino, que costaron veinte reales cada una— no se le advirtió que Maximiliano medía un metro ochenta y cinco centímetros de estatura y que por lo mismo los pies del Emperador asomaban, en efecto, por un extremo de la caja. Según algunos autores, la caja estaba pintada de negro con una cruz en la tapa. Montgomery Hyde, quien vio la caja en el Museo de Querétaro muchos años después —su libro aparece en 1946—, afirmaba que aún tenía rastros de sangre.

Si los ojos artificiales del cadáver no fueron azules, azul fue, cuando menos, de un azul claro y límpido como la mirada del Emperador, la mañana en la que salió del Convento de las Teresitas rumbo al patíbulo.

Con lo cual se le cumplió un deseo, pues manifestó que siempre había querido morir en un día tan hermoso como ése. Fue verdad también que en alguno de los malos versos que escribió cuando era un joven almirante enamorado de los sargazos y los astrolabios, de las luciérnagas gigantes de Bahía y de las adelfas que florecían en las costas del espumoso Golfo de Lepanto —tal como lo describe en sus Memorias— había expresado otro deseo que también se le cumplió: el de morir en una colina asoleada.

Por otra parte, es un poco más difícil de creer, como cuentan varios historiadores, que al llegar al lugar de la ejecución Maximiliano hubiera tenido que brincar por la ventana del coche para bajarse, ya que en caso de haberse atascado la puerta, pudo salir por la otra. Sin embargo, el Padre Soria, en sus Memorias, nos dice que, llegados al cerro, Maximiliano trató de abrir «la portañuela» y que como no le fue posible hacerlo pronto, se salió del coche sin abrirla, «lo que me admiró porque era muy largo e iba subiendo tan aprisa por el cerro que no lo podía alcanzar». Según unos historiadores, esa mañana Maximiliano tenía puesto un sombrero de fieltro blanco. Pero Soria afirma que el sombrero, que Maximiliano arrojó al asiento del coche antes de bajar diciendo: «¡Ah, esto ya no sirve!», era «de color morado oscuro, de felpa y copa baja». También es verdad que Soria —a quien se describe como un indio otomí, bajito, moreno y tímido, de carácter dulce— estuvo a punto de desvanecerse en el lugar de la ejecución y que el propio Maximiliano sacó de un bolsillo de su levita un frasquito de plata con sales inglesas y lo dio a oler al sacerdote, el cual, en sus Memorias, describe como «álkali» el contenido de dicho frasco, y agrega que el Emperador se lo entregó después, junto con el crucifijo y el rosario destinado a la Archiduquesa Sofía. El Padre Soria, que estuvo enfermo del estómago varios días tras la ejecución, dice que más adelante un alemán quiso comprarle en quinientos pesos el crucifijo, pero que se negó a venderlo.

Sí fue cierto también que el Emperador le cedió el lugar de honor, o sea el centro, al General Miramón, y que le dio a cada soldado del pelotón una onza de oro, equivalente en ese entonces a unos veinticuatro francos, y que pidió que no le dispararan al rostro. Cada una de esas monedas era un «Maximiliano» de oro, con el busto del Emperador. Después, para consolar al General Mejía, le aseguró que aquel que no era recompensado en la Tierra, recibía siempre su justo premio en el Cielo. Mejía, al parecer, era el más pálido de los tres, y se atribuye su angustia a que tenía un hijo recién nacido. Pero un poco antes, Mejía dio muestras de que no había perdido el sentido del humor: cuando Maximiliano, en el convento, escuchó una trompeta y le preguntó si ésa sería la señal de partida hacia el patíbulo, «El Negrito» contestó: «No lo sé, Su Majestad: ésta es la primera vez que me ejecutan». La mujer de Mejía, con el pequeño en los brazos, siguió al coche desde Querétaro hasta el cerro. Otro que iba tras la comitiva, fue el cocinero húngaro Tüdös, quien según Harding lloraba y gritaba en su nativa lengua magiar: *«Boldog*

Istenem!» —¡Buen Dios!— y a quien Maximiliano al arribar al cerro y recordar que cuando estaba preso Tüdös le repetía: «Jamás se atreverán a atentar contra la vida de Su Majestad», dijo: «¿Ahora sí crees que me van a fusilar, Tüdös?». Fue también el fiel cocinero el que se arrojó sobre el cuerpo del Emperador para sofocar las llamas ya que, en efecto, el chaleco de Maximiliano —o la levita en todo caso— se incendió con el tiro de gracia. De no haber sido por Tüdös, el cuerpo del Emperador se hubiera convertido en una pira.

En esa época, como en muchas otras, no era raro el afán de comparar un martirio con el Calvario. Si el que pudo ser el padre de Maximiliano, el Duque de Reichstadt, que murió en su cama, fue descrito por Catule Mendès como «el pequeño Jesús de las Tullerías que se transformó en el Cristo de Schönbrunn», es fácil comprender lo que provocó en la imaginación popular el fusilamiento de un Príncipe europeo ante cuyo retrato los indios mexicanos solían persignarse. A esto contribuyó el General Mejía, quien a la hora de la ejecución dijo a Maximiliano que no deseaba estar a su izquierda, porque a la izquierda del Salvador había estado, en el Gólgota, el mal ladrón. El Emperador sonrió, llamó «tontino» al General Mejía, y le dijo que él se colocaría a la izquierda del General Miramón siendo, como era, el más pecador de los tres. La propia Carlota, en uno de sus raros momentos de lucidez, y ya enterada de la muerte de Maximiliano, le escribía en enero de 1868 a la Condesa d'Hulst: «En verdad, me es difícil imaginar un fin más noble y más cristiano. Podría compararlo al sacrificio ofrecido en el Calvario». Y bueno: cristiana fue, sí, la muerte de Maximiliano en Querétaro, y noble sin duda no sólo por su increíble entereza y su maravilloso estado de ánimo que no flaqueó en ningún momento, sino también por sus últimas palabras que, aunque ingenuas e incluso chabacanas, contribuyeron a dignificar sus últimos momentos. En efecto, el Emperador hizo un breve discurso segundos antes de la descarga, y la mayor parte de los cronistas e historiadores coinciden al menos en la parte final del mismo: «Voy a morir por una causa justa: la causa de la Independencia y la Libertad de México. Ojalá que mi sangre ponga término a las desdichas de mi nueva Patria. ¡Viva México!». Mejía, dicen, murmuró unas palabras y Miramón pidió que no se le considerara como traidor. Sin embargo, algo más que «¡Viva México!» dijo Maximiliano antes de morir, ya que los testigos oculares del drama del cerro afirman que después de la descarga, y cuando yacía en el suelo, el Emperador dijo en español: «¡Hombre, hombre!», en tanto que con una mano, crispada, arrancaba él mismo un botón de su levita. Desde luego, ésa no fue la misma levita con la cual se vistió al cadáver ya embalsamado, y que se describe como una casaca azul con botones dorados. El atuendo del cuerpo se completó con unos pantalones negros, botas militares, corbata negra y guantes de cabritilla negros también.

Fue verdad también que Maximiliano rehusó la venda para los ojos y que antes de la descarga se apartó la barba con las manos, hacia los lados, para señalarse el corazón, aunque este gesto, como lo indica el novelista Juan A. Mateos, tuvo quizás también el objeto de evitar que la barba se incendiara. En sus «*Recuerdos de México*», el Doctor Samuel Basch indica que el General Díaz de León había ya dado órdenes de que no se apuntara a la cabeza del Emperador, sino sólo al pecho, y que los soldados hicieron fuego a una distancia muy corta, de tal manera, dice Basch, que en la autopsia no se halló ninguna de las seis balas que atravesaron el cuerpo. «Las tres heridas del pecho», continúa Basch a quien citamos literalmente, traducción original de Peredo, 1870, «eran mortales por esencia: la primera bala atravesó el corazón de derecha a izquierda; la segunda, al atravesar el ventrículo, hirió los vasos gruesos; la tercera, por fin, atravesó el pulmón derecho. La naturaleza de estas tres heridas induce, pues, a creer que la lucha del Emperador con la muerte fue brevísima, y que aquellos movimientos de la mano, que una cruel fantasía interpretó como orden de repetir los tiros, no fueron sino movimientos meramente convulsivos...» Los médicos mexicanos, sin embargo, dijeron haber hallado una bala incrustada en la espina dorsal de Maximiliano y Félix Salm Salm, en sus Memorias, opina que quizás era aquella que le dispararon al corazón cuando estaba ya en el suelo. Por otra parte, es necesario recordar que Basch no asistió a la ejecución, y que no podía afirmar con certeza si Maximiliano había requerido o no un tiro de gracia. Bertha Harding dice que una bala había rozado y lastimado una ceja y la sien del Emperador, pero de ello no quedó constancia en la máscara mortuoria que, con yeso de París, hizo el Doctor Licea.

Pocos, en realidad, fueron los testigos presenciales de la tragedia del Cerro de las Campanas, ya que se impidió que el pueblo asistiera a la ejecución. El famoso cuadro de Manet que ilustra el fusilamiento, es sólo una alegoría: no hubo, tras los condenados, una barda por encima de la cual asomaran las cabezas de la gente, ni Maximiliano tenía el sombrero puesto, ni estaba en el centro, ni los soldados eran tan bien plantados y tan uniformes en su estatura como quiso imaginarlos el pintor francés o como lo hubiera deseado el propio Maximiliano: los ocho hombres, incluido el oficial que dio las órdenes, eran de todos los colores, fachas y tamaños. Aparte del cuadro de Manet, en el Salón de 1868 de París abundaron las pinturas más absurdas sobre el fusilamiento de Maximiliano ya que los artistas dieron rienda suelta a su imaginación. Toda esta iconografía se agregó a aquellos cuadros y telas mejor documentados sobre la Intervención y el Imperio, a cargo de artistas como Jean Adolphe Beaucé, Felix Philippoteaux, Charles Dominique Lahalle y otros muchos, que a su vez se añadieron a los documentos gráficos sobre la Guerra de los Pasteles del 38 y la toma de San Juan de Ulúa, así como al material fotográfico. También en esta época, todos aquellos europeos o americanos que habían pasado por México —si no todos, una gran parte—

publicaron sus Memorias. No sólo los ya mencionados como Basch, Hans y el matrimonio Salm Salm y Van Der Smissen, sino como Frederick Hall, un abogado americano que llegó a Querétaro ya caído Maximiliano, Sara York Stevenson, una americana que vivió en la capital durante el Imperio, y la Condesa de Kollonitz que viajó con Carlota a México. A esto se agregó la obra de Du Barail, Gaulot, Blanchot, Niox, Détroyat y muchos otros: la bibliografía de la aventura de Maximiliano y Carlota en México y de la intervención francesa, es infinita. Por su parte, el Emperador Francisco José ordenó que se concluyera lo más pronto posible la edición de las Memorias —y con ellas de los aforismos— de su hermano, que pronto fueron traducidas a otros idiomas y publicadas. Las Memorias de Maximiliano, sin embargo, fueron interrumpidas y nunca continuadas antes de su viaje a México. Su lectura revela un espíritu refinado y culto, con un agudo sentido de observación. Pero también los arraigados prejuicios raciales del Archiduque, y en especial el desprecio profundo que sentía por los negros.

Algo más se encuentra uno en estas Memorias, y es la mezcla de repulsión y fascinación que Maximiliano experimentaba ante las operaciones relacionadas con el embalsamiento de cadáveres. Así, en Santa Ursula, Tenerife —Santa Ursula tenía que ser—, cuando le enseñaron las momias de cuatro reyes guanches envueltas en pieles de cabra, Maximiliano recuerda, con un escalofrío, las horribles figuras de los *Frati secchi* de Parma, y se refiere a la sustancia empleada para embalsamarlos: una combinación de agua salada y sangre de dragón. Cuenta luego cómo embalsamaban a los muertos en Las Canarias: los lavaban varias veces con yerbas aromáticas, los abrían con cuchillos hechos con una especie de obsidiana y, tras sacar las vísceras, los rellenaban con yerbas y serrín y los dejaban secar al sol. Esta morbosidad se transformó en un gesto más de valor —o extravagancia—, en Maximiliano, cuando —según nos dicen— él mismo decidió dictar los procedimientos que se debían seguir para embalsamar su cuerpo, y trató sobre los detalles con el General Escobedo. En esto, alguien señaló que Maximiliano actuó en forma parecida a su ilustre antecesora, la Emperatriz María Teresa, quien en sus últimas horas se deleitó planeando la construcción de un hermoso sepulcro rococó. Aunque vale la pena recordar que otro de los antecesores de Maximiliano, el famoso Emperador Carlos V de Alemania y I de España, ya retirado en el Monasterio de los Jerónimos de Yuste, solía contemplar el ataúd destinado a contener, tarde o temprano, sus restos mortales.

Bertha Harding dice que, no habiendo encontrado nafta en Querétaro, los médicos decidieron inyectarle al cadáver cloruro de zinc, aunque uno de los doctores europeos que se encontraba en la ciudad dijo que, debido a las perforaciones hechas por las balas en las regiones torácica y abdominal, no fue posible embalsamar el cuerpo de Maximiliano por medio de inyecciones. En su lugar se empleó el método egipcio, indica

Masseras, quien no da más detalles del proceso, aunque podemos suponer que el propio Emperador lo conocía y lo hubiera aprobado. Durante el proceso de embalsamiento abundaron, al parecer, los episodios grotescos y truculentos. Maximiliano, por lo pronto, fue trasquilado en unos minutos, y los mechones y bucles de pelo dorado fueron vendidos como *souvenirs*. El responsable fue el doctor mexicano Licea, quien personalmente le metió tijera al Archiduque, aunque sin duda después de hacer la máscara mortuoria, que aparece con la barba completa tal como se la puede ver en el *Maximilian von Mexico Museum*, de Hardegg. Licea, según nos dicen, cuando tomó el escalpelo e hizo el primer corte en la piel de Maximiliano, exclamó: «Qué placer lavarse las manos con la sangre de un Emperador». Algunos autores afirman que por su parte el Coronel Palacios señaló el cadáver y dijo: «He aquí la obra de Francia». Más tarde, se le colocó al Archiduque una barba postiza. Vale la pena recordar que esta clase de vandalismo —en lo que al pelo y la barba de Maximiliano se refiere— tenía numerosos antecedentes en la historia. E. M. Oddie, en la biografía del Duque de Reichstadt, dice que unos cuantos minutos después de su muerte, el pobre Rey de Roma estaba totalmente pelado y los mechones de sus también rubios cabellos, repartidos en sendos relicarios. Más siniestro, al parecer, fue el destino del corazón de Maximiliano —el corazón que, según sus deseos, expresados cuando pensaba que Carlota estaba muerta, debía ser enterrado en el mismo sepulcro de la Emperatriz de México— y que se supone que, tras haber sido abandonado todo un día en una banca de la capilla, según Hyde, fue cortado en pedazos y éstos colocados en frasquitos con alcohol o formol para ser vendidos también. El Príncipe Salm Salm, por ejemplo, afirma que el Doctor Licea le envió uno de estos pedazos, en un frasco, y una de las balas que habían atravesado el cuerpo de Maximiliano. Su mujer Inés, por su parte, nos dice en su *«Diario»* que el mismo Doctor Licea, un hombre de «aspecto repugnante» se presentó a verla poco después de la ejecución para ofrecerle en venta «los vestidos del Emperador y otras reliquias», y que, como obsequio, le dio «una parte de las barbas de Su Majestad y la faja de seda colorada empapada en su sangre». Licea quería treinta mil pesos por los *souvenirs* y la princesa le preguntó si estaba también en su poder la máscara mortuoria del Archiduque, a lo cual Licea le contestó que sí, pero que sobre ella tenía ya una oferta de quince mil pesos. La princesa acudió días después a la casa del Doctor Licea acompañada de un testigo, el Coronel Gagern, y el médico le mostró la máscara. Inés Salm Salm consultó al Almirante Tegetthoff, quien le dijo que habría que adquirir esos objetos y quemarlos, porque «no serían un regalo muy propio para la madre afligida» —esto es, la madre de Maximiliano.

Inés Salm Salm nos cuenta que, a continuación, visitó a Juárez y denunció a Licea. Juárez se indignó y más adelante Licea fue llevado a los tribunales y sentenciado a dos años de cárcel.

Nunca se supo qué pasó con los ojos azules, los ojos verdaderos de Maximiliano, pero en lo que se refiere al destino de sus vísceras y entre ellas los intestinos y el estómago con el vino, el pollo —o la carne— y el pan a medio digerir, según Montgomery Hyde fueron a parar a la cloaca mezclados con tanino y hiel.

La mala suerte de todos siguió persiguiendo a Maximiliano más allá de su muerte: por alguna razón, el embalsamamiento no sirvió y, cuando el cuerpo fue trasladado de Querétaro a la capital para ser depositado en la capilla del Hospital de San Andrés, se presentaron signos de descomposición, entre los cuales los más obvios eran el mal olor y el oscurecimiento de la piel. El gobierno de la República ordenó que se hiciera un segundo embalsamiento. Fue necesario, entonces, drenar los líquidos y bálsamos que contenía el cuerpo, para lo cual se le desnudó, se le bañó con una solución de arsénico, se le hicieron nuevas incisiones en las arterias y venas indicadas, se le ataron los brazos al costado y se le colgó de los pies de la cadena de una lámpara que descendía del centro mismo de la cúpula de la Capilla de San Andrés. Siete días estuvo así, colgado de cabeza, como una aparición, el cuerpo ennegrecido y nauseabundo del Príncipe al que alguien llamó «lindo juguete de las cortes europeas». Siete días con sus siete noches, bañado por la luz de las antorchas o por los rayos del sol que se descolgaban por las ventanas de la capilla para cubrirlo con una gloria luminosa y polvorienta. Abajo del cuerpo se colocó una vasija para recoger allí los líquidos que escurrían del cuerpo. Pero al parecer, y por las manchas observadas en las losas del piso por algunos visitantes, el recipiente era más pequeño de lo requerido. El nuevo féretro, una caja de madera de granadillo con una cruz grabada en bajorrelieve en la tapa, y forrada en su interior con madera de cedro, sustituyó al primer ataúd en el que se transportó a Maximiliano de Querétaro a la ciudad de México, y que consistía en una caja de madera forrada de zinc por dentro y con terciopelo negro por fuera, con dos tapas: la interior formada de tres cristales unidos entre sí y —según las palabras de Basch— «llevando el del medio una M dorada». Las monjas carmelitas proporcionaron un cojín para la cabeza del Emperador, de terciopelo negro con cenefas y campanillas doradas, y un grupo de damas piadosas un manto, también de terciopelo negro, con encajes de hilo de oro.

Otros informes, sin embargo, hacen pensar que después de todo, el cuerpo de Maximiliano sí llegó a Viena, si no con sus vísceras intactas, al menos completas. En 1885, el gobierno mexicano imprimió un pequeño libro titulado «*Juárez y César Cantú*», en el cual se refutaron algunas de «las acusaciones preferidas» del historiador italiano contra Benito Juárez. En este libro aparece un informe, fechado el 11 de noviembre de 1867 y dirigido a los secretarios de Relaciones Exteriores y del Interior de México, por los doctores Rafael Montaño, Ignacio Alvarado y Agustín Andrade, encargados del segundo embalsamamiento del Archiduque. En dicho informe, los médicos dicen haber colocado el cuerpo en una mesa de disecciones Gaudl llevada a la Capilla de San Andrés y efectuado allí las operaciones necesarias para lograr una preservación adecuada. Agregan que las vísceras fueron encontradas en dos cajas de plomo, y que de allí fueron sacadas y puestas en un líquido destinado también a conservarlas mientras se continuaba el embalsamiento. El informe no indica en qué estado se encontraban las vísceras al llegar a la ciudad de México, pero sí que los médicos decidieron después reintegrarlas a sus cavidades naturales «rellenadas con hilas bañadas con el polvo recomendado por Souberain», y a continuación, y por un orificio que hicieron en el cráneo del Archiduque, introdujeron los pedazos, de diversos tamaños, en los cuales había sido cortado el cerebro, así como el cerebelo, la protuberancia y una sección de la médula oblonga. De la misma manera, los médicos colocaron en el abdomen y en el tórax el corazón, los pulmones, el esófago, la aorta torácica, el hígado, el estómago, los intestinos, el bazo y los riñones. Enseguida, se vendó el cuerpo con lienzo fino, barnizado y con una capa de gutapercha, y se procedió a vestirlo con la ropa —dice el informe— «proporcionada por *Mr.* Davidson», a excepción de dos prendas interiores que hubo necesidad de comprar, ya que no figuraban en el vestuario que estaba en posesión del tal *Mister* Davidson. Los médicos dicen haber quemado en el Cementerio de Santa Paula todos los objetos empleados en el rembalsamamiento, junto con los ataúdes, vendas y ropas procedentes de Querétaro, y señalan que todas estas operaciones se efectuaron en presencia del inspector de la policía —al que se entregó oficialmente el cadáver en su nuevo féretro— y de otros funcionarios del gobierno. Por cierto, el Doctor Basch se refiere en sus *Recuerdos de México»* a otra parte de la ropa de Maximiliano —quizás la que usaba en Querétaro— que dice haber entregado al secretario de la legión austriaca, el Señor Schmidt, quien la llevó a Europa.

Se sabe que los instrumentos empleados habían sido trasladados a la capilla tras haber pedido a las Hermanas de San Andrés que la desocuparan y sacaran de ella al Santísimo, los vasos sagrados, las aras, los manteles y demás paramentos y objetos del culto. Es de pensarse, por lo tanto, que también fue llevada allí la mesa de disecciones Gaudl a la que se refieren los doctores. Pero al parecer el cuerpo del Archiduque fue colocado después en una larga mesa construida hacia fines del siglo XVI o principios del XVII y alrededor de la cual, en otras épocas, solía reunirse el Tribunal Mexicano de la Santa Inquisición para dictar sus fallos. Esta mesa fue adquirida más tarde por la Gran Logia del Estado de México.

Finalizado el segundo proceso de conservación del cuerpo y, según se tiene entendido antes de vestirlo de nuevo, el presidente visitó la

Capilla de San Andrés. Benito Juárez se presentó a la medianoche, acompañado por su Ministro Sebastián Lerdo de Tejada. El cadáver, desnudo, estaba rodeado de hachones encendidos. Como en las fotografías que el gobierno mexicano permitió que se tomaran del cadáver del Archiduque se le muestra con los ojos abiertos, es de suponerse que también esa noche los tenía. Es decir, tenía abiertos no sus ojos, sino los ojos negros de Santa Ursula. Las versiones sobre la visita de Juárez a la capilla y lo que allí dijo, varían poco. El dramaturgo mexicano Rodolfo Usigli, en el prólogo a su melodrama histórico «*Corona de Sombra*», señala el hecho de que las observaciones del presidente fueron «de carácter fisionómico y antropométrico». Esto es —dice Usigli—, la repetición de la visita de Enrique III al cadáver del Duque de Guisa, y la misma actitud: «"Es más alto muerto que vivo" —a la vez que la repetición de la frase: "El cadáver de un enemigo es siempre un espectáculo agradable"». Por lo demás, agrega el dramaturgo, «es evidente que esta falta de originalidad, que estas ligas de Juárez con el lugar común de la historia constituyen su fuerza, así como la originalidad misma de Maximiliano determina su perdición». Estas son, desde luego, afirmaciones discutibles, pero se basan en lo que, según todas las fuentes, fue verdad, y es que el Presidente Juárez comentó lo alto que era —o en todo caso que había sido en vida— Maximiliano. Otros autores dicen que Don Benito agregó: «No tenía talento, pues aunque la frente parece espaciosa, es por la calvicie». El presidente y su ministro tomaron asiento en un banco y conversaron en voz baja durante unos treinta minutos. Al día siguiente, el cadáver fue vestido de nuevo y se autorizó a algunas personas a visitar los despojos mortales del Archiduque.

La capilla del Hospital de San Andrés ya no existe. El 19 de junio de 1868, primer aniversario de la muerte de Maximiliano, se efectuó en ella un servicio religioso en memoria del Archiduque, y el sermón corrió por cuenta del Padre Mario Cavalieri. El jesuita italiano no sólo hizo grandes elogios de Maximiliano, sino que además atacó de manera violenta a Juárez y su gobierno. Como resultado de esto, el presidente ordenó al gobernador de la ciudad de México, Juan José Baz, que demoliera la capilla. Baz, después de hablar con varios arquitectos que no se comprometieron a derribar el templo con la rapidez que deseaba el gobernador, aplicó un método de su invención. En la noche del 28 de junio llegó a la capilla seguido de un grupo de albañiles que llevaban unas vigas de madera empapadas en trementina. Los albañiles comenzaron por insertar vigas en los cuatro puntos cardinales de la base circular que sostenía la cúpula, y después ocho y dieciséis, y así hasta que toda la cúpula descansaba, de hecho, en las vigas. Entonces se les prendió fuego y, cuando se hicieron cenizas, el domo se desplomó completo. Cuando salió el sol, en el lugar de la capilla había sólo un montón de escombros. Poco después Juárez ordenó que se abriera allí una calle. Sólo en el Cerro de las Campanas se permitió, años más tarde, la construcción de un pequeño oratorio en memoria de Maximiliano, Miramón y Mejía. Dentro del oratorio —una capilla de estilo neorromano—, hay tres cruces. La de Maximiliano, hecha con madera de la fragata *«Novara»*, fue enviada a México por el Emperador Francisco José. En la cumbre de la colina se yergue una gigantesca estatua de Benito Juárez.

El 19 de junio fue también el último día en el que apareció en la capital el *«Diario del Imperio»*, el cual había estado publicando de manera sistemática noticias falsas. Todavía el sábado 15 de junio, el periódico afirmaba: «Próxima llegada de S. M. el Emperador, al frente de su invicto heroico ejército». El miércoles 19, y bajo el encabezado «Operaciones Militares en la Capital», decía el diario: «Ningún acontecimiento de importancia ha ocurrido hasta ahora que son las nueve de la mañana». En páginas interiores aparecía un largo artículo sobre lo sana y agradable que es como alimento la carne de caballo. Y, al pie de la última columna de la última página, un anuncio que decía: «Carro Fúnebre. Existe uno bastante decente en el Hospicio de los Pobres. Las personas que lo necesiten para conducir los cadáveres, pueden ocurrir al expresado establecimiento. También allí se encuentran velas de cera y todo lo necesario para el efecto». La ciudad de México cayó dos días después, y Márquez huyó. Algunos dicen que pasó unos días oculto en una tumba y que después salió de la ciudad disfrazado de carbonero, para ir a dar a La Habana. La entrada triunfal de Juárez en la capital tuvo lugar el 15 de julio.

Mucho criticó la prensa europea de aquel entonces —y han criticado hasta la fecha los historiadores— las negativas y dilaciones de Juárez para entregar el cadáver de Maximiliano. Pero una parte de la culpa la tuvieron el gobierno austriaco y su representante el Almirante Tegetthoff, quien en los primeros días de septiembre del 67 se encontraba ya en la ciudad de México. El almirante manifestó que su misión no era oficial y que se limitaba a cumplir un encargo privado de la señora madre del Archiduque, y de su hermano Su Majestad el Emperador de Austria. Tegetthoff agregó que no traía consigo ningún documento o carta, ya que había recibido el encargo verbalmente. Benito Juárez, ante la ausencia de una petición formal por escrito, ya fuera del gobierno de Austria o de la familia de Maximiliano, se negó a entregar el cadáver. Con anterioridad, tanto el Barón Magnus como el Doctor Basch habían solicitado también el cuerpo, con los mismos resultados. Tegetthoff no tuvo más remedio que cablegrafiar a Viena para pedir que se enviara a México la solicitud. A principios de noviembre se recibió al fin la comunicación respectiva, firmada por el canciller austriaco Barón Von Beust. El gobierno mexicano entregó entonces los restos del Archiduque, con los cuales partió rumbo a Veracruz el almirante el 9 del mismo mes, acompañado entre otros por Basch y Tüdös, y bajo la custodia de trescientos dragones. La fragata

«*Novara*» esperaba a Maximiliano, y en el camarote que reproducía su despacho de Miramar se instaló la capilla ardiente. Cuando la «*Novara*» salió de aguas mexicanas, se dispararon ciento un cañonazos. Era el 28 de noviembre de 1867. La «*Novara*» llegó a Trieste en la tercera semana de enero del 68, ancló en las azules aguas del Adriático, y el cuerpo fue transportado a tierra en un lanchón que, según lo describe José Luis Blasio, estaba cubierto por terciopelo negro y en el centro había un catafalco donde descansaba el ataúd a la sombra de un ángel con las alas abiertas que llevaba una corona de laurel. El féretro iba cubierto con la bandera de guerra austriaca. Ese mismo día, un tren especial transportó los restos mortales a Viena. Nevaba en la ciudad capital del Imperio Austriaco. La Archiduquesa Sofía esperó los restos a las puertas del Hofburgo. Cuando llegaron, contempló el rostro embalsamado de su hijo entre la nieve y el cristal de la tapa, y se arrojó después sobre el ataúd, a llorar. Era el 18 de enero. Los restos de Maximiliano permanecieron durante un día en la capilla del palacio, iluminados por doscientas velas colocadas en candelabros de plata. Cientos de vieneses acudieron a la capilla para rendirle un último homenaje. Con la sola excepción de Blasio, ninguno de los mexicanos que se encontraban en Europa y que tanto le debían a Maximiliano, estuvo presente en los funerales. Fue el caso de Almonte, Hidalgo, Francisco Arrangóiz, José Fernández Ramírez y Velázquez de León entre otros. Gutiérrez Estrada, el viejo hacendado yucateco, muerto en marzo de 1867, se salvó de contemplar el derrumbe del Imperio Mexicano y con él, el de su sueño más caro. El cuerpo de Maximiliano fue trasladado luego a la Capilla de los Capuchinos. De acuerdo a la tradición, el fraile que guardaba la entrada a la cripta preguntaría el nombre del difunto. Se le respondería agregando, al nombre, todos los títulos: el de Emperador de México, y aquellos de los que alguna vez lo había despojado el Pacto de Familia: Archiduque de Austria, Conde de Habsburgo, Príncipe de Lorena. El capuchino repetiría su pregunta, y la respuesta sería la misma. Una vez más, la tercera, el guarda de la cripta pediría el nombre del difunto, y la respuesta, entonces, se limitaría a proporcionar los nombres de pila: «Fernando Maximiliano José, Siervo del Señor», sin mencionar los títulos: sólo así se abrirían las puertas de la cripta y de la gloria. El féretro de Maximiliano fue colocado junto a los restos mortales del Duque de Reichstadt, el Rey de Roma. Tras los funerales, una comisión se encargó de la identificación oficial del cuerpo, y en el documento correspondiente certificó haber encontrado «un cadáver embalsamado y en buen estado de conservación, que los infrascritos han reconocido ser el de S. M. el difunto Emperador de México Fernando Maximiliano». Volvió a cerrarse el féretro y la llave fue entregada por el intendente del palacio al secretario para que fuera depositada en el Tesoro de la Corona. Sobre la tapa del ataúd quedó un ramo de siemprevivas secas atadas a una hoja de palma, que le había sido entregado a Maximiliano por los nativos del pueblo de Xocotitlán, junto a un mensaje escrito en lengua náhuatl: «*Nomahuistililoni tlahtocatziné, nican tiquimopielia moicnomasehualconetzihuan, ca san ye ohualahque o mitzmotlahpalhuilitzinoto. Ihuan ica tiquimomachtis ca huel senca techyolpaquimo...*». («Honorable Emperador nuestro, he aquí a tus humildes hijos, estos indios que han venido a saludarte...»). La noticia de la ejecución en el Cerro de las Campanas llegó en efecto a París el día del reparto de premios a los participantes de la Exposición Internacional de 1867, contenida en un inmenso palacio elíptico levantado en el Campo de Marte, sobre una superficie que se extendía desde la Escuela Militar hasta la orilla del Sena, y donde cuarenta y dos mil doscientos treinta y siete expositores procedentes de todos los rincones de la Tierra, exhibían en pabellones, tiendas, kioskos y puestos, todas las maravillas, materias primas, mercancías, productos y artilugios hasta entonces descubiertos o inventados. La mala nueva le fue comunicada a Luis Napoleón y Eugenia en la mañana, pero el emperador decidió no hacerla pública hasta después de la ceremonia. «Los principios de la moral y la justicia son los únicos —había dicho Luis Napoleón al inaugurar la exposición— que pueden consolidar los tronos, elevar a los pueblos y ennoblecer a la humanidad. Francia —agregó el emperador— estaba orgullosa de mostrarse a los ojos del mundo tal como era: grande, próspera y libre, laboriosa y tranquila, y llena siempre de generosas ideas». Dieciséis años atrás, al transformarse en emperador, Luis Napoleón había dicho: «*L'Empire, c'est la paix*» —el Imperio, es la paz—. Pero desde Magenta y Solferino, una serie interminable de guerras y guerritas, intervenciones y expediciones punitivas que culminó con los desastres de Metz y Sedán, demostraría que el reinado de Luis Napoleón tenía que ver más con la espada que con la paz: «*L'Empire, c'est l'épée*» —el Imperio, es la espada—, había afirmado una publicación alemana. Sin embargo, Francia ya no era la misma, dijo Napoleón III en su discurso, no era «esa Francia antaño tan inquieta, que había logrado arrojar la agitación más allá de sus fronteras». El emperador, desde luego, no mencionó los nombres de los países a los que Francia había exportado esa turbulencia en nombre de la civilización, como Indochina, Argelia o México, y que en la Exposición Internacional de París estaban representados entre otras cosas y respectivamente por cajas de sándalo de Battambang, ónix de Ain-Sefra y una reproducción a escala del templo de Xochicalco en cuya cúspide, tal como indicaba la guía de la exposición, los antiguos mexicanos sacrificaban al sol víctimas propiciatorias sacándoles el corazón humeante con un cuchillo de obsidiana.

La ceremonia se llevó a cabo tal y como estaba planeada: la familia imperial llegó al Campo de Marte en una carroza dorada del Museo de Trianón, Luis Napoleón vestido de civil y Eugenia de blanco con una tiara de brillantes, y el Príncipe Lulú se encargó de repartir los premios principales. Se notó, sin embargo, la ausencia del Conde y la Condesa de Flandes y el retiro súbito, aunque discreto, a la mitad de la ceremonia, del Embajador de Austria en París, el Príncipe Richard Metternich.

Prevista la ejecución de Maximiliano hacía tiempo, lo que más preocupaba ahora a Luis Napoleón era la reacción en Viena. Pero al telegrama de condolencia que envió a la corte austriaca, el Emperador Francisco José contestó con frases amables. Esto fue un gran alivio para Napoleón y Eugenia, y puso en evidencia una realidad política: ni Francia ni Austria querían, en esos momentos, que nada perturbara sus relaciones. Se planeó entonces que los emperadores franceses viajaran a Viena para dar el pésame a la familia de Maximiliano. La Archiduquesa Sofía, sin embargo, dijo que no estaba en condiciones de verlos, y Eugenia, que temía ser objeto de manifestaciones hostiles en Viena, propuso que se efectuara una reunión en Salzburgo, Francisco José aceptó. Era un día de claro sol, el 18 de agosto de 1867, nos dice Corti en la última página de su libro. Eugenia apareció en la *toilette* más sencilla, «esforzándose como cuenta Von Beust», nos dice Corti, «en "borrarse" ante la deslumbradora belleza de la Emperatriz Elisabeth». Napoleón, por su parte, se mostró alegre y saludable, o al menos temporalmente. «En los primeros momentos», nos dice el Conde Corti, «se habló de Maximiliano y del dolor producido por su muerte. Pero pronto los asuntos políticos relegaron a un segundo plano el doloroso recuerdo». Hablaron entonces de Alemania, de Creta, y desde luego de la eterna crisis de Oriente, «el avispero balcánico». Unos días más tarde, Georges Clemenceau dirigía a una amiga suya en Nueva York una carta que se haría célebre por el juicio implacable, rabioso, que en ella hacía de Maximiliano y Carlota el político francés: «Aquellos a los que él quería matar, lo han matado, me alegro infinito», decía «El Tigre», «Su mujer está loca: nada más justo... fue la ambición de esa mujer la que empujó a ese imbécil...»

A Carlota no se le comunicó la muerte de Maximiliano hasta enero del 68, durante uno de sus poco frecuentes momentos de lucidez. Pero antes la trasladaron a Bruselas y mientras tanto se prohibió que los empleados de Miramar se pusieran de luto. A principios de julio del 68 la reina belga María Enriqueta, acompañada de la Condesa Marie d'Yve de Bavay, del Coronel Goffinet, del Barón Prisse y del Doctor Bulkens, director del Manicomio de Gheel, partió rumbo a Trieste. La reina se encontró a una Carlota desconocida, asombrosamente delgada y pálida y con una mirada casi sin expresión. La partida camino a Bruselas se fijó para el 29 de julio y dicen que la mañana de ese día Carlota, en la terraza del castillo, contempló por última vez las azules aguas del Adriático y murmuró, refiriéndose a su esposo: «Lo esperaré sesenta años...»

Carlota fue alojada primero en Laeken y poco después fue trasladada al Castillo o Quinta de Terveuren. Carlota preguntaba con frecuencia si Maximiliano había llegado ya a Europa, y durante varios meses se le dijo que el Almanaque Gotha no había aparecido. María Enriqueta logró después que se editaran unos cuantos ejemplares del célebre catálogo de la nobleza europea, de los cuales se suprimió la referencia a la muerte de Maximiliano en Querétaro. Pero al fin la familia real belga decidió que no podía ocultársele ya más lo sucedido a la Emperatriz, y comisionó al antiguo encargado de negocios en México, Frederic Hoorickx, para que hablara con Carlota. Cuando Hoorickx terminó su relación, Carlota se levantó, salió del *Château* de Terveuren y corrió al jardín dando gritos desgarradores.

Es muy probable que nunca se sepa si Carlota dio o no a luz a un hijo durante su estancia en el *Gartenhaus* de Miramar, pero no podrá descartarse por completo que así haya ocurrido y que ese niño, cuyo padre sería el Coronel Van Der Smissen, se llamara Maxime Weygand. De hecho los historiadores modernos consideran esta posibilidad en serio cuando hablan del célebre general francés nacido en Bruselas, de padres desconocidos, educado como un príncipe y graduado en el prestigioso Colegio Militar de Saint Cyr y quien, entre otras cosas, fue jefe de Estado Mayor del Mariscal Foch durante la Primera Guerra Mundial y en 1920 reorganizó el ejército polaco y combatió al lado de Pildsudski contra los bolcheviques.

Que Weygand se llamara así porque, como algunos afirmaban, había nacido «camino de Gante: *Way-Gand*», es, sin duda otra de las variadas fantasías que existen sobre su origen, y en todo caso, una de las más inocentes. Pero... ¿por qué se le dio como nombre de pila uno tan parecido a *Maximiliano: Maxime*, si su padre no era el Archiduque? Entre lo poco que se conoce fue que el doctor y partero belga Louis Laussédat declaró que el 21 de enero de 1867 había nacido en Bruselas, en el número cincuenta y nueve del Boulevard de Waterloo, un niño de padres desconocidos. Castelot señala un vínculo entre Laussédat y la familia real belga, ya que, nos dice, fue un sobrino de ese médico, el también Doctor Henri Laussédat, quien se responsabilizó del cuidado de Leopoldo II durante sus últimos años.

Castelot agrega que Weygand fue criado por un tal David de León Cohen, quien más tarde «lo hizo reconocer por su propio contador», un francés de nombre François Joseph Weygand, y que fue ese «reconocimiento» lo que le permitió a Weygand ingresar al Colegio Militar de Saint Cyr. El hijo de Weygand cuenta por su parte que su padre recibió, al morir Carlota, varias comunicaciones que decían: «Tu madre ha muerto». Pero Weygand no respondió a ninguna, y no asistió tampoco a los funerales de la Emperatriz. Castelot agrega que el Barón Auguste Goffinet, gran maestre de la Emperatriz Carlota y administrador de la fortuna privada de Leopoldo II, adquirió en 1904 la casa donde se supone nació Weygand, y que se transformó más adelante en la *«Taverne Waterloo»*. Por último en *«Maximilien et Charlotte du Mexique»*, André Castelot cita a Albert Duchesne quien cuenta que la hija de uno de los médicos de Carlota aseguraba que siempre que el General Weygand iba a Bruselas, visitaba el Castillo de Bouchout y cenaba a veces con el propio Barón Goffinet. Algunos descendientes del que fuera subsecretario de la marina de Maximiliano, Léonce Détroyat, que era uno de los funcionarios favoritos de Carlota, dijeron que éste había sido el padre del hijo de la Emperatriz, pero la verdad es que el parecido entre Van Der Smissen y Weygand es «alucinante» como ha sido, con razón calificado: puestas, una al lado de la otra y tal como aparecen en el libro de Castelot una fotografía del comandante belga a los cincuenta y tantos años —*Musée de la Dynastie, Bruxelles*— y una de Weygand cuando alcanzó más o menos la misma edad —*Roger Viollet*—, no puede quedar la menor duda de que, si bien no se sabrá nunca si Weygand fue o no hijo de Carlota, se puede en cambio tener la certeza de que sí lo fue de Van Der Smissen: parecen, las fotografías, las de dos hermanos gemelos. Esta extraordinaria semejanza descarta asimismo la posibilidad de que Weygand haya sido un bastardo de Leopoldo II —como también se dijo— quien por otra parte nunca trató de ocultar a ninguno de sus varios hijos naturales.

Al puro foklore, en cambio, al folklore *cockney* de los mercados ingleses, pertenecen las pretensiones de un vendedor de pescado de Londres, llamado William Brightwell, quien en 1922 declaró a la prensa británica que era hijo de Carlota, que su nombre verdadero era «Rudolph Franz Maximilian Hapsburg», y que había venido al mundo la noche que la Emperatriz de México había pasado en el Vaticano. Durante varios años, el Señor Brightwell insistió en sus alegatos. Entre otras cosas, dice Richard O'Connor en *«The Cactus Throne»*, reclamaba una parte de ciertas reliquias y joyas de Carlota y Maximiliano que se supone se perdieron en el naufragio de un barco en el que eran transportadas por partidarios de Porfirio Díaz que huían de México en 1911. Harding, sobre este episodio, dice que el barco crucero *«Mérida»* se fue a pique en el Cabo Hatteras —en las costas de Carolina del Norte— tras haber sido embestido por el vapor *«Admiral Farragut»* de la *United Fruit Company*, y que con él se hundieron unas valiosas joyas que en el siglo XVI se había robado de un templo birmano un aventurero Habsburgo, el Conde Herrmann, y con ellas se perdieron unas preciosas esmeraldas que pertenecían al Templo de Quetzalcóatl. Sobre el paradero de estas joyas birmanas existe otra versión, en el libro *«Jewels of Romance and Renown»*, en el cual la autora, Mary Abbot, dice que Carlota llevó a México unos rubíes que pasaron a poder de la familia del revolucionario mexicano Francisco Madero, y que fueron enviadas más tarde a Europa, pero que el barco que las llevaba naufragó en la Bahía de Chesapeake.

En lo que se refiere al hijo que, según dicen, Maximiliano tuvo de Concepción Sedano, varios autores afirman que fue llevado a París también, donde creció. Cierto o no, el caso es que un hombre que dijo llamarse Julio Sedano y Leguizano, que se daba aires de gran señor y que usaba la barba larga y al estilo de Maximiliano —aunque en su caso la barba era negra: no tenían ningún parecido físico con el Emperador— se hizo notar en los círculos parisinos por insistir en que era hijo de Fernando Maximiliano de Habsburgo y de su amante de Cuernavaca, Concepción. Si nunca se supo a ciencia cierta de dónde venía Sedano, sí, en cambio, se conoce muy bien cómo acabó. Durante la Primera Guerra Mundial, fue contratado por los alemanes cuando se encontraba en Barcelona, sin un centavo, para espiar en su favor. H. Montgomery Hyde nos dice que, de regreso a París, la tarea de Sedano consistía en enviar información militar escrita con tinta invisible en cartas con destino a un intermediario en Suiza, pero que en lugar de consignar la información entre los renglones de una carta falsa, lo hacía en hojas en blanco, lo cual despertó desde luego las sospechas de la censura francesa. Sedano, nos cuenta Hyde en «*Mexican Empire*», fue descubierto por la policía en los momentos en que echaba unas cartas a un buzón del *Boulevard des Italiens*, y arrestado. En la mañana del 10 de octubre de 1917, fue llevado de su celda, en la prisión de *La Santé* en París, al paredón, en Vincennes. Se tiene entendido que el oficial que comandaba el pelotón, le dijo: «Sedano y Leguizano, hijo del Emperador de México, vas a ser fusilado como traidor».

El 3 de marzo de 1879, a las cinco de la mañana, se inició el incendio que iba a reducir a cenizas el *château* construido por el Príncipe de Orange a comienzos del siglo XIX, en el camino a Lovaina y a la orilla del Bosque de Soignies, que el hermano de Carlota había comprado para ella al Conde de Beaufort. Se piensa que fue la propia Carlota la que pegó fuego a Terveuren, pero, como otras tantas cosas, nunca se sabrá si fue o no así. Se dice también que la Emperatriz, desde el parque de la quinta, contempló las llamas y elogió su belleza.

La familia real belga decidió entonces trasladar a Carlota al Castillo de Bouchout, situado a varios kilómetros de Laeken, y que es una verdadera fortaleza, edificada durante el siglo XII, erizada de almenas y barbacanas y rodeada por un foso habitado por cisnes y donde, en ese entonces, había una barcaza. Con el paso de los años, los períodos de lucidez de la Emperatriz fueron cada vez más escasos y breves. Dicen que en ocasiones le daba por romper espejos y vajillas, fotografías y óleos, pero que nunca tocó ninguno de los objetos o ropas que habían pertenecido a Maximiliano, ni las telas y daguerrotipos en los que aparecía, ni sus cartas y papeles.

Para Carlota, Maximiliano estaba vivo mientras estaba loca, muerto cuando por unos minutos o unas horas la abandonaba la insania. Maximiliano, así, pasaba, de ser *Señor de la Tierra y Rey del Universo*, como lo llamaba la Emperatriz, a ser sólo el buen pastor que había dado la vida por sus ovejas. Eran los momentos en que la servidumbre de Carlota la escuchaba hablar a solas y decir: «No hagáis caso, señor, si una desvaría: una es una tonta, y una loca... la loca nunca muere, señor, y estáis en la casa de la loca...». O tocaba el piano o el arpa, y se le oía murmurar:

«Una tuvo alguna vez un esposo, señor, un esposo que era Emperador, o Rey. ¡Ah, sí, fue un gran matrimonio, señor! Y después vino la locura...». Luis Napoleón aparecía con frecuencia en sus delirios, siempre como un miserable y un canalla, y nunca la abandonó por completo la obsesión de que la querían envenenar. Jamás dejó, tampoco, de exigir el tratamiento debido a una Emperatriz, y cuentan que cuando la Archiduquesa Zita, futura Emperatriz de Austria, la visitó en Bouchout, se le dijo que tendría que hacer, en la antecámara y frente a la puerta cerrada de la habitación de Carlota, las tres reverencias de rigor... la Emperatriz de México, le advirtieron, estaría espiando por el ojo de la cerradura para que se cumpliera el protocolo. Carlota, nos dicen, llegó a ser una de las mujeres más ricas del mundo. Gene Smith cuenta a propósito que cuando el Príncipe de Ligne era el encargado de administrar la fortuna de la Emperatriz, y la visitaba en Bouchout para rendirle cuentas, Carlota invariablemente lo recibía en un salón donde había veinte sillas o más, todas alineadas, y que la Emperatriz saludaba cada silla como si en ella estuviera sentado un visitante. El Príncipe de Ligne, por otra parte, siempre tuvo la impresión de que Carlota entendía todo lo que él le comunicaba sobre el estado de sus finanzas.

Cuentan también algunos biógrafos de la Emperatriz que ésta se las arregló para conseguir un maniquí de tamaño natural, al que vistió con las ropas de Maximiliano y con el cual hablaba durante horas enteras. Y dicen que cada primero de mes, Carlota bajaba al foso de Bouchout y se subía a la barcaza. Algunos autores afirman que, cada vez que la loca repetía esa extraña ceremonia, decía en voz alta «Hoy nos vamos para México».

Varios psiquiatras modernos han ofrecido diversas explicaciones sobre la clase de locura que afectó a Carlota. Uno de ellos, interrogado por Suzanne Desternes y citado por Castelot, fue el Doctor Pierre Loo. En su opinión, Carlota presentaba ya, desde su niñez, los síntomas de su enfermedad: hipersensibilidad en relación con ciertos acontecimientos externos, accesos de desaliento y períodos de depresión, seguidos de «fases optimistas y satisfacción de sí misma». En otras palabras, una especie de ciclotimia entendida como una psicosis maniacodepresiva en la que se alternan la euforia y la melancolía. Cuando la realidad se vuelve inaceptable, agrega el Doctor Loo, sobreviene una compensación artificial caracterizada por períodos de jovialidad, «combinados con temas místicos, delirios de persecución y a veces fantasías eróticas...» ¿Paranoia? ¿Esquizofrenia? ¿O las dos cosas?

«¡*Miserere mei, Deus!* ¡Yo también voy a morir, ten piedad de mí, Señor!», gritaba, a veces, la loca de Bouchout.

Pero el Señor no se apiadó de Carlota sino hasta sesenta años después de que Maximiliano comenzara a ver el mundo con los ojos negros de Santa Ursula.

XXI
CASTILLO DE BOUCHOUT
1927

Y PARA decirle al mundo quién fuiste te lo tengo, primero, que decir a ti. Lloró como una mujer Abdalá-el-Zaquir cuando perdió Granada. Lloró, por no haber sabido pelear como un hombre, Abd-el-Kader cuando perdió la Batalla de Argel. Lloró Hernán Cortés bajo el Arbol de la Noche Triste cuando pensó que ya nunca conquistaría la gran Tenochtitlán. Pero tú no lloraste, Maximiliano, cuando junto con Querétaro perdiste todo México: fuiste Maximiliano el impávido. Fuiste, también, Maximiliano el digno. Mi abuelo huyó de las Tullerías con gafas negras y las patillas rasuradas: tú no te afeitaste tu barba rubia. Napoleón el Grande huyó de Francia rumbo a la Isla de Elba, vestido primero de postillón y después de oficial austriaco y comisario ruso: tú no te pusiste un uniforme de la chinaca roja. Su sobrino Napoleón el Pequeño huyó del Castillo de Ham disfrazado de albañil: tú no te disfrazaste de arriero. Don Carlos el pretendiente al trono de España, huyó a Inglaterra con el pelo teñido: tú no te teñiste el pelo. Tú, Maximiliano, te quedaste en Querétaro. Tú, Maximiliano, no fuiste otro Pedro de Aragón el Cruel: no hubo, en México, vísperas sicilianas. Fuiste Maximiliano el justo. ¿Pero te acuerdas de García Cano? Tú no fuiste otro Ricardo Tercero, otro Pedro Primero de Rusia: jamás le quitaste, jamás le hubieras quitado la vida a alguien por cuyas venas corriera tu propia sangre, como lo hizo Ricardo de Gloucester con sus sobrinos, como asesinó Pedro Primero a su hijo Alexis. Fuiste Maximiliano el magnánimo. ¿Pero te acuerdas de García Cano, el mexicano a quien acusaron de haber conspirado para quitarte la vida? No, tú no fuiste otro Emperador Fernando Segundo de Austria, bajo cuyo reinado las tropas de Tilly cometieron en Magdeburgo una matanza como no se había visto desde la cruzada contra los albigenses. No fuiste, tampoco, otro Iván el Terrible: no hubo en las calles de México, como en las calles de Novgorod, gente que fuera destazada o asada viva. Fuiste Maximiliano el bondadoso. ¿Pero te acuerdas que a

García Cano lo ejecutaron porque le negaste la gracia? ¿Te acuerdas que cuando su mujer se echó a tus pies en el Castillo de Chapultepec no quisiste escucharla y dijiste que nunca más la dejaran entrar? ¿Pensaste en ella, dime, cuando estabas frente al pelotón de fusilamiento en el Cerro de las Campanas, y pensaste en la Princesa Salm Salm que le pidió de rodillas a Juárez que te perdonara la vida? ¿Te acuerdas, Maximiliano, que cuando te encontraste a la mujer de García Cano en el Paseo de la Emperatriz ordenaste que se desviara tu carruaje y ella corrió tras él, pidiéndote a gritos que tuvieras clemencia? ¿Y te acordaste, dime, de la mujer de García Cano cuando escuchaste los alaridos y los sollozos de la mujer de Mejía que corría tras el coche que lo llevaba al Cerro de las Campanas? No, porque por más baños de pureza que quieras darte tienes que saber que fuiste, también, Maximiliano el sordo, Maximiliano el inmisericorde, y así como Napoleón el Grande le negó a Josefina la gracia que le pidió por el Duque de Enghien, y Luis Napoleón a Eugenia la gracia que le pidió por Orsini, y Enghien murió fusilado y Orsini en la guillotina, y así como tu hermano Francisco José le negó la gracia que de rodillas le pidió la mujer del conde rebelde Luis Batthyany y el conde se abrió las venas en la víspera de su ejecución, así también tú no supiste perdonar a quien atentara contra tu vida o contra tu Imperio. Fuiste Maximiliano el inflexible. Maximiliano el rencoroso. Y porque no perdonaste a García Cano, los mexicanos no te perdonarán nunca. Fuiste, también, Maximiliano el ridículo porque cuando se casó el Mariscal Bazaine le enviaste una carta escrita en papel color de rosa, y Maximiliano el incrédulo porque no le hiciste caso a Détroyat cuando te advirtió que todos te iban a abandonar, Maximiliano el imprevisor, Maximiliano el abandonado, y Maximiliano el ciego porque le escribiste a Napoleón diciéndole que en México había sólo tres clases de hombres: los viejos testarudos, los jóvenes ignorantes y los extranjeros mediocres o aventureros sin porvenir en Europa, y no supiste ver que tú reunías, en una sola persona, los defectos de los tres. Fuiste, también, Maximiliano el embustero, porque a mi regreso de Yucatán sollozaste en mis hombros, en San Martín Texmelucan, por la muerte de mi padre Leopoldo, y te enfureciste con el Arzobispo Labastida porque no quería oficiar un servicio fúnebre solemne por el descanso de su alma alegando que había sido luterano, tú, Maximiliano, que tras rendirle pleitesía a mi idolatrado padre y declararme el amor que nunca tuviste por mí, hablaste a nuestras espaldas de lo que llamaste la rapacidad invencible de mi padre y dijiste que era un viejo avaro y que te alegrabas de haberlo obligado al fin a separarse, dijiste, de una pequeña parte de lo que más caro le era en el mundo, sin darte cuenta que era yo, su dulce Marie Charlotte, su pequeña Princesa de los ojos castaños, lo que más adoraba en la tierra, y así se lo dijo a todo el mundo, a mi tía la Condesa de Nemours le dijo en una carta que yo era la flor de su corazón, me lo dijo a mí y me vaticinó que sería una de las princesas más bellas de Europa y que ojalá eso me hiciera feliz, me juró que yo era lo que más quería en su vida y no el ajuar, las joyas, la platería, los cien mil florines de mi dote que le arrebataste a mi padre, los trescientos ocho mil francos que el Conde Zichy depositó en Viena para afianzar nuestro matrimonio y porque mentiste, también, Maximiliano, cuando le dijiste a Francisco José que tendrías que hacer el gigantesco, inconcebible sacrificio de renunciar a todos tus derechos de la Casa de Austria porque habías ya dado tu palabra a un pueblo de nueve millones de almas que había vuelto sus ojos hacia ti, mentiste porque lo que más te interesaba entonces no era ese pueblo que nunca te había llamado y que ni siquiera sabía de tu existencia: lo único que deseabas era que tu Imperio no naciera muerto y no perder una corona antes de que ciñera tus sienes rubias, de la misma manera que en una carta a tu madre la Archiduquesa Sofía le mentiste al decirle desde Milán que si no hubiera sido por tus principios religiosos ya habrías abandonado el gobierno de las provincias lombardovénetas: porque más que Dios y la Iglesia y la religión te importaba entonces seguir aferrado con las uñas a ese andrajo del Imperio Austriaco que nos dio tu hermano como un hueso arrojado a los perros, y por eso ni Dios ni la Iglesia ni tus súbditos de Lombardovéneto te perdonarán jamás, como tampoco nunca perdonarán los italianos y los húngaros al Príncipe que en Nápoles se condolió de los prisioneros de ropas escarlata cargados con pesadas cadenas que reparaban las murallas de la fortaleza, y que en Gibraltar se conmovió con los presos a quienes los ingleses obligaban a cargar unas enormes bolas de hierro y a caminar con ellas y ponerlas en el suelo y levantarlas de nuevo para colocarlas donde estaban, y que cuando el General Haynau sofocó a los rebeldes húngaros del cuarenta y nueve, y cuando los soldados de Austria masacraron a los mártires de Belfiore, no dijo esta boca es mía porque entonces el Príncipe estaba, estabas tú, Maximiliano, más interesado en enviar corsages de flores a las condesas y en hacer cabriolas con un semental Lipizzaner en la Escuela Española de Equitación de Viena, que en el hambre de libertad de los pueblos sojuzgados por los Habsburgo. Pero fuiste también muchas otras cosas, y se lo tengo que decir al mundo. Te lo tengo que decir a ti. En tu celda del Convento de las Teresitas leíste la Historia de Italia de César Cantú y el Romancero de Heine: fuiste Maximiliano el ilustrado. Maximiliano el comprensivo porque le perdonaste al Padre Fischer que tuviera varios hijos naturales desperdigados por el mundo. Y porque planeaste enviar al Príncipe Salm Salm a los Estados Unidos con un millón de dólares para comprar el reconocimiento de los americanos, fuiste, Maximiliano, Maximiliano el iluso. Fuiste Maximiliano el orgulloso porque rechazaste la oferta del Coronel López de esconderte en la casa del Señor Rubio. Maximiliano el hipócrita porque le pediste a Salm Salm que te matara si estabas en peligro de caer preso, y sabías que el príncipe jamás se atrevería a hacerlo.

Maximiliano el filósofo que unos años antes escribiste en tu lista de aforismos que quien no tiene miedo a la muerte ha avanzado mucho en el arte de vivir, y Maximiliano el artista, en el arte de vivir, que el dieciséis de junio de mil ochocientos sesenta y siete, exclamaste que morir era más fácil de lo que imaginabas, y que durante el sitio y en lo más granado de los intercambios de fuego y de pie en las trincheras con tu catalejo de marinero y como desde lo alto de un castillo de proa, exploraste todo el horizonte a la redonda, Maximiliano el heroico. Maximiliano el ingenuo que, ya preso, te divertías enviando al Príncipe Salm Salm mensajes escondidos en mendrugos de pan, en tanto recibías del capellán militar Aguirre otros mensajes ocultos en cigarrillos, y de nuevo Maximiliano el mentiroso porque le escribías al prefecto de Miramar para contarle que no tenías a tu lado «sino mexicanos», y te olvidabas de la existencia de Salm Salm y Basch, del mayor de caballería Malburg, de los oficiales Swoboda y Fürstenwärther, del Mayor Pitner y el Capitán Curié, del Mayor Görwitz, del Teniente de Artillería Hans, del Conde Patcha y del General Morett, de Tüdös, de Grill, Schaffer, Günner, Khevenhüller, Hammerstein y Wickenburg. Fuiste también Maximiliano el deportista porque jugabas boliche y billar en el Casino de Querétaro. Maximiliano el afortunado a quien las señoras de Querétaro le llevaron a la prisión tanta ropa blanca como jamás, dijiste, habías tenido en toda tu vida. Maximiliano el desprendido porque llenabas de moneditas de cobre y plata las manos de las mendigas que te acosaban frente al casino de la ciudad, y que no eran otras que las mujeres de tus propios soldados. Maximiliano el romántico porque a tu llegada a Querétaro instalaste una oficina secreta en una cueva escondida al pie del Cerro de las Campanas, de la que salió huyendo una pareja de enamorados, espantada. Maximiliano el paciente porque jugabas también dominó con tus oficiales nada más que para complacerlos, porque el dominó te aburría soberanamente. Maximiliano de nuevo el magnánimo porque rompiste en pedazos una lista con los nombres de los oficiales de tu ejército que planeaban desertar o traicionarte durante el sitio. Maximiliano el agradecido porque condecoraste a Inés Salm Salm con la Orden de San Carlos que sin embargo no pudiste darle, ya que no la tenías en Querétaro pero que, Maximiliano el atento, se la describiste a la princesa caballista: una pequeña cruz de esmalte blanco, adentro verde, que dice Humilitas en el anverso y San Carlos en el reverso y se cuelga con un listón carmesí. Maximiliano, por último, el cultivado, porque al General Castillo le hablabas del fino aguamanil del templo queretano de Santa Rosa, y a Blasio de las gárgolas con cabeza de medusa de La Casa de los Perros, y al General Méndez y con los ojos cerrados, Maximiliano el memorioso, le describiste Querétaro y sus alrededores: al norte San Gregorio y San Pablo, abajo la Cuesta China y la Cañada, atrás el Cimatario, hacia el confín occidental el Cerro de las Campanas. ¿Cómo es posible, dime, Max, que los mexicanos no recuerden todo lo que fuiste, cómo es posible que en México no se hayan dado cuenta de lo noble y generoso que eras? ¿Cuándo antes en ese país de salvajes un gobernante se había preocupado tanto como lo hiciste tú por las artes y las letras y la gloria de sus héroes? ¿Cuándo nadie había amado tanto como yo a esos indios miserables de los que hasta Juárez se olvidó? ¿Cuándo antes esa gente había tenido un Emperador de ojos azules como el cielo que por ellos sufriera hambres y fiebres y disenterías y estuviera dispuesto a verter su sangre, a dar su vida, como lo hiciste, por ellos, por su libertad y su soberanía, por la grandeza de esa su Patria a la que hiciste tuya? ¿Cuándo jamás habían soñado los mexicanos que tendrían una Reina por cuyas venas corría la sangre de San Luis Rey, el monarca católico más íntegro de la historia, jefe de dos cruzadas contra los infieles, y la sangre de los Borbones de Francia y los Borbones de España y los Borbones de Italia, la misma que corrió por las venas de Luis Trece y Enrique Cuarto de Francia, de Felipe Igualdad el fundador de la monarquía basada en la voluntad del pueblo, del Duque de Orleáns el ilustrado que fue asesinado por Juan Sin Miedo, del poeta Carlos de Orleáns que fue prisionero de los ingleses tras la Batalla de Azincourt, cuándo, dime se imaginaron que por las venas de esa Emperatriz de piel blanca como el loto hincada en la tierra para colocar las primeras piedras de sus escuelas corría la misma sangre que corrió por las venas de Isabel Farnese y del Rey Sol, de Eleanora de Aquitania, de María Teresa de Austria y de Blanca de Castilla? ¿Cuándo, dime, supieron los mexicanos que cuando me casé contigo tenía yo una inmensa fortuna de más de dos millones ochocientos mil francos en valores belgas y americanos, ingleses, prusianos, franceses y rusos, y que de Bruselas me llevé a Miramar veintitrés collares y entre ellos uno que valía más de doscientos mil francos, treinta y cuatro brazaletes y entre ellos uno que tenía, rodeado de brillantes, el retrato de mi padre Leopoldo, el sabio Rey de Bélgica del que Napoleón el Grande dijo en la Isla de Santa Elena que era el oficial más apuesto que jamás hubiera pisado las Tullerías, además de cincuenta y un broches y once anillos y trescientas sesenta blusas, setenta y dos gorros de dormir, setenta y siete batas, ochenta y un chales, cuatrocientos ochenta pares de guantes, doscientos quince pañuelos, doscientos ochenta y ocho pares de medias y cien pares de zapatos además de un par de los zapatos que usaba yo cuando tenía cinco años y que dejé en México junto con los rubíes de Birmania y el fistol que nos dio tu hermano y nunca los volví a ver? ¿Y cuándo antes, dime, habían visto esos indios una carroza imperial y dorada recorriendo los caminos bordeados con nopales y magueyes, cuándo a uno de sus presidentes o dictadores lo pintaron Velázquez o Tiziano, cuándo esos bandidos muertos de hambre habían tenido como jefe a un Mariscal de Francia con un bicornio de plumas blancas, cuándo esos desgraciados, dime, habían visto a un húsar cortando cocos con el mismo sable con el que había cortado las cabezas de los turcos, cuándo habían siquiera imaginado lo que era el fausto, el esplendor de un Imperio europeo, cuándo, dime, habían tenido un gran chambelán de la corte, un Kapellmeister, cien dragones de la Emperatriz, cuándo jamás habían visto a un lacayo con librea de terciopelo púrpura comprando chichicuilotes en el mercado de Santa Anita, cuándo se imaginaron, dime, que el Príncipe que en el Lombardovéneto saneó las lagunas de Venecia y desecó los pantanos para combatir la malaria, amplió los paseos de Milán, construyó una nueva plaza entre la Scala y el Palacio Marino, restauró la Biblioteca Ambrosiana, irrigó con las aguas del Ledra las llanuras de Frioul, cuándo, dime, soñaron que ese mismo Príncipe: Maximiliano el sabio, Maximiliano el liberal, Maximiliano el mecenas, Maximiliano el heredero del Sacro Imperio Romano, Maximiliano el descendiente de la dinastía más grande y más importante de la historia, porque si fueron cuatro los monarcas que tuvieron los Borbones de Nápoles y cuatro los Hohenstaufens, cinco los Bonaparte, seis los Tudor, siete los Borbones de Francia, nueve los Hohenzollern, diez los Estuardo y diez los Borbones de España, once los Hannover-Windsor, doce los Saboya, trece los Valois, catorce los Plantagenet, quince los Braganza y quince los Capeto y dieciocho los Romanov, fue la Casa de Austria, la Casa de Habsburgo, tu casa, Maximiliano, la única que le dio al mundo veintiséis monarcas, y de ellos veintidós emperadores y cuatro soberanos de la rama española de los Habsburgo además de cuatro reinas a Europa, cuándo se dieron cuenta, te decía, los mexicanos, que uno de esos emperadores era el mismo que tenían allí, el mismo Emperador de barba dorada acostado en una hamaca bajo la sombra encendida de los flamboyanes en flor que bebía toda la tarde vino de Jerez y vino del Rhin en copas de cristal de Bohemia, Maximiliano el sibarita, y comía en vajillas de Limoges, Maximiliano el elegante, y paseaba, del brazo del Comodoro Maury, bajo los candelabros que mandaste traer de Venecia, y contemplaba los tapices colgados en la sala de música del Castillo de Chapultepec que ilustraban las fábulas de La Fontaine, y meditaba, Maximiliano el pensador, sentado en una silla Luis Quince, junto a los vitrales de Ceres y Pomona, Flora y Diana que ordenaste se hicieran para bañar los corredores del castillo con la luz de las leyendas griegas, cuándo, dime, se dieron cuenta que uno de esos emperadores Habsburgo fue el mismo que por las noches tocaba a las puertas de las panaderías de la ciudad de México, Maximiliano el incógnito, el mismo que cruzó a caballo y con el agua hasta la cintura, el Río Jamapa, Maximiliano el audaz, el mismo que en la cumbre de la Pirámide del Sol se propuso ser el nuevo Justiniano, el nuevo Solón de América, Maximiliano el ambicioso? Ay, Maximiliano: a veces pienso que jamás perdonaré a los mexicanos.

Fuiste, también, Maximiliano el fracasado, porque soñaste con ser otro Maximiliano Primero de Habsburgo, otro José Segundo de Austria.

Pero José Segundo abolió la esclavitud y colonizó Galicia, tú intentaste restaurar la esclavitud en México y ni siquiera pudiste agregar el territorio de Belice a tu Imperio, y Maximiliano Primero reconquistó los territorios húngaros que la Casa de Austria había perdido, con la plata de las minas tirolesas. ¿Pero tú qué hiciste, dime, con la plata de México sino llenar los bolsillos y las barrigas del ejército francés, llenar sus fusiles con pólvora, sus cañones con balas para que con ellas mataran a los mexicanos? Fuiste, por eso, un traidor a tu nueva Patria. Y por eso, México jamás te perdonará. Por eso, también, México siempre te despreciará. Fuiste, eres, Maximiliano el despreciado, el olvidado: el Archiduque Carlos y el Príncipe Eugenio de Saboya quedaron eternizados, caballeros en sus caballos de bronce, en la Plaza de los Héroes del Hofburgo: pero tú no estás allí, Maximiliano, porque el Archiduque Carlos venció a las fuerzas de Napoleón en Aspern y Eugenio de Saboya aniquiló en Zenta al ejército turco de Mustafá Segundo pero tú no ganaste la Batalla de México y eso, Maximiliano, jamás te lo perdonarán tus propios compatriotas, los austriacos.

Por todo eso, Maximiliano, ahora sé que la transparencia y la pureza no me bastarán para escribir, de nuevo, tu historia, y que estoy condenada a vivir y morir así, con las entrañas vueltas llamas. Lo supe desde el momento en que comenzó a endurecerse y empañarse el espejo de agua en el que me contemplaba. Lo supe cuando el agua en la que flotaba, entre dos aguas, comenzó a contaminarse con líquidos inmundos, a enrojecerse. Cuando me di cuenta que tendría que escribir tu historia y la mía, al menos por ahora, al menos por los años o los días, por los minutos que me resten de vida, con ese líquido corrupto que me corre por las venas. Con el mismo con el que manché el lomo del caballito de madera de mi prima Minette, con el mismo que mi madre me juró que era azul e inmaculado, y que yo descubrí que era un líquido negro y bastardo, turbio: con mi sangre. También con la tuya. También con la de otros. El otro día vino el mensajero disfrazado de Benito Juárez y tenía, en las manos, la tapa de un cráneo que rebosaba de sangre. Era la sangre, me dijo, de todos los mexicanos que habían muerto durante la Intervención y el Imperio. Me dijo que si los mexicanos habían tapizado con una alfombra roja el camino que va desde el Palacio Nacional al Altar Mayor de la Catedral el día en que tú y yo fuimos, a pie, a dar gracias al Señor, me dijo el indio que con los cuerpos de todos mis mexicanos muertos por los soldados franceses, por los cazadores de Africa, por los legionarios y las contraguerrillas de Tamaulipas, con la sangre que derramaron los voluntarios austriacos y belgas, con los brazos y las piernas que perdieron los mexicanos en Puebla y en Tampico, con las orejas que les cortaron los soldados del batallón egipcio, con los que fusilaron y ahorcaron después de que firmaste el Decreto del Dos de Octubre, podríamos cubrir, cien veces, el mismo camino. Y me dijo más el indio: me dijo que aunque a ti tuvieron que embalsamarte dos veces, al fin y al cabo regresaste a tu país, a tu tierra, relleno de perfumes egipcios y bajo las alas de un ángel y que allí donde estás, en Viena, y para que vayan a venerarlos los descendientes de los mexicanos que te llevaron a México, allí están tus huesos, completos, pero dónde, me preguntó Juárez, y te lo pregunto yo a ti, ¿dónde están los huesos de los soldados zacapoaxtlas que quedaron sepultados en el lodo de los llanos de Puebla, dónde los huesos de los guerrilleros que el Coronel Du Pin arrojó a las aguas del Tamesí con una piedra amarrada al cuello, dónde los de aquellos que fueron fusilados en la ciudad de México y arrojados a la fosa común del Cementerio de Campo Florido, dónde los de aquellos cuyos cadáveres fueron devorados por los tiburones de la Bahía de Guamas? Y entonces, Maximiliano, me quité la ropa. Me desnudé, Maximiliano, delante de Juárez, pero no para entregarme a él, sino para escribir, con mi piel y sobre mi piel y con la sangre de ellos y de México, nuestra historia. Humedecí, en la sangre, el dedo cordial y con él me dibujé una cruz en la frente. Con él me dibujé un círculo en el vientre. Con él, y con la sangre de los mexicanos derramada en la Batalla de Santa Gertrudis, en la Batalla de Pinoteca y en la Batalla de San Lorenzo, en las costas de Tamaulipas, en el sitio de Querétaro, en los desiertos de Sinaloa, en la Calle de los Locos de Puebla, bajo las patas de los caballos, devorados por los perros, de tifo y de gangrena, de sed y con el cráneo destrozado, en los despeñaderos de Hidalgo, en la Batalla de Calleja: con esa sangre, Maximiliano, me tatué todo el cuerpo, y es allí, en mi piel, donde todo quedó escrito y no en las hojas, en las miles de hojas en blanco que arranqué de mis cuadernos, y desperdigué en mis habitaciones, y que apilé después y volví a desperdigar, para de nuevo angustiarme porque no he podido contar tu historia, para alegrarme de nuevo porque, después de todo, me ha sido dada la oportunidad de comenzar, una vez más, desde el principio. Ay, Maximiliano, a veces pienso que con las hojas del cuaderno donde escribiste tus aforismos y las reglas de conducta que debías seguir toda tu vida y con las páginas de la Biblia que te presentaron en Miramar Monseñor Rechich y el Abate Gómez para que sobre ella prestaras juramento como soberano de tu nueva patria y con las páginas de tu libro secreto, con las memorias de tus viajes por Albania y Argelia y Sudamérica, con el Pacto de Familia en el que renunciaste a todos tus derechos sobre el trono de los Habsburgo, con las cartas que le escribió la mujer de Kuhacsevich a la mujer de Radonetz para quejarse que en la corte mexicana la tenía que hacer de todo: de mayordoma mayor y señora de compañía, de lectora y secretaria, de palafrenera, camarera, lechera, moza de cuadra, y con las cartas del Coronel Loizillon y de Bazaine y de la Condesa de Kollonitz, con las que te envió Santa Anna de la Isla de Saint Thomas ofreciéndote su adhesión al Imperio y con las que le enviaste tú a la Baronesa Binzer para hablarle de los encantos de los Jardines Borda, y con los interminables informes que te mandó Fischer desde el Vaticano, con todo eso, Maximiliano, se podría alfombrar, y con los discursos al Senado mexicano que escribías primero en alemán para que los tradujeran al latín, y con los menús de los banquetes de la corte mexicana que enviabas a Europa para que allí se dieran cuenta de lo bien que agasajabas a tus invitados imperiales, y con las cartas de Eloin en las que te decía que todo el mundo en Viena lamentaba que nuestro Max estuviera tan lejos y con las que tú le escribías a Eloin para decirle que todo iba bien en México gracias a la inercia de Bazaine y al abandono de Francia, y con las cartas donde le contabas al Conde Hadik que habías ordenado que se sembraran quinietos noventa fresnos en la ciudad de México y que de tu propia bolsa había salido la suma necesaria para el cuidado de un ejemplar casi único del árbol de manitas que crecía en el jardín interior del Palacio Nacional y que tanto había sido admirado por Humboldt y Bompland, y con las cartas de mi padre Leopoldo en las que nos aconsejaba que no perdiéramos el afecto de los indios, con la Memoria de Pierron en la que te comparaba a Pepe Botella el Rey de España, con las cartas que escribió Leonardo Márquez desde el Palacio Casta-el-Woska de El Cairo, con las cartas de adiós que escribiste en Orizaba al pueblo y tus ministros cuando un día querías irte de México y al día siguiente quedarte, y con los edictos que firmaste para estimular la cría de perlas y la cría de sanguijuelas, con las páginas de los libros de Blanchot y de Niox, de Détroyat y Hans, de Blasio y el Doctor Basch, y con las hojas del Diario Oficial del Imperio donde publicaban las noticias de los triunfos militares de Douay y Castagny y las relaciones de los Lunes de la Emperatriz, y con las quinientas hojas del Ceremonial de la Corte, con todo eso, Maximiliano, y con los mil y un folios de tu juicio y tu sentencia se podría alfombrar el camino de Viena a Querétaro, desde tu cuarto azul con la alondra disecada del Palacio de Schönbrunn, hasta tu celda del Convento de las Teresitas, desde la puerta de las águilas doradas del Hofburgo, hasta los adobes sucios del paredón improvisado en el Cerro de las Campanas un día antes de tu fusilamiento. Pero no alcanzarían, Maximiliano, para cubrir nuestra deshonra y mi desdicha.

Porque al fin y al cabo, dime: ¿de qué te sirvieron todas las riquezas de México? ¿De qué todas sus maderas preciosas si acabaste en una caja de pino que te quedó corta, de qué si con las vigas de cedro del Palacio Nacional no hiciste una horca para Bazaine o un patíbulo para Escobedo, de qué te sirvió, dime, toda la plata de las minas de Sonora si no pudiste comprar con ella a tus carceleros y tus verdugos? Con todos los escorpiones de México se podría alfombrar, Maximiliano, el Palacio de Saint Cloud, pero la piel de todas sus serpientes no alcanzaría para vestir a los traidores, a los que te abandonaron, a Napoleón el Pequeño, a Hidalgo y Esnaurrízar, a Márquez y a López y a tantos otros, Maximiliano, que huyeron como las ratas del barco que se hunde, a tu propia madre que te dijo que te quedaras en México, que no quería que regresaras a Austria jamás. Y con las medallas y las condecoraciones, ay, Max, mi querido, inocente Max, ¿a quién sino a ti pudo habérsele ocurrido arrojar medallas al aire como quien arroja margaritas a los puercos, como arrojaste monedas a la turba de mendigos que exhibían sus heridas y sus muñones en la Calle de los Puentes Rojos de Nápoles y a los muchachos de la Isla de Madeira que nadaban alrededor de tu barco y a los léperos y los pordioseros mexicanos cuando llevaste a bautizar al hijo de tu compadre? Ay, Maximiliano, con todas las medallas y las bandas y cruces que diste en México se podría hoy cubrir tu sepulcro, quedarías enterrado bajo una pirámide de oro y plata y bronce y seda. Pero dime, Max: ¿por qué no condecoraste con el gran collar de la Orden del Crimen al Coronel Platón Sánchez? ¿Por qué no le otorgaste la Orden de la Cobardía al Barón Lago y a todos los otros cónsules europeos que se salieron corriendo de Querétaro? ¿Por qué no nombraste a tu hermano Francisco José gran maestre de la Orden de la Perfidia? ¿Por qué, dime, no condecoraste con la Orden de la Misericordia a Juárez, para ver si te perdonaba la vida? Y tú, Max, querido Max, tú que cuando eras niño con papeles de colores y recortes de oropel y listones y borlas y flecos de cortinas jugabas a las condecoraciones y hacías que tu hermano Luis Carlos te nombrara, en la Sala Napoleón de Schönbrunn, Gran Maestre de las Ordenes de la Corona de Hierro y del Aguila Roja, del Vellocino de Oro, y en el cuarto de los espejos donde tocaba Mozart de niño Caballero de la Orden del Baño y de la Orden de Felipe el Magnánimo, y a la sombra de las estatuas de los jardines, de Eurídice y Jasón, de Aníbal, Comandante de la Orden de la Estrella Polar, escúchame: tengo aquí, conmigo, la Orden de San Olaf, con la cruz maltesa en oro y el león noruego que me trajo Haakon Séptimo para que te la lleve a México. Tengo aquí el gran collar de la Orden de Carlos Tercero, con la flor de lis dorada de la Casa de Borbón, que me dio Alfonso Trece para que te la cuelgue del cuello la próxima vez que te vea. Tengo también la Orden de San Huberto de Baviera que me envió tu primo Luis para que te la pongas en tu próximo cumpleaños, y la Orden de la Jarretera que me mandó mi prima Victoria, la Orden de Leopoldo de Bélgica que te quiere dar mi papá Leopich y la Orden de la Cruz del Sur de Brasil que quiere Pedro que te pongas en el aniversario de su Imperio. Tengo también para ti la Orden de la Estrella del Congo que me envió mi hermano Leopoldo, y la Orden de Nichan-el-Anouar con la que te quiere condecorar el Presidente Poincaré el día de tu santo, y la Orden de San Serafín con las tres coronas de Suecia y los tres clavos de la cruz de Cristo que te quiere dar Oscar Segundo, y la Orden de San Gregorio que Pío Décimo me pidió que te llevara a México como regalo de Día de Reyes. Pero no te voy a dar nada. Porque tú, Maximiliano, dime: ¿por qué cuando te abandonó en México el ejército francés y en lugar de dejártelos a ti Bazaine tiró a las aguas del Canal de la Viga los millones de cartuchos que se agregaron a las piedras y yerbas del fondo y a las joyas perdidas del tesoro del Emperador Cuahtémoc y a los ídolos y las figurillas, a las ofrendas que arrojaban los indios para calmar las iras del dios Tláloc y pedirle que no inundara de nuevo la ciudad azteca, por qué cuando en Orizaba te enteraste que los republicanos habían saqueado tu adorada Quinta Borda de Cuernavaca, y cuando camino a Querétaro tropezó tu caballo Orispelo y un corneta cayó herido a tus pies, por qué cuando ya en la Ciudad Levítica las fuerzas de Escobedo cerraron el cerco de la ratonera y cuando los cazadores de Galeana remataban con sus sables a los soldados imperiales que habían quedado tendidos en el Llano de Carretas, y cuando la victoria del Cimatario se transformó no sólo en una derrota sino en un fracaso total porque todo el mundo sabía que después del Cimatario tu Imperio estaba condenado a desaparecer, por qué, dime, cuando un cañonazo derribó a la Diosa de la Libertad de Querétaro, y cuando con tus generales comías mulas maceradas en vinagre y ofrecías un dólar por cada bala en buenas condiciones y el aire de Querétaro estaba envenenado con el olor a la carne achicharrada de las piras de los muertos a quienes no había tiempo de enterrar y con las tufaradas de la gangrena, y cuando casi cada día te encontrabas colgado de un árbol el cadáver de uno de tus hombres y cuando tuviste que transformar el casino de la ciudad en hospital de los amputados y cuando aún tenías fuerzas de imaginar, Maximiliano el optimista, que Juárez te perdonaría la vida y ya preso en las Teresitas le dictaste a Blasio el horario de cada día de la vida de retiro que tendrías en Lacroma y donde todo estaba previsto desde el desayuno hasta la partida de billar y el oporto, la lectura del Dante y de los diarios, el chocolate y los cigarros, todo menos unos minutos de amor para mí seguramente porque creías que yo viviría lejos, encerrada para siempre en un manicomio, y por qué, dime, cuando aún tenías los ánimos, Maximiliano el humorista, la inocencia de darle un nombre en latín a esas inmundas chinches del Convento de las Teresitas que te succionaban y devoraban cada noche como te devoraron todos en México aprovechándose de tu inocencia y de tu bondad, Maximiliano el inocente, Maximiliano el bondadoso, de tu altruismo, Maximiliano el altruista: porque te devoró Almonte, te devoró el padre Agustín Fischer, te devoraron Gutiérrez Estrada y Napoleón Tercero, te devoraron los moscos, la disentería, el clero, la traición, te devoró tu propia desidia, Maximiliano el desidioso, te devoró la humedad de las tierras calientes, te devoró el fuego de las tierras templadas, y a mí sólo me dejaron tus sombras: las cuencas de tus ojos rellenas de granizo negro, tu piel negra y escamosa y unas cuantas hebras quebradizas de tu cabello rubio, por qué, dime, cuando ya sabías que Márquez jamás volvería a Querétaro para cumplir la promesa de regresar con su caballería y sorprender a Escobedo por la retaguardia, por qué cuando en La Cruz te enteraste que había allí un árbol único en el mundo, un huizache cuyas espinas tenían la forma perfecta de una cruz y prefiguraban tu martirio, por qué cuando nuestro compadre López al que tú escogiste para la Guardia de la Emperatriz porque siempre te gustó rodearte de personas bellas: creías que a un rostro bello correspondía por fuerza un alma bella, por qué cuando nuestro compadre el del cabello rubio y los ojos azules entregó el convento en la madrugada del catorce de mayo de mil ochocientos sesenta y siete, por qué dime, cuando supiste que apenas abandonaste tu habitación de La Cruz los republicanos entraron a saquearla, por qué cuando en el Convento de las Teresitas le hiciste notar al Doctor Basch que uno de tus guardias se divertía con un muñeco vestido con levita azul, pantalones rojos y una corona en la cabeza y cuyo rostro era una especie de máscara movible bajo la cual aparecía una calavera, y que prefiguraba tu muerte y el escarnio que de ella harían los mexicanos, por qué cuando te hicieron pasar una noche en la tumba, como le dijiste a Basch, porque te encerraron en la cripta del Convento de los Capuchinos de Querétaro que te hizo recordar tu viaje a Palermo el día en que un fraile capuchino te guió hasta otra cripta cuya puerta estaba adornada con calaveras y en cuyo interior contemplaste con horror una serie de cuerpos secos y esqueletos a medio pelar, algunos todavía con mechones de pelo en el cráneo que estaban recostados en posturas grotescas en los nichos abiertos que cubrían los muros, hincados, en cuclillas, de pie, calaveras con gorros de dormir ribeteados de holanes que te veían desde sus ojos sin fondo, que te sonreían con sus bocas descarnadas, momias vestidas con camisones de encajes, con levitas, que te extendían la mano y que prefiguraron, los dos: tu viaje a Palermo y esa noche en Querétaro, tu destino final, porque al fin y al cabo cuando llegaras a Viena te iban a guardar, como a todos los otros emperadores y príncipes del Sacro Imperio Romano y de la rama austriaca de la Casa de los Habsburgo, ya muerto y embalsamado por los siglos de los siglos en la cripta de la capilla imperial de los Capuchinos, aunque habrás de saber, mi pobre Max, que hasta en la muerte tus hermanos austriacos te negaron el título de Emperador que te correspondió en la vida, porque en la Kapusinergruft sólo los que fueron emperadores merecen un mausoleo y tú no tienes ninguno, no te elevaron, como a la Emperatriz María Teresa y su esposo Francisco de Lorena un monumento funeral rodeado de las tres virtudes teologales hechas un mar de lágrimas de mármol, y es por eso que no llora junto a tu ataúd la Fe que desde niño tuviste en tu alto destino, ni llora la Caridad que siempre prodigaste a tus servidores y tus súbditos, a tus amigos, ni llora la Esperanza que nunca te abandonó mientras estuviste, con vida, en México, por qué, dime, Maximiliano, cuando supiste que te iban a juzgar y cuando te condenaron a morir fusilado y cuando te enteraste que Juárez te negaba el perdón y lo seguiría negando así lo solicitaran por ti todas las amazonas arrodilladas del mundo y las testas coronadas de todo el universo, por qué en la mañana en que te fusilaron, cuando te vestiste y para que absorbieran tu sangre y no dieras un triste espectáculo te metiste bajo la camisa una docena de pañuelos, en un gesto parecido al de tu admirado Carlos Primero de Inglaterra que en la mañana helada en que le cortaron la cabeza se puso varias camisas para no temblar de frío y que el pueblo pensara que temblaba de miedo, por qué cuando estabas ya frente al pelotón y pediste que no se derramara más sangre en México después de la tuya y la de tus dos generales, por qué, dime, Maximiliano, después de que gritaste Viva México y unos segundos antes de la descarga, y por tonto y por débil, por crédulo, por cándido, por confiado, por arrogante y holgazán, por temerario y por falso, por imbécil, dime, por qué no te condecoraste tú mismo con el gran collar de la Orden Suprema del Gran Pendejo?

Dicen que estoy loca porque rompí todos los espejos de Miramar y de Bouchout: no puedo, no me atrevo a ver el rostro que alguna vez le sonrió a Napoleón el Pequeño, los ojos que algún día se iluminaron con las promesas de Gutiérrez Estrada. Con esos ojos miré a mi madre con adoración, pero con los mismos ojos contemplé y codicié tu cuerpo desnudo: no quiero verlos de nuevo en un espejo, no quiero que ellos vean mi boca. Con esta boca besé los pies de las ancianas el Jueves Santo, y con ella bebí de las pilas bautismales de todos los templos de Venecia y recibí en la tumba de San Pedro la sagrada hostia de manos de Pío Noveno, pero con esta misma boca maldije al Papa y a la Iglesia mil veces. Me he cubierto la cabeza con un gorro negro porque no quiero, nunca más, ver mi cabello en un espejo, no quiero tocarlo. Este es el mismo cabello que acarició mi padre, pero también el mismo que el Coronel Van Der Smissen cubrió de besos. Me he puesto unas orejeras de terciopelo negro: con estas orejas escuché, de tus labios, tus juramentos de amor, pero con ellas, también, los insultos de los mexicanos. No quiero verlas nunca más en el espejo. No quiero tocarlas. No quiero, siquiera, que escuchen mi propia voz. Me he puesto, también, unos guantes negros: con estas manos bordé unas pantuflas para mi padre Leopoldo, pero nunca puse en ellas, jamás, una sola flor sobre su sepulcro. Con estas manos, también, sostuve los libros de Frayssinous, y con ellas bordé en un cojín el Cordero de Dios, y en otro la Santa Eucaristía y en otro más el Cáliz de la Ultima Cena, pero con estas mismas manos acaricié tu pecho alfombrado de vellos rubios, y acaricié el vello de tu sexo. Me he vendado el cuerpo entero con trapos negros: no soporto la vista de los pechos que ensalivaron tú y Van Der Smissen, no puedo, no quiero ver el vientre que guardó al General Weygand, los muslos que apretaron tu cintura y que se abrieron para recibir el miembro de Van Der Smissen y para parir el fruto de mi lujuria, no quiero ver los pies que tanto me han sangrado en el largo, eterno camino que he recorrido desde que salí de Europa y regresé a ella, y que se abrasaron, Max, con la arena ardiente de todos los desiertos de México y sangraron con las espinas de todos sus cactos y sus espinos. Dicen que estoy loca porque me paso semanas y semanas en mi cuarto sin salir de mi lecho y me tapo el rostro con las sábanas, y porque he ordenado que cubran las ventanas con cortinas de terciopelo negro y he ordenado que me vistan y me bañen a oscuras, que a oscuras me den mis alimentos y a oscuras me dejen hacer mis necesidades: no puedo ver al mundo, ni quiero que el mundo me vea a mí. Cuando nos despedimos para siempre, Max, en el aire perfumado de Ayotla, las muchachas del pueblo me obsequiaron una corona y un cetro hechos con luciérnagas vivas prendidas con alfileres: con esa corona y ese cetro se podría iluminar la sala más grande de las Tullerías, pero no alcanzarían, Maximiliano, para alumbrar mi soledad y mi vergüenza.

Inventaron el teléfono, Maximiliano, y ordené que tendieran una línea secreta de mi recámara al Salón de los Edecanes. Otra de mi recámara al Salón de las Excelencias. Otra más del Salón de los Grandes Chambelanes a la oficina de Napoleón Tercero en Saint Cloud y a la Capilla de la Emperatriz Eugenia en Fontainebleau. Otra más del Palacio Nacional de México al Vaticano. Otra del Castillo de Chapultepec a los Jardines Borda. Otra más de mi carroza a la diligencia de Benito Juárez. Ah, si supieras, Maximiliano, lo divertido que es hablar todo el tiempo por teléfono. A Eugenia la insulto cada mañana y le recuerdo que su bisabuelo era un marchante de vinos escocés. A Napoleón Tercero le recuerdo que lo llaman Arlequín el Grande. Me dicen que estoy loca, Maximiliano, y que parezco una niña, porque tengo un teléfono invisible y con él hablo con los muertos y con los vivos. Tendieron una línea de mi cama a las nubes, para que yo hable con los pájaros y con la lluvia. Tendieron otra de mi mesa de noche al lecho del Adriático para que hable yo con los peces y con los marineros ahogados. Tendí otra del Gartenhaus de Miramar a Neully para pedirle a mi abuelo Luis Felipe que me guarde todos los dedales de eucalipto que se encuentre en los jardines del castillo. A mi papá le hablé a Bruselas para contarle que le voy a regalar un álbum forrado de terciopelo rojo donde yo misma he pegado las fotografías de todos los tipos mexicanos: el aguador y el entulador de sillas, el afilador, el ropavejero, y le dije además que le encargué a Gees el escultor que hiciera un busto de él y otro de mi madre María Luisa que voy a poner a los pies de mi cama para que sea lo primero que vea yo cuando me despierto. A mi abuela María Amelia le hablé a Claremont para decirle que estaba muy equivocada, que no nos mataron a los dos en México, sino sólo a ti, y que yo estoy viva, más viva que ella y todos los demás. Dicen que estoy loca porque recorro con mis damas de compañía el foso de Bouchout en un lanchón y desde allí hablo contigo y te pido que no regreses, que no renuncies a tu Imperio, que ya volvieron los cisnes negros a Brujas y que ya estoy lista para regresar a México y que voy a llevar conmigo la bandera mexicana que he tenido todo este tiempo doblada entre hojas de lavanda. Dicen que estoy loca porque te pido también que te cuides, que te quiero encontrar vivo y por eso te suplico que cuando vayas a Tenerife no comas piedras preciosas y cuando vuelvas a la Scala no tomes té de la China ni comas almejas vivas, Maximiliano, porque te quieren envenenar: con el jugo de un coyol, con aguacates de Tecozautla, con el agua espumosa de los manantiales de Tehuacán. Dicen que estoy loca porque hablo por teléfono con el Papa. Porque le hablé al Presidente Lincoln para pedirle que nos ayudara. Y porque hablo con Benito Juárez y le recuerdo que es un indio, que a los trece años sólo hablaba zapoteca, que tocaba la flauta entre los carrizales de la Laguna Encantada, que lo expulsaron de Oaxaca y después de México, que fue un huérfano, que lo llamaban El Mico disfrazado de Napoleón, que estuvo preso en San Juan de Ulúa, que se puso a torcer tabaco en Nueva Orleáns, que se pasó la vida huyendo y brincando entre la ciudad de México y San Luis Potosí, Zacatecas, La Habana, Acapulco, Chihuahua y Veracruz. Dicen que estoy loca, que parezco una niña porque aunque sé que estás muerto le pido a Juárez que no te mate, y que si te mata que no entregue tu cuerpo al Almirante Tegetthoff, que no permita que regreses derrotado a Europa sin vísceras y sin títulos, se lo pido todos los días a Juárez, se lo suplico, me arrodillo ante él, le beso las manos oscuras y ásperas, le recuerdo que fue maestro de física, que fue gober- nador de Oaxaca, que es presidente de la República, que es traductor de Tácito, que estudió álgebra y filosofía, le pido que no te mate, que no te embalsame, le pido en nombre de Dios, del mismo Dios que él invocó cuando triunfó sobre el Imperio, que no entregue tu cuerpo a Viena, le suplico en nombre de La Vida de los Santos donde aprendió la gramática castellana que desde la borda de un barco mexicano lo arroje en las aguas de Veracruz, o que lo sepulte en México, le suplico a nombre de la efigie de Cristo que él acompañaba por las calles de Oaxaca rezando el Vía Crucis, que me deje cavar tu tumba con mis propias manos y mis propios dientes, que me deje morir contigo, que me mate a mí también si quiere y que nos deje a los dos pudrirnos en paz, solos y olvidados para siempre en una fosa común del Cementerio de Querétaro. Pero Juárez se niega a hablar conmigo. Me manda decir con su secretario que está ocupado escribiendo la Constitución, que se fue a San Luis, que tiene que hacer un discurso en la Cámara de Diputados, que está durmiendo la siesta, que Margarita Juárez le está haciendo el nudo de la corbata, que tiene que inventar una frase célebre. Me manda decir que se tiene que poner su uniforme de la milicia cívica para defender el istmo de Tehuantepec que los españoles quieren invadir, que está preparando su campaña de reelección, que tiene que escribir una filípica contra los masones del Rito Escocés, que va a llevar a su nietecita al parque. Me manda decir que no se acuerda de mí, que no sabe quién soy. Me manda decir que está muerto desde hace cincuenta años, que ya no es presidente ni licenciado, que ya no es indio ni es nada, que es un monumento en la alameda de la ciudad de México y una estatua en cada pueblo de la República, el nombre de cien avenidas y el de mil calles en mil aldeas, el nombre de una ciudad, el nombre de una dalia, me manda decir que es un montón de polvo en la Rotonda de los Hombres Ilustres.

De todos modos no se me va a escapar. El prometió que la historia los juzgaría a los dos y tendrá que entender que si lo fuiste todo: Maximiliano el impávido, Maximiliano el digno, Maximiliano el magnánimo, el bondadoso, el sordo, el inmisericorde, el inflexible, se lo voy a recordar todos los días, se lo pediré por la memoria de su santa madre que piense que si fuiste rencoroso y ridículo, incrédulo, imprevisor, Maximiliano el ciego y el abandonado, el testarudo y el ignorante Maximiliano, le rogaré por la vida de sus hijos, Maximiliano el mediocre y el aventurero, el mentiroso, el ilustrado, el comprensivo, el iluso y el orgulloso de Maximiliano, le diré que si fuiste todo eso: el valiente, el hipócrita Maximiliano, el filósofo y artista, el heroico, el ingenuo, el deportista, le llevaré flores a su tumba, el desprendido, el romántico, el paciente, el agradecido, el atento, el cultivado Maximiliano, rezaré cada noche por su alma con tal de que se lo diga a México, Maximiliano el memorioso, el generoso, el noble, el sabio, el liberal, el mecenas, el sibarita, el elegante, para que no se le olvide y te perdone, para que comprenda que si tuviste todos los vicios y todas las virtudes y fuiste Maximiliano el justo, el ambicioso, el fracasado, el despreciado, el olvidado Maximiliano, le haré un altar y le prenderé una veladora en tu nombre, en nombre de Maximiliano el humorista, Maximiliano el inocente, el optimista, Maximiliano el altruista, el desidioso, el tonto, el débil, el crédulo, el cándido, el confiado, el arrogante, el holgazán, el soñador, el temerario, el falso, el imbécil Maximiliano, para que entienda que como casi todos los seres humanos fuiste de todo un poco muchas veces, pero no una sola cosa siempre, para siempre usurpador e impostor como te quieren los que no te quieren, o, como yo y porque tanto te quiero te quisiera, para siempre víctima y mártir.

XXII

1. «¿Qué vamos a hacer contigo, Benito?»

DINOS, Benito:

«¿Quién aventaba frutitas?»

«¿Frutitas verdes, a los feligreses?»

«¿Quién, cuando estaban en misa...»

«... para que creyeran que llovían del cielo...»

«... o que saltaban del infierno?»

«¿Quién?»

«¿Un ángel?»

«¿O las aventaba el diablo?»

«¿O las aventaba Pablo?»

«¡Pablo Benito Juárez, que es el mismísimo diablo!»

«¡El mismísimo diablo, el mismísimo diablo!»

Sintió de nuevo el dolor. Le dolía el pecho como si todo el pecho fuera una llaga palpitante, como si tuviera a flor de piel la carne viva, roja, ardiente, del diablo.

Del mismísimo diablo.

«¿Y quién, quién en la laguna de nombre encantado...?»

«¿Quién? ¿Quién hablaba con los pájaros?»

Porque un ángel, jamás. De nadie, para nadie, él no había sido nunca un ángel. Ni para sus padres Marcelino y Brígida. Ni para Margarita... ah, ¡pero el diablo!

«¿Quién? ¿Benito Pablo?»

Nunca recordó las caras de Marcelino y Brígida que lo habían dejado huérfano tan pequeño. Nunca ni siquiera supo si alguna vez Brígida le había dado el pecho. Pero pensar en la laguna y en el idioma de los pájaros fue como si una brisa fresca y dulce le acariciara el pecho. Sí, sí: él, él, Pablo Benito Juárez, era quien hablaba con los pájaros y las ovejas y las

617

criaturas de Dios, él, el indio que sabía la lengua de las bestias cuando era pastorcito en Guelatao: Yo el indio. Yo Pablo, quiso decir. Yo Benito, quiso gritar, pero se dio cuenta que no le era posible hablar, que ningún sonido salía de sus labios.

Supo también que no podía cerrar los ojos, y si sabía que estaban abiertos era porque frente a él había una sombra más oscura que todas las otras oscuras sombras que lo rodeaban. Y supo que esa sombra pesaba, que tenía forma y dimensiones, que era un bulto que colgaba de alguna parte como un gigantesco murciélago, un vampiro dormido cabeza abajo, colgado del techo con las uñas de las alas y sabía también lo que esa sombra era.

«¿No es verdad, Benito Pablo?»

Y así como no podía dejar de ver, no podía dejar de escuchar y de sentir. Vio primero una luz que venía de lo alto, blanca, muy pálida y difusa, luz como la del alba que bajaba como un polvo muy fino y muy lento, como tamizado por las ventanas y los rosetones de una cúpula y escuchó un ruido metálico, como de cadenas, quizás, y algo que era... sí, algo como el ruido de una gotera, como si estuviera lloviendo y se colaran las gotas por las vigas del techo, se colaran y cayeran, cayeran e hicieran plip, plop, sobre una bandeja.

O como si alguien hubiera dejado una llave abierta.

Y le llegó un olor a gardenias y a formol, un olor hediondo, casi doloroso.

«¿No es verdad, Benito?»

Pero el diablo... ah, el diablo sí que lo había sido muchas veces para muchas personas, para tantas: diablo de lincenciado, diablo de gobernador y, de presidente, diablo. Sonrió entonces o quiso sonreír cuando pensó: y a veces también un pobre diablo como en San Juan de Ulúa, en el calabozo húmedo y caliente como el infierno, cuyas paredes rezumaban agua de mar, agua salada, ardiente, que caía gota a gota sobre su pecho herido, como dardos de sal, ay Margarita, como espinas de sal sobre la carne que tanto, ay...

«Tanto me arde...»

Quiso decir y nada salió de su boca, ni un sonido, ni una sílaba, pero fue como si con sólo invocar ese nombre con el pensamiento, como si ella, Margarita, hubiera soplado en su pecho y en el pecho apareciera la pechera fresca y albeante, albeante y fría de su camisa, Señor Presidente, o como si por su pecho en llamas un hombre encapuchado de blanco le hubiera pasado las hojas de un lirio...

«Porque fuiste, Benito, pastor y niño, estudioso y limpio...»

Sí, sí, que lo fui, quiso decir, quiso gritarle a las sombras, y se acordó de su tío y padrino Salanueva, se acordó de cuando era alumno del Seminario y de cómo se quemó las pestañas cuando estudiaba para presbítero, pero ¡diablo! ¡este muchacho no quiere ser cura, quiere ser abogado!

«¿Abogado, Benito?»

Un destello, una chispa partió de la sombra que colgaba del techo, un mínimo reflejo, un guiño de luz. Y escuchó de nuevo el rechinido de una cadena: la sombra se movía y parecía girar, dar vueltas sobre sí misma. Escuchó también el goteo, el plip plop, mientras la otra luz seguía descendiendo como un polvo muy fino y muy lento, muy lento y muy fino, difuso, casi imperceptible, y comenzaba a iluminar las líneas curvas de lo que debía ser una cúpula. Benito sabía qué cúpula era, y sabía también, desde un principio, que él estaba acostado bocarriba, estirado, con el pecho desnudo, en algo que no podía ser una cama, ni siquiera un catre de campaña, sino que, por lo dura y fría era —tenía que ser— una mesa, una mesa que debió ser muy ancha y muy larga. Quiso levantar el brazo y señalar la sombra que colgaba frente a él, sentarse en la mesa y tocarla, pero estaba como paralizado.

«¿Abogado, Benito?»

«¿Abogado de quién? ¿Del diablo?»

«Sí: ¡abogado de las cohortes del diablo, de masones ateos, de herejes y blasfemos, de rojos y comecuras!»

«¡Ay Benito Pablo Juárez, traidor de traidores!»

«Traicionó a su padrino», dijeron las voces.

«A su padrino Salanueva, que lo quería sacerdote».

¿Traidor yo, a mi padrino salanueva?, quiso decir el Señor Presidente pero apenas algo como un murmullo salió de sus labios. Un murmullo que pudo haberse transformado en grito cuando pensó, cuando creyó ver que un hombre con la cabeza cubierta con una capucha negra le tocaba el pecho con una antorcha encendida y le quemaba la piel.

Sí, traidor porque ese muchacho piel de Judas, como fuera que en su nativa lengua zapoteca se dijera *piel* y se dijera *Judas*, unas veces por soñar despierto y otras por soñar dormido abandonaba a sus ovejas y acabó por abandonar su pueblo, por abandonar sus montañas, por ser traidor a su oficio y a su laguna encantada, a su tío Bernardino que le quería pastorcito:

«¿A dónde se fue Benito? ¿A dónde se habrá metido?»

A donde no lo llamaban: primero a la ciudad de Oaxaca, y después al nido de heresiarcas que era el Instituto. Ah, sí, ese Pablo Benito o Benito Pablo, como se diga, siempre se metía donde no lo llamaban: siempre.

«¿No es verdad, Benito?», dijo una sombra muy cerca de su cara y el aliento de la voz de la sombra le quemó el cuello, le escurrió por el costado como lava ardiente, le quemó las costillas.

«¿No es verdad, Benito, que siempre te metes donde no te importa, donde no te llaman?»

Benito en Oaxaca, de corbata de moño y pechera blanca. Benito maestro de física en el Instituto, de levita negra y de charol los zapatos. Benito en la gubernatura del Estado, de oro los anteojos. Benito en la presidencia de la República, de bastón con puño de plata. Benito venerable hermano de la logia yorkina, la de los vinagres, ¿pero... no lo habían llamado? ¿acaso no lo habían llamado a todas esas partes?

«Te llamó tu pueblo, Benito».

Dijeron unas voces y él sintió que una brisa le acariciaba, le besaba el pecho.

«No es verdad, Benito: no te llamó nadie».

«Te llamaron tus indios de la Sierra de Ixtlán que te saludaban, Benito, en tu lengua zapoteca, ¿te acuerdas? *Tzaquilzil, tata...*»

«No, no es verdad, Benito: no te llamó nadie».

«Te llamaron los pobres de Loricha por los que fuiste a dar a la cárcel. Te llamaron los campesinos de Chihuahua. Los ciudadanos de San Luis. Los liberales y los republicanos. Los zacapoaxtlas. Te llamó la Patria entera. Te llamó América».

«No, no es verdad, Benito, es mentira», dijeron las otras voces.

Pero no, no era mentira y lo sabían sus indios, lo sabían sus amigos y hasta sus enemigos, la patria lo sabía, América, la historia, ¿no es verdad, Margarita?, dijo o quiso decir, y cuando pronunció o creyó pronunciar *Margarita* fue como si alguien, como si un hombre ¿o un ángel? con la cabeza cubierta con un capuchón blanco y en la mano la flor que le había dado su nombre a Margarita, la deshojara sobre su pecho, despacio, y los pétalos cubrieran la llaga y la aliviaran, sus pétalos de nieve fresca y fría, Margarita.

Pero por mucho que pensara en ella, por mucho que invocara su nombre, ella no vendría, Margarita había muerto. Se había muerto, la pobre, de tanto tener hijos y de tanto que se le habían muerto los hijos. De tanto seguir al lincenciado y al Señor Presidente de aquí para allá para aquí para allá toda la vida. Margarita, sí, se había ido antes que él, y él, Pablo Benito Juárez, estaba condenado a morir solo.

Y eso era, sin duda, lo que le estaba sucediendo: se moría. El Presidente de México se moría sin remedio.

Se moría de angina de pecho.

Pero se moría de otras cosas también: se moría de esas sombras, de esas voces, de lo que decían. De sus calumnias y sus mentiras. De sus verdades. De lo que callaban. A pesar de que todo era un sueño.

Y que todo eso era un sueño, un delirio, una pesadilla, no lo dudaba un instante:

Porque esa capilla ya no existía. Porque la cúpula de la que pendía la cadena de la que habían colgado el cuerpo del Archiduque Fernando Maximiliano se había desplomado hacía, cuando menos, cuatro años, y de la capilla entera del Hospital de San Andrés de la ciudad de México, no quedaban ya ni los escombros.

Pero el caso es que él, Benito Juárez, estaba en esa capilla, acostado en la mesa del Tribunal de la Santa Inquisición donde había descansado el cuerpo del Archiduque tras haber sido embalsamado por segunda vez, y ahora él ocupaba el lugar del Archiduque aunque con una diferencia: él, Pablo Benito Juárez, estaba vivo. Quizás iba a morir pronto, pero aún estaba vivo. Respiraba y con dolor, con gran esfuerzo, como si le hubieran colocado en el pecho una enorme piedra, pero respiraba al fin. El, Juárez, estaba vivo, y el Archiduque estaba muerto.

Muerto, sí, con los ojos abiertos, con sus ojos negros y de vidrio, abiertos.

Muerto, y desnudo, colgaba de cabeza amarrado de los pies a la cadena que descendía del centro de la cúpula de la capilla, con los brazos atados a los costados.

Aquí y allá, de unos cortes hechos con bisturí en su piel amarilla y apergaminada, escurría, en varias hileras, un líquido espeso de un color indefinido: verde olivo quizás, gris o color ceniza que caía, gota a gota, en una palangana colocada en el piso.

Un rayo de esa luz fina y polvorienta que parecía descender del cielo o de ninguna parte iluminaba ahora el cuerpo del Archiduque.

Atrás, muy al fondo, comenzó a arder un triángulo de fuego de pequeñas llamas azules y en su centro una estrella llameante de cinco puntas.

Benito Juárez hizo otro gran, enorme esfuerzo para convocar de nuevo el beso refrescante de la nieve sobre su pecho, el soplo glacial.

Para eso hacía falta que una voz o unas voces venidas de lejos, de su adolescencia y de su juventud en Oaxaca, dijeran de él lo que otros muchos habían dicho también cuando Pablo Benito Juárez era joven y licenciado, leído y escribido en latín y castellano, pulcro, serio, creyente y enamorado de la hija de los patrones que lo habían acogido indio y descalzo en la gran ciudad capital del estado:

«Allá va Juárez, Juárez el inteligente».

Porque así decían, o:

«Allí viene Benito, Benito el honrado».

Porque así juraban que era. Y entonces el lirio, los lirios, se transformarían en mariposas blancas que posarían sus abiertas alas frescas, blancas, mentoladas, sobre su pecho ardido de hombre inteligente y bueno, su pecho en llagas de patriarca honrado.

Pero tenía que ser ya, ahora. Antes de que lo ahogara la angustia. Antes de que lo sofocara la sangre: la propia y la ajena.

«¡Ay Benito!»

«¡Ay Benito!»

«¿Qué vamos a hacer contigo, Benito, traidor a ti mismo, vendepatrias, asesino? ¿Qué vamos a hacer contigo sino mandarte al diablo?»

«¿Sino mandarte al diablo?»

Alguien había inventado, las malas lenguas, que Benito Juárez cuando visitó la Capilla de San Andrés y vio el cuerpo del Archiduque sobre la mesa, había musitado: «Perdóname».

Pero eso no era cierto. Jamás le hubiera pedido perdón: ni cuando estaba acostado en la mesa, ni ahora que colgaba de la cúpula.

Por la simple razón de que el Archiduque estaba muerto, y los muertos no oyen, ni ven, ni sienten, ni perdonan. Miró a los ojos del Archiduque. Brillaban, sí, pero con el brillo de una materia mineral, sin vida. Los líquidos verdes y grises y densos le escurrían, le bajaban del cuello o del pecho hacia la cara, de las ingles hacia el vientre y el pecho y convergían en la cara, las mejillas, bajaban a la frente, al cabello. Luego caían, gota a gota, sobre la palangana del suelo.

Recordó entonces la carta que le había escrito al Archiduque y que éste había recibido al llegar a México.

«Es dado al hombre, Señor, atacar los derechos ajenos, apoderarse de sus bienes, atentar contra la vida de los que defienden su nacionalidad, hacer de sus virtudes un crimen, y de los vicios propios una virtud...»

¿Habrá leído toda la carta el Archiduque? Sí, claro que sí, por supuesto que sí...

«Pero hay una cosa», le decía el presidente, «hay una cosa que está fuera del alcance de la perversidad, y es el fallo tremendo de la historia. Ella nos juzgará».

El fallo tremendo de la historia, ¿me escucha Usted, Señor Archiduque de Austria? ¿Me escucha Usted? Ella nos juzgará, quiso decir Juárez en voz bien alta, casi gritar, o pensó que dijo, pensó que gritaba.

Pero se dio cuenta que no valía la pena.

Si eso que colgaba de los pies frente a él era de verdad el cuerpo desnudo, embalsamado, del Archiduque Fernando Maximiliano, o si no era así y todo era por supuesto un sueño porque ¿qué otra cosa podía ser, sino un sueño o un delirio? y el cuerpo del Archiduque estaba al otro lado del mar, en la bóveda de la Iglesia de los Capuchinos de Viena, ¿no daba de todos modos lo mismo? ¿No era el cuerpo, de todos modos, colgado allí del centro de la cúpula de la Capilla de San Andrés o en el pudridero austriaco de los Habsburgo nada más que un costal de piel reseca y amarilla o negruzca, relleno de huesos sin vida, mirra, aserrín, vísceras en conserva y un par de ojos de pasta?

¿A cuál Archiduque, si ya no existía ningún Archiduque, le iba a importar el tremendo fallo de la historia?

La historia sólo podía importarle a los vivos mientras estuvieran eso: *vivos*, se dijo el Licenciado Benito Juárez y recordó que cuando de joven se iniciaba en las lecturas de los enciclopedistas y los autores del siglo de las luces, le había llamado la atención una frase de Voltaire: «La historia es una broma», decía el francés, «que los vivos le jugamos a los muertos...»

Parte de la broma, de la fantástica broma era, desde luego, que los muertos no se enteraban: no sólo de lo que se decía de ellos, sino tampoco, claro, de lo que se decía que ellos habían dicho.

¿Qué clase de bromas le jugarían los historiadores del futuro a él, Pablo Benito Juárez?

¿Qué palabras que nunca dijo ni quiso jamás decir le pondrían en una lengua comida ya por los gusanos?

Contempló los ojos de pasta del Archiduque. Los líquidos seguían corriendo por su piel, cada vez más oscuros, cada vez más espesos y hediondos. A veces, como si hubiera viento o un leve temblor de tierra, el cuerpo se mecía, penduleaba apenas, y las gotas caían fuera de la palangana.

Si no fuera por ese dolor tan grande, pensó Pablo Benito Juárez...

Sí, si no fuera por ese dolor tan grande que tenía en el pecho, el Señor Presidente hubiera pensado que no era él quien estaba allí en la capilla del Hospital de San Andrés, sino otro Juárez, otro Pablo Benito Juárez García que un historiador o un dramaturgo del futuro estaban inventando.

Inventaban su juicio. Inventaban el fallo de la historia. Lo colocaban en la mesa del Tribunal de la Santa Inquisición, indefenso, paralizado, incapaz de mover un dedo o de decir una palabra.

Le colgaban enfrente el cadáver embalsamado, podrido y vuelto a embalsamar del Príncipe austriaco por el cual le habían pedido gracia las señoras de San Luis y de Querétaro, los embajadores europeos, las princesas a caballo y de rodillas...

Le ponían enfrente, sí, muerto ya, sin ninguna posibilidad de resucitarlo, de darle frescura a su piel y darle brillo y otro color, más claro, a sus ojos, le ponían enfrente a Abel.

Para poder acusarlo de haber matado a su hermano.

El triángulo de llamas azules, la estrella llameante: todo estaba planeado como en un teatro, como en un teatro donde se escenificaba un rito masónico, un juicio: el juicio de Caín, el juicio del asesino de Abel.

Para acusarlo estaban, lo sabía, esos hombres con capuchas negras que en las manos llevaban palos untados de brea que en cualquier momento se transformarían en antorchas. Pero podían no ser palos, sino colas de toro o vergajos empapados en trementina, cualquier cosa que se volviera llama para quemarle el pecho, para azotarlo y sacarle chispas y llagas.

Para defenderlo estaban esos otros hombres con capuchas blancas y en las manos lirios que podían haber sido también otra cosa, otras flores: margaritas, o plumas blancas y suaves, las plumas de un cisne o de las alas de un ángel: para acariciarle el pecho, para darle un respiro, para curarle las ámpulas.

Pero más daño que el fuego, más, mucho más daño que el fuego, le hacían y le harían las palabras que, en su contra, y para denigrarlo, para condenarlo y denunciarlo y enterrarlo en el oprobio y lo que quizás sería peor, en el olvido, inventarían los encargados de jugarle esa pesada broma que sería contar su historia.

Quiso cerrar los ojos de nuevo. Quizás, pensó, si esto es un sueño lo que debo hacer *no* es cerrarlos, sino abrirlos.

Se concentró. Le pareció que cerraba los ojos a ese infierno y los abría a una tarde tranquila, en la que estaba acostado en su cama y, por un instante, pero sólo por un instante, vio la cara de su médico de cabecera muy cerca de la suya. Y las manos del médico que tenían... ¿una jarra?, ¿una taza que echaba humo?

Pero la cara del médico se transformó en la máscara negra de un encapuchado, y la jarra o la taza en una tea o una antorcha, y lo que quizás iba a decirle el médico en esos momentos: «Perdone usted, Don Benito», se transformó en la voz de un fantasma:

«Ay, Benito Juárez, ¿qué vamos a hacer contigo?»

Si ellos no sabían qué hacer con Pablo Benito, menos lo sabía él.

Pero una mañana, una mañanita húmeda en la que había ido, solo, a la Laguna de Etla, allí donde había hecho un trampolín para él y sus amigos, recordó que su hermana le había dicho que los ahogados, antes de morirse, volvían a recordar y a vivir su vida entera en un minuto. El no se revolcaba en el lecho de una laguna, no luchaba con espumas y aguas que llenaran sus pulmones y lo sofocaran, pero de algo no cabía duda alguna: el Señor Presidente se ahogaba. Lo ahogaba el dolor del pecho y el peso que en él sentía, lo ahogaba la angustia y los remordimientos, el recuerdo de Margarita y de sus hijos muertos, hasta el orgullo y la ternura lo ahogaban y sabía que iba a morir pronto de modo que él también podría, quizás, recordar su vida entera en un minuto para ver si así él mismo podía decirles, ¿pero decirles a quién, a quiénes?, ¿a esas voces fantasmas?, ¿a los encapuchados blancos, a los encapuchados negros?, ¿a la historia, a los historiadores?, decirles, sí qué diablos podían hacer con él, Benito...

Si colocarlo en un altar y bendecirlo:

«La patria y sus hijos te bendigan Benito: porque les diste libertad, porque separaste el Poder Temporal del Poder Espiritual y acabaste con el yugo de la Iglesia...»

Y llamarlo héroe:

«Y triunfaste sobre los invasores y el Príncipe extranjero y restauraste la República...»

Y consagrarlo:

«Gracias, Benito, San Benito, San Pablo Benito Juárez».

O bajarlo del nicho y maldecirlo: por atentar contra las creencias más sagradas de su pueblo, por querer hacer de México un país de herejes y protestantes. Y llamarlo traidor: por querer vender México a los Estados Unidos, por doblar las manos ante los yanquis, por refugiarse, siempre que pudo, bajo la bandera de las barras y las estrellas.

Había aprendido ya también, en ese corto lapso, todas las reglas de eso que quizás era un juicio, quizás sólo una farsa, y que una vez más se iban a repetir: a cada una de las acusaciones, y podían ser tantas: Juárez que le entregaba Tehuantepec a los Estados Unidos en el Tratado McLane-Ocampo; Juárez que reconocía los términos humillantes del Tratado Mon-Almonte; Juárez el hombre que se había manchado las manos con la sangre del Archiduque derramada en el Cerro de las Campanas y con la sangre de los porfiristas fusilados en La Ciudadela por Sóstenes Rocha, y Juárez por aquí y Juárez por allá, Juárez el hipócrita que había empleado al arzobispo como ayo de su nieto... Juárez, en fin, mal hijo: mal hijo de la Patria, mal sobrino de su tío, mal ahijado de su padrino: a cada una de esas acusaciones iba a corresponder la mordida inclemente del fuego sobre su pecho:

Los tres o cinco —nunca supo cuántos eran— encapuchados negros estaban listos, con sus antorchas, a un lado del escenario.

Y a cada una de las bendiciones, iba a corresponder la caricia, el beso de la nieve sobre su pecho.

Los encapuchados blancos estaban también a la espera, con sus lirios blancos, al otro lado del templo.

Y en medio y muy al fondo el triángulo de llamitas azules, la estrella de fuego amarillo.

Y en medio y en primer término el cadáver del Archiduque Fernando Maximiliano de Habsburgo desnudo y colgado de los pies, y frente a él, acostado, inmóvil en la mesa, el cuerpo o casi el cuerpo, casi el cadáver, casi la estatua inmortal de piedra, del Presidente de México Pablo Benito Juárez.

Y entonces sucedió algo que jamás hubiera creído que le iba a pasar a él: le dio pereza. Le dio una enorme pereza, como cuando, de niño, se había quedado dormido en la laguna y se desprendió el trozo de carrizal, la chinampa aquella que por poco se lo lleva para siempre... eso es lo que ahora quería: sí, quedarse dormido en esa mesa, en esa cama, en esa tumba, lo que fuera, y que la muerte se lo llevara. Que se lo llevara sin sentir, muy despacio.

El, el Presidente de México, el Señor Gobernador de Oaxaca, el Magistrado de la Suprema Corte, el Licenciado Juárez siempre tan madrugador y diligente, tan responsable y trabajador, tan puntual, tan exigente consigo mismo, tenía pereza. Sí, así con todas sus letras: pereza. Y qué: que todos lo supieran.

Eso era la verdad y no que no pudiera hablar, ni mover un dedo, ni cerrar o abrir los ojos a voluntad: podía hacer todo eso, pero simplemente, no quería hacerlo, no se le daba la gana: tenía pereza, mucha pereza.

Porque sabía que dijera lo que dijera, hiciera lo que hiciera, serían otros, y no él, los que iban a escoger y los que iban a decidir qué había sido, de toda su vida —y de su muerte también— lo más hermoso, lo más desagradable, lo más digno de recordarse, lo más vergonzoso. Pero no él: él ya no tendría vela en ese entierro.

El recuerdo de una tarde en que Melchor y él habían cargado en andas a Guillermo Prieto en las playas de Manzanillo, envueltos los tres en ráfagas de fosforescencias marinas, se mezcló con el recuerdo de sus caminatas por los muelles de Nueva Orleáns, las velas de un barco y el humo de un habano. Después, con el recuerdo del día en que llegó a casa de los señores Maza en Oaxaca y conoció a la niña Margarita, tan blanca ella. No quiso saber ya más, recordar nada... no hizo —ni haría— ningún intento por defenderse... que la historia... sí, que la historia hiciera con él lo que quisiera...

Uno de los encapuchados negros se acercó y le puso una tea en el pecho:

«La historia te condenará, Benito Juárez», le dijo.

Y Benito Juárez sintió un gran dolor.

Le tocó entonces el turno a un encapuchado blanco que se acercó con un lirio en la mano, y con el lirio le acarició el pecho:

«No, Benito: la historia te absolverá», le dijo.

Y Benito Juárez sintió un enorme alivio.

Miró al Archiduque a los ojos. Pero ni *eso* era el Archiduque, ni *ésos* eran sus ojos. Se dio cuenta entonces que el tiempo se había trastocado, y que el alivio no había seguido al dolor ni el dolor había seguido al fuego sobre su pecho: el dolor había sido lo primero y lo último, lo único que había sentido durante ese delirio o sueño que estaba condenado a olvidar apenas abriera los ojos, y que lo que había y no sucedido además del dolor —todo y nada—, había durado menos que el segundo, o las fracciones de segundo que pasaron entre el instante en que sintió la primera y única quemadura y el momento en que abrió los ojos, vio al médico que tenía en una mano una especie de jarra humeante, se dio cuenta que el médico le acababa de echar un chorro de agua hirviendo en el pecho, y lo increpó:

«¿Pero qué hace usted? ¿Que no ve que me está usted quemando?», le dijo.

Y apenas dijo «quemando», supo que se le había olvidado todo el sueño y que las únicas y casi invisibles imágenes que se demoraban aún ante sus ojos en el aire: algo que colgaba del techo como un murciélago, una llama, la cúpula de un templo —y también un olor hediondo que podría venir de dentro de su cuerpo, de sus propias vísceras— se esfumaban, se esfumaron en un instante, y que nada podía hacer para recuperarlas: pero la propia vida era así, así se iba también, toda entera, a la velocidad del vértigo...

«¿... que me está usted quemando?»

El médico le pidió perdón a Don Benito y le explicó que había tenido que acudir a ese remedio violento —derramar agua hirviendo en el pecho— para darle fuerza a un corazón que había casi dejado de latir y que tal vez, si fuera necesario —agregó, y le abanicó el pecho— se tendría que aplicar de nuevo el mismo remedio, con el perdón y por supuesto y sobre todo con el permiso de Don Benito.

Así se hizo, y el corazón de Don Benito latió por unas horas más. Pero sólo por unas horas:

Benito Pablo Juárez García, Presidente de los Estados Unidos Mexicanos, falleció, de angina de pecho y con el pecho en carne viva, a las once y media de la mañana del día 18 de julio de 1872.

2. El último de los mexicanos

Veinticuatro años antes de la muerte de la Emperatriz Carlota en el Castillo de Bouchout, los hermanos Orville y Wilbur Wright habían inaugurado la Era de la Aviación.

Y en el año en que muere —1927— Charles Lindbergh cruza el Atlántico en el «Spirit of St Louis».

Ese mismo año, Al Jolson actúa como protagonista en la primera película hablada de la historia.

La película se titula «The Jazz Singer»: había ya nacido el jazz y con él el fox-trot y el charlestón. En Europa triunfaba el tango, y Gardel se hacía famoso cantando «El día que me quieras»...

Mientras tanto, mientras se bailaba el tango en París y James Joyce publicaba el «Ulises» y se inventaba la margarina, y nacían el surrealismo y el cubismo y los Testigos de Jehová y Gustav Mahler escribía su Sinfonía Número Nueve y Chaplin filmaba «La Fiebre de Oro» y Walt Disney dibujaba al Ratón Mickey y se asesinaba a los obreros en las calles de Chicago y se condecoraba con la Legión de Honor a Alfredo Dreyfus y el Capitán Boycott se rebelaba contra los acuerdos de la Liga Agraria Irlandesa y nacía el Estado Libre de Irlanda y Detroit se transformaba en la capital automotriz del mundo y se inventaban los Premios Nobel y el linotipo y las aspirinas, y mientras en los Estados Unidos un hombre llamado Adams creaba un imperio industrial a base de la goma del árbol del chicle que había visto mascar a Santa Anna cuando el general mexicano estaba exiliado en Staten Island y se descubría en el Cielo la estrella Auriga y en la Tierra se inventaba el Esperanto... mientras todo esto sucedía y Carlota, loca y viva, se moría sin morirse nunca, todos los otros personajes de la tragedia, los principales y los secundarios, y con ellos todos los amigos que tuvo Carlota alguna vez, todos sus conocidos y todos sus enemigos, habían muerto. Todos.

Napoleón III murió unos pocos meses después que Juárez, en enero de 1873, en el lugar que eligió para su exilio: en Camden Place, Chislehurst, en el sur de Inglaterra. Sobrevivió así, por unos cuantos años, a las dos humillaciones más grandes que sufrió en su vida: el fracaso en México, y la guerra francoprusiana. Con esta guerra, que acabó con el Segundo Imperio Francés y culminó con la proclamación del Imperio Alemán en el Salón de los Espejos del Palacio de Versalles, Francia perdió Alsacia y Lorena y, con estas dos provincias, el millón de ciudadanos que habitaban en ellas y una enorme fuente de riqueza en minas, viñas e industrias textiles.

Algunos historiadores opinan que la aventura mexicana influyó de manera decisiva en la derrota de Francia a manos de los alemanes. Por otra parte, otros piensan que la Segunda Comuna fue una consecuencia directa de la guerra francoprusiana. Sufriendo aún las consecuencias de un largo sitio —en el que al parecer no todos los parisinos pasaron hambre pues cuentan que algunos animales del zoológico fueron sacrificados para las mesas de los ricos, y que en los restaurantes de lujo se podía comer costillas de canguro y filete de elefante—, París se hundió en la guerra civil más cruenta del siglo XIX: la revolución que, iniciada con un carnaval de sangre el 22 de enero de 1871 frente al Hôtel de Ville, culminaría unos meses después, el domingo 28 de mayo, al ser sepultados en la fosa pública del Cementerio Père Lachaise ciento cuarenta y siete comuneros fusilados junto al muro que pasó a la historia de la infamia con el nombre de Muro de los Federados.

Entre quince y cuarenta mil personas —nunca se sabrá con exactitud— perdieron la vida durante la Segunda Comuna francesa. La cuarta parte de las víctimas, se calcula, fueron mujeres. Pero hubo también muchos niños: las fuerzas versallesas y triunfadoras de Mac-Mahon y del ilustrado Adolphe Thiers, no respetaban ni edades ni sexos cuando cargaban contra las barricadas a tiros o a bayoneta calada. Los cadáveres fueron arrojados al Sena, o a las cloacas construidas por el Barón Haussmann.

París ardió días enteros y, con París, ardió el Palacio de las Tullerías: alas enteras quedaron reducidas a escombros. Tras el incendio, parte de las ruinas fue comprada por el Duque Pozzo di Borgo, corso de origen, que las utilizó en la construcción de un castillo con vista al Golfo de Ajaccio, allí donde nació el primer Napoleón.

Poco tiempo después se pondría de moda en el mundo de la alta costura un nuevo color: cenizas de París.

Muerto Napoleón III, su único hijo, el Príncipe Imperial Luis Napoleón, quedó así a la cabeza de la dinastía Bonaparte, pero aquellos que deseaban restaurarla en su persona pronto verían destruidas sus esperanzas. «*Loulou wil catch a Zulu!*» —«Lulú atrapará a un zulú»—, decían los periódicos ingleses cuando Lulú, cadete del Colegio Militar de Woolwich, decidió participar como voluntario en 1879, con el ejército británico, en la guerra contra los zulúes en Africa del Sur.

La noche del 10 de junio del mismo año —nos cuenta Robert Goffin en «*Charlotte l'Impératrice Fantôme*»— un huracán estremeció el Jardín de Camden Place, y un grueso árbol se vino a tierra. Ese mismo día Lulú en el curso de una misión de reconocimiento comandada por un tal Capitán Carey, había caído en una emboscada. Según se dijo entonces, Carey y con él todos los soldados del grupo que tuvieron tiempo de montar en sus caballos y huir así lo hicieron, y abandonaron al príncipe imperial, cuyo cuerpo fue encontrado junto a un río cuyo nombre no podía venir más a propósito: «*Blood River*», Río Sangre, atravesado por diecisiete de las tradicionales lanzas de madera de azagaya empleadas por los zulúes, y con la cara devorada por los chacales. Carey fue declarado inocente y el parlamento británico rechazó la idea, propuesta por la Reina Victoria, de levantarle una estatua en la Abadía de Westminster. Victoria debió conformarse con una escultura del príncipe en la Capilla de San Jorge del Castillo de Windsor.

Eugenia Ignacia Agustina de Guzmán, Palafox y Portocarrero, Condesa de Teba y ex emperatriz de los franceses, sobrevivió la muerte de su hijo —«tengo el valor de decirte que vivo porque el dolor no mata», le escribió a su madre— y vivió muchos años más. Amiga íntima de Victoria, Eugenia nunca dejó Inglaterra sino por breves períodos, para viajar a París o a su residencia veraniega en Cabo Martin, que tenía el nombre de Córcega en griego: Quinta *Cyrnos*. Viajó también a Ceilán, y viajó a Zululandia para contemplar el lugar donde había caído su hijo. Pero sufrió una gran decepción por culpa de Victoria: Eugenia se encontró allí un cuadrángulo embaldosado, y en medio de él una cruz, que habían sido construidos a toda prisa por órdenes de la Reina de Inglaterra para que Eugenia los encontrara a su llegada, en lugar del hoyo o la zanja, las piedras, las yerbas y el polvo que la sangre del príncipe había bañado y que ella hubiera querido, a su vez, bañar con sus lágrimas. Eugenia viajó, por último, a España. No quería morir sin ver una vez más el cielo de su tierra, Castilla. Y fue bajo este cielo que murió, en Madrid, en el Palacio de Liria, a los noventa y cinco años de edad, y más de cuarenta años después de la muerte de Lulú. Era el 10 de julio de 1920. Su cuerpo fue llevado a Inglaterra, para que descansara, en Farnborough, junto a los restos de su esposo y de su hijo.

Pero Carlota la sobrevivió. Carlota sobrevivió al General Prim y al Mariscal Bazaine que morirían también, los dos, en Madrid.

Prim murió a causa de las heridas de bala —ocho en total— que en la Calle de Alcalá le propinaron los trabucos de unos hombres jamás identificados —¿asesinos, como se dijo, enviados por el Duque de Montpensier, el tío de Carlota que no llegó a ser Rey de España?

Francisco Aquiles Bazaine cayó en desgracia y fue declarado traidor a Francia tras haber capitulado en Metz, dos meses después de la Batalla de Sedán, y al fin de un sitio que había durado cincuenta y cuatro días, al frente de los ciento setenta y tres mil hombres del ejército del Rhin. Los prusianos se apoderaron, al rendirse el mariscal, de mil cuatrocientas piezas de artillería y cincuenta y tres banderas francesas. Cuando Bazaine estaba detenido en Kassel lo alcanzó su mujer, Pepita Peña, en vísperas de dar a luz. Cuentan que un pariente de Pepita llevó un costal con tierra de Lorena, que fue desperdigada abajo y alrededor de la cama de la parturienta para poder decir que el hijo de Bazaine había nacido en tierra francesa. Juzgado, en Trianón, por un tribunal de guerra presidido por otro tío de Carlota, d'Aumale, Bazaine fue condenado a muerte. La sentencia fue conmutada por veinte años de cárcel en la Isla de Santa Margarita, de la cual escaparía más tarde, ayudado por Pepita, quien lo esperó al pie del muro de la prisión, con una cuerda y una lancha. Bazaine murió en 1888.

Carlota sobrevivió también a todos los mexicanos que la apoyaron o la combatieron durante su efímero Imperio: Santa Anna, Márquez, Hidalgo, López, Díaz:

Antonio López de Santa Anna murió, casi en la pobreza, en la ciudad de México en junio de 1876.

Leonardo Márquez falleció en La Habana en 1913.

Manuel Hidalgo y Esnaurrízar murió en París en 1896.

Miguel López sobrevivió veinticuatro años a su compadre imperial y murió, en 1891, a causa de la mordida de un perro rabioso.

El General Porfirio Díaz, Presidente de México durante treinta y cinco años y derrocado por la Revolución Mexicana, murió en París en 1915.

Y Carlota seguía viva, primero en Miramar, y luego en Laeken y en Terveuren y por último en Bouchout, viva y loca, mientras el mundo le daba vuelta a otro siglo, y con el nuevo siglo nacían las hormonas y el ultramicroscopio, la geometría tetradimensional y la célula fotoeléctrica, y Amundsen llegaba al corazón del Polo Sur y se hundía el «Titanic» y en Chicago se levantaba el primer rascacielos...

Porque Carlota sobrevive no sólo a Maximiliano, Juárez, Napoleón, Eugenia y todos los demás, sino también a toda una época, a todo un concepto de la historia y del destino del hombre y de la idea que el hombre tenía de sí mismo y del Universo: en 1927, hacía ya sesenta años que Carlos Marx había publicado el primer tomo de «El Capital», treinta y dos de la aparición de los «Estudios sobre la Histeria» de Sigmund Freud que sentaron las bases del psicoanálisis y doce de la enunciación de la Teoría de la Relatividad de Albert Einstein. Carlota, así, muere sola en un mundo que nada o muy poco tenía que ver con aquel otro mundo de cuya lucidez e insania había escapado hacía tanto tiempo. Establecida ya la estructura del átomo, descubierto el mecanismo de su desintegración en 1927, Carlota muere en la Era Atómica.

El año en que muere Carlota, 1927, no hubo nadie que llorara, de entre todos aquellos servidores, cortesanos o amigos que la acompañaron a México y en México porque todos estaban muertos: el Conde de Bombelles y la Señora Del Barrio, Tüdös el cocinero y Blasio el secretario, el Conde de Orizaba, el Doctor Basch y la Condesa de Kollonitz, el Padre Agustín Fischer y la Señora de Sánchez Navarro. Muertas estaban también, incluso, algunas de las damas de compañía que le fueron asignadas, como Madame Moreau, que murió en 1893, o Mademoiselle Marie Bartels, muerta en 1909, o Mademoiselle de la Fontaine y Mademoiselle Anna Mockel, fallecidas ambas en 1922.

El propio principito Agustín de Iturbide, a quien Maximiliano solía montar en su barriga cuando se mecía en su hamaca de Cuernavaca, había muerto hecho un viejo y metido a monje en Estados Unidos.

El Coronel Van Der Smissen se había suicidado.

Juan Nepomuceno Almonte había muerto en París.

En la misma París, los comuneros habían fusilado al banquero Jecker.

La lista, en fin, sería muy larga: el Coronel Du Pin, Monseñor Meglia, el Arzobispo Labastida y Dávalos, Richard y Paulina Metternich, Emile Ollivier, Saligny, Eloin y Chertzenlechner, Radonetz, el Conde Jadik y el Marqués de Radepont, la cantante Concha Méndez, la Princesa Salm Salm, la Reina Victoria, Lorencez y De La Gravière, el Mariscal Forey: todos estaban muertos en 1927.

El Príncipe Salm Salm no conoció las lámparas ultravioleta, porque una bala francesa acabó con su vida en la guerra francoprusiana. Juan María Mastal Ferretti, por otro nombre Pío Noveno, creador del dogma de la infalibilidad pontificia, no se subió nunca a un Rolls Royce, porque murió en 1878 y le siguieron tres Papas que murieron también antes que Carlota: León XIII, Pío X y Benedicto XV. Por otra parte, Garibaldi no voló jamás en un helicóptero, porque murió en 1882. Víctor Hugo nunca compuso un poema con una máquina de escribir, porque falleció en 1885. El General Mariano Escobedo jamás se afeitó con una Guillette, porque murió en 1902, dos años antes de que las inventaran. Pero las lámparas ultravioleta y con ellas la aspiradora mecánica; el automóvil y con él la producción en serie; el helicóptero y con él el telégrafo inalámbrico; la máquina de escribir y los rayos equis, la bicicleta, el gramófono y el teléfono, el carro *pullman* y las sulfonamidas; las Olimpiadas de la era moderna y las vitaminas, los concursos de belleza y los campeonatos de tenis de Wimbledon, el Puente de Brooklyn y la televisión: todo esto había sido inventado, descubierto, construido en 1927, el año en que muere Carlota.

En el año en que muere Carlota, 1927, habían nacido ya todos los líderes mundiales que decidirían la historia del siglo XX —o que serían arrastrados por ella—: desde Churchill hasta Stalin, desde John Kennedy hasta Fidel Castro. Hitler ya no era un empleado en el Museo Kunsthistorisches de Viena y había ya escrito y publicado «*Mi Lucha*». Mahatma Gandhi había iniciado sus campañas de desobediencia civil, y el Generalísimo Chiang Kai-Shek se preparaba para tomar Shangai y Nanking. En 1927 habían nacido ya Kemal Atatürk, Patricio Lumumba, Ernesto Che Guevara, Francisco Franco, Charles de Gaulle, Ben Gurión. Y uno de esos líderes, cuatro años antes, había hecho de Italia el primer país fascista de la historia: se apellidaba Mussolini, y su padre le había puesto *Benito* de nombre, porque era un admirador de Benito Juárez.

Otros grandes personajes del siglo habían nacido y muerto en el entretanto. Fue el caso, por ejemplo, de Rosa Luxemburgo. También el de Lenin, que nació tres años después de que Carlota se volviera loca, y falleció tres antes de la muerte de la Emperatriz. Lo mismo sucedió, en México, con Francisco Madero, Emiliano Zapata y Pancho Villa, los tres venidos al mundo después de 1866, los tres asesinados antes de 1927, víctimas de una revolución que se comió a sus propios hijos, y que regó los campos y las ciudades de México con la sangre de un millón de muertos.

En 1927, a veintitrés años de distancia de la inauguración del Ferrocarril Transiberiano, treinta del descubrimiento del bacilo del paludismo y cincuenta y ocho de la publicación de «*Veinte mil leguas de viaje submarino*», habían muerto también los dos hermanos de Carlota: el Conde de Flandes y Leopoldo II de Bélgica, pero su casa reinante, la de los Coburgo, fue una de las dinastías europeas que sobrevivieron a la Emperatriz de México. Leopoldo II, un monarca al que sus sirvientes bañaban todos los días a las seis de la mañana con cubetazos de agua de mar helada, amaba los invernaderos y le gustaba vivir rodeado de palmeras y helechos, orquídeas y rododendros. Pero también amaba el poder y además de hacer lo posible por transformar a Bruselas en un París en miniatura, decidió darle a Bélgica una colonia en ultramar. Pensó en China, pensó en el Japón y declaró que la colonización europea era la única forma de «civilizar y moralizar esas perezosas y corruptas naciones de Oriente». Pensó también en la América Latina e hizo algunos intentos por establecer asentamientos belgas en Guatemala. Al fin, se decidió por Africa. Quería llevar, dijo, al oscuro continente, las bendiciones y los beneficios de la civilización. Leopoldo reunió en su corte a toda clase de exploradores, geógrafos e inversionistas, creó la Asociación Internacional de Africa al amparo de una bandera que lucía una estrella de oro en un campo azul cielo, y a partir de la desembocadura del Río Congo en el

Africa Occidental, y siguiendo el curso del río, conquistó un territorio de dos millones trescientos cincuenta mil kilómetros cuadrados. Leopoldo se autonombró Soberano del Estado Independiente del Congo, y para financiar el desarrollo de la nueva colonia hizo toda clase de acrobacias, desde empeñar condecoraciones y libreas, hasta echar mano de la herencia de su hermana Carlota. Pero algo más hizo Leopoldo. Cuando en 1866 su enviado personal a México, el Barón d'Huart, sucumbió a manos de unos guerrilleros mexicanos, Leopoldo dijo en una carta a su hermano Felipe —citada por Mia Kerckvoorde en su libro «*Carlota, la pasión y la fatalidad*», que la tragedia de Río Frío lo había llenado de horror, y que sólo en el corazón de Africa, en la tierra de los caníbales, se podría encontrar paralelo a tales escenas. El hombre que escribió esas palabras, y que al parecer no se detuvo a pensar un momento que en cualquier país civilizado de Europa un asalto de un ejército de resistencia contra un ejército de ocupación —el ejército belga lo era también— hubiese sido considerado como una acción normal de guerra, el mismo hombre, y con tal de consolidar la conquista del Congo y acelerar la producción de la materia prima más importante que producía la región, el caucho, cometió en ese mismo corazón del continente negro una serie de atrocidades inenarrables contra los nativos. En el Congo los belgas reducían a cenizas poblaciones enteras, azotaban y mataban a hombres y mujeres de todas las edades, encadenaban a los niños en calidad de rehenes y, a los trabajadores que no respondían con la premura que exigían sus amos blancos, les cortaban una mano. Todas las manos cortadas eran puestas en canastos, y los canastos llevados de pueblo en pueblo para convencer a los perezosos. Leopoldo II tuvo varias amantes y a medida que envejecía su lujuria se volvió insaciable. Se cuenta que viajaba a Londres y visitaba en secreto un burdel de niñas impúberes. Una de sus últimas queridas —cuando era ya un septuagenario— fue una prostituta francesa de dieciséis años— la «*Reine du Congo*» la llamaban con la que llevaba a cabo toda clase de «perversiones sexuales» en una habitación tapizada de espejos.

Pero la enorme fortuna que amasó con la explotación del Congo, no le dio la felicidad a Leopoldo II, quien jamás se consoló por la pérdida del príncipe heredero, el Duque Brabante, quien murió siendo un niño aún, de pulmonía, unos cuantos días después de haber caído en un estanque. Esta fue una de las veces que la llamada «maldición de los Habsburgo» alcanzó a los Coburgo de Bélgica.

La maldición arruinó, también, la vida de la hija mayor de Leopoldo, Luisa, la cual fue confinada por órdenes del rey a un manicomio. Loca la tía —Carlota—, loca la sobrina —Luisa— afirmaban, y durante un tiempo todo el mundo habló de las dos dementes de la Casa Real de Bélgica. Pero al parecer, Luisa nunca estuvo loca: su padre la encerró en Purkersdorf después de que ella decidiera abandonar a su marido, otro príncipe de la familia de Sajonia Coburgo, para huir a La Riviera con un tal Conde de Mattacic. Luisa escapó del asilo y volvió a París para arruinarse en los brazos de su conde.

La segunda hija de Leopoldo, y por lo tanto sobrina también de Carlota, la Princesa Estefanía y llamada la «Rosa de Brabante», se casó con el hijo de Francisco José y sobrino de Fernando Maximiliano el Príncipe Rodolfo, una de las víctimas clásicas y más célebres de la maldición de los Habsburgo: el 31 de enero de 1889, Rodolfo, único hijo varón de Francisco José y la Emperatriz Elisabeth, fue hallado muerto de un tiro en el Pabellón de Caza de Mayerling, cercano a la población del mismo nombre, en la baja Austria. Rodolfo tenía veintinueve años. A su lado, muerta también de un tiro y cubierta de rosas, estaba su amante, la Baronesa María Vetsera, de diecisiete años de edad. Nunca quizás se sabrá tampoco con exactitud qué sucedió esa noche en Mayerling. Sin embargo, todo indica que Rodolfo y María Vetsera hicieron un pacto de amor suicida.

La cuñada de Maximiliano, la Emperatriz Elisabeth, la bella Sisi, sobrevivió nueve años a su hijo Rodolfo: el 10 de septiembre de 1898, un albañil llamado Lucheni le clavó un estilete en el pecho. Elisabeth murió unos minutos después. Cuando Francisco José recibió el telegrama de Ginebra en el cual se le comunicaba la muerte, dicen que murmuró: «Ningún dolor me ha sido ahorrado en esta vida». El ataúd de Elisabeth fue colocado en la Bóveda de los Capuchinos en Viena, entre los catafalcos de su hijo Rodolfo y de su cuñado Maximiliano el Emperador de México.

Otra muy distinta, sin embargo, fue la reacción de Francisco José ante la muerte del Archiduque José y su mujer Sofía Chotek, asesinados ambos en Sarajevo, el 28 de junio de 1914, por Gavrilo Princip. «Un poder más alto», dijo «ha restaurado el orden que yo mismo no pude mantener». La verdad, es que Francisco José debió alegrarse, porque no podía tolerar la idea de que su sucesor en el trono de Austria-Hungría fuera ese coleccionista de antigüedades y cultivador de rosas exóticas, el Archiduque Francisco Fernando, famoso por haber heredado el despotismo y la crueldad de su abuelo el Rey Bomba de Nápoles. Pero sin duda, el crimen de Sarajevo fue el punto culminante de la maldición de los Habsburgo, al haber sido el polvorín que hizo estallar un conflicto bélico cuya magnitud fue tal que mereció llamarse Primera Guerra Mundial.

Francisco José de Austria no vio el fin de esa guerra: murió en 1916, a los ochenta y seis años de edad. El suyo, fue el reinado más largo de la historia: sesenta y ocho años —Victoria de Inglaterra reinó sesenta y cuatro, y Luis XIV de Francia, aunque monarca a lo largo de setenta y dos años, sólo ejerció el poder durante cincuenta y cuatro, tras la muerte del Cardenal Mazarino. Como toda, o como casi toda sacra majestad católica, el hermano de Maximiliano aplicó una moralidad ambigua durante su reinado, y tuvo varias amantes. La más conocida de todas fue la actriz Katherina Schratt. Fue también un seductor: cuando tenía sesenta años, se encontró, un día en que caminaba sólo por un jardín cercano a una quinta que tenía en Hietzig, a una muchachita, hija de un tejedor de canastas. Francisco José la violó y de ese encuentro nació Hélène Nahowski, futura esposa del compositor Alban Berg. La Emperatriz Elisabeth, según se tiene entendido, tuvo también una hija natural a la que dio a luz en el Castillo de Sassetôt, en Normandía: Catalina, la cual sería conocida más tarde como la Condesa Zanardi Landi. Catalina se fue a vivir a los Estados Unidos, escribió un libro titulado «El Secreto de una Emperatriz», y tuvo una hija que se hizo famosa como actriz de Hollywood. Es probable que Catalina haya sido hija de un aristócrata inglés, Bay Middleton, con el cual iba de cacería, cada año, la Emperatriz Elisabeth.

Con la guerra, la dinastía Habsburgo también llegaría a su fin. El sucesor al trono de Austria-Hungría, el popular Carlos I, se vio obligado a abandonar el país tras la firma del armisticio, y murió en Madeira, de consunción, en 1922. Fue entonces, dicen, que los halcones que habían seguido a los Habsburgo desde el cantón suizo de Aargu a sus residencias imperiales de Viena, abandonaron para siempre el Hofburgo y el Palacio de Schönbrunn y, con ellos, también la maldición levantó el vuelo.

En otras palabras, cinco años antes de la muerte de Carlota en Bouchout, llegaba a su fin esa dinastía que en el curso de los siglos había abarcado desde Portugal hasta la Transilvania y desde Holanda hasta Sicilia y la América Hispana, y en cuyo seno «se habían combinado el concepto medieval del Imperio con el humanismo nacional alemán», como señala el historiador Adam Wandruzka, «la política y los conceptos religiosos de la contrarreforma y el barroco, la filosofía del iluminismo italiano y las teorías de los fisiócratas franceses, el romanticismo y el clasicismo alemán y el nacionalismo étnico de Europa Oriental». La dinastía que, según el historiador A. J. P. Taylor, representaba no un Imperio multinacional, sino supranacional. Taylor dice que la Monarquía Habsburgo constituyó un intento de encontrar «una tercera solución» en Europa Central, que impidiera su caída bajo el dominio ruso o alemán, y que, al convertirse en satélites de los alemanes, los Habsburgo traicionaron su misión y firmaron, ellos mismos, su sentencia de muerte.

Vale la pena señalar que cuando una «maldición» pesa sobre una familia rica y poderosa, los creyentes tienden a pensar en una especie de justicia divina: en un equilibrio entre la generosidad de Dios y su capacidad para permitir el sufrimiento. Es verdad, sí, que el poder atrae al terrorista y al loco, y la riqueza vuelve asesinos a quienes desean heredarla. Pero en el mundo hay, ha habido, millones de seres humanos cuya tragedia es ignorada porque es inabarcable y a ella se suma la maldición que respeta al rico y al poderoso: la miseria. Por lo mismo, la llamada «maldición de los Habsburgo» no puede ser tomada en serio sino en todo caso como materia prima de un melodrama.

Junto con los Bonaparte y los Habsburgo, otras tres dinastías europeas llegaron a su fin antes de la muerte de Carlota: los Hohenzollern, los Braganza y los Romanov.

El último monarca de los Hohenzollern abdicó en 1918 tras los tumultos de Berlín y se exilió en Holanda. Pero ya desde entonces la autoridad de Guillermo II, el último Rey de Prusia y Emperador de Alemania, había sido anulada por Hindenburg y Ludendorff.

En 1908, Carlos I de Portugal y su hijo mayor el Príncipe Luis Felipe, fueron asesinados en Lisboa. El reinado de su otro hijo, Manuel II, fue breve y turbulento, y el movimiento revolucionario influido por carbonarios y masones triunfó al fin y la República fue proclamada en 1910. En Brasil, los Braganza habían dejado de reinar desde 1889.

Por último, el 15 de marzo de 1917 abdicó como Zar de todas las Rusias Nicolás II. Tras la muerte de Rasputín, se precipitó la revolución, y Nicolás, su mujer y sus hijos, fueron asesinados todos el 16 de julio del mismo año en Ekaterimburgo. Ese fue el fin de los Romanov.

Carlota, pues, sobrevivió a la Revolución de Octubre y a la Revolución Mexicana, pero también a muchas otras revoluciones y guerras y guerritas y a la implacable rebatiña, por parte de Europa y Estados Unidos, de todo lo que en el mundo quedaba aún de repartible, según su imperial saber y entender. Mientras ella vivía, loca, en Bouchout, las guerras maoríes casi exterminaron a la población aborigen de Nueva Zelandia, y la Guerra del Paraguay llegó a su fin con la muerte del dictador paraguayo que le había pedido permiso a Napoleón III para convertirse en rey de ese país sudamericano: Francisco Solano López. Mientras Carlota envejecía, sola y loca, encerrada en su castillo, los italianos eran derrotados en Etiopía por el Sultán Menelek y Lawrence de Arabia levantaba a las tribus del desierto para triunfar sobre los turcos; estalló y acabó la Guerra del Pacífico entre Chile, Perú y Bolivia; Italia se anexó a Trípoli y la Cirenaica y Francia se apoderó de Madagascar y firmó un tratado secreto con España para repartirse a Marruecos; Gran Bretaña se apoderó de la región de las minas de diamantes de Kimberley en Sudáfrica; Estados Unidos se adueñó de Guam, las Filipinas, Puerto Rico y Hawai, y el ejército angloindio invadió Afganistán. Mientras Carlota vivía, y los armenios eran masacrados en Constantinopla, las Nuevas Hébridas se transformaban en un condominio anglofrancés; Uganda, Nigeria y Egipto se convertían en protectorados británicos, y los japoneses destrozaban a la escuadra rusa en el Estrecho de Corea. Y, mientras Gabón se agregaba al Congo Francés y Francia organizaba bajo el nombre de Unión de Indochina a Annan, Tonkín y la Cochinchina y añadía Costa de Marfil a sus colonias y Dahomey y Laos a sus protectorados, y mientras Gran Bretaña se apoderaba de las Islas Tonga, sometía a los *ashanti* de Costa de Oro, iniciaba el control de las propiedades petroleras del Golfo Pérsico, asumía un mandato sobre el territorio de Palestina en el Oriente Medio y, como resultado de la Guerra de los Bóers se anexaba el Transvaal y el Estado Libre de Orange, y mientras Grecia y Turquía combatían por el dominio de Creta y seis naciones europeas enviaban a la China una expedición para castigar los ataques que contra algunos cristianos occidentales habían cometido en Pequín los *Boxers,* o cofrades de la «Sociedad de los Puños Armoniosos», Carlota estaba viva.

Desde luego, de todas las guerras que sobrevivió Carlota, la más importante de ellas fue la Primera Guerra Mundial. Encerrada en Bouchout, la guerra pasó a su lado, y a su lado pasaron los soldados del ejército alemán para los cuales se había colocado en el exterior del castillo un letrero que decía: «Este castillo, que pertenece a la Corona de Bélgica, es la residencia de Su Majestad la Emperatriz de México, cuñada de nuestro querido aliado el Emperador de Austria-Hungría. Los soldados alemanes deben abstenerse de cantar y turbar esta morada». Mucho sufrió el país de Carlota durante esa primera violación de su «neutralidad perpetua»: en Bélgica, los alemanes instalaron un reino del terror y cometieron un sinnúmero de atrocidades y entre ellas la destrucción, por medio del fuego, de poblaciones enteras, y la ejecución en masa de ciudadanos, incluidos en ocasiones sacerdotes, mujeres y niños. Pero el sobrino de Carlota, Alberto I, jamás abandonó el territorio belga: ordenó la inundación del Valle del Río Yser para detener el avance de los alemanes, y quedó confinado a una zona de apenas veinte millas cuadradas a la orilla del mar. Cuando le aconsejaban que saliera de Bélgica, ponía como ejemplo de gobernante que jamás había abandonado a su país al ser éste invadido por un ejército extranjero a Benito Juárez.

Y al fin, un día, murió también Carlota Amelia de Bélgica. Su muerte fue precedida, según algunos autores como Robert Goffin, por dos signos ominosos: unos días antes, un árbol gigantesco se desplomó, muerto, en el Jardín de Bouchout —un presagio idéntico al de Camden Place—, y, la víspera, la estatua de Marguerite de Bouchout cayó de manera inexplicable al suelo, y la cabeza se separó y rodó por las losas. Al día siguiente, miércoles 19 de enero de 1927, falleció Carlota, a las siete de la mañana. En la Cámara Imperial de Bouchout se instaló la capilla ardiente. El cuerpo de Carlota, cubierto por un alud de rosas y ciclamores, descansaba en un lecho de roble coronado por un alto baldaquino color azul cielo. Carlota fue sepultada en un día de nieve y ventiscas. Atrás del ataúd marchaban, según el relato de Praviel, el Rey Alberto I, con los príncipes Leopoldo y Carlos, el gran mariscal de la corte el Conde de Mérode, el Barón de Goffinet gran maestro de la Casa de la Emperatriz, y el burgomaestre del país. En la iglesia aguardaban al cortejo fúnebre, entre otras, la Duquesa de Vendôme, la Princesa Genoveva de Orleáns y la Condesa de Chaponay. También Monseñor Van Roey, Arzobispo de Malinas. Muy pocos sobrevivientes debió haber entonces de aquellos muchachos belgas que habían combatido en México como voluntarios, pero el gobierno se las arregló para localizar a seis de ellos, todos por supuesto ancianos octogenarios, que llevaron en sus hombros el féretro de la Emperatriz de México hasta la Capilla de Laeken, donde iba a descansar cerca del de su madre la Reina Luisa María.

Muerto el perro, dice el dicho, se acabó la rabia. Muerta la Emperatriz de México, se acabó su locura y la nieve que cayó sobre su sarcófago y su sepulcro —había nevado también sesenta años antes sobre la caja de Maximiliano cuando sus restos llegaron a Viena— cubrió así la última página de un grotesco melodrama personal de sombría grandeza.

Pero la última página sobre el Imperio y los Emperadores de México, la que idealmente contendría ese «Juicio de la Historia» —con mayúsculas— del que hablaba Benito Juárez, jamás sería escrita y no sólo porque la locura de la historia no acabó con Carlota: también porque a falta de una verdadera, imposible, y en última instancia indeseable «Historia Universal», existen muchas historias no sólo particulares sino cambiantes, según las perspectivas de tiempo y espacio desde las que son «escritas».

Como los biógrafos no nos dicen si Carlota dejó algún día, en algún momento, de soñar con México y su Imperio, podemos suponer que la obsesión no la abandonó nunca, y que el sueño se extinguió sólo al apagarse la vida de la Emperatriz. Visto así, a la distancia, quizás ese Imperio estaba condenado a no ser sino eso: un sueño. Carlos Pereyra dice que el Imperio Mexicano «nació muerto», y que el primer soberano de su siglo, como llama a Luis Napoleón el historiador mexicano, «puso un feto en las manos disipadoras del Archiduque». Por su parte, Octavio Paz, afirma que la idea de fundar un Imperio latino con un príncipe europeo a la cabeza «que pusiera un dique a la expansión de la República yanqui, era una solución no del todo descabellada en 1820 pero anacrónica en 1860: la solución monárquica había dejado de ser viable porque la monarquía se identificaba con la situación anterior a la Independencia».

Es posible que así haya sido, y que Benito Juárez no le haya abierto «la puerta a los slogans al cerrársela a Europa», como afirma La Malinche —la amante india de Hernán Cortés— en una obrita de teatro de otro poeta mexicano, Salvador Novo: es posible sí —y lo más probable— que nada hubiera detenido la expansión del poderío yanqui en el resto del continente americano y que de todos modos se quedara sin cumplir el propósito si no falso, sí al menos secundario, aducido por Napoleón III para justificar la intervención: el de detener lo que llamaba «la siniestra influencia anglosajona y protestante» en la América Latina. Si a la influencia y al dominio americanos no escapó la propia Europa, ¿por qué

638

habría de detenerlos en México la prolongación del Imperio de Maximiliano?

Aunque el terreno de esta clase de suposiciones es siempre resbaladizo, no es difícil imaginar que el Archiduque, de haberse quedado en el trono, no hubiera podido soportar las presiones económicas de los americanos —si no existía entonces la palabra «geopolítica» sí el fenómeno al que hoy bautiza— ni controlar la corrupción interna que, *ésa sí,* le abrió las puertas del país al imperialismo yanqui. Bien lo sabía el embajador americano en París, John Bigelow, cuando le dijo a Seward: «Mi teoría es que vamos a conquistar a México, pero no con la espada». Es fácil pensar que un heredero del trono de Maximiliano, un Iturbide quizás, hubiera sido derrocado, como lo fue Díaz, por una revolución, y que nada habría detenido el avance de Estados Unidos.

Otra posibilidad fue que, y tal como lo señala Justo Sierra, la intervención francesa, al unificar a los mexicanos y exacerbar el nacionalismo, haya salvado al país de la anarquía y el caos... pero sólo por unos años. Tampoco es difícil imaginarse que Maximiliano, que deseaba ser uno de los más ilustrados y menos déspotas de todos los déspotas ilustrados, se hubiera transformado en un tirano para otros pueblos —Guatemala, por ejemplo—, como le sucedió a su antecesor José II, que fue quien al fin y al cabo consolidó el dominio austriaco sobre la Lombardía o, también obligado por circunstancias políticas y administrativas, seguido el destino de Federico el Grande de Prusia quien, como indica John G. Galiardo —«*Enlightened Despotism*»—, acabó por transformarse en el monarca más absolutista de todos los estados europeos de su época.

Por otra parte, es también de suponerse que a Juárez no le hubiera importado abrirle la puerta a los *slogans.* Tampoco al protestantismo, del que se manifestó partidario sin ambages: «Los indios», dijo en una ocasión, «necesitan de una religión que los obligue a leer y a no gastar en cirios para los santos». Era una época curiosa en la cual muchos de los liberales mexicanos eran americanistas, es decir proyanquis, y muchos de los conservadores antiamericanistas. Pero Estados Unidos no era todavía un Imperio —aunque la bestia había ya enseñado garras y colmillos— y su guerra de independencia y su Constitución, la leyenda y el sacrificio de Lincoln y el triunfo de los abolicionistas, obnubilaban otras consideraciones y hacían olvidar ultrajes pasados. Estos sentimientos pro americanistas, fueron compartidos fuera de México por personajes como Federico Engels —el industrial que financiaba los estudios de Marx en Londres—, quien manifestó su satisfacción por la derrota de México a manos de los Estados Unidos en 1847, y declaró que en aras de su propio desarrollo era justo que México cayera bajo la tutela americana. Por su parte Marx, que elogió lo que llamaba los sentimientos de independencia y de valor individual de los yanquis, compartía con Engels el menosprecio de los mexicanos. Todos los vicios del español, decía Marx: grandilocuencia, fanfarronería y quijotismo, los tiene el pueblo mexicano, pero sin la solidez del pueblo español. Aunque eso sí —agregaba el autor de «*El Capital*»— los españoles no han dado un *genio* igual a Santa Anna. Esta no sería la única vez que quien luchaba por la igualdad de todos los trabajadores de la Tierra, expresaba su desprecio por un pueblo o una raza: por ejemplo, para Marx los pueblos eslavos no eran sino hordas que se habían quedado a la zaga, y cuya única esperanza era la de someterse a un pueblo culto, como los alemanes.

De cualquier manera, los ultrajes cometidos por Estados Unidos, habrían de seguir ocurriendo: uno de los principales actores del drama del Imperio Mexicano, José Manuel Hidalgo y Esnaurrízar, decía en sus «*Apuntes para escribir la historia de los proyectos de monarquía en México*» que no era la Doctrina Monroe la que deberían tener presente los Estados Unidos, sino los consejos del «ilustre y prudente» Jorge Washington, quien advertía que las naciones no deben aprovecharse del infortunio de otros pueblos. Hidalgo comentaba: «Ah, si yo pudiera escribir al margen: *México, Cuba, Nicaragua, Panamá...*»

Hidalgo, por supuesto, aludía a vejaciones del pasado cometidas por Estados Unidos contra esas naciones, pero al mismo tiempo sus palabras eran proféticas: entre 1868, fecha en la que publica sus «apuntes», y 1927, el año en que muere Carlota, Estados Unidos había intervenido de una manera u otra en los cuatro países y, casi en todos los casos, su intervención fue siniestra. En 1914, y tras el arresto de unos marinos yanquis en Tampico, las tropas norteamericanas invadieron Veracruz, donde permanecieron varios meses. Poco antes de terminar el siglo XIX, en 1898, los Estados Unidos habían declarado la guerra a España para «ayudar» a la independencia de Cuba, y el precio que cobraron por su triunfo fue: uno, el dominio económico y político de la Isla de Cuba, que se transformó de hecho en un protectorado americano en 1901; dos, la adquisición de las ya mencionadas posesiones españolas de Puerto Rico, Guam y las Filipinas. El pretexto, fue el hundimiento, mediante una explosión, del barco de guerra americano «*Maine*» en la Bahía de La Habana, atribuido a España. Con el tiempo se llegó a la conclusión de que los españoles no habían tenido que ver con el incidente del «*Maine*» y que es muy probable que los propios americanos, en busca de un *casus belli*, lo hayan volado. En 1925, los norteamericanos invadieron Nicaragua e iniciaron una ocupación de ocho años —enfrentados a la oposición guerrillera comandada por el General Augusto César Sandino— en un intento de ampliar su control militar de la región y en vistas a la construcción de una posible y segunda vía interoceánica. Unos años antes, habían intervenido en Colombia para provocar la rebelión y escisión de la provincia de Panamá y poder así llevar adelante el proyecto en el cual había fracasado de manera tan rotunda el primo de Eugenia de Montijo, Ferdinand de Lesseps: la construcción del Canal de Panamá... La predicción de Tocqueville, en el sentido de que los Estados Unidos y Rusia se repartirían algún día al mundo, siguió, así, cumpliéndose de manera implacable en vida de Carlota. Y lo más probable, como antes señalábamos, es que si Carlota no hubiera sobrevivido tantos años loca en Bouchout, sino en sus cabales y en Chapultepec, las cosas no hubieran sido muy diferentes.

En lo que respecta a la actuación individual, a la responsabilidad política y ética de Maximiliano y Carlota, la imposibilidad de una historia universal, que a su vez impide la existencia de un juicio también universal, no ha evitado, desde luego —porque de eso están hechas las historias particulares—, la proliferación de juicios personales. Pero, como también sucede, esos juicios no sólo han sido emitidos por historiadores, sino también por aquellos novelistas y dramaturgos que han cedido a la fascinación de la historia.

El escritor mexicano Rodolfo Usigli, enamorado de la tragedia de Maximiliano y Carlota, decía en el prólogo de «Corona de sombra», un drama histórico que él califica de «antihistórico», que si la historia fuera exacta, como la poesía, le hubiera avergonzado haberla eludido. Varias décadas más tarde, el escritor argentino Jorge Luis Borges manifestó que le interesaba «más que lo históricamente exacto, lo simbólicamente verdadero». Y veinte años después de escrita «Corona de sombra», el ensayista húngaro Gyorgy Lukacs afirmaba en su libro «La novela histórica» que es un «prejuicio moderno el suponer que la autenticidad histórica de un hecho garantiza su eficacia poética». Si uno entiende lo que quiso decir Usigli, comparte la preferencia de Borges y está de acuerdo en lo afirmado por Lukacs, uno podrá siempre —talento mediante— hacer a un lado la historia y, a partir de un hecho o de unos personajes históricos, construir un mundo novelístico o dramático autosuficiente. La alegoría, el absurdo, la farsa, son posibilidades de realización de ese mundo: todo está permitido en la literatura que no pretende ceñirse a la historia. ¿Pero qué sucede cuando un autor no puede escapar a la historia? ¿Cuando no puede olvidar, a voluntad, lo aprendido? O mejor: ¿cuando no quiere ignorar una serie de hechos apabullantes en su cantidad, abrumadores en el peso que tuvieron para determinar la vida, la muerte, el destino de los personajes de la tragedia, de *su* tragedia? O en otras palabras: ¿qué sucede —qué hacer— cuando no se quiere eludir la historia y sin embargo al mismo tiempo se desea alcanzar la poesía? Quizás la solución sea no plantearse una alternativa, como Borges, y no eludir la historia, como Usigli, sino tratar de conciliar todo lo verdadero que pueda tener la historia con lo exacto que pueda tener la invención. En otras palabras, en vez de hacer a un lado la historia, colocarla al lado de la invención, de la alegoría, e incluso al lado, también de la fantasía desbocada... Sin temor de que esa autenticidad histórica, o lo que a nuestro criterio sea tal autenticidad, no garantice ninguna eficacia poética, como nos advierte

Lukacs: al fin y al cabo, al otro lado marcharía, a la par con la historia, la recreación poética que, como le advertimos nosotros al lector —le advierto yo—, no garantizaría, a su vez, autenticidad alguna que no fuera la simbólica.

En mi opinión, Rodolfo Usigli no pudo eludir la historia: en su drama se transparenta una investigación larga y concienzuda, el enorme acopio de datos que le fueron necesarios para elaborar «Corona de sombra» y que, por supuesto, le sirven a la obra de esqueleto y de aliento al mismo tiempo. Es de suponerse que fue el descubrir su ignorancia inicial, y con ella la ignorancia de los demás, al conocer de manera paulatina y casi dolorosa, incrédula, asombrada, las inumerables mentiras, intrigas, traiciones, malentendidos, falsedades, ilusiones infantiles, mitos y cuanto haya contribuido a las coordenadas de la doble tragedia —la tragedia de México y la tragedia de Maximiliano y Carlota—, lo que causó su cólera. Lo que provocó su indignación —según nos dice en el prólogo a «Corona de sombra»— ante la pobreza de obras de la imaginación dedicadas a ese gran episodio de la historia de su país, aparte de lo que llama «los intentos formalmente históricos».

Usigli escribe «Corona de sombra» en 1943. Antes que eso, no existen sino media docena de poemas sobre Maximiliano y Carlota, de unos cuantos europeos —Carducci, algún poeta inglés, otro alemán— y de otros tantos mexicanos. Entre las obras de teatro había una, magnífica, del austriaco Franz Werfel: «Juárez y Maximiliano», que recrea de manera magistral algunos aspectos de la tragedia —Maximiliano, dice el General Díaz en el drama de Werfel, era «un mártir de nacimiento»—. Las demás eran obritas de muy modestas pretensiones. Novelas, apenas un puñado, y casi todas ellas pésimas y de una cursilería que no llega a lo sublime. Entre ellas, «El Cerro de las Campanas» del mexicano Juan A. Mateos o las narraciones de Praviel y la Princesa Bribiesco. También las novelas de otro mexicano, Victoriano Salado Alvarez. Nada más, o muy poco. Y después, «Corona de sombra», que escribió Usigli porque en su opinión «la sangre de Maximiliano y la locura de Carlota merecen algo más de México», nos dice en el prólogo.

Y parecería que así es, que esa muerte y esa locura, por magníficas, merecen algo más de México y de quienes hacen y escriben su historia y su literatura: merecen, más que nada, ser consideradas como los atenuantes de mayor peso en el juicio particular que cada autor se atreva y se vea obligado a hacer de los personajes de la tragedia.

A favor de Carlota, qué duda cabe, está su locura: sesenta años parecerían un castigo, un purgatorio más que suficiente para hacerle pagar sus ambiciones y su soberbia. También, pobre Carlota, su espantoso fracaso. Y a favor de Maximiliano está su muerte, están las gotas de sangre que se mezclaron con la tierra del Cerro de las Campanas y están sus últimas palabras, su ¡Viva México!: al enfrentarse a su fin como lo hizo, lo transformó en una muerte noble y oportuna, en una muerte valiente y, en resumidas cuentas, en una muerte muy mexicana.

Pero «es la historia, en fin, la que nos dice», anota también el dramaturgo mexicano en su prólogo, «que sólo México tiene derecho a matar a sus muertos y que sus muertos son siempre mexicanos». Y así es: el problema *no* es que en México hayamos matado a Maximiliano, que en México, tal vez, hayamos vuelto loca a Carlota: el problema es que a ninguno de los dos los enterramos en México. Es decir, ni Maximiliano —«el último Príncipe heroico de Europa» y «suicida magnífico de su siglo» como lo llama Usigli— ni Carlota —la Ofelia que esperaba al Shakespeare que cantara su locura y su tragedia, como decía Pièrre de la Gorge—, ninguno de los dos, ni él ni ella, quedaron integrados a esta tierra fertilizada al parejo con los restos de todos nuestros héroes y todos nuestros traidores. Con la advertencia, casi innecesaria, que no todos son héroes o traidores todo el tiempo ni cien por ciento: así, por ejemplo, mucho habría que decir del patriotismo de Miramón y Mejía, quienes al parecer estaban convencidos —o lo estuvieron en algún momento— de que lo mejor para su patria *no* era una república, sino una monarquía. Su pecado, tal vez, fue —como dijo Octavio Paz— que la solución era anacrónica. Porque, por lo demás, varios caudillos y héroes latinoamericanos habían pensado en imperios o monarquías para sus países. No sólo el Cura Hidalgo y sus seguidores que, como hemos dicho, deseaban al *deseado* Fernando VII: también muchos bolivianos y bolivarianos proponían un imperio en América del Sur, al propio Simón Bolívar se le otorgó el título de Emperador del Perú, y en 1815 Belgrano y Rivadavia ofrecieron la corona del Río de la Plata a un príncipe de la Casa de Borbón, con tal de que la provincia contara con un gobierno independiente del de España.

Pero volvamos a Maximiliano. Testigo lúcido de su tiempo, el Subsecretario de Marina de Maximiliano, Léonce Détroyat, en su libro *«L'Intervention Française au Mexique»*, dice que Maximiliano no comprendió que más le hubiera valido quedarse como el primero de los extranjeros pero que, al cambiar de papel, se transformó en *«el último de los mexicanos»*. El último, sí, quizás, pero mexicano: Maximiliano y Carlota se mexicanizaron: uno, hasta la muerte, como dice Usigli, la otra —digo yo— hasta la locura. Y como tales tendríamos que aceptarlos: ya que no mexicanos de nacimiento, mexicanos de muerte. De muerte y de locura.

Y quizás nos conviene hacerlo así, para que no nos sigan espantando: las almas de los insepultos reclaman siempre su abandono. Como lo reclama y nos espanta, todavía, la sombra de Hernán Cortés. Darles el lugar que les correspondería en nuestro panteón, por otra parte, no implicaría la necesidad de justificar nada: ni las ambiciones desmesuradas ni todo lo que de imperialistas y arrogantes tuvieron las aventuras de nuestro primero y nuestros últimos conquistadores europeos, de la misma manera que lo traidor a nuestros traidores, y lo dictador a nuestros dictadores, no les quita lo mexicano. Con la diferencia, a favor también de Fernando Maximiliano, y como también lo señala Usigli, que el Emperador fue o quiso ser un demócrata, un liberal, un monarca magnánimo. A su manera, sí, pero en la única manera en que podía serlo —el lector puede remitirse al análisis jurídico que hace Martínez Báez del Imperio, y en el cual se habla de la trascendencia de la legislación implantada o propuesta por Maximiliano.

Ahora bien, el querer ser mexicano de un Príncipe que, como Maximiliano, ocupaba el segundo lugar en la línea de sucesión del Imperio Austriaco y por lo tanto estaba de hecho destinado a ser el gobernante de uno, y en el mejor de los casos de todos los pueblos bajo el dominio imperial, y de una Princesa que, como Carlota, estaba a su vez destinada a ser la consorte del Príncipe o el Soberano de un pueblo extranjero, no implicaba necesariamente una actitud hipócrita aunque ésta tampoco puede descartarse: no hay que olvidar que el derecho divino a gobernar a los pueblos, imbuido de una manera indeleble en la mente de muchos de los príncipes europeos, y las necesidades políticas que imponían las alianzas matrimoniales entre los miembros de la realeza de los diversos países europeos, hacían que muchos de esos príncipes crecieran con el convencimiento de que ellos tenían la capacidad de gobernar y el deber de amar a pueblos extranjeros que, con suerte, los aceptarían y, con más suerte aún, los amarían también, como sucedió, si no en muchos, en algunos casos. Por otra parte, y como lo señala Edward Crankshaw, había menos arrogancia en la actitud —cuando era sincera— de quienes se creían señalados por Dios para gobernar, que la que hay y ha habido en la de cualquier aspirante de las llamadas democracias a un cargo público para el cual no lo llama Dios, sino la ambición y la creencia —nacida de la sola vanidad— de que puede hacer las cosas mejor que los otros.

Así, pues, con un poco de voluntad podemos aceptar la posibilidad de que Maximiliano y Carlota hayan sido honestos hasta cierto punto en su deseo de volverse mexicanos y lo suficientemente ilusos —quizás más Maximiliano que ella— como para creer que lo habían logrado.

Y si no lo lograron entonces, quizás lo logren algún día. Quizás, si los ayudamos un poco. Si a esas dos cosas: la ejecución de Maximiliano y la locura de Carlota —para él, el fin de su vida, para ella, una muerte sin fin—, les damos lo que, según Usigli, merecerían más de la imaginación de México y los mexicanos.

Ah, si pudiéramos inventar para Carlota una locura inacabable y magnífica, un delirio expresado en todos los tiempos verbales del pasado y del futuro y de los tiempos improbables o imposibles para darle, para crear por ella y para ella el Imperio que fue, el Imperio que será, el Imperio que pudo haber sido, el Imperio que es. Si pudiéramos hacer de la imaginación la loca de la casa, la loca del castillo, la loca de Bouchout y dejarla que, loca desatada, loca y con alas recorra el mundo y la historia, la verdad y la ternura, la eternidad y el sueño, el odio y la mentira, el amor y la agonía, libre, sí, libre y omnipotente aunque al mismo tiempo presa, mariposa aturdida y ciega, condenada, girando siempre alrededor de una realidad inasible que la deslumbra y que la abrasa y se le escapa, pobre imaginación, pobre Carlota, todos los minutos de todos los días.

Si pudiéramos, también inventar para Maximiliano una muerte más poética y más imperial. Si tuviéramos un poco de compasión hacia el Emperador y no lo dejáramos morir así, tan abandonado, en un cerro polvoriento y lleno de nopales, en un cerro gris y yermo, lleno de piedras. Si lo matáramos, en cambio, en la plaza más hermosa y más grande de México... si nos pusiéramos por un momento en su lugar, y nos metiéramos en sus zapatos y en su cuerpo y su cabeza, y a sabiendas de que somos un Príncipe y un Soberano, y que nunca nos ha faltado ni el humor ni la valentía, ni el ingenio ni la elegancia y que hemos amado siempre el orden y el boato, la pompa y la circunstancia, el espectáculo, si pudiéramos escribir, de puño y letra de Maximiliano y para asombro y advertencia, recuerdo y ejemplo de cuanto monarca futuro pierda la vida a manos de su propios súbditos —o de quienes él cree que son sus súbditos— y dé su sangre por ellos, el *Ceremonial para el fusilamento de un Emperador...*

3. *Ceremonial para el fusilamiento de un Emperador*

«Capítulo Unico».
Sección Primera:
«*Del lugar y la hora de la ejecución*».
El lugar de la ejecución será el centro de la Plaza Mayor del Imperio.
La hora, las siete de la mañana en punto.

Sección Segunda:
«*De los procedimientos en los preparativos*».
El día de la ejecución, el Ayuda de Cámara del Emperador despertará a éste a las cinco de la mañana.
El Ayuda de Cámara se retirará a fin de permitir que el Emperador haga sus abluciones matinales.
El Emperador llamará después al Ayuda de Cámara, el cual se presentará en el dormitorio imperial seguido por tres ayudas de cámara honorarios.
Todos usarán casaca y calzón corto de terciopelo negro, medias de seda blanca, zapatilla de charol negro.
Los ayudas de cámara asistirán al Emperador a vestirse.

El Emperador usará el uniforme de gran gala de General en Jefe del Ejército Imperial Mexicano destinado a las Grandes Ceremonias de Luto Nacional.

El uniforme será negro, con bordados de plata.

El Emperador usará también el gran collar del Aguila Mexicana, y en el pecho la banda de los colores imperiales mexicanos atravesada desde el hombro izquierdo hasta el costado derecho.

A las cinco y media de la mañana entrarán al dormitorio imperial cuatro capellanes de la Corte de servicio, para custodiar al Emperador en su camino a la Capilla Imperial.

Los capellanes irán vestidos con hábitos de sayal negro.

El Emperador se dirigirá a la Capilla Imperial, precedido por dos de los capellanes. Los otros dos capellanes marcharán atrás del Emperador.

Enseguida de estos dos capellanes marcharán en filas de dos en dos los representantes de las parroquias, en el siguiente orden: Sagrario Metropolitano y San Miguel. Santa Catarina Mártir y Santa Veracruz. San José y Santa Ana. Soledad de Santa Cruz y San Pablo. Santo del Agua y Santa María. San Sebastián y Santa Cruz Acatlán. Santo Tomás la Palma y San Antonio de las Huertas.

Todos irán vestidos con hábitos de sayal negro y portarán cirios encendidos.

El Confesor del Emperador aguardará a éste a la entrada de la Capilla Imperial, le ofrecerá agua bendita y le entregará un Misal y un rosario. Después lo precederá hasta el altar.

Las tapas del Misal serán de laca negra con incrustaciones de plata.

El canto será plateado.

Las Avemarías del rosario serán de obsidiana labrada.

Los Padrenuestros, de plata.

Los capellanes de la Corte y los representantes de las parroquias permanecerán fuera de la Capilla Imperial.

El Emperador se hincará en el reclinatorio.

Los cojines del reclinatorio serán de terciopelo negro, con cenefas y flecos de hilo de plata, sin bordados.

El Emperador ofrecerá su confesión.

Durante ésta el confesor se abstendrá de darle al Emperador el tratamiento de Majestad Imperial, y lo llamará por sus nombres de pila.

Tras la absolución, entrarán a la Capilla Imperial los capellanes y los representantes de las parroquias.

El Confesor oficiará el Sacrificio de la Santa Misa, que el Emperador escuchará de rodillas.

Al final de la misa, el Confesor ofrecerá la comunión al Emperador y le suministrará el Santo Viático.

El Emperador procederá a continuación, precedido por el Confesor y seguido por los capellanes de la Corte y los representantes de las parroquias, a recorrer los pasillos y salas del Palacio Imperial, para despedirse de las dignidades y funcionarios de la Corte, así como de los empleados y la servidumbre del Palacio.

Las damas estarán al frente.

Los representantes de las parroquias continuarán portando cirios encendidos.

La Guardia Palatina formará valla al paso del Emperador.

Sus yelmos estarán provistos con penachos negros.

El recorrido del Emperador será como sigue: Escalera del Emperador. Galería de la Guardia Palatina. Galería Iturbide. Antesala. Sala del Consejo. Galería de Pinturas. Sala de Yucatán. Salón del Emperador.

Todas las lámparas del Palacio Imperial tendrán crespones negros.

El Emperador se limitará a despedirse con ligeras inclinaciones de cabeza. Los dignatarios de la Corte y demás asistentes permanecerán inmóviles.

Al llegar al Salón del Emperador, se le presentará al Emperador un Decreto para la liberación de un número predeterminado de criminales del fuero civil y militar. El Emperador firmará de pie esta y otras peticiones, y se dirigirá enseguida a la Sala Carlos V, donde se le servirá el desayuno.

El Emperador podrá elegir entre dos menús y dos clases de vinos.

Se dejará solo al Emperador. El Confesor, los capellanes y los representantes de las parroquias permanecerán a la puerta.

El servicio será de plata, con el Monograma Imperial.

El mantel y la servilleta, de seda blanca labrada al estilo alemanisco, con el Monograma Imperial.

Tras el desayuno, el Emperador hará sus abluciones y se dispondrá a efectuar sus últimas meditaciones.

Mientras tanto, se formará el Gran Séquito precedido por un destacamento de la Guardia Palatina, mozos de espuela, caballerizos, picadores y lacayos a pie, tal como se indica en el Capítulo III De los Séquitos, Sección Primera, Gran Séquito, del «Reglamento para los Servicios de Honor y el Ceremonial de la Corte».

El Gran Séquito y las grandes dignidades y funcionarios de la Corte se reunirán en el Gran Patio del Palacio Imperial y se dirigirán a la Plaza Mayor del Imperio a ocupar sus posiciones respectivas, de acuerdo al diseño elaborado por el dibujante de la Corte.

Las posiciones serán semejantes a las correspondientes a las grandes recepciones en el Salón del Emperador, con las modificaciones necesarias del caso.

Así, y considerando que el Emperador ocupará durante la ejecución el centro de la plaza, de espaldas al Palacio Imperial y teniendo a su derecha la Catedral Metropolitana, las posiciones serán como sigue:

A la derecha del Emperador y unos pasos atrás, se encontrará el

Capitán de la Guardia Palatina, acompañado por un teniente del mismo cuerpo. Al mismo nivel, y a la izquierda del Emperador, habrá otro teniente de la Guardia Palatina.

Todos estos oficiales usarán un crespón negro en el brazo izquierdo y otro en el puño de la espada.

Frente al lugar destinado al Emperador, a unos pasos, se colocará el Gran Maestro de Ceremonias y un poco más adelante el Presidente del Ministerio.

El Gran Maestro de Ceremonias usará una banda de crespón negro atravesada desde el hombro izquierdo hasta el costado derecho. Los guantes y la corbata serán blancos.

A la derecha del Emperador estarán colocados en orden sucesivo: I Los príncipes imperiales y de Iturbide. II Los cardenales. III Los collares del Aguila Mexicana. IV El Gran Mariscal de la Corte. V El Gran Chambelán. VI El Caballerizo Mayor. VII El Intendente General de la Lista Civil. VIII Damas de Palacio y damas de honor.

A la izquierda del Emperador estarán colocados en orden sucesivo: I Las princesas imperiales y de Iturbide. II Las grandes cruces de San Carlos. III La Dama Mayor. IV El Ayudante de Campo General. V El Limosnero Mayor. VI El Gran Chambelán de la Emperatriz. VII Damas de Palacio y damas de honor.

Todos estos dignatarios y funcionarios de la Corte llevarán los vestidos correspondientes a un Luto Nacional.

Las damas de Palacio y de honor usarán vestidos de lana negra y alhajas negras.

Sus rostros estarán cubiertos con velos negros.

Todos los asistentes portarán cirios apagados.

Se colocarán también a la derecha del Emperador, dando la espalda al Palacio Imperial: El Médico de la Corte y sus consultantes. Los empleados superiores de la Corte. Los caballerizos. Los chambelanes. El Notario de la Corte.

También de espaldas al Palacio Imperial y a la izquierda del Emperador: los capellanes honorarios, los capellanes de la Corte. Los oficiales de Ordenes. Los Oficiales de la Guardia Palatina. Los ayudantes de campo.

El Médico de la Corte estará provisto de los instrumentos necesarios para certificar la muerte del Emperador.

El Notario de la Corte estará acompañado por un Secretario, al cual le dictará el Acta de la Muerte del Emperador.

De frente al Emperador, o sea de cara al Palacio Imperial, se colocarán, a su derecha y en orden sucesivo: el Presidente del Ministerio y los ministros. El Presidente del Consejo de Estado y los consejeros. El Presidente del Tribunal Supremo y magistrados. Los embajadores mexicanos. El Presidente del Tribunal de Cuentas y ministros. Las grandes cruces del Aguila Mexicana. Los ministros plenipotenciarios mexicanos. El Decano del Cuerpo Diplomático. Los ministros del Cuerpo Diplomático. El Procurador General y procuradores y abogados generales del Tribunal Supremo. Las grandes cruces de Guadalupe. El Comandante de la Primera División militar y oficialidad. El Presidente del Tribunal Superior y magistrados. El Arzobispo y el Clero. El Presidente de la Academia y académicos.

De frente al Emperador, o sea de cara también al Palacio Imperial, a su izquierda y en orden sucesivo: los condecorados con las Ordenes y Medallas del Imperio que no tengan otra colocación. Los presidentes de los Tribunales de Primera Instancia, Correccional y Mercantil con su personal. El Alcalde Municipal y regidores. El Prefecto Departamental y el Consejo del Departamento.

En el centro, y dando cara al Palacio Imperial: El Primer Secretario de Ceremonias. El Segundo Secretario de Ceremonias. Unos pasos atrás, el Oficial de la Guardia Palatina de Servicio. El Chambelán de Servicio. El Ayudante de Campo de Servicio. El Oficial de Ordenes de Servicio.

El pelotón de fusilamiento.

El dibujante y el escribano de la Corte, que se encargarán de registrar, para la historia, los detalles de los procedimientos.

Unos pasos atrás, y de cara al Palacio Imperial, los subsecretarios de los Ministerios y empleados de éstos y sus dependencias en el orden siguiente, de derecha a izquierda del Emperador: Negocios Extranjeros. Marina. Justicia, Instrucción Pública y Cultos. Fomento. Guerra. Hacienda.

Todos los funcionarios civiles del Estado usarán traje y guantes negros, así como un crespón negro en el sombrero. La corbata será blanca.

Los soldados del pelotón usarán uniforme de gala negro con cinturón y banda cruzada de color blanco.

Sus guantes serán negros, a excepción de los guantes del oficial que comande al pelotón, que serán blancos.

Todos tendrán la misma estatura.

Si el Emperador elige ser ejecutado a caballo, el pelotón estará compuesto por soldados de caballería.

Sus caballos serán negros, de poca alzada.

Los arneses y la silla negros también, sin ornamentaciones.

Seguirán, y siempre de cara al Palacio Imperial: I Los representantes de todas las diócesis y parroquias del país. II Los delegados de todos los conventos del país. III Los profesores y alumnos de los colegios, en el siguiente orden, de derecha a izquierda del Emperador: El de Tecpan. Escuela de Comercio. Escuela Imperial de Agricultura. Academia de San Carlos. Escuela de Medicina. Escuela Imperial de Minas. Colegio de San Juan de Letrán. Colegio de San Ildefonso. Seminario Conciliar. Colegio

Militar. IV Niños y niñas de la Casa de Cuna de la Emperatriz. V Internados de la Casa de Ancianos de la Emperatriz. VI Asilados de la Casa de Pobres de la Emperatriz. VII Enfermos y tullidos del Hospital de San Carlos y otros hospitales del país. VIII Miembros de la nobleza mexicana que no estén al servicio de la Corte. IX Representantes de la Banca y la Industria. X El pueblo.

Los caballeros y damas usarán la vestimenta señalada por el Reglamento para las ocasiones de Luto Nacional.

Las damas tendrán los rostros cubiertos con un velo negro.

Las mujeres del pueblo usarán vestidos de lana negra.

Los hombres del pueblo pantalón y camisa de manta blanca y crespones negros en el sombrero y en el brazo izquierdo.

Los empleados y la servidumbre del Palacio Imperial permanecerán en el interior del mismo, incluyendo a la Directora del Guardarropa de la Emperatriz, camaristas primeras y segundas, mayordomos y conserjes, ujieres e inspectores de Mesa, lacayos y serenos, así como mozos, Jefe de Cocina y cocineros, confiteros y panaderos, mozos de cocina y demás no listados.

Se permitirá a estos empleados y servidumbre observar la ejecución desde las ventanas y balcones del Palacio Imperial, que sólo podrán ser abiertos hasta que el Emperador abandone el recinto.

Todas las ventanas y balcones del Palacio Imperial estarán provistos de cortinas negras sin bordados, con cordones, borlas y flecos de hilo de plata.

El Balcón Imperial permanecerá cerrado.

A las seis y cuarenta minutos de la mañana, el Confesor tocará a la puerta de la Sala Carlos V y preguntará al Emperador si se encuentra preparado. El Emperador responderá afirmativamente y él mismo abrirá la puerta del salón.

El Emperador será escoltado por los capellanes y los representantes de las parroquias, y precedido por el Confesor, hasta el Gran Patio del Palacio Imperial.

Al llegar el Emperador al Gran Patio, se acercará el Caballerizo Mayor que llevará a la brida el caballo que deberá montar el Emperador.

Este caballo será blanco, con silla y arneses de piel y terciopelo negros, y gualdrapa negra con bordados de seda blanca.

Cuatro ayudantes de campo, a pie y descubiertos, seguirán al caballo del Emperador, llevando de la brida a sus respectivos caballos.

Estos caballos serán negros, con sillas y arneses negros también y gualdrapa negra con discretos bordados de hilo de plata.

Los caballos tendrán sendos penachos negros, y en las colas, cortadas a la inglesa, un crespón negro también.

El Emperador montará. Un Ayuda de Cámara se acercará para entregarle el sombrero.

El sombrero del Emperador será de fieltro blanco, con cinta de terciopelo negro y toquilla de piel negra con incrustaciones de plata.

Los ayudantes de campo se cubrirán y montarán en seguida del Emperador.

Este dará la orden de marcha.

Las herraduras del caballo del Emperador serán de plata.

El Emperador será precedido por dos de los ayudantes de campo. Los otros dos ayudantes de campo marcharán detrás de él.

Todos los caballos irán al paso.

El Confesor del Emperador marchará a su izquierda, a pie.

Al llegar a la Puerta Principal del Palacio Imperial, una niña de la Casa de Cuna de la Emperatriz, vestida de blanco, le entregará al Emperador un ramo de violetas blancas.

Sección Tercera:
«De los procedimientos para la ejecución».

Mientras el Emperador se acerca al lugar de la ejecución, se observará en la plaza un silencio absoluto.

El Gran Maestro de Ceremonias habrá dispuesto la colocación de una alfombra roja en el lugar de la ejecución, a fin de que el cuerpo del Emperador no toque el suelo.

En caso de que el Emperador elija ser ejecutado a caballo, se prescindirá de la alfombra, pero los cuatro ayudantes de campo que acompañan al Emperador permanecerán a una distancia adecuada, a fin de recoger su cuerpo antes de que éste llegue a tocar el suelo.

En este caso, si al desvanecerse el Emperador no cae de su cabalgadura, los ayudantes de campo lo bajarán y lo sostendrán en sus brazos.

El Emperador se colocará en el centro de la plaza, de cara al pelotón.

Los ayudantes de campo desmontarán. Cuatro palafraneros se llevarán, de la brida, a sus respectivos caballos.

El Ayudante de Campo colocado a la izquierda del Emperador, detendrá al caballo de éste por la brida, para que el Emperador desmonte, en caso de que haya elegido ser ejecutado de pie.

El Ayuda de Campo colocado a la derecha del Emperador, retirará al caballo de éste por la brida. En caso de que el Emperador haya elegido ser ejecutado a caballo, se limitará a tomarlo por la brida.

El Notario de la Corte se acercará y le entregará al Gran Canciller un sobre sellado con lacre negro y el Sello del Imperio.

Este sobre contendrá la sentencia de muerte del Emperador.

El Gran Canciller romperá el lacre y entregará el documento al Lector del Emperador, quien le dará lectura en voz alta. Terminada ésta, el Lector entregará la sentencia al Gran Maestro de Ceremonias, quien a su vez la pondrá en manos del Notario de la Corte.

Se dará la orden para que los soldados del pelotón ocupen sus posiciones.

Los soldados del pelotón presentarán armas.

Las armas serán negras, con culatas de marfil y taracea de plata.

Todas estarán cargadas con una sola bala, a excepción de una, que tendrá una bala de salva.

Las balas serán de plomo, con cabeza de plata.

El Confesor del Emperador procederá a la bendición de las armas.

Tras la bendición, el Gran Maestro de Ceremonias anunciará el discurso de despedida a la Nación del Emperador.

El Emperador pronunciará su discurso de despedida a la Nación, que no deberá prolongarse más allá de las seis y cincuenta y cinco de la mañana.

A continuación se acercará el Ayudante de Cámara del Emperador de servicio y dos ayudas de cámara honorarios.

El Emperador le entregará su sombrero al Ayuda de Cámara de servicio. El primer Ayudante de Cámara honorario le dará el Gran Collar del Aguila Mexicana. El segundo Ayudante de Cámara honorario será depositario de la banda de los colores imperiales mexicanos.

Los ayudas de cámara se retirarán sin dar la espalda.

El Tesorero de la Corte entregará al Gran Canciller una bolsa con monedas de oro.

El Gran Canciller le entregará la bolsa al Emperador.

Las monedas serán onzas acuñadas en la Casa de Moneda del Imperio, y por lo tanto tendrán de un lado la efigie del Emperador, y del otro el Aguila Imperial Mexicana.

El Emperador se acercará a los soldados del pelotón y entregará una moneda a cada uno.

Los soldados se quitarán el guante de la mano derecha para recibir la moneda, la guardarán en el bolsillo izquierdo de su casaca, estrecharán la mano que les tenderá el Emperador y harán el saludo militar.

El Emperador permanecerá con los guantes puestos.

Si el Emperador ha elegido ser ejecutado a caballo, los soldados del pelotón desmontarán para llevar a cabo la operación descrita.

El Emperador permanecerá en su cabalgadura.

A continuación, los soldados del pelotón volverán a calzarse el guante y, si es el caso, a montar en sus cabalgaduras.

A continuación los soldados del pelotón solicitarán el perdón del Emperador, que les será otorgado por éste.

El Emperador, sin dar la espalda al pelotón, volverá al sitio de la ejecución.

El Confesor se acercará al Emperador para impartir su bendición.

El Emperador la recibirá de rodillas.

Durante la bendición, el Confesor se abstendrá de darle al Emperador el tratamiento de Majestad Imperial, y lo llamará por sus nombres de pila.

En caso de que el Emperador haya elegido ser fusilado a caballo, éste doblará las patas delanteras mientras dure la bendición.

Tras la bendición el Emperador volverá a dar la cara al pelotón.

El Gran Canciller de las Ordenes del Imperio presentará entonces al Gran Maestro de Ceremonias una venda extendida sobre un cojín de terciopelo negro.

La venda será de seda blanca, sin bordados y con cenefas simples de color blanco.

El Gran Maestro de Ceremonias tomará la venda y se acercará al Emperador para ofrecérsela.

Si el Emperador acepta la venda, dos ayudas de cámara se acercarán para asistirlo.

Si el Emperador rechaza la venda el Gran Maestro de Ceremonias la devolverá al Gran Canciller.

El Oficial que comande el pelotón solicitará la venia del Gran Maestro de Ceremonias para dar la orden de alistar las armas.

Tras la venia, el oficial dará la orden.

Dos ayudas de cámara se acercarán al Emperador para desabrochar su casaca, y se retirarán sin dar la espalda.

Si el Emperador ha elegido ser ejecutado a caballo, se quitará los guantes y él mismo se desabrochará la casaca.

Después, volverá a calzarse los guantes.

En este caso, un Ayudante de Campo, a pie, se colocará al lado izquierdo de la cabalgadura del Emperador, pondrá una rodilla en tierra y bajará la cabeza del animal, sosteniéndola por la brida para evitar que la alce.

Cuando suene la primera campanada de las siete de la mañana en el reloj de la Catedral Metropolitana, el Oficial solicitará la venia del Gran Maestro de Ceremonias para dar la orden de apuntar las armas.

Tras la venia, el Oficial dará la orden.

El Emperador se apartará con las manos las orillas de la casaca, y presentará el pecho.

Cuando suene la sexta campanada de las siete de la mañana en el reloj de la Catedral Metropolitana, el Oficial solicitará del Gran Maestro de Ceremonias la venia para dar la orden de fuego.

Cuando suene la última campanada, el oficial dará la orden.

Mientras cae el Emperador se guardará un silencio absoluto, y todos los asistentes a la ejecución permanecerán inmóviles.

Tras unos segundos, el Médico de la Corte se acercará a examinar al Emperador. Si éste ha muerto, se ignorará la siguiente sección, y se procederá con la Sección Quinta.

Sección Cuarta:
«De las provisiones especiales para el tiro de gracia».

Si el Emperador se encuentra aún vivo, el Médico de la Corte así lo comunicará al Gran Maestro de Ceremonias, para que éste a su vez, se lo comunique al Gran Canciller de las Ordenes del Imperio.

El Gran Canciller presentará entonces, en un cojín de terciopelo negro, la bala destinada al tiro de gracia.

Esta bala será de plomo, con cabeza de plata.

Los asistentes, mientras tanto, deberán guardar un silencio absoluto.

En caso de que el Emperador haya elegido ser ejecutado a caballo, y se encuentre sostenido por sus ayudantes de campo, permanecerá todo el tiempo en los brazos de éstos.

El Gran Canciller de las Ordenes del Imperio entregará la bala del tiro de gracia al Gran Maestro de Ceremonias.

El Oficial del pelotón se acercará entonces para recibir la bala del Gran Maestro de Ceremonias y cargará el arma elegida para el tiro de gracia.

Para esta operación, el Capitán se quitará el guante de la mano derecha y volverá después de calzárselo.

El soldado elegido para disparar el tiro de gracia recibirá el arma de manos del Oficial.

El Oficial se acercará al Emperador, desenvainará su espada y con la punta señalará el lugar del corazón.

El soldado apuntará y esperará la orden del fuego.

Si el Emperador ha elegido ser ejecutado a caballo, tanto el Oficial del pelotón como el soldado elegido para el tiro de gracia bajarán de sus cabalgaduras y llevarán a cabo, a pie, las operaciones descritas.

Tras la venia del Gran Maestro de Ceremonias, el Oficial dará la orden de fuego.

Tras unos segundos de silencio absoluto, el Médico de la Corte, acompañado por el Notario de la Corte, se acercará al cuerpo del Emperador, para examinarlo.

Sección Quinta:
«Del pronunciamiento de la muerte del Emperador y de la difusión de la noticia».

Si tras examinar al Emperador el Médico de la Corte lo pronuncia muerto, así lo comunicará al Gran Canciller y al Notario de la Corte.

El Notario levantará el acta correspondiente y la entregará al Gran Maestro de Ceremonias, quien a su vez le entregará al Lector de la Corte.

El Lector de la Corte dará lectura al acta, en voz alta.

El Gran Chambelán de la Corte entregará a dos ayudantes de campo y dos ayudantes de mar del Emperador el pabellón con los colores y el escudo del Imperio Mexicano.

Los ayudantes de campo y de mar del Emperador cubrirán el cuerpo de éste con el Pabellón Imperial Mexicano. Encima de él colocarán el Gran Collar del Aguila Mexicana y la banda de los colores imperiales.

A una señal del Gran Maestro de Ceremonias, y simultáneamente:

Un niño de la Casa de Cuna de la Emperatriz soltará una paloma blanca que tendrá en el cuello un listón de terciopelo negro.

Todos los asistentes encenderán sus cirios.

Cuatro mensajeros a caballo partirán al galope hacia los cuatro puntos cardinales del Imperio para difundir la noticia de la muerte del Emperador.

Otros dos mensajeros, también a caballo, partirán hacia el Puerto de Veracruz para embarcarse en la *Novara* y llevar la noticia al Emperador de Austria y la Emperatriz de México.

Los mensajeros vestirán casaca y calzón corto de terciopelo negro, medias blancas y zapatillas de charol negro.

Sus caballos serán blancos y tendrán en las colas, cortadas a la inglesa, sendos crespones negros.

En el Palacio Nacional y en el Castillo de Chapultepec, los lacayos cerrarán todas las ventanas y balcones y correrán las cortinas.

Se hará lo mismo en el Castillo de Miramar y la Abadía de Lacroma.

Simultáneamente se izarán a media asta todas las banderas del país.

Se hará lo mismo con las banderas del Castillo de Miramar y la Abadía de Lacroma.

Todas estas banderas tendrán el asta forrada con terciopelo negro y estarán rematadas por un crespón negro también.

Se entonará un Réquiem en la Catedral Metropolitana y todas las catedrales del país.

Simultáneamente comenzarán a repicar, a duelo, todas las campanas del país.

Harán lo mismo las campanas de las capillas imperiales de Miramar y de Lacroma.

Todas estas campanas estarán rematadas por crespones negros.

El badajo de la campana mayor de la Catedral Metropolitana será de plata.

XXIII

CASTILLO DE BOUCHOUT
1927

PORQUE yo soy una memoria viva y temblorosa, una memoria incendiada, vuelta llamas, que se alimenta y se abrasa a sí misma y se consume y vuelve a nacer y abrir las alas. Porque yo tengo alas de águila: me las robé de una bandera mexicana. Yo tengo alas de ángel: me crecieron anoche mientras soñaba contigo, mientras te imaginaba. Porque yo no soy nada si no invento mis recuerdos. Porque tú no serás nadie, Maximiliano, si no te inventan mis sueños.

Por eso, Maximiliano, el día en que yo me muera te vas a morir conmigo. Yo soy tu amor vestido de marinero. Yo soy tu espanto disfrazado de espejos, tu pecho tatuado de códices, tu miembro envuelto en hojas de plátano. Yo soy tu lengua amarrada a la lengua de Concepción Sedano. Tus barbas enredadas a los espinos en flor bordados en mi almohada, tus labios que besan el polvo del Cerro de las Campanas. Yo soy, Maximiliano, tu carne embarrada en las canteras de la Cuesta China, tu saliva que fluye por el Acueducto de Los Remedios, tus uñas encajadas en la pulpa de una sandía. Yo soy tus huesos que tocan una marimba. Tus ojos azules incrustados en la cara del indio. Yo soy tu ombligo, Maximiliano, colgado de la luna de Querétaro.

¿Te dije algún día, Maximiliano, que tú inventaste México y el mundo para mí? Eso también fue mentira: yo te inventé a ti para que tú los inventaras. Nadie, por ello, puede venir ahora a decirme, a mí, imagínate, a quien te acurrucó en el vientre de tu madre, a quien por leche te hizo beber los cristales del alba, a quien te dio su aliento y de la mano te llevó por los corredores oscuros de Schönbrunn para que escucharas la agonía del Duque de Reichstadt y el vuelo de los halcones, y con el índice y desde las playas de Bahía te señaló los martines pescadores que se clava-ban como flechas en los hervideros de la espuma, a mí, imagínate, que dibujé en las azucenas el contorno de tus manos y te di un corazón de alcancía para que en él atesoraras mi ternura, a mí que hice a la noche tenderse sobre tu cuerpo, al cieno trepar por tus axilas, a tus intestinos transformarse en un río de moscas doradas, ¿me van a decir ahora que por ti las campanas de Dolores se ponen sus faldas de agua sonora y las balas sus colas de lumbre, que por ti y en la lluvia de Orizaba canta la dalia el corrido del diecinueve de junio y con su espolón de plata señalan las espuelas de Amozoc el camino al patíbulo? ¿Que no se dan cuenta, Maximiliano, Emperador de México y Rey del Universo que yo inventé las campanas y la lumbre, las balas y las espuelas, la lluvia que para besar tu frente bajaba del cielo de México deslizándose por hilos de agua tibia? ¿Que no se dan cuenta que yo inventé el camaleón que se tragó el arcoíris de Zempoala? A mí Maximiliano, que conocí los escupitajos de jade que se congelaron en tu garganta y los coágulos almendrados de tu hígado, a mí, dime, ¿me van a venir ahora a contar mis sueños? ¿Que no saben que te retrataste en el agua y te copiaste en el paisaje? ¿No te han visto vivo en el fondo del Lago de Xochimilco? ¿No te contemplaron muerto a la sombra de un tamarinto? Ay, Maximiliano, la sed tiene colores que desconoce el viento, el hambre tiene un brillo que no se imagina el fuego: de viento y fuego, de polvo y nada, hago tus dientes, y con tus dientes un racimo y con tus venas una red de hilos azules para pescarte vivo y llevarte a vender al mercado. Por ti, por inventarte, por palpitar en tus suburbios de ámbar, me jugué la vida en una pelea de gallos, me jugaré la muerte en un volado. Yo soy Carlota, Emperatriz de México y de América y hoy, Maximiliano, me voy a regresar a México contigo. Aunque sea para arrepentirme de nuevo, aunque me digan que estoy loca: loca Isabel la Católica, que no se cambió de camisa hasta que cayó Granada. ¿Pero loca yo porque bebo tequila en la fuente de la botella de piedra de El Arenal? Al contrario, que me traigan una barrica de tequila. ¿Loca yo porque sé que te buscas en la cicatriz de la espuma y te escondes en el temblor de la tinta? ¿Loca porque me gusta ir a la Plaza de los Evangelistas de la ciudad de México para pedirles que con esa tinta escriban mi vida? No, loca Juana la Loca que se cagaba en la cama. Loco Cristián de Dinamarca que echaba espuma por la boca y que le pedía a su amigo Holck que lo azotara. ¿Pero loca yo, loca porque sé que tu pecho abriga un sol entero y que ese sol es el de México?

¿O loca yo y puta, sobre todo puta porque el hijo que llevo en las entrañas no lo engendró el Emperador de México? No, Maximiliano: puta tu cuñada Sisi que tuvo una hija de un cazador de zorras. Puta tu madre que tuvo un hijo del Rey de Roma, y puta la madre del Rey de Roma que con su general tuerto lo llenó, en Parma, de hermanos bastardos, como me llenó a mí de hermanos naturales la puta de la Von Eppinghoven con mi padre Leopoldo. Y puta la madre del Zar Pablo Primero que lo concibió con el Conde Saltykov. Puta Inés Esteves la madre del fundador de la dinastía ducal de los Braganza Alfonso de Portugal porque lo concibió con Juan Primero sin estar casada con él, y puta también la abuela de Alfonso, Theresa Lourenço, que tuvo como hijo natural a Pedro Primero. Puta la amante de Jacobo Primero de Inglaterra, Arabella Churchill, madre de su bastardo el Duque de Berwick. Puta la madre de Napoleón Tercero que le dio como medio hermano al Duque de Morny, hijo ilegítimo del Conde de Flahault, que era hijo de la puta que lo concibió, como hijo natural, con el Príncipe de Talleyrand. Y putas, Maximiliano, las dos reinas de España: puta María Luisa que tuvo, con Godoy, al hermano de Fernando Séptimo, puta Isabel Segunda que si pudo darles como rey a sus súbditos a Alfonso Doce, fue porque le abrió las piernas y la matriz a un dentista norteamericano y todos, hasta la mojigata de mi prima Victoria, se hicieron de la vista gorda. Pero puta yo, no, Maximiliano, porque nunca te fui infiel. Porque si el hijo que voy a tener no lo engendraste tú, tampoco, escúchame bien, tampoco lo engendró el Coronel Van Der Smissen, ni Léonce Détroyat, ni el Coronel Feliciano Rodríguez. El hijo que voy a tener no será jefe de Estado Mayor del Mariscal Foch, ni venderá truchas y rodaballos en el East End de Londres, porque no será hijo de nadie sino de todos: a mí todos me embarazaron, sin que yo me enterara, cuando estaba soñando con los ojos abiertos. Me embarazó el Mariscal Aquiles Bazaine con su bastón de mariscal. Me embarazó Napoleón con el pomo de su espada. Me embarazó el General Tomás Mejía con un acto largo y lleno de espinas. Me embarazó un ángel con unas alas de plumas de quetzal que tenía, entre las piernas, una serpiente forrada con plumas de colibrí. Y quedé preñada de viento y de vacíos, de quimeras y de ausencias. Voy a tener un hijo, Maximiliano, del peyote, un hijo del cacomixtle, un hijo del tepezcuintle, un hijo de la mariguana, un hijo de la chingada.

Y si te dicen que yo ya no soy mexicana porque hace muchos años que no vivo en México. Si te dicen que el México con el que sueño dejó de existir hace mucho tiempo, diles, Maximiliano, que eso no es cierto, porque México es el México que yo invento. Yo le di su frescura a las aguas del Lago de Chapala. Yo inventé la plata de Sonora. Yo le di su transparencia a los cielos azules del Valle de Anáhuac. Y si te dicen, Maximiliano, si te dicen que México ya no es el mismo, diles que no es cierto, porque yo soy la misma de siempre, y México y yo somos la misma cosa. Sesenta años he pasado ante un espejo, sin moverme, mientras el mundo giraba a mi alrededor como aquella noche, te acuerdas, cuando me estrechaste por la vez primera en tus brazos en el Palacio de Laeken. Sesenta años, Maximiliano, y el tiempo no me ha tocado: te juro que no me ha salido una sola cana, que no tengo una sola arruga, que no se me ha caído un solo diente, que nunca me duermo, como la Emperatriz Popea, con una máscara de harina y pasta de huevo, ni me pinto el cabello con infusión de hojas de zarzamora y que para tener el cutis fresco no lo baño con una loción de cerebro de jabalí y sangre de lobo como lo hacía Sisi, te lo juro, Maximiliano, porque cada día estoy más bella. Te juro que para que mis dientes estén siempre blancos no los froto como me dijo la Duquesa de Kent con polvo de cuernos de ciervo y cenizas de romero y no tengo verrugas que quitarme con la baba de los caracoles de tierra ni vello que depilarme con el jugo lechoso de las flores de Nochebuena de las que me envió un macetón el año pasado Joel Poinsett, te juro, Maximiliano, que mi aliento está todavía fresco y no lo perfumo con hojas de betel y yerbabuena, porque cada día estoy más joven. Ve y díselo a México. Ve y diles que estoy más bella de lo que nunca estuve en todos los daguerrotipos de Le-Graive y en los retratos que me hizo Portaels en Bruselas y Winterhalter en las Tullerías. Ve y diles que no se crean que me van a tener que decir cuáles son los colores del uniforme de mis guardas palatinos, porque estoy ciega. Que no se imaginen que tendrán que gritarme al oído el himno imperial mexicano porque estoy sorda y ya olvidé la letra. Diles que no se atrevan a llevarme en silla de ruedas a la Catedral de San Hipólito pensando que estoy tullida. ¿Te acuerdas, Maximiliano, de la Carlota que conociste cuando fuimos a la ópera en Bruselas? ¿Se acuerdan ellos, los mexicanos, de la Carlota que conocieron cuando la Novara entró a la rada de Veracruz escoltada por zopilotes? ¿Se acuerdan, dime, del Angel Tutelar de Yucatán que se contempló en las aguas del cenote sagrado? Diles, como yo te digo a ti, Maximiliano, que no me van a reconocer porque soy la mujer más bella de la vertiente del Golfo, la más bella de la Sierra Madre Oriental, de las dunas de Antón Lizardo, de las Islas Revillagigedo, de los llanos de Tlaxcala, la más bella, Maximiliano, de todas las mexicanas. Ve y diles todo eso, y diles también que voy a regresar a México para que México se vea en mi espejo.

Y que me toquen el jarabe tapatío para que vean cómo lo bailo sobre la tumba de Napoleón Tercero. Que me traigan una guitarra, que me traigan un sombrero y unas cananas, que hoy me voy a echar balas en la Feria de San Juan. Que en mi bicicleta con esquís voy a patinar en el Lago de Chapala. Que en mi bicicleta con alas voy a volar sobre Sonora para que me saluden desde abajo mis indios tarahumaras. Que me voy a bañar en el Salto de Necaxa. Que hoy me voy al jaripeo con el Barón Neigre y Carmen Sylva de calzonera y chaqueta de cuero con bordados de plata de Arizonac. Que me traigan a los mariachis, que vengan Juárez y sus ministros a darme una serenata y me toquen las mañanitas para que vean cómo las canto. Que hoy me voy de parranda a México con la Princesa Bibesco y Eugenia de Montijo a quemar judas, a comer calaveras de azúcar, a romper piñatas, a cantar las letanías y pedirle posada a México, a tocar matracas de marfil y hueso, a bailar a Chalma, a besarle las manos a la Virgen de los Remedios, a besarle los pies al Señor del Veneno. Que me traigan mi huipil. Que me traigan mi rebozo de bolita y mis faldas de china poblana forradas con chaquira y lentejuela. Que me traigan mis huaraches. Que me traigan un sarape de Saltillo, porque hoy me voy a vestir de mexicana para asombrar al mundo. Me voy a poner una falda de colas de mapache. Una máscara de diablo michoacano. Una blusa de piel de iguana. Un sombrero de plumas de guacamaya. Y un collar, Maximiliano, de lenguas de cenzontle, el pájaro de las cuatrocientas voces, porque yo soy todas las voces, todas las lenguas. Porque yo invento cada día la historia. Porque yo viajo por el mundo con las alas de manta de Cambrai que me hizo Santos Dumont, con las alas de alabastro que inventó para mí Leonardo, con las alas de papel de China que me trajo Marco Polo: nadie ni nada me puede encerrar, Maximiliano. Todos creen que me tuvieron cuatro meses presa en Miramar, diez años encerrada en Terveuren, cincuenta en Bouchout. Todos creen que me han tenido encerrada siempre en mí misma porque no saben que cosí todos los edictos y cartas y papeles en blanco que dejaste regados en tu despacho del Castillo de Chapultepec para hacerme con ellos un paracaídas y brincar por la ventana. Porque no saben que si yo no me corté el pelo como lo hizo María Teresa cuando murió su esposo Francisco de Lorena o como se lo cortó Cósima cuando murió Wagner y lo puso en su ataúd para que se lo llevara al infierno, fue, Maximiliano, para dejarlo crecer durante sesenta años y con él hacerme una trenza para descolgarme por el balcón. Porque no saben que cuando viene el mensajero disfrazado del mago Houdini me transforma en la Princesa de Liliput y me escondo en el día en mi casa de muñecas, y en las noches me monto en el lomo de un murciélago que viene por mí desde Brujas para llevarme a Dunquerque y en Dunquerque me monto en el lomo de un pez volador para viajar a México.

Diles, también, que soy mexicana porque sé muy bien dónde dejé mi corazón. Diles que en cambio tú no sabes dónde dejaste el tuyo, diles que el corazón de tu primo Ludwig de Baviera está guardado en la capilla votiva de Alt-Otting y que los corazones de los emperadores y príncipes de la Casa Habsburgo están en las urnas de la Capilla de Loreto del Hofburgo, pero que tú no sabes, Maximiliano, dónde quedó tu corazón. ¿Dime, qué hizo el indio con los pedazos después de que el Doctor Licea le cortó en cuadros? ¿Los puso en frascos de formol para regalárselos a sus biznietos? ¿Se los vendió a un coleccionista tejano? ¿Se los dio de comer a un águila? ¿O los usó como carnada para irse a pescar tiburones en la Bahía de Chetumal? Tú, Maximiliano, no sabes dónde quedó tu corazón, pero escúchame bien y diles, a todos aquellos que te digan que yo no soy mexicana porque nací en Bruselas, porque he vivido muchos más años fuera de México de los que allí viví, muriendo, y porque soy una Princesa de la Casa de Orleáns y de Sajonia Coburgo, diles que sí lo soy, porque yo dejé mi corazón en Puebla de los Angeles, donde para celebrar mi cumpleaños me vestí de blanco. Que lo dejé camino de Toluca donde para salir a tu encuentro me monté a caballo. Que lo dejé en Cuajimalpa, lo dejé en El Peñón, lo dejé en la recámara del Palacio

Nacional donde me devoraron las chinches. Y lo dejé, Maximiliano, en Ayotla, el día en que me despedí de ti, para no verte nunca más, a la sombra perfumada de los naranjos en flor.

Y si te dicen que mi corazón le quedó chico a México, como corto te quedó a ti tu ataúd de pino, grandes los Jardines Borda, pequeño tu caballo Orispelo. Si te dicen que estoy loca de los pies a la cabeza, que no sólo mis manos están locas porque las hundo hasta los codos en los pantanos y las fuentes, loca mi nariz que te huele en la flor de la canela, loca mi boca que te nombra en los alacranes blancos que te sorbieron los sesos, que te jura en las páginas de los libros, que te maldice en las cuentas del rosario, diles que no, que sé muy bien lo que me digo. Y diles que a mí nada me queda grande ni chico porque el vestido que me puse hoy lo hice yo misma, a la medida. ¿Que viene la Zarina María Feodorovna para regalarme, con tal que no me regrese a México, el collar de brillantes de tres vueltas que usó cuando bendijo las aguas del Neva? ¿Que viene la Princesa Metternich para sobonarme con el brillante Sancy que se puso Carlos el Temerario en el sombrero el día en que dejó la vida traspasado por las alabardas suizas en la tierra borgoñesa y que Paula se llevó a Londres envuelto en un periódico? ¿Qué viene el Duque de Malborough para ofrecerme la cabeza de Sirio el perro? ¿Que tu madre Sofía pone a mis pies las esmeraldas Wittelsbach con tal de que no me vaya a México y me quede aquí encerrada en Bouchout haciendo calceta, bordando paisajes en punto de cruz, pudriéndome en vida? Dile a la zarina, Maximiliano, que puede arrojar sus brillantes a los cerdos de las pocilgas del Palacio de Invierno de San Petersburgo: dile que hoy me puse de collar al Río Usumacinta. Dile a Paula Metternich que vaya al lago congelado donde encontraron a Carlos el Temerario, para devolverle el brillante Sancy: que hoy me puse a la ciudad de Guadalajara por sombrero. Y dile al Duque de Malborough que le regale a Mambrú el rubí de Sirio la próxima vez que Mabrú se vaya a Malplaquet, y a tu madre que puede quedarse con sus esmeraldas Wittelbasch y con el cofre de plata que Napoleón Primero le regaló a Josefina, con la lanza sagrada con la cual Longinos perforó el costado de Nuestro Señor, con los trineos dorados de María Teresa y la corona imperial de Carlomagno, dile que se puede quedar con todas las joyas y reliquias de la Casa de Austria, que puede quedarse con todos sus castillos y sus palacios. Dile, Maximiliano, que yo tengo a México, y de paso recuérdale que ella está muerta y que yo estoy viva, que ya ni siquiera podrá llorar su traición, arrepentirse y llamarte a Austria, arrepentirse de haber dicho que prefería ver muerto a uno de sus hijos que someterse a la masa de estudiantes de Viena, arrepentirse y volver a vivir, enfrentarse a ellos, bañarlos, desde los balcones del Hofburgo, con chocolate caliente y champaña helada como hizo Lola Montez con los estudiantes de Munich, en lugar de correr para irse a esconder a Laxenberg. Dile que se quede con Laxenberg. Que se quede con Hofburgo y con su Schönbrunn. Dile a tu madre, Maximiliano, que por casa yo tengo a las selvas y los desiertos de México, a sus montañas por palacios. Y si Josefina encuentra el ópalo que llamaban el Incendio de Troya, si lo encuentra y me lo quiere regalar, y si Inglaterra quiere devolverme el zafiro que Jorge Cuarto le heredó a su hija Charlotte la primera esposa de mi padre y que a la muerte de ella le pidieron a Bélgica que lo regresara a la Corona Inglesa, y si la Zarina Alix me ofrece la sarta de perlas Fabergé que le dio su marido Nicolás y que era tan larga que le llegaba a las rodillas, y si viene la Reina María de Inglaterra para darme las perlas hannoverianas o Fernando Primero de Rumania para regalarme la corona de hierro fundida con los restos de uno de los cañones capturados en la Batalla de Plevna o mi sobrina María de las Mercedes Reina de España para sobornarme con su corona de cinco mil brillantes o Paulina Bonaparte para ofrecerme todos sus collares de corales, Eleonora de Provenza sus pavorreales de plata y zafiros, Eduardo Séptimo de Inglaterra el brillante Cullinan que le dieron cuando le otorgó la autonomía al Transvaal y su mujer la Reina Alejandra el collar de perlas que se rompió en la apertura del Parlamento, diles que no, Maximiliano, que pueden los caballos destrozar las perlas que rodaron entre sus patas frente a la Abadía de Westminster, que puede Alix irse a la Plaza Roja de Moscú a saltar la cuerda con su sarta de perlas, que puede mi bisabuela María Antonieta quedarse con su collar de brillantes para ponérselo el día en que le corten la cabeza en la Plaza de la Concordia y la Princesa Lamballe con su collar de cuentas de marfil para usarlo cuando ensarten la suya en una pica, y a Catalina de Rusia que el brillante que se le cayó en la sopa de un mendigo el día del lavado de pies, dile que se lo trague ella misma con la sopa. Y a mi prima Victoria la Reina de Inglaterra y Emperatriz de la India, dile, Maximiliano, que el brillante Koh-y-Noor de la Corona Inglesa, dile que se lo meta por el culo. Diles Maximiliano, que yo tengo a México a mis pies.

Diles que lo tengo en las manos, porque cada día lo invento, Maximiliano, y los invento también a todos. Les doy y les quito la vida. Los visto y los desvisto. Los entierro y los desentierro. Les quito el alma y les presto mi aliento. Les quito su risa y les doy mis lágrimas. Vivo y muero por ellos. Yo soy Napoleón Tercero vestido de Madame Pompadour. Yo soy Benito Juárez disfrazado de toreador. Yo soy Juana la Loca que piensa que es Carlota Corday, y un día de estos, Maximiliano, cuando te estés dando un baño de chocolate en tu tina de piedra múcar de Veracruz, te voy a asesinar, te voy a encajar un puñal en el corazón cuando te estés dando un baño de tequila en tu tina de coral, te voy a quitar la vida, Maximiliano, cuando te estés dando, en tu tina de turquesa, un baño de leche de serpiente cascabel. Y después voy a meter la cabeza en la tina porque estoy muerta de sed y quiero, con esa sangre y ese agua de Jamaica, con el vino de Hungría y el jugo de las flores de azahar, con el agua de yerbabuena y el veneno, el pulque y el tequila, el zumo de cochinilla, con tu linfa, con la champaña y el borgoña, el aguamiel y tu saliva embriagarme con tu amor de nuevo, emborracharme de ti, beberte hasta que tu amor y mi amor sean un solo amor, y yo sea tú. Y seré de nuevo el niño de Schönbrunn que soñaba con ser Robinson Crusoe. Seré de nuevo el marinero que se deslumbró con las esclavas desnudas de Esmirna. Y viajaré al Brasil para conocer la tanagra violácea. Viajaré a Florencia para mecer mi corazón en las orillas del Arno. Viajaré de nuevo a México para fundar en los límites de las dos Américas, y así como la antigua Bizancio se levantó en los confines de Europa y Asia, una nueva Constantinopla. ¿Y sabes qué, Maximiliano? Me voy a ir con Blasio a Cuernavaca y en la noche voy a ver a Concepción Sedano para cubrirla de caricias y de pétalos de flamboyán, y con Miramón y Mejía, con Márquez y con Salm Salm me iré de nuevo a Querétaro a jugar whist y comer albóndigas de perro y cuando me lleven al Cerro de las Campanas para matarme, no viajaré en una calesa negra sino en un columpio de seda blanca colgado de los cuellos de dos caballos negros y no serán soldados los que me fusilen sino tus propios generales disfrazados de Judas los que disparen sus cerbatanas con serpentinas envenenadas, o llegaré en una gran pila bautismal de conchanácar llevada en andas por los cuatro Papas a los que he enterrado desde que salí de México y serán niños mexicanos vestidos de ángeles los que me matarán con las flechas disparadas con sus arpas, y esta vez no serás tú el que tendrá que partirse en dos la barba rubia que te llovía sobre el pecho para que te apunten al corazón, seré yo la que me abriré la blusa y me bajaré el sostén para enseñarles a los mexicanos los pechos de los que van a seguir mamando, seré yo la que me levantaré las faldas para enseñarles a los mexicanos mi barba negra y rizada y el lugar por donde los parí a todos y los voy a seguir pariendo.

Yo soy Mamá Carlota. Ellos, los mexicanos, decidieron que a la tía de Europa, tía de Alberto el Rey de Bélgica, tía de Federico Tercero de Prusia y de su mujer Victoria, de Luis Cuarto el Gran Duque de Hesse y de su mujer Alicia y tía abuela de Guillermo Segundo de Alemania y de Constantino Primero de Grecia y de Haakón Séptimo de Noruega, ellos, los mexicanos, decidieron que a la tía abuela de Jorge Quinto de Inglaterra y de Nicolás Segundo el Zar de todas las Rusias y de Alfonso Trece de España, la iban a llamar Mamá Carlota. Ellos, los mexicanos, me hicieron su madre, y yo los hice mis hijos. Yo soy Mamá Carlota, madre de todos los indios y todos los mestizos, madre de todos los blancos y los cambujos, los negros y los saltapatrases. Yo soy Mamá Carlota, madre de Cuauhtémoc y La Malinche, de Manuel Hidalgo y Benito Juárez, de Sor Juana y de Emiliano Zapata. Porque soy tan mexicana, ya te lo dije, Maximiliano, como todos ellos. Yo no soy francesa, ni belga, ni italiana: soy mexicana porque me cambiaron la sangre en México. Porque allí la tiñeron con palo de Campeche. Porque en México la perfumaron con vainilla. Y soy la madre de todos ellos porque yo, Maximiliano, soy su historia y estoy loca. Y cómo no voy a estarlo si no fue con una jícara de agua de toloache con la que me quisieron enloquecer, no fue con el agua del cenote sagrado, ni con el ololiuque que me dieron en la Calzada de la Viga la tarde en que fui disfrazada al mercado con la Señora Sánchez Navarro para comprar una yerba que me hiciera fértil, no, fue con México, y lo lograron. Fueron sus cielos, sus orquídeas, sus colores, los que me enloquecieron. Fue la luz de sus valles la que me cegó. La frescura de su aire la que me intoxicó. Fueron sus frutas: fueron las guanábanas que me regalaba el Coronel Feliciano Rodríguez y las piñas, los duraznos de Ixmiquilpan los que envenenaron mi alma con su dulzura. Dile, dile a tu madre, Maximiliano, que hoy me voy a Irapuato a comer fresas con la Condesa de Kollonitz, aunque me envenene con ellas. A Napoleón y Eugenia, diles que me voy a San Luis a comer tunas con la Marquesa Calderón de la Barca, aunque me espine la lengua y las manos. Y a tu hermano Francisco José dile que me voy a Acapulco a comer mangos con el Barón de Humboldt aunque me muera de empacho.

Diles, además, que me voy a casar de nuevo contigo, y a quienes no quieran que me case para que me lleves a México, diles que yo soy quien te llevo, y que no te voy a dar de dote los cien mil florines que dicen que te entregó mi padre, que no te voy a dar, como Catalina de Braganza a Carlos Segundo de Inglaterra, Tánger y Bombay, o como Luis el Grande de Hungría le dio a una de sus hijas, como dote, el Reino de Polonia y Maximiliano Primero a Margarita le dio casi toda Borgoña y Felipe Segundo a su hija Isabel la Católica los Países Bajos: yo te voy a dar algo mucho más grande. Te voy a dar México. Te voy a dar América. Te voy a regalar el Pico de Orizaba para que desde su cumbre veas llegar a Hernán Cortés. Te voy a regalar la Florida para que vayas a ella con Ponce de León a buscar la fuente de la eterna juventud y bebas de sus aguas para que te quedes para siempre en tus treinta y cinco años. Te voy a regalar el Amazonas para que lo navegues con Orellana y el tirano Aguirre. Te voy a dar la Patagonia, Maximiliano, para que veas pasar a Hernando Magallanes. Te voy a regalar el Archipiélago de los Galápagos para que te vayas a estudiar a las tortugas con Carlos Darwin. Te voy a regalar la Isla de San Salvador para que desde sus playas veas llegar a Cristóbal Colón. Te voy a regalar la Serranía de Chihuahua para que la recorras a caballo al lado de Ambrose Bierce y del General Pancho Villa.

Pronto, pronto, que se me va la vida y se me acaban las palabras. Vistan a mis lacayos con sus libreas de gran gala. Llamen al gran mariscal de la corte. Convoquen a todos los Fugger y a todos los Rothschild para que traigan a Miramar todo el dinero que me escondió mi hermano Felipe. Convoquen al Arzobispo y al Nuncio. Ordenen a todas mis damas de honor que se presenten ahora mismo en el castillo. Enciendan las calderas de la Novara. Llamen al gran maestro de ceremonias. Convoquen a los guardias palatinos. Que presenten armas los cazadores y los zuavos. Llamen al batallón egipcio y al cuerpo de voluntarios austriacos. Preparen el carruaje descubierto y las seis mulas color Isabelle con patas de cebra. Que se presenten los Dragones de la Emperatriz y los guardianes rurales. Preparen mi manto de terciopelo púrpura. Convoquen a los generales edecanes y a los generales de división y a los oficiales de ordenanza. Empaquen todos los muebles de Miramar. Las cortinas de brocado con el lema Equidad en la Justicia. Las cómodas María Teresa. Las sillas del comedor Enrique Segundo. El escritorio de María Antonieta. Las piedras de granito del Tirol de la fachada. Empaquen los laureles del jardín, las magnolias, el kiosko morisco. Pronto, que me regreso a México, aunque se me vaya la vida, aunque llegue muerta porque me lo ha dicho el mensajero, me ha prometido que regresaré a México viva o muerta.

Dile a los mexicanos que me preparen mi trono. Diles que me vayan cavando un hoyo. Diles que pulan la vajilla de plata. Diles que caven una fosa en las faldas del Popocatépetl, en el Bolsón de Mapimí, en el Lago del Xinantécatl. Diles que barran la Calzada de Santa Anita. Que junten las joyas de la Corona para amarrármelas al cuello y arrojarme al cenote sagrado. Diles que voy a regresar, viva o muerta. Viva, he de regresar coronada con una diadema de abejas y alondras. Muerta regresaré envuelta, como una momia de Guanajuato, con los jirones sanguinolentos de tu mortaja. Viva, volveré descalza para que me besen los pies mis indios mexicanos. Muerta, en un sarcófago descubierto para que me besen la frente y tañan las campanas a duelo y se vistan de crespones negros mis duques y mis marquesas. Viva, volveré caminando de rodillas y rezando el rosario y con un cacto rasgándome el pecho con sus espinas, para que me perdone la Virgen guadalupana. Muerta, cruzaré el océano en un barco de velas negras escoltado por pájaros blancos y en una barcaza negra remontaré el Río Pánuco y el Río Tamesí escoltada por mariposas azules y en una góndola negra me quedaré quieta como tú, inmóvil, en medio de las chinampas de Xochimilco, rodeada para siempre por todas las flores del mundo. Viva volveré a México en el ferrocarril que sube las cumbres de Acultzingo y cruza el Puente de Metlac y los llanos de Texcoco y desde las ventanas del vagón imperial saludaré a mi pueblo y le arrojaré besos y Maximilianos de oro. Y volveré en una carroza de marfil con ángeles del Tiziano en las puertas y una letanía de rosas enredada en las ruedas, que recorrerá de punta a punta el Paseo de la Emperatriz bajo la sombra de los fresnos, para que mi pueblo arroje a mi paso confeti y bendiciones. Y volveré en un globo de seda impulsado por los vientos alisios que bajará del cielo hasta el corazón del Valle de México, en medio de mi pueblo, para que el aire se inunde de palomas y toquen a rebato las campanas. Pero si se me va la vida, Maximiliano, si llego muerta a México, llegará en una caja de cristal, hecha cenizas, para ensombrecer con ellas las nieves del Iztaccíhuatl, para envenenar con ellas las aguas claras de los Jardines Borda. Y llegaré en una caja de pino para que me entierren en México. Para que México me devuelva, de mi Imperio perdido, por lo menos tres metros de tierra.

Yo soy María Carlota de Bélgica, Emperatriz de México y de América. Yo soy María Carlota Amelia, descendiente de San Luis Rey de Francia y de la gran Emperatriz María Teresa de Austria. Yo soy María Carlota Amelia Victoria, biznieta de Felipe Igualdad y prima de la Emperatriz de la India, hija del Rey de Bélgica y mujer de Fernando Maximiliano de Habsburgo Emperador de México y Rey del Universo. Yo soy María Carlota Amelia Victoria Clementina, Regente de Anáhuac, Gran Duquesa del Valle de México, Baronesa de Cacahuamilpa. Yo soy María Carlota Amelia Victoria Clementina Leopoldina, Virreina del Caribe y de las Islas Malvinas, Gobernadora del Darién y de Paramaribo, Marquesa de Río Grande, Landgravesa del Paraguay, Zarina de Tejas y de la Alta California, Podestá de Uxmal, Condesa de Valparaíso: hoy vino el mensajero y con él y con Cecil Rhodes me fui a fundar un reino en Africa, con él y con Lawrence de Arabia me fui a pelear al Sahara contra los turcos, con él y con Julio Verne me fui a darle la vuelta al mundo en ochenta días. Me dijo el mensajero, Maximiliano, que fundaron la Liga de las Naciones, que se robaron a la Mona Lisa del Louvre, que se inauguró la Represa de Asuán, que se llevaron de Alejandría a Londres el Obelisco de Cleopatra, que al corrupto Zar de Bulgaria, Alejandro de Battemberg, lo secuestró el ejército ruso y lo obligó a abdicar, que se murieron de sífilis Dumas hijo, Baudelaire y Jules Goncourt, que murió el Conde Chambord sin dejar heredero al trono que nunca tuvo, y murió el ilustre tonto, el Zar Alejandro Tercero de Rusia, cuando se descarriló en Crimea el tren imperial, y que se murieron José Martí y Alexander Scriabin, Ferdinand de Lesseps y Gustave Eiffel, Gustave Klimt y Sara Bernhardt. Me dijo que renació el Ku-Klux-Klan y que en Atlanta inventaron la Cocacola y que tembló en la ciudad de México el día en que entró Madero, y que un terremoto destruyó San Francisco y un incendio redujo a cenizas Chicago y que los hombres de Plutarco Elías Calles derrotaron, en Colima, a los soldados de Cristo Rey. Me dijo también que Franz Wedekind escribió para mí Despertar de Primavera, y Rubén Darío los Cantos de Vida y Esperanza, me dijo, me juró que Rodin me dedicó El Beso y Joyce el monólogo de Molly Bloom y Offenbach La Gran Duquesa de Gérolstein y que para mí, pensando en mi sed y en mi locura, en el fuego que consume mi boca y mi vientre, para mí escribió, Ottorino Respighi, Las Fuentes de Roma.

Yo soy María Carlota de Bélgica, Emperatriz de México y de América. Hoy vino el mensajero y me trajo un ramo de flores de cempoalxóchitl. Me trajo, como nahual, al perro que acompañó a Quetzalcóatl en su viaje por el Mictlán. Me trajo una vajilla de barro negro de Oaxaca, la capa de plumas rojas de Bélgica, el penacho y el escudo del Emperador Moctezuma. Me trajo una cocina de azulejos de Puebla, me trajo el calendario azteca y me trajo una calavera tapizada con ágatas negras de los Montes Apalaches y me dijo que era la calavera de la Princesa Pocahontas, y me trajo una calavera tapizada con moscas azules y me dijo que era la calavera de Juana la Loca, y me trajo una calavera cubierta con tus besos y me dijo que era la calavera de María Carlota de Bélgica. Hoy vino el mensajero, Maximiliano, y me dijo que inventaron el celofán, y yo voy a envolver con celofán todos los rosales de Miramar para que se conserven vivos hasta tu llegada, que inventaron el celuloide y tú y yo vamos a jugar ping pong con una pelota de celuloide en la cubierta del Mauritania, que inventaron la máquina de lavar y tú y yo vamos a lavar con ella tu corbata de charro y mis rebozos, los uniformes de las pupilas de la Escuela Carlota y las sábanas del Castillo de Chapultepec, que inventaron el gas neón y yo mandé colocar en la torre más alta del Castillo de Bouchout un letrero luminoso que dice Viva México para que desde Ostende lo vean, con sus periscopios, los submarinos de Ludendorff.
Yo soy María Carlota Amelia Victoria Clementina Leopoldina, Princesa de la Nada y del Vacío, Soberana de la Espuma y de los Sueños, Reina de la Quimera y del Olvido, Emperatriz de la Mentira: hoy vino el mensajero a traerme noticias del Imperio, y me dijo que Carlos Lindbergh está cruzando el Atlántico en un pájaro de acero para llevarme de regreso a México.

Londres —5 Longton Grove—, 1976.
París —Maison du Mexique—, 1986.

Índice

ESTE VOLUMEN HA SIDO
IMPRESO EN MADRID, NOVIEMBRE DE 1987